JN157872

外傷専門診療ガイドライン JETEC 改訂第3版

J APAN
EXPERT
TRAUMA
EVALUATION AND
CARE

戦略と戦術，そしてチームマネジメント

監　　修：一般社団法人 日本外傷学会
編　　集：日本外傷学会外傷専門診療ガイドライン改訂第 3 版編集委員会
編集協力：一般社団法人 日本 Acute Care Surgery 学会，一般社団法人 日本脳神経外傷学会，
一般社団法人 日本集中治療医学会，一般社団法人 日本骨折治療学会，
一般社団法人 日本インターベンショナルラジオロジー学会

へるす出版

改訂第3版　序文

『外傷専門診療ガイドラインJETEC』は，『外傷初期診療ガイドラインJATEC』の上級テキストとして2014年に初版が船出し，今回で第3版を出版するに至りました。これも読者の皆様，執筆者，査読者ならびに編集関係各位のおかげであり，編集委員長として衷心より感謝の意を表したく存じます。

本書の外傷診療を網羅的に，戦略と戦術を継続して記載するという骨格は，先の第2版で概ね定まり，第3版もそれをほぼ踏襲するものとなりました。しかし，ただ単に第2版に上書きをするようなことのみでは，読者にとって面白みがなく，得られる情報も限られてしまうことが懸念されました。そこで，編集委員会で話し合った結果，論文的根拠で決着がついていない話題については，可及的にClinical Questions（CQ）として取り上げ，それに回答する議論を，本文とは切り離したCQコラムとして提示することにいたしました。その内容については，いくつかの論文を集めて論じたものや，エキスパートオピニオンを集計したものまでさまざまですが，読者にとって読みごたえのあるものになったと考えております。また，第2版ではあまり穿通性外傷の記載はありませんでしたが，元首相が銃弾に倒れた事件などもあり，銃創患者の診療戦略について，各論のなかに大幅に加筆いたしました。もちろん全般的に，第2版の不備なところの改訂や新しい知見を可及的に網羅して，アップデートされた内容となっております。

ただこれらを掲載するため，ページ数が大幅に増えてしまいました。一方で，適切なページ数というものも考慮する必要があり，JATECガイドラインや筆者間で重複して記載のある内容は，編集委員長の権限で削除させていただきました。最終的には，引用文献もより網羅的になり，情報量も本邦の外傷学の書物としては過去に例を見ない傑出したものになったと，編集委員長として自負しております。したがって，外傷診療に携わる読者の皆様には，とくに外傷専門医を目指す方々には，隅から隅まで完読していただきたいと思っております。さらに本書が，日々の臨床に実践活用されることで，わが国の外傷診療の質の向上につながっていくことを心から願っております。

最後に，他の書物より格段に多い編集作業を短期間でこなし，出版まで漕ぎつけていただいたへるす出版の皆様に，編集委員会を代表して感謝いたします。

2023年5月吉日

一般社団法人 日本外傷学会　理　事

日本外傷学会外傷専門診療ガイドライン改訂第3版編集委員会　委員長

木村　昭夫

改訂第2版　序文

一般社団法人日本外傷学会は，外傷専門医を「重症外傷患者では，多くの場合，身体の複数の部位が損傷を受けるため，専門分化した外科系基本領域診療科のみによる対応では，診療が困難な場合が生じる。複数診療科の医師が多数集まって診療を開始しても，治療の順序と構成を誤れば良い結果を得ることはできない。緊急度・重症度の高い外傷に対して，限られた時間内に，横断的に検査や治療の優先順位を判断でき，外傷診療に精通した**リーダーとなる医師**」と定義しており，本書『外傷専門診療ガイドラインJETEC™ (Japan Expert Trauma Evaluation and Care)』は，日本外傷学会が認定する外傷専門医に必要な知識をまとめた診療ガイドラインとして，バイブル的な位置付けを目指したものであります。

2014年に発刊された初版では，個々の損傷に対する診療ガイドライン等を集めた形式をとりました。第2版ではclinical questionsを設定し，それに回答していく診療ガイドラインの形式をとることも考慮しましたが，外傷学は全身多岐にわたり，そういった形で統一することははなはだ困難で，かえって必要な情報を伝えられない可能性が高まるのではないかと判断したため，第2版も初版と同様の形式を踏襲することにいたしました。ただし，個々の損傷の診療ガイドラインを中心とした文献収集をより網羅的に行い，記述の客観性を高めるために，根拠となる研究結果の疫学的信頼性に基づく推奨レベルに応じた推奨表現を統一的に用いることにいたしました。初版は，そのチャレンジングな構成のためか，重複や若干の矛盾点もあり，決して読みやすいとは言い難かったように思います。とくに戦略と戦術は概念上分けて記載しましたが，実践上は明確に分離できるものではないと考えました。したがって，第2版では，損傷部位の1カテゴリーにおいて，戦略と戦術を連続して記載することにいたしました。各章間の矛盾や重複は編集段階で調整し，『外傷初期診療ガイドラインJATEC™』との重複も可及的に回避いたしました。

外傷専門医のコンピテンシーの1つである「チームコーディネート能力」の重要性から「チームアプローチ」の章を充実させ，読者の皆様にしっかりと読んでいただけるよう，Ⅱ章に配置いたしました。さらに最近その診療方法が明確にされてきた「爆傷」についても新たに項目を設けることにいたしました。

以上の改訂により，第2版ではその内容がより洗練され，読者の方々の満足度も高まるのではないかと自負しております。また，外傷専門医を目指す医師に留まらず，外傷学の標準的な参考図書として，『外傷初期診療ガイドラインJATEC™』と同様，外傷診療に関わる医療従事者の方々に，広く活用されることを期待しております。

最後に編集委員長として，厳しい要望に応えて原稿を執筆していただいた執筆者の皆様，また執筆内容を詳細に吟味していただいた査読者ならびに編集委員，日本外傷学会理事の皆様，多大な時間を費やしてこれらの方々のさまざまな要求に辛抱強く対応していただいた伊藤様，秦様をはじめとしたへるす出版の編集者の皆様に，心から感謝いたします。

2018年5月吉日

日本外傷学会外傷専門診療ガイドライン改訂第2版編集委員会　委 員 長
一般社団法人 日本外傷学会　代表理事
木村　昭夫

初版　序文

『外傷初期診療ガイドライン JATEC』初版の序文冒頭に,「外傷診療の質向上には,まず急性期に『防ぎえる死亡』を回避することが最大の課題である。救命後の良好な機能予後と質の高い社会復帰も,その多くの要素は初期治療の是非に依存している。このため,外傷患者の初期診療にあたる医師の責任はきわめて重要である。日常の救急医療現場では多様な診療科の医師が外傷患者の初期治療にあたっている。しかしわが国では,重症外傷患者の初期治療に関して卒前・卒後教育が十分でなく,外傷診療の質向上のためには外傷診療の研修を充実させることが急務である」とある。

当時,外傷外科研修ガイドライン作成委員会（2000年発足；現在,外傷研修コース開発委員会）では外傷診療の標準化と研修コースの開発について議論を重ねた結果,その診療の範囲があまりにも広すぎるため,①初期診療と②根本治療を行う専門診療とに分けることにした。初期診療に焦点を当てた研修コースを「Japan Advanced Trauma Evaluation and Care；JATEC」と称し,その基本となるテキストを「外傷初期診療ガイドライン JATEC」として初版を2002年に上梓し,以降,改訂を重ねてきた。同時にスタートさせたJATECコースも確実にその成果を収めてきた。その理念はpreventable trauma deathを回避することを目的に生理学的徴候の異常から診療を開始することを推奨し,「一人の医師」で対応する状況を設定している。

一方,根本治療に焦点を当てた専門診療の研修（Japan Expert Trauma Evaluation and Care；JETEC）については,そのニーズが高いものの着手するのが困難であった。その背景には,コース開発や運営維持に人的,財政的な負担が大きいことも一因であるが,JETECの目的と守備範囲が明確でなかったことである。しかし,JETECの位置づけを明確にすることは本学会が担う専門分野や専門医の資格要件と不可分の関係にあることから,本学会の最重要課題と位置づけた。2012年7月,外傷研修コース開発委員会,日本救急医学会JATECコース企画運営委員会の委員に加え,専門医委員や専門医検討特別委員も関与して,JETECの検討を開始した。そのなかで,「JATECの引き継ぎ」,「専門性」,「根本治療」,「意思決定」,「チーム医療」,「トータルマネージメント」等が強調され,これらがJETECの方向性を決定するキーワードと考えられた。したがって,JETECは「JATECで指導する初期診療を引き継ぎ,チームとして質の高い根本治療と患者管理が行える」ことを一般目標とすることで意見が一致し,JETEC編集委員会（委員長：田中　裕）を設置して「外傷専門診療ガイドライン JETEC」を策定するに至った。

外傷診療の専門性は,“multidisciplinary approach”の質を保証する仕組みに尽きる。そのために各損傷の治療に必要な知識や技能を向上させなければならいことは言うまでもないが,それ以上に診療の組み立てや管理能力を磨く必要がある。前者を「戦術」と表現すれば，後者は「戦略」ということになろう。手術や処置に関する「戦術」については，術式の創意工夫や新しいデバイスの開発などにより変化し，状況に応じた多彩な手法が存在する。一方，「戦略」は人，物，技術の管理であり，限られた時間経過のなかでの意思決定も含まれる。「戦略」に標準化はなじまないが，その展開には一定の理論が存在する。外傷診療を専門とする者にはこの戦略立案の能力を期待したい。したがって，本書JETECでは「外傷治療戦略」に力点を置いた。手術などの「外傷治療戦術」については代表的なものにとどめてある。不足する部分は関連する診療科の手術書や日々紹介される学術誌を参考にしていただきたい。

本書が外傷診療を専門とする医師のバイブルであると同時に，関連する診療科の医師にとっては外傷診療に専従する際のテキストとして活用していただきたい。さらに本書の内容を実践することで，わが国に質の高い外傷診療体制が整備されていくことを願っている。

2014年6月吉日

一般社団法人　日本外傷学会
代表理事　横田順一朗

監　修：一般社団法人 日本外傷学会

編　集：日本外傷学会外傷専門診療ガイドライン改訂第3版編集委員会

編集委員長

木村　昭夫

編集委員

岩瀬　弘明，中江　竜太，船曳　知弘，溝端　康光，横堀　將司，渡部　広明

執筆者

荒木　　尚，伊澤　祥光，石原　　諭，一ノ瀬嘉明，井上　　聡，井上　潤一，
井上　尚美，井上　貴昭，岩瀬　史明，内野　隼材，梅澤　裕己，江口　英人，
岡　　和幸，織田　　順，神田　倫秀，小谷　穣治，小林　誠人，齋藤　大蔵，
齋藤　伸行，櫻井　敦志，佐々木　亮，佐藤　　徹，澤口　　毅，澤野　　誠，
妹尾　聡美，高橋　善明，鶴田　良介，土井　智喜，中尾　彰太，永嶋　　太，
林田　和之，比良　英司，藤見　　聡，本間　　宙，益子　一樹，松村　洋輔，
水島　靖明，水村幸之助，森井　北斗，森下　幸治，森村　尚登，八幡　直志，
山川　泰明，山村　　仁，横田順一朗，和田　剛志

執筆協力者

朝見　正宏，五十嵐　豊，伊藤　　香，稲葉　基高，井口　浩一，植村　　樹，
臼井　章浩，内田健一郎，内田　靖之，大野　孝則，大桃　丈知，岡田　一郎，
小倉　裕司，川原　加苗，丸藤　　哲，金　　史英，工藤　大介，黒住　健人，
坂平　英樹，佐藤　格夫，塩見　直人，清水　正幸，清水　義博，白濵　正博，
末廣　栄一，杉山　　誠，竹上　徹郎，田中　　将，田中　　裕，谷河　　篤，
対比地加奈子，角山泰一朗，富永　直樹，中嶋　隆行，中島　洋介，中森　　靖，
並木　　淳，原　　義明，平尾　朋仁，普久原朝海，藤田　　尚，堀田　和子，
本間　正人，松岡　哲也，松本　純一，村上　壮一，村田　希吉，八ツ繁　寛，
柳井　真知，山本　博崇，葉　季久雄，吉矢　和久

（50音順）

編集協力学会

一般社団法人 日本骨折治療学会（鈴木　　卓）
一般社団法人 日本脳神経外傷学会（刈部　　博）
一般社団法人 日本インターベンショナルラジオロジー学会（近藤　浩史）
一般社団法人 日本Acute Care Surgery学会（中堤　啓太，村上　壮一）
一般社団法人 日本集中治療医学会
（江木　盛時，小倉　真治，垣花　泰之，黒田　泰弘，佐藤　直樹，志馬　伸朗，
谷口　　巧，土井　研人，西田　　修，藤谷　茂樹，藤野　裕士，升田　好樹）

目　次

JAPAN EXPERT TRAUMA EVALUATION AND CARE

J 四肢外傷 332

C 循環管理 411

D 頭蓋内圧管理 425

5章 off-the-job training (simulation training) 535

本書における「推奨レベル」

「推奨レベル」は，原則として引用したガイドラインの記載法に基づき記載した。もっとも多く引用されている「The Eastern Association for the Surgery of Trauma, guidelines practice management（EASTガイドライン）」では，推奨レベルⅠが無作為比較試験やメタアナリシスなど質の高い疫学的根拠に基づいたもっとも強い推奨レベルであり，推奨レベルⅢは後方視的に収集されたケースシリーズに基づくもっとも弱い推奨レベルになっている。

CQについて

本書では，決着がついていない話題についてClinical Questions (CQ) として取り上げた。また，文献的根拠の乏しいものについては，外傷専門医によるコンセンサス会議の投票により，エキスパートオピニオンとして一定の方向性を示した。

CQ協力者

朝見 正宏，五十嵐 豊，石原 諭，伊藤 香，稲葉 基高，井上 潤一，井口 浩一，岩瀬 弘明，植村 樹，内田健一郎，内野 隼材，江口 英人，大野 孝則，大桃 丈知，川原 加苗，神田 倫秀，木村 昭夫，金 史英，黒住 健人，小林 誠人，坂平 英樹，佐藤 格夫，塩見 直人，清水 義博，清水 正幸，末廣 栄一，杉山 誠，竹上 徹郎，谷河 篤，富永 直樹，中江 竜太，永嶋 太，並木 淳，林田 和之，原 義明，比良 英司，平尾 朋仁，船曵 知弘，堀田 和子，本間 正人，益子 一樹，松本 純一，水島 靖明，村上 壮一，村田 希吉，森井 北斗，森下 幸治，八ツ繁 寛，八幡 直志，山川 泰明，山本 博崇，横堀 將司，和田 剛志，渡部 広明

CQ一覧

1章
外傷診療体系論

要約

1. 受傷から社会復帰までの外傷診療体制と，この体制の改善を図る仕組みとを合わせて外傷診療体系という。
2. 外傷診療体系は，病院前医療および診療についての標準化，関与する医療スタッフの共通認識および専門集団の育成が中核をなし，外傷登録の分析など多面的な研究を通してその改善を図る。
3. 救急隊による病院前救護においては，傷病者の観察，処置に留まらず，医療機関選定と搬送が重要であり，地域全体を俯瞰したシステム化を図る。
4. 外傷診療体制においては，戦略の決定，戦術の実践および多職種による組織（外傷チーム）構築が重要であり，迅速性と的確性が個人ならびに施設の能力として求められる。

はじめに

外傷診療の目標（表1-1）は，まずは患者の確実な救命である。その次に患者の機能障害を最小にすることであり，3番目に整容的な障害を最小限にとどめることである。結果，心身ともに受傷前の状態近くに復帰させることが最終的な診療のゴールとなる。

そのためには，救急隊による傷病者観察，救急救命処置，医療機関選定，搬送，医療機関への引き継ぎ，初期診療，集中治療，各領域の専門医による根本治療，リハビリテーションから社会復帰まで，適切な救護と診療が連続して提供される体制（トータルマネジメント）が不可欠である[1)]。

JATEC™が，個々の医師に対し「防ぎ得る外傷死（preventable trauma death；PTD）」を回避するために標準的な初期診療手順を示したのに対して，JETEC™の目指すところは，外傷診療の目標のすべてを実現するために質の高い専門診療を実践することである。そのために必要な能力は多岐にわたり，個々の医師だけでの達成は困難である。したがって，JETECの目標を達成するには，重症外傷診療に関する共通認識を有するスタッフの組織化が要となる。

表1-1　外傷診療の目標

1. 確実な救命
2. 機能障害の最小化
3. 整容的障害の最小化

表1-2に，JATECとJETECにおける個別到達目標を示した。JETECは，「JATECで指導する初期診療を引き継ぎ，質の高い外傷専門診療をチームとして行える」ことを一般目標とし，個別には「高度で確実な蘇生，救命処置」「治療戦略の決定と戦術の実践」「損傷の根本治療」「全身管理（集中治療）」「診療体制の構築とチームマネジメント」「トータルマネジメント」などの遂行を目標とする。

外傷診療は救急医療と同様に，その領域は多分野にまたがり，集学的なアプローチと多職種が連携する対応が求められる。安全で質の高い診療を提供するためには，外傷診療全体を俯瞰する外傷診療体系の構築が重要である。外傷診療体系には，病院前医療体制と病院内診療体制からなる外傷診療体制の整備，外傷診療の標準化，診療スタッフ育成プログラムの運用，患者登録制度を用いた分析によるPDCAサイクルの確立などが含まれる[1)]。

表1-2　JATECとJETECの個別到達目標の比較

	JATEC	JETEC
守備範囲	初期評価と蘇生	蘇生，根本治療，集中治療
状況設定1	1人の医師による診療	チーム医療として展開
状況設定2	施設・体制は問わない	外傷診療に相応しい施設・体制
一般目標	防ぎ得る外傷死の回避	質の高い専門診療
個別行動目標1	primary surveyと蘇生を行える	高度で確実な蘇生，救命処置を行える
個別行動目標2	secondary surveyを行い，損傷に応じた診療科を紹介できる	治療戦略の決定と戦術の実践
個別行動目標3	tertiary surveyが行える	損傷の根本治療が行える
個別行動目標4		全身管理が行える（集中治療）
個別行動目標5		診療体制の構築とチームマネジメントができる
個別行動目標6		トータルマネジメント

本章では，「外傷診療体系」の概略を解説し，「外傷診療方法論」として「原則」と「特殊性」について，「外傷診療に求められる能力」として「個人の能力」と「組織の能力」について述べる。

I　外傷診療体系

理想的な外傷診療体制の構築には，医療機関へのアクセス，病院前医療と救急搬送，質の維持された診療およびリハビリテーションなどの社会復帰までの体制整備と，損傷形態や重症度が多様な傷病や多数傷病発生時にも適切な対応が可能な救急医療体制としての整備とが欠かせない。受傷から社会復帰まで切れ目なく診療する体制を外傷診療体制と呼び，これに質の改善を図るさまざまな取り組みを包括して外傷診療体系という（図1-1）。

米国では，外傷診療に関連するすべての要素を含め，“inclusive trauma system”との名称で「外傷診療体系」を確立させてきた[1]。一方，わが国においては，初期診療の標準化とoff-the-job training（off-JT）の普及（JATECなど）[2]，メディカルコントロールによる病院前救護の向上[3]，外傷登録などによる疫学研究[4]など，個別事案ではそれぞれに充実した段階にあるが，外傷診療にふさわしい人および施設のあり方，学術分野としての専門性，医療制度への組み込み，社会生活における外傷予防や受傷後の生活支援などを有機的に連携させ，社会医学としての体系化が求められる。外傷診療体系の目標とするところは，診療の質，医療体制や公衆衛生の充実であり，それぞれについて解説する。

1. 診　療

初期診療にあたる緊急の場面では，重症患者に適切な治療が施せる専門医の存在が不可欠であり，この育成こそ喫緊の課題である。専門性の高い外傷診療は，“multidisciplinary approach”と“trauma resuscitation”とが実践できてはじめて発揮可能となる。そのために各損傷の治療に必要な知識や技能を向上させなければならないが，それ以上に診療の組み立てや管理能力を磨く必要がある。前者を「戦術」と表現すれば，後者は「戦略」であり，これらの能力向上に力を注ごうとしているのが本書である。

診療の質を向上させる方略として，まずガイドラインに沿った診療を展開することである。その後，症例検討，M＆Mカンファレンス，ピアレビュー，文献に基づくレビューなどを通してフィードバックを行い，チームスタッフの技能や治療戦略の改善を図る。そのためには，評価・検証に必要な資料として診療録記載が不可欠であり，バイタルサインの推移や蘇生による反応，正確な傷病名と重症度，治療内容などの文書化など文書と各種検査データの整理が必要となる。

外傷診療能力は，診療にあたる人的要素だけでなく，チーム医療を展開できる組織に求められるべきである。わが国では体制整備のなされている地域はまだまだ少なく，学術団体と行政とで認定される「外傷センター」の標榜を検討すべきである。

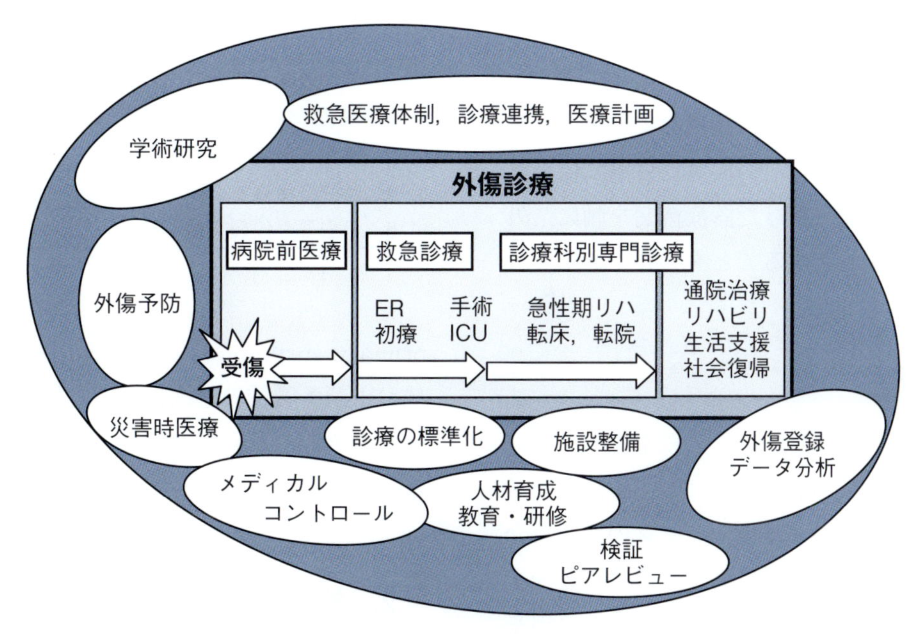

図1-1　外傷診療体系

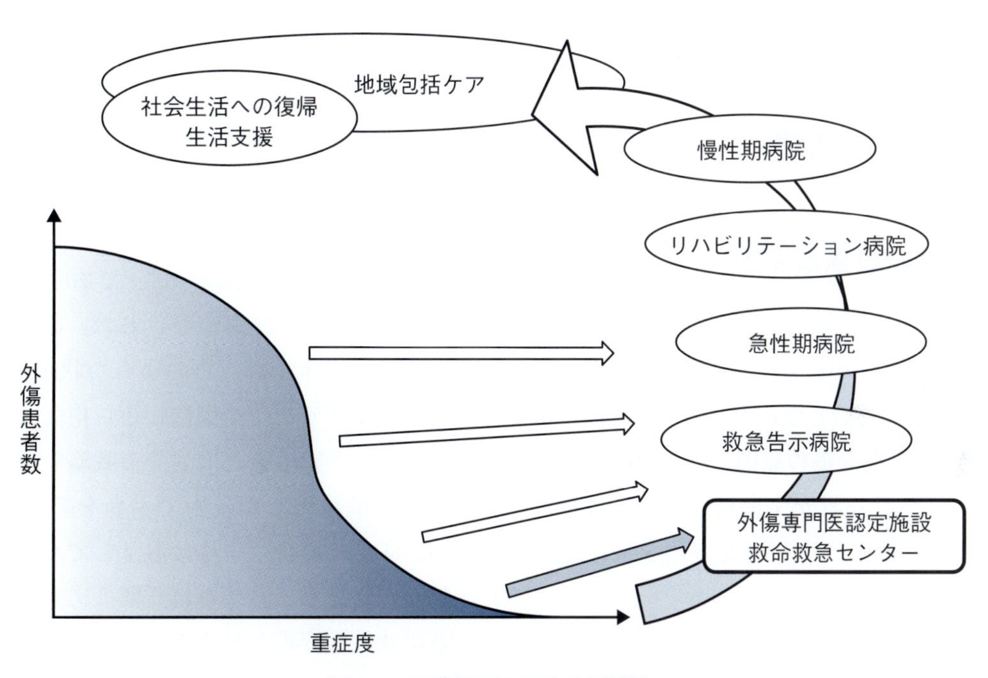

図1-2　医療圏での診療体制構築

2. 救急医療

医療圏に有能な診療チームや施設が存在しても活用できなければ意味がない。“The right patient in the right time to the right place”という格言があるが，傷病者の病態に応じた医療機関選定がきわめて重要であり，地域のメディカルコントロール協議会の活動にその責務が求められる。また，傷病者総数に占める重症比率が限定的である反面，大多数を占める軽症・中等症の受診先として地域の医療資源を有効に活用し，地域全体として外傷診療の体制を構築する必要がある（図1-2）。外傷診療体制については後で詳しく解説するが，災害時においてもこの体制で構築されているネットワークが活用される。

質向上の対策としては，医療圏単位で外傷患者の動向を把握し，治療成績，転帰などを検証する。救急要請となった場合はメディカルコントロール体制の下で質を保障する一方，フリーアクセスとなる一般住民に対しては，ファーストエイド，医療機関案内，外傷予防などの啓発を図ることも大事である。

さらに，共通した傷病登録（外傷データバンク）の分析結果から，個々の症例検証だけでなく，施設・地域間のベンチマークも行い，診療および医療体制の改善を図らなければならない。医療資源に偏りがあれば，重症外傷診療に長けた診療機関を軸に，外傷に固有の医療圏を設定することも必要である。

3. 社会医学

外傷診療体系の究極の目的は，公衆衛生の向上にある。これは地域社会の危機管理として事故防止対策に始まり，医療・リハビリテーションの適切な介入，さらに障害者の生活支援に至るまでの質と安全の保障が求められる。傷病がもたらす経済的負担や生産性の低下は社会保障における最大の課題であり，外傷の社会医学としての体系化が重要である。

II 外傷診療方法論

1. 外傷診療の目標と原則

外傷診療の第一の目標である外傷患者の「確実な救命」を可能にするためには，JATECの教える外傷初期診療理論を再認識しなければならない[2]。表1-3に示した外傷初期診療の原則は，外傷診療全般に当てはまる。「生命を脅かす病態，つまりは生理学的徴候の異常を把握し，その安定化を最優先する」ことが大原則である。

したがって重症外傷患者を診療する施設では，外傷初期診療のprimary surveyにおいて認められた異常を安定化するための高度な手技（手術やIVR）を直ちに実施できる能力や体制を整備しておく。例えば，初期輸液で循環［C］の異常が改善しない出血性ショック患者に対しては，直ちに輸血療法を開始するとともに「確定診断に固執せず」蘇生的な緊急止血術を行う。そのために，輸血部や放射線科，あるいは手術部と連携する。一刻も早い［C］の安定化を得るためには，「時間を重視」する。また，さらなる侵襲的処置や手術がかえって患者の容態を悪化させることがあるため，「不必要な侵襲を加えない」ことが重要である。

以上より，重症外傷患者を診療する施設では，primary surveyの時点から運用可能な，多専門領域および多職種の連携による，外傷診療に関する共通認識をもった外傷診療チームの整備が不可欠である。

表1-3　JATECが教える外傷初期診療の原則

1. 生命を脅かす病態への対応を最優先する
2. 最初に生理学的徴候の異常を把握する
3. 確定診断に固執しない
4. 時間を重視する
5. 不必要な侵襲を加えない

2. 外傷診療の要素とその特殊性

外傷患者の「確実な救命」には，外傷診療の特殊性を理解しておかなければならない。一見容態が安定したようにみえる患者であっても，突然悪化する場合がある。したがって，生理学的評価を繰り返し行い，異常を認めた場合は，直ちに蘇生を行わなくてはならない。

蘇生的な緊急止血術では，十分な術前検査は望むべくもなく，non-responderであり，ハイブリッドERなど特殊な設備がなければ，CT検査さえも行うことができない。このような状況下においては，バイタルサインや受傷機転から損傷形態や重症度を予測し，予定手術とは異なる戦略を用いて，可能なかぎり単純化した戦術で手術を終了せざるを得ない。多くの場合，現場は混乱しており，チームの統制が必要となる。さらに，臨機応変に戦略を変更する柔軟性も要求される。

Hirshbergら[5]は，手術を成功裏に完遂するための3つの要素として，「戦略（strategy）」「戦術（tactics）」「チーム（team）」の重要性を強調している。図1-3に示すように，重症外傷患者の救命には，「戦略」の決定，その戦略を達成するために必要な「戦術」の実践，そしてその戦略，戦術を完遂するための「チーム」ワークの構築が重要である。さらに「迅速性と的確性」がすべてにおいて求められる[6]。これら3つの要素は，外傷外科手術に限らず，外傷診療のあらゆる局面においても重要である。

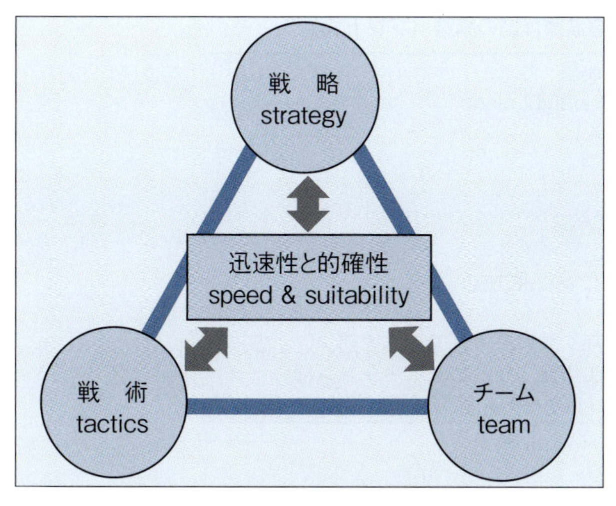

図1-3　重症外傷診療に必要な要素

Ⅲ 外傷診療に求められる能力

重症外傷患者に対して適切な診療を提供するためには，外傷診療体制の組織的な構築が不可欠である。したがって，外傷診療に求められる能力には，個人として習得しておくべき能力（個人の能力）と，組織的に整備しておく機能（組織の能力）がある[7)8)]。

1. 個人の能力

学会認定サブスペシャリティとして位置づけられた外傷専門医に求められる要件は，①戦略決断能力（decision making），②蘇生に必要な戦術の遂行能力，③チームコーディネート能力，④トータルマネジメント能力を習得し，実践できることである。

1）戦略決断能力（decision making）

戦略理論とは，「目的を達成するための大局的な方策に関する，論理的かつ実践的な知識の大系」である。外傷診療において，目的を達成するためには，それに必要な戦略理論を理解し，的確な戦略を迅速に決断し実践する能力が求められる。

治療戦略の例として，手術療法（operative management）か非手術療法（non-operative management；NOM）か，definitive surgeryを施行するかdamage control surgeryを選択するか，さらにはどの臓器損傷の治療を優先するかなどがあり，これらに対する判断能力が必要である。

また，外傷患者の救命には，手術やIVRなどの迅速・的確なinterventionの実施だけでなく，集中治療（周術期）における戦略も欠かすことはできない。機能予後の最善化を達成するためには，急性期からのリハビリテーションを含む，社会復帰のための戦略も含まれる。

2）蘇生に必要な戦術の遂行能力

外傷患者の蘇生は，外傷初期診療の基本に沿い，気道［A］・呼吸［B］・循環［C］の安定化を最優先し，その後切迫する中枢神経障害［D］に対処する。

蘇生に必要な戦術には，気道緊急（［A］の異常）時における気管挿管困難例に対する輪状甲状靱帯切開術，［B］の異常を呈する気胸や血胸に対する胸腔ドレナージ，フレイルチェストに対する陽圧補助換気によるinternal pneumatic stabilization（陽圧換気管理）などがある。

［C］の異常，とくに初期輸液に反応しない出血性ショック患者に対しては，蘇生の一環として迅速な止血術を実施する。止血戦術は，外傷診療施設のソフト面（診療体制），ハード面（診療設備）の整備状況によって変わる。容態の不安定な患者に対してはダメージコントロール戦略が選択されることが多く，輸液・輸血を中心とするdamage control resuscitationと，外傷死の三徴（低体温，代謝性アシドーシス，血液凝固障害）の回避を目的にしたdamage control surgeryが行われる。

また，閉塞性ショックの鑑別と処置ができなければならない。緊張性気胸に対する脱気や胸腔ドレナージの施行と心タンポナーデに対する心嚢穿刺および心嚢開窓術を迅速に行う能力が必要となる。

［D］に対しては，脳神経外科対応の準備を行いつつ，二次的脳損傷の最小化を図る体温［E］の異常としての低体温の回避も重要である。

3）チームコーディネート能力

重症外傷診療には，強いリーダーシップと良好なコミュニケーションに基づく質の高いチームアプローチが不可欠である。多発外傷などで患者の容態が重篤であるほど，多種多様な医療スタッフからなるチームを必要とする。スタッフは各々の高い専門性を前提として，目的と情報を共有し，業務を分担しつつも，お互いに連携・補完し合いながら，患者

表1-4　組織的に整備すべき機能：外傷診療体制の構築（ソフト面）

- 病院前医療体制との連携，病院前外傷診療体制
  "The right patient in the right time to the right place"
  ⇒メディカルコントロール（MC）体制
  ⇒ドクターカー・ラピッドカー運用体制
  ⇒ドクターヘリ運用体制
  ⇒重症外傷患者の集約化，トラウマバイパス
- 病院内診療体制
  ⇒初期診療との融合・継続性 → JATEC から JETEC
  ⇒外傷チームの整備
  ⇒他部門との連携→輸血部，臨床検査部，放射線検査部，手術部，
  　集中治療部，臨床工学部，リハビリテーション部
  ⇒専門診療科との連携→麻酔科，外科，放射線科，整形外科，脳神経外科など

の状況に応じた診療を行う。

初期診療では，時間的制約や空間的制約に加え，事前の調整が不十分で不確実な状況下で，多くの意思決定を行わざるを得ない。そのような環境下でのチームアプローチでは，「目的と戦略の明確化」「チームリーダーシップ」「明確で効果的なコミュニケーション」を行うことで，よりよいチームパフォーマンスを発揮できる[7)]。

チームリーダーは，指揮命令系統を確立し，適切な人員配置を行い，チームワークを構築するなど，強いリーダーシップが求められる。重症外傷診療には，このような外傷チームを立ち上げ，コーディネートする能力が必要となる。

4）トータルマネジメント能力

前述したように，良好な転帰をもたらすためには，救急隊による傷病者観察，処置，医療機関選定，搬送，外傷チームによる初期診療，蘇生，集中治療，各領域の専門医による根本治療，リハビリテーションから社会復帰まで，適切な診療が連続的に提供される体制の構築が不可欠である（図1-1参照）。

これらの一連の診療は個人で実践できるものではなく，チームとして，また組織として達成するものである。そして，これらの診療連携を可能にするにはトータルマネジメントする能力を有する人材が不可欠であり，そのような人材の育成もJETECの目標としている。

2. 組織の能力

外傷診療に求められる戦略理論とその実践には，個人が習得すべき知識・能力と組織的に整備すべき機能とがある。後者には，ソフト面（診療体制）とハード面（診療設備）の機能がある。

ソフト面として整備すべき外傷診療体制は，病院前医療体制と病院内診療体制からなる（表1-4）。病院前医療，救護の主役である救急救命士を中心とする救急隊員の活動の質を担保するために，メディカルコントロール体制の充実は不可欠である。搬送先医療機関の選定は，傷病者の転帰に大きな影響を与える。救急隊が傷病者を適切な医療機関に搬送するために，救急隊員による緊急度・重症度判断基準を整備し，周知徹底する必要がある。

病院内診療体制は，多職種・多専門領域の連携によって構築されるもので，なかでも外傷初期診療の中心的役割を担う外傷チームの整備が重要である。外傷チーム立ち上げの基準を明確にして，院内コンセンサスを得ておかなければならない。

ハード面として，重症外傷患者を診療する施設では，優先的に使用できる初療室，手術室，CT室，血管造影室が必要である。迅速かつ安全に患者を移動させるための動線の確保が重要であり，それらの部屋が隣接していると理想的である。とくに初療室では，多くのチームメンバーが活動できる十分なスペースが必要で，手術室への移動が困難な場合には，初療室で手術や麻酔・全身管理が実施できることが望ましい。そのほか，初期診療後に患者を収容するICUや，急性期リハビリテーションを提供するための設備も必要である。

Ⅳ 外傷診療体制

外傷診療では「人」と「組織」の両方の条件が揃っ

て初めて，決定した治療戦略に基づく戦術を正しく遂行できる。「人」とは医師，看護師，救急隊員などの医療関連職種とその能力を指し，「組織」とは前述した病院前から病院内までの外傷患者を取り巻くハード面と，診療に関係するさまざまな体制や組織との連携（ソフト面）を指す。

1. 病院前外傷救護体制

1）メディカルコントロール

病院前救護の主役をなすのは救急救命士を中心とした救急隊員である。救護活動の質を，医学的な観点から保証するのが“メディカルコントロール”である[3)9)～11)]。外傷専門医は救急隊員の行う傷病者観察や応急処置，搬送先医療機関の選定などの活動基準を定め，教育するとともに，オンラインによる活動支援や活動検証などを行う。

外傷傷病者に対する病院前救護活動は，病院前における外傷傷病者の観察・処置に関する標準ガイドラインとして作成されたJPTECに準拠して行われる。なかでも，外傷傷病者を適切にトリアージし，必要最小限の観察と処置を施して迅速に適切な医療機関に搬送することは，傷病者救命の第一段階である。この第一段階の成否は救急隊員の活動にかかっている。したがって，「外傷傷病者をいかにして外傷診療体制のレールの上に乗せるか」という命題は，「活動レベルをいかにして高めるか」という課題に帰結する。

この課題を解決しようとするのが“メディカルコントロール”であり，外傷傷病者に対するメディカルコントロール体制の確立が，外傷診療体制構築の第一歩となる。医療資源の整備状況が地域によって大きく異なる現状を考慮すると，地域ごとの実情に合わせた病院前救護活動のあり方を検討する必要がある。

2）トリアージ基準

外傷傷病者は，適切な医療機関（後述）へ搬送されなければ，良好な転帰は期待できない。救急隊員が外傷傷病者の重症度を的確に判断し，適切な医療機関を選定するためには基準が必要となる。1986年にAmerican College of Surgeons Committee on Trauma（ACS-COT）が提唱した“Field Triage Decision Scheme”を基本として，米国疾病予防管理センター（Centers for Disease Control and Prevention；CDC）がガイドライン[12)]を作成した。「生理学的評価」「解剖学的評価」「受傷機転」「既往症他」の4項目からなるトリアージ基準を示しており，JPTEC™もこれに準じたアルゴリズムを採用している。その後，CDCは2011年に改訂版ガイドラインを発表しており[13)]，わが国の基準もそれに伴い見直しが行われた（図1-4）[14)15)]。

重症外傷傷病者を適切な医療機関に搬送するためには，オーバートリアージを許容してアンダートリアージを回避することが重要である。外傷傷病者に対する救急現場におけるアンダートリアージの割合は，5%以下にすべきであると報告されている[16)]。

しかし，わが国ではACS-COTのトリアージ基準を改変した搬送先選定基準を用いた場合，アンダートリアージとなった傷病者の頻度は7.3%であったという報告がある[17)]。

アンダートリアージを回避するための具体的な方略の根幹は，メディカルコントロール体制に基づく救急隊活動プロトコルの策定とPDCAサイクルで表現される診療の質向上のための仕組み作りにある。プロトコルに組み込まれる緊急度・重症度判断基準の妥当性を検証し，判断基準を改良していくことが肝要である。現時点でわが国では軽症，中等症，重症の外傷を地域包括的に診る医療機関体制の整備が十分でないため，全外傷症例に共通して集積されているデータは消防機関が有する病院前情報に限定されることが多い。このため，地域全体のアンダートリアージの割合（当該地域の搬送先医療機関で重症と判定されたすべての外傷症例のうちで，重症対応用の医療機関に搬送していないケースの割合）を算出することが難しい現状にある[18)19)]。

したがって病院前救護体制の質の管理のためには，大阪府が先行して構築した[20)]ような，院外のみならず院内の症例データを包括的に管理する仕組みが不可欠である。

3）病院前外傷救護における処置

わが国では救急救命士が実施できる処置としては，外出血の止血と，酸素投与，気道確保，補助換気，頸椎カラーの装着，骨盤固定（SAM-Sling®，T-POD®やシーツラッピング法など）およびバッ

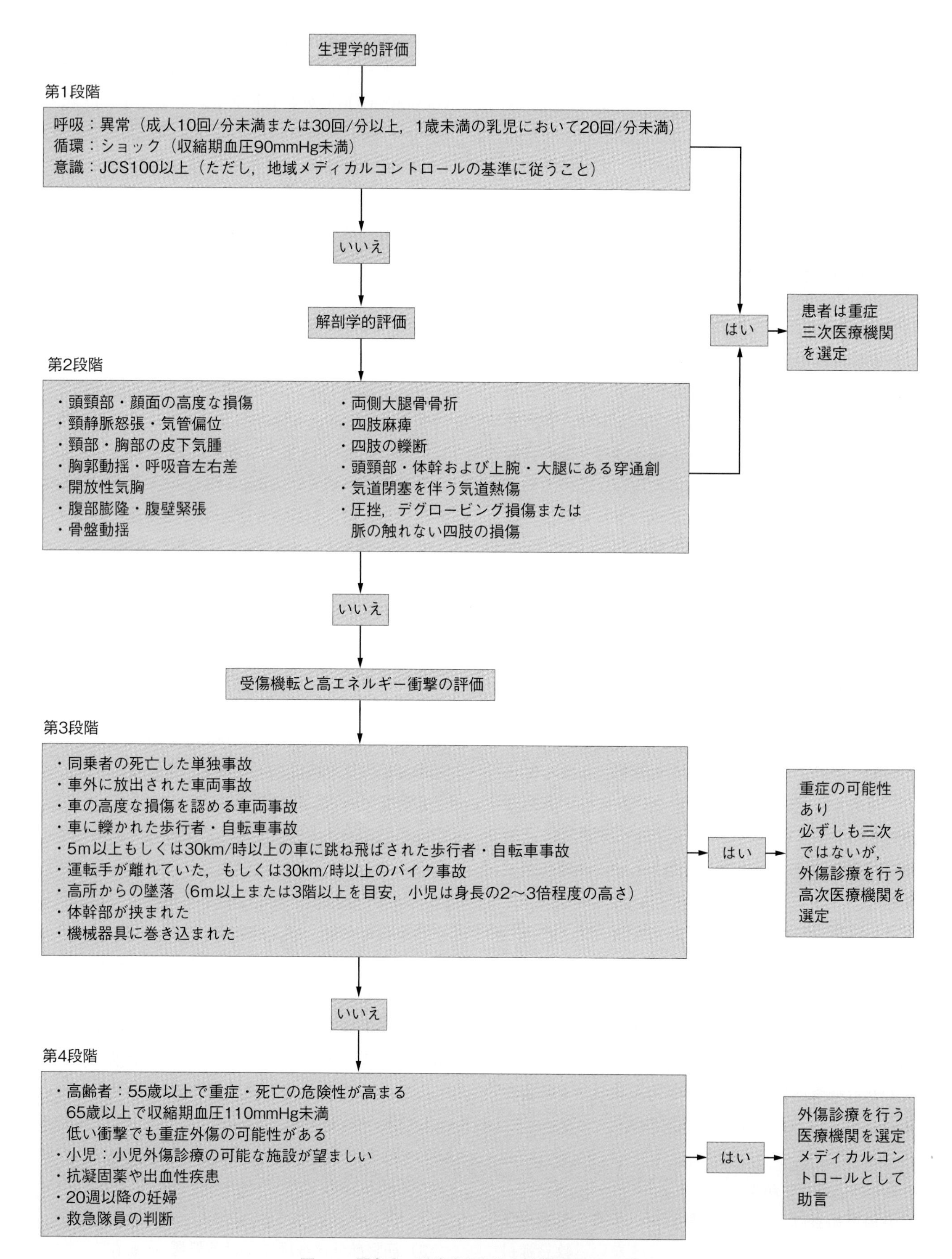

図1-4　緊急度・重症度評価と医療機関選定の基準

〔文献14）より引用〕

クボード固定に限定されてきたが，平成26年度より，ショックに対する輸液が可能となった。外傷に起因するショックに対する輸液は，有効性に関するエビデンスに乏しい。輸液速度，投与量についてはオンラインメディカルコントロールの指示によるが，基本的には急速輸液は控えたほうが安全であることが『JPTECガイドブック』にも明記されている[14)]。初期評価，全身観察，および迅速な搬送（ロード&ゴー）が静脈路確保，輸液投与よりも優先度が高い。

わが国が大規模国際競技大会の開催を控えていたことがあり，2018年に総務省消防庁は，爆発などによる多数傷病者発生現場において医療従事者の速やかな対応が得られない状況下の止血について関係機関に周知している。内容としては，非医療従事者である消防職員（救急隊員および準救急隊員を除く）による重度の四肢の大出血に対するターニケットを含む止血帯を用いた圧迫止血を，緊急やむを得ない措置として取り扱うというものである。救急隊員はすでに実施資格を有しており，他の消防職員も実施することによって現場対応力の向上を図るものである。出血に関連する解剖，生理，病態生理や，止血法の種類と止血の理論，ターニケットの使用方法と合併症についての講習を事前に受けている場合に，緊急措置として実施可能なものである。その実施状況については，必要に応じてメディカルコントロール協議会において事後検証が行われている[21)]。

2. 病院前外傷診療体制

1）ドクターヘリ

ここでいう「搬送」とは，一般的に“外傷傷病者を救急隊によって医療機関まで搬送すること”と理解されている。ヘリコプター救急（helicopter emergency medical service；HEMS）は，この「搬送」を請け負うシステムとして登場し，とくに国土の広大な米国などでは医療機関への搬送時間を短縮することを目的にHEMSが展開されている。米国のHEMSではフライトナースやパラメディックが主であり，医師の搭乗はわずか18%にすぎない[22)]。Hammanら[23)]は，経験のある看護師とパラメディックのみで高いレベルのプレホスピタルケアを提供できると報告し，Thomasら[24)]も，鈍的外傷傷病者の死亡率を低下させたと報告している。

一方，欧州のHEMSは，医師が救急現場に出動する形態をとりながら発展してきた。Schmidtら[25)]は，ドイツにおけるHEMS（医師/パラメディック）と米国におけるHEMS（看護師/パラメディック）を検討し，ドイツでは転帰の改善が得られたが，米国では有意な改善が認められず，医師による積極的なプレホスピタルケアが外傷症例の転帰改善に寄与したと報告している。そのほかにも，経験と技能を持ち合わせたHEMSスタッフによる外傷傷病者に対する現場活動の有効性が示されている[26)～30)]。

わが国の“ドクターヘリ”は，医師が救急現場に出動して早期に診療を開始するための“doctor delivery system”である。運用スタイルや地理的背景は欧州のそれらと同様であるため，米国でのHEMSとは異なる点も多い。救急現場における外傷診療は，初療室で行われる「（X線検査を除く）primary surveyと蘇生」をそのまま現場で行うことになる。何を行い，何を行わずに医療機関へ搬送するかは，現場に出動した医師の経験と裁量に委ねられるが，ドクターヘリによって外傷初期診療を現場で“前倒し”して実施できることは，外傷診療全体にも影響を与える可能性がある[31)]。

病院前診療の効果については明確なエビデンスは示されていないが，病院前救急診療が外傷患者の救命率向上のため寄与しているか，という問いに対して外傷専門医の投票を行ったところ，救命率の向上に寄与しているとの意見が84%を占めた。

また，ドクターヘリの機動性と広域性は，高度な外傷診療を提供できる医療機関に外傷患者を集約することを可能にする。ただし，その欠点は有視界飛行に制限されていることで，日照時間帯のみの運用であるとともに天候に左右されることである。

2）ドクターカー/ラピッドカー

前述したドクターヘリの欠点を解決する方策の1つとして，ドクターカー/ラピッドカーの運用がある。ドクターカーとは従来の高規格救急車に医師が乗り込んで救急現場に出動するものであり，ラピッドカーとは患者搬送用の寝台を備えず医師を現場に派遣するだけの緊急走行車両である。緊急車両をHEMSの補完手段，代替手段として運用した報告は少ないが[32)]，ロンドン中心部やオスロ東部では以前から稼働しており，ドイツなどでも普及している。

ドクターヘリであれ，ドクターカー/ラピッドカーであれ，医師が現場に出動することは，外傷初期診療の前倒しのみならず，正確な患者情報を搬送先医療機関に提供することによって医療機関搬入後の診療展開がより迅速になる効果も期待される。

3. 病院内における急性期外傷診療体制

医療機関の外傷診療体制の構築は，地域の外傷診療の質の向上に不可欠である。外傷診療では複数の医師，看護師，その他のメディカルスタッフが連携してチームで業務にあたる。したがって，初期診療から根本治療決定まで「チーム」としての評価と状況の認識，意思決定が求められる。チーム全体の診療能力を高めるためには，第一に指揮系統と役割分担の明確化を図らなければならない。これによりチームワークが構築され，構成員の個々の能力が相乗的に発揮される。第二に情報の収集と共有化の徹底が必要である。無駄なく円滑に情報を収集，共有し，チームリーダーが最終の意思決定を行う。以下，急性期外傷診療にあたるチームを外傷チームと呼称する。

1）外傷チーム

外傷チームに課せられる使命は，

- 患者の蘇生と安定化
- 外傷部位と緊急度・重症度の評価
- 治療の優先順位の決定
- 根本治療を実施するために最適なスペース・搬送先の選択：手術室，血管造影室，病院間搬送
- 全人的・人道的な診療

である[33]。

(1) チーム構成

外傷チームは24時間いつでも立ち上げられる必要がある。理想的な構成人数は，既報告では2～10人と幅広いが，一般に5～8人が妥当とされ，5人より少ないと1人当たりの業務に負担がかかり，8人を上回ると，例えばチームリーダーの指示や報告がすべてのスタッフに周知，共有されずに，連携が寸断され，時に不必要な手技の実施につながる[34]。

外傷チームの構成員[35][36]は，医療機関や地域の実情によって異なるが，リーダー医，診療担当医，気道管理医，診療介助医，リーダー看護師，診療介助看護師，診療放射線技師，臨床検査技師で構成される。これらの構成員とは別に，家族対応係や記録係が含まれるのが望ましい（表1-5）。さらに，損傷部位によって，外科系の各専門医の参加が必要となる。リーダー医は，チームメンバーからの情報を得て状況を把握しながら，診療方針や優先順位を決定し，チームに明確な方向性を与えなければならない。外傷診療に習熟した医師（外傷専門医）が24時間体制で外傷チームに参加することにより，蘇生に要する時間と手術開始までの時間を短縮することができる[37]。

表1-5　外傷チームの構成員

主たる構成員	別途，参加が望ましい構成員
• リーダー医 • 診療担当医 • 気道管理医 • 診療介助医 • リーダー看護師 • 診療介助看護師 • 診療放射線技師 • 臨床検査技師	• 家族対応係 • 記録係

(2) 外傷チームの立ち上げ（trauma team activation；TTA）

救急隊の搬送依頼に対しては，医師（救急科専門医あるいは外傷専門医が望ましい）が患者情報をもとに外傷チームの立ち上げを行う。独歩で来院した患者の場合は，最初に対応した看護師（トリアージナース）が行う。外傷チーム立ち上げの判断基準は，受傷機転，生理学的指標，外傷部位の3つのカテゴリーの情報をもとに作成されている[38)～40)]（表1-6）[41]。

ロード&ゴー症例の搬送依頼に対して，生理学的評価や解剖学的評価で異常を認める場合，直ちに外傷チームの立ち上げを行う。外傷診療に精通した救急科専門医が初療対応しない場合には，受傷機転のみからロード&ゴーと判断された症例に対しても，外傷チームを立ち上げる。外傷診療に精通した救急科専門医が初療対応する場合でも，必要とあれば外傷チームを待機させておく[42]（表1-7）。

ACS-COTは，2002年に成人および小児の外傷患者に対して，患者を待ち受ける体制の最適な基準として，6つの項目を提唱している[43)～45)]。ACS-6と呼ばれるもので，①年齢に応じた低血圧，②気道閉塞・呼吸異常，③輸血を受けている病院間搬送症例，

表1-6 外傷チームの立ち上げ基準

レベル1：フル対応
救急医，外傷外科医，外傷レジデントまたは外科上級レジデント，初級レジデント（2人），放射線技師，呼吸管理師，救急看護師（3人），上級あるいは麻酔レジデントは迅速に対応できるようにしておく
【生理学的基準】
•挿管後，もしくは気道の問題が予測される
•呼吸の異常　•意識レベルの低下
•収縮期血圧が一度でも100mmHgを下回った
【解剖学的基準】
•肘および膝より近位の穿通創
•肘および膝より近位での切断あるいはデグロービング損傷
•脊髄損傷　•フレイルチェスト
•骨盤骨折　•2本以上の長管骨骨折
【その他】
•救急医からの要請
レベル2：部分対応
救急医，外傷外科医，外傷レジデントまたは外科上級レジデント，初級レジデント，放射線技師，救急看護師（2人） 外傷外科医へは連絡をしておく その他必要に応じて
【生理学的基準】
•意識低下があったが現在は清明
【受傷機転基準】
•15フィート（4.5m）の墜落　•車両の大きな変形
•乗車空間の凹み　•同乗者の死亡
•車両の横転
•20マイル/時（32km/時）以上ではねられた歩行者
•車両からの飛び出し　•救出に20分以上
【その他】
•ヘリコプター搬送
•救急隊による要請

〔文献41）より引用・改変〕

④胸部・腹部・頸部のいずれかの銃創，⑤Glasgow Coma Scale（GCS）合計点8以下，⑥GCSの合計点2以上の急激な低下である。外傷チームの参集基準として，ACS-6を基本に，米国や北欧では施設ごとにさまざまな項目が追加され，実際に使用されている[1)46)47)]。

最近，reverse shock index multiplied by GCS（rSIG）という指標が，わが国から外傷重症度の簡易指針として提唱された[48)]。外傷チーム参集基準や大量輸血プロトコルの発動基準としても有用であることが報告され，国際的にも注目されている（CQ 01参照）[49)50)]。rSIGはshock index（SI）の逆数にGCSスコアをかける（もしくはGCSスコアをSIで割る）という簡単な計算で得られる簡便かつ有用と考えられる指標である。

2）院内部門間連携体制

JATECは一般的な医療機関における外傷初期診療のガイドラインを示したものであるため，初期診療後の根本治療は各専門診療科に委ねることとしている。すなわち，外科，脳神経外科，整形外科，麻酔科，放射線科などの外傷診療にかかわる各診療科医師が，すぐに診療に参加できることを前提にした初期診療のアプローチを示したものである。しかし，現実には必ずしもすべての医療機関でそのような対応がとられているわけではない。各専門診療科では外来，予定手術，予定検査などで余裕がなく，

◆Clinical questions◆　CQ 01

reverse shock index multiplied by Glasgow Coma Scale score（rSIG）は外傷チーム参集（trauma code）の指標として有用か？

A 外傷チーム参集の基準として，大量輸血，気管挿管，緊急処置，頭蓋内圧モニタリングを要する外傷患者（つまり外傷チーム参集を要する外傷患者）を識別するrSIGの能力は，shock index（SI）やrevised trauma score（RTS）など，ほかの指標と比較しても優位性が認められる研究が多かった。現場の医師が対応表などは用いずに比較的簡単に計算できるという利点もあり，rSIGは外傷チーム参集（trauma code）の指標として有用性が高いと判断できる。

文献

1）Kimura A, et al：Crit Care 2018；22：87.
2）Wu SC, et al：Int J Environ Res Public Health 2018；15：2346.
3）Wan-Ting C, et al：Sci Rep 2020；10：2095.
4）Lammers DT, et al：J Trauma Acute Care Surg 2021；90：21-26.
5）Lee YT, et al：Am J Emerg Med 2021；46：404-409.
6）Reppucci ML, et al：J Trauma Acute Care Surg 2022；92：69-73.
7）Frieler S, et al：Emerg Med J 2022；39：912-917.

表1-7 “ロード＆ゴー”症例に対する外傷チームの立ち上げ基準

ロード＆ゴーの判断根拠	外傷診療に精通した救急科専門医（外傷専門医など）による初療対応	
	あり	なし
生理学的評価・解剖学的評価に該当項目あり	外傷チーム立ち上げ	外傷チーム立ち上げ
受傷機転のみに該当項目あり	外傷チーム待機	外傷チーム立ち上げ

表1-8　関連部署との迅速な連携を想定した緊急度分類

Class A	不安定：直ちに外科的介入が必要な状態 ⇒これ以上の検査（X線検査，臨床検査）は不要 ⇒直ちに手術室へ移動，もしくは初療室での外科的介入 ⇒直ちに大量輸血プロトコルの開始（新鮮凍結血漿や血小板の投与を含む）
Class B	不安定：15～30分以内に外科的介入が必要となる可能性が高い状態 ⇒損傷によってはさらなる評価が必要 ⇒大量輸血が必要となる状態
Class C	安定：2時間以内の外科的介入の必要性が予測される状態 ⇒引き続きすべての損傷評価を行う（CT撮影など） ⇒血液型の判定と輸血の準備
Class D	安定：外科的介入の必要性はきわめて少ない状態

〔文献51）より引用・改変〕

突発的に発生する外傷診療にまで手が回らないこともしばしばである。このような医療機関では，初期診療を進めたとしても，結果的には治療方針の決定や根本治療の遅れを招くことになる。したがって，外傷診療を専門とする医療機関では，平素から上記各専門診療科の迅速な連携体制を確保しておかなければならず，院内での対応が困難，もしくは診療遅延が危惧される場合には，転送を躊躇してはならない。

また，外傷初期診療から根本治療を円滑に実施するためには，放射線検査部，臨床検査部，輸血部，手術部，集中治療部，臨床工学部，リハビリテーション部，看護部，薬剤部などとの連携体制の確保も重要である。外傷診療に欠かすことのできない外傷チーム，各専門診療科医師，各部門との連携が，病院前救護から，primary surveyと蘇生，secondary survey以降，根本治療の診療経過に即して必要である。どのタイミングで，各専門診療科医師や各部門にスタンバイを要請し，実際に参集および稼働させるかは，患者の容態や各施設の事情によっても異なるため，あらかじめ基準を定めて，院内のコンセンサスを得ておく必要がある。

輸血部や手術部，および臨床検査部との連携を想定した患者緊急度分類の一例を表1-8に示した[51]。病院前救護における救急隊やドクターヘリおよびドクターカー／ラピッドカー搭乗医師からの情報で判断できれば最善であるが，最低でもprimary surveyにおける生理学的評価や初期輸液に対する反応性から，外傷チームのリーダー医師が判断する。

各専門診療科医師や各部門との連携体制の整備基準を明確にし，遵守できるような体制整備が望まれる。また，施設内の外傷診療体制をコーディネートする管理者を配置し，診療の質を評価することによって外傷診療体制の確実な運用とさらなる充実を図ることが求められている。さらに，各スタッフのパフォーマンスの向上を図り患者の安全を確保するためのプログラムを構築し，恒常的に運用すること（performance improvement and patient safety；PIPS）が必要である。日本外傷学会地域包括的外傷診療体制検討特別委員会は，2021年の提言[52]のなかで，外傷診療施設の類型化を提案し，搬送適応基準と施設要件について記載している。内容を次項に詳述した。

4. 地域における外傷診療体制

多くの場合，外傷診療は一施設で完結できるものではない。したがって，地域における外傷診療体制の構築が必須である。2001年の厚生労働省班研究において38.6%というきわめて高い「防ぎ得る外傷死(preventable trauma death；PTD)」の割合(PTD rate；PDR)の存在とその大きな施設間格差が示され[53]，「防ぎ得る外傷死」減少に向けた対策の必要性が明らかとなった。

これを受けて同年，第15回日本外傷学会学術集会(2001，東京)において，今後のわが国の外傷診療の課題とあり方について検討が行われ，達成すべき以下の項目が提言された[54]。

1. 外傷医療がシステム医療であることの再認識
2. 外傷に対する病院前医療の標準化
3. アンダートリアージを回避するためのオーバートリアージを容認した搬送基準
4. 速やかな搬送手段(航空搬送)の確保
5. 外傷医療施設の認定
6. 外傷医療施設の質の評価
7. 外傷登録制度の導入
8. 外傷医療施設あたりの症例数確保
9. 医師に対する標準化した外傷診療教育
10. 外傷医療の重要性についての広報と社会に向けた啓発の必要性

これらは現在に至るまでに段階的に実現されてきた。しかしながら，外傷医療施設あたりの症例数確保に基づく質の高い外傷医療施設の設置はいまだ実現していない。症例数の多い医療施設ほど，PDRや機能予後が良好であることは知られている[55)~57]。

患者の集約化は上記課題の解決に向けた一手段とされるが，どのような患者をどこへ集約すべきかといった地域全体を俯瞰した議論はいまだ十分でなく，わが国の大きな課題の一つである。このような認識の下，2021年に日本外傷学会地域包括的外傷診療体制検討特別委員会が，先行報告[58)59]を参考にして地域における包括的外傷診療体制について提言[52]を行っている。地域全体の外傷症例の「死と後遺障害」の双方を回避するための包括的な診療体制の構築の基礎となる考え方を整理するとともに，地域ごとの医療体制や特性に影響を受けない包括的外傷診療体制の在り方を提言したものである(表1-9)。

V 重症外傷患者を診療する施設の要件

わが国においては，重症外傷患者に対する診療は主に救命救急センターが担っている。したがって，重症外傷患者を診療する施設は，救命救急センターとしての要件[60]を備えていることが前提となる。重症外傷の初期診療には，初療室(救急蘇生室)，手術室，CT室，および血管造影室は必須であり，初期診療後に患者を収容するICUも欠かすことはできない。これらに求められる要件を示し，理想的な外傷診療設備についても解説する。

1. 初療室(救急蘇生室)

要件の1つ目は，広さである。重症外傷患者の初期診療に必要な資器材の配置が可能で，かつ外傷チームやその他の関連する診療スタッフが参集しても十分活動できる広さが求められる。柱間隔の基本である6mをベースに考えると，重症患者受け入れのための独立した初療室は1患者当たり6m×6mが望ましく，最低でも3m×3mの活動スペースの確保が必要である。また，同時に2名以上の患者を収容できることが望ましい。

2つ目は，救急車搬入口からの動線である。救急車の車付けから初療室までの距離が短く，エレベーターを介することなく初療室に到達できる動線を確保すべきである。独歩来院した患者と交差しないことが望ましい。さらに，初療室は外傷チームやその他の関係スタッフが参集しやすい場所に位置し，十分なセキュリティガードがなされていることも重要である。

そのほか，蘇生的開胸・開腹などの手術が施行できる設備が求められる。無影灯は別室から運んでくるポータブル型ではなく，初療室の天井に固定されていることが望ましい。また，室温設定可能な空調設備や，十分な換気設備も必要である。院内感染の温床となる可能性もあるため，人工呼吸器の回路や患者移動のスライダーなどは患者ごとに交換ができるように配慮する。

表1-10に，救命救急センターの初療室に一般的に配備されているもの以外で，重症外傷診療に必要

表1-9　地域における包括的外傷診療体制についての提言（概要）

概念

地域における包括的外傷診療体制は，市民が受傷した際にその重症度にかかわらず，「確実な救命，機能予後の最善化，整容的後遺障害の最小化」を地域において図る仕組みである。またその体制は地域の医療計画に組み込み，学術団体が連携して策定するものである。

定義

「地域における包括的外傷診療体制（Inclusive Trauma Care System；ITCS)」とは，受傷した市民の救命と社会復帰を目指して，必要に応じた適時の救命医療と再建的医療そしてリハビリテーションを継ぎ目なく提供する体制をいう。なお，ここでいう「地域」は，地域メディカルコントロール協議会を最小単位とした単独ないし複数単位のエリアを指す。

要素と責務

1．ITCSにおいては，既存の外傷診療施設を中心に機能の分担を図り，各々外傷蘇生センター（Trauma Resuscitation Center)，外傷再建センター（Trauma Reconstruction Center)，外傷リハビリテーションセンター（Trauma Rehabilitation Center）と呼称し，主として，生命予後ならびに機能予後の双方またはいずれかの視点から重症である症例（生命的ないし機能的重症例）のうち，地域で定めた対象症例に対応する。
　（ア）外傷蘇生センターは，急性期の蘇生，救命救急医療，集中治療を提供する部門である。
　（イ）外傷再建センターは，機能再建のための医療を提供する部門である。
　（ウ）外傷リハビリテーションセンターは，リハビリテーションを提供する部門である。
2．地域の医療体制や特性に基づき3つのセンターの機能を地域全体で発揮する必要がある。例えばある地域においては1つの施設がすべてのセンターの機能を担い，ある地域においては複数のセンターが機能を分担することも考えられる。
3．ITCSにおいては，上記の「地域で定めた対象症例以外」の重症例やその他の非重症例ならびに既存症が重篤な例や小児例などの受け入れ困難例に対する診療体制も併せて構築する必要がある。その体制は3つのセンターの機能と強固に連携するものでなくてはならない。
4．外傷病態の多様性と受傷から社会復帰に至る過程を網羅的かつ切れ目なく対応する必要性に鑑み，3つのセンターの組織ならびに人員構成は，既存の診療科や救急医療機関の枠組みにとらわれず策定する。
5．ITCSにおける行政の役割は，センター施設の指定，ならびに既存の外傷診療施設を中心に構成される「包括的外傷診療体制構築検討会議」の設置，事業支援，継続的な質の向上を図るための検証・改善体制の構築にある。
6．ITCS構築にあたり，救急搬送に係るメディカルコントロール体制の関与は不可欠である。とくに外傷蘇生センターおよび外傷再建センター搬送適応症例の観察・判断・搬送先基準の策定，基準に拠るプロトコルの研修と救急活動に係る検証を，地域メディカルコントロール協議会単独あるいは複数が連携して行う必要がある。
7．ITCSにおける学術団体の役割は，センター指定要件に係る学術的根拠の提示，学術的知見に基づく検証，教育研修の実践，外傷データバンクの運用，行政に向けたエビデンスに基づく学会声明・提言の策定である。
8．ITCSを構築するには，外傷死亡例の地域疫学調査によってPTDの症例数，PDR等を明らかにし，ITCSの課題抽出や継続的な評価を目的にしたデータベースの構築が重要である。

〔文献52)より引用・改変〕

な機器および物品を示した。図1-5は，ACS-COTが提唱した初療室のレイアウトである[61]。図1-6は，それを参考にして整備した一例である。図1-6a，bに初療活動境界線と外傷チーム活動エリアを示した。現場の混乱を避けるために，直接診療に携わらないスタッフの活動エリアへの侵入を制限することは重要であり，活動エリアへの侵入はリーダー医の指示により行われる。図1-6c，dに，初療室の機器の配備状況を示した。初療室で緊急手術が行えるように，初療ベッドは手術台として使用できるものにし，天吊りの無影灯が備え付けられている。

初療室での画像診断に最低限必要な設備は，超音波装置，ポータブルX線撮影装置と画像所見を読影するための画像ビューアーである。ポータブルX線撮影装置が外傷患者の搬入前に初療室に移動可能であれば，常設しておく必要はない。

2. 手術室

重症外傷患者を診療する施設では，さまざまな緊急手術にいつでも対応できる手術室の確保が求められる。開胸，開腹，開頭・穿頭術に対応できる機器の整備は基本であり，心・血管損傷，四肢・骨盤外傷に対する手術機器，さらには人工心肺装置や顕微鏡手術台，X線透視装置などが必要となる。

外傷患者の緊急手術に対応する手術室は，多くの物品を配置できる広さがあり，初療室から容易にアクセスできることが望ましい。初療室に隣接した専

表1-10 重症外傷診療に必要な初療室の機器および物品（救命救急センター初療室に必須の機器・物品以外）

A：気道管理
　口腔内大量出血ならびにdifficult airwayに対応するために必要なもの
　　• 輪状甲状靱帯穿刺・切開に必要な物品
　　• 気管支鏡と光源*
　*初療室の近くにあり，必要時，直ちに使用できればよい

B：呼吸管理
　　• PEEPをかけることができる人工呼吸器
　　• 肺挫傷における気道出血に対応するために必要なもの
　　　分離肺換気が可能な気管チューブ
　　　気管支ブロッカーチューブ
　　• VV-ECMO（extracorporeal membrane oxygenation；体外式膜型人工肺）

C：循環管理
　　• 大量出血に対して必要なもの
　　　血液製剤保存用の冷蔵庫（直ちに配給される体制があればよい）
　　　血漿融解装置（FFP解凍機）（直ちに解凍して配給される体制があればよい）
　　　高速加温輸液機器
　　　REBOA
　　• VA-ECMO

E：体温管理⇒低体温の予防
　　• 輸液・輸血加温システム
　　• 保温器（輸液製剤の加温用）
　　• 加温ブランケット

検査機器
　　• ポータブルX線撮影装置*
　　• 血液ガス分析装置*
　*初療室の近くにあり，重症外傷患者搬入時，直ちに使用できればよい

手術・処置用の装備
　　• 無影灯（天吊りが望ましい）
　　• 手術台（初療ベッドと兼用）
　　• 初療室開胸・開腹術セット
　　• ターニケットあるいはエスマルヒ駆血帯
　　• 創傷処置セット（複数）
　　• 四肢固定具
　　• 四肢牽引セット
　　• 骨盤固定用のデバイス
　　　簡易骨盤固定具あるいは骨盤ラッピング用のシーツ
　　　骨盤創外固定・Cクランプ
　　• 穿頭術用手術機器

用手術室が理想的であり，並列で2例目に対応できることが好ましい。

3. CT室

CT撮影装置は，重症外傷診療に必須であり，撮影装置の進歩により，撮影時間は著しく短縮された。しかしながら，CT撮影において患者をもっとも危険にさらすのは，時間を要するCT室への移動である。したがって，初療室からのアクセスが容易で，必要時に直ちに利用可能なCT室の配置が望ましい。

CT室への移動から撮影中も，患者の容態の変化への迅速な対応が求められる。そのためには患者移動用のモニターや救急カートの整備が必要である。撮影中，操作室から患者とモニターを観察することができなければならない。操作室に専用のモニター表示システムがあることが望まれる。

4. 血管造影室

血管造影室は必須の設備であり，診断のみならず，治療としての動脈塞栓術も施行される。初療室からのアクセスが容易で，必要時に直ちに利用可能な体制が望ましい。また，患者の急変を把握するためのモニターや，救急カートについてもCT室と同様である。

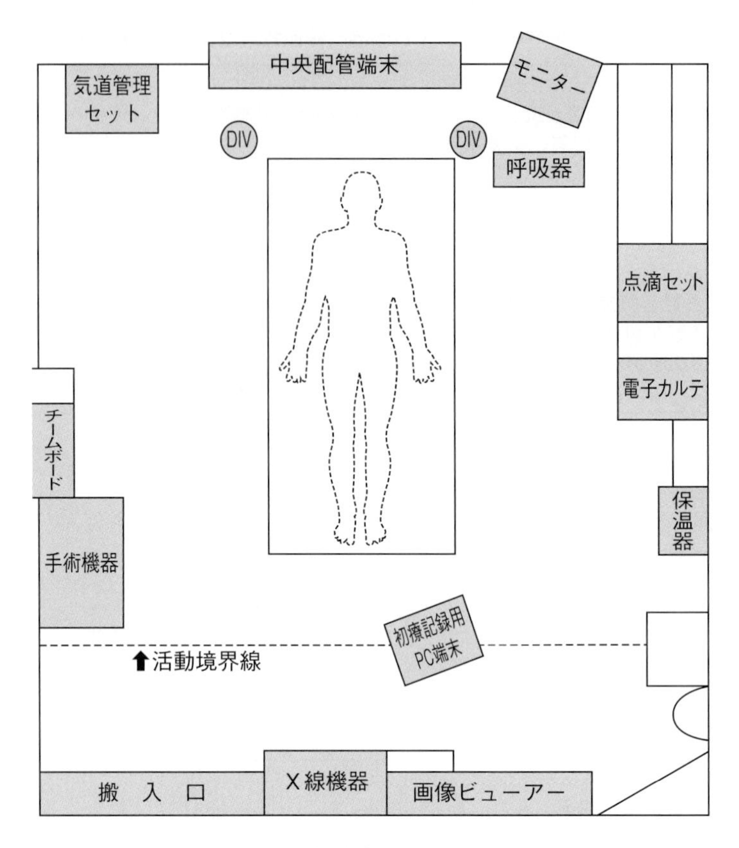

図1-5　初療室のレイアウト
〔文献61)より引用・改変〕

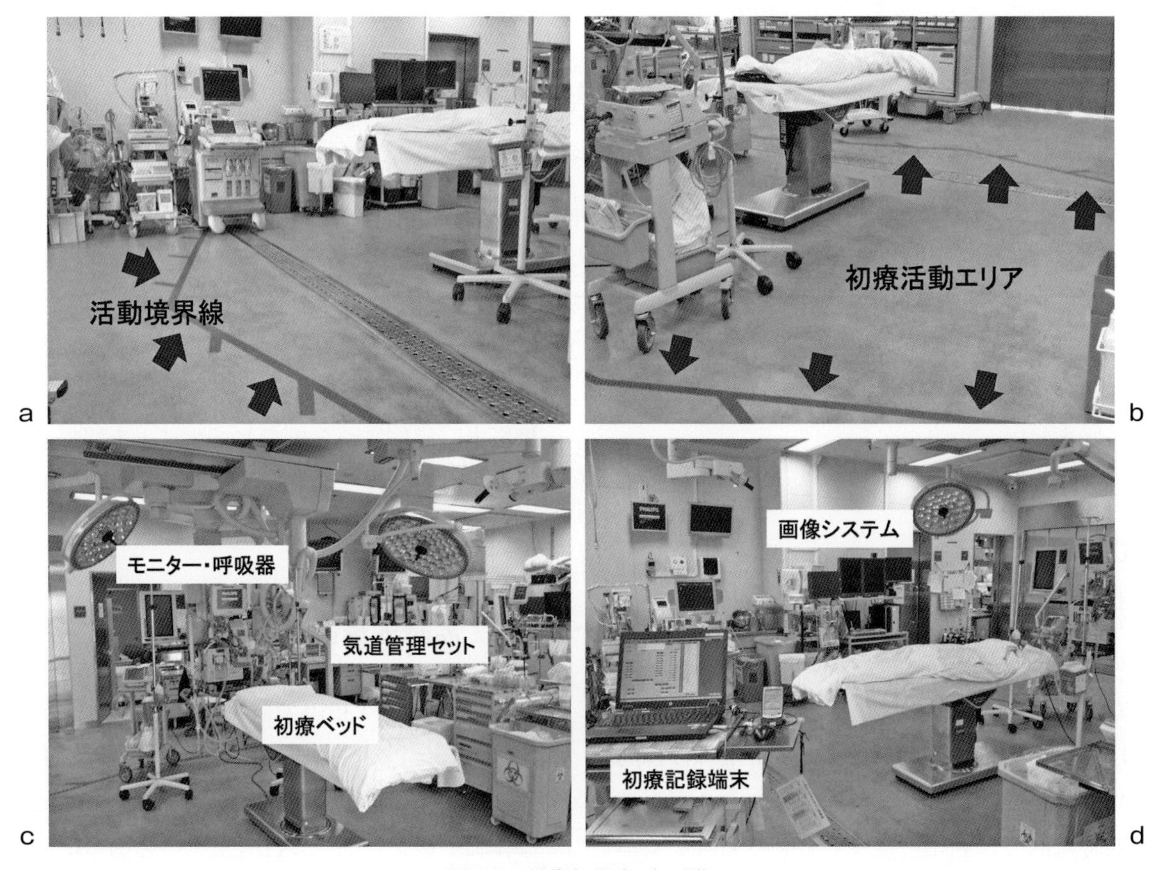

図1-6　外傷初療室（一例）
a：活動境界線を引くことにより現場の混乱を避ける。b：活動境界線の内側が初療活動エリアとなる。c：初療活動エリアが広くとれるように，モニターや呼吸器が天井から吊るされている。d：X線画像やCT画像が初療室内で共有できる

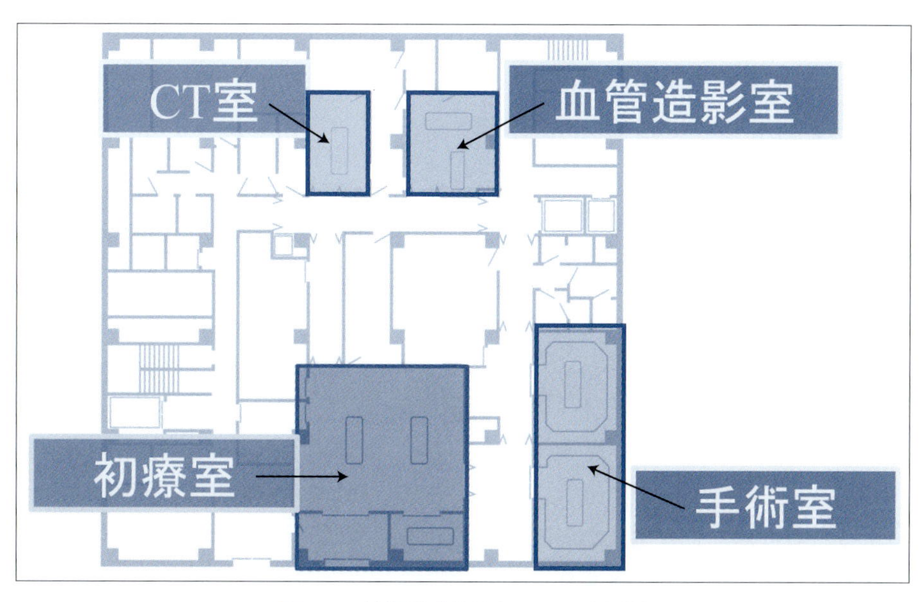

図1-7　外傷診療施設としての設置例

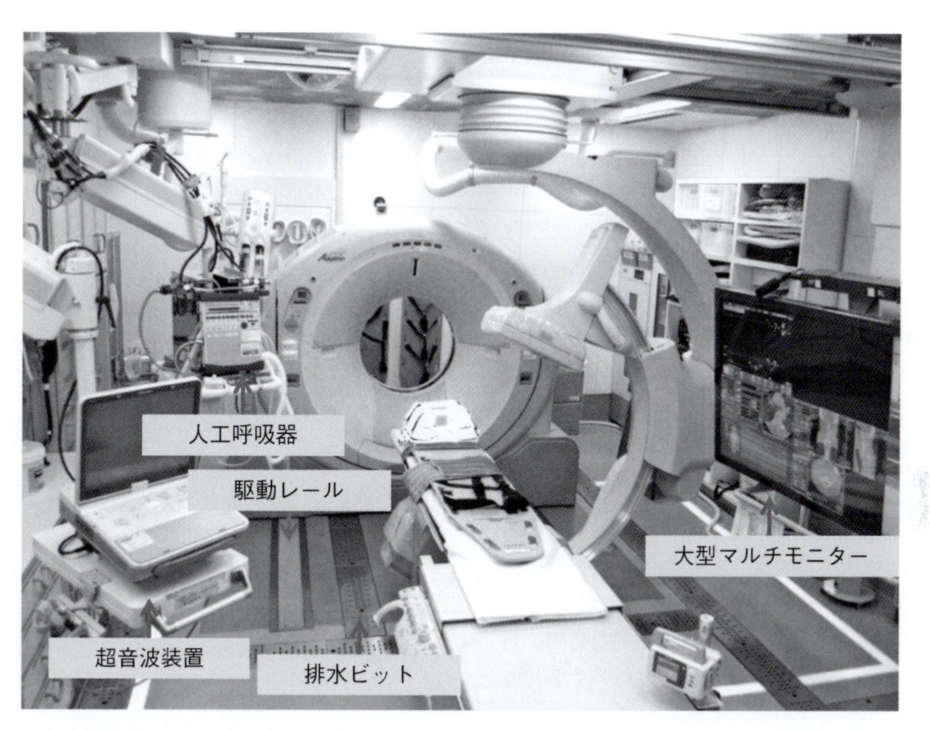

図1-8　HERS

5. 望ましい設備配置

前述したように，重症外傷患者の診療には迅速性や安全性の観点から，初療室から手術室，CT室，血管造影室への移動が容易であることが求められ，専用の初療室・手術室・CT室・血管造影室が，隣接して配置されていることが望まれる。図1-7に，一般的な外傷診療設備の一例（平面図）を示した。同時に2名の患者を収容できる十分な広さの初療室と，隣接した専用の手術室2室があり，直接アクセスすることができる。専用のCT室は，初療室から約10mの距離に位置し，その隣が専用の血管造影室となっている。

さらに理想を追求した設備とは，これらの部屋がすべて一体となったものである。高度な外傷診療設備として，CT，血管造影検査と動脈塞栓術や蘇生的手術が可能な初療室が考えられる（図1-8）。患者が移動することなく診断と治療が同じ部屋で対応できるという意味でHybrid ER System（HERS）と呼ばれ，日本発のモダリティーとして世界に発信され[62]，

HERSを導入することで重症外傷の死亡率が改善するという報告もある[63]。HERSは外傷診療のパラダイムシフトを起こす可能性を秘めており，2019年10施設のHERSの特徴が発表された[64]。2022年初頭現在，Japan-HERS研究会の調査によれば日本国内で18施設がHERSを運用しており，欧米に対しても紹介されている[65]。

HERSの課題は，高額な導入費用と複数患者への対応である。また，教育についても系統立った標準的な診療手順を指導することが困難となる可能性がある。

外傷患者を救命するためには，患者搬入から決定的な治療を開始するまでの時間を可能なかぎり短縮することが求められる。そのためには初療室の機能を高めるとともに，手術室やCT室，および血管造影室への移動が容易な施設が望ましい。

文　献

1）American College of Surgeons Committee on Trauma：Resources for Optimal Care of the Injured Patient 2014. American College of Surgeons, Chicago, 2014.

2）日本外傷学会・日本救急医学会監，日本外傷学会外傷初期診療ガイドライン改訂第6版編集委員会編：外傷初期診療ガイドラインJATEC，改訂第6版，へるす出版，東京，2021.

3）日本救急医学会メディカルコントロール体制検討委員会，日本臨床救急医学会メディカルコントロール検討委員会監：救急医療におけるメディカルコントロール，へるす出版，東京，2017.

4）日本外傷学会トラウマレジストリー検討委員会編：外傷登録；日本外傷データバンク—外傷診療の標準化と質向上のために，へるす出版，東京，2013.

5）Hirshberg A, Mattox KL：Top Knife：The Art & Craft in Trauma Surgery, TFM Publishing, Shrewsbury, 2005.

6）外傷外科手術治療戦略（SSTT）コース運営協議会編：外傷外科手術治療戦略（SSTT）コース公式テキストブック，改訂第2版，へるす出版，東京，2018.

7）Jacobsson M, Hargestam M, Hultin M, et al：Flexible knowledge repertoires：Communication by leaders in trauma teams. Scand J Trauma Resusc Emerg Med 2012；20：44.

8）Gillman LM, Widder S, Blaivas M, et al：Trauma Team Dynamics：A Trauma Crisis Resource Management Manual. Springer, Switzerland, 2016.

9）Kuehl AE, ed：Prehospital Systems and Medical Oversight. 3rd ed, National Association of EMS Physicians. Kendall Hunt Publishing, Dubuque（IA）, St Louis, 2002.

10）Holroyd BR, Knopp R, Kallsen G：Medical control：Quality assurance in prehospital care. JAMA 1986；256：1027-1031.

11）Lilja GP, McSwain NE Jr, Post CJ, et al：The role of EMS medical directors. Emerg Med Serv 1986；15：38-49.

12）Sasser SM, Hunt RC, Sullivent EE, et al：Guidelines for field triage of injured patients：Recommendations of the National Expert Panel on Field Triage. MMWR Recomm Rep 2009；58：1-35.

13）Sasser SM, Hunt RC, Faul M, et al：Guidelines for field triage of injured patients：Recommendations of the National Expert Panel on Field Triage, 2011. MMWR Recomm Rep 2012；61（RR-1）：1-20.

14）JPTEC協議会編：JPTECガイドブック，改訂第2版補訂版，へるす出版，東京，2016.

15）日本外傷学会・日本救急医学会監，日本外傷学会外傷初期診療ガイドライン改訂第6版編集委員会編：外傷初期診療ガイドラインJATEC，改訂第6版，へるす出版，東京，2021，p264.

16）Ciesla DJ, Kerwin AJ, Tepas JJ Ⅲ：Trauma systems, triage, and transport. In：Moore EE, Feliciano DV, Matox KL, eds. Trauma. 8th ed, McGraw-Hill, New York, 2017, pp49-69.

17）溝端康光，横田順一朗，山村仁，他：地域規模調査にもとづく外傷搬送先選定基準の評価．日外傷会誌 2005；19：247-254.

18）森村尚登：Overtriage%，Undertriage%の定義に関して．日外傷会誌 2003；17：19-20.

19）益子邦洋：「Over triage %, Under triage %の定義に関して」に対するコメント．日外傷会誌 2003；17：21.

20）Okamoto J, Katayama Y, Kitamura T, et al：Profile of the ORION（Osaka emergency information Research Intelligent Operation Network system）between 2015 and 2016 in Osaka, Japan：A population-based registry of emergency patients with both ambulance and in-hospital records. Acute Med Surg 2018；6：12-24.

21）総務省消防庁救急企画室：消防職員によるターニケットを含む止血帯による圧迫止血について．事務連絡：平成30年3月14日，2008.
https://www.fdma.go.jp/laws/tutatsu/assets/300314_jimurenraku.pdf（Accessed 2022-3-15）

22）Nicholl JP：The role of helicopters in pre-hospital care. Pre-hosp Immed Care 1997；1：82-90.

23）Hamman BL, Cué JI, Miller FB, et al：Helicopter transport of trauma victims：Does a physician make a difference? J Trauma 1991；31：490-494.

24）Thomas SH, Harrison TH, Buras WR, et al：Helicopter transport and blunt trauma mortality：A multicenter trial. J Trauma 2002；52：136-145.

25) Schmidt U, Frame SB, Nerlich ML, et al：On-scene helicopter transport of patients with multiple injuries：Comparison of a German and an American system. J Trauma 1992；33：548-553；discussion 553-555.

26) Tsuchiya A, Tsutsumi Y, Yasunaga H：Outcomes after helicopter versus ground emergency medical services for major trauma：Propensity score and instrumental variable analyses：A retrospective nationwide cohort study. Scand J Trauma Resusc Emerg Med 2016；24：140.

27) Abe T, Takahashi O, Saitoh D, et al：Association between helicopter with physician versus ground emergency medical services and survival of adults with major trauma in Japan. Crit Care 2014；18：R146.

28) Baxt WG, Moody P：The impact of a physician as part of the aeromedical prehospital team in patients with blunt trauma. JAMA 1987；257：3246-3250.

29) Frankema SPG, Ringburg AN, Steyerberg EW, et al：Beneficial effect of helicopter emergency medical services on survival of severely injured patients. Br J Surg 2004；91：1520-1526.

30) DiBartolomeo S, Sanson G, Nardi G, et al：HEMS vs. Ground-BLS care in traumatic cardiac arrest. Prehosp Emerg Care 2005；9：79-84.

31) Matsumoto H, Mashiko K, Hara Y, et al：Effectiveness of a "doctor-helicopter" system in Japan. Isr Med Assoc J 2006；8：8-11.

32) Nakstad AR, Sørebø H, Heimdal HJ, et al：Rapid response car as a supplement to the helicopter in a physician-based HEMS system. Acta Anaesthesiol Scand 2004；48：588-591.

33) Adedeji OA, Driscoll PA：The trauma team：A system of initial trauma care. Postgrad Med J 1996；72：587-593.

34) Driscoll PA, Vincent CA：Variation in trauma resuscitation and its effect on patient outcome. Injury 1992；23：111-115.

35) Hoff WS：Organization prior to trauma patient arrival. In：Peitzman AB, Rhodes M, Schwab CW, et al eds. The Trauma Manual：Trauma and Acute Care Surgery. 3rd ed, Lippincott Williams & Wilkins, Philadelphia, 2008, pp62-70.

36) Georgiou A, Lockey DJ：The performance and assessment of hospital trauma teams. Scand J Trauma Resusc Emerg Med 2010；18：66.

37) Khetarpal S, Steinbrunn BS, McGonigal MD, et al：Trauma faculty and trauma team activation：Impact on trauma system function and patient outcome. J Trauma 1999；47：576-581.

38) American College of Surgeons-Committee on Trauma：Resources for Optimal Care of the Injured Patient. American College of Surgeons, Chicago, 1990.

39) Handolin LE, Jääskeläinen J：Pre-notification of arriving trauma patient at trauma centre：A retrospective analysis of the information in 700 consecutive cases. Scand J Trauma Resusc Emerg Med 2008；16：15.

40) Cherry RA, King TS, Carney DE, et al：Trauma team activation and the impact on mortality. J Trauma 2007；63：326-330.

41) Delbridge TR：Trauma team activation. In：Peitzman AB, Rhodes M, Schwab CW, et al eds. The Trauma Manual：Trauma and Acute Care Surgery. 3rd ed, Lippincott Williams & Wilkins, Philadelphia, 2008, pp58-61.

42) Curtis K, Olivier J, Mitchell R, et al：Evaluation of a tiered trauma call system in a level 1 trauma centre. Injury 2011；42：57-62.

43) Bevan C, Officer C, Crameri J, et al：Reducing "cry wolf"：Changing trauma team activation at a pediatric trauma centre. J Trauma 2009；66：698-702.

44) Healy GB, Barker J, Madonna G：Error reduction through team leadership：The surgeon as a leader. Bull Am Coll Surg 2006；91：26-29.

45) Cole E, Crichton N：The culture of a trauma team in relation to human factors. J Clin Nurs 2006；15：1257-1266.

46) Falcone RA Jr, Haas L, King E, et al：A multicenter prospective analysis of pediatric trauma activation criteria routinely used in addition to the six criteria of the American College of Surgeons. J Trauma Acute Care Surg 2012；73：377-384；discussion 384.

47) Lillebo B, Seim A, Vinjevoll OP, et al：What is optimal timing for trauma team alerts? A retrospective observational study of alert timing effects on the initial management of trauma patients. J Multidiscip Healthc 2012；5：207-213.

48) Kimura A, Tanaka N：Reverse shock index multiplied by Glasgow Coma Scale score（rSIG）is a simple measure with high discriminant ability for mortality risk in trauma patients：An analysis of the Japan Trauma Data Bank. Crit Care 2018；22：87.

49) Lee YT, Bae BK, Cho YM, et al：Reverse shock index multiplied by Glasgow coma scale as a predictor of massive transfusion in trauma. Am J Emerg Med 2021；46：404-409.

50) Lammers DT, Marenco CW, Do WS, et al：Pediatric adjusted reverse shock index multiplied by Glasgow Coma Scale as a prospective predictor for mortality in pediatric trauma. J Trauma Acute Care Surg 2021；

90：21-26.
51）Peitzman AB, Yealy DM, Fabian TC, et al：The Trauma Manual：Trauma and Acute Care Surgery. 4th ed, Lippincott Williams & Wilkins, Philadelphia, 2012, p106.
52）日本外傷学会地域包括的外傷診療体制検討特別委員会：地域における包括的外傷診療体制についての提言（2021年5月27日）．2001.
http://www.jast-hp.org/pdf/JAST_inclusive_trauma_care_system_statement.pdf（Accessed 2022-3-15）
53）島崎修次（主任研究者）：救命救急センターにおける重症外傷患者への対応の充実に向けた研究．平成13年度厚生労働科学研究費補助金（厚生科学特別研究事業），2001.
54）辺見裕，岡田芳明，金子高太郎，他：第15回日本外傷学会シンポジウム「日本の外傷医療の問題点と今後の課題－21世紀へ向けての展望－」提言．日外傷会誌 2001；15：322.
55）Zacher MT, Kanz KG, Hanschen M, et al：Association between volume of severely injured patients and mortality in German trauma hospitals. Br J Surg 2015；102：1213-1219.
56）Sewalt CA, Wiegers EJA, Venema E, et al：The volume-outcome relationship in severely injured patients：A systematic review and meta-analysis. J Trauma Acute Care Surg 2018；85：810-819.
57）Toida C, Muguruma T, Gakumazawa M, et al：Correlation between hospital volume of severely injured patients and in-hospital mortality of severely injured pediatric patients in Japan：A nationwide 5-year retrospective study. J Clin Med 2021；10：1422.
58）森村尚登，北野光秀，林宗貴，他：わが国初の自治体設置型外傷センターの成立ち：横浜市重症外傷センターの開設経緯と現況．日外傷会誌 2017；31：79-86.
59）古谷良輔，清水誠，山崎元靖，他：横浜市重症外傷センター開設後2年間の事後検証結果：当市における重症外傷症例搬送の現状と課題．日外傷会誌 2018；32：29-33.
60）厚生労働省医政局：救急医療対策事業実施要綱．昭和52年医発第692号厚生省医政局長通知，1977，一部改正医政発0418第16号平成31年4月18日．
61）Peitzman AB, Yealy DM, Fabian TC, et al：The Trauma Manual：Trauma and Acute Care Surgery. 4th ed, Lippincott Williams & Wilkins, Philadelphia, 2012, p104.
62）Wada D, Nakamori Y, Yamakawa K, et al：First clinical experience with IVR-CT system in the emergency room：Positive impact on trauma workflow. Scand J Trauma Resusc Emerg Med 2012；20：52.
63）Kinoshita T, Yamakawa K, Matsuda H, et al：The survival benefit of a novel trauma workflow that includes immediate whole-body computed tomography, surgery, and interventional radiology, all in one trauma resuscitation room：A retrospective historical control study. Ann Surg 2019；269：370-376.
64）The founding members of the Japanese Association for Hybrid Emergency Room System（JA-HERS）：The hybrid emergency room system：A novel trauma evaluation and care system created in Japan. Acute Med Surg 2019；6：247-251.
65）Tatum D, Pereira B, Cotton B, et al：Time to hemorrhage control in a Hybrid ER System：Is it time to change? Shock 2021；56：16-21.

2章

チームアプローチ

要 約

1. 外傷診療には，強いリーダーシップと良好なコミュニケーションに基づく質の高いチームアプローチが不可欠である。
2. 外傷チームの立ち上げ基準を明確化し，患者受け入れ時には迅速に稼働させる。
3. リーダーの役割は，指揮命令系統の確立，的確な状況認識，明確な意思決定と指揮，バランスのとれた役割分担，円滑なコミュニケーションの実現である。
4. 効果的なコミュニケーション手法として，SBAR や closed loop communication を活用する。
5. メンバーの役割を明確にし，診療開始後も偏りのない役割分担を行う。
6. ブリーフィングでは患者情報の共有，診療目標・戦略・戦術の確認，緊急時の対応策の確認を行う。デブリーフィングでは今後の改善点を探る。

I 外傷診療におけるチームアプローチ

外傷診療，とくに多発外傷患者を対象とした診療では多職種が参加するチーム医療が不可欠である。チーム医療は近年さまざまな医療分野で重視されているが，外傷診療におけるチームアプローチは，癌などに対する一般診療におけるチームアプローチとは異なる（表2-1）。一般診療では，診断モダリティーやマンパワーが揃ったなかで時間をかけて問診や身体診察，各種検査が実施される。その後，多診療科，多職種が集まるカンファレンスで確実な診断と最適な治療法が決定される。このようなチームアプローチにおいて重視されるのはメンバー間のコンセンサス形成である。一方，外傷診療では事前の調整は不十分であるのみならず，患者受け入れ後は，短時間で診療を進めなければならないという時間的制約，処置室から移動すべきでないという空間的制約，短時間で変化する病態に対して限られた情報に基づいて方針を決定せざるを得ないという複合的制約，複数の病態が併存する特殊性のなかで，限られた医療スタッフのみで対応せざるを得ないという医療者の能力と利用可能性の制約がある[1)]。このため外傷診療では，事前に定められた手順を実施するだけでは対応できないことも多い。したがって，リーダーとなる医師が，強いリーダーシップのもとチームメンバーをまとめながら，的確な状況認識と意思決定を行い，チームの能力を最大限に引き出すことが必要となる[2)〜4)]。Hirshberg と Mattox が，その著書『Top Knife』のなかで，“Mishandling the team dimension during a trauma operation is one of the worst mistakes you can make”[5)] と強調しているように，外傷診療ではチームパフォーマンスの良否がアウトカムに大きく影響する。

外傷チームがもたらすアウトカムへの効果について，Lubbert ら[6)] は，リーダーシップの欠如した診療ではより多くのエラーが生じるとともに，primary survey と secondary survey の完遂までに時間を要していることを報告した。また，Capella ら[7)] は，強力なリーダーシップにより，CT，気管挿管，そして緊急手術までの時間が短縮したことを報告し，Steinemann ら[8)] は蘇生に要する時間が短縮するとともに，primary survey において “near parfect task”

表2-1 外傷診療と一般診療におけるチームアプローチ

	外傷診療	一般診療
診療の特徴	不確実な状況下	確実な状況下
治療内容の決定	評価・診断と並行	評価・診断の終了後
チームメンバー	制約大	制約小
リーダーシップ	リーダーによる意思決定とメンバーの指揮	チーム全体のコンセンサス形成
役割分担	直前に決定され，状況に応じて変化	事前に決定され，対応終了時まで固定
コミュニケーション	主に権威的	主に討議的

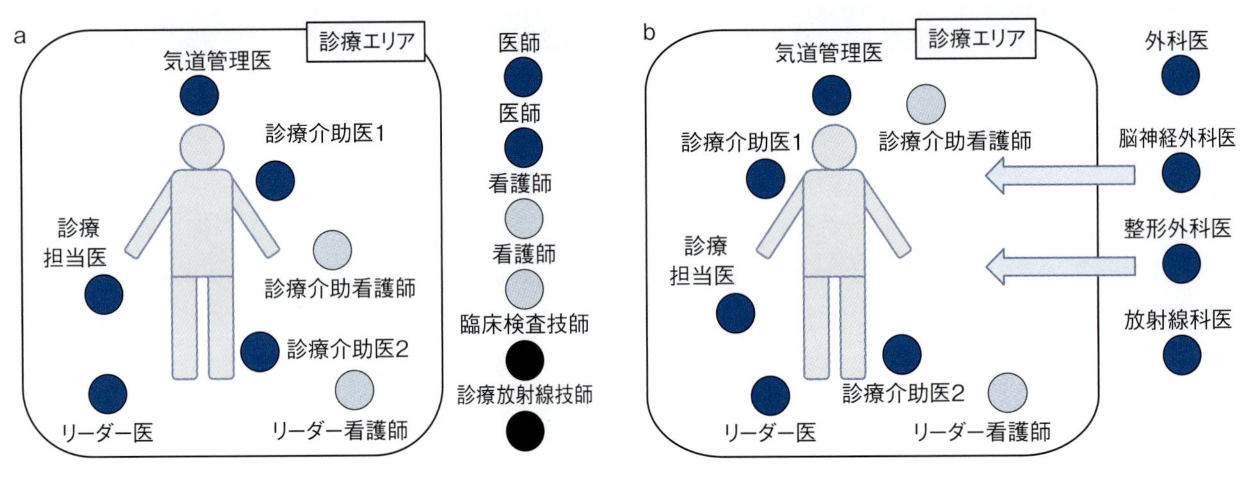

図2-1 外傷チームの一例

外傷チームは，リーダー医，気道管理医，初期診療担当医，2名の診療介助医，リーダー看護師，診療介助看護師を基本とし，施設の状況や患者状態に応じて他科医師，診療放射線技師，臨床検査技師も加わる

が実践できたと述べている。

カナダの研究では，ISSが12以上の重症外傷患者診療において，外傷チームによる診療が個々の診療科の単なる集合よりも診療過程が改善されただけでなく，良好な転帰が得られたと述べている[9]。また米国では，レベル1外傷センターに外傷チームを導入したところ，全体の死亡率が6.0％から4.1％に，重症外傷（ISS≧25）の死亡率が30.2％から22.0％へと低下し[10]，外傷センター以外の施設でも外傷チームの導入が救命率を向上させたことが報告されている[11]。

Ⅱ チームアプローチの実際

1. 外傷チーム

外傷チームの目標は，患者の病態と損傷から診療の優先順位を見極めて迅速に蘇生し，根本治療を行い，良好な転帰につなげることである。気道，呼吸，循環の異常に対して適切に介入することは，「防ぎ得る外傷死」を減少させる[12]。チームリーダーの指揮のもと，チームメンバーがそれぞれの役割を果たしながら協力して診療することにより，迅速かつ的確に外傷蘇生を進めることが可能となる。

1）チームメンバー

外傷チームの構成例を図2-1aに示す[13)14]。医療機関の事情があるため一定のものが決められているわけではないが，「外傷診療体制」（p.6）で示したチーム構成が求められる。リーダー医は，チームメンバーからの情報を得て状況を把握しながら，診療の方針や優先順位を意思決定し，チームに明確な方向性を与えなければならない。外傷診療に習熟した医師が24時間体制で外傷チームに参加することにより，蘇生に要する時間と手術開始までの時間を短縮させることができる[15]。

また，チームメンバーの数は多ければよいというものではなく，過剰なメンバーはリーダーシップを脆弱にするとともにチームの分断につながる[16]。リーダー医は，診療に必要な役割の担当を明確にして，過剰なメンバーには診療エリアから少し離れたとこ

表2-2 リーダーに求められる役割

1．指揮命令系統の確立
2．的確な状況認識
3．明確な意思決定と指揮
4．バランスのとれた役割分担
5．円滑なコミュニケーション

表2-3 STOPP technique

S	Stop, do not act immediately. Assess the situation.（急いで行動するな。状況を見極めろ）
T	Take a few deep breath, pause.（深呼吸しろ）
O	Observe. What am I thinking? What am I focused on?（何を考えているのか，何をしようとしているのか考えろ）
P	Prepare yourself.（自分自身の準備を整えろ）
P	Practice what works. What is the best thing to do?（効果的なことをせよ。ベストは何か）

〔文献30）より引用・改変〕

ろで待機させる。外科系各科や放射線科などの各専門領域の医師が参集した場合でも，それぞれの判断によって処置を開始することなく，決められた戦略と戦術を円滑に遂行できるよう，リーダー医の指揮に基づく診療を展開する（図2-1b）。経験豊富なリーダー医が率いる明確に役割分担されたチームによる蘇生は，患者の転帰を改善することが実証されており[10) 17)～21)]，外傷センターにおける診療の基幹となっている[22) 23)]。外傷チームの立ち上げについては「外傷診療体制」（p.6）を参照されたい。

2. リーダーシップ

1）リーダーに求められる能力

外傷診療のように状況が刻々と変化する場面では，リーダーシップの良否がチームのパフォーマンスに大きく影響する[24) 25)]。

効果的なリーダーシップの特性は，5つの大きなカテゴリーにまとめられる[26) 27)]。これらの「ビッグファイブ」は，外向性，誠実性，協調性，情緒安定性，柔軟性を含んでいる。リーダーは，自分の意見をしっかりと発信でき（外交性），説明責任と論理的基準を持ち合わせ（誠実性），チーム内の協力と結束を促進することができる（協調性）ことが必要である。また，ストレスが多い環境でも感情的に中立を維持することができ（情緒安定性），チーム内の意見を柔軟に取り入れることができる（柔軟性）ことも重要である。

リーダーには，「先を読み」（resuscitating ahead of the patient），「コミュニケーションで治療する」（resuscitating by voice）ことが求められる[28)]。例えば，出血性ショック状態の患者に緊急開腹が実施されようとしている状況で，「今から開腹するが，患者はショック状態なので開腹と同時に血圧が低下する可能性がある。輸血を確保してノルアドレナリンもすぐに投与できるように」と先を読んだ内容を明確に伝え，指示することでチームの準備を整えさせる。これによりチームの目標が定まるだけでなく，チーム全体を落ち着かせ，本来の能力を発揮させることが可能となる[29)]。また，リーダーの態度はチームパフォーマンスに影響するため，チームメンバーが落ち着いて各自の役割を果たせるように自信をもって対応しなければならない。

リーダーに求められる役割を表2-2に示す。これらの役割を果たすために，リーダーは自分自身が直接診療行為に携わるのではなく，全体を見渡せる状況で活動するのがよい[27)]。さらに，実際の取り組みとして，Flinらは，STOPP techniqueを奨めている（表2-3）[30)]。これは，少し離れた立場で自分自身とチームを観察し考えることで，リーダーに求められる任務を的確に実施しようというものである。

リーダーシップのスタイルは，外傷チームの経験や患者の重症度に応じて変化する[31)]。患者の重症度が低くチームの処理能力が高いときには，メンバーにある程度の裁量権を与えるのがよく，患者の重症度が高くチームの経験が浅い場合には，強力なリーダーシップを発揮するほうがよい[31)]。

よいリーダーシップを発揮するために，リーダーシップやコミュニケーションといったnon-technical skillsが必要なことはいうまでもない[32)]が，そ

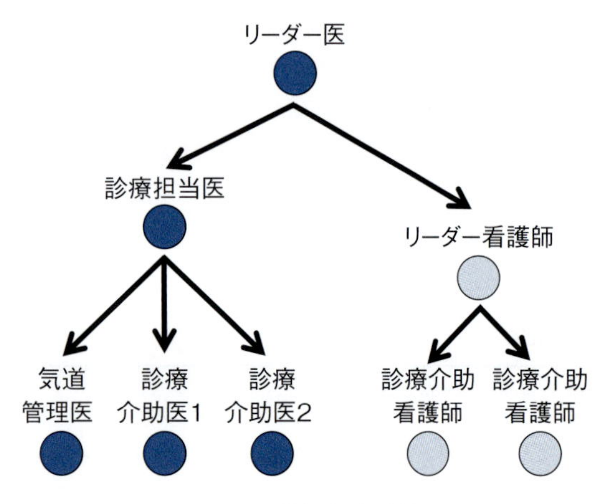

図2-2　指揮命令系統
リーダー医を頂点とした系統立った指揮命令系統を構築する。誰の指揮を受けるのか，誰に指示を出すのかを明確にする

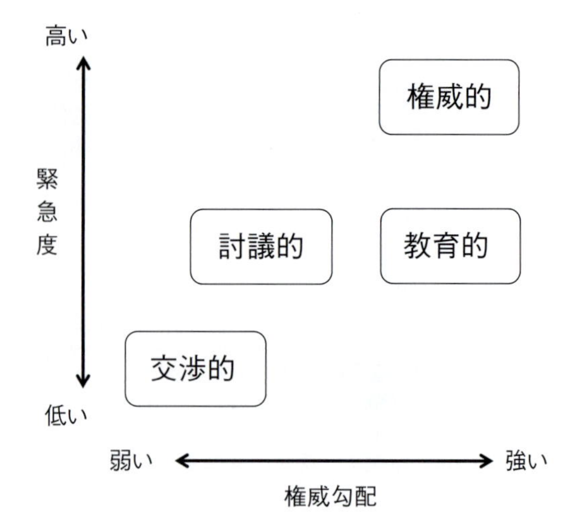

図2-3　4種類のコミュニケーション手法

れ以前に，外傷の診療と治療において豊富な知識と経験，高い診療力を有していることが不可欠である[33]。多くのチームメンバーがリーダーに求めるのは外傷医としての専門的な能力であり[32]，外傷診療の知識や技能が不足している医師は，non-technical skillsに習熟していてもよいリーダーとはいえない。さらに，リーダーは経験と医学的専門知識を有するだけでなく，チームの枠組みの中で働き，そのリーダーシップを発揮できる能力を備えていなければならない[34]。

2）リーダーとチームメンバー

いかに優れたリーダーであっても苦手とするところはある。このため，チームメンバーは各自の役割を果たすことに加え，リーダーの権威を損なうことなくサポートするよう気を配る必要がある[35]。診療の現場でリーダーの顔をつぶすような発言は慎むべきであり，常にリーダーに対して敬意を払いつつ建設的な意見を提供することを心がける。例えば，意見の提案の際には断定的な形式ではなく，「～をしてはどうですか?」「～をするのがいいと思います」といった質問形式や提案形式をとるのがよい。また，チームメンバーの間で論争が起こるとリーダーの役割を果たすことは困難になるため注意する。

さらに，チームメンバーの役割分担と指揮命令系統を明確にしておくことも重要である（図2-2）。災害医療においてcommand（指揮）が最優先されるように，外傷診療におけるチームアプローチでも指揮系統の明確化は最優先事項である。リーダーはチームを統制するためにチームメンバーから意見を集約し，意思決定を行い，指示を出す必要がある。また，チームメンバーは自分の役割の上位が誰であるかを常に意識し（診療介助医であれば，その上位は診療担当医），相互に情報を共有して診療担当医の指示のもとでリーダー看護師を介して診療介助看護師の介助を受けなければならない。指揮系統が崩れるとチームメンバーは誰の指示を聞けばよいのかわからなくなり，1つの作業を複数のメンバーが行う，必要な確認が誰にもなされない，といった事態に陥る。

3. コミュニケーション

リーダーシップとともに，チームのパフォーマンスを左右するのがチーム内のコミュニケーションである。しかしながら，実際の診療現場では適切なコミュニケーションが実施されていないことが多い[36]。チームアプローチにふさわしいコミュニケーション技法を身につける必要がある。

1）コミュニケーションの4パターン

外傷チームにおけるコミュニケーションは，チームの診療能力と患者の緊急度により変化し，権威的（coercive），教育的（educational），討議的（discussing），交渉的（negotiating）といった4種類のコミュニケーション手法が使い分けられる[37]（図2-3）。

権威的手法は，自分が上位であることを明確にしながら，チームメンバーを決定に従わせるときに用

表2-4　SBAR for Trauma

S（situation）：状況	患者の状況変化（出血，気道トラブルなど） ABCの状態変化（呼吸や循環の悪化など） 緊急事態の表明
B（background）：背景	患者の背景（損傷形態，既往など） 実施された治療（輪状甲状靭帯切開，胸腔ドレナージなど） 患者のバイタル（血圧，脈拍，SpO_2など）
A（assessment）：評価	何が問題点か？　どこが問題か？ 悪化傾向にあるのか？ 直ちに何らかのアクションが必要か？
R（recommendation）：提案 （request）：要請	推奨するアクション，アクションの要請 必要な検査 必要な処置，治療，対応

〔文献41）より引用〕

いられる。リーダーは明確な指示を出すか単純な回答が返されるようなclosed questionを用いて質問する。この手法は緊急性の高い状況で使用されることが多く，何をすべきかをメンバーに明確に伝えるのに役立つ。教育的手法においても，リーダーは自分を上位に置いた会話手法をとるが，権威的手法と異なるのは，なぜそれが重要なのか，なぜ優先順位が高いのかをメンバーに教えるように伝える点である。討議的手法は，リーダーがメンバーと同等の関係で接するときに用いられる。意思決定においてメンバーからの意見を考慮しながら進めようとしていることを印象づけるよう，「私はこう思うが，あなたはどう考えるか?」といったように，問いかけを用いる。メンバーと共に患者の病態について議論し，意見を聞きながら意思決定を行うものである。最後の，交渉的手法は討議的手法と似ているが，メンバーから自由な意見を求め，反対意見も積極的に受け入れながら意思決定を行うものである。

これら4種類のコミュニケーション手法は患者の緊急度・重症度やチームメンバーの能力により使い分けられ，リーダーとメンバーとの権威勾配の調整に役立つ[38]。

2）SBARとclosed loop communication

SBARとはsituation（状況），background（背景），assessment（評価），recommendation（提案）もしくはrequest（要請）の頭文字を並べたもので[39]，迅速な申し送り，意思伝達に役立つコミュニケーションツールとして医療現場で広く用いられている[40]。渡部ら[41]は外傷診療におけるSBARの活用をSBAR for Traumaとして提案している（表2-4）。

表2-5　SBARの例

（S）	先生，患者の血圧が低下しています
（B）	初療室で挿入した胸腔ドレーンから10分間で500mlの血性排液がみられています
（A）	ショックの原因は胸腔内出血の可能性があります
（R）	開胸術は必要ないでしょうか？　準備をしましょうか？

SBAR for Traumaでは，通常のSBARに比較してより短い情報伝達を心がける。その一例として，開腹手術後の患者において，看護師が，胸腔ドレーンからの血性排液が急速に増加し血圧が低下しているのに気づいた状況を示した

表2-6　closed loop communicationの一例

リーダー医：	右緊張性気胸があります。佐藤先生，右に胸腔ドレーンを挿入してください
佐藤医師：	佐藤，了解しました。緊張性気胸を解除します。胸腔ドレーンは準備に時間がかかるようなので，まず胸腔穿刺を実施します。その後，ドレーンを挿入します
リーダー医：	佐藤先生，了解しました。穿刺後にドレーンを入れてください

SBAR for Traumaを用いることにより，短時間で伝えたい内容を漏れなく正確に伝達することが可能となる（表2-5）。

closed loop communicationは，「マリンコンセプト」ともいわれ，船内での指揮命令・情報伝達に用いられるコミュニケーション手法である。この手法では，リーダーからの指示に対し，指示を受けたメンバーは内容を復唱することで確認したことをリーダーに伝える。そして，リーダーはメンバーからのメッセージを理解したことを伝えることによりコミュニケーションのループを閉じる（表2-6）。また，コミュニケーションにおいて，リーダーは，「誰か」ではなく，「誰が」と指示相手を明確にしなければ

ならない[42]。closed loop communicationは，誤った意思伝達を回避し，確実な作業の遂行に役立つ[43][44]。

4. 役割分担

外傷患者を受け入れるまでに担当者を明確にし，診療を開始した後も特定の者に作業が集中していないか，他のメンバーの作業を引き受けることができる者がいないか，複数のメンバーが同じ作業にかかわっていないかなど，リーダーは気を配りながら調整しなければならない。作業を分担することにより，迅速な診療が可能となるとともに[45][46]，不測の事態に対応できる余裕が生まれる。

リーダー医の役割についてはすでに述べてあるため，ここでは看護師の役割について述べる[41]。

1）リーダー看護師の役割

外傷チームにおける看護師の役割は，投薬，処置，記録などのタスクによって決まるのが一般的であり，これらのタスクを統括するのがリーダー看護師である。リーダー看護師は，リーダー医と同様，診療介助には直接参加せず，全体の状況を把握できるよう，患者の足側に位置するのが望ましい。治療過程において，リーダー看護師には戦略の予測と確認，それに基づいた行動を求められる。すなわち，患者の状態やこれまでの知識や経験から治療戦略を予測し，それをリーダー医に確認して診療介助看護師に的確な指示を行う必要がある。また，変化する戦術に対しても柔軟に対応できる能力が求められる。戦術（手術など）を実施するための人員は十分であるか，物品は足りているのか，輸血の準備はできているか，低体温の予防はできているか，手術は初療室で行うのか，あるいは手術室に移動するのか，などの情報をリーダー医と十分に共有したうえで迅速かつ的確に診療介助看護師に必要な指示を伝えなければならない。

2）診療介助看護師の役割

外傷診療において記録を確実に行うことは，看護師に必要なスキルである。リーダー医の意思決定をリアルタイムに記録するには，外傷診療に関する豊富な知識と経験が必要であるため，上級看護師が記録係を担うことが多い。人員が少ないときには，リーダー看護師がその役割を兼務することもある。また，記録係は，closed loop communicationが確実に実行できているかを確認することによって指示抜けを防止したり，タイムキーパーの役割を担ったりもする。

看護師の重要な役割に家族対応がある。外傷患者の家族は，身内の突然の出来事に動揺し，悲しみや怒りで情緒不安定なことが多く，医師や看護師が家族や社会背景を十分に理解できる時間もないため，コミュニケーションの確立が難しい。反面，誰かに依存的になっているため，適切に対応することで強い信頼関係を築くことが可能でもある。家族は患者の状態が心配で不安が募っていくため，短時間でもよいので家族に声かけをして状況を伝えると同時に患者の病歴などの聴取も可能な範囲で行う。

5. 状況認識と意思決定

1）状況認識から意思決定までの過程

ヒトが物事を認知してから対応の決定を行うまでには3つの段階がある[47]。各段階の特徴と注意点を理解しておくことが，的確な意思決定につながる。

(1) レベル1

患者が発するさまざまな情報に気づく段階である。外傷診療においては，気道・呼吸の状態，循環の変動，意識レベルの低下など短時間での変化が生じ，身体所見やモニター情報などに現れる。しかし，ヒトには見ようとしたものしか見えない，聞こうとしたことしか聞こえないという弱点がある[48]。このため状況認識において思い込みを生じやすい。この対策として，リーダーは診療行為に直接参加せず，全体が見える状態で診療をリードするとよい。また，メンバーは，気づいた変化をリーダーに的確に伝えることも重要となる。

(2) レベル2

得られた情報をもとに患者の状態を理解する段階である。頻脈という情報に，患者の身体所見，FASTの結果などを組み合わせ，パターン認識，メンタルモデルを用いて臨床推論を行い，その原因病態が心タンポナーデであると判断する。容易に原因病態が推定できればよいが，1つに絞り切れないこともあるため，リーダーのみならずメンバーの診療経験が影響する段階である。

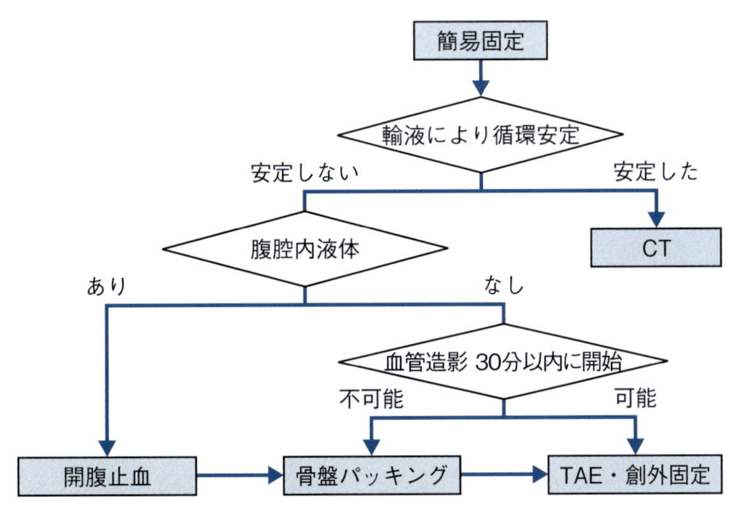

図2-4　意思決定過程を共有するためのアルゴリズム例

(3) レベル3

推定された原因病態に対して対応を意思決定する。例えば，ショックを伴う骨盤骨折に対してパッキング，経カテーテル動脈塞栓術（transcatheter arterial embolization；TAE），創外固定のどれを優先して実施するのかを決定する。個々の患者の状態により選択結果は異なるが，診療施設のソフトおよびハード面での環境因子も影響する。的確な意思決定にはリーダーの経験と知識が求められる。ただし，リーダーの能力のみに依存するのではなく，常に迅速で正確な意思決定を行えるよう事前にマニュアルなどで意思決定過程を共有しておき，チームメンバー間の意思統一を図っておくことも必要である（図2-4）。

外傷診療においてよりよい状況認識と意思決定を実践するためには，個人としてではなくチームとして状況認識を共有する必要がある。例えば，primary surveyにおいて見出した所見は必ず声に出して治療する（resuscitating by voice）。これによりすべてのチームメンバーにレベル1の状況認識を可能にさせ，それぞれの役割を実践する準備に入らせることができる。

一方，メンバーによるレベル1の認識は，必要な情報を報告することで，リーダーがそれらの情報を統合し，レベル2，レベル3の状況認識と意思決定を実践することを可能とする。外傷診療では個人の状況認識をチームの状況認識・意思決定へと拡大させることが重要である[49]。

2）意思決定の共有

チームとしての状況認識と意思決定を迅速かつ的確に実施するうえで，メンバー間での理解が役立つ。Wurmbら[50]は，外傷診療においてmacro level，intermediate level，micro levelでの診療の標準化を図ることを提唱し，macro levelでの指標はガイドラインに，intermediate levelはクリニカルパスに相当し，micro levelでの個々の標準手法がSOP（standard operating procedures）であるとしている[51]。外傷診療においては，macro & intermediate levelとして，JETECとJATECを診療に携わるすべてのメンバーが理解し，共通言語として機能させることが不可欠である。損傷によっては施設独自の診療マニュアルも活用する。さらに個々の手技については，それぞれの医療機関でどの器材・薬剤を使用して，どのように実施するのか，といったSOPを明確にし，スタッフ間で共有しておく。

6. ブリーフィングとデブリーフィング

1）ブリーフィング

ブリーフィングは手術でのリスクマネジメントに活用されており，コミュニケーションとチームパフォーマンスを改善する[52][53]。外傷診療のブリーフィングでは，患者情報や診療の戦略・戦術を共有し，役割分担を明確化して，いつまでに何を終わらせるのかといった時間計画を共有する[54]。病院搬入までの時間がない場合であっても，受け入れ準備の手を止めて簡潔に実施することが望ましい。この際，チェックリストを利用するとブリーフィングに必要な内容を漏れなくチームで共有することができ，搬入後の混乱を防ぐことができる[6)41)46)]。

2）デブリーフィング

ディブリーフィングは，「経験学習のサイクルにおける促進または指導された振り返り」[55)]と定義され，その包括的な目標は，医療提供者の行動にプラスの影響を与え，患者ケアとアウトカムを改善することである[56)～61)]。デブリーフィングは，反応期，記述期，分析期，要約期といった4つの段階で構成されることを意識して行うと，定められた時間内に効率よくデブリーフィングができると考えられている[56)～61)]。

反応期：デブリーフィング参加者の初心や気持ちを確認し，重要な学習目標を明確にすることが目的である。この段階では，ファシリテーターが自由形式で質問し，参加者が外傷診療に関連した最初の感情を吐き出す機会を提供する。このプロセスを通じて，参加者は診療に対する最初の考え方（肯定的，否定的の両方）について情報を共有することができる。参加者のさまざまな感情を共有して心を解きほぐすことで，自らの行動を効果的に振り返ることが可能になり，学習目標が立案できるようになる。

記述期：診断や臨床的問題点など，症例の詳細についてチーム全員が共通認識をもつようにすることが目的である。ファシリテーターはチーム員の1人に主診断や臨床的問題の詳細をプレゼンテーションさせ，他のメンバーが内容を確認する。場合によっては，主診断や問題点についての見解が異なることがあるので，チーム全員がこれらに対して共通理解が得られるようにする。ここでは医学的見地から症例の概要と問題点を抽出し，次の分析期の前準備をする。

分析期：振り返り学習とフィードバックを通じて，新しい知識，スキル，態度の習得を促し，最終的には実際の診療における個人とチームのパフォーマンスを向上させることが目的である。ファシリテーターは，チームメンバーが診療における積極的な行動と消極的な行動の両方を特定し，その行動の背後にある論理的根拠をよりよく理解できるように導く必要がある。

要約期：パフォーマンスの問題点をすべて特定し，要約することが目的である。ファシリテーターはtake home messageを明確にすることで症例からの学習ポイントが強化され，今後の外傷症例に対するチーム員の行動変容にプラスの影響を与えることが期待される。

デブリーフィングは診療の終了後できるだけ早い段階で行う。反応期，記述期，分析期，要約期といった4つの段階で構成されるデブリーフィングは重症外傷診療のデブリーフィングとしては理想的ではあるが，多職種が集まるための日程調整や4つの段階を踏むために時間を要する。したがって，日常の外傷診療における問題点や改善策について，少人数でもよいので診療に携わった医療スタッフを集めて，原則その日の勤務時間内にデブリーフィングすることを習慣化し，そのなかで外傷チーム全体で共有しておく重要症例に対しては4つの段階を踏まえたデブリーフィングを行うといった手順がよい。デブリーフィングは，決してミスを叱責するものではないという雰囲気のなかで診療内容を振り返り，次回への改善策を検討する。「うまくできたことは何か？」「何がよかったのか？」について，それぞれが自分の行動を振り返り，ほかのメンバーからの意見も聞く。診療中に治療方針の相違があった場合には，デブリーフィングのなかで議論し，それぞれの考え方を確認したうえで，可能であればコンセンサスを得るのがよい。

「誰が正しいか」ではなく，「何が適切か」を議論し，常に次回の改善点を探るという姿勢のもとでデブリーフィングを行う[62)]。適切に実施されたデブリーフィングは，個人およびチームのパフォーマンスを約20～25％向上させることができることが示唆されている[63)]。

Ⅲ チームアプローチの評価

1．評価法

外傷チームのパフォーマンスや，リーダーとチームメンバーのnon-technical skillsは，絶対的な評価が困難であるため，その改善への取り組みは遅れがちである。とくに外傷の初期診療のように時間的制約が多い状況下では，その場でチームの活動を評価する余裕がない。外傷初期診療において，JATECやATLS™などの標準手法を遵守できているか[64]，良好なチームパフォーマンスを発揮できているかを，ビデオを用いて評価しようとする試みがなされている[6)64)65)]。Hoytら[65]は，ビデオ画像を検証することによる治療の優先順位選択の良否，チームメンバーの認知と行動についての分析を行い，根本治療に至る時間が短縮できたとして，週に1回のビデオカンファレンスを推奨している。また，Lubbertら[6]は，387例の外傷初期診療のビデオを検証し，チーム構築の不備が標準治療からの逸脱の一因となっていると報告した。ビデオ撮影は技術的なミスを確認するのみでなく，各メンバーの活動も評価できるため，チームパフォーマンスの改善に有用な手法であろう。

また，human patient simulatorを用いた模擬診療においてチームパフォーマンスを評価することも可能である[66)~70)]。模擬診療を繰り返し実施することで，評価だけでなく教育的効果も得られる[70)~72)]。

また，オーストラリアのリバプール病院では，午前8時～午後5時までに外傷チームが対応する診療を評価者が観察し，チームリーダーのパフォーマンスを評価するという試みが行われている。緊迫した実診療のなかではチームリーダーの診療技能が及第点であっても，コミュニケーションやチームメンバーへの指揮という点では改善が必要であると報告している[73]。

近年，救急室にビデオ撮影装置を設置している医療機関が増えてきている。重症外傷に対して外傷チームを立ち上げた症例や，複数の蘇生手技や緊急手術を実施した症例などを対象として，診療ビデオをもとに外傷チームのパフォーマンスを評価するカンファレンスを，多職種参加で定期的に実施することが奨められる。その際には，ディスカッションの資料とできるように，10～20分程度にビデオ内容を編集しておくのがよい。

2. 評価指標

チームパフォーマンスを総合的かつ客観的に評価する指標として，航空業界の指標を参考に医療用に改変したものがある。OTAS（Observational Teamwork Assessment for Surgery）は，Undreらが作成した手術室内でのチームパフォーマンスを評価する指標で[74)~77)]，task checklistとteam behavior checklistからなる。task checklistは患者に関するtask，器材に関するtask，コミュニケーションに関するtaskで構成され，team behavior checklistはcommunication，cooperation，coordination，shared-leadership，monitoringからなる[74]。

また，Yuleらは，situation awareness，decision making，task management，communication and teamwork，leadershipの5つのカテゴリーからなるNOTSS（Non-Technical Skills for Surgeons）を提案した[78)79)]。NOTSSの各カテゴリーは2～3個の細項目で構成され，それぞれがgoodあるいはpoor behaviorsとして評価される。

NOTECHS（Non-TECHnical Skills）scaleは，手術室における看護師，麻酔科医，外科医のnon-technical skillsの評価に用いられ[80]，leadership and management，teamwork cooperation，problem solving and decision making，situation awarenessの4つのカテゴリーで評価される[81]。また，これら4カテゴリーにcommunication and interactionを加えたrevised NOTECHSや[82]，外傷診療用にNOTECHSを改訂したmodified NOTECHS（T-NOTECHS）[83]，TTCA-24（Trauma Team Communication Assessment）[84]なども提案されている。

具体的には，外傷診療を撮影したビデオ動画をもとに，①リーダー医師のリーダーシップ，②メンバー間の役割分担と相互協力，③チーム内のコミュニケーテョン，④適切な病態および診療環境の評価と適正な意思決定，⑤落ち着いたチーム活動，といった項目について，5段階評価などを行うのがよい。

Ⅳ non-technical skills教育

1. CRMに基づくトレーニング

CRM（Crew Resource Management）は，安全な飛行を目指してNASA（National Aeronautics and Space Administration）が開発したresource management on the flight deckを発展させ作成されたものである。医療分野においてもヒューマンエラー

を減少させるためのnon-technical skills教育としてCRMの手法が取り入れられ，crisis resource managementとして最初に麻酔領域に取り入れられた[85]。その後，救急[86]，集中治療[87]，産科領域[88]にも広がり，現在では参加者の学習やチームワーク行動，および診療アウトカムに大きな利益を与える可能性があるといわれている[89]。外傷診療においても，CRMに基づく教育が，チームのリーダーの明確化，役割分担，コミュニケーションを改善させることが報告されるなか[90]，近年，外傷診療におけるnon-technical skillsを学ぶコースとしてSTARTT（Standardized Trauma and Resuscitation Team Training）が北米で開始されている[91][92]。

2. 外傷チームトレーニングの例

ノルウェーでは，外傷診療の質向上のため国家規模でBEST（Better and Systematic Trauma Care）projectが立ち上げられ，チームトレーニングを重視したBEST courseとNorwegian Top Knife Courseが実施されている[93]。BEST courseは多職種を対象に外傷初期診療におけるチームワークの重要性を理解することを目標としたもので[94]，講義に加えて各チームが実際に使用している救急処置室において模擬診療を実施し，non-technical skillsに焦点を当てたフィードバックが行われる[95]。またNorwegian Top Knife Courseは，チームワークを重視したdamage control surgeryのトレーニングコースである[96][97]。

日本では，医師と看護師のチームワークを重視したSSTT（Surgical Strategy and Treatment for Trauma）コースを開催している。医師2名と看護師2名がチームとして座学と動物実験室（アニマル・ラボ）での実習を履修するもので，チームとしての共通概念の習得を目標としている[98]（「SSTTコース」p.552参照）。

さらに近年，手術室看護師を対象としてATOM nursing courseが開始され[99]，日本でも独自に作成したATOM看護師コースが2017年より医師コースに並行して開催されるようになった[100]（「ATOMコース」p.537参照）。またDSTC（Definitive Surgical Trauma Care）コースでは，麻酔科医や集中治療医，看護師を含めたDSATC（Definitive Surgical Anesthesia Trauma Care）コースがオランダなどで開催され，外傷診療における質の高いチーム医療実現に向けた取り組みが進みつつあり[101]，DSTC-DATCコースでの共同トレーニングは，術中コミュニケーションに関する参加者の認識とスキルを向上させるとされている[102]。

また，AOコースでも手術室看護師の受講を推進している（「AOコース」p.547参照）。

文献

1) 行岡哲男：医療とは何か；現場で根本問題を解きほぐす，河出書房新社，東京，2012.
2) Risser DT, Rice MM, Salisbury ML, et al：The potential for improved teamwork to reduce medical errors in the emergency department：The MedTeams Research Consortium. Ann Emerg Med 1999；34：373-383.
3) Morey JC, Simon R, Jay GD, et al：Error reduction and performance improvement in the emergency department through formal teamwork training：Evaluation results of the MedTeams project. Health Serv Res 2002；37：1553-1581.
4) Simons R, Eliopoulos V, Laflamme D, et al：Impact on process of trauma care delivery 1 year after the introduction of a trauma program in a provincial trauma center. J Trauma 1999；46：811-815；discussion 815-816.
5) Hirshberg A, Mattox KL：Top Knife：The Art & Craft in Trauma Surgery, TFM Publishing, Shrewsbury, 2005.
6) Lubbert PH, Kaasschieter EG, Hoorntje LE, et al：Video registration of trauma team performance in the emergency department：The results of a 2-year analysis in a Level 1 trauma center. J Trauma 2009；67：1412-1420.
7) Capella J, Smith S, Philp A, et al：Teamwork training improves the clinical care of trauma patients. J Surg Educ 2010；67：439-443.
8) Steinemann S, Berg B, Skinner A, et al：In situ, multidisciplinary, simulation-based teamwork training improves early trauma care. J Surg Educ 2011；68：472-477.
9) Petrie D, Lane P, Stewart TC：An evaluation of patient outcomes comparing trauma team activated versus trauma team not activated using TRISS analysis：Trauma and Injury Severity Score. J Trauma 1996；41：870-873；discussion 873-875.
10) Gerardo CJ, Glickman SW, Vaslef SN, et al：The rapid impact on mortality rates of a dedicated care team including trauma and emergency physicians at an aca-

demic medical center. J Emerg Med 2011；40：586-591.
11) Adedeji OA, Driscoll PA：The trauma team：A system of initial trauma care. Postgrad Med J 1996；72：587-593.
12) West JG, Trunkey DD, Lim RC：Systems of trauma care：A study of two counties. Arch Surg 1979；114：455-460.
13) Hoff WS：Organization prior to trauma patient arrival. In：Peitzman AB, Rhodes M, Schwab CW, et al eds. The Trauma Manual：Trauma and Acute Care Surgery. 3rd ed, Lippincott Williams & Wilkins, Philadelphia, 2008, pp62-70.
14) Georgiou A, Lockey DJ：The performance and assessment of hospital trauma teams. Scand J Trauma Resusc Emerg Med 2010；18：66.
15) Khetarpal S, Steinbrunn BS, McGonigal MD, et al：Trauma faculty and trauma team activation：Impact on trauma system function and patient outcome. J Trauma 1999；47：576-581.
16) Driscoll PA, Vincent CA：Variation in trauma resuscitation and its effect on patient outcome. Injury 1992；23：111-115.
17) Leung GK, Ng GK, Ho W, et al：Impact of a multidisciplinary trauma team on the outcome of acute subdural haematoma. Injury 2012；43：1419-1422.
18) MacKenzie EJ, Rivara FP, Jurkovich GJ, et al：A national evaluation of the effect of trauma-center care on mortality. N Engl J Med 2006；354：366-378.
19) Nathens AB, Jurkovich GJ, Cummings P, et al：The effect of organized systems of trauma care on motor vehicle crash mortality. JAMA 2000；283：1990-1994.
20) Rainer TH, Cheung NK, Yeung JHH, et al：Do trauma teams make a difference? A single centre registry study. Resuscitation 2007；73：374-381.
21) Cole EM, West A, Davenport R, et al：Can residents be effective trauma team leaders in a major trauma centre? Injury 2013；44：18-22.
22) American College of Surgeons Committee on Trauma. Resources for optimal care of the injured patient 2006. American College of Surgeons, Chicago, 2006.
23) Trauma Association of Canada：Trauma System Accreditation Guidelines, Fourth Revision, Calgary, 2011.
24) Cole E, Crichton N：The culture of a trauma team in relation to human factors. J Clin Nurs 2006；15：1257-1266.
25) Cooper S, Wakelam A：Leadership of resuscitation teams：'Lighthouse Leadership'. Resuscitation 1999；42：27-45.
26) Digman JM：Personality structure：Emergence of the five-factor model. Annu Rev Psychol. 1990；41：417-440.
27) Costa PT, McCrae RR：The NEO personality inventory manual. Psychological Assessment Resources, Florida, 1985.
28) Gillman LM, Brindley PG, Blaivas M, et al：Trauma team dynamics. J Crit Care 2016；32：218-221.
29) Widder S, Kolthoff D, Brindley PG：Leadership theories, skills, and application. In： Gillman LM, Widder S, Blaivas M, et al eds. Trauma Team Dynamics：A Trauma Crisis Resource Management Manual. Springer, Switzerland, 2016, pp15-19.
30) Flin R, O'Connor P, Crichton M：Safety at the Sharp end：A Guide to Non-Technical Skills. Ashgate Publishing, Farnham, 2007.
31) Yun S, Faraj S, Sims HP：Contingent leadership and effectiveness of trauma resuscitation teams. J Appl Psychol 2005；90：1288-1296.
32) Hjortdahl M, Ringen AH, Naess AC, et al：Leadership is the essential non-technical skill in the trauma team results of a qualitative study. Scand J Trauma Resusc Emerg Med 2009；17：48.
33) Wyatt JP, Henry J, Beard D：The association between seniority of accident and emergency doctor and outcome following trauma. Injury 1999；30：165-168.
34) Hjortdahl M, Ringen AH, Naess AC, et al：Leadership is the essential non-technical skill in the trauma team：Results of a qualitative study. Scand J Trauma Resusc Emerg Med 2009；17：48.
35) Barie PS：Leading and managing in unmanageable times. J Trauma 2005；59：803-814.
36) Bergs EA, Rutten FL, Tadros T, et al：Communication during trauma resuscitation：Do we know what is happening? Injury 2005；36：905-911.
37) Jacobsson M, Hargestam M, Hultin M, et al：Flexible knowledge repertoires：Communication by leaders in trauma teams. Scand J Trauma Resusc Emerg Med 2012；20：44.
38) Wodak R, Kwon W, Clarke I：'Getting people on board'：Discursive leadership for consensus building in team meetings. Discourse Soc 2011；22：592-644.
39) Dingley C, Daugherty K, Derieg MK, et al：Improving patient safety through provider communication strategy enhancements. In：Henriksen K, Battles JB, Keyes MA, et al eds. Advances in Patient Safety：New Directions and Alternative Approaches（Vol 3：Performance and Tools）. Agency for Healthcare Research and Quality, Rockville, 2008.
40) Riesenberg LA, Leitzsch J, Little BW：Systematic review of handoff mnemonics literature. Am J Med Qual 2009；24：196-204.
41) 外傷外科手術治療戦略（SSTT）コース運営協議会編：

チームワークの構築．外傷外科手術治療戦略（SSTT）コース公式テキストブック，第2版，へるす出版，東京，2018，pp27-38.
42） St Pierr M, Hofinger G, Buerschaper C：Crisis Management in Acute Care Settings：Human Factors and Team Psychology in a High Stakes Environment. Springer, New York, 2008.
43） Salas E, Wilson KA, Murphy CE, et al：Communicating, coordinating, and cooperating when lives depend on it：Tips for teamwork. Jt Comm J Qual Patient Saf 2008；34：333-341.
44） Mann S, Pratt SD：Team approach to care in labor and delivery. Clin Obstet Gynecol 2008；51：666-679.
45） Healy GB, Barker J, Madonna G：Error reduction through team leadership：Seven principles of CRM applied to surgery. Bull Am Coll Surg 2006；91：24-26.
46） Driscoll PA, Vincent CA：Organizing an efficient trauma team. Injury 1992；23：107-110.
47） Endsley MR：Toward a theory of situation awareness in dynamic systems. Hum Fact J Hum Fact Ergonom Soc 1995；32-64.
48） Chabris CF, Simons DJ：The Invisible Gorilla：And Other Ways Our Intuitions Deceive Us. Crown Publishers, New York, 2010.
49） Brindley PG, Tse A：Situation awareness and human performance in trauma. In：Gillman LM, Widder S, Blaivas M, et al eds. Trauma Team Dynamics. Springer, New York, 2016, pp27-31.
50） Wurmb TE, Fruhwald P, Knuepffer J, et al：Application of standard operating procedures accelerates the process of trauma care in patients with multiple injuries. Eur J Emerg Med 2008；15：311-317.
51） Martin J, Kuhlen R, Kastrup M, et al：Standard operating procedures anaesthesiology, intensive medicine, pain therapy and emergency medicine exchange. Anaesthesist 2005；54：495-496.
52） Vincent C, Moorthy K, Sarker SK, et al：Systems approaches to surgical quality and safety：From concept to measurement. Ann Surg 2004；239：475-482.
53） Steinemann S, Bhatt A, Suares G, et al：Trauma team discord and the role of briefing. J Trauma Acute Care Surg 2016；81：184-189.
54） McGreevy JM, Otten TD：Briefing and debriefing in the operating room using fighter pilot crew resource management. J Am Coll Surg 2007；205：169-176.
55） Fanning RM, Gaba DM：The role of debriefing in simulation-based learning. Simul Healthc 2007；2：115-125.
56） Raemer D, Anderson M, Cheng A, et al：Research regarding debriefing as part of the learning process. Simul Healthc 2011；6：S52-57.
57） Arafeh JM, Hansen SS, Nichols A：Debriefing in simulated-based learning: Facilitating a reflective discussion. J Perinat Neonat Nurs 2010；24：302-309.
58） Rudolph JW, Simon R, Raemer DB, et al：Debriefing as formative assessment：Closing performance gaps in medical education. Acad Emerg Med 2008；15：1010-1016.
59） Rudolph JW, Simon R, Rivard P, et al：Debriefing with good judgment：Combining rigorous feedback with genuine inquiry. Anesthesiol Clin 2007；25：361-376.
60） Rudolph JW, Simon R, Dufresne RL, et al：There's no such thing as a "non-judgmental" debriefing: A theory and method for debriefing with good judgment. Simul Healthc. 2006；1：49-55.
61） Eppich W, Cheng A：Promoting excellence and reflective learning in simulation（PEARLS）：Development and rationale for a blended approach to health care simulation debriefing. Simul Healthc 2015；10：106-115.
62） Lynch A, Cole E：Human factors in emergency care：The need for team resource management. Emerg Nurse 2006；14：32-35.
63） Tannenbaum SI, Cerasoli CP：Do team and individual debriefs enhance performance? A meta-analysis. Hum Factors 2013；55：231-245.
64） Santora TA, Trooskin SZ, Blank CA, et al：Video assessment of trauma response：Adherence to ATLS protocols. Am J Emerg Med 1996；14：564-569.
65） Hoyt DB, Shackford SR, Fridland PH, et al：Video recording trauma resuscitations：An effective teaching technique. J Trauma 1988；28：435-440.
66） Holcomb JB, Dumire RD, Crommett JW, et al：Evaluation of trauma team performance using an advanced human patient simulator for resuscitation training. J Trauma 2002；52：1078-1085；discussion 1085-1086.
67） DeVita MA, Schaefer J, Lutz J, et al：Improving medical emergency team（MET）performance using a novel curriculum and a computerized human patient simulator. Qual Saf Health Care 2005；14：326-331.
68） Small SD, Wuerz RC, Simon R, et al：Demonstration of high-fidelity simulation team training for emergency medicine. Acad Emerg Med 1999；6：312-323.
69） Shapiro MJ, Morey JC, Small SD, et al：Simulation based teamwork training for emergency department staff：Does it improve clinical team performance when added to an existing didactic teamwork curriculum? Qual Saf Health Care 2004；13：417-421.
70） Wayne DB, Didwania A, Feinglass J, et al：Simulation-based education improves quality of care during

cardiac arrest team responses at an academic teaching hospital：A case-control study. Chest 2008；133：56-61.
71) Lee SK, Pardo M, Gaba D, et al：Trauma assessment training with a patient simulator：A prospective, randomized study. J Trauma 2003；55：651-657.
72) Marshall RL, Smith JS, Gorman PJ, et al：Use of a human patient simulator in the development of resident trauma management skills. J Trauma 2001；51：17-21.
73) Sugrue M, Seger M, Kerridge R, et al：A prospective study of the performance of the trauma team leader. J Trauma 1995；38：79-82.
74) Undre S, Healey AN, Darzi A, et al：Observational assessment of surgical teamwork：A feasibility study. World J Surg 2006；30：1774-1783.
75) Undre S, Sevdalis N, Healey AN, et al：Observational teamwork assessment for surgery（OTAS）：Refinement and application in urological surgery. World J Surg 2007；31：1373-1381.
76) Sevdalis N, Lyons M, Healey AN, et al：Observational teamwork assessment for surgery：Construct validation with expert versus novice raters. Ann Surg 2009；249：1047-1051.
77) Healey AN, Undre S, Vincent CA：Developing observational measures of performance in surgical teams. Qual Saf Health Care 2004；13（Suppl 1）：i33-40.
78) Yule S, Flin R, Paterson-Brown S, et al：Development of a rating system for surgeons' non-technical skills. Med Educ 2006；40：1098-1104.
79) Yule S, Flin R, Maran N, et al：Surgeons' non-technical skills in the operating room：Reliability testing of the NOTSS behavior rating system. World J Surg 2008；32：548-556.
80) Flin R, Maran N：Identifying and training non-technical skills for teams in acute medicine. Qual Saf Health Care 2004；13（Suppl 1）：i80-84.
81) Mishra A, Catchpole K, Dale T, et al：The influence of non-technical performance on technical outcome in laparoscopic cholecystectomy. Surg Endosc 2008；22：68-73.
82) Sevdalis N, Davis R, Koutantji M, et al：Reliability of a revised NOTECHS scale for use in surgical teams. Am J Surg 2008；196：184-190.
83) Steinemann S, Berg B, DiTullio A, et al：Assessing teamwork in the trauma bay：Introduction of a modified "NOTECHS" scale for trauma. Am J Surg 2012；203：69-75.
84) DeMoor. S, Abdel-Rehim S, Olmsted R, et al：Evaluating trauma team performance in a Level I trauma center：Validation of the trauma team communication assessment（TTCA-24）. J Trauma Acute Care Surg 2017；83：159-164.
85) Howard SK, Gaba DM, Fish KJ, et al：Anesthesia crisis resource management training：Teaching anesthesiologists to handle critical incidents. Aviat Space Environ Med 1992；63：763-770.
86) Reznek M, Smith-Coggins R, Howard S, et al：Emergency medicine crisis resource management（EMCRM）：Pilot study of a simulation-based crisis management course for emergency medicine. Acad Emerg Med 2003；10：386-389.
87) Kim J, Neilipovitz D, Cardinal P, et al：A pilot study using high-fidelity simulation to formally evaluate performance in the resuscitation of critically ill patients：The University of Ottawa Critical Care Medicine, High-Fidelity Simulation, and Crisis Resource Management I Study. Crit Care Med 2006；34：2167-2174.
88) Haller G, Garnerin P, Morales MA, et al：Effect of crew resource management training in a multidisciplinary obstetrical setting. Int J Qual Health Care 2008；20：254-263.
89) Ashcroft J, Wilkinson A, Khan M：A systematic review of trauma crew resource management training: What can the united states and the United Kingdom learn from each other? J Surg Educ 2021；78：245-264.
90) Hughes KM, Benenson RS, Krichten AE, et al：A crew resource management program tailored to trauma resuscitation improves team behavior and communication. J Am Coll Surg 2014；219：545-551.
91) Ziesmann MT, Widder S, Park J, et al：S.T.A.R.T.T.：Development of a national, multidisciplinary trauma crisis resource management curriculum-results from the pilot course. J Trauma Acute Care Surg 2013；75：753-758.
92) Gillman LM, Brindley P, Paton-Gay JD, et al：Simulated Trauma and Resuscitation Team Training course-evolution of a multidisciplinary trauma crisis resource management simulation course. Am J Surg 2016；212：188-193.
93) Wisborg T, Castren M, Lippert A, et al：Training trauma teams in the Nordic countries：An overview and present status. Acta Anaesthesiol Scand 2005；49：1004-1009.
94) Wisborg T, Brattebø G, Brattebø J, et al：Training multiprofessional trauma teams in Norwegian hospitals using simple and low cost local simulations. Educ Health（Abingdon）2006；19：85-95.
95) Wisborg T, Brattebø G, Brinchmann-Hansen A, et al：Effects of nationwide training of multiprofessional trauma teams in Norwegian hospitals. J Trauma

2008；64：1613-1618.

96） Hansen KS, Uggen PE, Brattebø G, et al：Training operating room teams in damage control surgery for trauma：A followup study of the Norwegian model. J Am Coll Surg 2007；205：712-716.

97） Hansen KS, Uggen PE, Brattebø G, et al：Team-oriented training for damage control surgery in rural trauma：A new paradigm. J Trauma 2008；64：949-953；discussion 953-954.

98） 渡部広明，井戸口孝二，水島靖明，他：Surgical Strategy and Treatment for Trauma（SSTT）コース；日本独自の外傷外科手術トレーニングコース．日本ACS学会誌 2012；2：42-48.

99） Perkins RS, Lehner KA, Armstrong R, et al：Model for team training using the Advanced Trauma Operative Management Course：Pilot study analysis. J Surg Educ 2015；72：1200-1208.

100） 永田高志，村上壮一，佐藤武揚，他：Advanced Trauma Operative Management（ATOM）コース．日外会誌 2017；118：506-512.

101） 藤田尚，溝端康光，坂本哲也，他：Definitive Surgical Trauma Care（DSTC）コース．日外会誌 2017；118：513-520.

102） Alexandrino H, Baptista S, Vale L, et al：Improving intraoperative communication in trauma：The educational effect of the joint DSTC™-DATC™ courses. World J Surg 2020；44：1856-1862.

3章

外傷治療戦略と戦術

1 蘇生に必要な治療戦略と戦術

A 外傷蘇生の考え方

要　約

1. primary survey では必要に応じて蘇生処置を行い，迅速に患者の生理学的状態を安定化させる。
2. 出血性ショックなどによる生命の危機を伴う病態では，primary survey の一環としての治療介入や手術（蘇生的手術）を実施する必要がある。
3. 銃創などの穿通性外傷では，迅速な手術を可能とする体制整備が患者予後に直結する。

はじめに

外傷診療においては，まずJATECに基づいてprimary surveyを行い，患者の生理学的状態を安定化させることが求められる[1)]。primary surveyでは気道閉塞，肺挫傷を伴うフレイルチェスト，開放性気胸，緊張性気胸，大量血胸，心タンポナーデ，大量腹腔内出血，大量後腹膜出血（不安定型骨盤骨折など）などの致死的病態を迅速に検索し，これとともに対応することが重要である。病態によっては外科的手技を用いた蘇生を行う必要もある。外傷専門医など外傷診療にかかわる医師は，この蘇生に必要な治療戦略とその手技である戦術を理解し実践できなければならない。

I 生理学的状態を安定化させるための戦略

primary surveyにおいては，ABCDEアプローチに沿って診療を進め，蘇生が必要な病態が発見されれば直ちにこれに対応する[1)]。とくにABCの異常は生命の危機へと直結するため，救急初療室で迅速に対処されなければならない。

1. A（Airway：気道）の異常

Aの異常はもっとも緊急度が高いため，認知し次第直ちに気道確保を行う。用手的気道確保やエアウエイの使用でも気道緊急となる場合や気道閉塞の危険性が高い場合は，確実な気道確保を行う。確実な気道確保法として最初に試みるべきは経口気管挿管であるが，挿管が困難な場合は輪状甲状靱帯切開などの外科的気道確保を迅速に実施する。また気管損傷によりAの異常をきたした場合は，迅速な開胸のもと損傷気道に対して術野での気管チューブ挿入を行わなければ救命できないものも存在する。

2. B（Breathing：呼吸）の異常

フレイルチェスト，緊張性気胸，開放性気胸，大量血胸などがある。肺損傷を伴うフレイルチェストは確実な気道確保の後，陽圧補助換気による安定化（internal pneumatic stabilization）を行う。開放性気胸に対しては，胸腔ドレーンの留置と開放創の閉鎖が必要となる。上記の異常はいずれも救急初療室で行う処置により解除できる。緊張性気胸や大量血胸では，Bの異常とともにCの異常を引き起こすことからその存在を認知することができる。Bの異常を解除するためには，胸腔ドレナージを行うことにより虚脱した肺を再膨張させる。大量血胸によるCの異常に対しては，胸腔ドレーンからの出血量が多ければ開胸止血術を考慮するが，後述するように出血量そのものよりも生理学的異常に基づく治療介入が推奨される。

3. C（Circulation：循環）の異常

外傷患者にみられるショックの大部分を出血性ショックが占めるため，出血部位の検索と止血介入の緊急度，重症度はともに高い。ショック認知は血圧のみに頼らず，皮膚所見，脈拍，意識レベルなどをもとに総合的に判断し，迅速に評価する。

出血性ショックに対しては，静脈路確保，初期輸液を開始するとともに，迅速に出血源の検索を行う。外出血があれば圧迫止血を行うが，圧迫止血が困難な四肢外傷による活動性出血に対してはターニケットを使用する場合もある[2)]。大量血胸，腹腔内出血，後腹膜出血はいずれも重度の出血性ショックを引き起こす。出血性ショックにより循環動態が破綻した患者においては緊急止血術が必要であり，外科的手術やinterventional radiology（IVR）が選択される。外科的手術，IVRは止血術の両輪としてどちらも迅速に実施可能な診療体制が望ましい。出血性ショックのような生命を脅かす病態では，primary surveyの一環として，生理学的異常に基づいた治療介入や手術（蘇生的手術）を実施する必要がある。また，生理学的状態の改善に主眼を置き，根本治療を回避した治療戦略（damage control strategy）を選択しなければ救命できない症例も存在する。

Cの異常が重度で心停止が切迫していると判断される場合には，蘇生的開胸術（resuscitative thoracotomy；RT）を行い，循環の維持を図る。RTの目的は，①心タンポナーデの解除，②心損傷の止血，③胸腔内出血の止血，④開胸心マッサージ，⑤大量空気塞栓の予防，⑥胸部下行大動脈遮断，などである[3)]。いずれも循環を安定化させるための処置であり，primary surveyにおける蘇生の一環である。胸部外傷に対する直接的な処置のみならず，腹部や骨盤部などの横隔膜より尾側の重篤な出血に対する一時的止血法となり得る。近年，専用のデバイスを用いたREBOA（resuscitative endovascular balloon occlusion of the aorta）が選択される場合もあるが，あくまで止血までの時間的猶予を延長するための補助手段であり，腹腔内の大量出血で蘇生的な開腹術が必要な場合など，迅速な止血術の実施を遅らせてはならない。

出血で説明がつかないショックでは，緊張性気胸や心タンポナーデによる閉塞性ショックを考える。緊張性気胸は胸腔ドレナージ，心タンポナーデは心嚢穿刺や心嚢開窓術で対処する。心タンポナーデの解除後は，多くの場合引き続き心縫合術などの手術が必要となる。

銃創を中心とした穿通性外傷の蘇生

銃創をはじめとした穿通性外傷においても，基本的な対応は鈍的外傷と同様である。しかし，銃創では緊急手術が必要になる可能性が非常に高く手術加療の的確さが予後に直結するため，迅速に緊急手術が施行可能な体制を整えておくべきである[2)]。ショックを伴う銃創患者では，手術室入室まで10分以上かかると死亡率が高くなるという報告もある[4)]。

循環動態が不安定な症例は原則手術であり，必要最低限の処置および検査を行っている間に手術の準備をする。とくに切迫心停止症例では迅速にRTを行う。RTを施行した症例では，鈍的外傷よりも穿通性外傷のほうが生存率が高く，必須の手技である[2)]。循環動態の安定している症例でも，常に急変のリスクおよび緊急手術になるであろうことを念頭に，迅速に診療にあたる必要がある。また穿通性外傷では，腹体表創部から体外へ出血していることもあり，腹腔内出血に対するFASTの診断感度は低下するため陰性でも腹腔内出血は否定できないことを認識しておくことも重要である[5)]。

さらに銃創患者におけるprimary surveyではE（exposure and environmental control：脱衣と体温管理）の評価が重要である。全身観察をより注意深く行い，銃創の数，部位，活動性出血の有無などを確認する。創が奇数の場合，体内に弾丸が残存している可能性も想定する。また銃創が複数ある場合，どこが射入口・射出口かにかかわらず，銃弾の貫通経路はあらゆるパターンを想定する。銃創では貫通経路を考えるうえで，単純X線撮影での評価も重要である[2)]。

文　献

1）日本外傷学会・日本救急医学会監，日本外傷学会外傷初期診療ガイドライン改訂第6版編集委員会編：外傷初期診療ガイドラインJATEC，改訂第6版，へるす出版，東京，2021.

2）日本外傷学会東京オリンピック・パラリンピック特別委員会：銃創・爆傷患者診療指針Ver1.0, 2018.

3）Moore EE, Feliciano DV, Mattox KL, eds：Trauma. 9th ed, McGraw-Hill, New York, 2020.

4）Meizoso JP, Karcutskie CA 4th, Allen CJ, et al：Effect of time to operation on mortality for hypotensive patients with gunshot wounds to the torso：The golden 10 minutes. J Trauma Acute Care Surg 2016；81：685-691.

5）Matsushima K, Khor D, Berona K, et al：Double jeopardy in penetrating trauma：Get it FAST, get it right. World J Surg 2018；42：96-106.

B　ダメージコントロール戦略

要　約

1. ダメージコントロール戦略はdamage control surgeryとそれを支える蘇生法（damage control resuscitation）を包括した概念である。
2. ダメージコントロール戦略の適応判断とその迅速な実施が転帰を左右する。
3. damage control surgeryの中心となる構成要素は，①蘇生的手術，②集中治療，③計画的再手術である。

はじめに

出血性ショックの治療原則は確実な止血である[1)]。止血が完了しなければ患者を救命することはできない。止血の遅れは出血量を増やすことにつながり，これに伴うさまざまな生理学的異常が患者の生命を脅かすことになる。

I　ダメージコントロール戦略の理論

出血性ショックにより循環動態が破綻した患者を蘇生するために，迅速な止血術が求められる。初回手術で完遂できることが望ましいが，根本治療による止血に固執するための無理な手術の継続は，結果として「損傷の修復はできたが，患者は救命できなかった」ということになりかねない[2)~4)]。このような重篤な外傷患者に対する初回の外科的治療においては，損傷の修復よりも，患者の生理学的恒常性の破綻阻止を主眼に置いた治療戦略をとる。「ダメージコントロール」という用語は，もともと米国海軍で使用する戦時用語が語源となっている。戦闘艦船が敵の攻撃により被弾した場合，その被害を最小限にとどめ，修復可能な母港へと寄港することで，艦船を再度戦闘可能な状態にする一連の応急策が「ダメージコントロール」である[5)]。この艦船を外傷患者に見立て，患者を救命することを最優先課題として行う一連の応急対策が，ダメージコントロール戦略である。それはすなわち，患者の生命を脅かす出血と汚染を制御し，迅速に初回手術を終了するとともに，引き続き集中治療室での全身管理を行い，全身状態の改善の後に根治的手術を行うというものである。

Rotondoら[4)]は，外傷外科手術において“damage control”という用語を初めて適用しその有用性を報告した。穿通性腹部外傷患者に対するダメージコントロール群（DC群24例）と根治術群（DL群22例）との比較では，全体の生存率には差がないものの（DC群55% vs DL群58%），大血管損傷と2つ以上の臓器損傷を伴う症例での解析ではDC群の生存率が有意に高いことを示した（DC群77% vs DL群11%）[4)]。今日ではdamage control surgeryは救命率を向上させるための重要な戦略であると広く認識されている[6)~9)]。

damage control surgeryの中核は，①蘇生的手術［abbreviated surgery］（DC1）[注1]，②集中治療［critical care］（DC2），③計画的再手術［planned reoperation］（DC3）の3つで構成される（図3-1-B-1）。近年ではこの3つのステップに加えて，病院前（DC0）や計画的再手術後の腹壁閉鎖（DC4）を含めて5ステップとすることが多い[10)~14)]。

damage control resuscitationとは，①damage control surgeryにおける蘇生的止血（DC1）と集中治療（DC2），②低血圧を容認した輸液投与の制限（permissive hypotension），③血液凝固障害の制御

注1：damage control surgeryにおけるDC1は，「蘇生的観点からの止血と汚染回避に特化した簡略化手術」であることから，これを「蘇生的手術」と標記している。

ステップ 1（DC1）：
蘇生的手術〔abbreviated surgery〕

迅速な止血
手術時間の短縮，手術室（戦域）からの離脱

ステップ 2（DC2）：
集中治療〔critical care〕

「外傷死の三徴」の改善

呼吸・循環管理
積極的復温，アシドーシスの補正
凝固機能の改善

ステップ 3（DC3）：
計画的再手術〔planned reoperation〕

図3-1-B-1　damage control surgeryの概念
“damage control surgery” を構成する3つのステップを示す。わが国においては保険診療上，「ダメージコントロール手術」を初回に行う手術（DC1）としているが，本来，“damage control surgery” は上記3つのステップを総称して呼称する用語である点に注意する

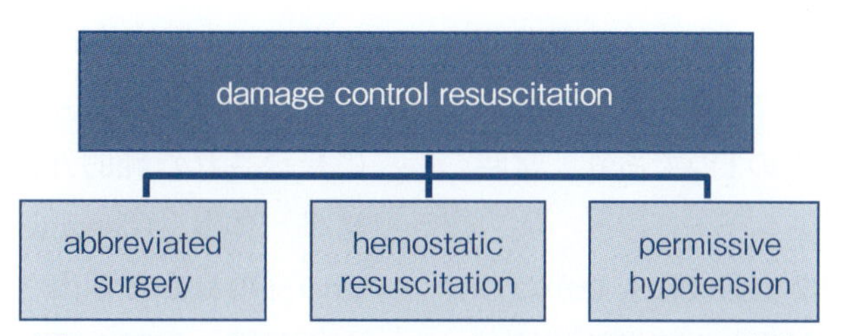

図3-1-B-2　damage control resuscitationの概念

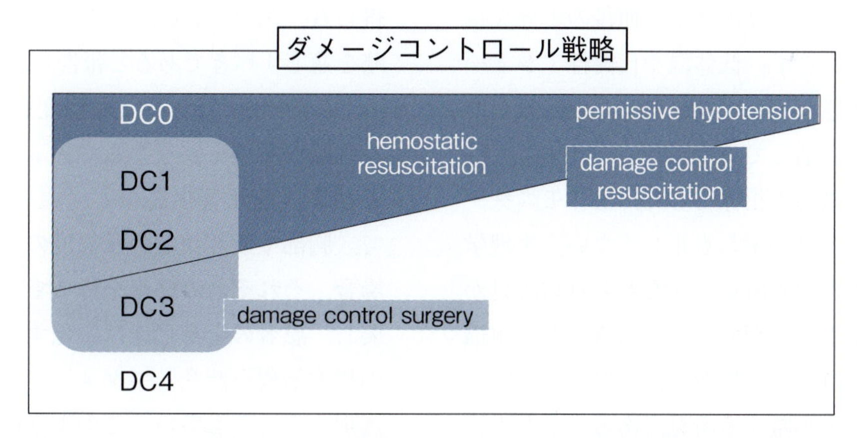

図3-1-B-3　ダメージコントロール戦略（damage control strategy）の概念
ダメージコントロール戦略の概念を示す。damage control surgeryにおける迅速な止血と集中治療のステップは蘇生のフェーズであり，hemostatic resuscitationとpermissive hypotensionを含め，これを下支えする蘇生法がdamage control resuscitationである。ダメージコントロール戦略にはdamage control surgeryのDC3，DC4も含まれる

を目的とした輸血療法（hemostatic resuscitation）で構成される（図3-1-B-2）。

本書では，ダメージコントロール戦略はdamage control surgeryとそれを支える蘇生法（damage control resuscitation）を包括した概念として定義している[2)〜4)]（図3-1-B-3）。

表3-1-B-1　ダメージコントロールの判断基準例

要素	レベル
体温	<35℃
代謝性アシドーシス	
pH	<7.2
Base Excess	<−15mmol/L（55歳未満） <−6mmol/L（55歳以上）
乳酸値	>5mmol/L
血液凝固障害	
プロトロンビン時間 部分トロンボプラスチン時間	<正常の50%

Ⅱ　ダメージコントロール戦略の適応判断

ダメージコントロール戦略の適応を正しく判断することは重要である。ダメージコントロール戦略の適応の決断は複合的な要素から決定される。患者の生理学的状態はその重要な要素の1つであり，常時その変化に注意を払う。

適応の指標として，外科的な止血後にもかかわらず持続するショックをはじめとした生理学的破綻の継続があげられる。生理学的破綻とは循環動態が不安定な状態であり，適切な加温や止血後の十分な輸液・輸血にもかかわらず，低体温や代謝性アシドーシスが遷延する状態，そして外科的に止血困難な血液凝固障害などを包括している。

患者の生理学的破綻の指標として，生体モニターなどの数値に頼るのは必ずしも正しくない。生理学的破綻の状態は手術中の所見，すなわち身体所見からいち早く察知することができる。内臓などの組織温低下は開腹下の重症外傷患者ではしばしば経験され，これは低体温を示唆する所見である。また腸管壁の浮腫，漿膜面の色調不良などは組織低灌流を示す所見であり，手術剝離創からのoozingは血液凝固障害を強く示唆する徴候である。このような術中身体所見から「外傷死の三徴」の出現を迅速に察知し，早期にダメージコントロール戦略の病院内での継続を決断すべきである。また，治療にあたるチームメンバーの力量が十分ではなく，手術の継続が危険であることも考慮する。

ダメージコントロール戦略の決断に関してはいくつかの報告があるが[15)~18)]，代表的な一例を表3-1-B-1に示す。諸家の報告によるとこうした基準をもとにダメージコントロール戦略を決断することが推奨されているが，「外傷死の三徴」の3つが揃った場合にはすでに決断の時期を逸している場合が多い[19)20)]。「外傷死の三徴」が揃うことをダメージコントロール戦略決断の指標とすべきではない。漆畑らは，2019年に日本の外傷データバンク（JTDB）に登録された鈍的外傷開腹術4,447症例を解析した結果，体温，Glasgow Coma Scaleスコア，受傷機転の三項目から算出される“DECIDE score”は死亡率と正の相関を示し，スコア5点をカットオフ値とすると死亡率30.8%，感度64.8%，特異度70%が得られ，スコア5点以上でダメージコントロール戦略を適応すべきであると報告した（図3-1-B-4）[21)]。

さらに損傷パターンと重症度もダメージコントロール戦略決断の重要な要素である[22)]。例えば，肝損傷，腎損傷，消化管損傷などの腹腔内複合損傷に加えて，胸部や頭部などの多部位の損傷が合併している場合，それぞれの修復を行っていては膨大な時間を要し，患者の全身状態は悪化する。このため，個々の根本治療を断念してダメージコントロール戦略を選択することも多い。このように患者の損傷パターンと総合的な外傷度合いもダメージコントロール戦略の決断要素の1つと考えるべきである。

Ⅲ　ダメージコントロール戦略の手順

damage control surgeryで重要とされる5つのステップについて解説する。

1. GCS	14～15	0
	9～13	2
	≦8	3
2. body temperature	≧36.0℃	0
	35.0～35.9	1
	34.0～34.9	2
	＜34.0	3
3. injury type	penetrating	0
	blunt	3

score of 5 points or more
→damage control

AUC 0.715
sensitivity 64.8% specificity 70.0%

図3-1-B-4 Damage Control Indication Detecting（DECIDE）score
〔文献21）より引用・改変〕

1. ステップ0；病院前［prehospital］（DC0）

病院前診療に携わる医師，看護師，救急救命士はダメージコントロール戦略開始のトリガーの役割を担うばかりでなく，damage control resuscitationの一部に密接にかかわる[23]。すなわち，病院前における傷病者の循環動態や損傷程度を迅速に認知して外傷診療体制の整った施設に連絡し，院内の外傷チームを起動する役割を担うほか，頭部外傷が強く疑われる傷病者を除いて，低血圧を容認した輸液投与の制限（permissive hypotension）を実行する。また，病院前診療で出血性ショックを強く疑う状況であれば，院内の大量輸血プロトコル（massive transfusion protocol；MTP）を起動する。直近に外傷手術やIVRに常時応じることができる施設がない場合には，トラウマバイパスの考えのもと，それらが迅速に施行可能な施設への搬送を考慮する[24)25]。自地域の救急隊や救急システムに応じたDC0を実践させるためには，十分なメディカルコントロール体制の確立が必須条件であり，外傷専門医は体制構築に積極的に関与せねばならない。近年では，医師派遣システムにdamage control resuscitationの概念を反映させたシステムが導入されるようになりつつある。具体的には，病院前からの輸血[26]，蘇生的手術や大動脈遮断をドクターヘリ，ドクターカー搬送の過程のなかで行うもの[27]，病院前からのトラネキサム酸の投与，高度の凝固モニタリング[28]，などである。

2. ステップ1；蘇生的手術［abbreviated surgery］（DC1）

damage control surgeryの1つ目のゴールは，止血と汚染回避である。初回手術の目的はこの2つであるといっても過言ではない。

出血は患者の循環動態を破綻させる原因であり，止血は循環を改善させるための最優先事項である。動脈性出血に対しては確実に結紮もしくは縫合止血を行う。循環動態が不安定で修復に時間がかかる場合，もしくは止血困難な状態に陥った場合には結紮による止血を考慮する[1]。ただし主要血管の損傷で結紮することができない場合には一時シャントの造設を検討する[29)30]。静脈性の出血もしくは血液凝固障害に起因するoozingに対してはガーゼパッキングが有効である[31)～38]。出血のコントロールが困難な場合，腹腔内臓器損傷のうち脾，腎，膵体尾部のように摘出が可能な臓器においては迅速な摘出が確実な止血につながる[39)40]。一方，摘出困難な肝，膵頭部などは，ガーゼパッキングによる止血が行われる[38]。IVRで止血可能なものはTAEなどを組み合わせることを考慮する。

管腔臓器損傷による体腔内汚染は出血ほど危機的ではないが，存在が見逃されると全身状態を悪化させるため[41]，初回手術では原因となる損傷を確実にコントロールする。損傷部からの消化液の漏れを防ぐために自動縫合器などで一時的閉鎖のみを行う。出血と体腔内の汚染コントロールが完了すれば，速やかに手術を終了してDC2へと移行する。

初回手術に要する時間は60～90分程度とし，速やかに終了すべきである[42]。このためには定型的閉腹（筋膜閉鎖を伴う）ではなく，一時閉腹法を用い

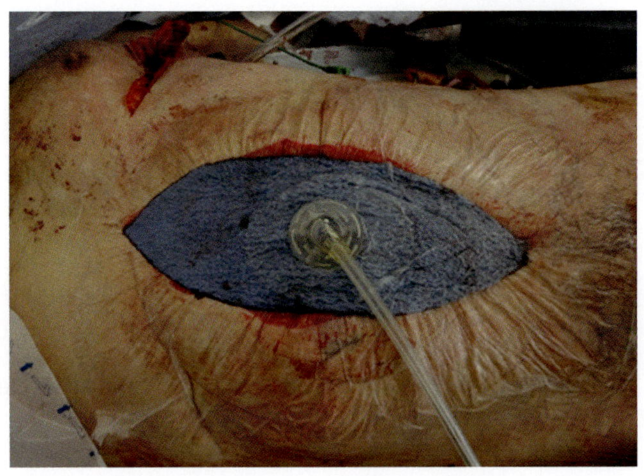

図3-1-B-5　3M™AbThera™Advanceドレッシングキット（3M）と使用例

て迅速な閉腹を行う。重症外傷患者では，大量輸液などによる消化管・腹壁の浮腫や，腹腔・後腹膜腔の血腫のため，術後に腹部コンパートメント症候群（abdominal compartment syndrome；ACS）の発症[43)～46)]予防や計画的再手術などのために筋膜閉鎖を伴わない一時的閉腹法を選択する。近年では，専用にキット化された3M™AbThera™Advanceドレッシングキットもしくは RENASYS◇アブドミナルキットが保険収載されており，より短時間かつ簡便に手術が終了可能となった（図3-1-B-5）。

初回手術時において止血と汚染のコントロールを確実に行い，いったんショックから離脱したならば，速やかに輸液量を絞ることが閉腹困難を軽減するためには必要である。

3. ステップ2；集中治療［critical care］（DC2）

止血と体腔内汚染のコントロールが完了したら，速やかに集中治療室に患者を移送して生理学的異常

◆Clinical questions◆　CQ 02

Q　腹腔内出血に対する緊急開腹術において，開胸下大動脈遮断より開腹下大動脈遮断を第一に選択すべきか？

A　外傷専門医25名によるコンセンサス会議の投票の結果，「はい」との回答が48%，「いいえ」が36%であり，「はい」が上回った。

「はい」との回答では，「すでに開腹されている場合は開胸の侵襲は必要ない」，「開腹と同時に大動脈を椎体に圧迫して遮断することで循環は維持できるため開胸は必要ない」，「心停止が迫っていなければ開腹して大動脈を遮断することで止血を優先することができる」，「開胸より開腹遮断のほうが速い」などの意見が多数であった。その一方で，「開腹歴がある，もしくは迅速に開腹ができない場合には開胸遮断を考慮すべきである」との意見もみられた。一方，「いいえ」との回答には，「全身状態が不良であれば開胸が確実」，「開腹下遮断では遮断のための手が邪魔になり止血操作に支障がある」，「腹部の出血の中では大動脈遮断までに手間取る可能性がある」，「鉗子での遮断には開胸遮断より時間がかかる」，「視野の確保が確実な腔から遮断をするほうが安全」，「まだ開腹されていない場合は開胸下遮断が優先」などの意見がみられた。

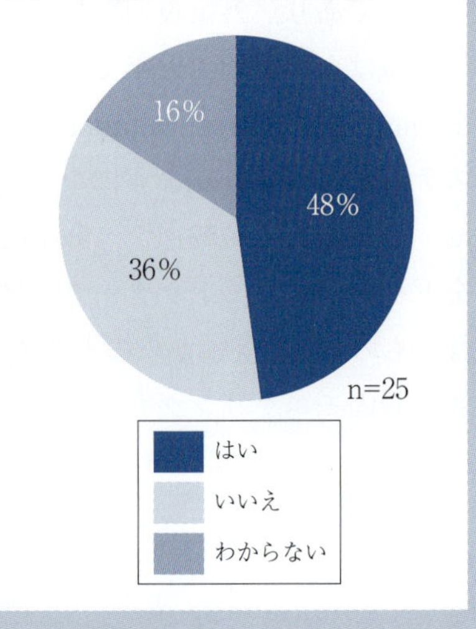

以上より，腹腔内出血に対する緊急開腹術において大動脈遮断を行う場合，開腹して大動脈を圧迫遮断するほうが開胸によるものより迅速であるため，手技に慣れた外科医であれば行うことを考慮してもよい。ただし，開腹歴があるなど迅速な開腹遮断に支障がある場合には，開胸下大動脈遮断を考慮する。また，開腹での大動脈遮断に慣れていない場合は，開胸大動脈遮断を実施してから開腹止血を行うことを考慮してもよい，とした。

表3-1-B-2　DC2における緊急止血術の適応

鈍的外傷	穿通性外傷
体温正常であるが輸血量2単位/時以上	輸血量15単位以上で低体温
出血の持続する腹部コンパートメント症候群	体温正常であるが輸血量2単位/時以上
	出血の持続する腹部コンパートメント症候群

ここで示す単位は米国で用いられているものである
〔文献48）より引用・改変〕

の改善を目的とした集中治療を開始する。DC1後の次なるゴールは「外傷死の三徴」の改善を図ることである[1)]。

低体温に対しては積極的な加温を行う。適切な復温が行われなければ，血液凝固障害と代謝性アシドーシスの改善は困難であることから，ICUでの復温は重要である。血液凝固障害の是正はとくに重要であり，積極的に補正を行う必要がある。定期的にフィブリノゲンを含む血液凝固検査を行い，十分な量の新鮮凍結血漿投与ならびに可及的に血小板投与を行う。代謝性アシドーシスの改善には適切な輸液管理が必要である。組織酸素供給，混合静脈血酸素飽和度，左室拡張末期容量などの循環血液量の指標のほか，輸液反応性を考慮して適切な輸液量を調整する。循環が破綻している場合は循環の維持が優先されるが，輸液が過剰になると腹部コンパートメント症候群の発症につながる危険性がある。

「外傷死の三徴」に対する積極的な介入にもかかわらず蘇生の到達目標に達しない場合は，持続する出血を反映している[31)47)]。出血が外科的に止血できるものである場合，緊急再止血術（emergency reoperation）を躊躇してはならない。持続している出血が外科的に止血できるものか，血液凝固障害の結果としてoozingが起こっているのかの判断は手術適応において重要である。集中治療管理中の緊急止血術の適応を表3-1-B-2[48)]に示す。集中治療により「外傷死の三徴」が改善された後に，ステップ3（DC3）の計画的再手術を計画する。

4. ステップ3；計画的再手術［planned reoperation］（DC3）

「外傷死の三徴」が改善され生理学的状態が安定した後に，根治的手術を目的とした計画的再手術を行う。計画的再手術を行う基準に関して明確なものはないが，Felicianoら[32)]によるperihepatic packing（肝周囲パッキング）後の再手術までの時間に関する検討では，初回手術から平均3.7日であったとの報告がある。さらに腹腔内にガーゼをパッキングしている場合，細菌は検出されなくてもエンドトキシンや炎症性メディエータの上昇がみられ[49)]，ガーゼパッキング術後72時間以上のガーゼ留置は感染率と死亡率が高くなり[50)]，異物による炎症や感染を想定した手術時期の決定が重要である。一般的には48〜72時間程度をめどに計画的再手術を行うことが多く，この時間的目標に向けて低体温，凝固障害，代謝性アシドーシスを，計画的再手術で想定される術式が施行可能なレベルにまで改善する必要がある。これらの蘇生が不十分で，根治的手術完遂が困難と考えられる場合には，可能な処置のみを行い，短時間で集中治療のテーブルへ戻す必要がある。

DC3で行う手術では，初回手術（蘇生的手術）でパッキングしたガーゼの除去，完結できなかった損傷に対する根治的手術，初回手術での見落とし損傷の確認を行う。とくに横隔膜損傷，腸間膜損傷，後腹膜臓器損傷（十二指腸，膵，腎）は見落としやすいので注意深い観察が必要である。また，ガーゼを除去した部位から再出血を認める場合は，出血や出血部位に応じた再パッキングを考慮してもよい。

腸管浮腫が強い場合や腸管拡張が著明な場合，挫傷を認める場合は消化管再建を行わないほうがよい。とくに，左側結腸領域での再建を予定している場合[51)52)]や代謝性アシドーシスが遷延している場合[53)]，5日以上経過して筋膜閉鎖をした場合は結腸吻合による縫合不全のリスクが高いと報告されている[52)]。そのような場合は人工肛門造設を行うことになるが，造設時期については腸管壁，腸間膜や腹壁の浮腫がある程度改善してから施行するほうが人工肛門造設に伴う合併症を軽減できる。

早期の経腸栄養開始を目的として，縫合不全や狭

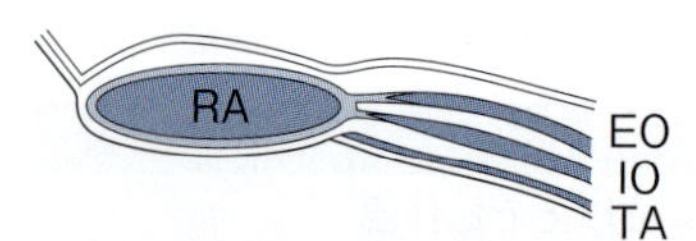

a．前述の腹壁の状態，RA：腹筋，EO：外腹斜筋，IO：内腹斜筋，TA：腹膜筋

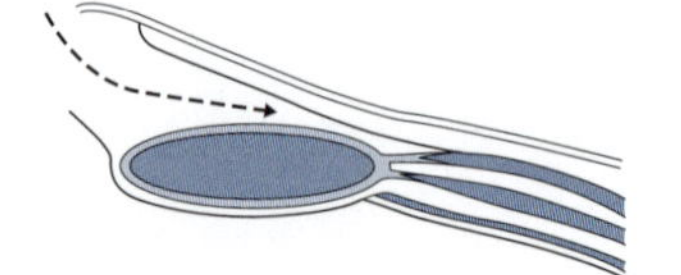

b．腹直筋鞘前葉上を露出するように皮下組織を剥離する（矢印）

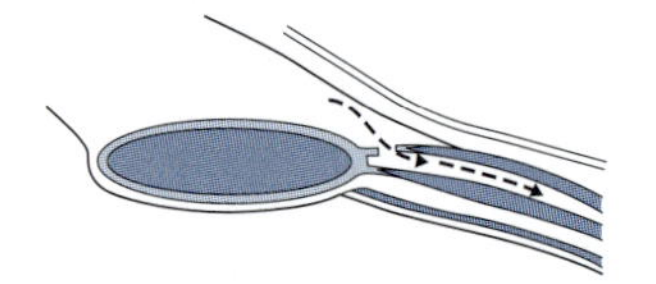

c．外腹斜筋腱膜を切開し，外腹斜筋と内腹斜筋の剥離を行う（矢印）

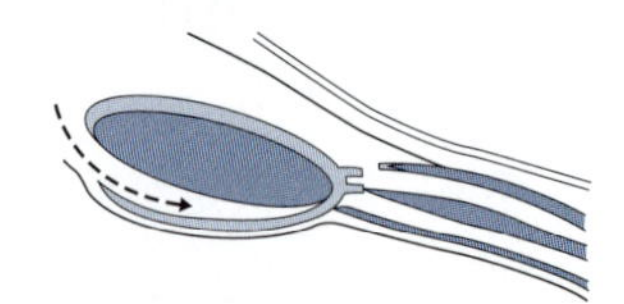

d．後葉と腹直筋を剥離する（矢印）

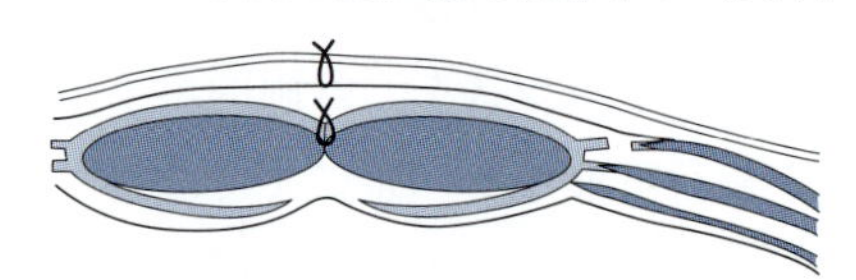

e．腹直筋鞘，皮膚をそれぞれ縫合閉鎖する

CS 法のシェーマ

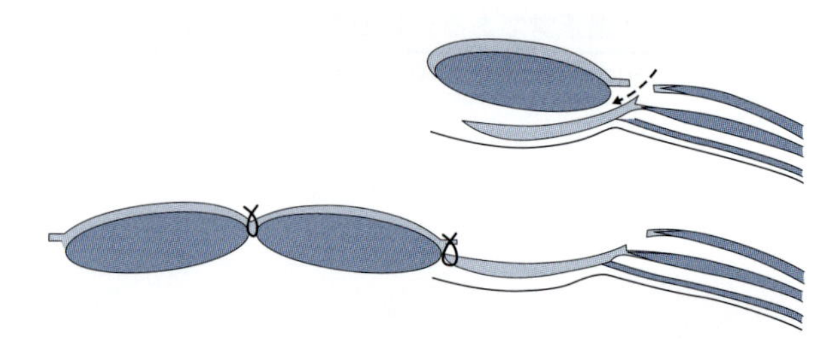

a．Modified CS 法。図 1d に引き続き腹直筋鞘前葉と内腹腱膜を切離し，前葉の外側縁と後葉の内側縁を縫合する

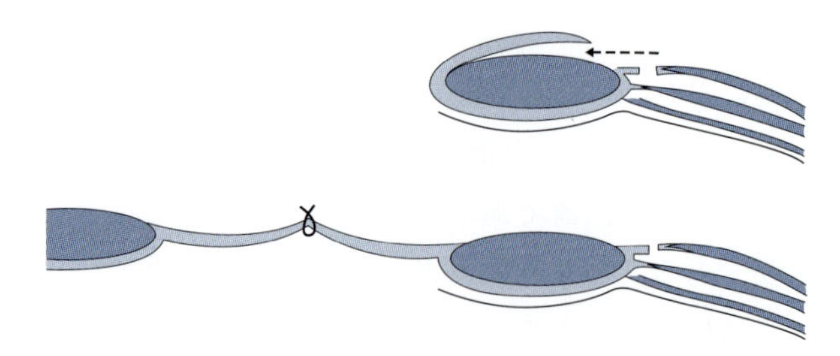

b．腹直筋前鞘翻転法。図 1c に引き続き腹直筋鞘前葉を内側で切開し翻転する。前葉同士を縫合閉鎖する

CS 変法

図3-1-B-6　component separation法と腹直筋前葉反転法

〔「佃和憲，浅野博昭，万代康弘，矢野修也，藤原俊義：Component separation法による腹壁瘢痕ヘルニア修復法，外科 80（3），p.227，2018」より許諾を得て転載〕

窄のリスクの高い空腸瘻を造設するのではなく，経鼻空腸チューブ留置を選択する。経腸栄養剤投与は循環動態が安定した患者に開始するのが望ましい[54]。

腹部コンパートメント症候群を予測させるなど筋膜閉鎖を伴う閉腹を行えない場合は，open abdomen managementで管理を継続する。

5. ステップ4；計画的再手術後の腹壁閉鎖（DC4）

初回手術での止血が不十分で緊急再止血術になる，または汚染を十分にコントロールできなかった場合は，計画的再手術（DC3）で腹壁閉鎖できないことが多い。これは，出血や炎症によるvolume lossに対して大量の輸液を要し，腹壁や腸管，腸間膜などに浮腫をきたすことが原因である。

腹壁や腸管浮腫が著しい場合はopen abdomen managementを繰り返して行うが，長期間の管理は筋膜の退縮により閉腹困難を助長することがある。長期管理を必要とする場合は，陰圧閉鎖療法などによる管理を行うことも考慮する。

腹壁が退縮して根治的閉腹術が困難となった場合は，両側の腹直筋鞘前葉を切開・反転して筋膜閉鎖を行う腹直筋鞘前葉反転閉腹法[55]やcomponent separation法[56)~58)]による閉腹法を行う（図3-1-B-6）[56]。あるいは一塊となった消化管の上に肉芽増生を促し，その後に遊離植皮術による閉腹法（planned ventral hernia）を試みる。

文 献

1) Moore EE, Feliciano DV, Mattox KL：Trauma. 8th ed, McGraw-Hill, New York, 2017.
2) Moore EE, Burch JM, Franciose RJ, et al：Staged physiologic restoration and damage control surgery. World J Surg 1998；22：1184-1190；discussion 1190-1191.
3) Shapiro MB, Jenkins DH, Schwab CW, et al：Damage control：Collective review. J Trauma 2000；49：969-978.
4) Rotondo MF, Schwab CW, McGonigal MD, et al：'Damage control'：An approach for improved survival in exsanguinating penetrating abdominal injury. J Trauma 1993；35：375-382；discussion 382-383.
5) Department of Defense：Surface Ship Survivability. Naval War Publication. Washington DC, 1996, pp 3-20, 31.
6) Krausz MM, Bar-Ziv M, Rabinovici R, et al："Scoop and run" or stabilize hemorrhagic shock with normal saline or small-volume hypertonic saline? J Trauma 1992；33：6-10.
7) Hoyt DB, Shackford SR, McGill T, et al：The impact of in-house surgeons and operating room resuscitation on outcome of traumatic injuries. Arch Surg 1989；124：906-909；discussion 909-910.
8) Frankel HL, Rozycki GS, Ochsner MG, et al：Minimizing admission laboratory testing in trauma patients：Use of a microanalyzer. J Trauma 1994；37：728-736.
9) Rhodes M, Brader A, Lucke J, et al：Direct transport to the operating room for resuscitation of trauma patients. J Trauma 1989；29：907-913；discussion 913-915.
10) Germanos S, Gourgiotis S, Villias C, et al：Damage control surgery in the abdomen：An approach for the management of severe injured patients. Int J Surg 2008；6：246-252.
11) Chovanes J, Cannon JW, Nunez TC：The evolution of damage control surgery. Surg Clin North Am 2012；92：859-875, vii-viii.
12) Beekley AC：Damage control resuscitation：A sensible approach to the exsanguinating surgical patient. Crit Care Med 2008；36：S267-S274.
13) Johnson JW, Gracias VH, Schwab CW, et al：Evolution in damage control for exsanguinating penetrating abdominal injury. J Trauma 2001；51：261-269；discussion 269-271.
14) Vertrees A, Greer L, Pickett C, et al：Modern management of complex open abdominal wounds of war：A 5-year experience. J Am Coll Surg 2008；207：801-809.
15) Steinemann S, Shackford SR, Davis JW：Implications of admission hypothermia in trauma patients. J Trauma 1990；30：200-202.
16) Yudkin J, Cohen RD, Slack B：The haemodynamic effects of metabolic acidosis in the rat. Clin Sci Mol Med 1976；50：177-184.
17) Davies AO：Rapid desensitization and uncoupling of human beta-adrenergic receptors in an in vitro model of lactic acidosis. J Clin Endocrinol Metab 1984；59：398-405.
18) Tremblay LN, Feliciano DV, Rozycki GS：Assessment of initial base deficit as a predictor of outcome：Mechanism of injury does make a difference. Am Surg 2002；68：689-693；discussion 693-694.
19) Matsumoto H, Mashiko K, Sakamoto Y, et al：A new look at criteria for damage control surgery. J Nippon Med Sch 2010；77：13-20.
20) Endo A, Shiraishi A, Otomo Y, et al：Development of novel criteria of the "lethal triad" as an indicator of decision making in current trauma care：A retrospective multicenter observational study in Japan. Crit Care Med 2016；44：e797-e803.
21) Urushibata N, Murata K, Otomo Y：Decision-making criteria for damage control surgery in Japan. Sci Rep. 2019； 9：14895.
22) Hirshberg A, Mattox KL：Top Knife：The Art and Craft of Trauma Surgery. TFM Publishing, Lancaster, 2005.
23) 吉村有矢，今明秀，根本学：Damage Control Ground Zero. 日外傷会誌 2019；33：35-44.
24) 日本外傷学会・日本救急医学会監，日本外傷学会外傷初期診療ガイドライン改訂第6版編集委員会編：外傷初期診療ガイドライン JATEC，改訂第6版，へるす出版，東京，2021.
25) JPTEC協議会：JPTECガイドブック，改訂第2版補訂版，へるす出版，東京，2020.
26) 今井厚子，阿南昌弘，植松正将，他：ドクター・ヘリコプター内への血液搬送装置ATRの設置．日輸血細胞治療会誌 2019；66：775-776.
27) 益子一樹，松本尚，安松比呂志，他：病院前蘇生的開胸術の適応と効果．日外傷会誌 2021；35：219-226.
28) 室野井智博，比良英司，渡部広明：ICTをフル活用する次世代型ドクターカー．救急医学2022；46：262-269.
29) Reilly PM, Rotondo MF, Carpenter JP, et al：Temporary vascular continuity during damage control：Intraluminal shunting for proximal superior mesenteric artery injury. J Trauma 1995；39：757-760.
30) Subramanian A, Vercruysse G, Dente C, et al：A decade's experience with temporary intravascular shunts at a civilian level I trauma center. J Trauma 2008；65：316-324；discussion 324-326.

31） Morris JA Jr, Eddy VA, Blinman TA, et al：The staged celiotomy for trauma：Issues in unpacking and reconstruction. Ann Surg 1993；217：576-584；discussion 584-586.
32） Feliciano DV, Mattox KL, Burch JM, et al：Packing for control of hepatic hemorrhage. J Trauma 1986；26：738-743.
33） Saifi J, Fortune JB, Graca L, et al：Benefits of intra-abdominal pack placement for the management of nonmechanical hemorrhage. Arch Surg 1990；125：119-122.
34） Sharp KW, Locicero RJ：Abdominal packing for surgically uncontrollable hemorrhage. Ann Surg 1992；215：467-474；discussion 474-475.
35） Stone HH, Strom PR, Mullins RJ：Management of the major coagulopathy with onset during laparotomy. Ann Surg 1983；197：532-535.
36） Rumley TO：Improved packing technique in the control of diffuse hemorrhage of the abdomen. Surg Gynecol Obstet 1983；156：82-83.
37） Talbert S, Trooskin SZ, Scalea T, et al：Packing and re-exploration for patients with nonhepatic injuries. J Trauma 1992；33：121-124；discussion 124-125.
38） 渡部広明，水島靖明，松岡哲也：重症肝損傷におけるperihepatic packingの有用性；重症肝損傷例はperihepatic packingにより救命可能である．日外傷会誌 2012；26：40-46.
39） Moore EE, Cogbill TH, Jurkovich GJ, et al：Organ injury scaling：Spleen and liver（1994 revision）. J Trauma 1995；38：323-324.
40） Feliciano DV, Spjut-Patrinely V, Burch JM, et al：Splenorrhaphy：The alternative. Ann Surg 1990；211：569-580；discussion 580-582.
41） Scalea T：What's new in trauma in the past 10 years. Int Anesthesiol Clin 2002；40：1-17.
42） Hirshberg A, Sheffer N, Barnea O：Computer simulation of hypothermia during "damage control" laparotomy. World J Surg 1999；23：960-965.
43） Burch JM, Moore EE, Moore FA, et al：The abdominal compartment syndrome. Surg Clin North Am 1996；76：833-842.
44） Saggi BH, Sugerman HJ, Ivatury RR, et al：Abdominal compartment syndrome. J Trauma 1998；45：597-609.
45） Offner PJ, de Souza AL, Moore EE, et al：Avoidance of abdominal compartment syndrome in damage-control laparotomy after trauma. Arch Surg 2001；136：676-681.
46） Maxwell RA, Fabian TC, Croce MA, et al：Secondary abdominal compartment syndrome：An underappreciated manifestation of severe hemorrhagic shock. J Trauma 1999；47：995-999.
47） Hirshberg A, Wall MJ, Mattox KL：Planned reoperation for trauma：A two year experience with 124 consecutive patients. J Trauma 1994；37：365-369.
48） Morris JA, Eddy VA, Rutherford EJ：The trauma celiotomy：The evolving concepts of damage control. Curr Probl Surg 1996；33：611-700.
49） Adams JM, Hauser CJ, Livingston DH, et al：The immunomodulatory effects of damage control abdominal packing on local and systemic neutrophil activity. J Trauma 2001；50：792-800.
50） Abikhaled JA, Granchi TS, Wall MJ, et al：Prolonged abdominal packing for trauma is associated with increased morbidity and mortality. Am Surg 1997；63：1109-1112；discussion 1112-1113.
51） Dente CJ, Patel A, Feliciano DV, et al：Suture line failure in intraabdominal colonic trauma：Is there an effect of segmental variations in blood supply on outcome? J Trauma 2005；59：358
52） Burlew CC, Moore EE, Cushieri J, et al：Sew it up! A Western Trauma Association multi-institutional study of enteric injury management in the postinjury open abdomen. J Trauma 2011；70：273.
53） Ordonez CA, Pino LT, Badiel M, et al：Safety of performing a delayed anastomosis during damage control laparotomy in patients with destructive colon injuries. J Trauma 2011；71：1512.
54） Moore FA, Feliciano DV, Andrassy RJ, et al：Early enteral feeding compared with parenteral reduces postoperative septic complications：The results of a meta-analysis. Ann Surg 1992；216：172.
55） 久志本成樹，相星淳，新井正徳，他：Open abdomenに対する早期閉創・閉腹における両側腹直筋鞘前葉反転法の有用性．日腹部救急医会誌 2007；27：27-35.
56） 佃和憲，浅野博昭，万代康弘，他：Component separation法による腹壁瘢痕ヘルニア修復法．外科 2018；80：226-230.
57） Kushimoto S, Yamamoto Y, Aiboshi J, et al：Usefulness of the bilateral anterior rectus abdominis sheath turnover flap method for early fascial closure in patients requiring open abdominal management. World J Surg 2007；31：2-8；discussion 9-10.
58） 久志本成樹，相星淳一：部分的組織移動による腹壁再建法；anterior rectus abdominis sheath turnover flapとcomponents separation method．日外会誌 2017；118：664-667.

C damage control resuscitation

要約

1. damage control resuscitationでは，外傷死の三徴が揃わないように，①damage control surgeryにおける蘇生的手術，②低血圧を容認した輸液投与の制限〔permissive hypotension/resuscitative fluid administration（balanced resuscitation）〕，③血液凝固障害の制御を目的とした輸血療法（hemostatic resuscitation），④アシドーシスの是正，⑤体温の維持を行う。
2. damage control resuscitationは，初期診療時から常にその発動を考慮する。
3. 大量輸血プロトコル（MTP）は，事前に適応・輸血セットの取り決めをしておく必要があり，これを早期からかつ迅速に発動することで外傷患者の生存率を改善できる。

はじめに

damage control resuscitationはダメージコントロール戦略の根幹をなす重要な概念である。本項では，外傷蘇生で重要な病態生理と，“damage control resuscitation”の概念[1]および各要素について述べる。

I 外傷蘇生に必要な病態生理

1. 外傷死の三徴

大量出血を伴う患者にはさまざまな生理学的異常が発生する。外傷蘇生でとくに重要視されるのは，低体温，代謝性アシドーシス，血液凝固障害であり，相互に密接に関係し合って容易に負のスパイラルに陥る。これらを「外傷死の三徴（deadly triad)」と呼び[2]，外傷蘇生において回避しなければならない重要な病態である。この三徴は，1つでもあれば死亡率は著しく上昇する。このため，回避することが重要であり，外傷チームとして取り組む必要がある。

1）低体温

ISS（injury severity score）が25以上の重症多発外傷患者においては，66％の患者が36℃以下の低体温となり，うち23％は34℃未満となるという報告がある[3]。外傷では深部体温が32℃以下になった場合，死亡率は100％に達する[4]。低体温によって心室性不整脈を伴う心機能障害，心拍出量の低下などが出現する[5]。重篤な外傷患者では，出血性ショックなどによって組織酸素供給が低下し，末梢組織の酸素消費量も著しく減少する。このため熱産生が低下し，容易に低体温となる[6～8]。低体温によりもっとも問題となるのは，血液凝固障害を助長することであり[9]，34℃未満の低体温ではdamage control surgeryの適応となる[10][11]。

低体温を回避するため病院前から加温を行うことが必須であり，病院到着後は初療室や手術室の室温は高めに設定し，輸液や輸血製剤の投与にあたっては加温器などを使用する。患者の頭部や体幹を覆うとともにBair Hugger™などの保温装置で加温を行う[12]。また術中の開胸・開腹に伴う体温低下は著しく，このため蘇生的手術（DC1）は開始後60～90分までに終了しなければならない[13]。

2）代謝性アシドーシス

出血性ショックの遷延に伴い，治療抵抗性の代謝性アシドーシスが出現する。末梢循環不全による血中乳酸レベルは上昇する[14]。アシドーシスは低体温を加速し，さらに血液凝固障害を助長する[15～18]。アシドーシスの度合いは，総輸液量[16]，腹部外傷の重症度[19]などに関連がある。

さらにpHが7.2以下の患者の死亡率はきわめて高く[20]，代謝性アシドーシスの存在は予後不良の指標といえる[21][22]。

代謝性アシドーシスを判断する基準はpH＜7.2[10]もしくはBase Excess＜－15mmol/L（年齢55歳未満）[23]，Base Excess＜－6mmol/L（年齢55歳以上）[24]

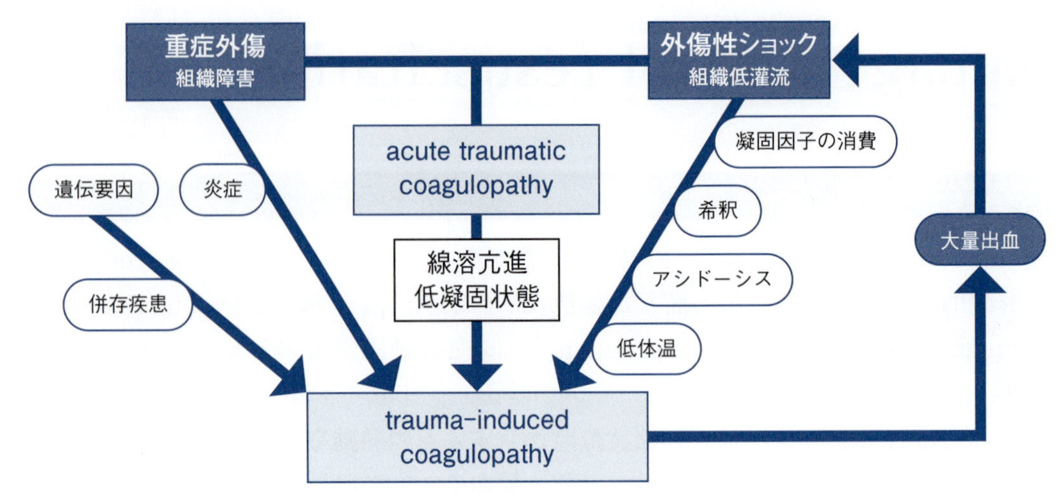

図3-1-C-1　trauma-induced coagulopathyとacute traumatic coagulopathy
〔文献34)35)より引用・改変〕

が用いられることが多い。

3）血液凝固障害

重症外傷患者の血液凝固障害の発生頻度はきわめて高く，死亡の独立した予測因子である[3]。プロトロンビン時間と活性化部分トロンボプラスチン時間の異常を認めた患者は，死亡に対する高いodds比を示すことが知られている[25]。血液凝固障害は線溶系の亢進に加えて，凝固因子の希釈や低体温があるため，過剰な輸液投与を避け，積極的に加温を行う[26,27]。体温の低下は凝固カスケードの反応を低下させ，凝固因子の産生を抑制することから凝固機能は著しく低下する[28]。

また広範囲な外傷では，組織因子の放出により血小板減少を伴う消費性凝固障害が出現し，受傷後1時間の早期には線溶亢進が出現している。凝固異常の重症度は，外傷とショックの重症度に比例し[29]，収縮期血圧やpHのような組織低灌流の指標との間に有意な関連があることが報告されている[30]。

4）新しい外傷死の三徴の提唱

最近わが国において，凝固障害の基準を具体的に定めることにより新しい外傷死の三徴が提唱された[31]。主基準として，①フィブリン・フィブリノゲン分解産物（FDP）＞90μg/ml（凝固障害），副基準として②Base Excess＜－3mmol/L（代謝性アシドーシス），③中心部体温＜36℃（低体温）があげられている。凝固障害を伴うか，代謝性アシドーシスと低体温を同時に呈する場合は，ダメージコントロール戦略を選択すべきと提案されている。ただ後方視的研究であるため，さらなる検証が必要である。

2. 外傷急性期の凝固障害

外傷急性期に起こっている凝固障害については，治療による医原性の希釈性凝固障害が主体とされてきたが，最近になり重症外傷患者では，25%超の患者において輸液療法を開始する以前に凝固障害を起こしていることが確認され[25,32,33]，他の病態が存在することが示唆された。現在では，大きく外傷に起因する内因性の凝固障害（acute traumatic coagulopathy；ATC）と，これに外傷蘇生・治療に伴う希釈性や外傷死の三徴などの複合的要因が加わることで起こる外傷急性期の凝固異常の総体をtrauma-induced coagulopathy（TIC）ということが多い（図3-1-C-1）[34)～37]。

外傷急性期におけるATCの病態メカニズムはまだ明確にされていないものの，多くの考え方があり議論されている。詳細は「外傷後の凝固線溶管理」（p.455）を参照されたい。

Ⅱ　大量出血のコントロール

重症外傷患者のショックの多くは出血性ショックであり，この出血のコントロールができれば救命率の向上が期待される。出血性ショックの治療原則は確実な止血[12]であるが，ヨーロッパ諸国における

“STOP the Bleeding Campaign”[35] は2004年から行われており，この一環としての最新版ガイドラインが2023年に発表された[36]。これはTask Force for Advanced Bleeding Care in Traumaによって作成されたヨーロッパの外傷ガイドラインであり，外傷時の出血死・合併症を減らすことを目標としている。外傷診療における一連の蘇生中の各39項目について，それぞれGRADE Systemによる推奨度付きで検討されており，本項のdamage control resuscitation（DCR）についてもR13～36が推奨されている（図3-1-C-2）[36]。詳細は原著を一読されたい。

米国でも同様に，2つの戦争（アフガニスタン紛争，イラク戦争）から学んだ外傷蘇生の教訓から，外傷性凝固障害の病態がより理解されるようになり，飛躍的な救命率向上がもたらされた[38]。要点としては，外傷性出血に対してまずは早急に一時的止血［圧迫止血〔局所止血剤[39]〕や駆血帯〔combat application tourniquet（CAT®）〕[40)~42] など］の処置を図り，骨折も簡易固定により出血を最小限にする[43]。輸液は意識が保たれる最低限量にとどめ，意識がなくなれば最低限量をボーラス投与する。凝固能の評価にはTEG®やROTEM®に代表されるthromboelastogramが有用であり[44,45]，またpH＜7.2や体温＜35℃にならないと凝固障害は起こらない[46,47] ことが指摘されている。

Ⅲ damage control resuscitationの要素

DCR（図3-1-C-3）は根本的止血までの間，出血量を最小限とするための戦略であり[48]，現在ではダメージコントロール戦略を成功させるための重要な要素と認知されている[4,49~52]。

第二次世界大戦以降，出血性ショックに対する輸液療法が広く行われ，現在では「初期輸液」として循環異常の重症度を判断するための総投与量を成人では1L，小児では20ml/kgとしている。これらの輸液に対する反応を考慮し，手術やIVRなどによる止血や輸血療法を開始することが基本的な戦略である。しかし，外傷の出血性ショックのメカニズムについては微小循環における変化が解明されつつあり[53]，出血性ショックに対する過剰な蘇生輸液は細胞レベルでの虚血再灌流障害を惹起し，活性酸素の産生，炎症の賦活化，細胞のアポトーシスを引き起こすとされている。また，炎症細胞やサイトカインが大量に産生されることから臓器障害が生じる。そのため，受傷後早期に止血を行い，輸液を制限するという考え方が報告されるようになった[38,54]。また晶質液の過剰投与を制限し早期から血液製剤の投与を行うことの意義が提唱され[4,50,55]，凝固障害制御を目指した新たな輸血方法（hemostatic resuscitation）も行われるようになっている。

1. permissive hypotension/resuscitative fluid administration（balanced resuscitation）

出血性ショックに対する積極的な輸液療法によって血圧が上昇すると，出血が助長される。この概念は第一次世界大戦のころから軍医らによって指摘されていたもので[4]，1990年代の動物実験により輸液を制限することによって出血量が減り，予後が改善するというデータが示されている[56]。Bickellら[57]は，病院前で収縮期血圧が90mmHgを下回った体幹部穿通性外傷患者598名を対象とし，通常輸液群と制限輸液群を前向きに検討した。その結果，後者で死亡率の有意な低下が認められた。

大量輸液療法は呼吸循環器系の合併症，消化管機能障害，凝固障害，炎症反応助長を惹起し，出血量の増大や死亡率上昇につながる[36]。ATLSではbalanced resuscitationという考え方が取り入れられ，初期輸液投与量は2Lから1Lに下げられている。同時に，aggressive resuscitationは削除されている[54]。

病院前における輸液投与群と制限群による検討では，制限群において死亡率が増加しないことが示されている[58]。また，低血圧を容認しながら輸液を調整した低血圧群と正常血圧群での検討でも生存率には差がみられなかった[59]。さらに，低血圧を許容した群で24時間以内の早期死亡率が低下する傾向があることも報告されている[60]。これらの検討から，低血圧を容認して輸液制限を行うことは生存率に差がみられず，許容され得る治療戦略といえる。収縮期血圧を80～90mmHg，平均血圧を50～60mmHg程度になるよう輸液速度を調整する[36]。しかし，重症頭部外傷では血圧を高めに維持することが望まし

Ⅲ．組織の酸素化，血管内容量，輸液，体温

推奨13
血圧管理と目標血圧

脳損傷のない外傷患者の初期段階では，主な出血源が止血されるまでは，収縮期血圧80～90mmHg（平均動脈圧50～60mmHg）を目標にした血圧管理の許容を推奨する。

重度の脳損傷患者（GCS≦8）では，平均動脈圧≧80mmHgを維持することが推奨される。

推奨14
血管収縮薬・強心薬

輸液制限で目標動脈圧を維持できない場合，輸液に加えて血管収縮薬の投与を推奨する。

心機能障害がある場合は，強心薬の点滴を推奨する。

推奨15
輸液の種類

血圧の低い出血性外傷患者には，生理食塩液または等張晶質溶液を用いた輸液療法の開始を推奨する。

重症頭部外傷患者には乳酸リンゲル液のような低張液の使用を避けることを推奨する。

止血に悪影響を及ぼすため，コロイド輸液使用の制限を勧める。

推奨16
赤血球

目標Hbは70～90g/dlを推奨する。

推奨17
セルサルベージ

セルサルベージは腹部，骨盤，または胸腔からの重度の出血がある場合に考慮される。

推奨18
体温管理

低体温の患者には，早期から保温・加温して正常体温を達成・維持するよう推奨する。

Ⅳ．迅速な出血コントロール

推奨19
ダメージコントロール手術

重度の出血性ショック，持続出血の徴候，凝固障害および/または腹部血管と膵の複合損傷を呈する重症患者には，ダメージコントロール手術を推奨する。

低体温症，アシドーシス，重度解剖学的損傷，時間を要する処置，腹部以外の主損傷の併発などの因子がある場合にはダメージコントロール戦略を適用すべきである。

初回根治手術は上記要素のない，循環動態が安定した患者に行われるべきである。

推奨20
骨盤輪の安定化

病院前で骨盤骨折が疑われる場合，致死的な出血を抑えるために簡易骨盤固定具の使用を推奨する。骨盤輪が破綻している出血性ショックの患者は，迅速に骨盤輪を固定し安定化させる必要がある。

推奨21
塞栓術，パッキング，手術，そしてREBOA

出血が進行している場合，および/または血管塞栓術が達成できない場合は，必要に応じて開腹手術と組み合わせて一時的な後腹膜パッキングを行う。圧迫止血が困難な，致死的な外傷性出血の患者では，REBOAを考慮する。

推奨22
局所止血薬

局所止血薬は，他の外科的止血術や静脈/実質損傷の中等度動脈性出血に対するパッキング止血術と組み合わせて使用すべきである。

Ⅴ．出血と凝固異常の初期管理

推奨23
抗線溶薬

出血している，あるいは重大な出血の危険性のある外傷患者には，できるだけ早くTXAを投与する。可能であれば病院への搬送中にローディングとして1gを10分以上かけて点滴し，その後1gを8時間かけて点滴する。また，血液粘弾性検査の結果を待つことなくTXAを投与すべきである。

推奨24
凝固能

凝固機能を示すモニタリングや検査は病院へ搬入された後，直ちに開始すべきである。

推奨25
初期外傷蘇生

大量輸血が予測される患者の初期対応では，フィブリノゲン製剤またはクリオプレシピテートとpRBC，あるいはFFP：pRBCが必要に応じて少なくとも1：2となるようFFPか病原性不活化血漿が必要となる。高血小板：pRBC比が適用される場合がある。

Ⅵ．高度な目標指向型凝固管理

推奨26
目標指向型治療

凝固検査結果および/または血液粘弾性モニタリングの結果から導かれる目標指向型戦略によって外傷蘇生を継続すべきである。

推奨27
FFPベースの管理

FFPをさらに使用する場合は，標準的な臨床検査による凝固パラメータ（PTおよび/またはAPTTが正常値の1.5倍以上）および/または血液粘弾性検査による凝固因子欠乏の所見に基づいて判断する必要がある。フィブリノゲン製剤および/またはクリオプレシピテートが利用可能な場合，低フィブリノゲン血症治療に，FFP輸血は避けるべきである。

↔

推奨29
フィブリノゲンの補充

大出血を伴う低フィブリノゲン血症（血漿フィブリノゲン濃度<1.5 g/Lの粘弾性徴候）の場合は，フィブリノゲン濃縮製剤またはクリオプレシピテートを投与する必要がある。フィブリノゲン初回投与量として3～4g（クリオプレシピテート15～20単位またはフィブリノゲン濃縮液3～4gに相当）を投与してもよい。反復投与は，血液粘弾性検査およびフィブリノゲン値によって反復投与の是非を決定する。

↔

推奨28
凝固因子濃縮製剤ベースの管理

凝固因子製剤の投与は，標準的な血液凝固検査および/または血液粘弾性検査による機能的な凝固因子欠乏の所見に基づいて行うべきである。フィブリノゲン値が正常であれば，血液粘弾性検査結果によってはPCCを投与してもよい。FⅩⅢのモニタリングを凝固維持アルゴリズムに組み入れ，FⅩⅢが機能的に欠乏している出血性患者にFⅩⅢを補充してもよい。

推奨30
血小板

出血している患者では血小板数は5万/μlを維持するように投与する。

持続出血や頭部外傷の患者は10万/μl以上を目標に投与したほうがよい。初回投与量は4～8単位（または1透析パック）である。

推奨31
カルシウム

大量輸血中にはイオン化カルシウムの血中濃度を正常範囲で維持するようにモニタリングすべきである。低カルシウム血症の補正のために塩化カルシウムを投与してもよい。

推奨32
遺伝子組換え活性化第Ⅶ因子（rFⅦa）

rFⅦaをを第一選択として使うべきではない。適応外使用ではあるものの，他のあらゆる試みにもかかわらず大量出血や凝固障害が持続する場合はrFⅦaの投与を考慮してもよい。

Ⅶ．抗血栓薬のマネジメント

推奨33
ビタミンK依存性経口抗凝固薬のリバース

出血している外傷患者においてビタミンK依存性抗凝固薬は，PCCと5mgのフィトメナジオン（ビタミンK_1）の両方を用いて早期にリバースする必要がある。

推奨34
経口抗凝固薬のマネジメント－第Ⅹa因子阻害薬

経口第Ⅹa因子阻害薬（アピキサバン，エドキサバン，リバーロキサバン）で治療している患者では，器質特異的な抗Ⅹa活性を検査してもよい。検査ができないときにはLMWHで調整された抗Ⅹa試験を使用できる。アピキサバンまたはリバーロキサバン投与下で，致死的出血の場合には，とくに外傷性脳損傷患者ではアンデキサネット アルファでリバースできる可能性がある。アンデキサネット アルファが使用できない場合，またはエドキサバンが投与されている患者では，PCC（25～50U/kg）を投与することができる。

推奨35
経口抗凝固薬のマネジメント－トロンビン阻害薬

ダビガトランの血中濃度は，希釈トロンビン時間を用いて測定することができる。測定できない場合は，トロンビン時間を測定してダビガトランの有無を定性的にに推定することができる。

致死的出血に対してはイダルシズマブ（5g静注）とTXA 15mg/kg（もしくは1g）で治療を行う。

推奨36
抗血小板薬

抗血小板薬で治療中の患者で出血および頭蓋内出血が続く場合は，通常の血小板輸血は避けるべきである。

図3-1-C-2　外傷による大量出血/凝固障害の診療ガイドライン（ヨーロッパ）<一部抜粋>

〔文献36）より引用〕

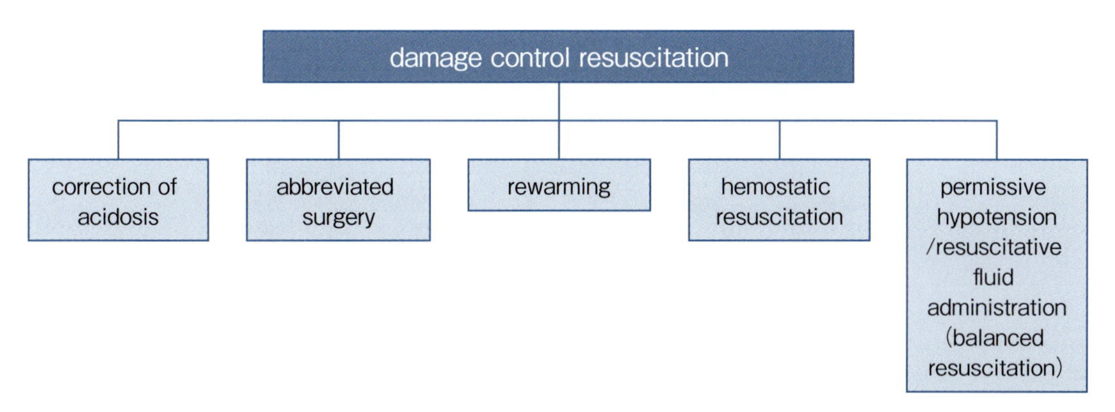

図3-1-C-3　damage control resuscitationの概念

いとされており，GCS≦8の重症頭部外傷患者では平均血圧を80mmHg以上に維持する必要がある[36]。収縮期血圧を50〜69歳は100mmHg以上，15〜49歳，＞70歳は110mmHg以上に維持するとしている報告もある[61]。また小児や妊婦に対して有効であるというデータは存在しない。

決定的な疫学的エビデンスに欠けるものの，まずは速やかな止血術を行うことを前提とし，止血術まで晶質液投与を制限し出血の助長とdilution coagulopathyを予防するとともに[57]，止血のための蘇生処置を行うことは容認できる。

2. hemostatic resuscitation

1）大量輸血プロトコル（MTP）

大量輸血とは，出典がはっきりしないものの古典的には24時間以内に10単位以上の濃厚赤血球（RBC）投与が必要となった場合を示すが，受傷後6時間以内に10単位以上のRBC投与で大量輸血とする近年の報告もある[62]。大量出血が予想される場合には，迅速かつ十分な量の輸血を行うことが必要であり，これに対応することのできる大量輸血プロトコル（massive transfusion protocol；MTP）を整備し実行することが推奨されている[48]。外傷患者では希釈によらない血液凝固障害が約25％に合併し，死亡率は非合併例の4倍になることが知られている[31,32]。したがってMTPでは赤血球輸血のみに頼らず，臨床的出血傾向や明らかな凝固線溶系検査に異常がなくとも，早期より新鮮凍結血漿（FFP）や濃厚血小板（PC）の投与を開始する[50,63,64]。RBCとFFP，PCの投与比については多くの検討がなされている[65]。また米国レベル1外傷センターでの検討でも大量輸血症例のうちFFP：RBCを1：2以上で投与した群では，30日後の死亡率が低下していた[64]。PCについても，PC：RBCを1：2以上で投与した群で30日後死亡率の低下が認められている[64]。さらにわが国の研究にて，受傷後6時間以内にRBC輸血を必要とした重症鈍的外傷の患者（ISS≧16）にFFP/RBC≧1を満たすようにFFPを投与すると，24時間以内予測死亡率の向上が得られていたとの報告もある[66]。

近年では，大量出血患者に対してはFFP：PC：RBC＝1：1：1の比率を目標に投与するMTPが推奨されているが[67]，必ずしもFFPとRBCの至適な比率は1：1ではないとの報告や[68,69]，有効性が見出せなかったとの報告もある[70]。最近の報告では，FFP：PC：RBC＝1：1：1群と1：1：2群を比較したPROPPR試験において，主要評価項目の24時間または30日の全死因死亡率に有意差はなかったが，前者で24時間以内の止血成功率が高く，失血による死亡の減少を認めた[71]。こうした報告をもとにEASTガイドラインでは，外傷による大量出血患者の蘇生にはFFPとPCをRBCに対して高比率で投与することを推奨している[48]。MTPの一例を表3-1-C-1に示す。開始宣言は，assessment of blood consumption（ABC）scoreを用いた簡便な基準[51]やTBSS[72]などがあり，これらを活用すればよいであろう。総輸液量が1Lになるまでに判断が可能との報告もある[73]。また，MTP発動には輸血部を含めた院内各所との連携や指揮命令系統の確立が課題となる[74]。

2）トラネキサム酸

補助的な止血療法として，CRASH-2試験によりトラネキサム酸の効果が示された[75]。大量出血をきたした，あるいはそのリスクを有する患者に対し，

表3-1-C-1　大量輸血プロトコルの一例

delivery	O型RBC（単位）	AB型FFP（単位）	AB型／同型血小板（単位）	オーダー
D0	6	6	0	事後
D1	6	6	0	事後
D2	6	6	10	要
D3	6	6	10	要
D4	6	6	10	要

病院内でトラネキサム酸1gを10分間で投与し，引き続き1gを8時間かけて投与するものである。受傷から3時間以内の投与で，トラネキサム酸は死亡リスクを有意に低下させたと報告された。また，とくに一次性脳損傷のある重症外傷患者の死亡率を低下させるとの報告[76)]や，GCS合計点9～15の脳損傷患者の予後を改善するとの報告もある。安価な薬剤であり，重症度にかかわらず生命予後の改善を望め，血栓形成などの大きな合併症もないことから，幅広く外傷患者に使用できる。ただし，受傷後3時間を超えてのボーラス投与は出血による死亡率を増加させていた。本試験の重症度が明確でないことに加えて輸血や手術を受けた患者が対照群の半分以下であるなどの理由から，必ずしも大量出血症例に対する効果が示されていないとの意見もある。こうした背景からEASTガイドラインでは，大量出血症例においては病院内に限定した条件付きでの使用を推奨している[48)]。トラネキサム酸の投与量に関しては，本試験での使用量がわが国の保険適応外使用になるため注意が必要である。

その他トラネキサム酸関連の試験は多数行われている。ボーラス投与を病院前で行おうとするPATCH試験[77)]があり，COAST scoreが3点以上で受傷後3時間以内であれば，搬送中から外傷性凝固障害に対して治療介入ができることを示した意味は大きい[78)]。

3）フィブリノゲン製剤とクリオプレシピテート

外傷による出血性ショックの患者では，他の凝固因子よりフィブリノゲンの欠乏が先行する[79)]。このため，血漿輸血の当面の目的はフィブリノゲンの補充であり，FFPかクリオプレシピテート（各施設での製造であり，赤十字血液センターにはない）で補充する。なおクリオプレシピテートには，濃縮されたフィブリノゲンのほかに，第Ⅷ因子およびvon

◆Clinical questions◆　**CQ 03**

Q　緊急輸血が必要な外傷手術において Cell Saver® device を使用してもよいか？

A　外傷専門医25名によるコンセンサス会議の投票の結果，「使用してもよい」と回答したのが60％であった。本回答には以下のような意見がみられた。「血液の汚染がないのであれば使用してもよい」，「とくに胸部外傷はよい適応である」，「開胸術では使用しているが，開腹術では汚染を伴うことが多いので使用していない」，「小児外傷や輸血拒否患者を中心に外傷手術では常に使用している」，「Cell Saver®はMTP体制の不備の代替となるものではない」などの意見があげられた。一方，「わからない」との回答が28％あったが，多くは使用したことがないとの回答であった。「使用しないほうがよい」との回答（12％）には，ヘパリンの混入があるため避けるべきとの意見があった。

以上より，緊急輸血を必要とする外傷手術において，Cell Saver® deviceの使用は胸部外傷には適当となり得るが，消化管損傷などの汚染を伴う腹部外傷においては使用しないほうがよい，とした。

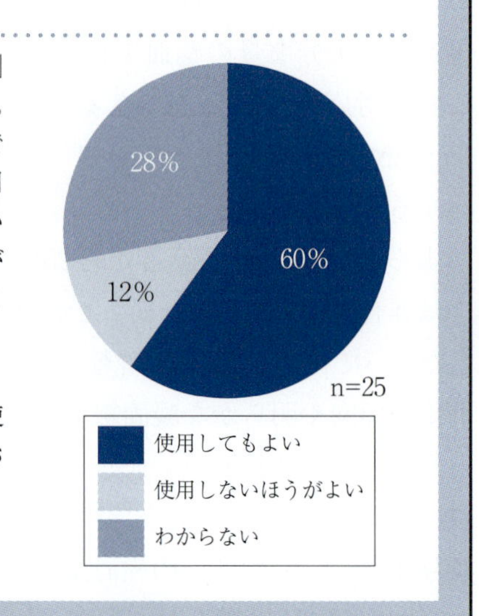

Willebrand因子が含まれる。フィブリノゲン製剤も候補にあげられるが，2022年現在では保険適応がない。

血漿フィブリノゲン濃度が150mg/dlを下回れば補充する必要があるという報告がある[80]。しかし，血漿フィブリノゲン濃度≧150mg/dlを維持するためには大量のFFPを要することが多く，合併症としてのARDSや多臓器不全を起こすリスクが高まる可能性がある[81]。

4）カルシウム

カルシウムは多くの凝固カスケードにおける重要なcofactorであり，イオン化カルシウムの低下は外傷患者にとって致死的である。輸血用血液保存に使用されているクエン酸によりキレートされるため，さらに低カルシウム血症になりやすい。目標とするイオン化カルシウム濃度はpHに影響を受けやすいため0.9mmol/L以上（正常範囲）を維持することが推奨されている[36,82]。

5）第Ⅶ因子製剤ほか

遺伝子組換え活性型第Ⅶ因子製剤（rFⅦa）を外傷症例に使用する報告は多くみられたが，二重盲検での前向き研究やメタ解析の結果では輸血総量の減少などが示されるものの，死亡率の低下にはつながっておらず[83,84]有効な結果が得られていないため，積極的な使用は推奨されていない[48]。

また，プロトロンビン複合体製剤の使用が望ましいとする研究もある[85,86]。上記薬剤はいずれも高価な薬剤であり，また保険適応がないことからわが国での現時点での使用は難しい。

6）抗凝固薬の中和薬

高齢者外傷の増加に伴って，ワルファリンや経口抗凝固薬（direct oral anticoagulant；DOAC）などの抗凝固薬内服中の外傷患者が増えている。これらの患者は薬剤の影響で出血がより多くなる傾向がある。現在，ワルファリンについては静注用人プロトロンビン複合体製剤が，DOACであるダビガトランにはイダルシズマブが，さらにエドキサバン，リバーロキサバン，アピキサバンの3剤にはアンデキサネット アルファがそれぞれ中和薬として保険収載されている。本薬剤は抗凝固薬の機能を中和する薬理作用をもち，外傷患者の出血防止に効果を発揮すると期待されるが，現段階ではそのエビデンスについては十分なものが示されていない。

3. 体温の維持（rewarming），アシドーシスの是正（correction of acidosis）

外傷死の三徴で示される体温低下に対する管理と代謝性アシドーシスに対する管理も，damage con-

◆Clinical questions◆ **CQ 04**

Q 重篤なショックを伴う外傷蘇生において，輸血開始までのつなぎとしてアルブミン製剤の投与は妥当か？

A 外傷専門医25名によるコンセンサス会議の投票の結果，アルブミン製剤の投与は「妥当である」と回答したものが48%で，「妥当ではない」20%，「わからない」32%と意見が割れた。「妥当である」との回答では，「晶質液の投与を行うよりはよい」，「輸血準備体制の整備が重要であるが，何らかの理由で輸血がすぐに実施できない場合にはその使用は妥当である」などの意見があげられた。一方，「妥当ではない」との回答には，「輸血投与を優先すべきでMTPなどによる輸血体制を構築することが原則である」との意見があった。「わからない」との回答には，「明確なエビデンスが示されていない」，「晶質液との比較で予後の改善があるとのエビデンスはない」，「MTP体制不備の代替にはなり得ない」などの意見がみられた。

以上より，何らかの理由により輸血製剤の投与ができない場合にかぎり投与を行うことは妥当かもしれない。ただし，大量投与は希釈性凝固障害を助長するため控えるべきである。アルブミンを投与しなければならない事態を避けるようにMTPの整備と輸血供給体制を確立することが優先である，とした。

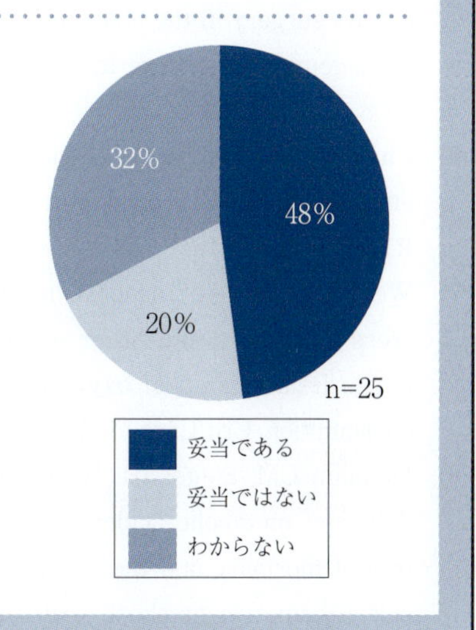

trol resuscitationの重要な項目の1つである。詳細は「外傷死の三徴」(p.47) を参照されたい。

4. 蘇生的手術 (abbreviated surgery)

詳細は「ダメージコントロール戦略」(p.38) を参照されたい。

おわりに

DCRはダメージコントロール戦略を成功させるために重要な要素であり，病院前から初療室，手術室，さらにはICUを通して実施されるべき蘇生処置の基本といえる[4]。しかし，あくまで外科的止血が最優先事項であり，DCRのもっとも重要な要素は「止血」であり，他の治療に固執しこれを遅らせてはならない。

文　献

1) Duchesne JC, Kimonis K, Marr AB, et al : Damage control resuscitation in combination with damage control laparotomy: A survival advantage. J Trauma 2010 ; 69 : 46-52.
2) Kashuk JL, Moore EE, Millikan JS, et al : Major abdominal vascular trauma : A unified approach. J Trauma 1982 ; 22 : 672-679.
3) Jurkovich GJ, Greiser WB, Luterman A, et al : Hypothermia in trauma victims : An ominous predictor of survival. J Trauma 1987 ; 27 : 1019-1024.
4) Duchesne JC, McSwain NE, Cotton BA, et al : Damage control resuscitation : The new face of damage control. J Trauma 2010 ; 69 : 976-990.
5) Germanos S, Gourgiotis S, Villias C, et al : Damage control surgery in the abdomen : An approach for the management of severe injured patients. Int J Surg 2008 ; 6 : 246-252.
6) Chaudry IH : Cellular mechanisms in shock and ischemia and their correction. Am J Physiol 1983 ; 245 : R117-134.
7) Weg JG : Oxygen transport in adult respiratory distress syndrome and other acute circulatory problems : Relationship of oxygen delivery and oxygen consumption. Crit Care Med 1991 ; 19 : 650-657.
8) Dunham CM, Siegel JH, Weireter L, et al : Oxygen debt and metabolic acidemia as quantitative predictors of mortality and the severity of the ischemic insult in hemorrhagic shock. Crit Care Med 1991 ; 19 : 231-243.
9) Armand R, Hess JR : Treating coagulopathy in trauma patients. Transfus Med Rev 2003 ; 17 : 223-231.
10) Morris JA, Eddy VA, Blinman TA, et al : The staged celiotomy for trauma : Issues in unpacking and reconstruction. Ann Surg 1993 ; 217 : 576-584 ; discussion : 584-586.
11) Steinemann S, Shackford SR, Davis JW : Implications of admission hypothermia in trauma patients. J Trauma 1990 ; 30 : 200-202.
12) Feliciano DV, Mattox KL, Moore EE : Trauma. 9th ed, McGraw-Hill, New York, 2021.
13) Hirshberg A, Sheffer N, Barnea O : Computer simulation of hypothermia during “damage control” laparotomy. World J Surg 1999 ; 23 : 960-965.
14) Huckabee WE : Relationships of pyruvate and lactate during anaerobic metabolism : I. Effects of infusion of pyruvate or glucose and of hyperventilation. J Clin Invest 1958 ; 37 : 244-254.
15) Tremblay LN, Feliciano DV, Rozycki GS : Assessment of initial base deficit as a predictor of outcome : Mechanism of injury does make a difference. Am Surg 2002 ; 68 : 689-693 ; discussion : 693-694.
16) Ferrara A, MacArthur JD, Wright HK, et al : Hypothermia and acidosis worsen coagulopathy in the patient requiring massive transfusion. Am J Surg 1990 ; 160 : 515-518.
17) Krishna G, Sleigh JW, Rahman H : Physiological predictors of death in exsanguinating trauma patients undergoing conventional trauma surgery. Aust N Z J Surg 1998 ; 68 : 826-829.
18) Eddy VA, Morris JA, Cullinane DC : Hypothermia, coagulopathy, and acidosis. Surg Clin North Am 2000 ; 80 : 845-854.
19) Davis JW, Mackersie RC, Holbrook TL, et al : Base deficit as an indicator of significant abdominal injury. Ann Emerg Med 1991 ; 20 : 842-844.
20) Aoki N, Wall MJ, Demsar J, et al : Predictive model for survival at the conclusion of a damage control laparotomy. Am J Surg 2000 ; 180 : 540-544 ; discussion : 544-545.
21) Rutherford EJ, Morris JA, Reed GW, et al : Base deficit stratifies mortality and determines therapy. J Trauma 1992 ; 33 : 417-423.
22) Davis JW, Shackford SR, Mackersie RC, et al : Base deficit as a guide to volume resuscitation. J Trauma 1988 ; 28 : 1464-1467.
23) Yudkin J, Cohen RD, Slack B : The haemodynamic effects of metabolic acidosis in the rat. Clin Sci Mol Med 1976 ; 50 : 177-184.
24) Davies AO : Rapid desensitization and uncoupling of

human beta-adrenergic receptors in an in vitro model of lactic acidosis. J Clin Endocrinol Metab 1984；59：398-405.
25）MacLeod JB, Lynn M, McKenney MG, et al：Early coagulopathypredicts mortality in trauma. J Trauma 2003；55：39-44.
26）Shapiro MB, Jenkins DH, Schwab CW, et al：Damage control：Collective review. J Trauma 2000；49：969-978.
27）Gentilello LM, Cobean RA, Offner PJ, et al：Continuous arteriovenous rewarming：Rapid reversal of hypothermia in critically ill patients. J Trauma 1992；32：316-325；discussion：325-327.
28）Rohrer MJ, Natale AM：Effect of hypothermia on the coagulation cascade. Crit Care Med 1992；20：1402-1405.
29）Brohi K, Singh J, Heron M, et al：Acute traumatic coagulopathy. J Trauma 2003；54：1127-1130.
30）Kashuk JL, Moore EE, Sawyer M, et al：Primary fibrinolysis is integral in the pathogenesis of the acute coagulopathy of trauma. Ann Surg 2010；252：434-442；discussion：443-444.
31）Endo A, Shiraishi A, Otomo Y, et al：Development of novel criteria of the "lethal triad" as an indicator of decision making in current trauma care：A retrospective multicenter observational study in Japan. Crit Care Med 2016；44：797-803.
32）Brohi K, Cohen MJ, Ganter MT, et al：Acute traumatic coagulopathy：Initiated by hypoperfusion：Modulated through the protein C pathway? Ann Surg 2007；245：812-818.
33）Maegele M, Lefering R, Yucel N, et al：Early coagulopathy in multiple injury：An analysis from the German Trauma Registry on 8724 patients. Injury 2007；38：298-304.
34）Davenport RA, Brohi K：Cause of trauma-induced coagulopathy. Curr Opin Anaesthesiol 2016；29：212-219.
35）Kushimoto S, Kudo D, Kawazoe Y：Acute traumatic coagulopathy and trauma-induced coagulopathy：An overview. J Intensive Care 2017；5：6.
36）Rossaint R, Afshari A, Bouillon B, et al：The european guideline on management of major bleeding and coagulopathy following trauma：sixth edition. Crit Care 2023；27：80.
37）丸藤哲，澤村淳，早川峰司，他：外傷急性期の血液凝固線溶系；現在の世界的論点を整理する．日救急医会誌 2010；21：765-778.
38）Gruen RL, Brohi K, Schreiber M, et al：Haemorrhage control in severely injured patients. Lancet 2012；380：1099-1108.
39）Achneck HE, Sileshi B, Jamiolkowski RM, et al：A comprehensive review of topical hemostatic agents：Efficacy and recommendations for use. Ann Surg 2010；251：217-228.
40）Beekley AC, Sebesta JA, Blackbourne LH, et al：Prehospital tourniquet use in Operation Iraqi Freedom：Effect on hemorrhage control and outcomes. J Trauma 2008；64：S28-S37.
41）Kragh JF, Walters TJ, Baer DG, et al：Practical use of emergency tourniquet to stop bleeding in major limb trauma. J Trauma 2008；64：S38-S49.
42）Kragh JF, Murphy C, Dubick MA, et al：New tourniquet device concepts for battlefield hemorrhage control. US Army Med Dept J 2011；Apr-Jun：38-48.
43）Krieg JC, Mohr M, Ellis TJ, et al：Emergent stabilization of pelvic ring injuries by controlled circumferential compression：A clinical trial. J Trauma 2005；59：659-664.
44）Schöch H, Nienaber U, Maegele M, et al：Transfusion in trauma：Thromboelastometry-guided coagulation factor concentrate-based therapy versus standard fresh frozen plasma-based therapy. Crit Care 2011；15：R83.
45）Winearls J, Reade M, Miles H, et al：Targeted coagulation management in severe trauma：The controversies and the evidence. Anesth Analg 2016；123：910-924.
46）Meng ZH, Wolberg AS, Monroe DM, et al：The effect of temperature and pH on the activity of factor Ⅶa：Implications for the efficacy of high-dose factor Ⅶa in hypothermic and acidotic patients. J Trauma 2003；55：886-891.
47）Martini WZ：Coagulopathy by hypothermia and acidosis：Mechanism of thrombin generation and fibrinogen availability. J Trauma Injury Infect Crit Care 2009；67：202-209.
48）Cannon JW, Khan MA, Raja AS, et al：Damage control resuscitation in patients with severe traumatic hemorrhage：A practice management guideline from the Eastern Association for the Surgery of Trauma. J Trauma Acute Care Surg 2017；82：605-617.
49）Beekley AC：Damage control resuscitation：A sensible approach to the exsanguinating surgical patient. Crit Care Med 2008；36：S267-S274.
50）Holcomb JB, Jenkins D, Rhee P, et al：Damage control resuscitation：Directly addressing the early coagulopathy of trauma. J Trauma 2007；62：307-310.
51）Nunez TC, Voskresensky IV, Dossett LA, et al：Early prediction of massive transfusion in trauma：Simple as ABC（assessment of blood consumption）? J Trauma 2009；66：346-352.

52） Vandromme MJ, Griffin RL, Kerby JD, et al：Identifying risk for massive transfusion in the relatively normotensive patient：Utility of the prehospital shock index. J Trauma 2011；70：384-388；discussion：388-390.

53） Szopinski J, Kusza K, Semionow M：Microcirculatory responses to hypovolemic shock. J Trauma 2011；71：1779-1788.

54） American College of Surgeons：ATLS Advanced Trauma Life Support：Student Course Manual. 10th ed, American College of Surgeons, Chicago, 2018.

55） Woolley T, Thompson P, Kirkman E, et al：Trauma Hemostasis and Oxigenation Reserch Network position paper on the role of hypotensive resuscitation as part of remote damage control resuscitation. J Trauma Acute Care Surg 2018；84：S3-S13.

56） Mapstone J, Roberts I, Evans P：Fluid resuscitation strategies：A systematic review of animal trials. J Trauma 2003；55：571-589.

57） Bickell WH, Wall MJ, Pepe PE, et al：Immediate versus delayed fluid resuscitation for hypotensive patients with penetrating torso injuries. N Engl J Med 1994；331：1105-1109.

58） Turner J, Nicholl J, Webber L, et al：A randomised controlled trial of prehospital intravenous fluid replacement therapy in serious trauma. Health Technol Assess 2000；4：1-57.

59） Dutton RP, Mackenzie CF, Scalea TM：Hypotensive resuscitation during active hemorrhage：Impact on inhospital mortality. J Trauma 2002；52：1141-1146.

60） Morrison CA, Carrick MM, Norman MA, et al：Hypotensive resuscitation strategy reduces transfusion requirements and severe postoperative coagulopathy in trauma patients with hemorrhagic shock：Preliminary results of a randomized controlled trial. J Trauma 2011；70：652-663.

61） Carney N, Totten AM, O'Reilly C, et al：Guidelines for the management of severe traumatic brain injury：Fourth edition. Neurosurgery 2017；80：6-15.

62） Savage SA, Zarzaur BL, Croce MA, et al：Redefining massive transfusion when every second counts. J Trauma Acute Care Surg 2013；74：396-400.

63） Duchesne JC, Islam TM, Stuke L, et al：Hemostatic resuscitation during surgery improves survival in patients with traumatic-induced coagulopathy. J Trauma 2009；67：33-37；discussion：37-39.

64） Holcomb JB, Wade CE, Michalek JE, et al：Increased plasma and platelet to red blood cell ratios improves outcome in 466 massively transfused civilian trauma patients. Ann Surg 2008；248：447-458.

65） Borgman MA, Spinella PC, Perkins JG, et al：The ratio of blood products transfused affects mortality in patients receiving massive transfusions at a combat support hospital. J Trauma 2007；63：805-813.

66） Hagiwara A, Kushimoto S, Kato H, et al：Can early aggressive administration of fresh frozen plasma improve outcomes in patients with severe blunt trauma? A report by the Japanese Association for the Surgery of Trauma. Shock 2016；45：495-501.

67） Malone DL, Hess JR, Fingerhut A：Massive transfusion practices around the globe and a suggestion for a common massive transfusion protocol. J Trauma 2006；60：S91-S96.

68） Kashuk JL, Moore EE, Johnson JL, et al：Postinjury life threatening coagulopathy：Is 1：1 fresh frozen plasma：Packed red blood cells the answer? J Trauma 2008；65：261-270；discussion：270-271.

69） Davenport R, Curry N, Manson J, et al：Hemostatic effects of fresh frozen plasma may be maximal at red cell ratios of 1：2. J Trauma 2011；70：90-95；discussion：95-96.

70） Scalea TM, Bochicchio KM, Lumpkins K, et al：Early aggressive use of fresh frozen plasma does not improve outcome in critically injured trauma patients. Ann Surg 2008；248：578-584.

71） Holcomb JB, Tilley BC, Baraniuk S, et al：Transfusion of plasma, platelets, and red blood cells in a 1：1：1 vs a 1：1：2 ratio and mortality in patients with severe trauma：The PROPPR randomized clinical trial. JAMA 2015；313：471-482.

72） Ogura T, Nakano M, Izawa Y, et al：Analysis of risk classification for massive transfusion in severe trauma using the gray zone approach. Am J Emerg Med 2015；33：1146-1151.

73） 萩原章嘉，木村昭夫，加藤宏，他：外傷によって生じた出血性ショックに対する初期輸液療法の反応と治療方針に関する研究；多施設共同前向き観察研究．日外傷会誌 2009；23：329-336.

74） 稲田英一：危機的出血への対応の現状と今後の方向性．日臨麻会誌 2014；34：854-859.

75） CRASH-2 trial collaborators, Shakur H, Roberts I, et al：Effects of tranexamic acid on death, vascular occlusive events, and blood transfusion in trauma patients with significant haemorrhage（CRASH-2）：A randomised, placebo-controlled trial. Lancet 2010；376：23-32.

76） Shiraishi A, Kushimoto S, Otomo Y, et al：Effectiveness of early administration of tranexamic acid in patients with severe trauma. Br J Surg 2017；104：710-717.

77） Mitra B, Mazur S, Cameron PA, et al：Tranexamic acid for trauma：Filling the 'GAP' in evidence.

Emerg Med Australas 2014；26：194-197.
78) Mitra B, Cameron PA, Mori A, et al：Early prediction of acute traumatic coagulopathy. Resuscitation 2011；82：1208-1213.
79) Hippala ST, Myllyla GJ, Vahtera EM：Hemostatic factors and replacement of major blood loss with plasma-poor red cell concentrates. Anesth Analg 1995；81：360-365.
80) Gando S, Wada H, Thachil J, et al：Differentiating disseminated intravascular coagulation（DIC）with the fibrinolytic phenotype from coagulopathy of trauma and acute coagulopathy of trauma-shock（COT/ACOTS）. J Thromb Haesmost 2013；11：826-835.
81) Inaba K, Branco BC, Rhee P, et al：Impact of plasma transfusion in trauma patients who do not require massive transfusion. J Am Coll Surg 2010；210：957-965.
82) Perkins JG, Cap AP, Weiss BM, et al：Massive transfusion and nonsurgical hemostatic agents. Crit Care Med 2008；36：S325-S339.
83) Hauser CJ, Boffard K, Dutton R, et al：Results of the CONTROL trial：Efficacy and safety of recombinantactivated factor Ⅶ in the management of refractory traumatic hemorrhage. J Trauma 2010；69：489-500.
84) Simpson E, Lin Y, Stanworth S, et al：Recombinant factor Ⅶa for the prevention and treatment of bleeding in patients without haemophilia. Cochrane Database Syst Rev 2012；3：CD005011.
85) Schöchl H, Nienaber U, Hofer G, et al：Goal-directed coagulation management of major trauma patients using thromboelastometry（ROTEM）guided administration of fibrinogen concentrate and prothrombin complex concentrate. Crit Care 2010；14：R55.
86) Ting-Wei K, Yi-Chin L, Hsiang-Ting C：Prothrombin complex concentrate for trauma induced coagulopathy：A systematic review and meta-analysis. J Acute Med 2021；11：81-89.

D　蘇生的開胸術（RT）

要　約

1. 蘇生的開胸術（RT）は，体幹部外傷の出血性ショックおよび閉塞性ショックを迅速に改善させ蘇生させるための戦術である。
2. RTは，適応患者に対し適切なタイミングで実施されれば，有効な蘇生手段となり得る。
3. RTの基本は左前側方開胸で行い，必要に応じてclamshell開胸へ移行する。

はじめに

蘇生的開胸術（resuscitative thoracotomy；RT）は，重症外傷，とくに体幹部外傷の出血性ショックあるいは閉塞性ショックに対して，病態を迅速に改善させる（蘇生させる）ために行われる戦術の一つである。したがって，一般的な胸部疾患に対する「予定外」の緊急的な開胸術は含まれない。また，緊急に行われるがゆえに，その行われる場所が病院前や救急室であることから病院前開胸術（prehospital resuscitative thoracotomy）あるいは救急室開胸術（emergency department thoracotomy；EDT，またはemergency room thoracotomy；ERT）と称されることが多く，同じ目的で手術室や集中治療室にて行われることも珍しくはない。

本書では，これらの開胸術をその目的から施行場所にかかわらず「蘇生的開胸術（RT）」として統一する。

I　RTの目的と適応

RTの目的としては，①心タンポナーデの解除，②心損傷の止血，③胸腔内出血の止血，④空気塞栓への対処，⑤開胸心マッサージ，⑥胸部下行大動脈遮断，の6つがあげられる[1)]。ただし，“心停止に陥った後”の⑤開胸心マッサージに大きな期待を寄せることはできず，心停止に至る前に出血コントロールすることを主な目的としてRTは行われる。なお，RTの主要な目的は，①～④胸部外傷に対する直接的な治療戦術と，⑥重篤な出血性ショックに対する間接的な戦術の2つに大別することができる。適応と治療成績についての見解はさまざまである[2)～5)]が，適正化施行努力によりわずかながら生存率が向上[6)]〔7.9%（2010）→11.3%（2014），$p<0.001$〕しているようである。

RTは，その対象となる患者がきわめて重篤な状態であるため，以前は適応が明確でなく施行例全体の生存率は低かった（6.0～7.4%）[1)2)]。胸部の単独穿通性外傷，とくに心タンポナーデを伴う心損傷では良好な成績が示されていた（35%）[1)]が，鈍的外傷による横隔膜下の臓器損傷や頭部外傷を伴う患者では，RT施行例の生存率はきわめて低い（1.4～2.0%）[1)2)4)7)]。

このような背景からRTの実施は，生存予測因子[6)8)9)10)]を考慮して決断することが望ましい（表3-1-D-1）[11)]。一般的なRTは，2011年に米国のWestern Trauma Association（WTA）が示したmulti-center trial 6[12)]において，鈍的外傷は10分以上，穿通性外傷は15分以上の病院前心肺蘇生（CPR）実施は適応外であるとされ，RTを施行しても心収縮や心タンポナーデがないときは蘇生を中止する。また，同じグループがWTAのアルゴリズムを公表し[12)]，RTの適応として，以下の（1）～（3）をあげている。

表3-1-D-1　RT施行時に考慮すべき生存予測因子

①	受傷機転（穿通性外傷＞鈍的外傷，刺創＞銃創）
②	受傷部位（心臓＞胸部＞腹部＞その他）
③	病院前心肺蘇生（CPR）（なし＞あり）
④	心肺停止時間（短時間＞長時間）
⑤	病着時バイタルサイン（あり＞なし）
⑥	病着時心電図リズム（洞調律＞PEA＞心静止）
⑦	病着時signs of life（SOL）（あり＞なし）

SOL：四肢の運動，瞳孔反射，自発呼吸，心臓の電気的活動，血圧測定可能or脈触知可能
〔文献11）より引用〕

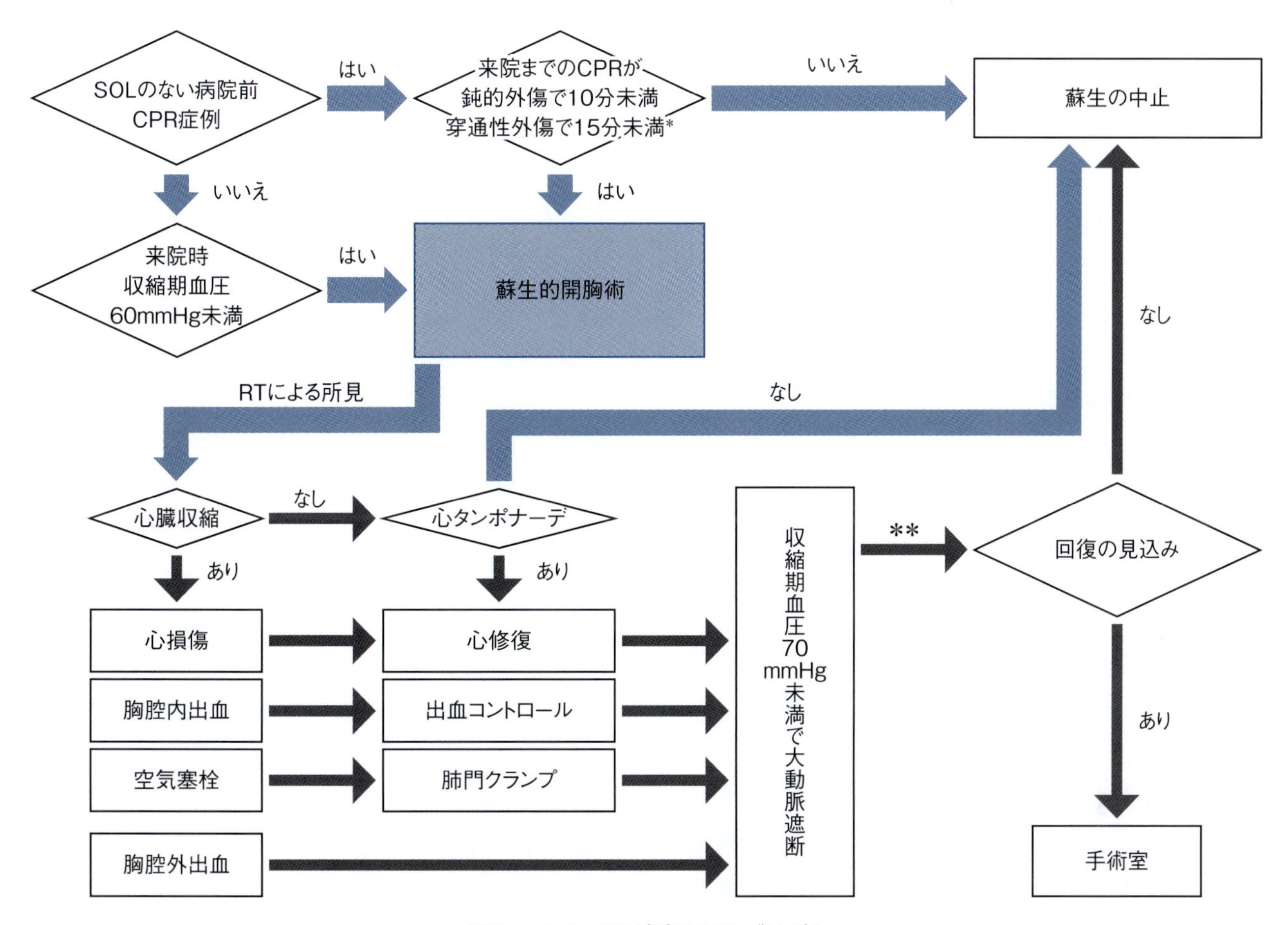

図3-1-D-1　RT適応のアルゴリズム

SOL：signs of life（四肢の運動，瞳孔反射，自発呼吸，心臓の電気的活動，血圧測定可能or脈触知可能）
*　SOLのない頸部・四肢の穿通性外傷で5分以上の病院前CPRは救命不可能
**　輸液，輸血，蘇生薬剤，循環作動薬などの投与を中心とした積極的蘇生を行ったのち，再評価を行う

（1）鈍的外傷で10分未満の病院前CPR
（2）穿通性外傷で15分未満の病院前CPR（ただし頸部，四肢の穿通性外傷では5分未満）
（3）生命徴候のあるCPR施行症例，または収縮期血圧が60mmHg未満

としている（図3-1-D-1）[12]。

さらに2015年，Eastern Association for the Surgery of Trauma（EAST）ガイドラインでは，72論文，RTを受けた来院時に脈を触知しない10,238患者のレビューを行い，損傷形態やsigns of life〔SOL（四肢の運動，瞳孔反射，自発呼吸，心臓の電気的活動，血圧測定可能or脈触知可能）〕の有無などによる推奨を提示した（表3-1-D-2）[13]。これによると，RT実施はSOLのある穿通性胸部外傷では強く推奨される一方で，SOLのない鈍的外傷では一部を除き推奨していない。

また小児におけるRTの適応では，いくつかの研究[14)〜16)]で成人のガイドラインに準ずるといわれているが，最近の研究では小児の生理学的特殊性やこれまでの報告を根拠に，SOLのないすべての外傷においてRTを推奨しないとした小児RTガイドラインへの改訂を提案している[17]。

表3-1-D-2　来院時脈を触知しない外傷に対するRTの適応

		SOLがある	SOLがない
穿通性外傷	胸部	強い推奨	限定的推奨*
	非胸部	限定的推奨**	限定的推奨***
鈍的外傷		限定的推奨***	非推奨

*　SOLのない時間が短い場合に推奨
**　単独頭部外傷は非推奨
***　単独頭部外傷は非推奨・生存もしくは神経学的改善が望める場合に推奨
〔文献13）より引用・改変〕

RTを初療室で実施するためには，準備が必要である。「RTを行うために初療室に一定の体制を整備すべきか？」との質問に対する外傷専門医による投票では，「体制を整備すべきである」との意見が84%

を占めていた。蘇生的開胸術を初療室で行うには，迅速な開胸が実施できる機器，人材，場所を用意しておく必要がある。引き続き開胸術や開腹術を施行することが可能な体制や大量輸血プロトコル（MTP）の体制整備も求められる。また初療室でこれを実施するためには救急部門でのコンセンサスをとっておかなければ，突然実施しようとしても適切に実施することは難しい。さらに，日頃からのシミュレーションも必要であるとの意見もみられた。

Ⅱ 胸部外傷に対するRT

胸部外傷に対するRTは，後述する大動脈遮断と異なり，損傷部位の直接的なコントロールと根本治療を目的とした戦術である。心タンポナーデを伴う穿通性心損傷であれば，RTによるタンポナーデの解除と心損傷を修復することで救命が可能となる。

心タンポナーデの解除には心嚢穿刺と心嚢開窓術が第一選択とされるが，もっとも迅速に心嚢を開放できるのはRTにより心臓に至る方法である。穿通性外傷の多い米国で24研究4,620例を集計した結果によると，RTによって平均で7.4％（刺創16.8％，銃創4.3％）の生存率が得られている[2]。

一方，鈍的外傷においては，明確な胸部外傷があり，胸腔ドレーンからの大量出血や心嚢穿刺（開窓術）では対処することのできない心タンポナーデの場合に適応となる。また，気道出血を伴う重症の肺挫傷や肺破裂の患者に対する陽圧換気により肺静脈に空気が流入し，空気塞栓を起こし心停止となることがある。これを進行させないためには迅速に肺門部遮断を行うことが唯一の戦術となることから，RTが必要となる。

Ⅲ 胸部下行大動脈遮断のためのRT

下行大動脈遮断は，横隔膜下への血流を遮断することによって，心臓から拍出される血液を上半身に集中させ，冠血流の確保による心停止の回避と脳血流の維持による二次的な中枢神経傷害を予防しようとするものである[18)〜21)]。とりわけ横隔膜下の外傷（腹腔内出血，骨盤骨折，重症下肢損傷など）の出血制御には威力を発揮する[18]。近年，大動脈遮断のオプションとしてREBOAが注目されるようになってきた[22]。Aortic Occlusion in Resuscitation for Trauma and Acute Care Surgery（AORTA）2研究において，穿通性胸部外傷を除き収縮期血圧が90mmHg未満でCPRせずに大動脈遮断が必要となる場合では，REBOAはRTよりも初療室生存率や生存退院率が高かったとする報告[23]がある。しかしこれら

◆Clinical questions◆　CQ 05

Q 蘇生的開胸術の実施には資格制度を導入すべきか？

A 外傷専門医25名によるコンセンサス会議の投票の結果，資格制度を「導入する必要はない」と回答したものが64％であった。「導入すべきである」は32％であった。「導入する必要はない」との回答からは「蘇生的開胸術は蘇生の一環であり，蘇生に携わる医師は獲得すべき基本手技である」，「外傷診療を広める妨げとなり得る」，「資格制度により実施できない施設が出ることから実施されなくなる懸念がある」，「救命処置に資格制度を導入すべきではない」などの意見がみられた。一方，「導入すべきである」との回答からは，「外科専門医資格などをもつ者が整備された環境下で行うのがよい」，「クオリティーコントロールのために必要である」などの意見がみられた。

以上より，蘇生的開胸術の実施には一定の手技の質の担保を行う必要があるが，蘇生手技に資格制度を設けることは蘇生実施の妨げとなる懸念があるため，資格制度の積極的導入は望ましくない，とした。

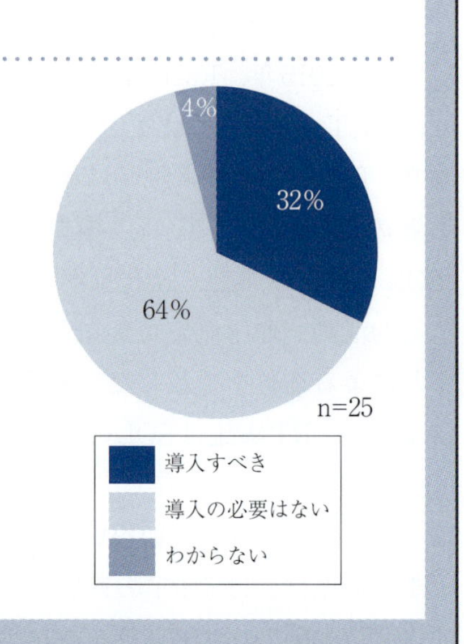

表3-1-D-3　大動脈遮断とREBOA

	開胸による大動脈遮断	REBOAによる大動脈遮断
利点	迅速性に優れている 確実な大動脈遮断	低侵襲 遮断度合いの調整可
欠点	侵襲が大きい	迅速性に欠ける 大腿動脈の穿刺困難
合併症	胸壁出血 脊椎動脈損傷	下肢虚血・壊死 腹部血管損傷

は対象患者が大きく異なるため，一刻の猶予もなく大動脈遮断を必要とする場合にはRTが適応となる。表3-1-D-3に両者の比較を示した。

Ⅳ RTの施行場所

これまでのRT施行は，初療室での施行が多い。すなわち病院前ではなんとか循環を維持させ迅速に搬送し，病着直後にRTが施行される。病院前でのRT施行は，切迫する心停止のような瀕死状態にのみ行われている。そのため，成績がよいとされる胸部外傷に限った研究においても，初療室でのRTと比較して生存率が低かった[24]。

しかし，受傷後早期に医療介入することと迅速に適切なタイミングでRTを施行できれば救命率向上が期待できる[25]ことから，病院前での適切なRTを行う判断ができるよう，病院前からの一連の外傷診療過程における蘇生ガイドライン[26]がヨーロッパで提唱されており，このなかで切迫する心停止患者に対するRTの位置づけがなされている（図3-1-D-2）[26]。

これによれば，患者が外傷によって瀕死状態となっているときに，原因検索と同時に治療介入を病院前診療から開始する。心タンポナーデの解除や出血コントロール手術・中枢側大動脈遮断を必要とする状況において，心停止後経過時間が10分未満であるという条件が整えば，迅速な蘇生的開胸術（RT）の施行を推奨している。

Ⅴ RTの手術手技

体位，皮膚切開の位置，開胸肋間の選択は，本術式のもっとも基本的な部分であり，これを誤ると目的を達することができない。

開胸法は，完全な仰臥位における左第4あるいは第5肋間前側方開胸とする。左上肢は可能なかぎり頭頂側へ挙上させることで，側胸部から腋窩の術野を確保し肋間を広げる。第4あるいは第5肋間前側方開胸をすべく男性では乳頭の直下，女性では乳房を頭側に上げて胸骨左縁から中腋窩線までの肋間に沿う弧状の皮膚切開を行う（図3-1-D-3）。胸腔内で行うべき操作・手技が明確であれば，これに合わせた肋間からアプローチを行うが，蘇生を要する状況では第4あるいは第5肋間のいずれでもよい。第5肋間開胸を行っておりclamshell開胸への移行で対側へ延長する場合，対側を第4肋間開胸とすれば上縦隔へのアプローチが幾分容易となる（図3-1-D-4）。

胸骨左縁から中腋窩線程度まで，止血操作をすることなく迅速に開胸するが，前方（胸骨辺縁）での肋間筋切離時には内胸動脈の損傷に注意する。また，後方の創延長切開時に中腋窩線を越えて広背筋まで大きく切開しても，広背筋からの出血が増えるのみで展開できる術野の拡大は少ない。仰臥位での前側方開胸で術野を広げるためには，後方へ切開を延長するのではなく，clamshell開胸を選択する。

胸腔内への到達後にまず行うべきは，次の5つである[1]。

- 下肺靱帯（肺間膜）の切離と肺の授動
- 心膜切開と心損傷からの一時的出血コントロール
- 肺門部あるいは肺損傷部中枢側での遮断
- 胸部下行大動脈遮断
- 直視下の心マッサージ

これらの操作の順序は開胸時の病態と開胸時所見により異なり，一律ではない。また根本的外科治療を引き続き行うか手術室へ移動するかは，施設の体制による。

1. 下肺靱帯の切離と肺の授動

下肺靱帯（肺間膜）は横隔膜直上，脊柱の前縁と横隔膜の交差する点から始まり，脊柱の前縁と心臓の後縁に挟まれて肺門下（下肺静脈）に至る膜様構造物である（図3-1-D-5）。胸部下行大動脈遮断と直視下の心マッサージなどのみを目的とする場合には，この下肺靱帯切離は必須の手技ではない。

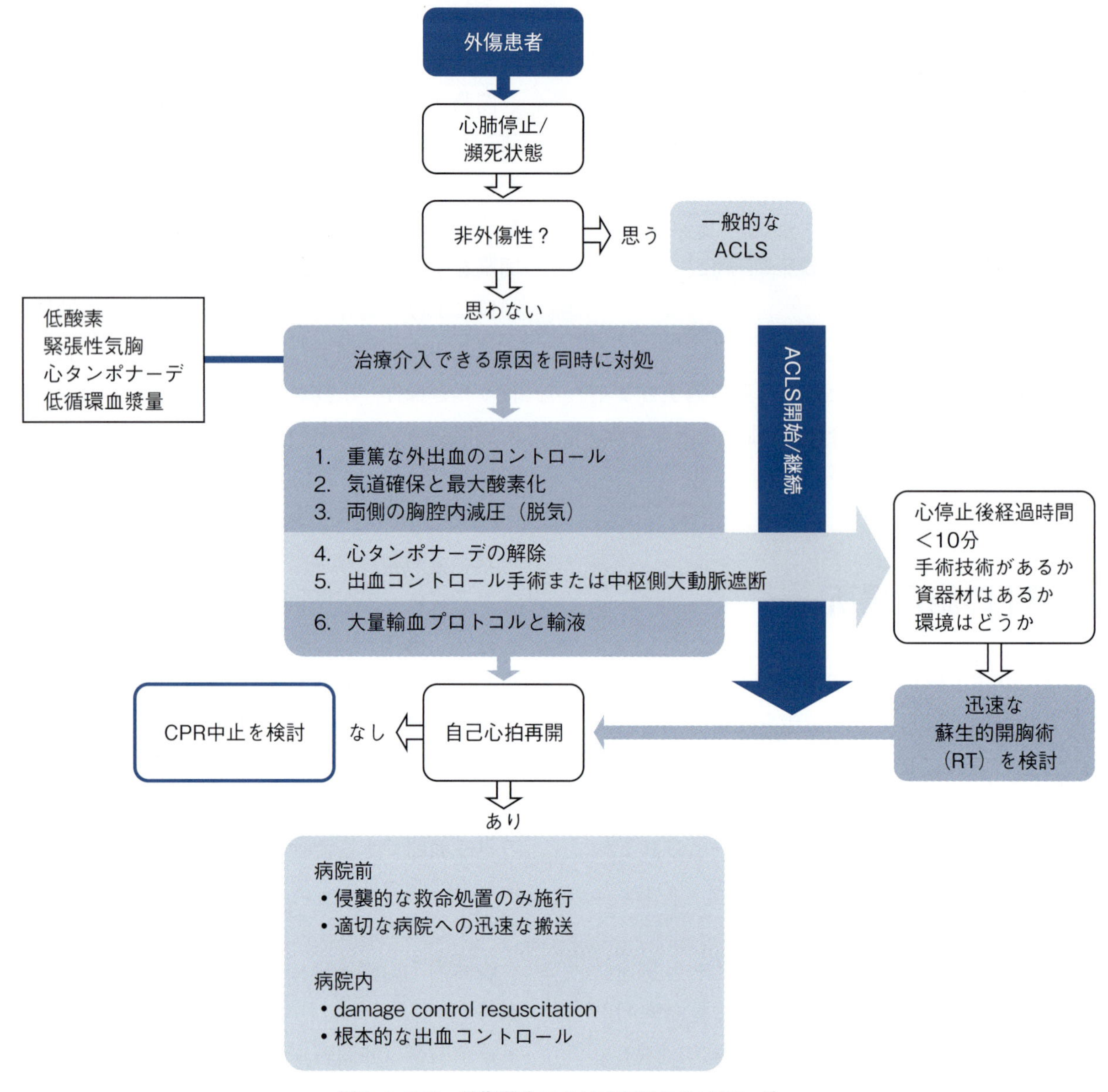

図3-1-D-2 外傷蘇生におけるRTのタイミング

〔文献26）より引用・改変〕

しかし，胸腔内臓器の精査，肺門や肺下葉などでの遮断を行う場合には，本操作をまず行うことにより肺門と肺を掌中に収めることができ，また胸腔を1つのコンパートメントとして容易に扱うことが可能となる（図3-1-D-6）。

2. 心膜切開と心損傷からの一時的出血コントロール

心嚢の外観のみから心タンポナーデとなっているか否かを正確に見極めることは容易ではない。緊満した心嚢を認めれば病的状態が存在し得るものとして，壁側心膜（心嚢）を切開し心膜腔を開放する。心膜は，縦走する横隔神経の腹側で横隔神経を損傷しないように注意しながら縦方向あるいは横隔神経と並行するように切開する（図3-1-D-7）。血性心嚢液が噴出する場合は強く心損傷の存在が疑われるため，術野確保のために速やかにclamshell開胸へ移行し，前述の心嚢切開に横切開を追加して心臓を露出させ損傷部位を同定する。

心損傷からの出血のコントロールには，心室に対して指腹による圧迫，心房に対しては複数本のAllis鉗子やBabcock鉗子による損傷部の把持とSatinsky鉗子によるサイドクランプにより出血の一時的コントロールを行い，その後に縫合止血を行う。

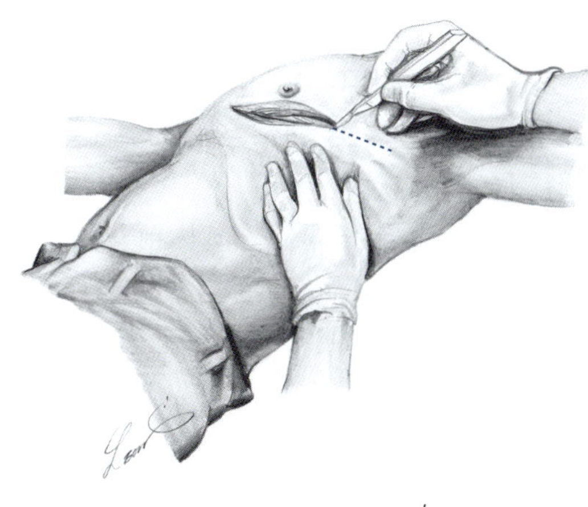

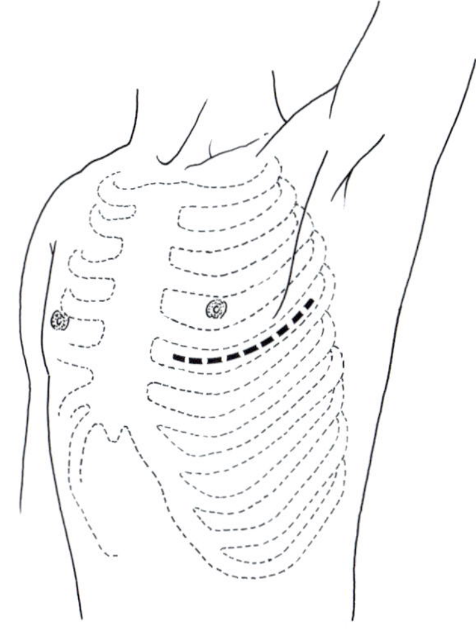

図3-1-D-3　左前側方開胸

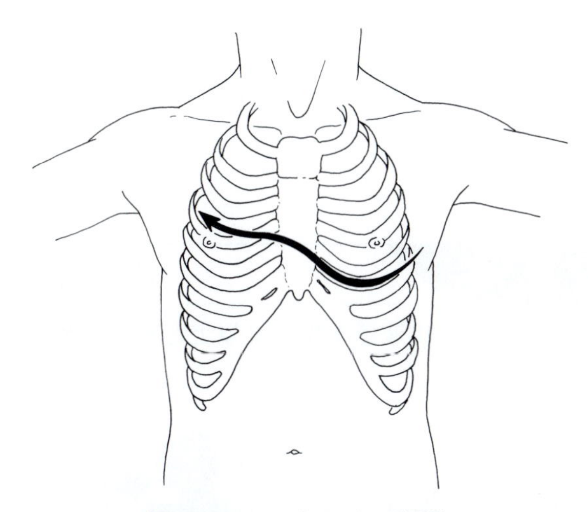

図3-1-D-4　clamshell開胸

3. 肺門部あるいは肺損傷部中枢側での遮断

大量出血，大量空気漏出を伴う重篤な肺損傷では，肺門部遮断によるコントロールがもっとも迅速で確実な手段である。まず，本法施行に先行して下肺靱帯の切離が必要である。肺門部の遮断は用手的

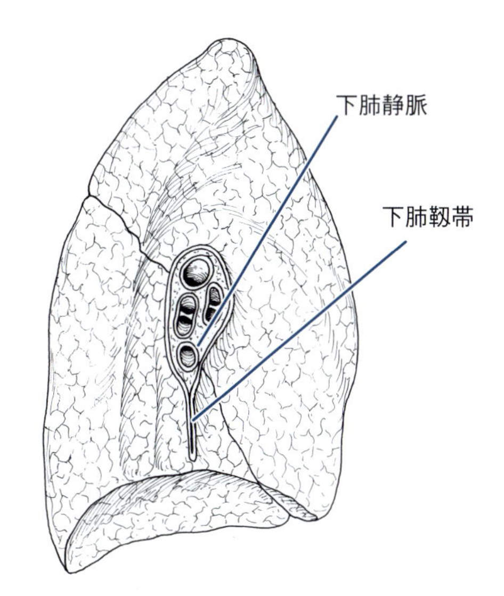

図3-1-D-5　肺靱帯の解剖

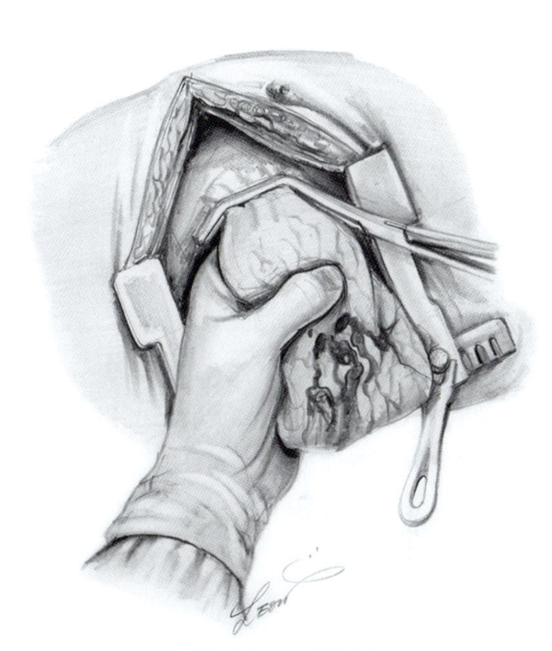

図3-1-D-6　肺門遮断

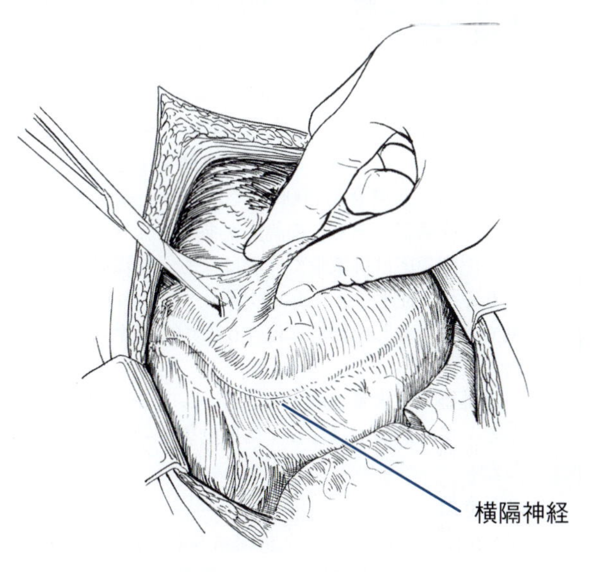

図3-1-D-7　心嚢切開

遮断がもっとも迅速で安全に施行できるが，肺門部を軸にして用手的に肺を180°回転させる遮断方法（pulmonary hilar twist）も報告されている[27]。通常はSatinsky鉗子，肺門遮断鉗子などによる一括遮断を行う（図3-1-D-6）。肺門遮断に際しては，大きく膨らんだ肺の存在はその妨げとなるため，可能であれば一時的に換気を休止するか片肺換気の状態で，肺のボリュームを減らして本操作を行うとよい。

本法により肺からの出血だけでなく，大量の空気漏出，さらには空気塞栓の進行をコントロールすることが可能である一方，肺血管抵抗の急激な上昇により右心不全をきたす可能性に注意を払う必要がある。外傷における片肺全摘術（pneumonectomy）の死亡率が50～100％と非常に高率であることも知っておくべきであろう[28)29]。一時的コントロールのために肺門で遮断を行った場合には，後述する大動脈遮断と同様に，より末梢における遮断へと早期に移行させることを常に意識しなければならない。

4. 胸部下行大動脈遮断

腹腔内あるいは後腹膜などの出血による重篤なショックに対して，開腹術に先行して出血コントロールのために本操作を行う場合には，開胸直後にこれを行う。一方，胸部外傷に対する胸腔内臓器損傷の評価と出血コントロールおよび外傷蘇生を目的とする場合には，心膜切開と心損傷の評価および出血のコントロールに引き続いて，胸部下行大動脈遮断を施行することが多い。

胸部下行大動脈は椎体の左側から前方に位置し，左下葉を頭側，やや腹側に圧排するとともに，1回換気量の減少あるいは呼吸停止を行うことでアプローチが容易となる。可能であれば壁側胸膜（縦隔胸膜）に覆われた下行大動脈を直視して操作を行うことが望ましいが，直視での操作は多くの場合困難であり，触診に頼らざるを得ない。高齢者では，胸部下行大動脈は延長・蛇行していることが多いために椎体の側方を，若年者では椎体の比較的前方を下行する。胸壁に沿って胸腔内を背側へ向かい触診を進めると，はじめに触れる管状あるいは索状構造物が下行大動脈である。出血による虚脱時，拍動を触れることができないため，大動脈と誤り食道を遮断しないよう注意する。大動脈は食道よりやや弾性が強く，多くは食道の左側を走行しているので判別できる。

鉗子を用いての大動脈遮断に際しては，壁側胸膜の一部に小孔を開け，大動脈を露出させてから鉗子による遮断を行う（図3-1-D-8）。なお不必要に大動脈全周での剝離を試みることは，肋間動脈に損傷をきたす危険性があり推奨されない。

◆Clinical questions◆ **CQ 06**

Q 大量血胸での開胸止血術の適応について，初回胸腔ドレーン排液量1,000ml以上とすることは推奨できるか？

A 外傷専門医25名によるコンセンサス会議の投票の結果，72％が「推奨できない」と回答した。「推奨できない」と回答したものには「排液量は適応基準ではなく，あくまで循環動態を中心とした生理学的徴候が判断指標の最優先である」，「排液量1,000mlでは判断が遅すぎる」，「1時間に404ml以上の排液量は開胸適応であるとの論文がある」，「胸腔ドレーンは血餅で閉塞することが多く，開胸適応は排液量だけではなく，循環動態を重視すべきである」，「排液量ではなく，出血速度を念頭に考慮すべきである」などの意見がみられた。一方，「推奨できる」とした回答には「ひとつの基準になるのではないか」との意見がみられた。

以上から，大量血胸での胸腔ドレーンの初回排液量1,000mlは開胸止血術の適応としては適切ではなく，循環動態を考慮してより早期に決断すべきである，とした。

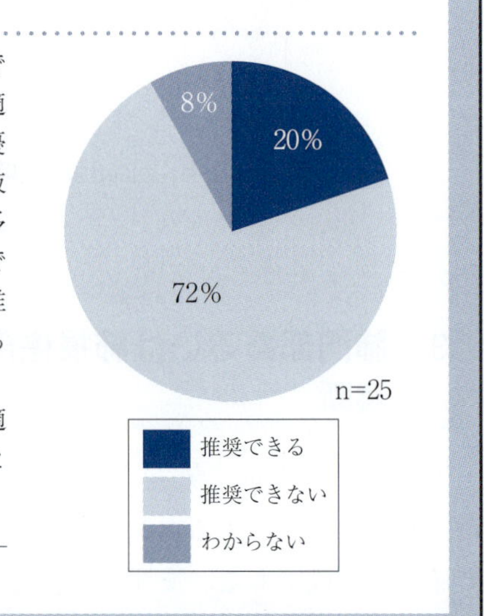

参考文献

• Mizushima Y, et al：Acute Med Surg 2015；3：81-85.

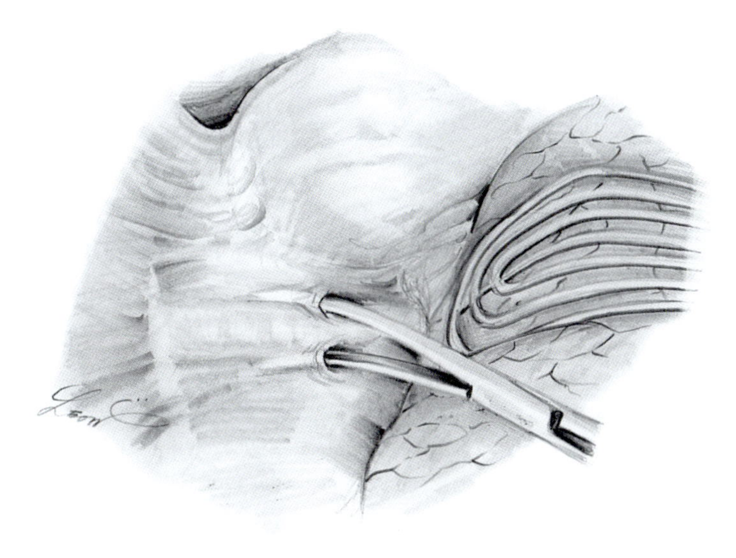

図3-1-D-8　DeBakey大動脈鉗子を用いた大動脈遮断
下行大動脈遮断時の壁側胸膜小孔作成

胸部下行大動脈の遮断により，重篤なショックではきわめて速やかな血圧の上昇が期待できる。しかしこれは止血までの時間的猶予を提供するにすぎず，引き続き速やかな根本的止血術を行って早期に遮断を解除しなければならない。大動脈遮断により遠位血流は低下し，大腿動脈ではベースラインの10%程度，腹腔内臓器血流は2～8%にまで低下する[30)31)]。

また，遮断解除をしても重要臓器血流は直ちに回復するわけではなく，腎血流の回復は50%にとどまる[31)]。大動脈遮断時間が30分を超えると，全身諸臓器における代謝失調は指数関数的に増大するため[32)33)]，本手技を行うときにはいつ遮断解除を行えるかを常に意識する。遮断解除を行う際には，遠位への再灌流と血管床増加に対応する血管内容量を担保し得る十分な輸液，輸血が必要である。遮断が遷延すれば，全身の再灌流障害が大きくなるとともに，後負荷の増大した大動脈遮断に伴う心不全にも注意を要する。

◆Clinical questions◆　**CQ 07**

蘇生的開胸術施行後の一時的閉胸法に陰圧閉鎖療法は適応となるか？

A 外傷専門医25名によるコンセンサス会議の投票の結果，「適応となる」との回答は60%であり，「適応にならない」との回答は0%であった。40%が「わからない」と回答した。

「適応となる」との回答には，「胸部のdamage control surgeryとして行わざるを得ないときがある」，「胸部での陰圧療法に問題はない」，「症例によっては適応としている」，「閉胸操作により心臓を圧迫するなどの場合には行われる」，「胸腔内圧を陰圧にするため肺の虚脱予防や気道内圧上昇軽減の点から有用である」，「開胸創からの止血にガーゼパッキングを行った場合は適応となる」，「再開胸の必要性（パッキング）や多部位手術の予定がある場合は早期手術終了が可能であり適応となる」などの意見が大半であった。

以上より，蘇生的開胸術に対する陰圧閉鎖療法を用いた一時的閉胸は，パッキングなど再開胸の必要性があるもの，多部位手術の予定があり早期手術終了が必要なものの場合，有用である。また閉胸により心臓を圧迫するなど循環動態に影響をきたす場合も適応となり得る。ただし，どのような症例が適切な適応であるかのエビデンスや情報が少ないため，適切な適応症例を示すことは容易ではないが，陰圧閉鎖療法による一時的閉胸が効果的な症例はあり得る，とした。

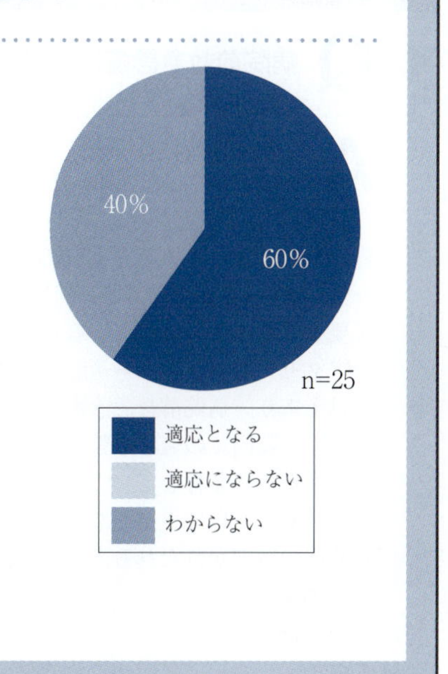

5. 開胸心マッサージ

開胸心マッサージを行う際には，必ず心膜を切開し直接心臓を圧迫する。①心臓の背側に手を置き，胸骨との間で圧迫する方法，②両手掌で挟み込むマッサージ法がある。片手で母指と手掌を用いて圧迫する方法は，母指による心臓の損傷，時として穿孔を生じる危険性があるため推奨されない。

6. 閉胸法

開胸心マッサージを必要としない状況であれば，体温低下を最低限とするために閉胸も迅速に実施することが求められる。ダメージコントロール戦略を選択する症例では，血液凝固障害による胸壁からのoozingが著しい場合がある。このような患者に対しては，一時的閉胸法も考慮されるが[34)~36)]，胸壁の止血と迅速性を兼ね備えた閉胸法が望ましい。

胸壁の止血効果を期待して肋間を寄せる一層縫合(single en mass closure of the chest wall)[35)]は効果的な戦術の1つであるが，より止血効果を得るために肋間にガーゼを挟み込んで圧迫することもある。皮膚のみの縫合やタオルクリップ法[37)]は迅速ではあるが，胸壁の止血が不十分となる。ダメージコントロール戦略の際に要求される閉胸法としては，心臓や肺などへの圧迫を回避するとともに，迅速で確実な胸壁止血が行える戦術を選択する。

文　献

1) Feliciano DV, Mattox KL, Moore EE：Trauma. 9th ed, McGraw-Hill, New York, 2021.
2) Rhee PM, Acosta J, Bridgeman A, et al：Survival after emergency department thoracotomy：Review of published data from the past 25 years. J Am Coll Surg 2000；190：288-298.
3) Powell DW, Moore EE, Cothren CC, et al：Is emergency department resuscitative thoracotomy futile care for the critically injured patient requiring prehospital cardiopulmonary resuscitation? J Am Coll Surg 2004；199：211-215.
4) Working Group, Ad Hoc Subcommittee on Outcomes, American College of Surgeons-Committee on Trauma：Practice management guidelines for emergency department thoracotomy：Working Group, Ad Hoc Subcommittee on Outcomes, American College of Surgeons-Committee on Trauma. J Am Coll Surg 2001；193：303-309.
5) Moore EE, Knudson MM, Burlew CC, et al：Defining the limits of resuscitative emergency department thoracotomy：A contemporary Western Trauma Association perspective. J Trauma 2011；70：334-339.
6) Joseph B, Khan M, Jehan F, et al：Improving survival after an emergency resuscitative thoracotomy：A 5-year review of the Trauma Quality Improvement Program. Trauma Surg Acute Care Open 2018；3：e000201.

◆Clinical questions◆　CQ 08

病院前救急診療における外傷性心停止の開胸適応は，院内での基準をそのまま適応できるか？

A 外傷専門医25名によるコンセンサス会議の投票の結果，「適応できる」32%，「適応できない」36%，「わからない」32%と意見が大きく分かれた。

「適応できる」との回答では，「病院前と院内での基準は同じでよいが，院内で行う場合に比して人員や器材の装備充足が必要である」との意見があげられた。一方，「適応できない」との回答には，「病院前は情報量が少ないため別の基準が必要」，「院内と環境が異なるため別の基準が必要」，「大動脈遮断に続く止血術へのアクセス時間などから適応は同じではない」などの意見が多数あげられた。

以上より，病院前救急診療における外傷性心肺停止の開胸適応は現在示されておらず，院内での適応を暫定的に使用することは現実的である。しかし，その環境（人材や資器材など）の違いにより，一概に病院内での適応をそのまま使用すべきであるかにはさまざまな異論がある。そのため早急に病院前における開胸適応基準の策定が待たれる，とした。

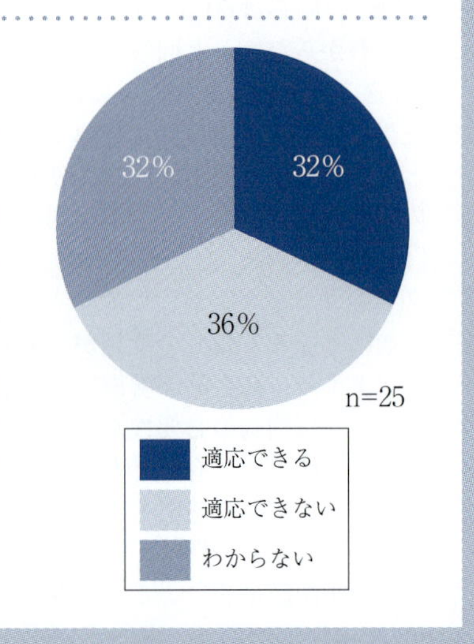

7) Khorsandi M, Skouras C, Shah R：Is there any role for resuscitative emergency department thoracotomy in blunt trauma? Interact Cardiovasc Thorac Surg 2013；16：509-516.

8) Brautigen MW, Tietz G：Emergency thoracotomy in an urban community hospital：Initial cardiac rhythm as a new predictor of survival. Am J Emerg Med 1985；3：311-315.

9) Refaely Y, Koyfman L, Friger M, et al：Predictors of survival after emergency department thoracotomy in trauma patients with predominant thoracic injuries in Southern Israel：A retrospective survey. Open Access Emerg Med 2019；11：95-101.

10) Panossian VS, Nederpelt CJ, El Hechi MW, et al：Emergency Resuscitative Thoracotomy：A Nationwide Analysis of Outcomes and Predictors of Futility. J Surg Res 2020；255：486-494.

11) Fernandez-Moure J, Shiroff AM, Seamon MJ：Thoracic injury：Cardiac and Major Vascular Injury. In：Peitzman AB, et al eds. The Trauma Manual：Trauma and Acute Care Surgery. 5th ed, Wolters Kluwer, Philadelphia, 2020, pp414-424.

12) Burlew CC, Moore EE, Moore FA, et al：Western Trauma Association critical decisions in trauma：Resuscitative thoracotomy. J Trauma Acute Care Surg 2012；73：1359-1363.

13) Seamon MJ, Haut ER, Arendonk KV, et al：An evidence-based approach to patient selection for emergency department thoracotomy：A practice management guideline from the Eastern Association for the Surgery of Trauma. J Trauma Acute Care Surg 2015；79：159-173.

14) Easter JS, Vinton DT, Haukoos JS：Emergent pediatric thoracotomy following traumatic arrest. Resuscitation 2012；83：1521-1524.

15) Moore HB, Moore EE, Bensard DD：Pediatric emergency department thoracotomy：A 40-year review. J Pediatr Surg 2016；51：315-318.

16) Moskowitz EE, Burlew CC, Kulungowski AM, et al：Survival after emergency department thoracotomy in the pediatric trauma population：A review of published data. Pediatr Surg Int 2018；34：857-860.

17) Prieto JM, Van Gent JM, Calvo RY, et al：Nationwide analysis of resuscitative thoracotomy in pediatric trauma：Time to differentiate from adult guidelines? J Trauma Acute Care Surg 2020；89：686-690.

18) Millikan JS, Moore EE：Outcome of resuscitative thoracotomy and descending aortic occlusion performed in the operating room. J Trauma 1984；24：387-392.

19) Spence PA, Lust RM, Chitwood WR, et al：Transfemoral balloon aortic occlusion during open cardiopulmonary resuscitation improves myocardial and cerebral blood flow. J Surg Res 1990；49：217-221.

20) Wesley RC, Morgan DB：Effect of continuous intra-aortic balloon inflation in canine open chest cardiopulmonary resuscitation. Crit Care Med 1990；18：630-633.

21) Dunn EL, Moore EE, Moore JB：Hemodynamic effects of aortic occlusion during hemorrhagic shock. Ann Emerg Med 1982；11：238-241.

22) Saito N, Matsumoto H, Yagi T, et al：Evaluation of the safety and feasibility of resuscitative endovascular balloon occlusion of the aorta. J Trauma Acute Care Surg 2015；78：897-904.

23) Brenner M, Inaba K, Aiolfi A, et al：Resuscitative endovascular balloon occlusion of the aorta and resuscitative thoracotomy in select patients with hemorrhagic shock：Early results from the American Association for the Surgery of Trauma's Aortic Occlusion in Resuscitation for Trauma and Acute Care Surgery registry. J Am Coll Surg 2018；226：730-740.

24) Liu A, Nguyen J, Ehrlich H, et al：Emergency resuscitative thoracotomy for civilian thoracic trauma in the field and emergency department settings：A systematic review and meta-analysis. J Surg Res 2022；273：44-55.

25) Matsumoto H, Mashiko K, Hara Y, et al：Role of resuscitative emergency field thoracotomy in the Japanese helicopter emergency medical service system. Resuscitation 2009；80：1270-1274.

26) Truhlář A, Deakin CD, Soar J, et al：European resuscitation council guidelines for resuscitation 2015：Section 4. cardiac arrest in special circumstances. Resuscitation 2015；95：148-201.

27) Wilson A, Wall MJ Jr, Maxson R, et al：The pulmonary hilum twist as a thoracic damage control procedure. Am J Surg 2003；186：49-52.

28) Karmy-Jones R, Jurkovich GJ, Shatz DV, et al：Management of traumatic lung injury：A Western Trauma Association Multicenter review. J Trauma 2001；51：1049-1053.

29) Halonen-Watras J, O'Connor J, Scalea T：Traumatic pneumonectomy：A viable option for patients in extremis. Am Surg 2011；77：493-497.

30) Mitteldorf C, Poggetti RS, Zanoto A, et al：Is aortic occlusion advisable in the management of massive hemorrhage? Experimental study in dogs. Shock 1998；10：141-145.

31) Oyama M, McNamara JJ, Suehiro GT, et al：The effects of thoracic aortic cross-clamping and declamping on visceral organ blood flow. Ann Surg 1983；197：459-463.

32） Fabian TC, Richardson JD, Croce MA, et al：Prospective study of blunt aortic injury：Multicenter trial of the American Association for the Surgery of Trauma. J Trauma 1997；42：374-380；discussion 380-383.
33） Gharagozloo F, Larson J, Dausmann MJ, et al：Spinal cord protection during surgical procedures on the descending thoracic and thoracoabdominal aorta：Review of current techniques. Chest 1996；109：799-809.
34） Vargo DJ, Battistella FD：Abbreviated thoracotomy and temporary chest closure：An application of damage control after thoracic trauma. Arch Surg 2001；136：21-24.
35） Wall MJ Jr, Soltero E：Damage control for thoracic injuries. Surg Clin North Am 1997；77：863-878.
36） Lang JL, Gonzalez RP, Aldy KN, et al：Does temporary chest wall closure with or without chest packing improve survival for trauma patients in shock after emergent thoracotomy? J Trauma 2011；70：705-709.
37） 益子邦洋，松本尚，望月徹，他：胸部外傷における Damage control. 日外会誌 2002；103：511-516.

E 蘇生的開腹術

要　約

1. ダメージコントロールにおける初回手術は，①迅速な出血の制御，②汚染の拡大防止を目的とし，③速やかに手術を終了することである。
2. 開腹にも閉腹にも時間をかけない。
3. 手術時間は60～90分程度をめどに速やかに終了し，第2ステップである集中治療へと移行する。

はじめに

ダメージコントロール戦略（「ダメージコントロール戦略」，p.38参照）では，外傷患者に対する蘇生の観点に立ち，第1ステップで迅速な止血と汚染の回避を行う（DC1）。この止血と汚染の回避はあらゆる身体部位において実施する必要だが，開腹術においては，より重要である。

また，ダメージコントロール戦略では，迅速な手術の終了とともに速やかに外傷死の三徴と呼吸・循環を改善するための集中治療を行う。このためには極力短時間に実施可能な戦術を選択しなければならない。

I 目的と適応

ダメージコントロールの際に行われる開腹手術は蘇生的開腹術（damage control laparotomy）と呼ばれる。damage control laparotomyの目的は，①腹腔内出血の制御，一時的止血を行い循環の安定を図ること，②感染を防止するための確実な腹腔内汚染の拡大防止を行うことであり，必要に応じて一時的閉腹を実施する[1)～3)]。

damage control laparotomyの適応は，ショックの原因が腹腔内の大量出血であると判断された場合である。腹部穿通性外傷では速やかに緊急開腹を開始し，腹部鈍的外傷では可及的に少量の初期輸液投与量（balanced resuscitation）で緊急開腹の適応を判断する[4)]。

II 開腹法

ダメージコントロール戦略において，一時的止血は循環を改善させるための最優先事項である。止血ができなければ循環の安定は得られない。大量出血による心停止が切迫している状況では迅速に開腹を行い，一時的止血を行うことが重要であり，crash laparotomyで開腹を行うことが推奨される[5)]。

手術準備として，患者を仰臥位として両腕を90°外転させ，開胸の必要性・可能性，頸部や鼠径部へのアプローチを想定し，頸部から両側大腿まで広範囲に消毒をして手術野を確保する[6)7)]。

crash laparotomyとは，電気メスを使用する通常の開腹法と異なり，メスのみで腹膜前腔へと至り，腹膜をCooper剪刀などで切離して迅速に開腹を行う手技である[8)]（図3-1-E-1）。crash laparotomyにおける注意点は医原性の臓器損傷である[8)]。上腹部であれば，横行結腸，肝外側区域の損傷を，下腹部であれば小腸の損傷に細心の注意を払う。

止血にもっとも重点を置く外傷手術において，術野の確保はきわめて重要である。迅速な止血のため

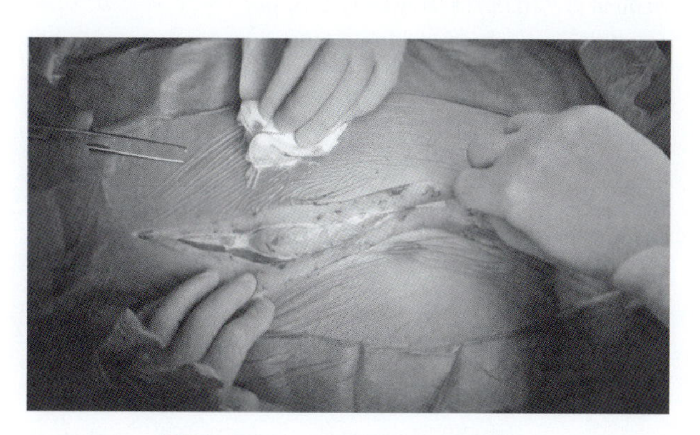

図3-1-E-1　crash laparotomy

には大きな皮膚切開で確実な止血を得ることを優先する[8]。

Ⅲ 開腹直後の術野展開と一時的止血操作

開腹時に腹腔内の大量出血が確認できた場合，可及的に貯留した血液を吸引するとともに，一時的止血を目的として，タオルガーゼを両側横隔膜下，両側傍結腸溝，骨盤腔内へと順次パッキングする。これにより損傷部からの出血がコントロールされるとともに，ガーゼが血液を吸収し術野が確保される（図3-1-E-2）[5)8)]。

止血困難な拍動性出血がある場合には，腹腔動脈上部で大動脈を圧迫遮断して止血を得ることが可能であり，一時的止血の1つのオプションとなり得る[8]。腹腔内からの大動脈遮断では，小網を用手的に破るとその直下に大動脈の拍動を触知するので，これを後方の椎体に向けて用手もしくはコンプレッサーにて圧迫する[7]。

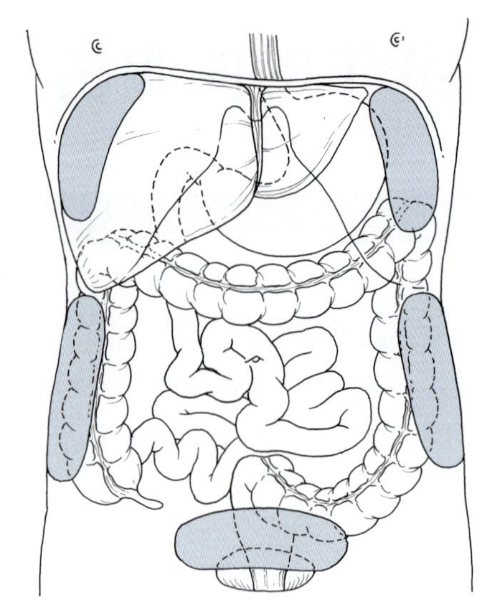

図3-1-E-2　タオルガーゼによるパッキング
開腹直後のタオルガーゼを置く場所

Ⅳ 腹腔内操作と検索

主要な出血源に対する一時的止血ができれば腹腔内の観察を行う。出血を吸引し出血点が確認できれば，用手的に圧迫止血を行う。脾，腎，膵体尾部のような臓器からの活動性出血であれば，縫合などで止血を試みてもよい。しかしダメージコントロールが必要と判断される場合は，これらの臓器を摘出することで確実な止血を得る[5)9)10)]。

一方，切除不能もしくは切除が容易でない肝や膵頭部などの活動性出血に対してはパッキングが効果的な止血法となる[1)5)6)8)11)～16)]。血管系の損傷では可能なかぎり修復を行い止血するが，止血困難でダメージコントロールの適応と考えられる場合には，結紮による止血も考慮せざるを得ない。重要血管の損傷であれば，一時的シャントも有用なオプションとなり得る[17]。

蘇生的手術においても消化管損傷の有無は確認する。消化管の損傷があれば腸鉗子で一時閉鎖し，汚染の拡大を予防する。損傷部の閉鎖には，自動縫合器などによる縫合閉鎖が簡便かつ迅速で確実である[5)8)]。

また，消化管の切除を要するような損傷がある場合でも，吻合や人工肛門の造設は行わない[18]。消化管は自動縫合器などによる切除閉鎖にとどめ，再建は二期的に実施する。

Ⅴ 後腹膜腔の検索

後腹膜腔に血腫が存在していた場合，その存在部位の確認が重要となる。後腹膜腔の血腫は解剖学的特徴から3つのZoneに分類され（図3-1-E-3），治療戦略，戦術が異なる。Zone Ⅰには大血管，主要血管が存在し，鈍的あるいは穿通性外傷にかかわらず後腹膜血腫を開放して出血源を特定する。Zone Ⅱは，穿通性外傷であれば尿管損傷，結腸損傷を念頭に後腹膜血腫を開放して精査を行うが，鈍的外傷では血腫の拍動，増大がない場合は開放する必要はない。Zone Ⅲは穿通性外傷であれば後腹膜血腫を開放して精査を行うが，鈍的外傷では血腫の増大を助長するため開放は行わない[8]。

後腹膜血腫の開放による出血源の検索とコントロールを必要と判断した場合には，左側臓器正中翻転術（left-sided medial visceral rotation）いわゆるMattox法[19]もしくは右側臓器正中翻転術（right-sided medial visceral rotation）いわゆるCattell-Braasch法[7]の手技で後腹膜腔を展開できる。左側臓器正中

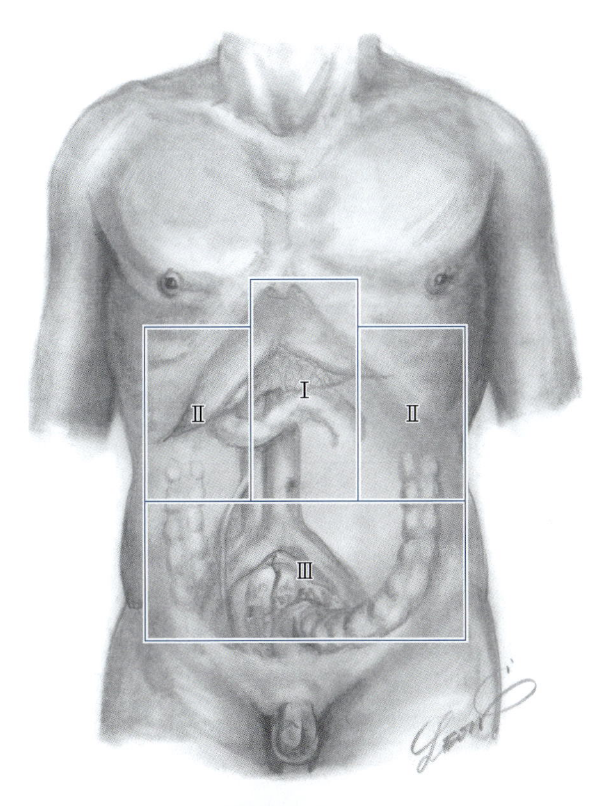

図3-1-E-3　後腹膜腔の3 Zone（Ⅰ，Ⅱ，Ⅲ）

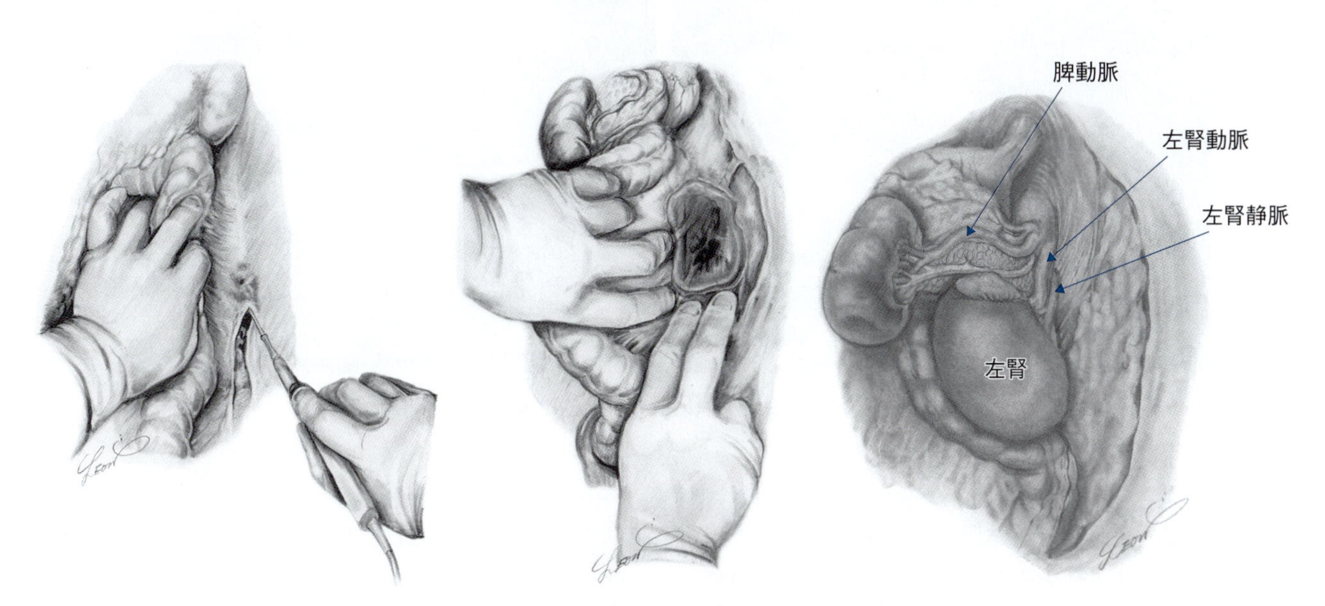

図3-1-E-4　左側臓器正中翻転術（Mattox法）

翻転術は腎動脈上部の大動脈周囲，右側臓器正中翻転術は横行結腸間膜下から腎動脈下部の広範囲の後腹膜を展開するのに優れ[8]，目的に応じた選択が必要である。

左側臓器正中翻転術[19]では，下行結腸外側のToldtのwhite lineに切開を加えて下行結腸の授動操作から開始する。後腹膜にはすでに血腫が存在し，多くは鈍的に剥離可能である。下行結腸から左側横行結腸を含め，左腎，脾，膵尾部を一塊として授動し正中側へと脱転すると，腎動脈周囲から頭側の腹部大動脈が露出される[7]（図3-1-E-4）。

右側臓器正中翻転術は，Kocher授動術に引き続き上行結腸外側のToldtのwhite lineに沿って切開を加え，上行結腸を正中側へと脱転する[20]。この操作により，肝尾側の下大静脈，右腎および右腎門部，さらには右総腸骨動静脈などの右側後腹膜を展開することが可能となる[5)6)8]。

次いで剥離層から連続する小腸間膜の無血管領域

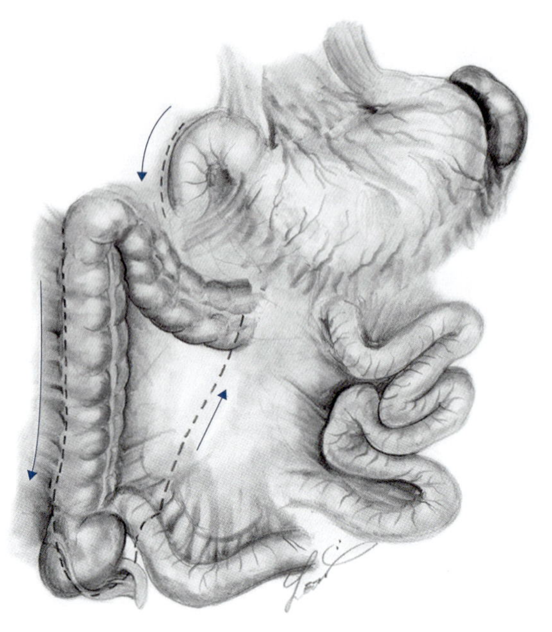

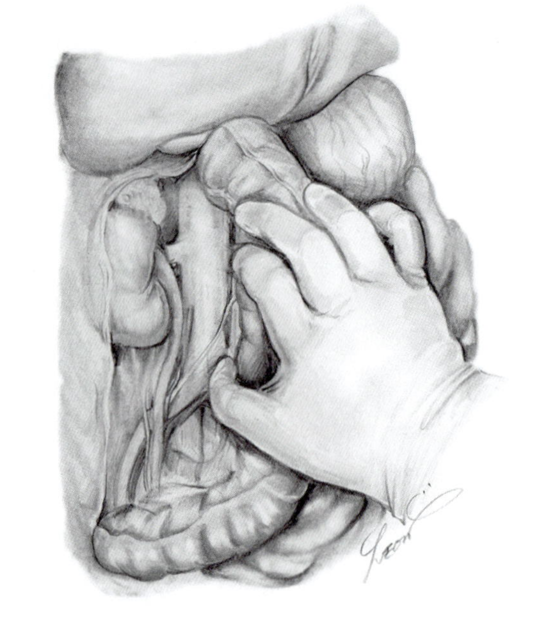

white lineに沿って後腹膜を切開し，血腫で満たされた後腹膜腔を展開する

図3-1-E-5　右側臓器正中翻転術（Cattell-Braasch法）

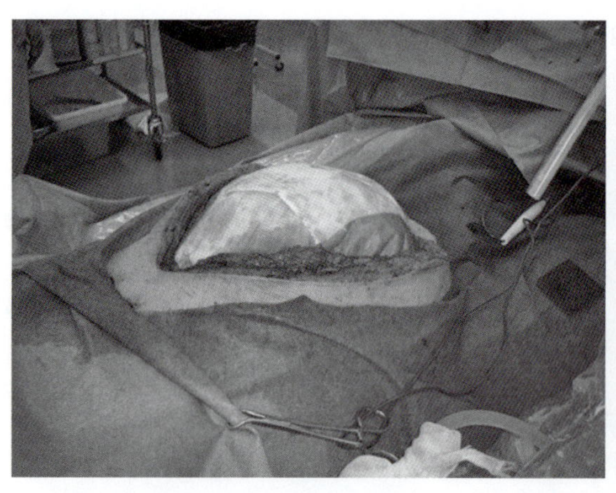

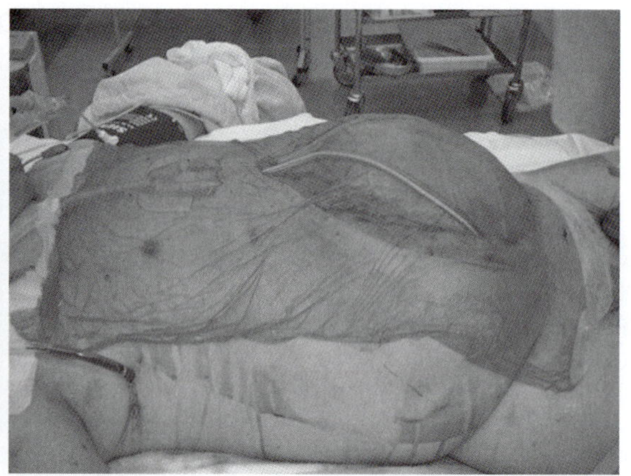

図3-1-E-6　vacuum pack法による閉腹

〔文献28）より引用〕

を広げれば，盲腸，上行結腸，小腸を一塊として正中側へと脱転することが可能となり，横行結腸間膜より尾側の後腹膜を展開できる[21]（図3-1-E-5）。

上記2つの後腹膜展開法により後腹膜腔の大血管へ迅速に到達し，損傷部位の同定と確実な止血が可能となる。

Ⅵ 一時的閉腹法

腹腔内の止血と汚染回避が完了すれば，速やかに手術を終了してダメージコントロールの第2ステップ（DC2）へと移行する。このためには迅速な閉腹法を選択するが，腹部コンパートメント症候群の予防を想定した閉腹法が望ましい。

ダメージコントロールにおける蘇生的手術の一時的閉腹法には，皮膚縫合法[6)22)23)]，タオルクリップ法[24)]，silo closure法[25)]，陰圧閉鎖療法（negative pressure wound therapy：NPWT）などいくつかの利用可能な方法がある[26)]。術後に経カテーテル動脈塞栓術を予定する場合，タオルクリップ法は不向きである。体液喪失の管理やドレッシング交換の頻度，腹壁離開の最小化，簡便さ，コストなどを考慮し一時的閉腹法を選択する。NPWTは縫合を要さず，迅速性に優れた方法である[8)]。NPWTでBarkerら[27)]が報告したvacuum packing closure（図3-1-E-6）[28)]

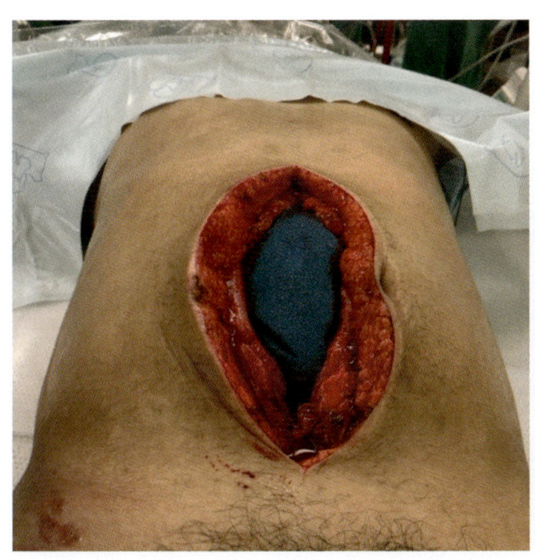
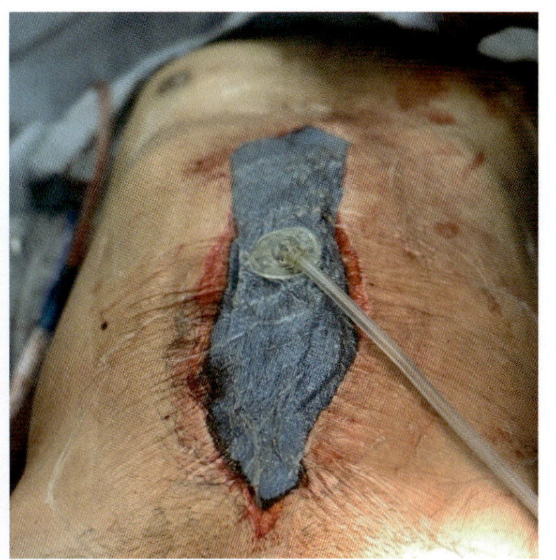

図3-1-E-7　3M™ABTHERA™ドレッシングキット

と，わが国でも使用可能となった3M™ ABTHERA™ ドレッシングキット（図3-1-E-7）を示す。

vacuum pack法は自作のドレープガーゼを，3M™ ABTHERA™ ドレッシングキットは既成の保護レイヤとブルーフォームを腸管と腹壁の間に挟み込むように挿入する。十分に減圧できるよう腹腔内に余裕をもたせることが腹部コンパートメント症候群の予防に役立つ。3M™ ABTHERA™ ドレッシングキットは腹部創内にブルーフォームを充填し腹壁をドレープで被覆する。ドレープに適度な穴を開け，パッドチューブを貼付する。ドレーンあるいはパッドチューブに25～100mmHgの陰圧で吸引し閉腹を終了とする。

3M™ ABTHERA™ ドレッシングキットとvacuum pack法の比較では，3M™ ABTHERA™ ドレッシングキットの筋膜閉鎖率が高く，死亡率も低いとの報告がある[29]。

文　献

1) Rotondo MF, Schwab CW, McGonigal MD, et al：'Damage control'：An approach for improved survival in exsanguinating penetrating abdominal injury. J Trauma 1993；35：375-382；discussion 382-383.
2) Shapiro MB, Jenkins DH, Schwab CW, et al：Damage control：Collective review. J Trauma 2000；49：969-978.
3) Rotondo MF, Zonies DH：The damage control sequence and underlying logic. Surg Clin North Am 1997；77：761-777.
4) American College of Surgeons：ATLS Advanced Trauma Life Support：Student Course Manual. 10th ed, American College of Surgeons, Chicago, 2018.
5) Hirshberg A, Mattox KL：Top Knife：The Art &Craft in Trauma Surgery, TFM Publishing, Shrewsbury, 2005.
6) Boffard KD：Manual of Definitive Surgical Trauma Care. Hodder Arnold, London, 2003.
7) Mattox KL, Hirshberg A：Access, control and repair techniques. In：Rich N, et al eds. Vascular Trauma. 2nd ed, Elsevier Saunders, Philadelphia, 2004, pp137-164.
8) Moore EE, Feliciano DV, Mattox KL, eds：Trauma. 8th ed, McGraw-Hill, New York, 2017.
9) Feliciano DV, Spjut-Patrinely V, Burch JM：Splenorrhaphy：The alternative. Ann Surg 1990；211：569-580；discussion 580-582.
10) Moore EE, Cogbill TH, Jurkovich GJ, et al：Organ injury scaling：Spleen and liver (1994 revision). J Trauma 1995；38：323-324.
11) Chovanes J, Cannon JW, Nunez TC：The evolution of damage control surgery. Surg Clin North Am 2012；92：859-875.
12) Feliciano DV, Mattox KL, Burch JM, et al：Packing for control of hepatic hemorrhage. J Trauma 1986；26：738-743.
13) Germanos S, Gourgiotis S, Villias C, et al：Damage control surgery in the abdomen：An approach for the management of severe injured patients. Int J Surg 2008；6：246-252.
14) 渡部広明，水島靖明，松岡哲也：重症肝損傷におけるperihepatic packingの有用性；重症肝損傷例はperihepatic packingにより救命可能である．日外傷会誌 2012；26：40-46.

15）Seamon MJ, Kim PK, Stawicki SP, et al：Pancreatic injury in damage control laparotomies：Is pancreatic resection safe during the initial laparotomy? Injury 2009；40：61-65.

16）Kozar RA, Feliciano DV, Moore EE, et al：Western Trauma Association/critical decisions in trauma：Operative management of adult blunt hepatic trauma. J Trauma 2011；71：1-5.

17）Subramanian A, Vercruysse G, Dente C, et al：A decade's experience with temporary intravascular shunts at a civilian level I trauma center. J Trauma 2008；65：316-324；discussion 324-326.

18）Carrillo C, Fogler RJ, Shaftan GW：Delayed gastrointestinal reconstruction following massive abdominal trauma. J Trauma 1993；34：233-235.

19）Mattox KL, McCollum WB, Beall AC Jr, et al：Management of penetrating injuries of the suprarenal aorta. J Trauma 1975；15：808-815.

20）Buscaglia LC, Blaisdell FW, Lim RC：Penetrating abdominal vascular injuries. Arch Surg 1969；99：764-769.

21）Cattell RB, Braasch JW：A technique for the exposure of the third and fourth portions of the duodenum. Surg Gynecol Obstet 1960；111：378-379.

22）Smith PC, Tweddell JS, Bessey PQ：Alternative approaches to abdominal wound closure in severely injured patients with massive visceral edema. J Trauma 1992；32：16-20.

23）Tremblay LN, Feliciano DV, Schmidt J, et al：Skin only or silo closure in the critically ill patient with an open abdomen. Am J Surg 2001；182：670-675.

24）Burch JM, Ortiz VB, Richardson RJ, et al：Abbreviated laparotomy and planned reoperation for critically injured patients. Ann Surg 1992；215：476-483；discussion 483-484.

25）Fernandez L, Norwood S, Roettger R, et al：Temporary intravenous bag silo closure in severe abdominal trauma. J Trauma 1996；40：258-260.

26）Cirocchi R, Birindelli A, Biffl WL, et al：What is the effectiveness of the negative pressure wound therapy (NPWT) in patients treated with open abdomen technique?；A systematic review and meta-analysis. J Trauma Acute Care Surg 2016；81：575-584.

27）Barker DE, Kaufman HJ, Smith LA, et al：Vacuum pack technique of temporary abdominal closure：A 7-year experience with 112 patients. J Trauma 2000；48：201-206；discussion 206-207.

28）渡部広明，井戸口孝二，西内辰也，他：ダメージコントロール手術における一時的閉腹法としてのvacuum packing closure（VPC）法；VPC法は他の一時的閉腹法より優れているか？ 日救急医会誌 2010；21：835-842.

29）Cheatham ML, Demetriades D, Fabian TC, et al: Prospective study examining clinical outcomes associated with a negative pressure wound therapy system and Barker's vacuum packing technique. World J Surg 2013；37：2018-2030.

F 蘇生に必要なIVR

要 約

1. 外傷IVRは，患者状態や時間的猶予を見極めながら臨機応変に戦略・戦術を使い分ける必要がある。
2. IVRチームの早期起動や動脈アクセスの早期確保，移動や準備における時間短縮，人的体制の構築が不可欠である。
3. REBOAは根本的止血までのブリッジとして，出血量減少あるいは血圧維持を目的に使用するが，根本止血までの時間が遅れることがあってはならない。

はじめに

蘇生に必要なIVRは，外傷IVRのなかでもきわめて時間的制約が強いなかで行われ，適切な戦略と高度な技術が求められる。これを実践するためには，質の高い外傷IVRを行うことのできる診療体制の構築が必要である。本項ではまず，外傷IVRの特殊性や外傷IVRを適切に行うために必要な要素について述べ，それを踏まえたうえで蘇生に必要なIVRについて言及する。

I 外傷診療におけるIVR

IVRによる止血は，循環動態が安定している患者を対象とすると位置づけられていたが，近年では循環動態を安定化させる手段の一つとしても用いられている[1)~4)]。IVRは手術とともに外傷止血の両輪をなし，それぞれの利点を活かし相補的[5)]に組み合わせ，使い分け，時には柔軟に移行しながら速やかな止血を目指すことが期待される。外傷IVRは，外傷診療の概念やダメージコントロール戦略に根ざし，時間を強く意識したものでなければならない。「外傷IVR」は，通常行われる内因性出血や術後出血などに対する緊急IVRとは異なる概念で行われる[6)]。治療対象となる出血が全身のさまざまな臓器や部位に多発するなかで，刻々と変化する循環動態や凝固能，時間的猶予や術者の技量・経験に応じて臨機応変に戦略・戦術を使い分けなければならない。

外傷IVRは，止血さえできれば末梢まで選択する必要がなく技術的に簡単であると考えるのは誤りである。時間的猶予と患者状態が許す範囲では，侵襲や臓器機能の喪失を最小限にするために可能なかぎり損傷部位に限局した塞栓を行うことが望ましい。ただし，循環動態が不安定化しつつある，もしくは不安定な場面では，対象とする責任血管の選択に固執することで時間を浪費し，患者の全身状態を悪化させることは避けなければならない。治療戦略を考えるうえで，患者の全身状態や時間的猶予の見極めが重要となる。緊急度が高ければ止血までの時間短縮を最優先とした戦略が求められ，時には臓器機能温存よりも生命を重視した蘇生的な止血手技（damage control interventional radiology；DCIR）[6)]で臨まなくてはならない場面もある。質の高い外傷IVRを行うためには，迅速かつ合併症なく責任血管を選択する十分なIVRスキルを有するだけでなく，このような外傷診療の特殊性や時間の概念を理解し，適切な戦略に基づいて止血を行う必要がある。

外傷IVRの基本は「早く始め，早く終えること」である。受傷から止血までの時間を短縮するには手技が始まってから急ぐだけではなく，手技を早急に開始できるように手技前の準備も速やかに行うことが重要である。診療の早い段階でのIVRチームの起動，動脈アクセスの早期確保，移動や準備に要する時間短縮のための工夫やトレーニングが必要である。また，手技を早く終えるためには，術者がカテーテル操作や血管塞栓の十分な技術や経験を有しているだけでなく，画像情報の有効活用や，術者が手技操作に専念できるように助手や指揮者を配置する人員体制も重要である。

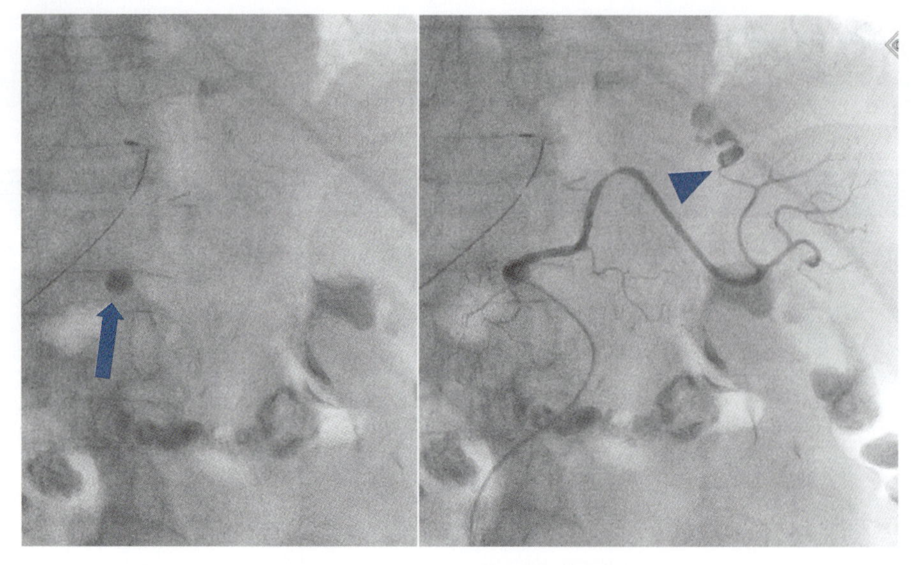

図3-1-F-1　バルーン閉塞下脾動脈造影
脾動脈本幹をバルーンで閉塞した（➡）状態での脾動脈造影。血管外漏出（▶）が認められるが，バルーン閉塞により出血量を低減させながら，末梢までマイクロカテーテルを進めて塞栓することができる

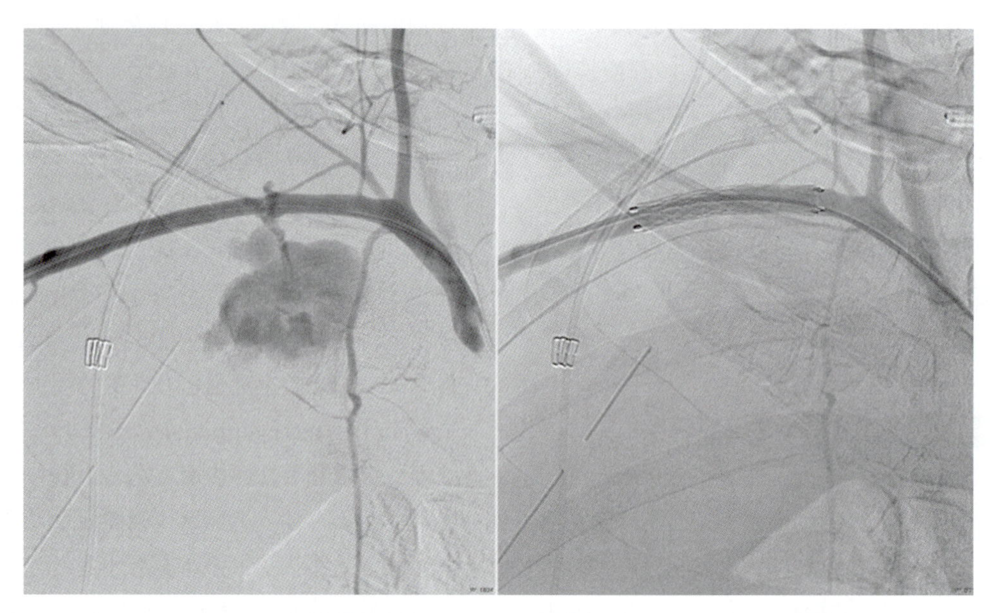

図3-1-F-2　鎖骨下動脈損傷による出血に対するステントグラフト留置
鎖骨下動脈本幹の損傷であり，損傷部位をカバーするようにステントグラフトを留置することで止血を得ることができる

外傷IVRによる止血の多くは，動脈塞栓術である。動脈塞栓術に用いる塞栓物質としては，従来から用いられてきたゼラチンスポンジや金属コイルのほか，NBCA（n-butyl-2-cyanoacrylate）やバスキュラープラグなども利用可能である[5]。動脈塞栓術以外の方法としては，血管内腔をバルーンで閉塞することによる一時的な出血量の低減（図3-1-F-1），大動脈や末梢血管のステントグラフトによる血管損傷部の修復（図3-1-F-2）などの方法がある。治療対象部位や数，血管損傷形態，患者の凝固能や時間的猶予，カテーテルの到達度や安定性（バックアップ）などの手技的状況，術者の技量や経験に応じてこれら塞栓物質や手技内容を臨機応変に使い分ける。

いったんIVRの方針として手技を開始したあとも，手術への移行は機を逃さず柔軟に検討されるべきであり，その際にはブリッジとしてのREBOAを含むバルーンカテーテルによる一時的血流遮断も考慮する。

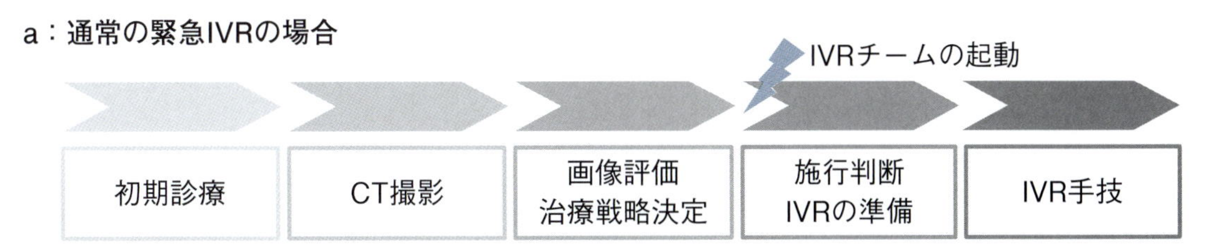

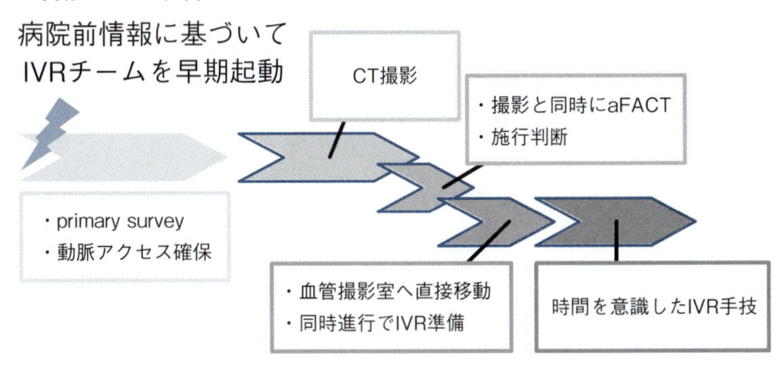

図3-1-F-3　外傷IVRに向けたワークフロー

通常の緊急IVRではCT評価後にIVRチームが起動されることが多い

外傷IVRでは，病院前情報に基づきIVRチームを早期に起動する。早い段階で動脈アクセスを確保，CT撮影にIVR医が立会い，advanced FACTで適応決定する。CT室から血管撮影室へ直接移動し，同時進行でIVRの準備を行う。時間を意識した短時間の手技で止血する

日ごろから診療放射線技師や看護師とともに，CT撮影，患者移動，IVR準備の時間短縮に向けた工夫やトレーニングを行う

〔文献6)より引用・改変〕

Ⅱ　外傷IVRに必要な要素

1. IVRチームの起動と動脈アクセスの確保

早い止血を得るためには，必要な状況下で即座にIVR手技を開始できるような体制構築が必要である。医師の到着や手技の準備を待つために診療が停滞することのないようにすべきである。そのためには，IVR医を外傷チームのなかに含めるか，病院前情報やprimary surveyなどの状況からIVRが必要になる可能性が推定された段階で速やかにIVR医を参集させることができるようにしておくことが望ましい(推奨レベルⅡ)[6)7)]。24時間365日IVR医が病院前情報から招集されることで，速やかなIVR治療の開始・TAE時間の短縮が得られ，予測生存率を実生存率が上回ることが報告された[8)]。CT撮影開始前にはIVR医がチームに合流し，必要な場面で遅滞なく手技の適応を決定できるのが理想である。またIVRは医師のみでは実施できず，看護師や診療放射線技師を含むチームとして，速やかに起動できる連絡体制や招集基準を設けておくことが望まれるが，現時点で一定の招集基準を示した報告はなく施設ごとでの取り決めが必要である（図3-1-F-3）[6)]。

IVRを行うには動脈アクセスを確保する必要がある。難治性ショックの患者においては，アクセス確保が10分遅れるごとに約10％程度の生存低下がみられるため，より早期のアクセス確保が望ましい(推奨レベルⅡ)[9)] と報告されている。早期のアクセス確保により，必要な場面でIVR治療へのスムーズな移行，ならびにREBOAの利用が可能となる。また，ショックの進行により血管攣縮が生じたり，骨盤や大腿部の損傷により血腫が増大したりすると，シースを挿入することが困難になる。超音波ガイド下穿刺を習熟しておくと動脈を触知できない場合にも穿刺しやすく，合併症も低減させることができる[10)]。経皮的穿刺が困難な場合にはカットダウンを考慮する。IVRを行う可能性が高い場合には，両側大腿動脈にシースを確保することにより，骨盤骨折における両側内腸骨動脈からの同時進行治療やREBOAを併用しながらショック下でTAEを行うことも可能となる。治療に用いるデバイスによって適切なシース径は異なるが，細径シースは広径シースと比較し

て挿入関連合併症が少なく[11]，一般的には4Frまたは5Frのシースを用いてアクセスを確保する。これらの細径シースで確保しておくことで治療内容に応じて広径シースが必要になった場合も，ガイドワイヤーを用いて交換することが可能である。

2. 準備における時間短縮

手技時間の短縮だけでなく，検査室への移動や準備にかかる時間も短縮しなければならない。そのためには医師だけでなく診療放射線技師や看護師なども含め，診療プロセスにかかわるすべてのスタッフが時間を意識した外傷診療の理念を共有しておく必要がある。

移動時間を最小限にして円滑な外傷診療を行うためには，初療室，CT室，血管撮影室を近接ないし同室（初療室内CT，IVR-CT）に配置することが望ましい（推奨レベルⅡ）[5]。移動時間を考慮せず外傷診療・CT撮影・手術/IVRを行うことが可能なハイブリッドERでの診療では理想的な外傷診療が可能であり，その有用性も明らかとなり[12]導入施設も年々増えてきている。しかし，すべての施設で導入可能な設備ではないため，既存の設備をうまく利用しながら外傷診療を行う方策を考えておく必要がある（「重症外傷患者を診療する施設の要件」，p.13参照）。

具体的方策としては，移動距離が最短となるような経路の設定，十分な人員の確保，人員配置や役割分担の最適化，関係部署の連絡・協力体制や指揮系統の確立，患者に付随するチューブやケーブル類の整理などにおける工夫などがあげられる。また，IVRが必要な患者はCT撮影後に直ちに血管撮影室へ移動することで，移動時間を減らすことができる。そのためにはIVR医がCT撮影と同時に画像を評価して適応を判断し，血管撮影室への移動とともに必要な機器や道具の準備を開始できるようにする必要がある。

手術と同様にIVRもさまざまな機器を用いる。カテーテルやガイドワイヤー，シース，マイクロカテーテル，バルーンカテーテルのほか，ゼラチンスポンジや各種金属コイル，NBCAなどの塞栓物質も常に取り揃えておかねばならない。血管撮影を担当する看護師は必要な道具をすぐに準備できるよう，その配置を熟知しておくべきである。また塞栓物質に使用する各種シリンジなどはあらかじめまとめておくことで，すぐに使用できるようにするなどの工夫も

◆Clinical questions◆　**CQ 09**

Q 腹部単独外傷の出血性ショック症例に対してREBOAを挿入すべきか？

A 外傷専門医25名によるコンセンサス会議の投票の結果，「挿入すべき」との回答は32%，「挿入の必要はない」が44%，「わからない」が24%と意見が大きく分かれた。

「挿入の必要はない」との回答には，「体幹部の出血性ショックに対する治療の基本は早期止血であり，REBOAの挿入により開腹遅延となるようでは本末転倒となる」，「早期止血（手術，IVR）の体制整備により不要となる」，「止血手術やIVRが迅速にできる外傷診療施設では挿入する必要はない」，「開腹横隔膜下大動脈遮断が迅速な手技で有効である」などがみられた。「挿入すべき」との回答には，「来院時ショックには日常的に使用している」，「手術までの時間稼ぎとしてフローダウンができる」，「大動脈遮断より非侵襲的である」，「手術開始まで待てない場合は使用を考慮する」などの意見がみられた。一方，「わからない」との回答には，「施設環境による判断が必要である」，「迅速な止血が難しい場合の使用オプションの一つとなり得るが，早期止血術体制への変革が必要である」などの意見がみられた。

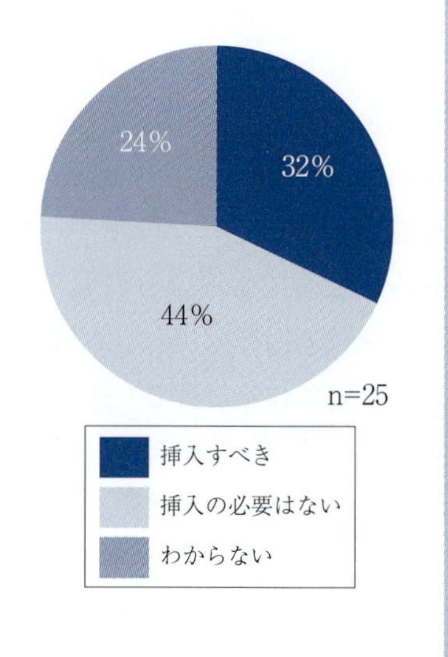

以上より，腹部単独外傷の出血性ショック症例に対しての治療の基本は，早期止血術が原則であり，止血術を迅速にできる外傷診療体制が整備されればREBOAの使用は不要となり得る。手術まで待てない循環動態の場合に有効なケースもあり得るが，止血術の開始遅延とならないことを前提に使用するよう努めるべきである，とした。

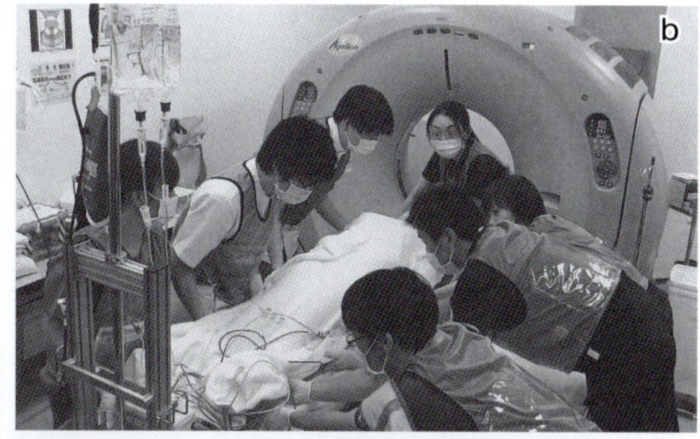

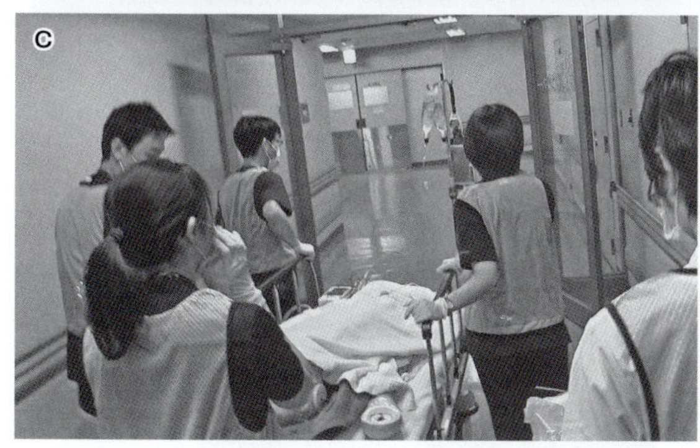

図3-1-F-4　シミュレーショントレーニング

初療室（a）からCT室（b）・血管撮影室への移動（c）を含めた診療の流れのシミュレーションや，看護師向けに実際の手技を想定した道具出しのタイムトライアルトレーニング（d）を行い，移動や準備の時間短縮に努める

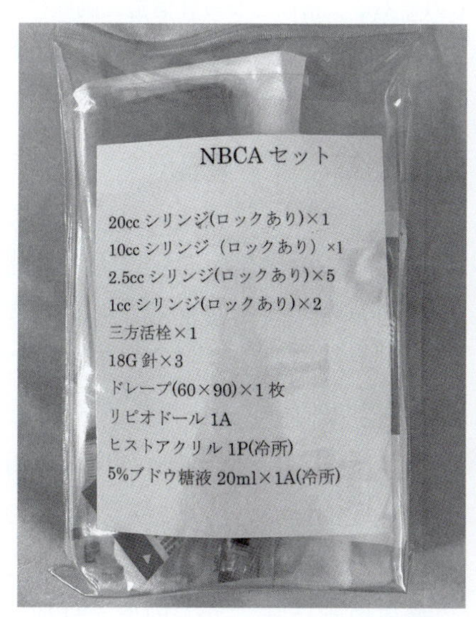

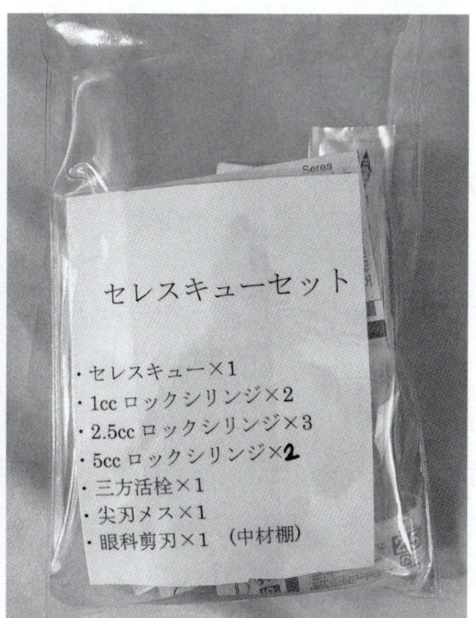

図3-1-F-5　塞栓物質のセット化（例）

あらかじめ必要な物品をまとめておくことで準備時間の短縮をはかる

必要である（表3-1-F-1，図3-1-F-4，図3-1-F-5）。

表3-1-F-1のような工夫を通して，スタッフの動き方や物品の配置をチーム全体で検証し，さらなる時間短縮に向けて洗練を継続していくことが重要である。

表3-1-F-1　時間短縮のための工夫の一例

1. IVRを担当する医師間で物品の呼称を統一する
2. 物品の名称や位置がわかりやすいように掲示する
3. 通常使う器具をまとめた外傷IVRセットを作成する
4. NBCA注入に必要なシリンジ類をまとめたNBCAセットを作成する
5. 模擬患者を用いて患者移動を含めた診療の流れをシミュレーションする[5)]（図3-1-F-4a～c）
6. 手技を想定した道具出しトレーニングを行う（図3-1-F-4d）

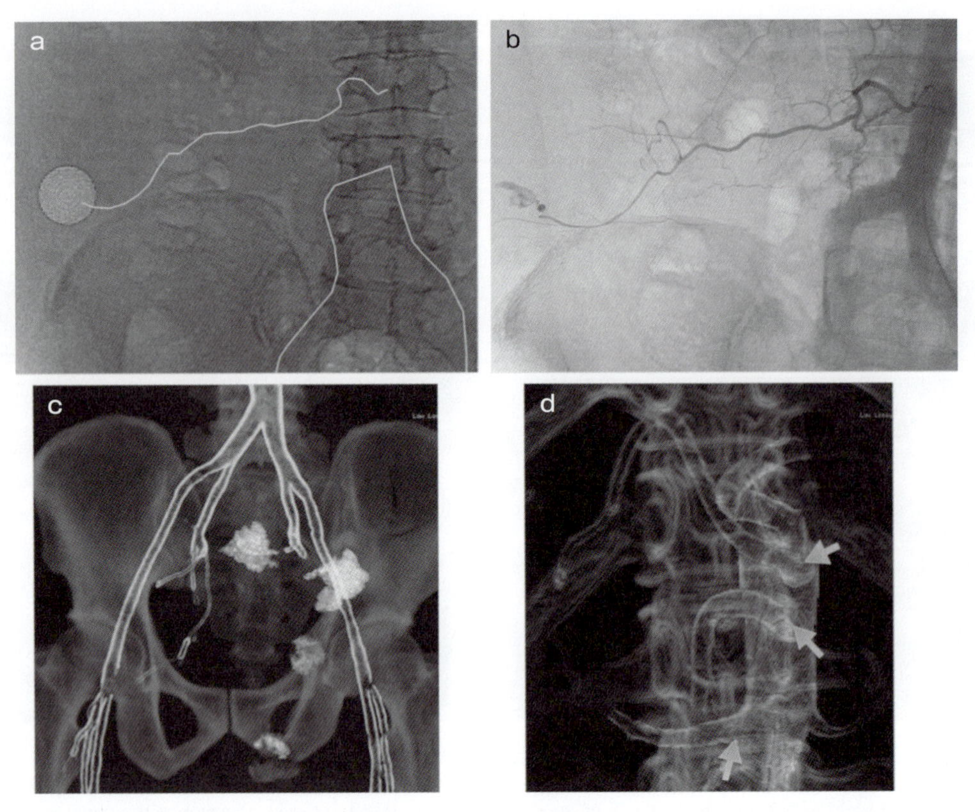

図3-1-F-6　仮想透視画像

CTデータから作成した仮想透視画像。aはray summation法で作成したもので，実際の血管造影（b）とよく似ている。c，dはVRで作成したものである。指標となる骨構造に動脈の走行および出血部位を重ね合わせることにより，カテーテルでの血管選択を容易にして時間を短縮する

3. 画像情報の有効活用

IVRに先立ってCT検査が施行されている場合は，CTで得られる詳細な画像情報を迅速・確実・安全なIVR手技の遂行のために十分活用する。volume dataと呼ばれる1mm以下のCTデータを用いることにより，多断面再構成（multiplanar reconstruction；MPR）画像による任意の断面での画像評価，volume rendering（VR）画像による立体的な位置関係を把握する。さらに，IVRにおいては仮想透視画像（図3-1-F-6）を用いた術前計画や術中の手技支援（virtual fluoroscopic pre-procedural planning；VFPP）が有用であり，外傷に限らずさまざまな透視下手技において活用されている[13)14)]。

仮想透視画像は，ray summation法（図3-1-F-6）を基本にエッジ強調や階調反転を行って透視画面に類似した画像を作成し，血管走行や病変位置を重ねて示したものである。透視上での止血対象とする損傷部の位置，その部位に到達する責任血管の分岐や走行を，実際の透視画面に類似した画像で見比べることにより直感的に把握することができる。これにより透視下での盲目的なカテーテル操作や解剖把握のためのマッピング造影による時間の浪費を最小限に減らし，迅速な血管選択が可能になる。また，任意の角度に回転させることができ，もっとも手技を行いやすい角度を事前に把握しておくことで，治療すべき出血点に速やかに到達することができる。ワークステーションの自動処理を併用することで，3～5分程度で作成可能である。手技の準備や開始と並行しながら，後述する指揮者や血管撮影を担当する診療放射線技師[15)]がVFPPを作成し，術者に助言や指示を与えることで，より迅速な手技に寄与する。

これらの画像の作成やthin slice画像の参照には，3D画像ワークステーションが必要である。3D画像ワークステーションは，CT室だけでなく初療室や血管撮影室・手術室にも設置しておき，外傷診療のさまざまな場面で，現場を離れることなく常時詳細な画像情報を利用できるようにしておくとよい。撮影されたCTの有用性を最大限に引き出すためには，ワークステーションの使用方法にも精通しておくべきである。

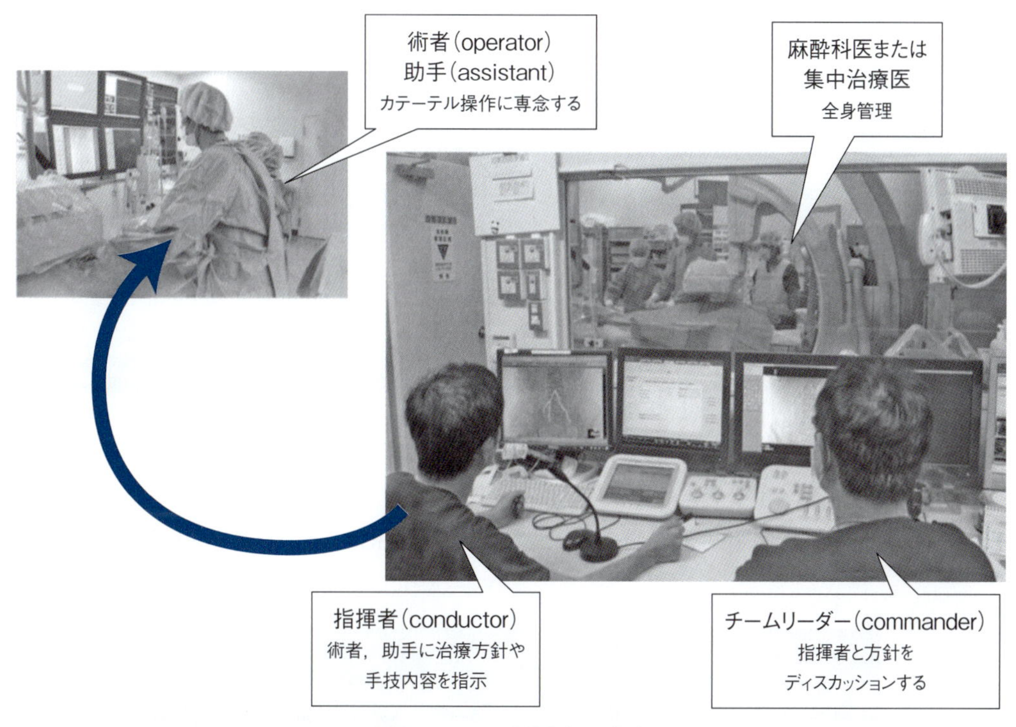

図3-1-F-7　COAシステム

指揮者（conductor）からの指示を受け，術者（operator）・助手（assistant）はカテーテル操作に専念し，手技時間を短縮する。また指揮者は外傷診療のチームリーダー（commander）と治療方針を適宜検討し，必要に応じて外科的止血術へ変更する

4. 理想的な人的体制

外傷IVRはIVR医1人で行うのではなく，質の高いIVRを実現するためには，術者（operator），助手（assistant），さらに指揮者（conductor）を置いたConductor-Operator-Assistant（COA）システムが理想である（図3-1-F-7）[6]。また手技中は血管撮影室内に気道・呼吸・循環を管理する専門スタッフとして麻酔科医または集中治療医を配置し全身管理を行うメンバーを別に配置することが望ましい。

conductorは，手技支援画像の作成，画像評価，operatorへの解剖学的情報や技術的助言，assistant・看護師への道具の指示などさまざまな役割を担う。conductorが仮想透視画像とoperatorの操作するカテーテル先端位置を見比べながら，これを誘導する。また，conductorは詳細な画像評価により全身の損傷状況を把握し，循環動態や凝固能の推移を踏まえた治療戦略の判断やその修正，時間管理を外傷チームリーダー（commander）とともに行う。conductorを配置することにより，operatorを手技操作に専念させることができる。

operatorはconductorやチームリーダーのタイムコントロールのもと，許された時間内で可能なかぎり選択的な手技を行うように努める。そのためには，全身の血管を選択でき，短時間で末梢までカテーテルを進められる十分なスキルと経験を持った術者が行うことが望ましい（推奨レベルⅡ）[7]。さらに各種金属コイルやNBCAを含む塞栓物質，バスキュラープラグやバルーンカテーテル，ステントグラフトなどのデバイスにも精通していることが望ましい[5]。NBCA（図3-1-F-8）は患者の凝固能に依存しない塞栓物質であり，油性造影剤であるリピオドール®と混和して用いる。凝固障害を有する患者に対して適切に活用されれば，非常に有用な塞栓物質となる。適切な使用場面を選ぶことが重要であり，使い方を誤れば危険な合併症をきたし得るため，NPCAが流れる範囲が最小限となるよう，時間と患者状態の許すかぎり血管破綻部の近くまでカテーテルを進める努力と技術が求められる[16]。

assistantは手技内容を理解し，operatorが次に必要とするものを用意することで迅速な手技の進行を下支えすることが求められる。COAシステムを配置できることが理想ではあるが，必ずしも配置できるとは限らない。人員が不足しassistantやconductorを独立して配置できない場合や，assistantの実力が十分でない場合には，conductorがassistantの役割

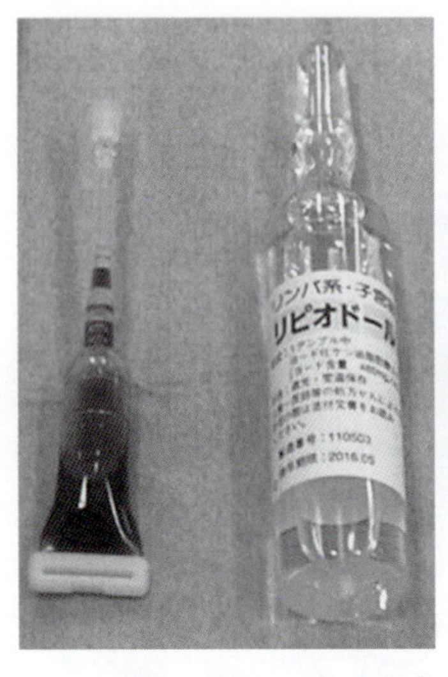

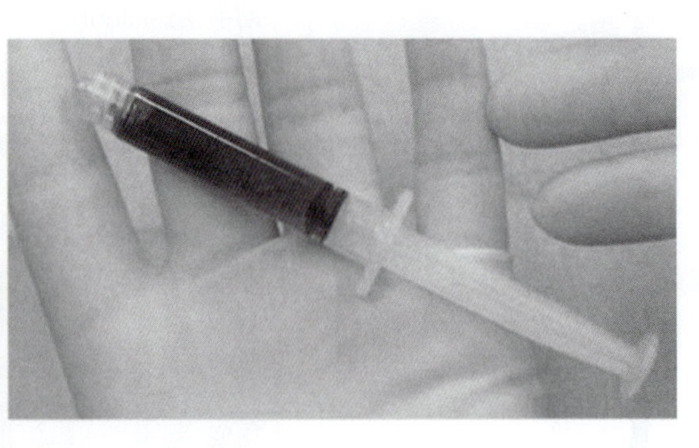

図3-1-F-8　n-butyl-2-cyanoacrylate（NBCA）とリピオドール®

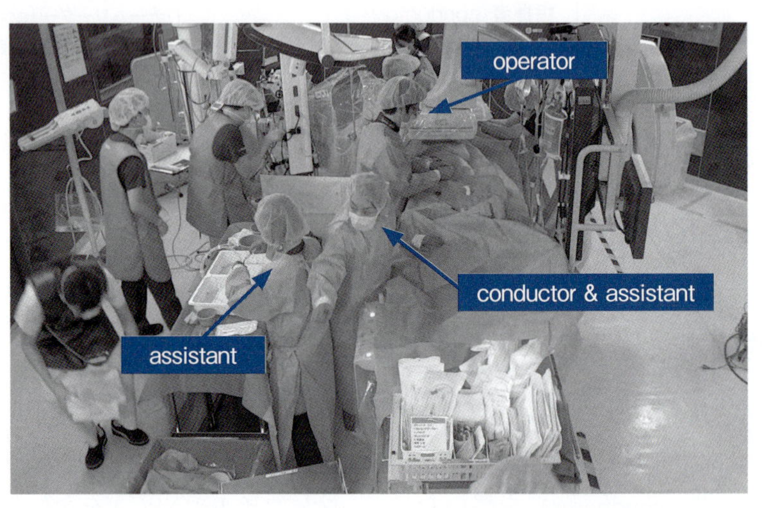

図3-1-F-9　COAシステムに十分な人員が配置できない場合
conductorとassistantを兼任しながら，カテーテル治療を迅速に進めていく

を兼任することも可能である（図3-1-F-9）。また，VFPPの作成を診療放射線技師が担うことも可能である。

5. IVRの合併症

IVRに伴う合併症としては，血管造影手技と血管塞栓関連の合併症に分けられる。この2つ以外にも，造影剤使用によるアナフィラキシーショックや造影剤関連悪性障害の合併症が起こり得ることも忘れてはならない。

血管造影手技の関連合併症としては穿刺部トラブル（血腫，仮性動脈瘤，動静脈瘻など），塞栓部あるいはその塞栓経路の血管損傷などがある。TAE関連合併症は塞栓領域や塞栓物質により異なる。肝損傷に対するTAEの追加治療を要する合併症率は低い。合併症としてもっとも考慮するべきは肝壊死であり，その発生頻度は全合併症の16%程度と報告されている[17)18)]。膿瘍形成を生じた場合にはドレナージを検討する。また，選択的塞栓や塞栓物質を変更することで，発症率を減らすことが可能である[17)~23)]。骨盤骨折に対する両側内腸骨動脈本幹塞栓とその合併症についての議論もみられる。循環動態不安定な骨盤骨折に対して，両側内腸骨動脈本幹塞栓を行うことは，TAE時間の短縮，他の損傷臓器への早期止血介入が可能であり，結果としてショックからの早期離脱につながり殿筋壊死のリスクも回避できるとも考えられる。

いずれの領域の塞栓でも，その損傷が外傷もしくはTAEのどちらによって生じたものかを明確に区別することは困難である[24]。

Ⅲ 蘇生を目的としたIVR

1. DCIRの概念

欧米のガイドラインでは，蘇生を目的としたIVRの概念としてはっきりとした言及はない。ただし，時間を意識した外傷IVRを行うべくIVR医のon call体制を構築すべきであること，IVRの方針決定から60分以内に手技を開始することが望ましいことが新たに言及された（推奨レベルⅡ）[7]。DCIRの概念は，わが国が世界をリードしてその意義を発信していく領域である。

外傷IVRであっても前述のように責任血管を同定して，選択的に塞栓することにより塞栓範囲を最小限にすることが必要である。蘇生を目的としたIVRの適応は，循環動態が不安定，ないし切迫している場合である。ダメージコントロール戦略に則り，DC1に相当するIVR手技としてDCIRとも呼ばれる[6]。DCIRは外傷IVRのなかでもきわめて時間的制約の強い状況で行われる。十分な技術と経験を有するoperatorとそれをサポートし迅速な手技を遂行するための人的体制，部署を越えた診療理念の共有により成立する環境整備，時間を意識した戦略や手技の集大成である。

蘇生を目的としたIVRでは致死的な出血を速やかに制御することを主眼に置き，最短時間で責任血管に到達し，もっとも早くその血流を遮断できる方法を選択する。生命にかかわる出血の制御という制約のなかでは，高度な技術を有していても近位部からの塞栓もいとわない姿勢が必要である。広範囲な塞栓になることもあるが，細かな血管の選択に固執して時間を浪費することで患者の生命を脅かすことは回避しなければならない。したがって，DCIRは秒単位で責任血管にカテーテルを到達させることのできる高い技術や，塞栓術に関する十分な経験を要する術者がなし得る専門性の高いIVRである。現時点で明確なDCIRの適応基準はないが，血圧の低値や凝固障害が存在する，もしくは強く疑われる場合は考慮すべきであろう。

当初は循環動態が安定していても，血液凝固障害の進行などにより循環動態が不安定化した場合は，蘇生的なIVRや手術に移行しなければならない。近年では，外傷による凝固障害を短時間でかつ包括的に把握するthromboelastography（TEG）を用いた外傷診療も注目されている。TEGは凝固障害の早期認知や輸血戦略のために有効なデバイスではあるものの，死亡率の改善は示されていない[25]。腹部実質臓器損傷や骨盤骨折に伴う後腹膜出血に対しての止血手段としてだけでなく，腹部実質臓器損傷でdamage control surgery後に動脈性出血が持続する場合にもDCIRは考慮される[24][26]。また，胸壁や後腹膜，傍椎体領域の軟部組織内の出血など，手術によるアプローチが容易でない部位からの致死的出血の場合には，より積極的に蘇生的なIVRの適応を考慮する。

2. DCIRの実際

循環動態が不安定な骨盤骨折に対する蘇生的なIVRとしては，原則として両側内腸骨動脈本幹レベルでの塞栓を行う[27]。一側大腿動脈からのアプローチも可能であるが，両側の大腿動脈からアプローチし左右の内腸骨動脈を同時進行で選択・塞栓することで手技時間を大幅に短縮することが可能である（図3-1-F-10）。primary surveyにおいて胸部・腹部など他部位からの出血が否定的で，不安定型骨盤骨折でショックを呈する患者に対しては，体制が整っていればCT撮影よりも先に速やかにTAEによる止血を行うことは可能である。骨盤部のTAEを行っても不安定な循環動態が続くならば，再度FASTを行うか，両側大腿動脈を圧迫した状態で腹部の大動脈造影を施行する（図3-1-F-11）。これにより造影剤は内・外腸骨動脈系に流れず腹部大動脈内に停滞するため，腹部血管や腰動脈が通常の大動脈造影よりも明瞭に描出され，活動性出血の有無を確認することができる。これらによって腹腔内出血が疑われた場合は，蘇生的な止血術（手術またはIVR）を行う。

腹部実質臓器からの致死的出血に対する蘇生的なIVRでは，肝に関しては左右肝動脈（その選択も許容されない患者状態であれば固有肝動脈），脾動脈・腎動脈については本幹レベルでの塞栓が許容される

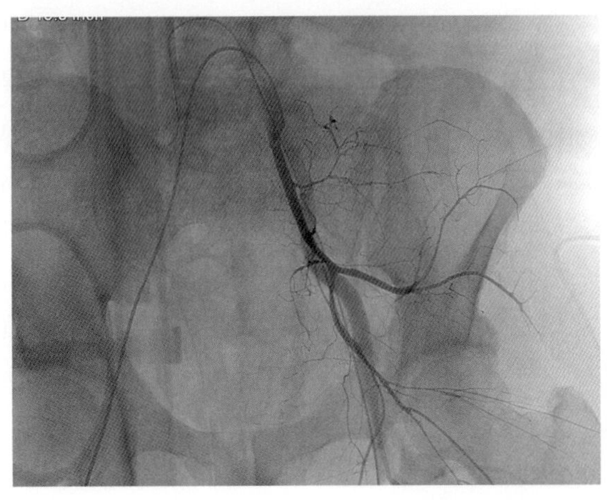
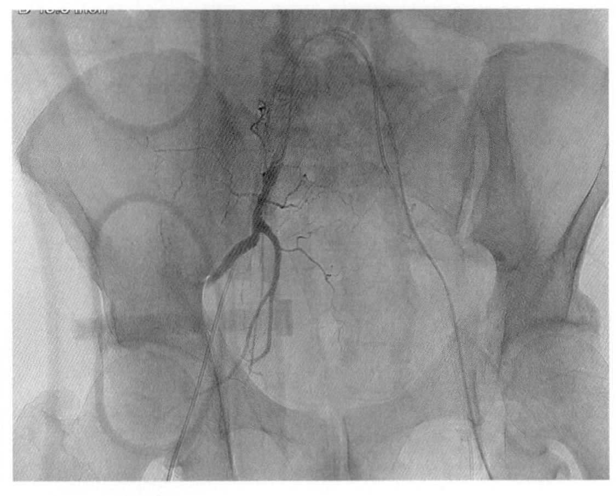

図3-1-F-10　両側内腸骨動脈塞栓
両側の大腿動脈から同時にアプローチし，同時進行で塞栓することで止血までの時間を短縮することができる

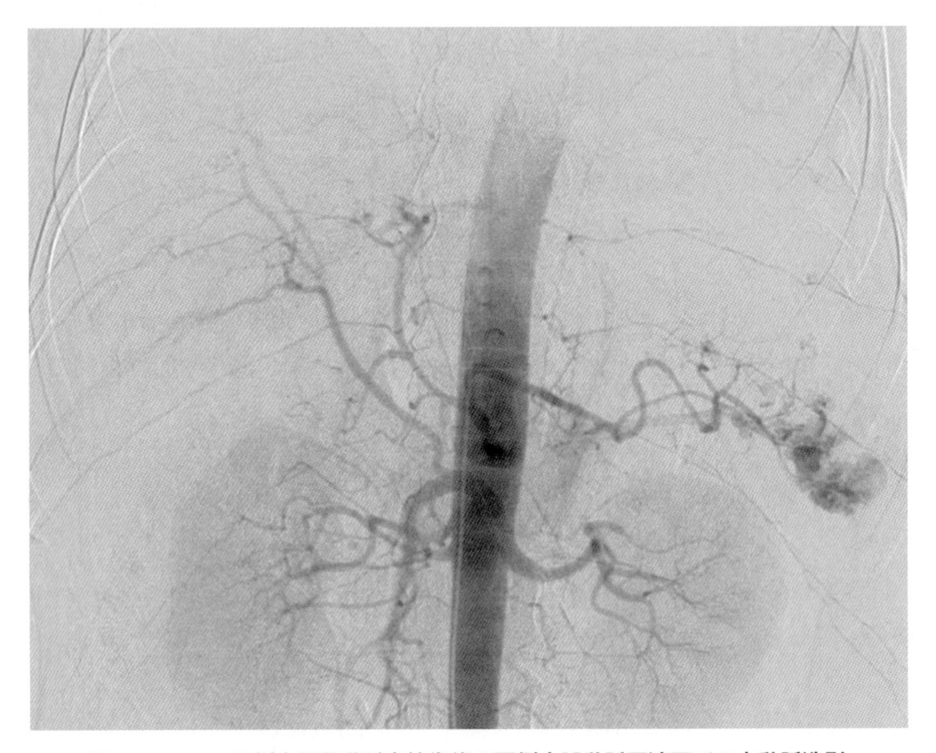

図3-1-F-11　両側内腸骨動脈塞栓術後の両側大腿動脈圧迫下での大動脈造影
両側の大腿動脈を圧迫することにより下肢への血流が低下し，通常よりも明瞭に腹部の血管を造影することが可能である

が[6]，胆嚢壊死や脾，腎全域に及ぶ梗塞をきたす可能性がある。

治療対象となる出血に対しては，責任血管のカテーテル選択・撮影・塞栓・確認撮影の一連のプロセスを，血管1本当たり10分以内で施行することを目標とする[6]。DCIRにおいては，方法にこだわらず，手技進行が滞るならば積極的に方法，道具，術者を変え，5分以上手技的に停滞しないように心がける[6]。

出血の制御は塞栓に限らず，バルーン閉塞による血流コントロールやステントグラフト留置も選択肢となる。また，IVRによる止血に固執せず，速やかに手術による止血に移行する。この際，手術による止血がなされるまでの出血量を少しでも減らし，循環動態のさらなる不安定化を回避するために，出血部より中枢側でのバルーンカテーテルによる血流遮断やREBOAを行ってもよい。

Ⅳ REBOA

以前はintra-aortic balloon occlusion（IABO）として，外傷診療だけでなく，さまざまな場面で一時的な出血量の低減と循環の維持を目的として使用されていたバルーンカテーテルである。現在は，従来よりも細径である7Frのデバイスが登場し，開胸や開腹による大動脈遮断よりも低侵襲で遮断位置が調整可能なREBOAとして世界的にも脚光を浴びている[28)〜30)]。

外傷診療におけるREBOAの適応は，臨床的適応と解剖学的適応を考慮する必要がある。臨床的適応とは，横隔膜以下の出血性ショックをきたす症例である。この場合のショックとは輸液・輸血管理を行っても収縮期血圧90mmHg未満が継続している，ATLSのclass Ⅳに相当する場合となる[31)]。解剖学的適応を決めるためにZone分類を理解する必要がある。バルーン遮断を行う位置によりZone Ⅰ〜Ⅲに分類される（図3-1-F-12）[32)]。横隔膜以下の損傷がある場合にはZone Ⅰに留置し，骨盤や下肢の損傷の出血に対してはZone Ⅲに留置する[33)]。また遮断の程度により完全遮断（complete occlusion）と部分遮断（partial occlusion）に分類され，両者はバルーン遮断部よりも遠位（大腿部など）の動脈圧により区別される[34)]。REBOAの特徴は，バルーン拡張の程度に応じて，血流遮断の状態が調整可能であるということに加え，一時的な蘇生術として行われる開胸大動脈遮断術と比較すると侵襲が少なく，より早い段階で実施される傾向がある[35)36)]。

REBOAを留置することで出血量が一時的に減少し，循環動態が改善しているようにみえるが，REBOAは根本的な止血手段ではないことを常に意識する必要がある。REBOAを用いても受傷から根本止血のための手術までに長時間を要する場合には死亡率が高くなるという報告もある[37)]。したがって，血圧上昇をみて診療の進行速度を緩めるべきではなく，速やかな止血が救命のために重要である。

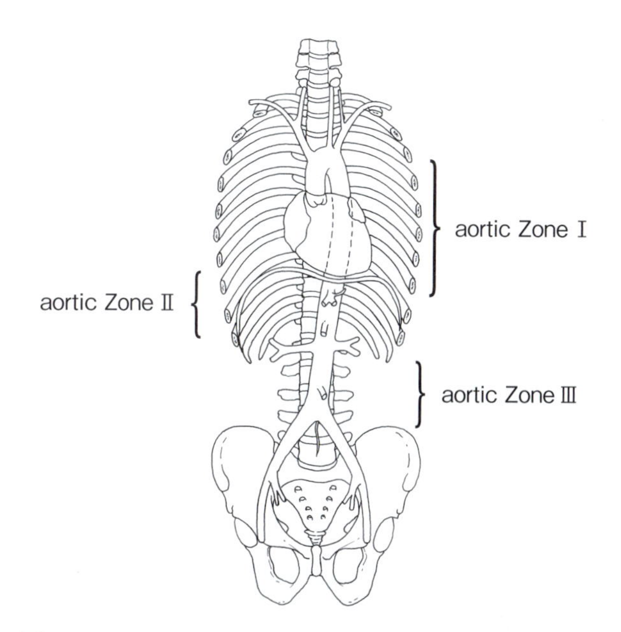

図3-1-F-12　REBOAにおいてバルーンを留置するZone分類

aortic Zone Ⅰは左鎖骨下動脈から腹腔動脈上縁までを指し，腹部骨盤損傷の場合の留置位置である。aortic Zone Ⅱは腹腔動脈から腎動脈までであるが，通常このZoneでは使用しない。aortic Zone Ⅲは腎動脈分岐下部から総腸骨動脈分岐部までであり，骨盤損傷の場合に留置する
〔文献32）より引用・改変〕

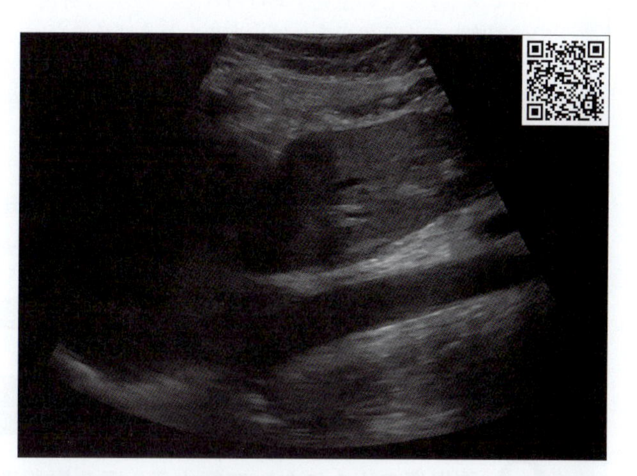

動画3-1-F-1　超音波検査によるガイドワイヤーの確認

大動脈内に留置されるガイドワイヤーも超音波でとらえることが可能である。

【手技と合併症】

REBOAを留置するにあたり，細径のシースがすでに確保されている場合には7Fr以上のシースに交換する。胸部下行大動脈へとガイドワイヤーを進め，ポータブルX線写真やC-arm装置などを用いて位置を確認する。腹部大動脈レベルであれば超音波装置でも大動脈内のワイヤーを観察可能である[38)39)]（動画3-1-F-1）。抵抗がある場合には無理に進めず，画像で位置を確認するなどして，ガイドワイヤーの迷入や血管損傷を防ぐ。透視下でREBOAカテーテルが挿入できない場合には，あらかじめメルクマル法で挿入長を決定しておく[40)]。Zone Ⅰに留置する場合には，両側乳頭を結んだ線と鼠径部，Zone Ⅲに留置する場合には臍部と鼠径部との距離を目安とし，

ガイドワイヤーにかぶせる形（over-the-wire法）でカテーテル本体を進める。バルーンをインフレートする前に位置を確認し，インフレートした際に大動脈圧に押されて折れ曲がらないようカテーテル本体の内腔に必ずスタイレットを戻す。バルーン拡張時には動脈圧がバルーンにかかりカテーテルとシースが抜けてくるため，体表にシースを固定しシースとカテーテルを固定するまではシースおよびカテーテルから手を離さないようにする。基本的にはREBOA留置は2人で行うことが望ましい（推奨レベルⅢ）[40]。上肢における血圧，下肢またはシースのサイドポートにおける動脈圧波形の変化を参考にインフレートの程度を決める。留置中にCTや血管撮影を行う場合には循環動態の許す範囲で遮断を緩和し，造影剤を流した状態で撮影する。その際，急激な血圧低下をきたさないように，少量ずつデフレートする。

主な合併症としては，大動脈から大腿動脈における血管損傷，長時間の阻血や塞栓症による腎や消化管・脊髄・下肢などの虚血があげられる[41)42)]。合併症を回避するため，可能なかぎり盲目的な手技を避

Clinical questions　CQ 10

蘇生的開胸術における下行大動脈遮断後の早期 REBOA へのコンバートは有用か？

外傷専門医25名によるコンセンサス会議の投票の結果，REBOAへのコンバートは「有用である」と回答したものが56%，「有用でない」との回答が16%であった。エビデンスの不足から「わからない」との回答が28%あった。

「有用である」との回答では，「遮断程度を調整でき閉胸もできることから低体温防止に効果がある」，「開胸創からの出血制御と低体温防止のための早期閉胸に有用である」などの意見があげられた。一方，「有用でない」との回答では，「すでに開胸しているのであれば止血術を行えば必要ない」，「早期コンバートしてもデフレートできる状態を作れなければ効果は出ない」などの意見があげられた。「わからない」との回答には，「エビデンスが低い」，「有用性は不明」との意見がみられた。

以上より，胸部下行大動脈遮断からの早期REBOAコンバートについては，早期閉胸や低体温防止に一定の効果が得られる可能性がある。ただし，大動脈遮断に至った原因を早期に解除することが重要である，とした。

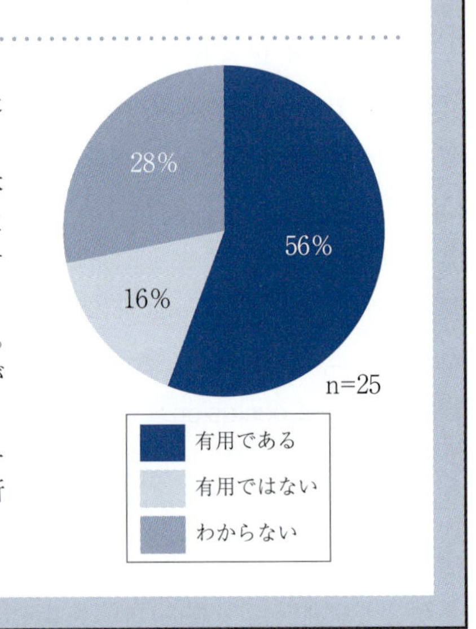

Clinical questions　CQ 11

脾損傷の出血において経カテーテル動脈塞栓術は，近位塞栓が遠位塞栓より推奨されるか？

外傷専門医25名によるコンセンサス会議の投票の結果，「推奨されない」が40%，「推奨される」20%であり，40%が「わからない」と回答した。

「推奨されない」との回答には，「近位塞栓を行うと再出血の場合の追加塞栓が不可能となるため行わない」，「循環が不安定でなければ選択的塞栓が望ましい」との意見が多かった。一方，「推奨される」との回答には，「経験的に遠位塞栓で仮性動脈瘤の発見率が高いため近位塞栓を推奨している」との意見がみられた。また「わからない」との回答には，「塞栓までの時間的余裕により対応が異なる」との意見もみられた。

以上より，脾損傷の経カテーテル動脈塞栓術は近位塞栓より遠位塞栓が望ましいが，そのエビデンスは乏しく，その判断には症例に応じた対応が必要となる，とした。

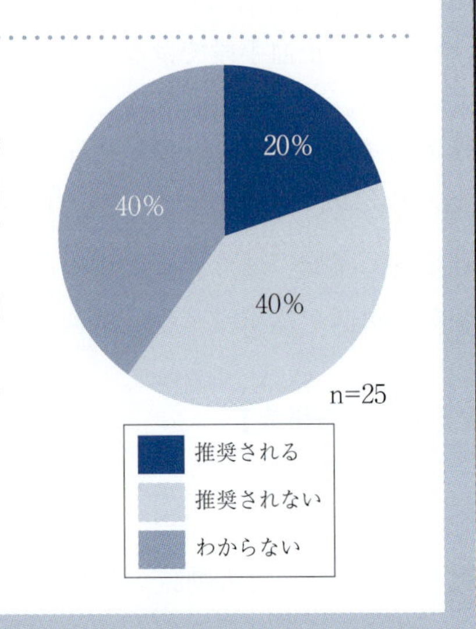

ける。また，バルーン閉塞以下の領域では虚血になるため完全遮断時間はZone Ⅰでは15分，Zone Ⅲでは30分を，部分遮断の場合は30分以内を目安にすることが望ましい（推奨レベルⅢ）[30) 43)]。

Ⅴ ステントグラフトを用いた止血

血管破綻部の迅速な修復と遠位血流の温存を両立させる必要があり（鎖骨下動脈や腸骨動脈などの血管損傷による出血），外科的治療よりも迅速に留置できる場合には，ステントグラフトによる止血が選択肢となる[44)]。2016年に外傷性または医原性血管損傷による止血困難な血液漏出に対する緊急処置を目的とした末梢血管用ステントグラフト〔GORE® VIABAHN® Endoprosthesis with Heparin Bioactive Surface〕が薬事承認を得て，わが国で使用可能となった。大動脈・冠動脈・腕頭動脈・頸動脈・椎骨動脈・肺動脈を除く，胸腹部および骨盤部の径4〜12mmの動脈における出血性損傷が適応となる。使用にあたっては，日本IVR学会，日本救急医学会，日本外傷学会を含む関連7学会が定める適正使用指針に記載されている術者および施設の要件を満たし，教育コースを受講する必要がある[45)]。

文　献

1) Fu CY, Wang YC, Wu SC, et al：Angioembolization provides benefits in patients with concomitant unstable pelvic fracture and unstable hemodynamics. Am J Emerg Med 2012；30：207-213.
2) Olthof DC, Sierink JC, van Delden OM, et al：Time to intervention in patients with splenic injury in a Dutch level 1 trauma center. Injury 2014；45：95-100.
3) Tanizaki S, Maeda S, Matano H, et al：Time to pelvic embolization for hemodynamically unstable pelvic fractures may affect the survival for delays up to 60 min. Injury 2014；45：738-741.
4) Ogura T, Lefor AT, Nakano M, et al：Nonoperative management of hemodynamically unstable abdominal trauma patients with angioembolization and resuscitative endovascular balloon occlusion of the aorta. J Trauma Acute Care Surg 2015；78：132-135.
5) Chakraverty S, Flood K, Kessel D, et al：CIRSE guidelines：Quality improvement guidelines for endovascular treatment of traumatic hemorrhage. Cardiovasc Intervent Radiol 2012；35：472-482.
6) Matsumoto J, Lohman BD, Morimoto K, et al：Damage control interventional radiology（DCIR）in prompt and rapid endovascular strategies in trauma occasions（PRESTO）：A new paradigm. Diagn Interv Imaging 2015；96：687-691.
7) Padia SA, Ingraham CR, Moriarty JM, et al：Society of Interventional Radiology Position Statement on Endovascular Intervention for Trauma. J Vasc Interv Radiol 2020；31：363-369.
8) Okada I, Hifumi T, Yoneyama H, et al：The effect of participation of interventional radiology team in primary trauma survey on patient outcome. Diagn Interv imaging 2022；103：209-215.
9) Matsumura Y, Matsumoto J, Kondo H, et al：Early arterial access for resuscitative endovascular balloon occlusion of the aorta is related to survival outcome in trauma. J Trauma Acute Care Surg 2018；85：507-511.
10) Sobolev M, Slovut DP, Lee Chang A, et al：Ultrasound-guided catheterization of the femoral artery：A systematic review and meta-analysis of randomized controlled trials. J Invasive Cardiol 2015；27：318-323.
11) Matsumura Y, Matsumoto J, Kondo H, et al：Fewer REBOA complications with smaller devices and partial occlusion：Evidence from a multicentre registry in Japan. Emerg Med J 2017；12：793-799.
12) Kinoshita T, Yamakawa K, Matsuda H, et al：The survival benefit of a novel trauma workflow that includes immediate whole-body computed tomography, surgery, and interventional radiology, all in one trauma resuscitation room：A retrospective historical control study. Ann Surg 2019；269：370-376.
13) Fukusumi M, Ichinose Y, Arimoto Y, et al：Bronchoscopy for pulmonary peripheral lesions with virtual fluoroscopic preprocedural planning combined with EBUS-GS：A pilot study. J Bronchology Interv Pulmonol 2016；23：92-97.
14) Kinoshita M, Shirono R, Takechi K, et al：The usefulness of virtual fluoroscopic preprocedural planning during percutaneous transhepatic biliary drainage. Cardiovasc Intervent Radiol 2017；40：894-901.
15) 日本救急撮影技師認定機構監：救急撮影ガイドライン；救急撮影認定技師標準テキスト，第2版，へるす出版，東京，2016.
16) 日本IVR学会編：血管塞栓術に用いるNBCAのガイドライン2012.
http://www.jsir.or.jp/about/guide_line/nbca/（Accessed 2022-5-8）
17) Green CS, Bulger EM, Kwan SW：Outcomes and complications of angioembolization for hepatic trau-

ma：A systematic review of the litera-ture. J Trauma Acute Care Surg 2016；80：529-537.
18）Padia SA, Ingraham CR, Moriarty JM, et al：Society of interventional radiology position statement on endovascular intervention for trauma. J Vasc Interv Radiol 2020；31：363-369. e2.
19）Dabbs DN, Stein DM, Scalea TM：Major hepatic necrosis：A common complication after angioembolization for treatment of high-grade liver injuries. J Trauma 2009；66：621-627.
20）Hagiwara A, Murata A, Matsuda T, et al：The efficacy and limitations of transarterial embolization for severe hepatic injury. J Trauma 2002；52：1091-1096.
21）Kong YL, Zhang HY, He XJ, et al： Angiographic embolization in the treatment of intrahepatic arterial bleeding in patients with blunt abdominal trauma. Hepatobiliary Pancreat Dis Int 2014；13：173-178.
22）Lee YH, Wu CH, Wang LJ, et al：Predictive factors for early failure of transarterial embolization in blunt hepatic injury patients. Clin Radiol 2014；69：e505-e511.
23）Li M, Yu WK, Wang XB, et al：Non-operative management of isolated liver trauma. Hepatobiliary Pancreat Dis Int 2014；13：545-550.
24）日本IVR学会編：肝外傷に対するIVRのガイドライン2016.
http://www.jsir.or.jp/about/guide_line/kangaisyo/（Accessed 2022-5-8）
25）Da Luz LT, Nascimento B, Shankarakutty AK, et al：Effect of thromboelastography（TEG®）and rotational thromboelastometory（ROTEM®）on diagnosis of coagulopathy, transfusion guidance and mortality in trauma：Descriptive systemic review. Crit Care 2014；18：518-544.
26）Lin BC, Wong YC, Lim KE, et al：Management of ongoing arterial haemorrhage after damage control laparotomy：Optimal timing and efficacy of transarterial embolisation. Injury 2010；41：44-49.
27）Cullinane DC, Schiller HJ, Zielinski MD, et al：Eastern Association for the Surgery of Trauma practice management guidelines for hemorrhage in pelvic fracture：Update and systematic review. J Trauma 2011；71：1850-1868.
28）Brenner ML, Moore LJ, DuBose JJ, et al：A clinical series of resuscitative endovascular balloon occlusion of the aorta for hemorrhage control and resuscitation. J Trauma Acute Care Surg 2013；75：506-511.
29）Matsumura Y, Matsumoto J, Kondo H, et al：Fewer REBOA complications with smaller devices and partial occlusion：Evidence from a multicentre registry in Japan. Emerg Med J 2017；34：793-799.
30）Matsumura Y, Matsumoto J, Kondo H, et al：Partial occlusion, conversion from thoracotomy, undelayed but shorter occlusion：Resuscitative endovascular balloon occlusion of the aorta strategy in Japan. Eur J Emerg Med 2018；25：348-354.
31）ATLS Subcommittee；American College of Surgeons' Committee on Trauma；International ATLS working group：Advanced trauma life support（ATLS®）：The ninth edition. J Trauma Acute Care Surg 2013；74：1363-1366.
32）Stannard A, Eliason JL, Rasmussen TE：Resuscitative endovascular balloon occlusion of the aorta（REBOA）as an adjunct for hemorrhagic shock. J Trauma 2011；71：1869-1872.
33）Ishida K, Seno S, Maruhashi T, et al：Indication of resuscitative endovascular balloon occlusion of the aorta in trauma patients. J Endovasc Resusc Trauma Manag 2022；6：8-13.
34）Johnson MA, Neff LP, Williams TK：Partial resuscitative balloon occlusion of the aorta（P-REBOA）：Clinical technique and rationale. J Trauma Acute Care Surg 2016；81：S133-S137.
35）Moore LJ, Brenner M, Kozar RA, et al：Implementation of resuscitative endovascular balloon occlusion of the aorta as an alternative to resuscitative thoracotomy for noncompressible truncal hemorrhage. J Trauma Acute Care Surg 2015；79：523-530.
36）DuBose JJ, Scalea TM, Brenner M, et al：The AAST prospective Aortic Occlusion for Resuscitation in Trauma and Acute Care Surgery（AORTA）registry：Data on contemporary utilization and outcomes of aortic occlusion and resuscitative balloon occlusion of the aorta（REBOA）. J Trauma Acute Care Surg 2016；81：409-419.
37）Inoue J, Shiraishi A, Yoshiyuki A, et al：Resuscitative endovascular balloon occlusion of the aorta might be dangerous in patients with severe torso trauma：A propensity score analysis. J Trauma Acute Care Surg 2016；80：559-566.
38）Guliani S, Amendola M, Strife B, et al：Central aortic wire confirmation for emergent endovascular procedures：As fast as surgeon-performed ultrasound. J Trauma Acute Care Surg 2015；79：549-554.
39）Ogura T, Lefor AK, Nakamura M, et al：Ultrasound-guided resuscitative endovascular balloon occlusion of the aorta in the resuscitation area. J Emerg Med 2017；52：715-722.
40）Seno S, Maruhashi T, Kitamura R, et al：Technique for performing Resuscitative Endovascular Balloon Occlusion of the Aorta. J Endovasc Resusc Trauma Manag 2022；1：41-49.

41）Saito N, Matsumoto H, Yagi T, et al：Evaluation of the safety and feasibility of resuscitative endovascular balloon occlusion of the aorta. J Trauma Acute Care Surg 2015；78：897-903.
42）Morrison JJ, Galgon RE, Jansen JO, et al：A systematic review of the use of resuscitative endovascular balloon occlusion of the aorta in the management of hemorrhagic shock. J Trauma Acute Care Surg 2016；80：324-334.
43）Michaels D, Pham H, Puckett Y, et al：Helicopter versus ground ambulance：Review of national database for outcomes in survival in transferred trauma patients in the USA. Trauma Surg Acute Care Open 2019；4：e000211.
44）Branco BC, DuBose JJ, Zhan LX, et al：Trends and outcomes of endovascular therapy in the management of civilian vascular injuries. J Vasc Surg 2014；60：1297-1307.
45）日本IVR学会：血管損傷に対するゴア バイアバーン ステントグラフトの適正使用指針，2016.
http://www.jsir.or.jp/docs/gakkai/血管損傷に対する末梢血管用ステントグラフトVIABAHNの適正使用指針.pdf（Accessed 2022-5-8）

2　外傷診療戦略におけるCTの役割

要　約

1. 外傷診療においてCTを有効に活用するためには，ソフト面・ハード面での整備が必要であり，多職種・多診療科が協力・連携して，迅速に行われなければならない。
2. 十分な画像情報が得られるようなプロトコルでCTを撮影する。時間短縮を優先したプロトコルと被曝低減を優先したプロトコルを使い分ける。
3. 画像所見を短時間で正確に読み取り，個々の損傷と全身状態の緊急度と重症度を評価して，その他の要素（年齢や基礎疾患など）を含めて，適切に治療方針を決定する。

I　CTを有効に活用するための条件

multidetector-row CT（MDCT）の進歩により，短時間で全身のCT検査を施行することが可能になった。外傷診療においてもその有用性はきわめて高いとされ[1)〜6)]，複数のガイドラインでも重症外傷患者に対する全身CT撮影を肯定しているが，被曝の増加というデメリットを考慮して適応を判断する必要がある（表3-2-1）[7)〜10)]。安易な全身CT検査は慎むべきであり，可能なかぎり被曝低減に努める[11)〜15)]。全身CT検査の適応について定まったコンセンサスはなく[16)]，重症多発外傷を示唆するような臨床所見や病歴[10)]，受傷機転[9)]，意識障害や呼吸・循環の異常[17)〜19)]のほか，高齢者や併存疾患，抗凝固薬内服などによる重症化のリスクも参考に判断する[16)20)21)]。

外傷診療におけるCT検査は適切な環境下で施行されなければならず，そのためのソフト面・ハード面での環境・体制づくりが必要である。「適切な環境・体制」とは，理想的には適切な病院前救護に始まり，MTP，外科治療，画像診断，IVRなどのすべてが迅速に開始できることを指す。CTを最大限有効活用するためには，臨床検査技師（輸血関連を含む），看護師，診療放射線技師，臨床工学技士，画像診断医，IVR医，外傷診療各科担当医，麻酔科医，集中治療医など，部署を越えた協力と，診療体制の整備が求められる。移動や準備を含めて検査に要する時間を最小限とするには，日頃からの工夫や訓練が必要である。どんなに短い時間で検査が行えたとしても，準備・評価を含めると，15分前後の時間が失われる可能性があることを忘れてはならず，検査中は注意深く患者の状態を評価しつづける必要がある。また，検査への移動前からCT検査後即座に治療できる準備をしておく。

表3-2-1　全身CT検査の適応判断において考慮すべき要素

重症多発外傷を示唆する臨床所見や病歴，受傷機転
重症外傷を示唆する意識障害，呼吸・循環の異常
重症化リスク（高齢者，併存疾患，抗凝固薬内服など）
検査に要する時間や移動のリスク

ハード面ではCTの設置場所に関して，理想的には初療室と隣接[7)]していることが望ましく，そうでない場合も初療室から50m以内に設置されているべきである[22)]。CT装置，IVR装置を同室に備え，初期診療・CT撮影・手術・IVRを患者移動なく行えるHybrid ER Systemの有用性もわが国から報告されている[1)23)]（「重症外傷患者を診療する施設の要件」，p.13参照）。CT機器は少なくとも64列以上の検出器を有し，最新の被曝低減技術を備えている装置が望ましいが，被曝低減技術の利用によって再構成や画像配信が遅れないようにする[9)]。

撮影の高速化に伴い，循環動態が不安定な患者に対する全身CT検査の報告もあるが[24)25)]，ダメージコントロール戦略のDC1では，数分以内で確実に腹腔・胸腔内に到達し処置を行うことができるので，検査に要する時間や移動に伴うリスクを勘案し，循環動態が不安定な患者に対してCT検査を行う価値が本当にあるのか慎重に判断すべきである。primary surveyにて即時全身CT（immediate total-body CT）を撮影する方法も行われているが，段階的・選択的CT撮影を行っている従来診療と比較した前向きRCTでは死亡率の低下はみられなかった[26]。一方，ハイブリッドERにてimmediate total-body CTに引き続き患者移動なく速やかな止血治療を行ったわが国からのretrospective studyでは，重症例に対する死亡率の低下が報告されている[27]。そのような診療環境や体制が整っていない場合には，CT検査はprimary surveyが完了している患者に対して行われるべきである。

Ⅱ CTの撮影方法と読影の実際

1. 撮影プロトコルの考え方

外傷診療におけるCT撮影プロトコルを考えるうえでは，診断や治療方針決定に必要な情報の取得，画質の向上や被曝低減だけでなく，撮影に要する時間の短縮についても考慮する必要がある。症例ごとにCT検査が行われる状況や時間的猶予は異なり，さまざまな状況に対して1つのプロトコルのみで適切な撮影を実施することは困難である。一方でプロトコルを細分化しすぎると，診療放射線技師が習得し使いこなせるようになるまで時間を要する。外傷診療に携わるすべての診療放射線技師が24時間365日実施できるような，シンプルで洗練されたプロトコルを作成する必要がある。プロトコルの作成にあたっては施設のCT機器の性能・特性も踏まえ，放射線科医や診療放射線技師と相談する。たとえば下記のように，時間短縮を優先したプロトコル（speed protocol）と被曝低減を優先したプロトコル（dose protocol）の2種類を用意し，患者状態や重症度，被曝に配慮すべき年齢などを踏まえて両者を使い分けるという方法がある[9,10]。

dose protocolは循環動態が安定している患者に対し，頭部を撮影する際には上肢を下垂，体幹を撮影する際には上肢を挙上して撮影を行うプロトコルである。両上肢を挙上することによって体幹撮影時の撮影線量の低減および画質の向上が得られる[28]。肩周辺や上肢の損傷などにより両上肢の挙上が難しい場合，左右いずれか一方の上肢のみを挙上させるか，胸部の前方にクッションを抱えるように腕を組ませる形とするほうが，体幹の両外側に下垂させるよりも画質の向上が得られる[10,29]。スカウト画像についても頭部と体幹をそれぞれ別に取得することで，各撮影での線量の最適化が得られる[7,30,31]。

speed protocolは主に循環動態が不安定な患者を

◆Clinical questions◆ **CQ 12**

Q 重症外傷患者の CT 検査においては，特別な体制を整備すべきか？

A 外傷専門医25名によるコンセンサス会議の投票の結果，84％が「整備すべき」であると回答した。「整備すべき」であるとの回答には「気道・呼吸・循環管理，環境監視，心停止時などの急変時対応のできるプロトコルを作成し，スタッフトレーニングを行うべきである」，「常に外科的止血術ができる環境下であればCTが有用であるとの論文がある」，「ハイブリッドERであればよいが，一般のCT室では循環動態不安定な患者のCTは行うべきではない」，「CT検査までの時間を短縮する努力が必要である」，「CT撮影のプロトコルを作成する必要がある」，「放射線科による読影が迅速にできる体制を整備する」などの意見がみられた。一方，「整備の必要はない」との回答には，「CT検査を実施してはならない条件を明確化すれば整備は必要ない」との意見があった。

以上より，重症外傷患者のCT検査では，全身状態のモニタリングを実施でき，急変にも対応することのできる体制が必要で，これを行うためにはプロトコル化してチームでトレーニングを行うことが望ましい。また，初療室からCT検査を実施して戻るまでの時間は思っているより長くかかっていることを理解してCT検査の是非を決定することが望ましい，とした。

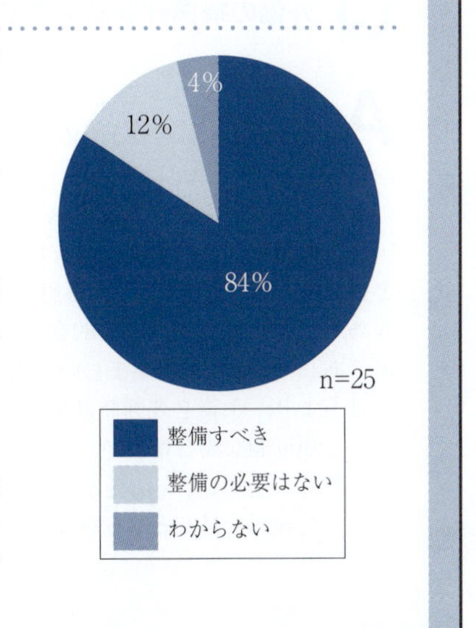

対象とし，検査途中での両上肢の上げ下ろしは時間がかかるので行わず，頭部・体幹ともに下垂したまま撮影するプロトコルである。スカウト画像も全身で1回のみの取得とすることで，撮影に要する時間を短縮する。実際の撮影時にどちらのプロトコルを適用するか迷って時間を費やさないよう，どのような基準でそれぞれのプロトコルを使い分けるか，あらかじめ施設内で定めておくとよい。

さらなる時間短縮を目的として，スカウトレス撮影という試みも行われている。スカウトを取得せずに目視で撮影範囲を決めて撮影を行う方法であり，スカウト撮影に要する時間を削減できる。デメリットとして，患者体型や部位ごとのX線吸収差に合わせて撮影線量を最適化するCT機能（auto exposure control；AEC）を用いることができないため，線量過多による被曝増加や線量不足による画質劣化をきたす可能性がある。

小児においては部位別CT撮影に比べて全身CT撮影による死亡率の低下は示されておらず[32]，放射線感受性の高さや余命の長さにより放射線被曝に関連した発癌が発生しやすいことから[33]，できるだけ全身撮影を避けて撮影範囲を絞るのが原則である[10]。全身撮影を行う場合には可能であればバックボードの除去，体幹撮影時の上肢の挙上，造影1相での撮影など，（成人向けの）dose protocolよりもさらに被曝低減に配慮した小児用プロトコルを作成してもよい[10]。

2. 撮影方法の実際

施設のCT機器により異なるが，高リスク受傷機転で撮影を行う際にdose protocol，speed protocolで共通となる基本的な考え方を以下に示す。

(1) CTガントリーに対して患者をfoot firstで入れるか，head firstで入れるか，あらかじめ決めておく。一般的にはfoot firstで入るほうが上肢の上げ下ろしや気道管理を行いやすい。

(2) 最初に頭部単純CTを撮影する。ヘリカルスキャンで顔面部を含めて撮影することで頭蓋骨や顔面骨のthin slice，MPR，VR（volume rendering）での再構成が可能となる。

(3) 頸椎を非造影で撮影したい場合には頭部単純CTを頸部まで延長して撮影する方法もあるが，体幹部の造影CTに頸部を含めることで頸椎の詳細評価に加え血管損傷の評価も可能であるため，基本的に頭部CTは頸部まで延長しない[9]。

(4) 続いて体幹部撮影を行う。受傷機転から骨盤底よりも下位のレベルの損傷を疑う場合には，下肢も可能なかぎり撮影範囲に含める。体幹部撮影は造影剤投与下で行い，造影前の単純CTは基本的に撮影しない[7,9,34,35]。ただし，他院からの転送症例などで造影CTや血管造影がすでに行われている場合には単純CT撮影を考慮する。

(5) 出血性病変の有無とその活動性を評価すること

◆Clinical questions◆　CQ 13

Q 外傷の損傷評価に単純CTは必要か？

A 外傷専門医25名によるコンセンサス会議の投票の結果，56%が外傷の損傷評価に単純CTは「必要である」とし，36%が「必要ない」と回答した。「必要である」との回答には，「開胸開腹を行うべきかどうかの判断には単純CTのみで十分である」，「頭部外傷の評価には単純CTが評価しやすい」，「骨片や石灰化と血管外漏出の鑑別には有用である」との意見がみられた。一方，「必要ない」との回答には，「造影CTを撮影することを前提とすると，被曝と時間の削減に努めるべきである」，「時間的余裕がない場合は，造影CTのみでよい」，「重症外傷であれば造影CTが望ましい」などの意見がみられた。

以上より，手術必要判断は単純CTのみでの血腫量評価で十分な意思決定を行うことが可能な場合が多い。一方，IVRを実施するには造影CTが必要となるケースは多く，造影CTを前提とするのであれば，被曝量の削減と時間の短縮を念頭に置いた判断も必要となり得る，とした。

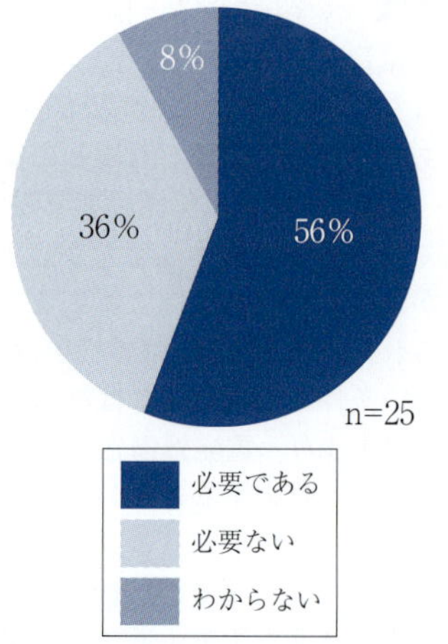

が主目的であり，基本的に造影ダイナミックCTを行う。撮影のタイミングとしては，造影剤が動脈を流れて臓器を染めはじめる時相(動脈優位相)と臓器からの血流が下大静脈内を経て心臓に還流している時相（実質相）で撮影する。撮影タイミングの決め方としては，撮影開始時に大動脈などあらかじめ設定した血管内に流れてくる造影剤を透視下にモニタリングしながら撮像開始タイミングを計るボーラストラッキング法と，任意の決められたタイミング（秒数）で撮影を開始する時間固定法とがある。後者の場合，循環動態が不良であると，造影剤が血管内を流れる速度が遅く，時に不適切なタイミングでの撮影となることもある。活動性出血がある場合には，動脈優位相から実質相にかけて造影剤が広がる血管外漏出像（extravasation）が観察される。この2つの時相間に血管外に漏れ出て画像上溜まりとして認められる造影剤量が，この単位時間当たりの出血量となる〔例えば動脈優位相が40秒，実質相が100秒であれば，この間に漏れ出た造影剤量は100 − 40 = 60秒（1分間）の出血量ということになる（**図3-2-1**）〕。また2相撮影は活動性出血の有無と程度を評価する以外に仮性動脈瘤（pseudoaneurysm）形成を鑑別するうえでも重要である[36]。全例において全身を2相撮影とするか，あるいは一部だけを2相撮影とすべきかは，受傷機転や身体所見によって異なる。例えば，頭頸部の損傷が疑われる場合には顔面から全身を2相撮影とし，頭頸部の損傷の可能性が低いと考えられる場合には胸部以下を2相撮影（頸部は単純CT）とし，さらに胸部外傷の可能性も低い場合には，腹部以下を2相撮影(胸部の動脈優位相は必要）とすることもできる。

(6) dose protocolや小児用のプロトコルでは，被曝低減の目的に，造影剤をあらかじめ半量程度注入しておき，撮影時に残りを急速注入することで，動脈がよく造影されている実質相様の画像を1回の撮影で得るスプリット・ボーラス法を考慮してもよい[9)37)]。ただし活動性出血や仮性動脈瘤の検出・鑑別が困難になる可能性がある。

(7) 再構成画像の厚さは厚くても5mm，可能であれば3mm以下とする。撮像データは，配信した画像だけでなく元画像データも保存しておくと，後からでも任意の厚さ・方向の断面像が作成できる。

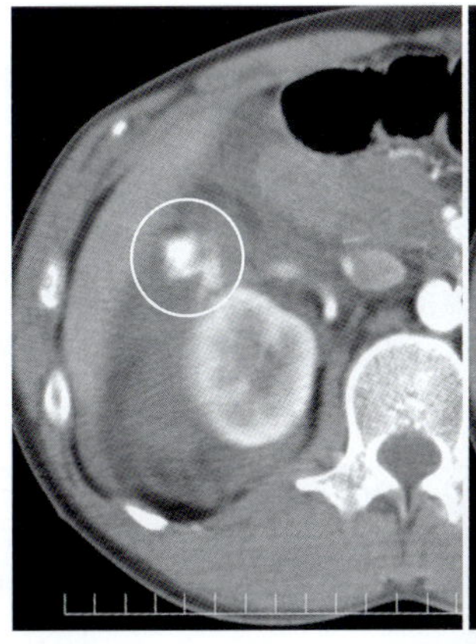
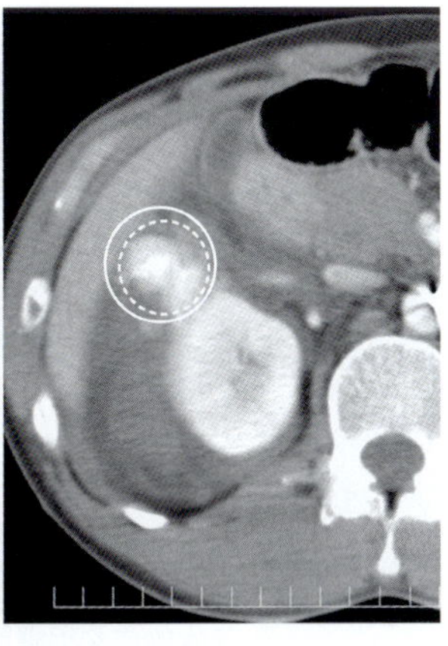

図3-2-1　血管外漏出像の広がり
動脈優位相（左図）と実質相（右図）を撮影することにより，単位時間当たりの出血量を想起することができる

(8) 検査施行後にいち早く画像を評価するために，撮影中や撮影直後に即座に画像が評価できるシステムを組んでおく。外傷全身CTでは大量の画像が配信されることになるため，読影の際に先に評価したい画像へ早くアクセスできるよう，画像の再構成や配信の順序をプロトコル化して決めておく。画像の再構成に多くの時間が費やされることがあるため，診療放射線技師や機器メーカーと相談し，picture archiving and communication systems（PACS）との連携も含めて，最速で画像が配信される体制を整えておく。

(9) 撮影前後を含めたCT検査全体に要する時間を最短とできるよう努める。CT室への入室から退室までの時間を実際に計測し，目標時間を定めて教育やトレーニングを行い，スタッフの動きや機器の操作，物品の配置などを洗練する。

3. 各部位におけるCT撮影の考え方（表3-2-2）

1）頭　部

(1) 皮下軟部組織，骨，および頭蓋内損傷評価のためには頭部単純CTを行い，水平断の軟部組織条件と骨条件の画像を得る。

(2) 頭蓋底骨折を疑う場合には，顔面骨の再構成画像を利用する。この場合，動脈優位相の撮影が望ましい。

2）顔面および頸部・頸椎

(1) 顔面に高度な軟部組織損傷や出血，あるいは明

表3-2-2　各部位におけるCT撮影の考え方

	撮影条件	再構成画像の条件
頭部	非造影（単純）は必須 ノンヘリカルスキャンであるが，時間がない場合はヘリカルスキャン	水平断の軟部組織条件と骨条件
顔面および頸部・頸椎	①高度の軟部組織損傷や出血がみられる場合は頭蓋底から2相撮影 ②損傷が疑わしくない場合は単純でも可	顔面から頸部・頸椎の出血，骨折，ならびに血管損傷評価のためには， ①動脈優位相と実質相の軟部組織条件・骨条件での水平断像 ②骨条件の冠状断像と矢状断像 ③頸部血管などの評価のための，動脈優位相での軟部組織条件矢状断像
胸部	基本的に2相撮影，損傷が疑わしくない場合は動脈優位相のみも可	2相での水平断の軟部組織条件と，どちらかの相での水平断の肺野条件と骨条件 大血管損傷では任意の断面を追加
腹部・骨盤	基本的に2相撮影	2相での水平断の軟部組織条件 臓器損傷が疑われる場合は冠状断の軟部組織条件を追加
脊椎		水平断と矢状断の軟部組織条件と骨条件

らかな変形が臨床上認められる場合には，この領域に止血処置の対象となる活動性出血がないかを確認する目的で造影CT（頭蓋底を含むようにWillis動脈輪レベルから2相撮影）を行う。頭蓋底や副鼻腔は骨に囲まれた空間が多く，単純CTがないと活動性出血の評価が難しいことがあるが，薄いスライス厚の画像や再構成画像を併用することで補える。したがって，活動性出血を確認しようとする場合でも，単純CTは施行せず，この部から（頸部・体幹部にかけて）造影2相で撮影する。再構成画像としては，顔面では，動脈優位相と実質相の軟部組織条件水平断像に加え，骨条件は水平断像と冠状断像を加える。頸部では，動脈優位相と実質相の軟部組織条件水平断像に加え，骨条件矢状断像と水平断像，および動脈優位相での軟部組織条件矢状断像を加える。

(2) 臨床上，頭部顔面損傷が疑われても，その程度が軽度であると考えられる場合には，顔面・頸部は単純ヘリカルCTのみとし，造影は体幹部からとする方法もある。再構成画像として，顔面では，水平断の軟部組織条件と骨条件，冠状断の骨条件を得る。頸椎の再構成は水平断と矢状断の骨条件を作成する。

3）胸　部

(1) 胸部外傷を否定できない場合には，大血管を明瞭に評価できる動脈優位相を含めた2相撮影を行う。一方，胸部から頭側の損傷の可能性がきわめて低い場合には，胸部の撮影は動脈優位相のみとしてもよい。肺野評価のための肺野条件と骨折評価のための骨条件は必須である。

(2) 肺や大血管に損傷があった場合には，損傷形態の観察や治療方針判断のために必要な方向での再構成画像を追加する。

4）腹部・骨盤

(1) 腹部外傷を否定できない場合には2相撮影を行う。

(2) 水平断像に加え，陽性所見（活動性出血や臓器損傷）が疑われる場合には，必要な時相の冠状断像を得る。活動性出血の評価には動脈優位相，臓器損傷の評価には，一般的に実質相がその形態をとらえやすい。

(3) 骨盤骨折を評価する際には，水平断だけでなく冠状断の骨条件を得ることもある。

5）脊　椎

頸椎だけでなく，全脊椎においても椎体骨折と脊柱管内の観察のために水平断と矢状断の軟部組織条件と骨条件が必要である。このとき，矢状断像には胸骨も含めるようにする。

4．CT読影の実際

検査が終わったのちには，一定の時間（読影の第2段階完了まで），画像評価を行う人員を確保する。検査直後に画像を評価することは，その段階での患者状態をもっとも正確に把握しようとする行いであり，適切な治療方針を決定するうえでもたいへん重要なプロセスである。したがって，迅速かつ適切に

表3-2-3　FACT（focused assessment with CT for trauma）

部位および画像条件	拾い上げる所見	メモ
①頭部／実質条件	緊急減圧開頭が必要な血腫	主に正中偏位をきたすような血腫の有無
②大動脈弓部遠位／実質条件	大動脈損傷・縦隔血腫	大動脈損傷の好発部位。外傷性大動脈解離の所見
③肺底部／肺野条件	広範な肺挫傷，血気胸，心嚢血腫	臥位では血気胸は肺底部でみやすい 一時的に縦隔条件にして心嚢血腫を判別する
④骨盤腔（上腹部を素通りして骨盤底に）／実質条件	腹腔内出血	大量腹腔内出血では膀胱直腸窩に血腫が及ぶ
⑤骨盤から椎体周囲（尾側から頭側に観察）／骨条件	骨盤骨折，後腹膜出血	高位後腹膜出血はprimary surveyではみつけにくい
⑥実質臓器損傷（頭側から尾側に観察）／実質条件	実質臓器（肝，脾，腎，膵），腸間膜血腫	腸間膜血腫が，腸間膜にとどまっているとFASTではわかりにくい

画像評価を行うスキルは，外傷診療にかかわる画像診断医，診療担当医が身につけるべき能力である。

1）advanced FACT（aFACT）

時間を意識した全身CTの3段階読影に関しては，『外傷初期診療ガイドラインJATEC』に記載されている[38]。ここでは，全身CT読影の第1段階（FACT）（表3-2-3）のより進んだ読み方（advanced FACT；aFACT）を紹介する（表3-2-4）。通常のFACTと同様，撮影中から撮影直後にかけてCT室のコンソールで，限られた項目を3分以内（CTの撮影が終わってストレッチャーで移動を開始するまでの間）に評価する基本コンセプトは変わらない。また1相の水平断だけで評価することも変わらない。FACTで掲げられた項目のほかに，限られた時間のなかで下記のような情報を読み取るということである。

(1) 頭部では，緊急開頭を要するような血腫を探すことが第一の目的であるが，血液凝固障害が疑われる患者においては，読影の時点では少量の血腫であっても増大する可能性があるので，この時点でも気をつけるようにする（図3-2-2）。

(2) 大動脈弓部へ移動する過程で，気道閉塞を招くような，もしくは血管外漏出像を伴うような頸部の血腫（軟部組織条件）（図3-2-3）や頸椎（骨条件に近い条件）の大まかなアライメントは評価する。

(3) 大動脈弓部前後で大動脈損傷を評価して肺底レベルに移動する際には肺挫傷や血胸を評価するが，肺挫傷内（図3-2-4）や血胸（図3-2-5）に明らかな血管外漏出像がないかを評価する。この際，肺野条件に変更せず，軟部組織条件のままで評価してもよい。この条件で認められないような肺挫傷は臨床上高度なものではない。肺底近くでは最終的に気胸を確認する目的で肺野条件で観察する。

表3-2-4　advanced FACTで追加される観察項目

頭部	小さな脳挫傷，外傷性くも膜下出血
顔面・頸部	気道閉塞を招くような血腫，皮下・筋層内の血管外漏出像，頸椎の大まかなアライメントの把握
胸部	肺挫傷や血胸における血管外漏出像
腹部	横隔膜下や肝脾表面，あるいは両側傍結腸溝の腹腔内出血 臓器損傷では血管外漏出像
骨盤	血管外漏出像

(4) 腹部から骨盤底まで移動する際，横隔膜下や肝脾表面，あるいは両側の傍結腸溝の腹腔内血腫（図3-2-6）を評価する。ただし，血腫の有無のみを確認する。腹部に限ったことではないが，血腫の大きさは，受傷からCTまでの出血量を示すものであり，治療優先度の評価につながる。

(5) 骨盤骨折の評価時には，血腫の有無とともに明らかな血管外漏出像の有無も評価する（図3-2-7）。

(6) 骨盤レベルから頭側に移動する際には，椎体や横突起骨折とともに腸腰筋内（図3-2-8）や背部の血腫の評価を行い，明らかな血管外漏出像がないか評価する。

(7) 腹部臓器損傷を評価する際には，明らかな血管

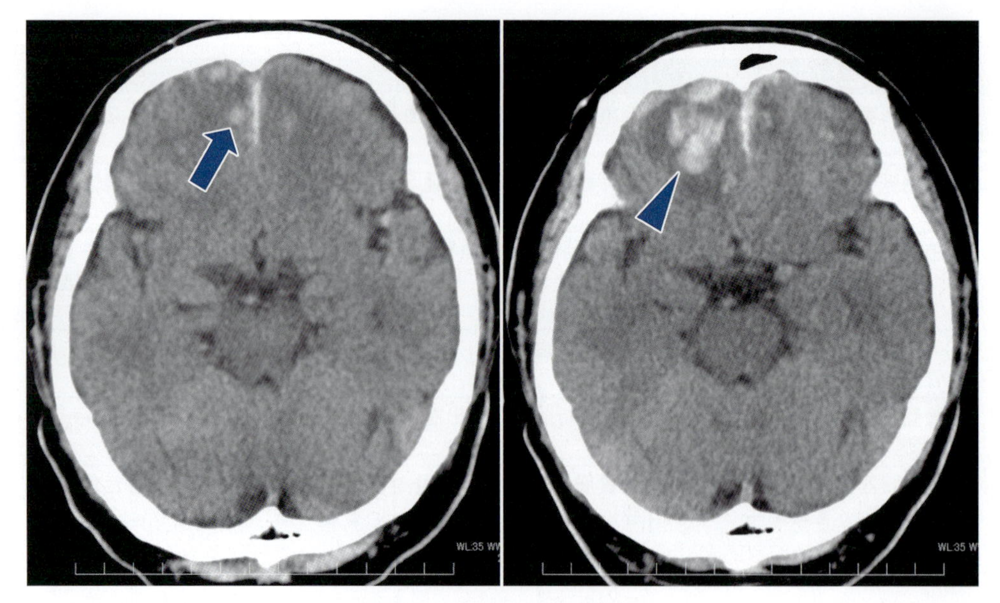

図3-2-2　脳挫傷の経時的変化
受傷直後（左図）には小さな脳挫傷であったが（➡），血液凝固障害があり，受傷3時間後（右図）には脳挫傷は拡大していた（▶）

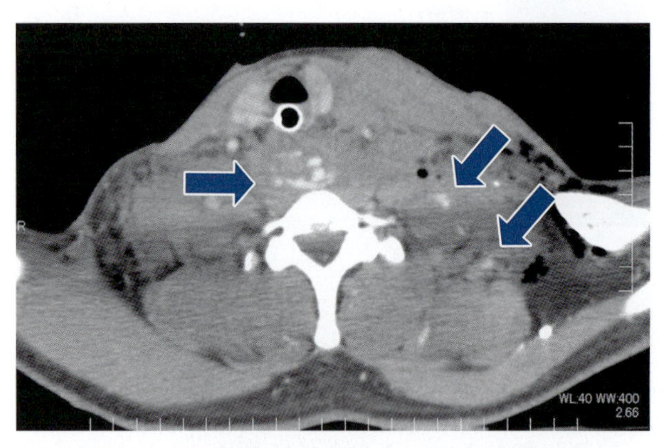

図3-2-3　気道閉塞をきたし得る血管外漏出像
椎体前面に血管外漏出像がみられ（➡），左右に血腫が広がっている。気管挿管されているので，気道閉塞はしないが，血腫により圧排されている

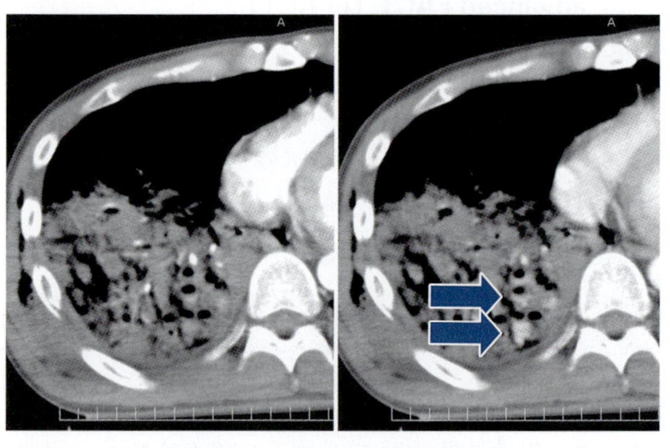

図3-2-4　肺内の血管外漏出像
動脈優位相（左図）と実質相（右図）とで肺内の血管外漏出像（➡）が広がっているのがわかる。血胸にならないことがあるため，胸腔ドレーンの量を目安にすることができず，気道出血として顕在化することがあるので注意が必要である

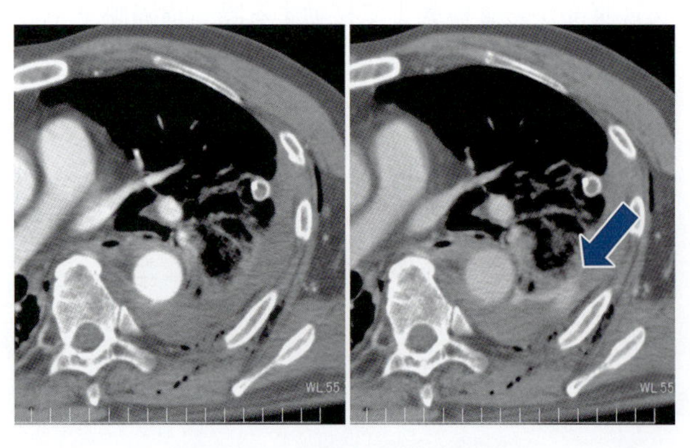

図3-2-5　血胸の血管外漏出像
動脈優位相（左図）と実質相（右図）とで血胸の血管外漏出像（➡）が広がっているのがわかる。血胸の原因としては肋間動脈損傷，肺損傷（肺動静脈・気管支動脈），下横隔動脈損傷などを考えなくてはならない

外漏出像の有無を評価する。実際に活動性出血としての血管外漏出像を細かなものも含めて評価するためには，動脈優位相と実質相とを並べ（図3-2-9），MPR画像（図3-2-10）や薄いスライスの画像を参照するなどして評価する必要がある。しかしながらaFACTにおいても，前述のとおり，通常のFACT同様に動脈優位相の水平断像だけでの評価とし，時間をかけないことが肝要である。また，下大静脈の扁平化をみておくと，循環血液量の指標として有用である[39)40)]（図3-2-11）。ただし，高齢者の場合は，下大静脈の扁平化は指標になりにくい[41)]。

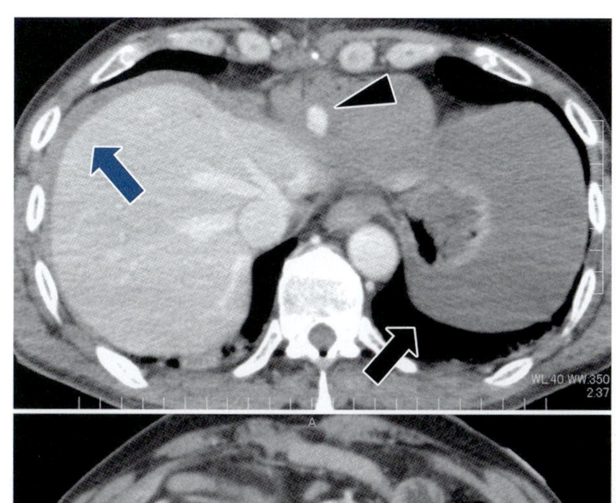

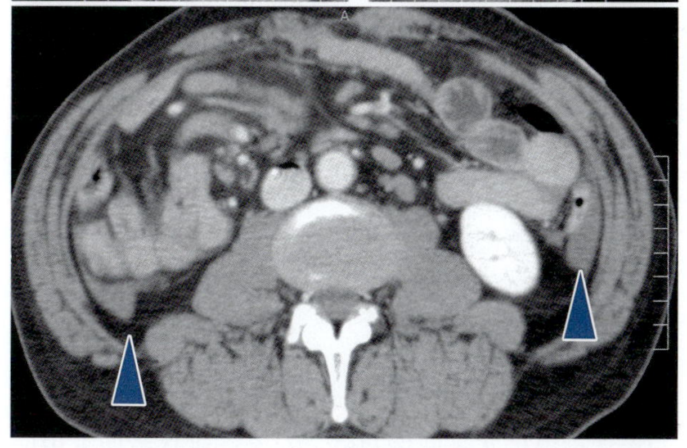

図3-2-6　腹腔内出血の描出
advanced FACTでは，腹部臓器を迅速に観察する際に，横隔膜下の肝周囲血腫（➡）や脾周囲の血腫（➡），両傍結腸溝の血腫（▶）を確認する。上図には心嚢血腫の血管外漏出像も確認できる（▶）

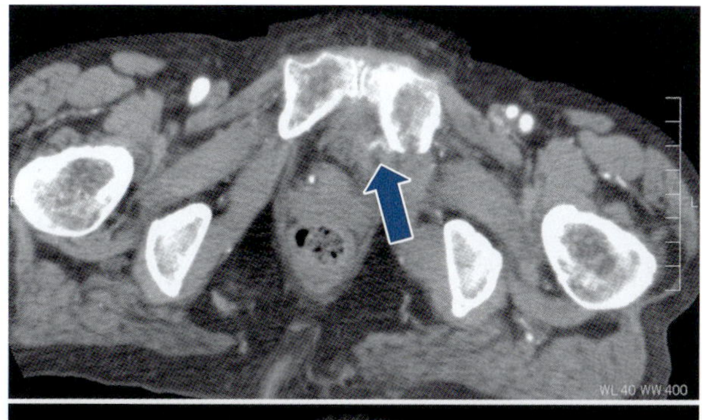

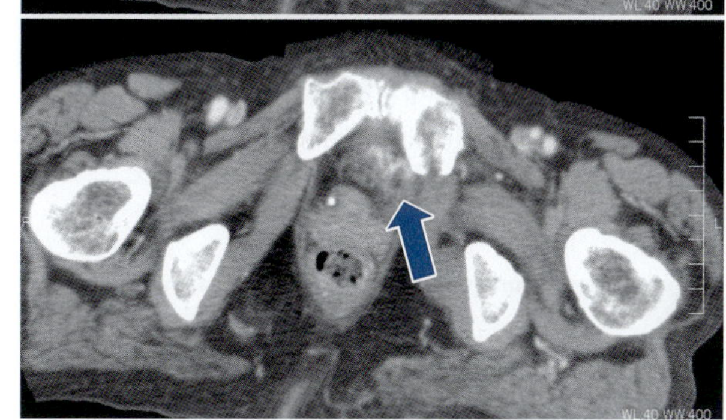

図3-2-7　骨盤骨折における血管外漏出像
骨盤骨折に伴い血管外漏出像（➡）が確認でき，動脈優位相（上図）から実質相（下図）にかけて，広がっているのが確認できる

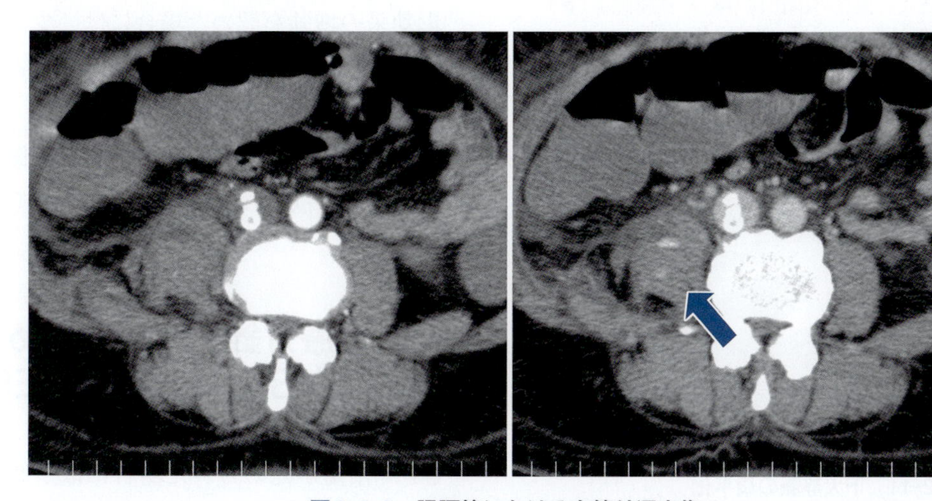

図3-2-8　腸腰筋における血管外漏出像
成人の腸腰筋は比較的密な組織であり，血液凝固障害がなければ自然止血も期待できる。このような組織に動脈優位相（左図）から実質相（右図）にかけて血管外漏出像（➡）がみられる場合は，血液凝固障害の可能性を考慮する

2）読影の第2段階の実際

第2段階では，さらに細かく損傷を評価していくが，FACTの結果が陽性であっても陰性であっても，この段階が完了するまでは，緊急の治療対象となる損傷の評価は完了していないと考えるべきである。したがって，可能なかぎり早い段階で読影の第2段階を行うべきである。読影の過程では，重要所見の有無は速やかにチーム全員で共有するようにし，救急医，外科系医師，IVR医，看護師，診療放射線技師など診療にかかわるすべての者がそれぞれの役割のなかで次の行動に向けて動き出す。

読影の第2段階では，FACT陽性であった部位を

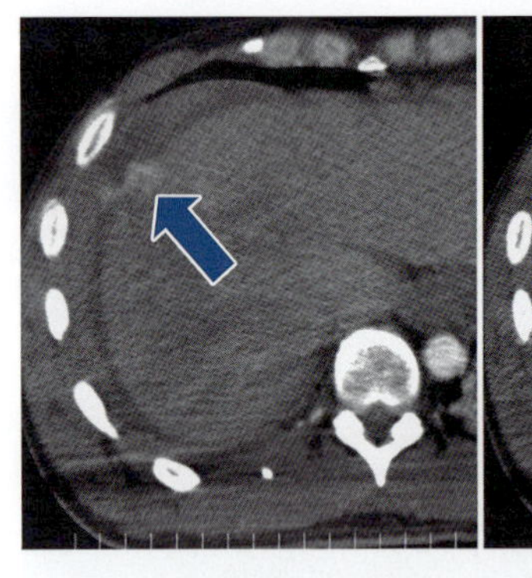
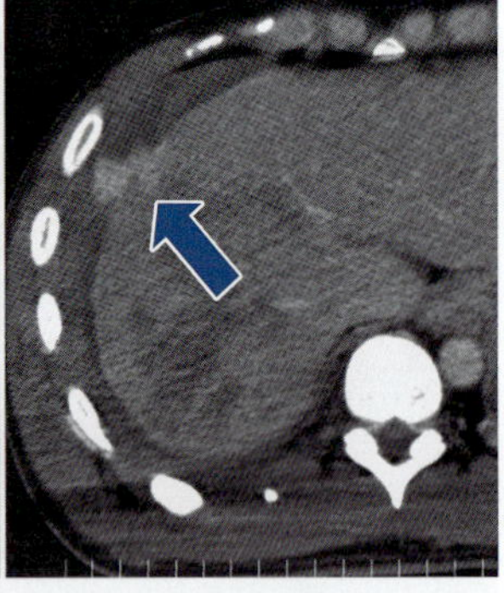

図3-2-9　肝損傷における血管外漏出像
動脈優位相（左図）と実質相（右図）を比較することにより血管外漏出像が明瞭化する。被膜が破綻して遊離腹腔内へ出血が及んでおり，緊急性が高いと判断できる

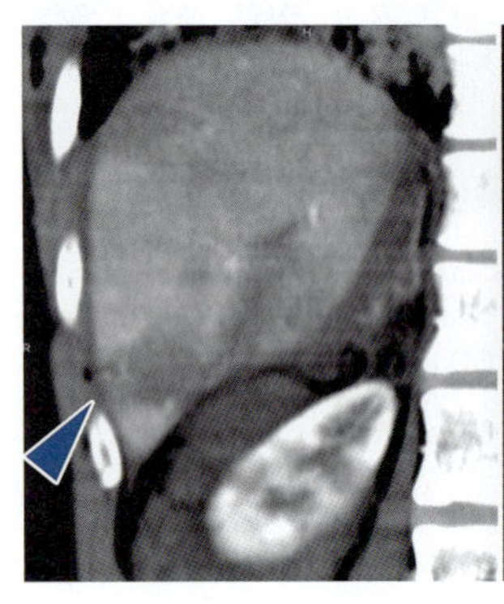
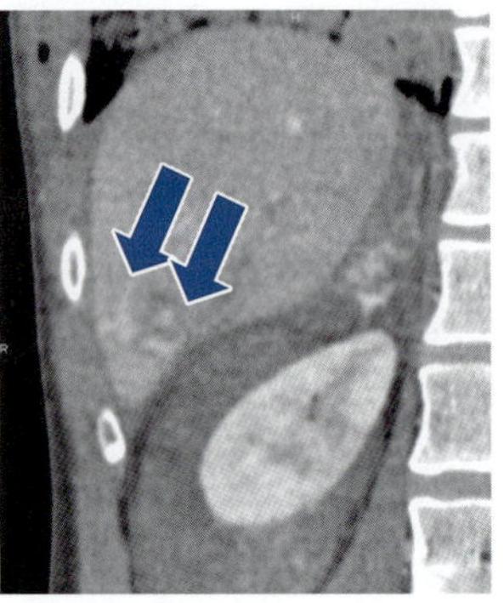

図3-2-10　冠状断での臓器損傷評価
動脈優位相（左図）とともに実質相（右図）も冠状断像を作成し比較することで，血管外漏出像（➡）や被膜破綻（▶）などが明瞭化する場合がある

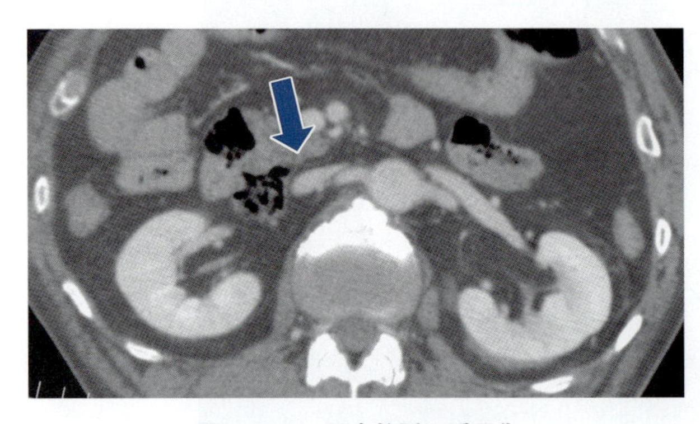

図3-2-11　下大静脈の扁平化
収縮期血圧が正常であっても循環血液量が少ないと下大静脈は扁平化する。その場合，その後に容易に血圧が低下するため緊急度が高いと判断する

中心に，活動性出血や緊急処置が必要となる損傷を検索していく。

(1) FACT陽性部位について，血管外漏出像や仮性動脈瘤がないか読影する。

(2) FACT陽性部位以外で損傷を検索する場合には，受傷機転を意識して，損傷があると予測される部位を評価する（図3-2-12）。挫傷，血腫，骨折などがあれば，その部位の血管外漏出を評価する。

(3) 受傷機転を意識して全身を検索する一方，それとは関係なく全身の受傷部位を頭の先から骨盤部まで検索していくことも必要である。撮像範囲内において，脂肪織濃度や筋肉の形状と濃度の左右差をみながら，皮下の挫傷，血腫，骨折を探し，受傷部位直下の損傷がないかを評価する。また，このようにして認められた損傷所見から受傷機転を想定し，想定された受傷機転からさらに生じ得る他の損傷を探しにいくことが肝要である。

(4) 全脊椎のアライメントと損傷を評価する。骨条件の矢状断像がもっとも有用であるが，骨傷が認められた場合には，その周囲の血管外漏出に注意する。

(5) 腸管全層性損傷に伴う腸管外ガス像を検索する。腸管損傷は水平断像だけでなく，冠状断像も用いて行う。これは，腸管の連続性や腸間膜内にとどまった腸管外ガスを評価するためである。また腸管損傷の評価を初回のCTのみで完了することは容易ではなく[42]，腸管壁の浮腫性変化や肥厚，造影効果の増強を認めた場合には，少なくともその可能性を疑って経過観察を行う（腸管損傷の除外は終わっていないと考える）。

(6) これ以外にも緊急処置が必要な損傷やカテーテル類の留置位置の確認と合併症の有無を評価する。

Ⅲ　治療方針を考えるための基本８項目（ABCDEFGS）

CTで損傷が認められた場合には，個々の損傷と全身状態の緊急度と重症度を評価して治療方針を立てることになる。画像情報を含めた検討項目を整理しておくと，漏らさずに検討できる。以下に基本となる8項目を「ABCDEFGS」としてまとめた（表3-2-5）[43]。画像所見のみならず，下記項目を考えて総合的に判断し，治療方針を決定する。

(1) A（Age）年齢

高齢者は若年者に比して耐久性，治療反応性ともに低い傾向がある。また，若年者に比して組織間の密着性が緩く筋肉内や後腹膜など若年者では出血の

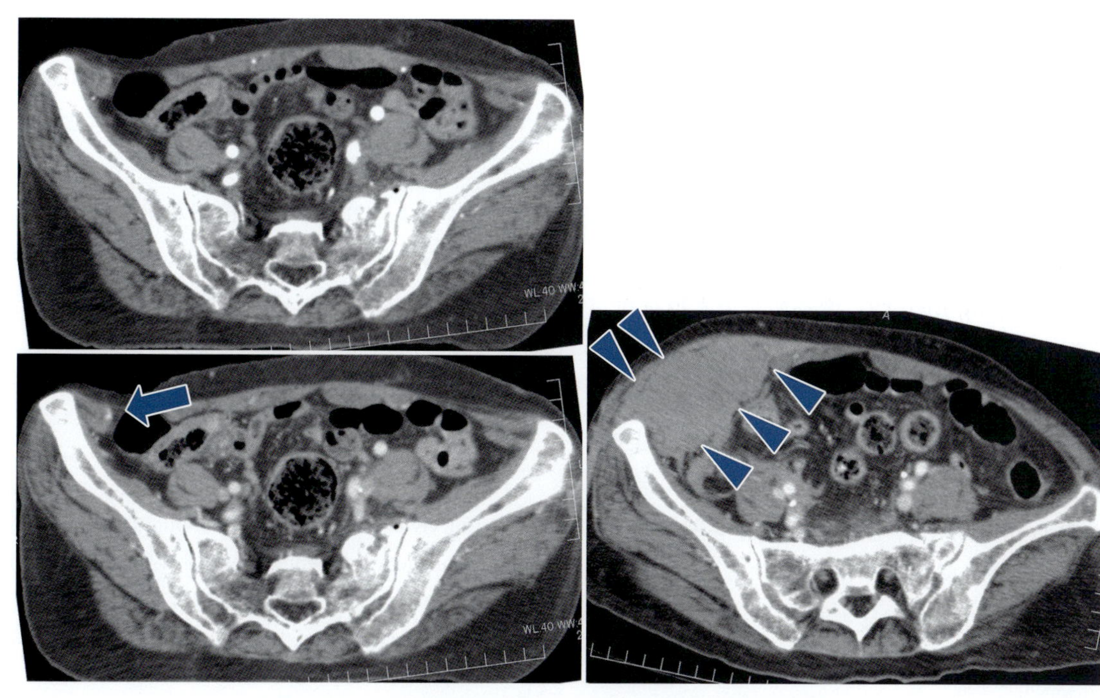

図3-2-12　受傷機転を考慮した第２段階の読影の重要性
シートベルト損傷により脾損傷・左腎損傷があり，FACT陽性でTAE後，右下腹部に血腫の出現あり。初回のCT検査では動脈優位相（左上図）では異常所見は認めないものの，実質相（左下図）ではわずかな血管外漏出像を認める（➡）。これが血液凝固障害を合併していたことにより，著明に増大している（▶）。受傷機転を考慮して読影すれば，初回の時点で損傷を想起できる

表3-2-5　治療方針を考えるための８項目

A	Age	年齢
B	number of Bleeding / Bleeding space / speed of Bleeding	活動性出血の数と出血部位，出血速度
C	Coagulopathy associated with trauma	外傷由来の血液凝固障害
D	Drug and history	薬物服用歴と既往歴
E	Event to study time	受傷から検査または診察までの時間
F	Form of organ injury	損傷形態，被膜損傷の有無
G	Grade of energy / Glasgow Coma Scale	受傷エネルギーと意識レベル
S	Shock and vital signs	ショックの有無と生理学的徴候の推移

〔文献43）より引用・改変〕

広がりが抑えられるような空間であっても，容易に出血が広がる。診療早期には活動性が高くないと思われた出血が結果としてショックの原因となり得るため，早期の止血術介入が必要となることがある。

(2) B（number of Bleeding/Bleeding space/speed of Bleeding）**活動性出血の数と出血部位，出血速度**

CTで，活動性出血が単発か，複数か，どのような空間（free space，loose space，tight space）に出血しているかを評価することができ，これは緊急度と治療優先順位，介入方法を決めるうえできわめて重要な項目である。また，CTによる2相撮影では，損傷血管がどのような血管であるのか（速い流れの動脈性，緩い流れの静脈・門脈性），出血量はどの程度（多，中，少）なのかを知ることができ，撮影時点での出血のスピード（speed of Bleeding）もとらえることができる。

例えば腸腰筋や椎体などの筋肉は，穿通枝のような小さな血管からの血液供給しか受けておらず，凝固能が保たれていれば本来自然止血されているはずである。しかし，こうした部位にCT上明らかな血管外漏出像が認められる場合には，血液凝固障害の存在が示唆される。

(3) C（Coagulopathy associated with trauma）外傷由来の血液凝固障害

外傷で生じる凝固障害を早期にとらえる[44)45)]ことは，機能的止血を開始するうえで重要であり，適切な止血方法を選択しなければならない（「外傷後の凝固線溶管理」，p.455参照）。

(4) D（Drug and history）薬物服用歴と既往歴

服用薬物や既往歴で凝固障害をきたすもの（抗凝固薬，抗血小板薬，肝硬変，心大血管手術後，血友病，血液疾患など）があれば，早期の積極的な止血術介入を考慮する。

(5) E（Event to study time）受傷から検査または診察までの時間

患者の状態や，血液凝固検査所見，および画像所見が，想定される受傷時間からどれだけ経っているものなのかを意識することは，治療方針を決定するうえで重要である。例えば，比較的少量の腹腔内出血がCTで認められた場合，それが受傷30分後の所見であるのと90分後の所見であるのとでは，同じ量の出血であっても緊急度は異なる。また，血腫の大きさから，経過した時間と血腫量から各部における損傷の緊急度を把握することができる。

(6) F（Form of organ injury）損傷形態，被膜損傷の有無

損傷形態からも今後の出血量を予測して緊急度を評価しなければならない。血管損傷の形態が血管外漏出像なのか仮性動脈瘤なのかでは治療方針が異なることがあり得る。臓器損傷であれば被膜断裂を伴っているか否かを判定することも，今後の出血量を予測するうえで重要である。例えば肝損傷において被膜断裂のある損傷部からの血管外漏出と被膜断裂のない肝実質内からの血管外漏出とでは，緊急度は大きく異なる。

(7) G（Grade of energy/Glasgow Coma Scale）受傷エネルギーと意識レベル

高リスク受傷機転では，直達外力が加わった部位だけでなく介達外力が加わった部位も含め，損傷が広範囲に及ぶ可能性が高い。多部位に損傷が生じる場合や重症頭部外傷では，組織挫滅などに由来する血液凝固障害の発生率も高くなると考えられる。

(8) S（Shock and vital signs）ショックの有無と生理学的徴候の推移

出血性ショックの存在は循環血液量減少を示唆し，さらに血液凝固障害の関与も示唆されるため，一見循環動態が安定していても経過中にショックに陥ったかどうかを知ることは重要である。

以上のようにABCDEFGSのうち，CT画像から直接得られる所見はBやFだけであるが，治療方針はABCDEFGSすべての項目を考慮したうえで決定すべきである。

文献

1) Wada D, Nakamori Y, Yamakawa K, et al：Impact on survival of whole-body computed tomography before emergency bleeding control in patients with severe blunt trauma. Crit Care 2013；27：17：R178.
2) Huber-Wagner S, Lefering R, Qvick LM, et al：Effect of whole-body CT during trauma resuscitation on survival：A retrospective, multicentre study. Lancet 2009；373：1455-1461.
3) Tillou A, Gupta M, Baraff LJ, et al：Is the use of pan-computed tomography for blunt trauma justified? A prospective evaluation. J Trauma 2009；67：779-787.
4) Wurmb TE, Frühwald P, Hopfner W, et al：Whole-body multislice computed tomography as the first line diagnostic tool in patients with multiple injuries：The focus on time. J Trauma 2009；66：658-665.
5) Wurmb TE, Quaisser C, Balling H, et al：Whole-body multislice computed tomography（MSCT）improves trauma care in patients requiring surgery after multiple trauma. Emerg Med J 2011；28：300-304.
6) Shannon L, Peachey T, Skipper N, et al：Comparison of clinically suspected injuries with injuries detected at whole-body CT in suspected multi-trauma victims. Clin Radiol 2015；70：1205-1211.
7) The Royal College of Radiologists：Standards of Practice and Guidance for Trauma Radiology in Severely Injured Patients. 2nd ed, The Royal College of Radiologists, London, 2015.
8) American College of Surgeons Trauma Quality Improvement Program：Best Practices guidelines in imaging, American College of Surgeons, Chicago, 2018.
9) Wirth S, Hebebrand J, Basilico R, et al：European Society of Emergency Radiology：Guideline on radiological polytrauma imaging and service. Insight Imaging 2020；11：135.
10) Swedish Guidelines for whole-body CT for trauma, 2020
https://assets.ctfassets.net/ikrr9ebmfi75/2PtUD6PER7tBuUe4y84cFg/c64a591aeaf4cb31044f85fccae4d455/

Swedish_Guidelines_for_WBCT-T_-_final_version_1.0_March_23_2020.pdf（Accessed 2022-2-23）

11） Berrington de González A, Darby S：Risk of cancer from diagnostic X-rays：Estimates for the UK and 14 other countries. Lancet 2004；363：345-351.

12） Alagic Z, Eriksson A, Drageryd E, et al：A new low-dose multi-phase trauma CT protocol and its impact on diagnostic assessment and radiation dose in multi-trauma patients. Emerg Radiol 2017；24：509-518.

13） Muhm M, Danko T, Henzler T, et al：Pediatric trauma care with computed tomography：Criteria for CT scanning. Emerg Radiol 2015；22：613-621.

14） Sierink JC, Saltzherr TP, Wirtz MR, et al：Radiation exposure before and after the introduction of a dedicated total-body CT protocol in multitrauma patients. Emerg Radiol 2013；20：507-512.

15） Mathews JD, Forsythe AV, Brady Z, et al：Cancer risk in 680,000 people exposed to computed tomography scans in childhood or adolescence：Data linkage study of 11 million Australians. BMJ 2013；346：f2360.

16） Treskes K, Saltzherr TP, Luitse JSK, Beenen LFM, Goslings JC：Indications for total-body computed tomography in blunt trauma patients：A systematic review. Eur J Trauma Emerg Surg 2017；43：35-42.

17） Mistral T, Brenckmann V, Sanders L, et al：Clinical judgment is not reliable for reducing whole-body computed tomography scanning after isolated high-energy blunt trauma. Anesthesiology. 2017；126：1116-1124.

18） Kimura A, Tanaka N：Whole-body computed tomography is associated with decreased mortality in blunt trauma patients with moderate-to-severe consciousness disturbance：A multicenter, retrospective study. J Trauma Acute Care Surg 2013；75：202-206.

19） Davies RM, Scrimshire AB, Sweetman L, et al：A decision tool for whole-body CT in major trauma that safely reduces unnecessary scanning and associated radiation risks：An initial exploratory analysis. Injury 2016；47：43-49.

20） Dinh MM, Hsiao KH, Bein KJ, et al：Use of computed tomography in the setting of a tiered trauma team activation system in Australia. Emerg Radiol 2013；20：393-400.

21） Hsiao KH, Dinh MM, McNamara KP, et al：Whole-body computed tomography in the initial assessment of trauma patients：Is there optimal criteria for patient selection? Emerg Med Australas 2013；25：182-191.

22） Huber-Wagner S, Mand C, Ruchholtz S, et al：Effect of the localisation of the CT scanner during trauma resuscitation on survival：A retrospective, multicentre study. Injury 2014；45：S76-S82.

23） Wada D, Nakamori Y, Yamakawa K, et al：First clinical experience with IVR-CT system in the emergency room：Positive impact on trauma workflow. Scand J Trauma Resusc Emerg Med；2012：20-52.

24） Surendran A, Mori A, Varma DK, et al：Systematic review of the benefits and harms of whole-body computed tomography in the early management of multitrauma patients：Are we getting the whole picture? J Trauma Acute Care Surg 2014；76：1122-1130.

25） Huber-Wagner S, Biberthaler P, Häberle S, et al：Whole-body CT in haemodynamically unstable severely injured patients：A retrospective, multicentre study. PLoS One 2013；8：e68880.

26） Sierink JC, Treskes K, Edwards MJ, et al：Immediate total-body CT scanning versus conventional imaging and selective CT scanning in patients with severe trauma（REACT-2）：A randomised controlled trial. Lancet 388：673-683.

27） Kinoshita T, Yamakawa K, Matsuda H, et al：The survival benefit of a novel trauma workflow that includes immediate whole-body computed tomography, surgery, and interventional radiology, all in one trauma resuscitation room：A retrospective historical control study. Ann Surg 2019；269：370-376.

28） Karlo C, Gnannt R, Frauenfelder T, et al：Whole-body CT in polytrauma patients：Effect of arm positioning on thoracic and abdominal image quality. Emerg Radiol 2011；18： 285-293.

29） Kahn J, Grupp U, Maurer M：How does arm positioning of polytraumatized patients in the initial computed tomography（CT）affect image quality and diagnostic accuracy? Eur J Radiol 2014；83：e67-e71.

30） Kahn J, Kaul D, Böning G, et al：Quality and dose optimized CT trauma protocol-recommendation from a university level-I trauma center. Rofo 2017；189：844-854.

31） Reske SU, Braunschweig R, Reske AW, et al：Whole-body CT in multiple trauma patients：Clinically adapted usage of differently weighted CT protocols. Rofo 2018；190：1141-1151.

32） Meltzer JA, Stone ME Jr, Reddy SH, et al：Association of whole-body computed tomography with mortality risk in children with blunt trauma. JAMA Pediatr 2018；172：542-549.

33） Risk of ionizing radiation exposure to children：A subject review. American Academy of Pediatrics. Committee on Environmental Health. Pediatrics 1998；101：717-719.

34） Esposito AA, Zilocchi M, Fasani P, et al：The value of

precontrast thoraco-abdominopelvic CT in polytrauma patients. Eur J Radiol 2015；84：1212-1218.
35) Naulet P, Wassel J, Gervaise A, et al：Evaluation of the value of abdominopelvic acquisition without contrast injection when performing a whole body CT scan in a patient who may have multiple trauma. Diagn Interv Imaging 2013；94：410-417.
36) Hamilton JD, Kumaravel M, Censullo ML, et al：Multidetector CT evaluation of active extravasation in blunt abdominal and pelvic trauma patients. Radiographics 2008；28：1603-1616.
37) Beenen LF, Sierink JC, Kolkman S, et al：Split bolus technique in polytrauma：A prospective study on scan protocols for trauma analysis. Acta Radiol 2015；56：873-880.
38) 日本外傷学会・日本救急医学会監, 日本外傷学会外傷初期診療ガイドライン改訂第6版編集委員会編：外傷初期診療ガイドライン JATEC, 改訂第6版, へるす出版, 東京, 2021.
39) Matsumoto S, Sekine K, Yamazaki M, et al：Predictive value of a flat inferior vena cava on initial computed tomography for hemodynamic deterioration in patients with blunt torso trauma. J Trauma 2010；69：1398-1402.
40) Liao YY, Lin HJ, Lu YH, et al：Does CT evidence of a flat inferior vena cava indicate hypovolemia in blunt trauma patients with solid organ injuries? J Trauma 2011；70：1358-1361.
41) Milia DJ, Dua A, Paul JS, et al：Clinical utility of flat inferior vena cava by axial tomography in severely injured elderly patients. J Trauma Acute Care Surg 2013；75：1002-1005；discussion 1005.
42) Magu S, Agarwal S, Gill RS：Multi detector computed tomography in the diagnosis of bowel injury. Indian J Surg 2012；74：445-450.
43) 一ノ瀬嘉明, 松本純一, 船曳知弘, 他：時間を意識した外傷CT診断；Focused Assessment with CT for Trauma（FACT）からはじめる3段階読影. 日外傷会誌 2014；28：21-31.
44) Gando S, Sawamura A, Hayakawa M：Trauma, shock, and disseminated intravascular coagulation：Lessons from the classical literature. Ann Surg 2011；254：10-19.
45) Brohi K, Singh J, Heron M, et al：Acute traumatic coagulopathy. J Trauma 2003；54：1127-1130.

3　損傷部位別の治療戦略と戦術

A　頭部外傷

要　約

1. 頭蓋内病変の診断後は，①治療戦略，②手術戦術を決定し，③二次性脳損傷の回避や軽減のためのICU管理，④合併する他部位損傷との総合的評価を行う。
2. 頭部外傷は血液凝固障害や肺障害など，全身にも影響を与える。加えて全身状態の悪化も頭部外傷の二次性脳損傷悪化を惹起するため，全身管理が重要である。
3. 頭部外傷急性期における手術の主たる目的は，①止血，②感染予防，③頭蓋内圧亢進の予防（減圧），④二次性脳損傷の抑制である。神経所見，画像診断とバイタルサインに基づいて適応と術式を決定する。

はじめに

わが国の重症頭部外傷の診療指針として，日本脳神経外科学会・日本脳神経外傷学会の監修による『頭部外傷治療・管理のガイドライン』（第4版）[1]やBrain Trauma Foundationの「Guidelines for the Management of Severe Traumatic Brain Injury」（第4版，以下BTFガイドライン）[2]があり，JETECにおける頭部外傷に対する戦略は，これらに十分留意し作成されたものである。

I　初期診療

重症頭部外傷の約30％が来院時に低酸素・低血圧を合併する[3]。また，低酸素や低血圧のエピソードは頭部外傷の転帰不良因子となる[4]。頭部外傷に目を奪われ，呼吸や循環の評価がおろそかになる傾向があることから，気道確保および酸素化，循環の安定化を優先した治療方針が強調されている。外傷後の低酸素血症や低血圧などにより生じる二次性脳損傷は，適切な判断・処置・治療により予防・軽減が可能であり，これが頭部外傷初期診療の最大の目的となる[5)6)]。

1. 病院前救護と医療

外傷病院前救護ガイドラインであるJPTECでは，頭部外傷による二次性脳損傷の防止に努め，生命維持に必須の処置を施行し，緊急度・重症度に基づいた適切な医療機関への迅速な搬送を行うよう推奨している[7]。病院搬送前の現場や搬送中，傷病者の安定化のために，①気道確保と換気，②低酸素の是正，③低血圧の是正，④頸椎保護，などが行われる。ドクターヘリやドクターカーにより病院到着前から医師が医療を開始した場合は，病院到着前の医師の介入による影響を考慮して状態観察を始めなくてはならない。とくに挿管時に使用された薬剤により意識レベルの評価が不能となることもあるため，病院前医療を実施した医師から，現場での情報を聴取しておくことはきわめて重要である。

2. primary surveyと蘇生

1）気道確保

鎮静薬・筋弛緩薬は，神経所見を経時的に観察できるように短時間作用発現型の薬剤を選択する。鎮静薬により低血圧をきたす危険もあり慎重に使用する。出血などによる循環血液量減少時に頭蓋内圧（intracranial pressure；ICP）亢進による血圧上昇

(Cushing現象）で代償されている場合はとくに危険性が高い。一方，不十分な鎮静下での気管挿管は，ICP亢進を誘発するため十分注意する。

2）呼吸管理

自発呼吸による酸素化と換気について評価を行う。原則として生命の危険がないと判断されるまでは，高濃度酸素（リザーバ付き酸素マスク10～15L/分）を投与する。初期診療における呼吸管理では，表3-3-A-1を目標とする[1]。

重症頭部外傷に対する過換気療法は，頭蓋内圧を低下させる一方で，脳血流量の減少を引き起こし，脳虚血を助長する[8)9)]ため過度な過換気は避けるべきである。

BTFガイドラインのなかでも，$PaCO_2$が25mmHg以下となるような，予防的かつ長期間の過換気は推奨されない。また緊急避難的に過換気を行う場合も，頸静脈酸素飽和度（SjO_2）などの脳酸素モニタリングを併用しつつ行うことが推奨されている[2]。

3）循環管理

迅速な止血によりショックを予防し，またショックとなった場合には可能なかぎり早期に対応する。他部位の損傷によるショックに対して急速輸液負荷が必要となった場合，脳血流の回復に伴う脳血管床の急激な拡張によりICP亢進をきたすことがあるため，輸液中の神経所見の変化に注意する。頭蓋底骨折に伴う静脈洞損傷や内頸動脈損傷による大量鼻出血，また乳幼児や高齢者では頭皮からの出血のみでショックに陥ることもある[10]。

4）「切迫するD」の認識と対応

「切迫するD」とは，①GCS合計点8以下，②GCS合計点が経過中に2以上低下，③脳ヘルニア徴候（瞳孔不同，片麻痺，Cushing現象）を呈する意識障害のいずれかを認める場合である。“Talk and deteriorate”のように会話をしていた患者が短時間のうちに急変し，「切迫するD」の状態となることもある。このため，患者の神経所見を繰り返し評価しながら病態の増悪を見落とすことがないよう努める。“Talk and deteriorate”は高齢者に多くみられ[11]，毛細血管構造の脆弱性や凝固線溶系の破綻から，出血性病変が拡大し，臨床症状の急激な増悪を認める。とくに抗凝固薬や抗血小板薬を内服している場合に危険が大きい[1]。

表3-3-A-1　初期診療における呼吸管理の目標

1. 経皮的酸素飽和度（SpO_2）＞95％
2. 動脈血酸素分圧（PaO_2）＞90mmHg
3. 動脈血二酸化炭素分圧（$PaCO_2$）または呼気終末二酸化炭素分圧（$EtCO_2$） ICP亢進時：30～35mmHg ICP正常時：35～45mmHg

5）体温管理

高体温は脳損傷に悪影響を及ぼすため，平温を維持する。一方，偶発性低体温を合併した単独頭部外傷患者に対しては，急速な復温を行うことによりICP亢進を誘発するおそれがあるため注意が必要である[12]。

6）ショックと「切迫するD」の合併

primary surveyでは，患者が「切迫するD」を呈していても，呼吸・循環の安定化を優先する。原則として初期輸液で循環動態の改善が得られない患者は，頭部CTを撮影する前に直ちに止血術を行う。

「切迫するD」を呈していて，初期輸液で一時的に循環動態を維持できる患者には頭部CTを撮影後，止血のための手術と頭部外傷に対する同時手術を直ちに行うことができるが，外傷診療の経験を積んだ外科医と脳神経外科医の相談による総合的な判断が必要となる[6]。ただし，CT撮影が移動も含めて短時間での終了が可能で，かつ十分な監視と蘇生努力の下で実施可能であることが必要条件である。

3. secondary survey

1）画像検査

頭部外傷の初期診療において頭部CTは第一選択の検査である。「切迫するD」の場合，遅滞なく緊急CTが実施できるように画像診断部門との調整を行っておく。また，頭部CT撮影中の急変に対応できるように緊急処置が可能な環境整備をしておく。

多発外傷例で大量のくも膜下出血や頭蓋底骨折に伴う静脈洞損傷などの外傷性頭頸部血管損傷が疑われる場合，まず頭部単純CTを行い，次いで全身の造影CTを撮影した後，再度頭部CTを行うことで

表3-3-A-2　CTAの適応

・CT上の局所性またはびまん性の厚いくも膜下出血
・CT上の新たな出血・脳梗塞
・頭蓋底骨折（鼻腔・外耳からの出血）
・頸部損傷（頸椎骨折，頸部過伸展・過回旋など）
・遅発性の新たな神経症状
・外傷性脳損傷だけからは説明困難な神経症状

表3-3-A-3　米国Traumatic Coma Data BankのCT分類

びまん性損傷Ⅰ	CTでは描出することができる頭蓋骨病変を認めないもの
びまん性損傷Ⅱ	脳幹周囲脳槽が描出され，5mm以上の正中構造偏位がなく，25mlを超える高吸収域または高・低吸収域が混在する病変を認めないもの（骨片や異物は存在してもよい）
びまん性損傷Ⅲ	脳幹周囲の脳槽は圧迫されるか消失しているが，5mm以上の正中構造偏位がなく，25mlを超える高吸収域または高・低吸収域が混在する病変を認めないもの
びまん性損傷Ⅳ（偏位）	5mm以上の正中構造偏位を認めるが，25mlを超える高吸収域または高・低吸収域が混在する病変を認めないもの
手術された占拠性病変	手術で除去された病変
手術されなかった占拠性病変	25mlを超える高吸収域または高・低吸収域が混在する病変で，手術未施行のもの

〔文献15）より引用・改変〕

造影効果を利用した血管損傷の評価が可能となる。

頭部外傷の急性期から亜急性期にかけて，MRIによる拡散強調画像，T2*強調画像，磁化率強調画像，T2強調画像またはFLAIR画像を組み合わせることにより，CTに比べてより多くの外傷性病変を可視化することができる。とくにびまん性軸索損傷（diffuse axonal injury；DAI）では病変の検出に優れる。ただし，これが受傷後急性期の治療方針に大きく影響することは少なく，むしろMRIの撮像時間の長さや簡便性の低さを考慮すると，急性期においては頭部外傷が疑われる場合でも初期評価でMRIを用いるべきではない[13]。

一方，3D-CTアンギオグラフィ（CTA）は外傷初期診療の段階から，脳血管損傷の評価が簡便に可能である。具体的なCTAの適応を表3-3-A-2に示す。とくに穿通性頭部外傷で既知の血管分布領域に虚血が及んでいる場合や，遅発性の脳内出血をきたした場合は，直接の血管損傷や偽性動脈瘤の検索のため脳血管の評価が必要である[5]。CTA検査は穿通性脳損傷における血管損傷の診断において，感度，特異度，陽性・陰性適中率が低く，デジタルサブトラクション血管造影法（digital subtraction angiography；DSA）はCTAより優れていることが示唆された[14]。CTAでは不明瞭であるが疑わしい場合に，DSAを施行すべきである。DSAは，頸部から頭蓋内までの血管の評価が可能なだけでなく，場合により血管内治療にも移行できるメリットもある。

2）頭部外傷の分類

CT分類としてMarshallらのTCDB（Traumatic Coma Data Bank）分類が国際的に用いられている（表3-3-A-3）[15]。TCDB分類は転帰との相関があり，日本外傷学会・日本脳神経外傷学会合同による頭部外傷分類は，TCDB分類を基本とし，さらに生理学的因子を加えた臨床的分類となっており，治療適応の判断に用いられる（表3-3-A-4）[16]。

CT所見での重症化をスコア化したRotterdam分類が中等症から重症頭部外傷において広く使用される（表3-3-A-5）。TCDB分類にRotterdam分類を追加することで，さらに転帰予測精度が増すと報告されている[17]。

Ⅱ 重症頭部外傷が全身に与える影響

1. 凝固線溶系異常

頭部外傷後の凝固障害が幅広く報告され，外傷性脳損傷（traumatic brain injury；TBI）後の凝固障害が転帰に関連している[18]。脳組織には組織トロンボプラスチンが含まれており，脳実質への損傷後そ

表3-3-A-4　頭部外傷分類

(1)　本分類は，頭部外傷の救急患者が来院した場合にその初療を担当する外傷医や救急医などの医師が脳神経外科医と共同で治療する際の共通言語として使用する分類である
(2)　本分類は原則としてGennarelliらの分類を基礎として，臨床症候と急性期CTなどの画像所見を中心に作成したものである。したがって，本分類を使用するにあたっては必要最低限の神経学的所見の把握と画像は必須である
(3)　一般的に軽症は観察入院，中等症は入院して厳重な管理のもとに経過観察，もしくは予防的に外科的処置や頭蓋内圧モニターを考慮する状態とする。重症は外科的処置や頭蓋内圧モニターなど集中治療を行うことを前提とする状態である
(4)　神経学的所見は経時的に変化するため，継続的な評価が重要である。すなわち，軽症，中等症，および重症の評価は変更される可能性があり，来院時の分類が絶対的なものではない
(5)　重症と判断された場合には，その対応や治療などに関して速やかに脳神経外科医に相談することを原則とする
(6)　本分類でいう局所性脳損傷は，頭蓋の特定の部位に作用した外力が神経学的症候の根拠となっている場合で，画像上は脳挫傷，急性硬膜外血腫，急性硬膜下血腫，あるいは脳内血腫が存在する。一方，びまん性脳損傷は主として回転外力や加速度による一次性脳損傷，二次性脳損傷が神経学的症候の根拠となっている場合で，画像上はびまん性脳損傷（狭義），くも膜下出血，あるいはびまん性脳腫脹がある。びまん性脳損傷（狭義）は主として一次性脳損傷による

a：頭蓋骨の損傷

		軽症	中等症	重症
円蓋部骨折	線状骨折	(1)(2)を同時に満たす (1)　骨折線が血管溝と交差しない (2)　静脈洞部を越えない	(1)(2)のいずれかを満たす (1)　骨折線が血管溝と交差する (2)　静脈洞部を越える	
	陥没骨折	(1)(2)を同時に満たす (1)　1cm以下の陥没 (2)　非開放性	(1)(2)を同時に満たす (1)　1cm以下の陥没 (2)　陥没部が外界と交通しているもの（髄液の漏出はない）	(1)〜(3)のいずれかを満たす (1)　1cmを超える陥没 (2)　開放性（髄液の漏出を認める） (3)　静脈洞圧迫に起因する静脈還流障害
頭蓋底骨折			頭蓋底骨折（髄液漏の有無を問わない）	頭蓋底骨折（大量の耳出血，あるいは鼻出血を伴う）

【付記】
1)　穿通性外傷は銃弾，刃物，ガラス片，ネイルガンなどのほかに，傘，針，箸などの日常生活用品によって生じるため原則として全例が手術適応となるが（重症と判断），脳損傷が広範に及ぶ銃創は適応にならないことが多い（『頭部外傷治療・管理のガイドライン』第4版より）
2)　大量の耳出血，鼻出血は血管損傷を伴った頭蓋底骨折の可能性があるので重症と判断する

b：局所性脳損傷

	軽症	中等症	重症
脳挫傷 急性硬膜外血腫 急性硬膜下血腫 脳内血腫	(1)〜(3)を同時に満たす (1)　GCS合計点14，15 (2)　脳ヘルニア徴候なし (3)　mass effectなし	(1)〜(3)を同時に満たす (1)　GCS合計点9〜13 (2)　脳ヘルニア徴候なし (3)　mass effectなし	(1)〜(3)のいずれかを満たす (1)　GCS合計点3〜8 (2)　脳ヘルニア徴候あり (3)　mass effectあり

●脳ヘルニア徴候とはテント切痕ヘルニアの有無で判断し，意識障害を伴う瞳孔不同，片麻痺，Cushing徴候のいずれかが出現した場合をいう（「切迫するD」）
●mass effectは頭部CT（モンロー孔レベルのスライス）で正中線構造の偏位が5mm以上，もしくは脳底槽が圧排，消失している所見をいう。脳底槽は中脳レベルのスライスにおける左右の迂回槽，四丘体槽の描出度で評価する
●画像上で手術を考慮してもよいCT所見の目安は以下のごとくである（『頭部外傷治療・管理のガイドライン』第4版より）
　急性硬膜外血腫　：厚さが1〜2cm以上の血腫，または20〜30ml以上の血腫（後頭蓋窩で15〜20ml以上），合併血腫の存在
　急性硬膜下血腫　：厚さが1cm以上，意識障害を呈し正中偏位が5mm以上，明らかなmass effectがある
　脳内血腫，脳挫傷：①血腫や挫傷性浮腫によりmass effectを呈する症例のうち，神経症状が進行性に悪化する症例，保存的治療ではICP亢進がコントロール不良の症例
　②後頭蓋窩病変では第4脳室の変形・偏位・閉塞を認める症例，脳底槽の圧排・消失を認める症例，閉塞性水頭症を認める症例で神経症状が認められる症例

（つづく）

c：びまん性脳損傷

	軽症	中等症	重症
びまん性脳損傷（狭義）	意識消失はないが一過性の神経症候がある（軽症脳振盪）	受傷直後より意識を消失するが，6時間以内に回復する。意識回復後は一過性の神経症候があることがある（古典的脳振盪）	受傷直後からの意識消失が6時間以上遷延する（脳幹徴候を示す場合は最重症）
くも膜下出血	脳表のみにわずかに存在	脳底槽の一部に存在	脳底槽全体に存在
びまん性脳腫脹	一次性の場合であって (1)(2)を同時に満たす (1) GCS合計点14，15 (2) 軽度の脳腫脹	一次性の場合であって (1)～(3)を同時に満たす (1) GCS合計点9～13 (2) 脳ヘルニア徴候なし (3) 脳腫脹はあるが，脳底槽は描出	一次性の場合であって (1)～(3)のいずれかを満たす (1) GCS合計点3～8 (2) 脳ヘルニア徴候あり (3) 脳底槽の圧排，消失 二次性脳損傷の場合

●意識消失
意識消失とはGCSでE1，かつV≦2，かつM≦5の状態をいう
●一過性神経症候
一過性の神経症候とは軽症では記銘力低下，指南力低下など，中等症ではこれに加えて会話困難，小脳失調などをいう。重症はdiffuse injury（Gennarelli）に相当する
●びまん性軸索損傷（狭義）
重症びまん性脳損傷（狭義）はdiffuse injury（Gennarelli）に相当する。なお，びまん性軸索損傷は病理学的診断名であるが，日常診療では重症のびまん性脳損傷（狭義）として用いられる
●びまん性脳腫脹
一次性は主として小児頭部外傷で認められ，比較的予後良好で脳充血を原因とする。一方，ショックや低酸素血症を原因とする二次性脳損傷で生じる場合は予後不良で重症と評価する
脳底槽は中脳レベルのスライスで左右の迂回槽，四丘体槽の描出で評価する

〔文献16)より引用・改変〕

表3-3-A-5 Rotterdamスコア

スコア	脳底槽	正中偏位	硬膜外病変	脳室内出血もしくは外傷性くも膜下出血の存在
0	正常	5mm以下	あり	なし
1	圧排	6mm以上	なし	あり
2	消失	—	—	—

6カ月後の死亡率はスコア1～6で以下のようになる
スコア1：0%，スコア2：7%，スコア3：16%，スコア4：26%，スコア5：53%，スコア6：61%

れが血流に入り，止血凝固反応を障害する。さらに，損傷を受けた脳血管内皮が血小板と凝固カスケードを活性化し，血管内血栓形成と凝固因子消費を引き起こしてDICへと進展する。頭部外傷患者のDダイマー値は受傷後3時間をピークとするが，重症脳損傷の患者ではDダイマー値の上昇が遷延することもある。とくに小児，高齢者，脳挫傷などの重症例に起こりやすい。Dダイマー値と生存率に相関を認めたとする報告があり，急性期の新鮮凍結血漿などを用いた凝固因子補充はきわめて重要である[19]。トラネキサム酸は血腫拡大を抑制する効果があると考えられており[20]，CRASH-3はトラネキサム酸が孤発性の外傷性脳損傷においても安全で，とくに重症例でない場合死亡リスクを低下させることが示された[21]。

凝固線溶系障害は頭部外傷受傷3時間後にもっとも強くなることがわかっており，凝固因子であるフィブリノゲンが消費・分解されて低値となり，線溶系亢進を反映してDダイマー値が高値となる。この時間帯に開頭術を施行すると，止血困難な状況に陥り予後が不良となることがあるため，十分量の輸血を準備するなど慎重な対応が必要である[18,22,23]。

2. 呼吸器系異常

頭部外傷は，呼吸器系や心血管系に影響を及ぼ

す。さらに腎，肝ばかりでなく，血液凝固や内分泌機能に影響し，炎症反応から全身性の免疫学的合併症を引き起こすという報告が増加している[24]。急性肺傷害（acute lung injury；ALI）は，頭部外傷患者の約20〜30％で認められ[25)26]，ALIが悪化すると神経学的予後をさらに悪化させ，死亡率は2倍以上になるといわれている。神経原性肺水腫（neurogenic pulmonary edema；NPE）がその要因と報告されている[27]。また，頭部外傷後のNPEの患者は臨床的にsilent myocardial dysfunctionを高頻度に起こしていると報告されており[27]，大量カテコラミンの放出や脳のある特定のトリガー部位の局所的な虚血が要因とも考えられている[24]。

NPEの病因は2つのメカニズムが考えられている[28]。1つは中枢神経系への外傷に対するアドレナリン反応によって二次性に肺血管が強力に収縮し，肺の静水圧が上昇し，肺血管の透過性が亢進し，発症するといったhemodynamic mechanismである。

もう1つは，頭部外傷によるneuroinflammatory response後の炎症メカニズムである。IL-1，IL-6，IL-8，IL-10，IL-12，TNF-α，TGF-βなどのサイトカイン濃度が変化し，頭部外傷単独でも全身性炎症反応を引き起こすことが報告されている[29]。結果的に肺末梢血管滲出が起こり，肺水腫が発症するといったメカニズムが考えられている。陽圧呼吸による調節で改善する例が多いが，一過性の低酸素の原因となるため注意が必要である[30]。

さらに，抗炎症性サイトカインによる免疫抑制やICPコントロールのための脳低温，バルビツレート療法なども影響し，頭部外傷患者に起こる肺炎はほかのICU患者の肺炎と比較して，3〜4日早期に発症する[31)〜34]。

二次性脳損傷は低酸素血症と低血圧で引き起こされる[35)36]。軟部組織損傷と炎症に伴うtissue factor（TF；組織因子）がALIを引き起こし，二次性脳損傷の悪化因子となることも明らかになった[37)38]。鈍的多発外傷の場合，組織片，微生物，損傷で放出された炎症性メディエータ，塞栓物質（脂肪・骨髄），同種血などが血流内に流出し，フィルターの役目を果たしている肺を通過する。肺は最大の微小血管床

◆Clinical questions◆　　**CQ 14**

頭部外傷の治療方針決定や予後予測にDダイマーは有効か？

A 30％以上の頭部外傷症例に凝固異常を合併し[1)2]，そのうちの半数に受傷後数時間以内の外傷性頭蓋内血種の増大を認める[3]。そして，凝固異常の存在，進行性の頭蓋内血種の増大が生命予後と強く相関することが複数の研究により確認されている[4)〜6]。複数ある凝固線溶パラメータのなかで，Dダイマーが頭蓋内出血の増大（5.0 μg/ml）[7]，Glasgow Outcome Scaleでdead，vegetative state，severe disabilityで定義される神経学的予後不良（32.7 μg/ml）[8]，生命予後（50 μg/ml）[9]の予測因子（カッコ内数値はカットオフ値）となり得ることが報告されている。また，頭部外傷を含む外傷全般での検討ではあるが，病院到着時のDダイマー値が，10単位以上の赤血球輸血で定義される大量輸血（38 μg/ml）の予測因子であることも示されている[10]。外傷の重症度が同程度であれば頭部外傷も非頭部外傷も同程度の線溶亢進型DICに一致した凝固線溶変化を生じることが証明されており[11]，単独頭部外傷でも同様である。Dダイマー高値を伴う頭部外傷症例の手術においては出血量が多くなることが予測されるため，十分量の輸血の準備が必要になると思われる。Dダイマーは過剰な凝固亢進に対して生じる二次線溶を反映する指標であり，病態生理の観点からも頭部外傷の治療方針決定や予後予測にDダイマーが有効であることが支持される。

文献

1) Harhangi BS, et al：Acta Neurochir（Wien）2008；150：165-175.
2) Epstein DS, et al：Injury 2014；45：819-824.
3) Juratli TA, et al：J Neurotrauma 2014；3：1521-1527.
4) Nakae R, et al：Neurol Med Chir（Tokyo）2022；62：261-269.
5) Wada T, et al：Crit Care 2017；21：219.
6) Yuan Q, et al：J Neurotrauma 2016；33：1279-1291.
7) Tian HL, et al：Neurosurgical review 2010；33：359-365.
8) Nakae R, et al：J Neurotrauma 2016；33：688-695.
9) 髙山泰広，他：脳外誌 2013；22：837-841.
10) Hayakawa M, et al：Shock 2016；45：308-314.
11) Wada T, et al：Front Med（Lausanne）2021；8：767637.

をもつ臓器であり，肺の血管内膜から各種のメディエータが放出される。放出されたメディエータは脳損傷をさらに悪化させる[39]。

◆Clinical questions◆ CQ 15

Q 抗凝固薬を服用している頭部外傷患者に中和療法を行うか？

A 受傷前に抗凝固薬を服用している頭部外傷患者は，抗凝固薬を服用していない患者と比較してTalk and deteriorateの割合が増し，転帰不良率が上昇すると報告されている[1)2)]。これまで，抗凝固薬に対する中和療法にて速やかに凝固能が改善することが報告されてきた[3)]。しかし，この治療法にて転帰の改善には至っていない[4)]。わが国の観察研究（Think FAST registry）からは，受傷から中和療法までの時間が短いほうが転帰良好であることが示唆されている[5)]。頭部外傷診療においてとくに生命を脅かす頭蓋内出血に対しては抗凝固薬に対する中和療法の必要性は高いが，その適応や投与時期などの方法については，今後検討の必要性がある。また，開頭術が必要な場合は，凝固能低下のまま手術を行うことは危険であり，中和療法にて凝固能を是正して開頭術を行うべきである。

わが国で使用可能な抗凝固薬の中和剤には下記がある。

抗凝固薬	中和剤
ワルファリン	プロトロンビン複合体製剤（ケイセントラ®） 新鮮凍結血漿 ビタミンK
DOAC（ダビガトラン）	イダルシズマブ（プリズバインド®）
DOAC（リバーロキサバン，アピキサバン，エドキサバン）	アンデキサネットアルファ（オンデキサ®）

文献

1）Scotti P, et al：J Neurosurg 2019；5：1-10.
2）Suehiro E, et al：World Neurosurg 2019；127：e1221-e1227.
3）Sweidan AJ, et al：Stroke Vasc Neurol 2020；5：29-33.
4）Yorkgitis BK, et al：J Trauma Acute Care Surg 2022；92：88-92.
5）Suehiro E, et al：A multicenter prospective observational study of reversal therapy for patients with traumatic brain injuries taking antithrombotic drugs in Japan. Abstract, 16th Asian Australasian Congress of Neurological Surgeons (AACNS), 2022.

◆Clinical questions◆ CQ 16

Q 外傷性脳損傷受傷後の抗血栓薬（抗血小板薬・抗凝固薬）再開のタイミングは？

A 抗血栓薬を頭部外傷後に中止した場合，その再開のタイミングに関して明確なエビデンスはない。個々の症例において，抗血栓薬中止に伴う虚血性合併症の起こり得るリスクを再評価し，再開に伴う再出血のリスクとのバランスを考え，再開の適応と判断した場合は抗血栓薬の早期再開が望ましい。

日本頭部外傷データバンク2015によると，退院時の抗凝固薬の再開は27.8%，抗血小板薬の再開は16.0%でされており[1)]，転帰良好例のみ再開している可能性がある。また，受傷から抗血栓薬再開までのタイミングは，抗凝固薬で中央値9日（2～66日），抗血小板薬で中央値8日（2～86日）であり，わが国の現状としては受傷から1週間程度で再開が行われていることが推測される[1)]。海外の報告でもタイミングに関してはさまざまであり，7～9.5日を奨める報告や，機械弁が挿入されている患者を除いた場合は少なくとも14日は空けるとする報告がある[2)~4)]。なお，非外傷脳出血の場合，機械弁や血栓塞栓症の高リスク症例では，止血が確認され次第急性期からの再開を考慮してもよいとされているため[5)]，外傷による場合も，高リスク症例では早期再開を考えてもよいかもしれない。

文献

1）末廣栄一，他：脳外誌2019；28：614-620.
2）Wiegele M, et al：Crit Care 2019；23：62.
3）Puckett Y, et al：Cureus 2018；10：e2920.
4）King B, et al：Trauma Surg Acute Care Open 2020；5：e000605.
5）日本脳卒中学会 脳卒中ガイドライン委員会編：脳卒中治療ガイドライン2021，協和企画，東京，2021.

Ⅲ 治療戦略

頭部外傷急性期における手術の主たる目的は，①止血，②感染予防，③ICP亢進の予防（減圧），④二次性脳損傷の抑制，である。手術に際しては，脳ヘルニア徴候などの神経所見と画像診断やバイタルサインに基づいて適応と術式を決定する。

1. 開頭術

頭蓋内に血腫が存在し，ICP亢進の原因となっている場合には，開頭術は血腫除去と止血を確実に行うもっとも有効な方法である。しかし，重症頭部外傷の急性期においては，脳血管の自動調節能が破綻している場合が多く，減圧により脳浮腫が助長され，術後の脳ヘルニアの危険を増すことがある[40]ため，注意が必要である。内科的治療に不応であるICP亢進に対して減圧開頭術を行うこともあるが，びまん性脳損傷に対する両側前頭開頭による減圧法はむしろ患者転帰を悪化させるという結果となり[41]，BTFガイドラインでは推奨されていない[2]。一方，BTFガイドラインには反映されていないものの，欧米での臨床により即した片側の前頭側頭開頭による減圧法は，生命転帰を改善させたが，機能転帰が悪化したという報告[42]もある。

減圧開頭を行う場合，12×15cm以上の大きな前頭側頭開頭を行うことはBTFガイドラインで推奨されており，今後減圧開頭の対象や方法に関する推奨も変化する可能性がある[2]。開頭術は全身麻酔下に行うが，術前のバイタルサインの安定化，とくに重症例では遅滞ない気管挿管が重要である。頭皮に重大な損傷がある際には，浅側頭動脈や後頭動脈の走行を考慮して皮膚切開線を決定する。顔面神経の前頭枝を損傷し末梢性顔面神経麻痺を作らないよう，皮膚切開の起点は外耳孔より1横指以上前方とする。

開頭部位に応じて，①両側前頭開頭，②前頭側頭開頭，③頭頂開頭，④側頭開頭，⑤後頭開頭，⑥後頭下開頭，などの種類がある（図3-3-A-1～6）。

2. 穿頭術

脳ヘルニア徴候を呈し，頭部CTで急性硬膜下血腫による5mm以上の正中偏位や脳底槽の圧排・消失を認める場合は，脳障害が不可逆的になる前に，緊急穿頭術を考慮してもよい。手術室での開頭手術までに時間を要する状況下では，初療室などで実施

◆Clinical questions◆　　CQ 17

早期発作（急性症候性発作）や晩期てんかんの予防として抗てんかん薬投与を行うか？ 予防や治療に新規抗てんかん薬は有効か？

A 早期痙攣発作の予防を目的としてレベチラセタムやフェニトイン（ホスフェニトイン）などの抗てんかん薬を使用することは，治療による利益が合併症による不利益を上回ると考えられる場合に推奨される。

5つのRCTのシステマティックレビュー[1]によると，抗てんかん薬（カルバマゼピンまたはフェニトイン）投与群は，プラセボ投与群または通常治療群と比較して早期発作のリスクを減少させた（相対リスク0.42，95%CI 0.23～0.73）。一方，6つのRCTのシステマティックレビュー[1]によると，晩期てんかんの予防を目的とする抗てんかん薬投与の有益性は証明されなかった（相対リスク0.91，95%CI 0.57～1.46）。

重症頭部外傷，急性硬膜下血腫，穿通性頭部外傷は，早期痙攣発作の頻度が高いので[2)～4)]，予防に抗てんかん薬の投与が考慮される。フェニトインとレベチラセタムの早期発作の予防効果を検討した多施設前向き研究[5]によると，早期発作と有害事象の発生率に有意差を認めなかったが，その他の新規抗てんかん薬について検討した研究は少なく，有効性は不明である。

文献

1） Thompson K, et al：Cochrane Database Syst Rev 2015；10：CD009900.
2） Temkin NR：Epilepsia 2003；44：18-20.
3） Frey LC：Epilepsia 2003；44：11-17.
4） Ritter AC, et al：Epilepsia 2016；57：1968-1977.
5） Inaba K, et al：J Trauma Acute Care Surg 2013；74：766-771.

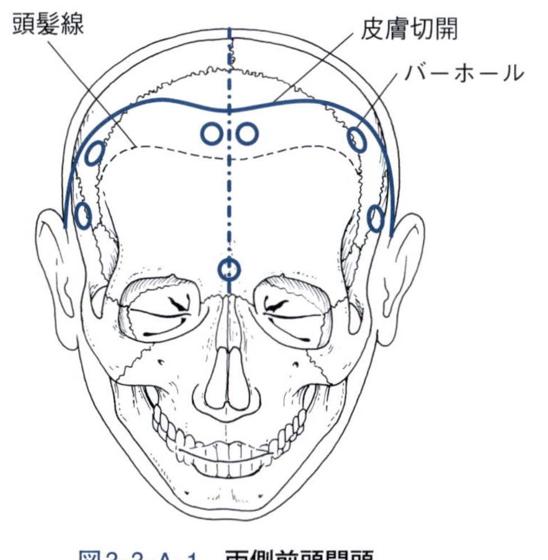

図3-3-A-1　**両側前頭開頭**

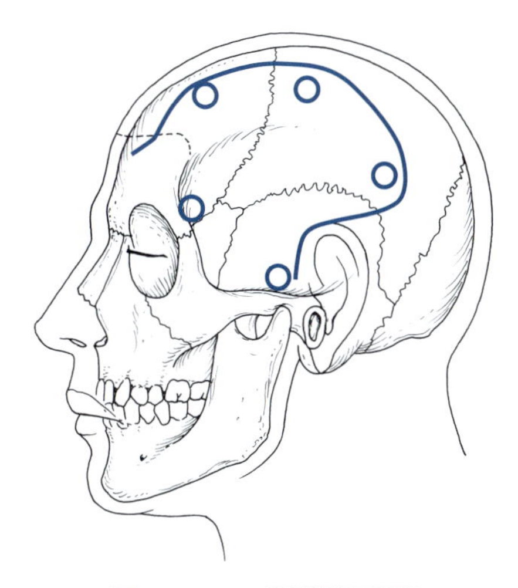

図3-3-A-2　**前頭側頭開頭**

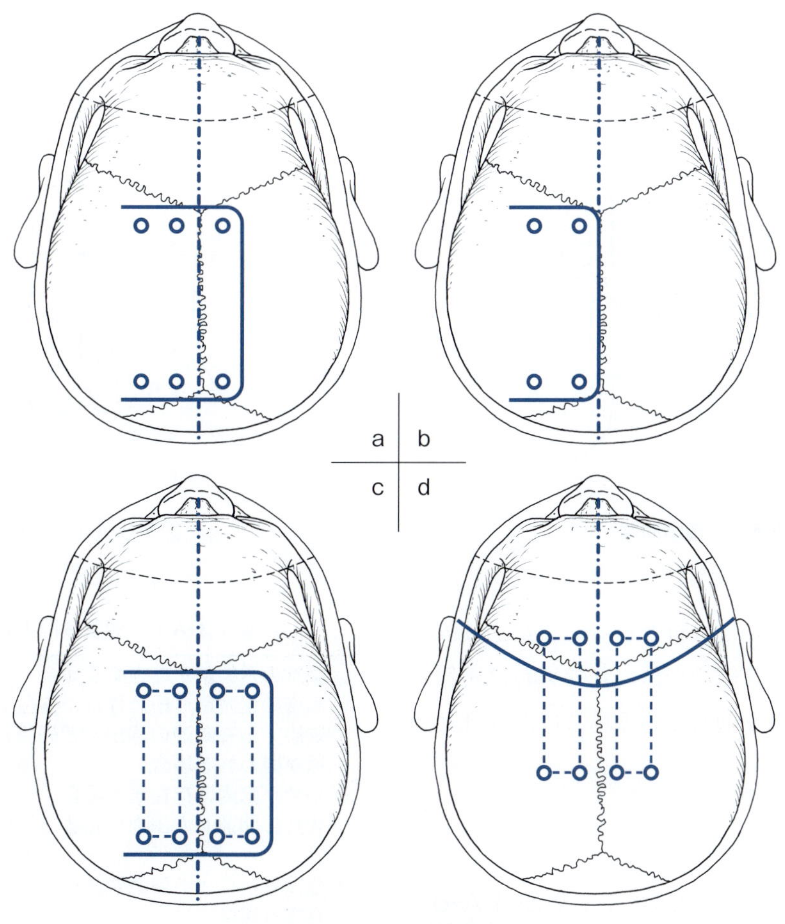

図3-3-A-3　**頭頂開頭**

することもある。頭部CTで，血腫がもっとも厚い部位を目標にし，開頭の皮膚切開の位置を考慮した穿頭を行う。穿頭術のみで減圧と止血が得られて手術が完結することもあるが，血腫の除去が不十分，もしくは出血が続くことが多いので，穿頭術後は速やかに手術室で開頭術を追加することを原則とする。脳腫脹が強い場合には，前述したように減圧開頭術を考慮する。

Ⅳ 損傷別治療戦術

1. 頭蓋骨陥没骨折

硬膜損傷による脳脊髄液流出を伴い，外部と硬膜内の交通があるものを開放性頭蓋骨陥没骨折という。頭蓋骨が露出していても外部と硬膜内の交通が

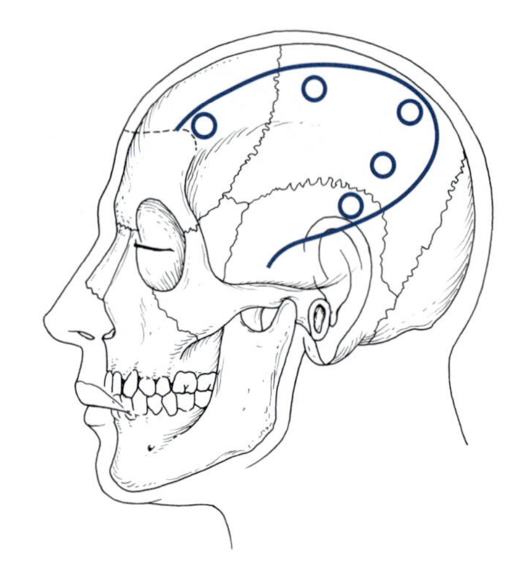
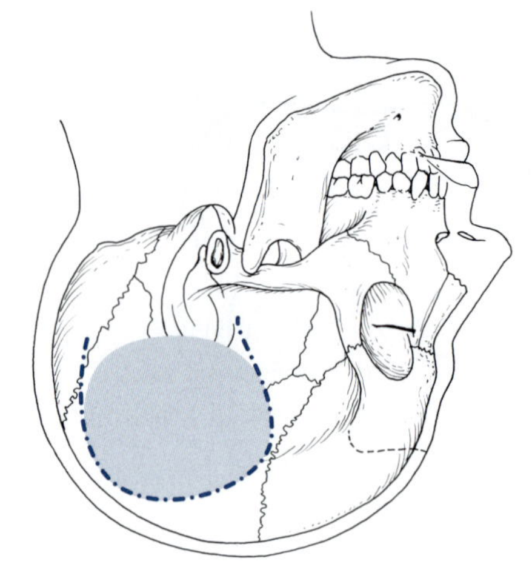

図3-3-A-4　**側頭開頭**

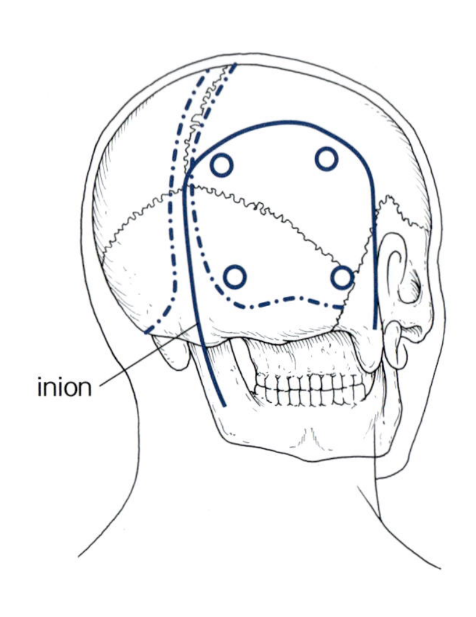

図3-3-A-5　**後頭開頭**

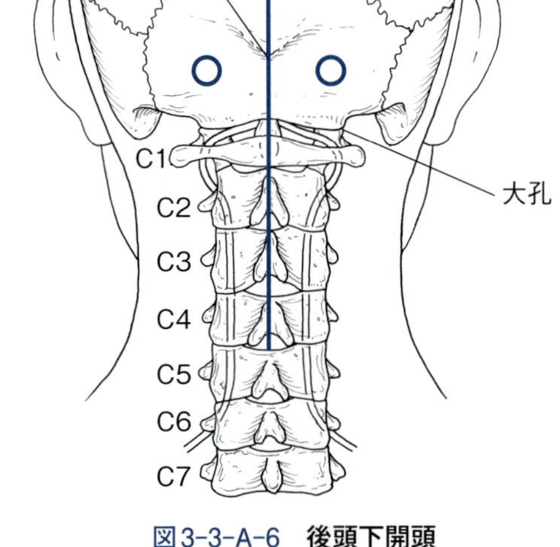

図3-3-A-6　**後頭下開頭**

なければ閉鎖性頭蓋骨陥没骨折となる。また，硬膜損傷があっても頭皮の連続性が保たれていれば閉鎖性となるが，副鼻腔と交通している場合は開放性となる。

1）手術適応

頭蓋骨陥没骨折の手術適応のケースを表3-3-A-6に示す。

表3-3-A-6　頭蓋骨陥没骨折の手術適応

①高度の汚染創が存在する場合
②高度の挫滅創，粉砕骨折が存在する場合
③脳脱，脳脊髄液の漏出など硬膜が損傷し，硬膜内外の交通が疑われる場合
④骨片が脳内に存在する場合
⑤骨片に関連した出血が止まらない場合（静脈洞の損傷など）
⑥陥没骨折による静脈洞圧迫に起因する静脈還流障害が存在する場合
⑦1cm以上の陥没や高度の脳挫滅が存在する場合
⑧審美的に容認しがたい頭蓋骨変形がある場合
⑨副鼻腔を含む損傷が存在する場合

なお，①～③は開放性頭蓋骨陥没骨折である。④～⑨は開放性，閉鎖性に共通である

2）手術方法

(1) 閉鎖性頭蓋骨陥没骨折

閉鎖性頭蓋骨陥没骨折の標準的手術は，陥没部位を中心とし，骨折部全体を露出する皮弁を作成する。陥没部の辺縁を含めて頭蓋骨を骨弁として切り出し，整復する。硬膜の損傷がないことを確認して，整復した骨弁を戻して固定し，閉頭する。陥没骨折が静脈洞の直上に存在する場合，骨弁除去と同時に出血をきたすことがあり，注意が必要である。

より低侵襲の術式として骨折部近傍に1カ所穿頭し，エレバトリウム（骨起子）などを用いて隣接した骨折部を下から持ち上げるようにして挙上させる

方法もある。とくに小児のピンポン玉骨折（ping-pong ball fracture）の場合に用いられることが多い。

（2）開放性頭蓋骨陥没骨折

開放性頭蓋骨陥没骨折は緊急手術の適応である。損傷した硬膜は髄液の漏出が起こらないように縫合して閉鎖する。縫合のみで閉鎖できない場合は，筋膜などの自己組織を用いた硬膜形成術を行う。副鼻腔に開放した頭蓋底骨折を伴う場合は，同部位から髄液漏を起こすことがある。

2. 穿通性頭部外傷

異物の穿通は緊急手術の適応であるが，開頭手術の準備が整わないうちに異物を抜去してはならない。異物の刺入孔，異物の種類，刺入の方向，損傷された解剖学的部位などにより術式を決定する。異物刺入の部位により血管損傷が疑われる場合は，術前にCTAや脳血管撮影により血管の評価を行う。散弾銃やガラス片などにより損傷が広範囲に及ぶ場合は，1回の手術による根治的な除去は困難である。脳深部に残存する異物除去の適応は手術侵襲を考慮して判断する。

3. 急性硬膜外血腫

急性硬膜外血腫はテント上，テント下ともに発生するが，テント上では中硬膜動脈損傷，テント下では静脈洞からの出血によることが多い。とくに中頭蓋窩に発生した場合には，典型的な意識清明期ののち急速な意識障害の進行を伴う。

1）手術適応

表3-3-A-7に示す。

2）手術方法

術前CTより血腫位置を判断し，その周囲を十分含む範囲の開頭を行う。骨弁を除去すると直下に血腫があるため可及的に除去し，出血点を同定し止血する。確実な止血のためには硬膜吊り上げが重要であり，硬膜外のスペースを閉じて術後血液の再貯留を起こさないようにする。

表3-3-A-7　急性硬膜外血腫の手術適応

①厚さ1～2cm以上の血腫，または20～30ml以上の血腫（後頭蓋窩は15～20ml以上）や合併血腫が存在するとき
②切迫ヘルニアの所見がある場合，神経症状が進行性に悪化する場合（とくに，受傷後24時間以内の経時的経過観察とCTを繰り返す必要がある）
③神経症状がない場合は厳密な監視下に保存的治療を行うことを考慮してもよい

表3-3-A-8　急性硬膜下血腫の手術適応

①血腫の厚さが1cm以上の場合，意識障害を呈し正中偏位が5mm以上ある場合
②明らかな圧迫所見（mass effect）があるもの，血腫による神経症状を呈する場合
③当初意識レベルがよくても神経症状が急速に進行する場合
④脳幹機能が完全に停止し長時間経過したものは，通常行うことは奨められない

4. 急性硬膜下血腫

重症頭部外傷のうちもっとも多くみられる病変である。開頭前に穿頭血腫除去やICPセンサー挿入を行うこともある。静脈洞近傍の架橋静脈や脳表の挫傷からの出血が多いが，細動脈からの出血による血腫もある。血腫除去後，急激な脳腫脹の増悪が起こることがあるため，挫傷脳の処置にこだわらず，短時間に閉頭する判断が重要である。術前は凝固能の異常に留意し，失血による全身状態の増悪をきたさないように注意する。

1）手術適応

表3-3-A-8に示す。

2）手術方法

術前CTより血腫位置を判断し，その周囲を十分含む範囲の開頭を行う。骨弁を除去し，硬膜を切開して血腫を可及的に除去し，出血点を同定し止血する。術中脳腫脹が激しく進行し，骨弁を戻すことが不能な場合もあるので，十分に大きな開頭を行って減圧開頭術に備える。減圧開頭術の場合は人工硬膜などを用いて硬膜形成を行い，早急に閉頭する。ICPセンサーを留置することにより，術後の病態を経時的に観察することができるようになる。

表3-3-A-9　脳内血腫・脳挫傷の手術適応

①CTで血腫や挫傷性浮腫によりmass effectを呈するもののうち，保存的治療を行っても神経症状が進行性に悪化する場合やICP亢進が制御不能な場合
②後頭蓋窩病変では頭部CT上，第4脳室の変形・偏位・閉塞を認める場合，脳底槽の圧排・消失を認める場合，神経症状を伴う閉塞性水頭症を認める場合

5. 脳内血腫・脳挫傷

外傷性脳内血腫は，脳挫傷に合併して生じることが多い。高血圧性脳内血腫と異なり血腫のみを除去することは困難で，多くの場合，出血と混在する脳挫傷を含めた除去が必要となる。また，脳挫傷が血腫を形成していなくても，mass effectが強い場合には手術による減圧が必要となる。

1）手術適応

表3-3-A-9に示す。

2）手術方法

術前CTにより血腫の位置を判断し，血腫直上の脳表に切開を加えて血腫除去を行う。

血腫除去により，細動脈などからの再出血をきたすこともあるので，慎重に止血しながら行う。脳挫傷は保存的に治療することが多いが，ICPの制御が困難であれば脳挫傷切除もしくは脳葉切除術が行われることもある。顕微鏡下手術が可能であれば，正常脳組織の温存と確実な止血ができる。

6. びまん性軸索損傷

受傷直後から意識障害が続き，頭部CTではそれを説明するような頭蓋内占拠性病変が認められない頭部外傷である。外科的治療の適応はなく，保存的治療が原則である。ICPは正常値であることも多いが，全身管理が不適切であると，二次性脳損傷が増悪し，急速なICP亢進を起こすことがある。MRIにより放線冠や基底核，脳梁，脳幹などに微小な出血性病変を認めることが多い。

7. びまん性脳腫脹

びまん性脳損傷の一つで，受傷直後の低酸素・低血圧の合併，脳血流量の増加などにより急速にICP亢進をきたす病態である。ICPモニタリングを行うことが奨められる。

1）手術適応

受傷直後に認められなくとも，治療経過中や占拠性病変の外科的除去後に著しい脳腫脹をきたすことがあり，これらに対して広範囲の減圧開頭術を考慮してもよい。

2）手術方法

減圧を必要とする脳腫脹の主座によって手術法は変わるが，前頭側頭開頭術を選択することが多い。片側の減圧では十分な効果が見込めない場合は両側前頭開頭術が行われることもある。

8. 外傷性脳血管障害

外傷性脳血管障害により，くも膜下出血や脳内血腫などの出血性病変と解離した動脈の閉塞による虚血性病変が生じる。頭蓋内の損傷部位を修復することは困難であることが多く，血管内治療もしくは外科手術で再出血の予防を行う。脳血管内治療の発展により，さまざまなデバイスを用いた血管修復や動脈瘤塞栓，血行再建などが行われている。外傷性内頸動脈海綿静脈洞瘻は血管内治療で瘻孔を閉鎖する。虚血性病変に関しては，慢性期に浅側頭動脈-中大脳動脈吻合術などの血行再建術が行われることがある。

9. 外傷性髄液漏

多くは外傷後数日以内に生じ，鼻漏は1～3週間以内に，耳漏は5～10日以内に自然停止する。再発性，遅発性の場合には自然治癒は少なく，髄膜炎の危険因子となることが多い。

1）手術適応

表3-3-A-10に手術適応を示す。

2）手術方法

開頭し，硬膜内もしくは硬膜外アプローチで硬膜の損傷部を同定し，縫合閉鎖もしくは筋膜や骨膜な

表3-3-A-10　外傷性髄液漏の手術適応

①遷延性髄液漏 ②間欠性，再発性，遅発性の場合 ③頭蓋底の変形が著しい場合 ④異物の嵌入がある場合 ⑤大量の髄液漏の場合 ⑥頭蓋底穿通性外傷 ⑦気脳症が進行性に増悪する場合

どによる修復を行う。硬膜内からの修復が一般的である。髄液漏の30％に髄膜炎を併発するが，抗菌薬の予防的投与の有効性については定まった見解は出ていない。

V　頭部外傷の治療限界

外傷チームは，重症外傷患者に最善の治療を行う一方で，とくに重症頭部外傷では治療限界についても理解する必要がある。例えば，高齢者で深昏睡，瞳孔散大固定や対光反射など脳幹反射の消失の神経学的所見に加えて，頭部CTで広範囲な脳実質損傷の存在が確認された際には，全脳機能の不可逆性停止に陥り救命は困難と判断される[5)]。そのような場合には，外傷専門医，脳神経外科医，その他医療スタッフなどの外傷チームはその判断を共有し，家族やその関係者などの合意を前提に，手術を含めた積極的治療は差し控えることも考慮すべきである。

文　献

1) 日本脳神経外科学会・日本脳神経外傷学会監，頭部外傷治療・管理のガイドライン作成委員会編：頭部外傷治療・管理のガイドライン，第4版，医学書院，東京，2019.
2) Carney N, Totten AM, O'Reilly C, et al：Guidelines for the Management of Severe Traumatic Brain Injury, Fourth Edition. Neurosurgery 2017；80：6-15.
3) Chesnut RM, Marshall LF, Klauber MR, et al：The role of secondary brain injury in determining outcome from severe head injury. J Trauma 1993；34：216-222.
4) McHugh GS, Engel DC, Butcher I, et al：Prognostic value of secondary insults in traumatic brain injury：Results from the impact study. J Neurotrauma 2007；24：287-293.
5) Valadka AB：Trauma brain injury. In：Moore EE, et al eds. Trauma. 8th ed, McGraw-Hill, New York, 2017, pp381-400.
6) ATLS：Advanced Trauma Life Support for Doctors. 9th ed, American College of Surgeons Committee on Trauma, Chicago, 2012.
7) JPTEC協議会編著：JPTECガイドブック，第2版補訂版，へるす出版，東京，2020.
8) Stein NR, McArthur DL, Etchepare M, et al：Early cerebral metabolic crisis after TBI influences outcome despite adequate hemodynamic resuscitation. Neurocrit Care 2012；17：49-57.
9) Carrera E, Schmidt JM, Fernandez L, et al：Spontaneous hyperventilation and brain tissue hypoxia in patients with severe brain injury. J Neurol Neurosurg Psychiatry 2010；81：793-797.
10) Delaney KA, Goldfrank LR：Management of the multiply injured or intoxicated patient. In：Cooper PR, et al eds. Head Injury. 4th ed, McGraw-Hill, New York, 2000, pp41-62.
11) Marshall LF, Toole BM, Bowers SA, et al：The National Traumatic Coma Data Bank. Part 2：Patients who talk and deteriorate：Implications for treatment. J Neurosurg 1983；59：285-288.
12) Povlishock JT, Wei EP：Posthypothermic rewarming considerations following traumatic brain injury. J Neurotrauma 2009；26：333-340.
13) National Clinical Guideline Centre（UK）：Head injury：Triage, assessment, investigation and early management of head injury in children, young people and adults. National Institute for Health and Care Excellence（UK）, London, 2014, p137.
14) Ares WJ, Jankowitz BT, Tonetti DA, et al：A comparison of digital subtraction angiography and computed tomography angiography for the diagnosis of penetrating cerebrovascular injury. Neurosurg Focus 2019；47：E16.
15) Marshall LF, Marshall SB, Klauber MR, et al：A new classification of head injury based on computerized tomography. J Neurosurg 1991；75：S14-S20.
16) 日本外傷学会臓器損傷分類委員会：日本外傷学会頭部外傷分類．日外傷会誌 2009；23.
17) Maas AI, Hukkelhoven CW, Marshall LF, et al：Prediction of outcome in traumatic brain injury with computed tomographic characteristics：A comparison between the computed tomographic classification and combinations of computed tomographic predictors. Neurosurgery 2005；57：1173-1182.
18) Nakae R, Takayama Y, Kuwamoto K, et al：Time course of coagulation and fibrinolytic parameters in patients with traumatic brain injury. J Neurotrauma 2016；33：688-695.

19）Nakae R, Yokobori S, Takayama Y, et al：A retrospective study of the effect of fibrinogen levels during fresh frozen plasma transfusion in patients with traumatic brain injury. Acta Neurochir（Wien）2019；161：1943-1953.

20）Clifton GL, Robertson CS, Kyper K, et al：Cardiovascular response to severe head injury. J Neurosurg 1983；59：447-454.

21）CRASH-3 trial collaborators：Effects of tranexamic acid on death, disability, vascular occlusive events and other morbidities in patients with acute traumatic brain injury（CRASH-3）：A randomised, placebo-controlled trial. Lancet 2019；394：1713-1723.

22）高山泰広，横田裕行，佐藤秀貴，他：頭部外傷に伴う凝固・線溶系障害からみた病態，予後，治療について．脳神外ジャーナル 2013；22：837-841.

23）Genét GF, Johansson PI, Meyer MA, et al：Trauma-induced coagulopathy：Standard coagulation tests, biomarkers of coagulopathy, and endothelial damage in patients with traumatic brain injury. J Neurotrauma 2013；30：301-306.

24）Trentz O, Lenzlinger PM：Chapter 5：Impact of head and chest trauma on general condition. In：Pape HC, et al eds. Damage control management in the polytrauma patient. Springer, Pennington County(In South Dakota), 2009, pp53-67.

25）Bratton SL, Davis RL：Acute lung injury in isolated traumatic brain injury. Neurosurgery 1997；40：707-712.

26）Holland MC, Mackersie RC, Morabito D, et al：The development of acute lung injury is associated with worse neurologic outcome in patients with severe traumatic brain injury. J Trauma 2003；55：106-111.

27）Berthiaume L, Zygun D：Non-neurologic organ dysfunction in acute brain injury. Crit Care Clin 2006；22：753-766.

28）Simon RP：Neurogenic pulmonary-edema. Neurol Clin 1993；11：309-323.

29）Thelin EP, Tajsic T, Zeiler FA, et al：Monitoring the neuroinflammatory response following acute brain injury. Front Neurol 2017；8：351.

30）Kelly DF, Doberstein C, Becker DP：General principle of head injury management：Special concerns in the multiple trauma patient. In：Narayan RK, et al eds. Neurotrauma. McGraw-Hill, New York, 1996, pp 83-84.

31）Cazzadori A, Di Perri G, Vento S, et al：Aetiology of pneumonia following isolated closed head injury. Respir Med 1997；91：193-199.

32）Loop T：The immune system：Basic principles and modulation by anaesthetics. Anasthesiol Intensivmed Notfallmed Schmerzther 2003；44：53-65.

33）Loop T, Humar M, Pischke S, et al：Thiopental inhibits tumor necrosis factor alpha-induced activation of nuclear factor kappa B through suppression of I kappa B kinase activity. Anesthesiology 2003；99：360-367.

34）Harris OA, Colford JM Jr, Good MC, et al：The role of hypothermia in the management of severe brain injury：A meta-analysis. Arch Neurol 2002；59：1077-1083.

35）Stocchetti N, Furlan A, Volta F：Hypoxemia and arterial hypotension at the accident scene in head injury. J Trauma 1996；40：764-767.

36）Cooke RS, McNicholl BP, Byrnes DP：Early management of severe head injury in Northern Ireland. Injury 1995；26：395-397.

37）Bennett WF, Browner B：Tibial plateau fractures：A study of associated soft tissue injuries. J Orthop Trauma 1994；8：183-188.

38）Trentz O, Lenzlinger PM：Impact of head and chest trauma on general condition. In：Pape HC, et al eds. Damage control management in the polytrauma patient. Springer, New York, 2010, pp53-64.

39）Pape HC, Tzioupis CC, Giannoudis PV：The four pathophysiological cycles of blunt polytrauma. In：Pape HC, et al eds. Damage Control Management in the Polytrauma Patient. Springer, New York, 2010, pp83-94.

40）Bor-Seng-Shu E, Figueiredo EG, Amorim RL, et al：Decompressive craniectomy：A meta-analysis of influences on intracranial pressure and cerebral perfusion pressure in the treatment of traumatic brain injury. J Neurosurg 2012；117：589-596.

41）Cooper DJ, Rosenfeld JV, Murray L, et al：Decompressive craniectomy in diffuse traumatic brain injury. N Engl J Med 2011；364：1493-1502.

42）Hutchinson PJ, Kolias AG, Timofeev IS, et al：Trial of decompressive craniectomy for traumatic intracranial hypertension. N Engl J Med 2016；375：1119-1130.

B 顔面外傷

要　約

1. 気道緊急や大量出血に対しては，蘇生処置を優先する。
2. 頻度の高い顔面骨骨折や顔面軟部組織損傷の特徴を把握したうえで診断し，根本治療戦略を計画する。
3. 後遺症により生活に重大な障害を残す損傷が多く，時期を逃がさず各領域の専門医を要請する。

はじめに

顔面は通常露出しており，直接あるいは間接的な前方からの外力によって外傷を受けやすい。顔面外傷の頻度は7～10％程度とされ[1)2)]，多くは致死的外傷に至らないが，気道緊急や，大量出血による循環の異常など，緊急度の高い状態に陥る可能性がある[3)]。そのため，初期診療の段階から，気道確保や止血処置などに迅速に対応可能な診療体制が必要である。また顔面という特殊性を理解し，視機能や顎機能などの異常に対処することはもちろん，整容や表現に深くかかわる表情筋，各部の形態にも十分配慮し，満足のいく治療方針を立てなければならない。具体的には骨形態，軟部組織の構造，血管・神経や特殊器官（眼・鼻・耳・歯牙など）の解剖と機能を理解したうえで，必要な時期に各領域の専門家に相談し，チーム医療を展開する。

I 診療上の注意点

1. 顔面骨の特徴

顔面骨は眼窩・鼻腔を形成する前頭骨，上顎骨，頬骨，鼻骨，篩骨，涙骨，そして歯牙を有し，口腔を形成する上・下顎骨で構成されている。顔面骨を覆う軟部組織や表情筋は，顔面の輪郭や眼瞼，外鼻，口唇，外耳といった顔面の形態を構成する。

顔面骨には，①解剖が複雑，②神経・血管などの通路が多数存在，③菲薄な骨が多い，④眼窩下壁や硬口蓋など体軸に対して垂直な骨構造が多い，などの特徴がある。また，顔面には眼球・外眼筋・視神経などの眼窩内容，涙小管・涙囊・鼻涙管などの涙道，耳下腺および耳下腺管，口腔内の舌，軟口蓋，咽頭，歯牙，そして開閉口を行う顎関節など，視機能や呼吸，構音，摂食，咀嚼，嚥下に密接にかかわる重要器官が存在し，表情筋は喜怒哀楽などの豊かな表情を表現するという特徴がある。したがって，顔面外傷が不適切に治療されると，整容だけではなく多くの機能を失う。

2. 発生頻度

顔面の軟部組織損傷の発生頻度についての正確な統計学的資料はない。顔面骨骨折には①前頭骨（および前頭蓋底），②鼻骨·鼻篩骨，③眼窩壁，④頬骨，⑤上顎骨，⑥下顎骨（体部/角部/顎関節突起）骨折およびこれらの複合骨折があり，その頻度は頬骨（25.5％）・鼻骨（21％，鼻篩骨合併7.7％），下顎骨（15.4％）の順に多い[4)]。また，Le Fort型上顎骨骨折は15.5％，眼窩壁骨折は9.4％，前頭骨－前頭蓋底骨折は5.4％と報告されている。

3. 身体所見

顔面の疼痛，腫脹，変形，打撲痕，開放創，鼻出血や触診上の動揺性などの存在が疑う根拠となる。しかし，変形は腫脹により不明瞭となりやすいので注意する。開放創では鼻腔や口腔内との交通，顔面神経，涙管，耳下腺（管）などの損傷についても丁寧に診察する。

視力・視野，瞳孔・対光反射の異常があれば眼球損傷や視神経損傷を疑う。眼球位置異常（上下/左右/突出陥凹），運動異常（複視）の有無を確認す

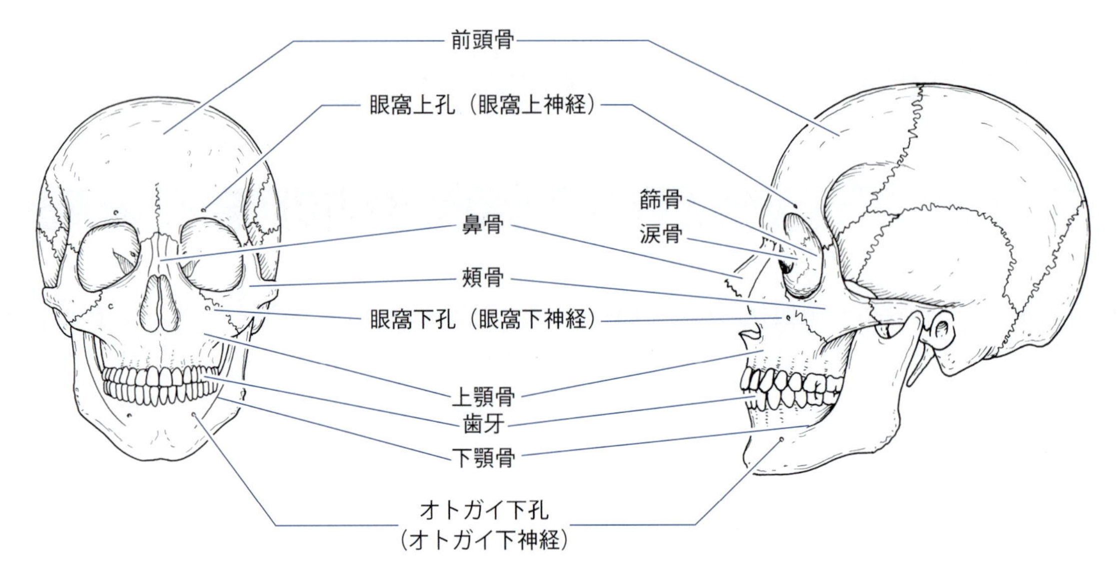

図3-3-B-1　顔面骨と三叉神経，顔面神経の枝が出る部位

るとともに，触診による眼窩縁の左右差や流涙の有無，眼瞼開閉運動などについても診察する。これらの異常は眼窩壁骨折を疑わせる。

顔面の骨隆起を皮膚および口腔粘膜面から指でなぞり，圧痛，凹凸，段差，動揺性の有無を確認する。下顎骨関節突起部の骨折は触知困難であるが，開閉口障害や咬合不全，耳前部の圧痛などで推測できる。口腔内では皮膚との貫通創，歯牙の損傷，折損した歯牙や義歯の有無についても確認する。

顔面の知覚は主として三叉神経が，運動は顔面神経が担っているが，三叉神経は顔面骨折によって損傷されやすい。例えば，鼻翼や上口唇のしびれは眼窩下神経の損傷であり，頬骨骨折・上顎骨骨折を疑わせる。また下口唇の麻痺はオトガイ神経の損傷であり，下顎骨体部や角部の骨折が疑われる。顔面片側全体の表情筋麻痺，すなわち顔面神経麻痺を認めた場合は，顔面神経管を含む側頭骨骨折の可能性を考える（図3-3-B-1，2）。

外耳道出血は鼓膜破裂を伴う中耳の損傷や側頭骨骨折，下顎骨関節突起骨折による外耳道裂創でも生じることがある。乳様突起部の皮下出血斑はBattle's signと呼ばれ，頭蓋底骨折合併を示唆する。

4. 画像診断

顔面骨骨折の診断と治療方針の決定において，画像診断は身体所見とともにきわめて重要である。とくに，体表面からは判別困難な骨傷の評価には必要

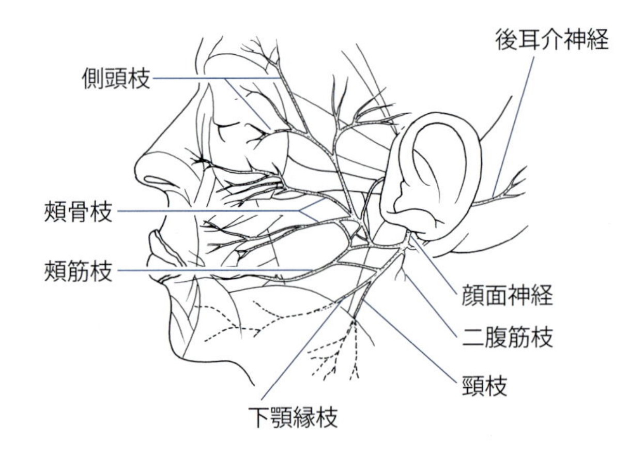

図3-3-B-2　表情筋への顔面神経の走行

不可欠である。歴史的にはX線でのウォーターズ撮影（頬骨，上顎骨骨折）やフュージャーⅠ法（眼窩底骨折），タウン撮影法（下顎骨）が広く行われてきたが，現在では，顔面骨骨折の診断はCT撮影がスタンダードになっており，MDCT撮影による矢状面，冠状面，3Dなどの再構築画像により顔面骨の詳細な評価がより簡便となった[5)]。下顎骨骨折に関してはオルソパントモグラフィーが有用である場合も多いが，全般的に顔面骨の単純X線撮影では特殊な体位を要求されることもあるため外傷初期診療においては省略することも考慮する。

Ⅱ 治療戦略と戦術

1. 気道・呼吸の異常に対する治療戦略と戦術

顔面外傷において蘇生の要否の判断が必要なのは，気道緊急，とくに気道閉塞に対する蘇生である。気道閉塞は以下のような原因で生じ，直ちに確実な気道確保をすべきである（推奨レベルⅠ）[6]。

①口腔咽頭部における軟部組織の浮腫

②下顎骨多発骨折：正中部（オトガイ部）に動揺・変形が生じると，仰臥位では舌が咽頭側に落ち込んで気道閉塞をきたす

③顔面外傷による大量出血，凝血塊，入れ歯，脱落歯牙など

④下顎骨関節突起や頬骨弓骨折による開口障害

また，顔面外傷による口腔内出血の結果，血液の誤嚥が生じると，低酸素血症に陥る可能性があり，その場合には誤嚥の防止と血液の吸引のため，チューブを用いた気道確保が必要となる場合がある（推奨レベルⅢ，図3-3-B-3）[6]。

気道緊急に対する気道確保には，まず気管挿管が行われるが，顔面・頸部の変形や腫脹などにより，気管挿管そのものが困難な場合も多い。そのため，鎮静薬や筋弛緩薬の投与は慎重に行う。また常に輪状甲状靱帯切開が行える体制を整えておく。

2. 大量出血に対する治療戦略と戦術

気道緊急に続いて迅速に蘇生を要するのは，鼻腔内および口腔内の大量出血である。

顔面外傷では単独で致死的出血をきたす頻度は低く，顔面骨骨折の患者で致死的大量出血をきたす割合は0.9〜1.6%程度とされる[3)7)〜9)]。また，多発外傷に合併した顔面外傷では，頭部外傷や体幹部外傷など他部位の損傷の治療が優先され，顔面外傷に対する根本治療は優先順位が低くなる場合が多い。優先順位が低いと判断されても，顔面外傷による出血の認識や対応が遅れると，致死的状況を招くことにつながりかねないため，適切に損傷を把握しておくことが重要である[9)10)]。

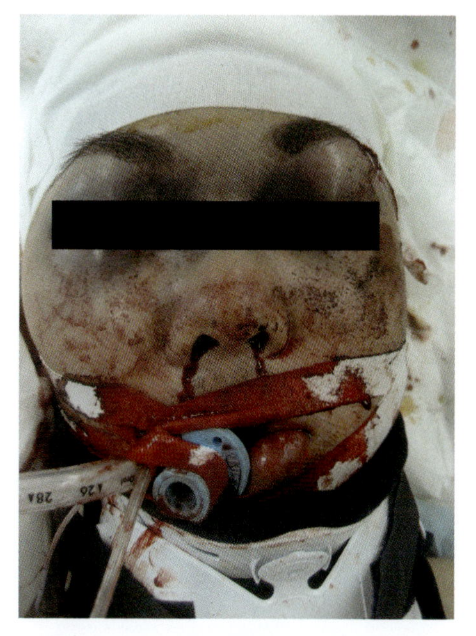

図3-3-B-3 顔面多発骨折初期の外観
鼻腔および口腔から出血が持続的に認められる。気管挿管が困難である場合には速やかに輪状甲状靱帯切開を行う

鼻出血は鼻骨骨折，上顎骨骨折，頭蓋底骨折に伴って生じる。とくに，Le Fort型骨折に代表される鼻中隔から翼口蓋窩に至る骨折では，下行口蓋動脈や蝶口蓋動脈などの顎動脈領域の動脈損傷により高度の出血をきたす。また，頭蓋底骨折による内頸動脈や海綿静脈洞の損傷に起因した大量出血では，しばしば出血制御が困難となり致死的となることもある。口腔内出血は口腔粘膜や歯牙の損傷，下顎骨骨折，舌の裂創などに伴って生じる。とくに大量の出血が生じるのは，下顎骨骨折により下顎骨体部内を走行する下歯槽動脈が損傷した場合や舌裂創に伴って舌動脈が損傷した場合である。

鼻腔や口腔内からの出血により出血性ショックをきたしている場合，確実な気道確保のうえで，出血に対する迅速な対応が求められる。輸液・輸血とともに，出血源に対し早期の止血を行う。

持続する鼻腔からの出血に対しては，まず鼻腔前方および後方からのパッキングを試みることが望ましい（推奨レベルⅡ，図3-3-B-4）[9)10)]。前方からのパッキングは外鼻腔よりガーゼ，あるいはスポンゼル，サージセル，オキシセルなどを挿入して圧迫を試みる。鼻腔後方からの出血が存在し，前方からの圧迫のみで止血効果が小さい場合には，バルーンカテーテル（12Fr〜16Fr）や止血用カテーテル，ベロックタンポンなどにより後方からのパッキングを行ったのち，鼻腔前方からのパッキングを加える。

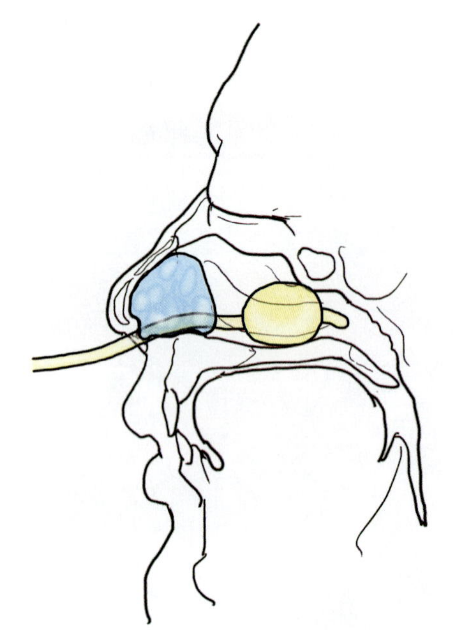

図3-3-B-4 後方からのバルーンカテーテルパッキングおよび前方のパッキング

また，パッキング後に骨折に対して一時的な整復を加えることも大量出血時には有効な手段とされている（推奨レベルⅢ）[9) 11) ～13)]。

穿通性顔面外傷の場合や顔面および口腔内の高度な皮膚軟部組織の裂創・挫滅がある鈍的外傷では，気道確保の後，緊急手術により損傷部位のデブリドマンや出血部位・血管の結紮，裂創の縫合閉鎖による止血を必要とする場合がある（推奨レベルⅢ）[10)]。

口腔内の裂創に伴う出血は，出血部位の電気凝固止血や縫合止血を行う。舌動脈損傷を伴う舌裂傷では，舌尖を鉗子や縫合糸で牽引しつつ，出血部を直視下に縫合止血する。下顎骨骨折に伴い，骨折部骨髄内から拍動性出血を認める場合，下歯槽動脈損傷が疑われるが，その場合でも下顎骨を徒手整復し，骨折に伴う裂創を縫合閉鎖することで出血をコントロールできることが多い。顔面の皮膚軟部組織の裂創では，圧迫や単純な縫合処置で止血できることが多いが，外頸動脈の枝である顔面動脈は下顎角から下顎骨の前面を通って上下の口唇動脈となる。そのため，下顎角部や口唇周囲の皮膚軟部組織損傷で動脈性出血が認められる場合には，これらの動脈の結紮が有効である。

顔面骨の骨折に起因した口腔内・鼻腔内の出血に対しては，パッキングやバルーンによるタンポンを行いながら，積極的な輸液・輸血を行うことが多くの場合有効である[3) 9)]。しかし翼口蓋窩の骨折などで骨折部よりさらに深部での動脈損傷がある場合には，より重篤な出血が生じ，タンポンなどでは有効な圧迫止血効果が得られないことがある[14)]。

上記の止血処置が功を奏さず，顔面の出血により循環血液量減少性ショックが遷延する場合，IVRによるTAEを実施し出血を制御することが望ましい（推奨レベルⅡ）[3) 9) 10) 14) 15)]。

顔面骨骨折による出血は，外頸動脈の枝である顎動脈（図3-3-B-5）に起因することが多く，選択的な顎動脈領域のTAEが有効であり，合併症も少ないとされている（推奨レベルⅡ）[9) 10)]。

3. 機能回復と整容に対する治療戦略と戦術

治療の目的は，失われた機能と整容の修復および再建にある。耳介や鼻尖などの完全切断でも再接着の可能性があるため，組織片は湿潤を保ち冷却保存する。開放創に対する止血では，顔面血管はネットワークが発達しているため，顔面動脈などの主要動脈を結紮しても組織壊死をきたすことはない。開放創の治療では整容に重点を置き，異物の除去や洗浄を丁寧に行い，組織温存を優先しデブリドマンは最小限にとどめる。挫傷や擦過傷に対しては，創傷被覆材を利用するなどwound bed preparation[16)]を意識したドレッシングを行う（図3-3-B-6）。

頭髪縁，眉毛，眼瞼縁，口唇縁，鼻翼縁などの縫合時には，段差やずれを生じないよう注意する（図3-3-B-7）。このため頭髪縁，眉毛の縫合時には原則として剃毛は行わない。口唇部での縫合では赤唇のずれを予防するため局所麻酔を使用する前にマーキングを行う。耳介の断裂が認められた際には軟骨を4-0程度の吸収糸で縫合したのち皮膚を縫合するが，容易に耳介血腫となるためボルスター固定を行うことが多い（図3-3-B-8）。

広範囲挫滅や組織欠損など醜形が予測される場合は，止血と洗浄を行ったのち，生理食塩液ガーゼなどを当て湿潤を保った状態で専門医にコンサルトする。顔面損傷に対する処置の「golden hour」は24時間と考えてよい。

骨折に対する治療方針は，とくに垂直・水平方向の強度を維持している梁構造（buttress）（図3-3-

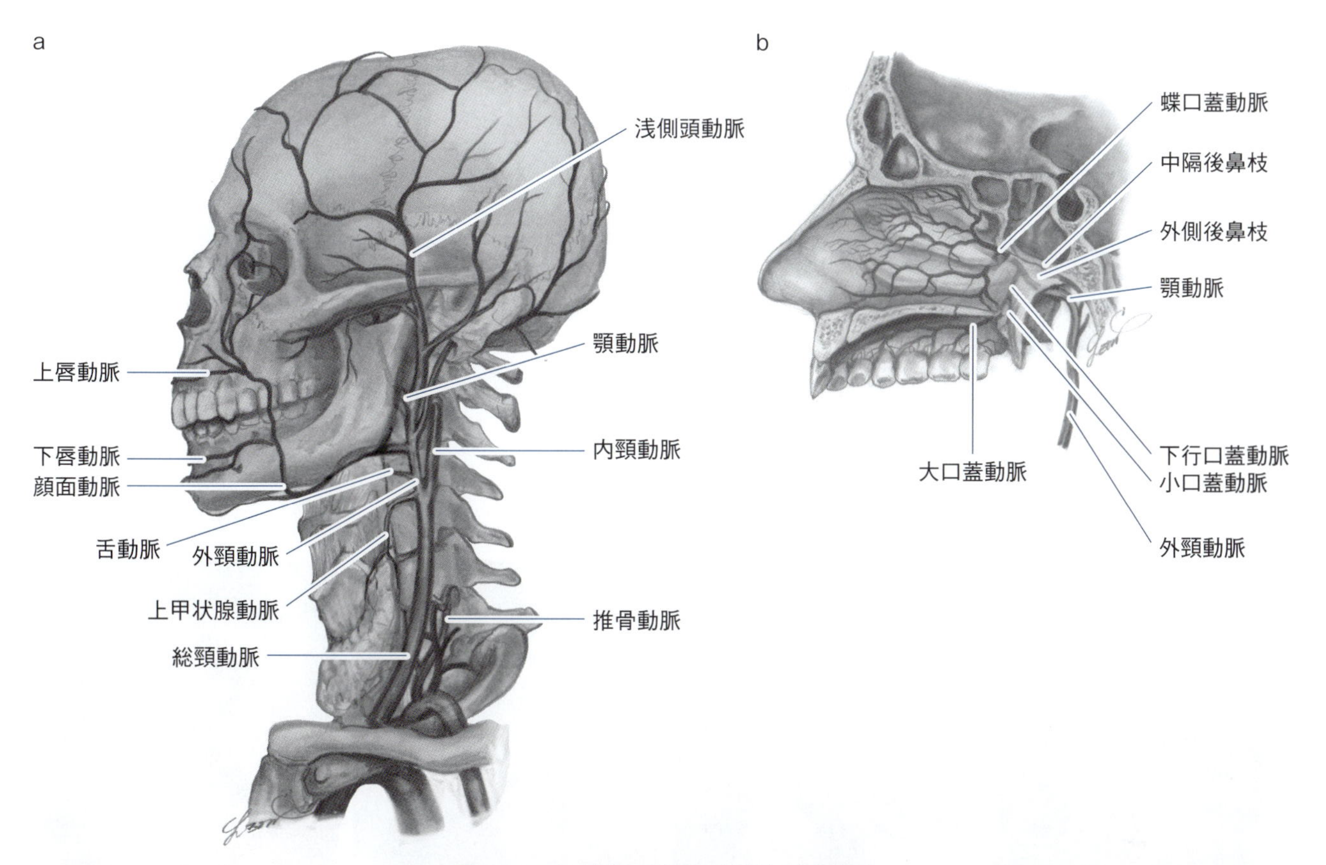

図3-3-B-5　頭部の動脈，外観と外頸動脈

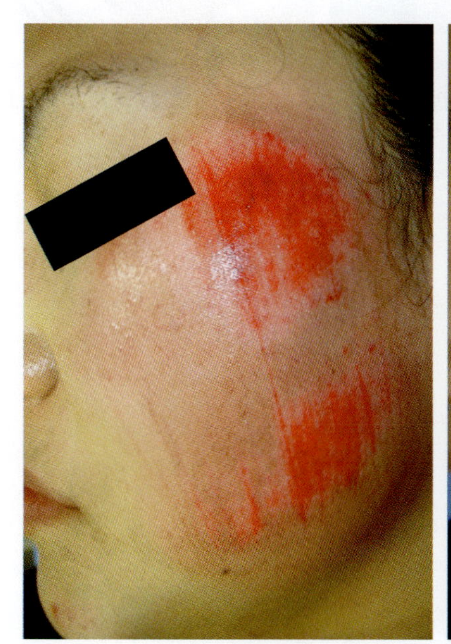

a：頬部擦過傷

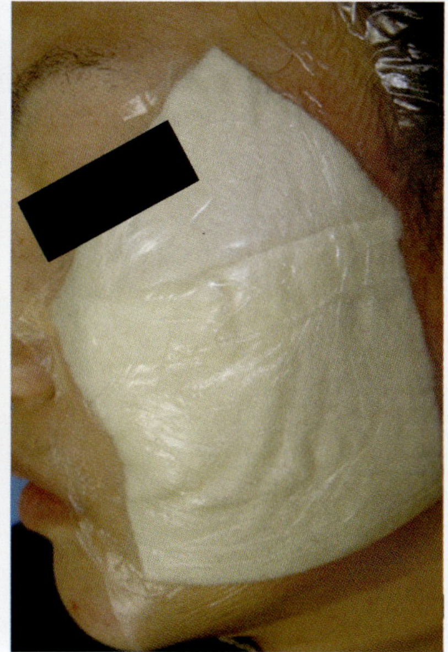

b：清浄後アルギン酸塩被覆材を貼付しフィルムで固定

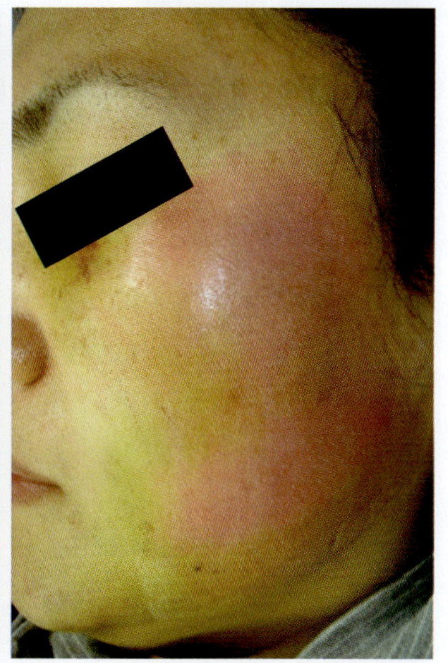

c：3日後には上皮化完了

図3-3-B-6　顔面に対するドレッシング材の利用

B-9）の再建が重要となる[17]。

手術適応は軟部組織損傷や骨折型（陥没，粉砕など），転位の程度などを，身体所見と画像所見で評価して決定する。手術時期は，全身状態が安定し軟部の腫脹も許容範囲で比較的単純な骨折であれば当日でも可能であるが，軟部組織腫脹の軽減する受傷1〜2週間後に行うのが一般的である。しかし，3週間を超えると損傷部位の瘢痕化や骨癒合などにより整復が困難となる。

アプローチは整容的に目立たない部位や口腔内粘

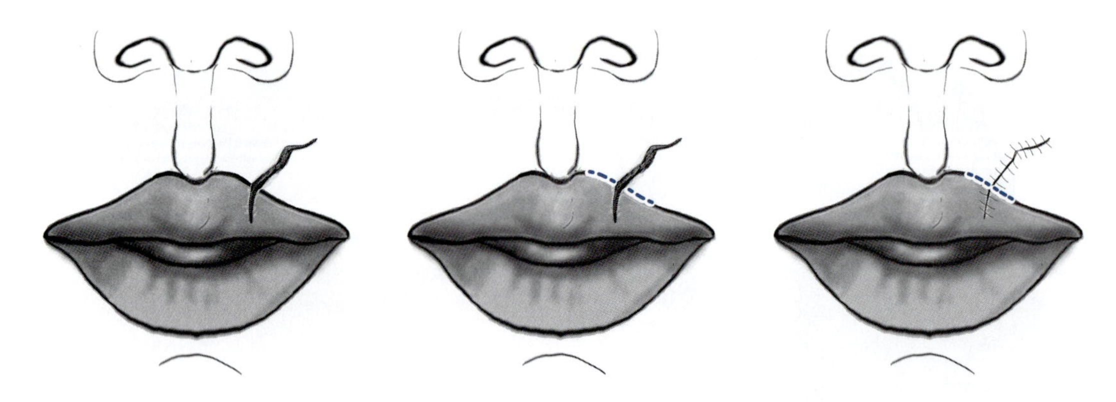

図3-3-B-7　**口唇挫創**
口唇縫合時には赤唇のずれを予防する。マーキングしてから局所麻酔を行うとよい

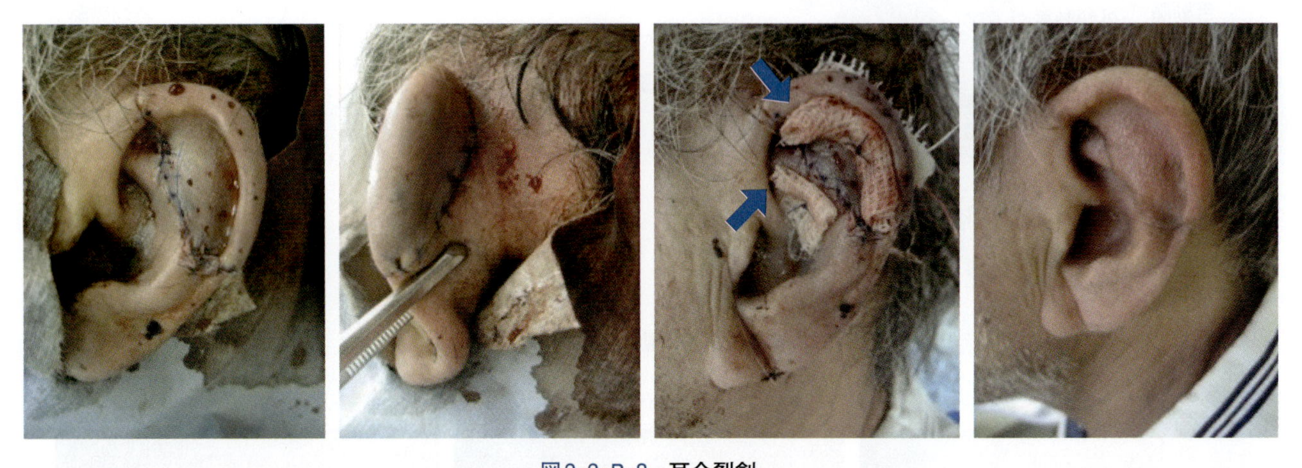

図3-3-B-8　**耳介裂創**
軟骨および皮膚を縫合した後に血腫の予防のため軟膏ガーゼを用いてボルスター固定を行っている（矢印）。写真のように耳介の大半が裂けていても皮膚が一部つながっていれば生着する可能性は十分にある

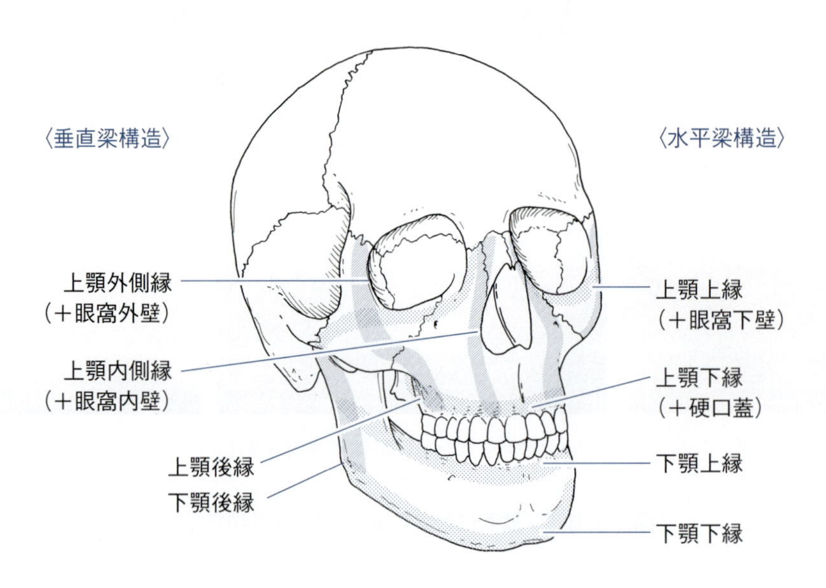

図3-3-B-9　**顔面骨のbuttress構造**
〔文献17）より引用・改変〕

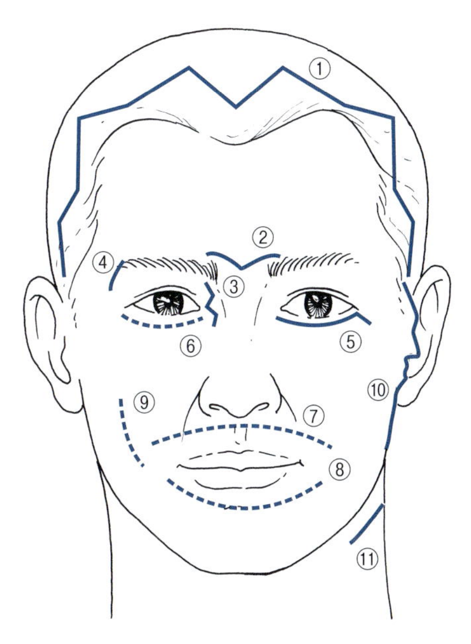

①冠状切開，②眉毛上縁切開，③内眼角切開，④眉毛外側切開，⑤下眼瞼縁（睫毛下）切開，⑥経結膜切開，⑦上口腔前庭粘膜切開，⑧下口腔前庭粘膜切開，⑨臼歯部前庭粘膜切開，⑩耳前切開，⑪下顎縁下切開

図3-3-B-10　顔面骨骨折手術で用いられる皮膚および粘膜切開

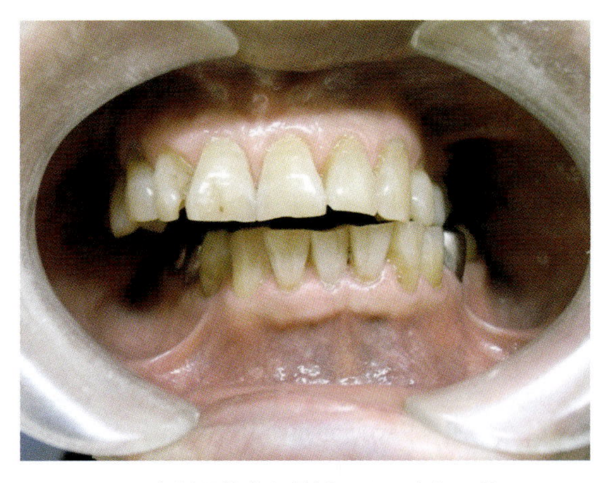

a：左顎関節突起骨折による咬合のずれ

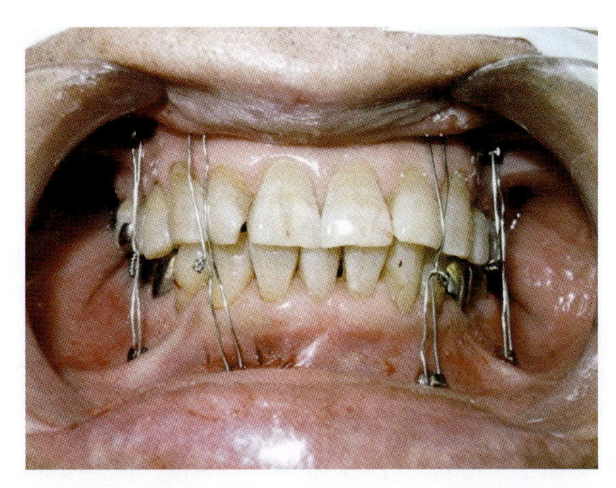

b：歯槽骨埋入スクリューとサージカルワイヤーを利用した顎間固定による咬合矯正・固定

図3-3-B-11　顎骨折時の治療

膜切開（図3-3-B-10）などを選択し，骨折部の固定は専用のプレートを用いる[18]。buttress構造の欠損に対しては骨移植が行われることもある。眼窩壁の再建には，自家骨（腸骨）や人工素材（メッシュプレート，吸収性プレート）が利用される。

上・下顎骨折では咬合面の整復位維持のため顎間固定を追加し，症例に応じて咬合整復スプリント（咬合床）を作成する場合もある。歯列弓の損傷が少なく咬合位の判断が容易であれば，歯槽骨に埋入した専用のスクリューを用いて咬合位で固定・維持する（図3-3-B-11）。歯牙損傷が多い場合は，残存歯牙に装着したアーチバーを用いて固定する。無歯顎の場合には顎間固定は困難なため，骨折固定後に義歯を作成する。

4. 顔面骨骨折に対する治療戦略と戦術

1）前頭骨（および前頭蓋底）骨折

額部の軟部組織損傷に加えて，眼瞼部の皮下出血や結膜出血を認めれば疑われる。前頭洞骨折を伴う場合は，鼻出血を認める。前頭神経損傷による額部や前頭部の知覚異常，また動眼神経損傷による眼瞼下垂なども起こり得る。頭蓋底骨折を伴う場合には，嗅覚脱失や髄液鼻漏にも注意する。

CT所見では，前頭骨および前頭洞，とくに前頭洞後壁骨折の有無や気脳症，脳実質損傷の有無にも注意する。

治療は前頭洞損傷の有無により方針が異なる。損傷がある場合，上行感染予防や囊腫形成予防の目的で，ドレナージまたは頭蓋化手術を検討する[19]。陳旧化すると整復困難な陥凹変形や前頭洞炎，髄膜炎などを引き起こすため，初療での診断と対処が重要である。

2）鼻骨骨折

鼻部の疼痛と腫脹，鼻出血，鼻変形，触診上の動揺性などの所見がみられるが，変形は腫脹により隠れることがあるので注意する。診断はX線単純撮影またはCTで行う。

手術適応は骨折部の陥没，左右への偏位や粉砕の程度などで決定する。整復は鼻腔内に挿入した鼻骨

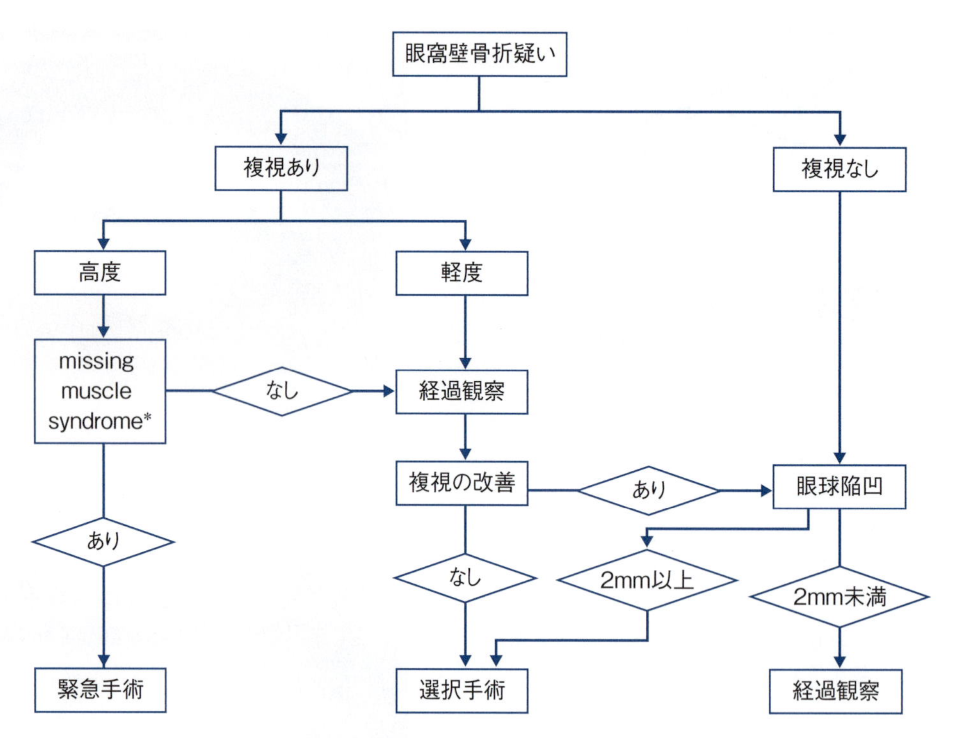

図3-3-B-12　眼窩壁骨折の治療；臨床症状からみたフローチャート
*CTなどの画像診断上，眼窩内に下直筋が確認できなくなっている状態で高度の筋絞扼を示唆する状態
〔文献21）より転載のうえ許可を得て改変〕

整復鉗子を用いて行い，整復位は視診，触診で確認するが，超音波検査も有用とされる[20]。麻酔は状況によって全身麻酔または局所麻酔で行う。整復後は鼻腔内に挿入したタンポンガーゼと鼻背スプリントの併用で，通常1～2週間固定する。

3）眼窩壁骨折

眼窩壁単独骨折は眼窩部への直達外力で発生し，骨の菲薄な内壁と下壁に多い線状骨折と打ち抜き骨折があり，後者は吹き抜け骨折（blow-out fracture）とも呼ばれる。眼窩縁の圧痛，複視，眼球陥没などの症状がみられ，鼻出血を伴うことが多い。鼻出血のため患者は鼻をかみたくなるが，鼻を強くかむと鼻腔内圧の上昇により皮下や眼窩内に気腫を生じ，腫脹を増悪し診断や治療の妨げとなるため禁止する。

CT画像で骨折形態を診断するときには，内壁骨折は横断面（transverse plane）または冠状面（coronal plane）画像，下壁骨折は冠状面または矢状面（sagittal plane）画像が評価しやすい。

手術適応については，標準的といえる基準はないのが現状である。保存的治療が行われる場合も多いが，複視が経時的に改善しない，眼球陥凹が高度，外眼筋の明らかな絞扼がある場合，眼心臓反射（迷走神経反射）が改善しない場合は，数日～数週間以内に手術を行う（図3-3-B-12）[21]。なお，筋絞扼を伴う眼窩底線状骨折と診断した場合は，専門医による緊急手術（外眼筋絞扼解除）が必要となる[22,23]。

手術は下眼瞼縁切開，睫毛下切開，眼瞼結膜切開，内眼角部切開などの進入法で眼窩壁に到達し，骨折部を骨膜下に剝離して眼窩内容を整復する。眼窩壁の再建には，自家骨（腸骨など）または人工素材（チタンメッシュプレートあるいは吸収性プレート）を用いる（図3-3-B-13）。下壁骨折に対する手術では，上歯槽前庭や鼻腔側から上顎洞を経由して眼窩下壁に達し，バルーンを膨らませ骨折部を頭側へ押し上げて整復することもある。

4）頬骨骨折

頬部の陥没変形（軟部組織の腫脹のため目立たないことも多い），皮下出血，鼻出血，咽頭出血，眼球陥没や複視（眼窩下壁骨折の可能性），頬部・鼻翼・上口唇・上歯槽粘膜などの知覚異常（眼窩下神経損傷の可能性），開口障害（頬骨弓骨折の可能性）などが骨折を疑う根拠となる。

外力の方向により後方または内方への陥没変形が

a：整形した吸収性メッシュプレート

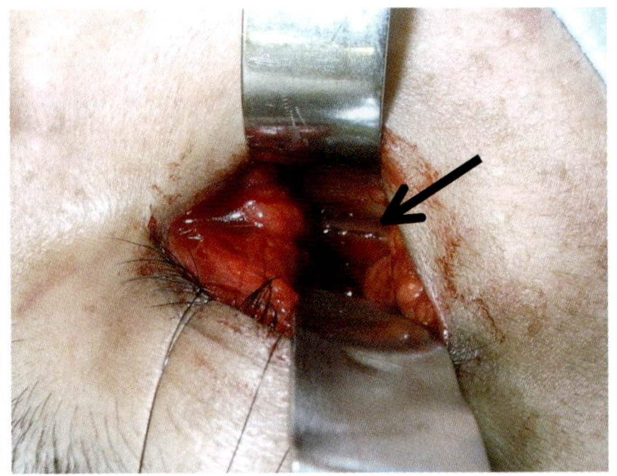

b：眼窩壁挿入時

図3-3-B-13　眼窩壁骨折に対する下壁再建手術

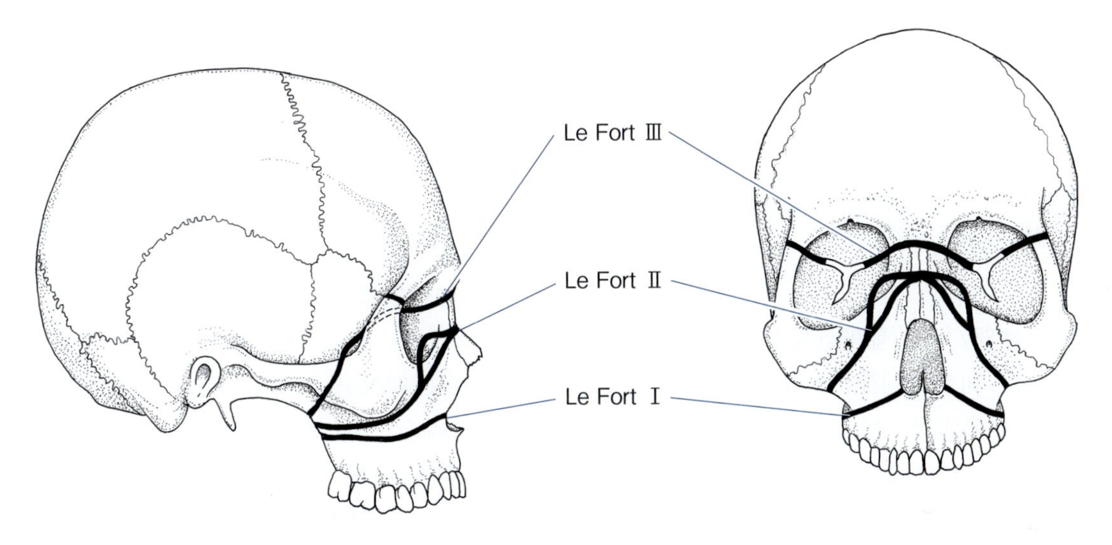

図3-3-B-14　Le Fort型骨折

〔文献25）より引用〕

CT画像でみられることが多い。典型的なtripod骨折では，眼窩下縁から上顎骨外側，頬骨前頭縫合，頬骨弓部の骨折転位と第三骨片がみられる。手術適応は，身体所見とCT画像による骨折転位の程度，および症状の経時的変化，患者の希望により判断する[24]。

手術は全身麻酔下に人工素材による観血的整復固定を行うが，単純骨折で整復操作のみで整復位の安定が得られたならば，プレート固定を省略する場合もある。眼窩底骨折を合併している場合は，その程度に応じて眼窩壁単純骨折に準じた治療を追加する。

なお，頬骨外側縁には咬筋が付着しており，強い咀嚼運動により頬骨体部が下方に牽引され，骨折部の転位を起こしやすい。このため，頬骨骨折では軟食（またはペースト食・流動食）にするなど食事内容にも留意する必要がある。

5）上顎骨骨折

高リスク受傷機転で発生することが多い骨折である。両側の上顎骨体部にまたがる横断型骨折をLe Fort型骨折と呼ぶ（図3-3-B-14）[25]。Ⅰ，Ⅱ，Ⅲ型に分類され，この順に重症度が高まるが実際には混在している場合が多い。

顔面の高度腫脹とともに鼻腔・口腔からの大量出血，広範囲の皮下出血，顔面中央部の凹状変形（dish face deformity）や歯槽骨・歯牙損傷，咬合異常，開閉口障害などがみられる。高位骨折を伴う場合，頭蓋底骨折に伴う髄液鼻漏も念頭に置く。

CT画像で骨折型，転位の程度，第三骨片の有無，合併損傷（眼窩壁骨折や頭蓋底骨折など）を評価する。硬口蓋部の矢状骨折も見逃してはならない。Le Fort Ⅲ型骨折では脳挫傷なども存在することもあり，骨折に整復に至らないケースもある。

治療は，形態の改善と咬合位の整復を目的とする。可能であれば術前に歯列石膏モデルによる詳細な咬合評価とバイトスプリント作成を行っておく。全身麻酔時の気道確保は，術中に咬合を評価する必要があるため，原則として気管切開とする。

骨折部の整復により再度大量出血をきたす危険があるため，輸血も準備する。骨折部の固定はプレートを使用し，咬合位保持のため顎間固定を併用する。複雑な骨折で手術が長時間となった場合，術後の出血や咽頭喉頭浮腫の危険性から一定期間は気管切開のまま管理することも考慮する。

歯槽骨骨折は，体部骨折ほどの大量出血はみられないが，歯牙損傷を合併し咬合に甚大な障害をもたらす。可及的早期に徒手整復を行い，マルチブラケットなどで固定する。

6）下顎骨（体部/角部/顎関節突起）骨折

正中部，体部，角部，関節突起部の骨折がある。骨折部は咀嚼筋群の作用で転位しやすく，その結果咬合不全が起こる。正中部から体部の骨折では，骨折断端から活動性出血を認める場合があるが，可能ならばその場で徒手整復し，骨折面を合わせることで出血は制御できる。下歯槽神経の損傷は頻度の高い合併症であるため，初療時に下顎部・下口唇の知覚異常の有無を確認する。

関節突起骨折は正中部・体部打撲からの介達外力で生じ，外観上の変形に乏しく見逃しやすいので注意を要する。骨折した関節突起は，付着する外側翼突筋に牽引され前内下方へ転位し，咬合不全と開閉口障害を生じる。

CT画像による診断は，下顎骨の形態から正中部・体部では横断面，角部では横断面と冠状面，関節突起部は冠状面の画像が骨折部の評価に適している。とくに，関節突起部の骨折は高位か低位か，片側か両側かによって手術適応が決定されるため，冠状面画像による詳細な評価が必須となる。

身体所見がはっきりしない場合でも，画像上骨折が認められたならば，これ以上の転位を進行させないため，顎関節の安静が必要となる。治療は，無理な開閉口や咀嚼運動を禁止し，食事は流動食または胃管による経腸栄養とする。咀嚼の制限期間は骨折部位や程度，治療方法により異なる。

治療目標は形態と咬合の再建，顎運動機能の回復であり，症例に応じて顎間固定のみにとどめる場合とプレートによる観血的整復固定による治療がある。術中に咬合評価を行う必要があるため，経鼻気管挿管による全身麻酔を選択する。

顎関節突起高位骨折についての治療方針については，いまだ議論がある。顎間固定だけでも有効であることがあり，とくに小児においては保存的療法が推奨されている。低位の関節突起骨折では手術が考慮されるが，高位の骨折では適応は明確ではない。保存的治療では，アーチバーまたはブラケットを装着しゴム牽引により咬合位の改善を図る。治療期間は骨折形態により1〜6週間以上と幅がある。

5. その他の損傷に対する治療戦略と戦術

1）神経損傷

三叉神経と顔面神経の損傷の有無について診察する。三叉神経損傷による知覚異常の把握は，顔面骨骨折診断の一助となる。顔面神経は，両側の耳下部から顔面に扇状に分布する運動神経で顔面表情筋を支配する。神経線維間にネットワークが存在し，一部の損傷だけでは麻痺は目立たないが，側頭枝と下顎縁枝に関してはネットワークに乏しく，眉毛挙上不能や口角下制筋不能を生じる。一般的には，外眼角部での垂線より耳側での損傷には修復（神経吻合または神経移植）が必要とされている。

穿通性損傷で神経切断の両断端が確認できれば，ルーペまたは顕微鏡下に一期的に神経縫合を行う。挫滅や腫脹で一期的再建が困難であれば，後日二期的に神経再建を行う。多くの場合，端々吻合は困難で，神経移植を要する（図3-3-B-15）。

2）眼外傷

視覚から得られる情報量はきわめて多く，眼外傷による視覚障害は甚大な後遺障害である。眼外傷後に生じる視機能障害と主な原因を示す（表3-3-B-1）[26]。眼外傷の存在を認知し，適切に眼科医を要請することが重要であるが[27]，その間に必要な情報を収集する。視力，対光反射は経時的に確認する。

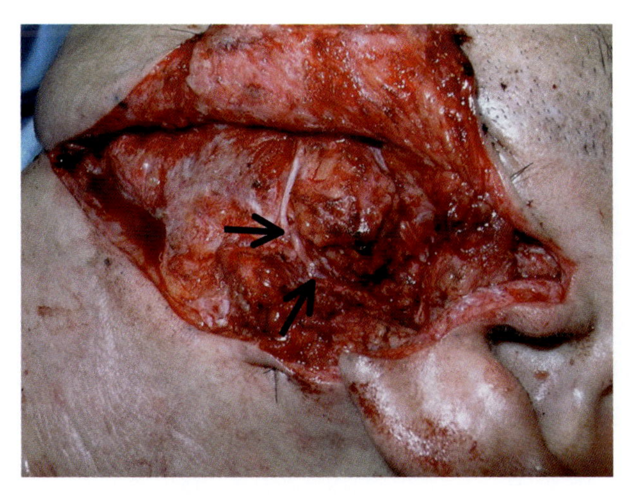

図3-3-B-15　外傷性顔面神経断裂に対する神経移植（腓腹神経）

表3-3-B-1　眼外傷で起こり得る視機能障害とその原因

A. 視力障害
≪前眼部・中間透光体≫ 角膜混濁，外傷性白内障 / 水晶体脱臼，前房出血，硝子体出血，強角膜裂傷
≪後眼部≫ 外傷性黄斑円孔，低眼圧黄斑症，外傷性網膜剝離，脈絡膜破裂 / 出血 視神経離断，眼球破裂
≪眼窩部≫ 外傷性視神経障害，視神経管損傷，眼窩先端症候群
B. 調節機能障害
外傷性散瞳，毛様体解離
C. 眼球運動障害（複視）
眼窩壁骨折，外眼筋麻痺 / 断裂，眼窩先端症候群
D. 視野障害
続発性緑内障，外傷性視神経症
E. 眼瞼欠損 / 運動障害
瘢痕性兎眼，麻痺性兎眼，外傷性眼瞼下垂症

〔文献26）より引用・改変〕

眼瞼の腫脹が強い場合もできるだけ開瞼させて情報収集するが，診察やCTにて穿孔性眼外傷や眼球破裂など開放性眼球損傷が疑われる場合は，無理な診察は中止し眼球保護に努める。開放性眼球損傷に対しては，視機能が確保されていれば眼球再建を行うが，再建困難な場合は僚眼が交感性眼炎となる可能性があり，眼球内容除去が急がれる。

外傷性視神経損傷は眉毛外側部への鈍的打撲で生じ得る。画像診断で視神経管骨折が証明されれば，早期の視神経管開放術を考慮してもよい。また，ステロイド投与による保存的治療も考慮される[28)29)]。

3）眼瞼・涙道損傷

眼瞼部の損傷は，とくに愛護的操作が必要となる。安易な挫滅部の切除は慎むべきであり，丁寧に皮膚を戻せば欠損はカバーできることが多い。また，深部に至る創では，瞼板の損傷も念頭に置く。とくに上眼瞼では，眼瞼挙筋損傷により開瞼困難となる場合があるため，能動開瞼の状態を観察しておく。断裂している場合は拡大鏡下の修復操作が必要となる。また眼瞼縁を含む全層損傷は，瞼縁を正確に再建するという特別な配慮が必要となる。

上・下眼瞼内側の全層損傷では涙道損傷（涙小管断裂）にも注意する。主たる流路である下涙小管損傷を放置し閉塞した場合は，流涙を生じ日常生活に支障をきたす。受傷早期にチュービングなどの再建修復が必要である。これは顕微鏡下の手術となるため専門医にコンサルトする。

4）耳下腺（管）損傷

耳下腺は耳前部の皮下にあり，この部の創により耳下腺被膜および実質を損傷するおそれがある。不適切な治療により唾液皮膚瘻を生じることがあるため，被膜を確実に縫合する。さらに深層に至る創では，耳下腺管を損傷している可能性がある。耳下腺管は耳垂と口角を結ぶ線上に存在し，口腔内では上顎第1大臼歯横の粘膜に開口している。耳下腺管損傷は，耳下腺管開口部からブジーを挿入し，創内に露出するかどうかで診断する。損傷があればステント（シリコンチューブなど）を留置して断裂部を縫合する。

5）歯牙損傷

口腔内損傷に伴い歯牙損傷が生じることがある。破折，脱臼・亜脱臼などの損傷形態があるが，状況により歯牙は生着する可能性がある。固定は床副子，線副子，ボンディング，マルチブラケット装着などを用いる。完全脱臼の場合も早期に再植することで生着が期待できる。歯根膜の損傷に注意し歯根部に触れないように洗浄し，歯専用の保存液（ティースキーパー），生理食塩液や牛乳，唾液などで保存し，速やかに（できれば30分以内）歯科専門医に相談する。

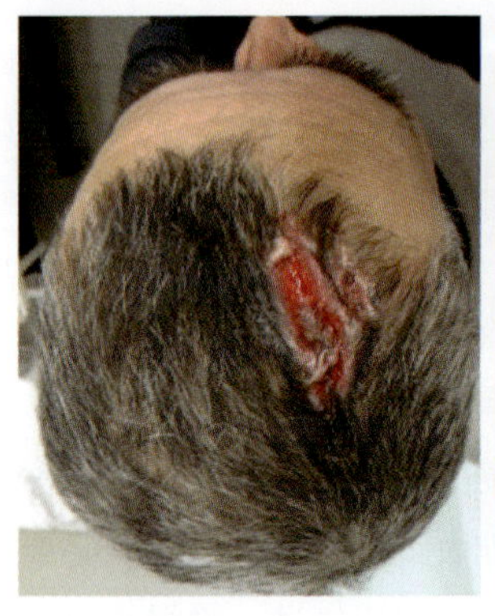
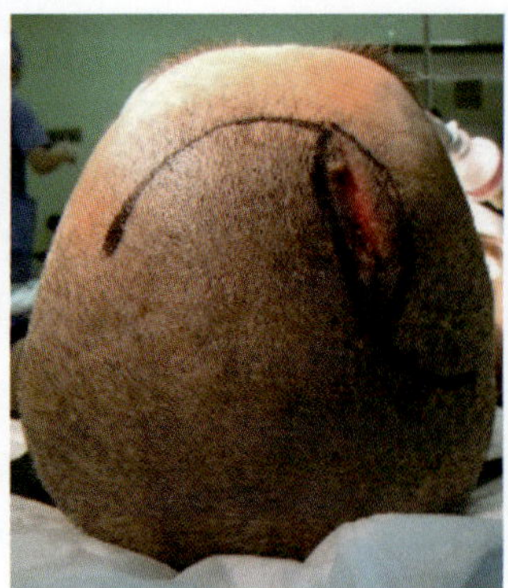
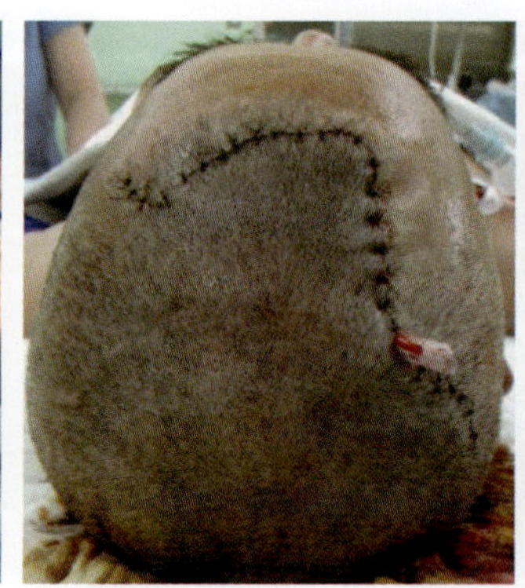
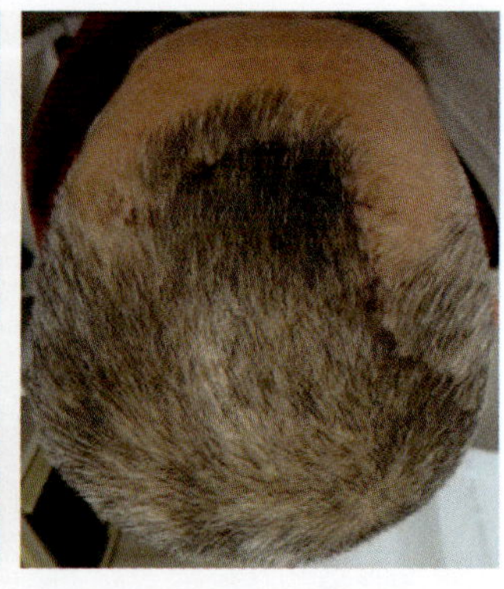

図3-3-B-16　散弾銃による損傷
メインの創部の周囲にも細かい挫創がある。感染制御を行いながらデブリドマンを行った。創部の状態が落ち着いた後に回転皮弁により創部を閉鎖した

6）銃　創

銃器により発射された弾丸による損傷である。拳銃やライフル，散弾銃といったさまざまな銃器があり，また弾丸によっても体内での動態が変わる。一般的に22口径の拳銃弾は秒速350m程度で170Jのエネルギーをもち，ライフル弾は秒速900mに達しそのエネルギーは1,550Jとなる。弾丸にもよるが打ち込まれた弾丸は体内で揺れ，回転，変形，断片化，跳弾などが起こり各組織を損傷する。銃創が1カ所でもある場合は全身を注意深く観察しX線撮影などの画像検査を行い銃弾の残存確認および通過経路の判定を行う。感染や臓器損傷のリスクが高いと判断された場合以外は必ずしも摘出する必要はない。ただ，頭部顔面の場合は整容面も考慮し，摘出および組織の修復が考慮される（図3-3-B-16）。十分に全身状態に注意しながら損傷部位ごとに適切に創部処置，デブリドマンを行う。前述のように弾丸の不規則な動きにより想定以上に組織の挫滅が強い場合がある[30]。

文　献

1）American College of Surgeons, Committee on Trauma：Advanced Trauma Life Support Manual. American College of Surgeons, Chicago, 1994.
2）Japan Trauma Data Bank Report 2021. https://www.jtcr-jatec.org/traumabank/dataroom/data/JTDB2021e.pdf（Accessed 2022-2-26）
3）Bynoe RP, Kerwin AJ, Parker HH 3rd, et al：Maxillofacial injuries and life-threatening hemorrhage：Treatment with transcatheter arterial embolization. J Trauma 2003；55：74-79.
4）田嶋定夫：顔面骨骨折の治療，改訂第2版，克誠堂出版，東京，1999，p11.
5）Reuben AD, Watt-Smith SR, Dobson D, et al：A comparative study of evaluation of radiographs, CT and 3D reformatted CT in facial trauma：What is the role of 3D? Br J Radiol 2005；78：198-201.
6）Mayglothling J, Duane TM, Gibbs M, et al：Eastern Association for the Surgery of Trauma：Emergency tracheal intubation immediately following traumatic injury：An Eastern Association for the Surgery of Trauma practice management guideline. J Trauma Acute Care Surg 2012；73：S333-S340.
7）Tung TC, Tseng WS, Chen CT, et al：Acute life-threatening injuries in facial fracture patients：A review of 1,025 patients. J Trauma 2000；49：420-424.
8）Shimoyama T, Kaneko T, Horie N, et al：Initial management of massive oral bleeding after midfacial fracture. J Trauma 2003；54：332-336.
9）Khanna S, Dagum AB：A critical review of the literature and an evidence-based approach for life-threatening hemorrhage in maxillofacial surgery. Ann Plast Surg 2012；69：474-478.
10）Cogbill TH, Cothren CC, Ahearn MK, et al：Management of maxillofacial injuries with severe oronasal hemorrhage：A multicenter perspective. J Trauma 2008；65：994-999.
11）Hals GD, McClain-Carter B, Mullis B：The facial trauma patient in the emergency department：Review of diagnosis and management, Part I. Emergency Medicine Reports 2004.
12）Hals GD, McClain-Carter B, Mullis B：The facial trauma patient in the emergency department：Review of diagnosis and management, Part Ⅱ. Emergency Medicine Reports 2004.
13）Brennan J：Experience of first deployed otolaryngology team in operation Iraqi Freedom：The changing face of the combat injuries. Otolaryngol Head Neck Surg 2006；134：100-105.

14) Liao CC, Hsu YP, Chen CT, et al：Transarterial embolization for intractable oronasal hemorrhage associated with craniofacial trauma：Evaluation of prognostic factors. J Trauma 2007；63：827-830.
15) Wong CW, Tan WC, Yeh YT, et al：Transarterial embolization for traumatic intractable oronasal hemorrhage. J Emerg Med 2013；44：1088-1091.
16) Schultz GS, Sibbald RG, Falanga V, et al：Wound bed preparation：A systematic approach to wound management. Wound Repair Regen 2003；11（Suppl）：S1-S28.
17) Hopper RA, Salemy S, Sze RW：Diagnosis of midface fractures with CT：What the surgeon needs to know. Radiographics 2006；26：783-793.
18) 平野明喜：顔面骨骨折に対する固定用プレートの有用性と限界．形成外科診療プラクティス；顔面骨骨折の治療の実際，文光堂，東京，2010, pp8-15.
19) Manolidis S, Hollier LH Jr：Management of frontal sinus fractures. Plast Reconstr Surg 2007；120（Suppl）：S32-S48.
20) 塚谷才明，三輪高喜，吉崎智一：鼻骨骨折整復時の超音波エコー診断．耳鼻臨床 2010；103：813-818.
21) 矢野浩規，平野明喜：眼窩内骨折．小室裕造，他編，頭蓋顎顔面の骨固定；基本とバリエーション；脳神経外科医･形成外科医のための1stステップ，克誠堂出版，東京，2013，pp145-154.
22) Yano H, Minagawa T, Masuda K, et al：Urgent rescue of 'missing rectus' in blowout flacture. J Plast Reconstr Aesthet Surg 2009；62：e301-e304.
23) Losee JE, Afifi A, Jiang S, et al：Pediatric orbital fractures：Classification, management, and early follow-up. Plast Reconstr Surg 2008；122：886-897.
24) 田嶋定夫：顔面骨骨折の治療，改訂第2版，克誠堂出版，東京，1999，pp1-54.
25) 日本外傷学会・日本救急医学会監，日本外傷学会外傷初期診療ガイドライン改訂第6版編集委員会編：外傷初期診療ガイドライン JATEC，改訂第6版，へるす出版，東京，2021, p153.
26) 恩田秀寿：眼外傷と視覚障害．日職災医誌 2013；61：50-54.
27) 根本裕次：眼外傷における眼科的知識．形成外科 2006；49：S79-S84.
28) Hokazono Y, Umezawa H, Kurokawa Y, et al：Optic canal decompression with a lateral approach for optic nerve injury associated with traumatic optic canal fracture. Plast Reconstr Surg Glob Open 2019；7：e2489.
29) Levin LA, Beck RW, Joseph MP, et al：The treatment of traumatic optic neuropathy：The International Optic Nerve Trauma Study. Ophthalmology 1999；106：1268-1277.
30) 横田裕行，木村昭夫：銃創・爆傷患者診療指針ver. 1. 厚生労働科学特別研究事業 2020年東京オリンピック・パラリンピック競技大会に向けての救急・災害医療体制の構築に関する研究．2018年3月.

C　頸部外傷

要　約

1. 頸部外傷において緊急度が高い病態は，気道緊急と大量出血である。
2. 循環動態が不安定な場合や，hard sign（活動性出血，拡大するまたは拍動性の血腫，皮下気腫または創部からのバブル，thrill の触知）を認めた場合は，主要血管や気管食道損傷を疑い，緊急に neck exploration を行う。
3. 呼吸・循環の状態と身体所見に加え，損傷部位と外傷形態の特徴を理解し，診断および治療を行う。

はじめに

頸部とは解剖学的に下顎下縁，後頭骨下縁，上胸骨切痕と鎖骨上縁に囲まれた領域で，その狭い領域に頸部血管，気道，食道および頸椎神経系などが位置しており（図3-3-C-1）[1]，頸部外傷においては出血や血管閉塞，気道の障害，消化管損傷や神経損傷が生じ得る。

緊急性のあるものでは，JATECのprimary surveyのなかで外傷蘇生として確実な気道確保と出血コントロールを速やかに行う。気道緊急では外科的気道確保を直ちに行う場面もあるため，迅速な判断と診療チーム内での密接な連携を要する。切迫した生理学的異常が認められなければ，画像診断も含めた解剖学的な評価をsecondary surveyで行い，緊急手術や経カテーテル治療などの治療方針を決定する[1]。

I　病態と治療戦略

頸部外傷において蘇生を要する病態は，気道緊急と大量出血である（表3-3-C-1）[1]。とくに気道の評価を迅速に行い，気道緊急であれば確実な気道確保を速やかに行う必要がある。

確実な気道確保を行う場合，まず経口気管挿管を試みる。気管支鏡を使用しての意識下気管挿管が奨められている[2]が，出血により気管支鏡の視野がとれない可能性も念頭に置く。気道緊急で経口気管挿管が困難な場合には，直ちに意識下に外科的気道確保を試みる[3]。頸部外傷では外科的気道確保を行うことが想定されるため，事前に外科的気道確保の必要物品と人員を確保しておくことが重要である。なお，頸部外傷では，患者の呼吸筋のみで気道が保たれている可能性もあるため，危機的な状況下での完全気道閉塞を回避するため筋弛緩薬を極力使用しない[4]。

気道の損傷を確認した後，可能であれば気管チューブの先端を損傷部位より遠位に位置させて合併症を予防する[3]。

循環動態が不安定である場合や，hard sign（活動性出血，拡大するまたは拍動性の血腫，皮下気腫または創部からのバブル，thrillの触知）を認めた場合は，主要血管や気管食道損傷を疑うため，緊急でneck explorationを行う[5]。活動性出血は指による圧迫またはバルーン挿入により一時止血を図り手術室に向かう[6]。thrillの触知はsoft signとする考えもあるが，認めた場合には動静脈瘻の存在を示唆するので，hard signとしておいたほうが過小評価につながらない。また，頸部における神経損傷所見（表3-3-C-2）[1]の有無も確認する。

そのほか，頸部外傷では穿通性外傷と鈍的外傷の病態と治療法が異なるため，それぞれに分けて述べる。

1. 穿通性外傷

広頸筋を貫く穿通性損傷は穿通性頸部損傷（penetrating neck injury）といわれ[7]，頸動脈などの血管や気管，食道などの重要臓器を損傷する可能性がある。

穿通性頸部損傷は，歴史的には頸部における受傷部位によって治療アプローチ方法が異なっていた[8]。

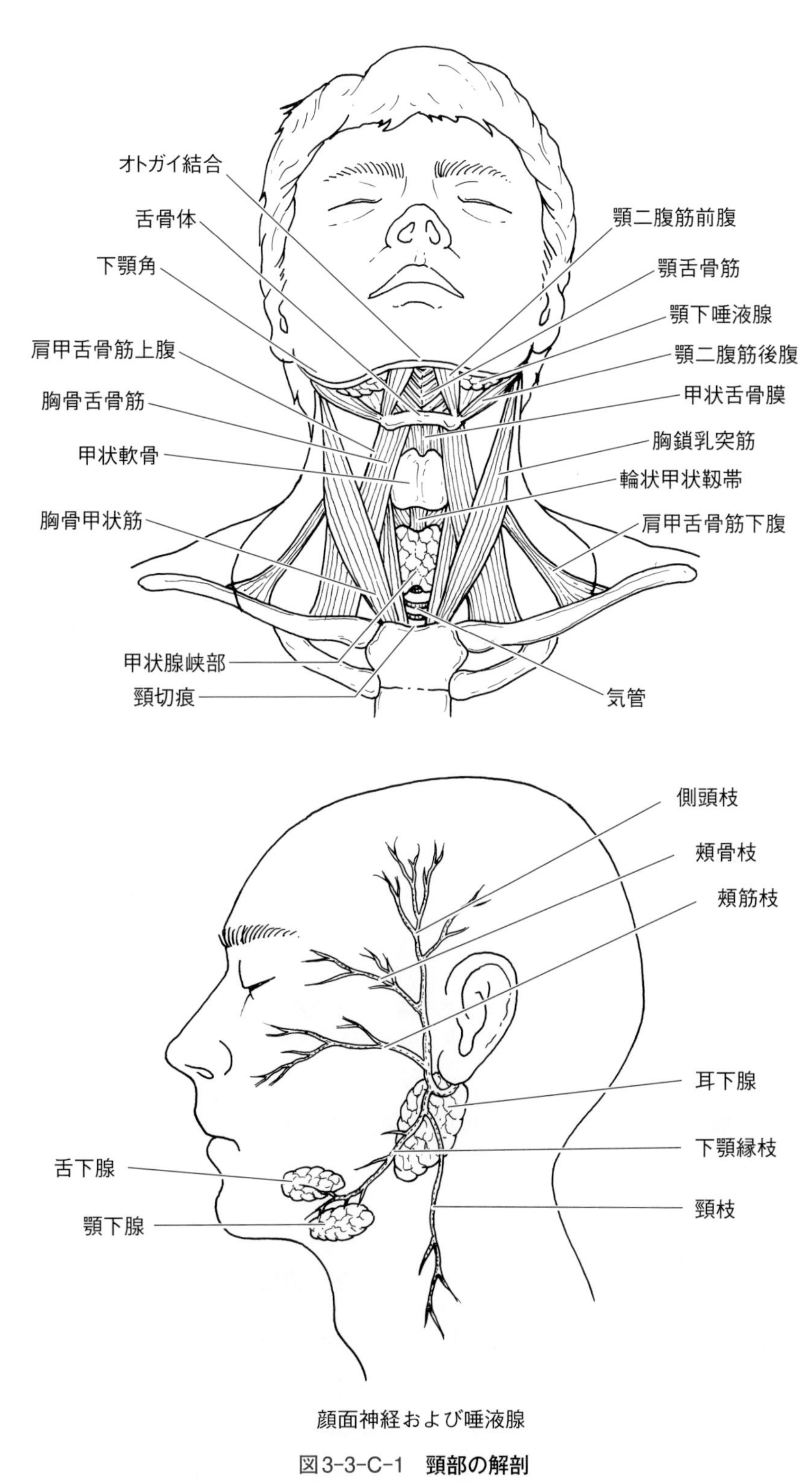

顔面神経および唾液腺

図3-3-C-1　頸部の解剖

〔文献1)より引用〕

頸部を3つのZoneに分け，輪状軟骨より下をZone Ⅰ，輪状軟骨と下顎角の間をZone Ⅱと呼び，下顎角より上をZone Ⅲと呼ぶ（図3-3-C-2）[1)8)9)]。Zone ⅠとZone Ⅲは手術アプローチが困難であることから画像診断を行ってから手術適応を判断し，Zone Ⅱは手術アプローチが容易であることから常にwound explorationが行われてきた（Zone approach）。

しかしZone Ⅱでのwound explorationで陰性率が高いため[9)]，近年では循環動態が安定してhard sign, soft signがみられなければ，ZoneによらずCTA所見を考慮して緊急手術などの治療適応を判断するようになった（No Zone approach）[10)~13)]。とくにZone Ⅱ穿通性頸部損傷において，不必要な手術を最小限に抑えるために，循環動態が安定してhard signを認

表3-3-C-1　頸部外傷のhard sign

気道緊急： 上甲状切痕の沈下，甲状軟骨の変形・露出，輪状軟骨の変形・露出，輪状甲状靱帯の陥凹，大量喀血，開放創からの気泡
進行性の広範囲の皮下気腫
拍動性の血腫，thrill
ショックを伴う外出血
閉塞性ショックの間接所見 頸静脈怒張，皮下気腫，気管の偏位など

〔文献1）より引用〕

表3-3-C-2　頸部における神経損傷所見

脊髄神経：知覚・運動異常，四肢麻痺
横隔神経：横隔膜挙上
腕神経叢：上肢知覚・運動異常
反回神経：嗄声
脳神経 舌咽神経：嚥下障害 迷走神経：嗄声 副神経　：肩すくめ不能，非患側への振り向き不能 舌下神経：舌感不全麻痺
星状神経節：散瞳

〔文献1）より引用〕

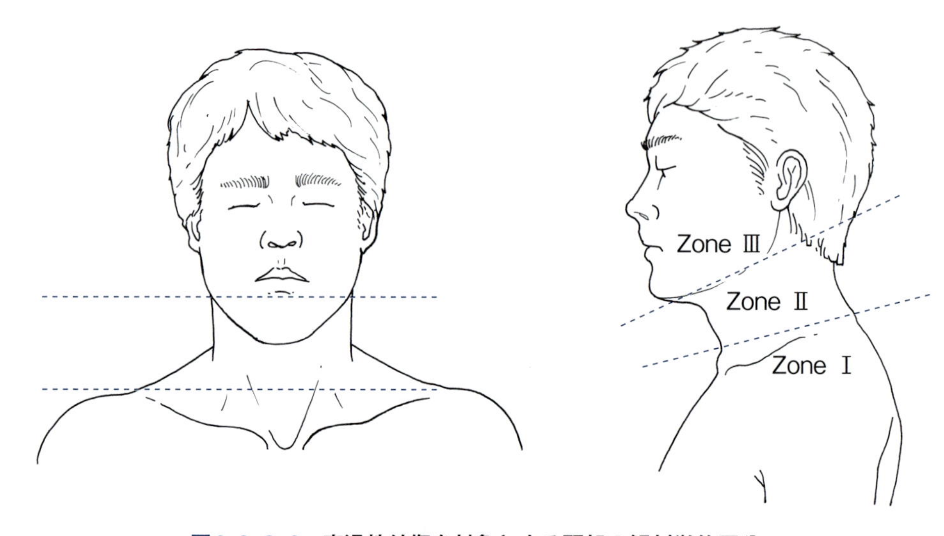

図3-3-C-2　穿通性外傷を対象とする頸部の解剖学的区分

Zone Ⅰ：鎖骨と輪状軟骨との間（椎骨動脈と総頸動脈近位側，肺，気管，食道，胸管，脊髄，主要な頸髄神経幹）
Zone Ⅱ：輪状軟骨と下顎角との間（頸静脈，椎骨動脈，頸動脈，気管，食道，脊髄，喉頭）
Zone Ⅲ：下顎角から頭蓋底までの間（咽頭，頸静脈，椎骨動脈，内頸動脈遠位部）
〔文献1）8）より引用〕

めなければCTAなどの画像診断所見をもとに選択的に手術を行うべきである（推奨レベルⅠ）[12)～26)]。

CTAを用いれば穿通性頸部外傷における血管損傷の感度・特異度はそれぞれ97％・99％であり，適切な診断が可能である（推奨レベルⅡ）[27)～33)]が，CTAでの食道損傷の検出率は高くないため[10)14)34)]，鑑別のために術前・術中の食道造影・上部消化管内視鏡を検討する。

血管損傷が臨床的に疑われるが，CTAで明らかな異常所見が認められない場合，カテーテルを用いた動脈造影がさらなる評価に有用である[14)]。

循環動態が安定し，soft sign（嚥下障害，変声，喀血そして縦隔拡大）のみ認める場合は，CTA，気管支鏡，または食道損傷検索のために内視鏡や食道造影を検討し，治療方針を決定する。

2. 頸部銃創

銃創では，弾丸の回転や変形，揺れなどにより空洞化現象が生じ，弾丸の軌道に比しはるかに広範な組織ダメージを生じる[35)]ため，刺創よりもはるかに重症となる可能性が高い。

弾道によっては複数のZoneに損傷がみられ[4)]，胸部などの他部位に達し重篤な胸部外傷を伴うことがある。血管損傷や気道損傷，消化管損傷はもちろんであるが，脊椎・脊髄損傷や神経損傷にも注意を払う。なお，脳梗塞などの神経所見がみられなくても頸部血管損傷は否定できない[36)]。

循環動態が不安定な場合やhard signが陽性の場合には直ちに緊急手術を行う[35)]。hard signが陽性で循環動態が安定している場合は，CTAを撮影し

表3-3-C-3　BCVIスクリーニング判断基準；Denver判断基準とMemphis判断基準

Denver判断基準	Memphis判断基準
BCVIの症状・徴候 頸部・鼻・口からの動脈性出血，またはその可能性がある 50歳未満の頸部でのBruit聴取 頸部の増大する血腫 神経巣症状（TIA，半身麻痺，椎骨脳底動脈系の症状，Horner徴候） 神経学的脱落所見とCT所見が一致しない CTまたはMRIでの脳梗塞所見 BCVIの危険因子 高リスク受傷機転 顔面骨折（Le Fort ⅡまたはⅢ型骨折） 下顎骨折 複雑頭蓋骨骨折・頭蓋底骨折・後頭窩顆骨折 GCS＜6のびまん性脳損傷 頸椎骨折・亜脱臼・靱帯損傷（すべての高位） 縊頸による無酸素脳症 腫脹や疼痛，意識障害を伴うclothesline injuryまたはシートベルト損傷 胸部外傷を伴うびまん性脳損傷 肩のデグロービング損傷 胸部血管外傷 鈍的心破裂 上位肋骨骨折	説明のつかない神経学的脱落所見が存在する Horner徴候 Le Fort ⅡまたはⅢ型骨折 頸椎損傷 破裂孔に及ぶ頭蓋底骨折 頸部軟部組織損傷（シートベルト損傷や縊頸）

〔文献39）より引用・改変〕

て緊急手術に臨む。hard signを認めず，soft signが陽性の場合は，CTAを撮影して緊急手術の必要性の判断を行う。

頸部の穿通性外傷に対する頸椎固定具の必要性に関して，都市部レベルⅠ外傷センターでの4年間にわたる頭頸部穿通性損傷患者を対象としたレトロスペクティブスタディーが行われた[37]。銃創生存者36名のうち2名（5.6％）に不安定型の頸椎骨折がみられ，頸部銃創に対して頸椎固定の必要性を支持する結果が得られた。

3. 鈍的外傷

頸部は下顎や頸椎などによって保護されているため，多発外傷患者のなかでは鈍的頸部損傷は比較的まれである[3]。鈍的頸部損傷では，頸動脈や椎骨動脈への鈍的外傷（blunt cerebrovascular injury；BCVI）により内膜損傷や血栓形成により脳梗塞を引き起こす可能性がある。BCVIでは，未治療の場合は10〜40％の患者に脳梗塞が生じるが，その半数以上では受傷直後の段階では脳梗塞症状を呈さない[38]。脳梗塞の発症は受傷後7日間で頻度が高く，とくに受傷から24時間以内でもっとも多い。

成人の鈍的多発外傷患者において，BCVIを検出するためにスクリーニングプロトコルを定めるべきである（表3-3-C-3）（推奨レベルⅠ）[39〜45]。BCVIのスクリーニングは早期に迅速に行われるべきであり，この点ではCTAが血管造影よりも好ましい[39]。少なくともBCVIのスクリーニングではCTAは有用である[3]。

Ⅱ 損傷別治療戦術

1. 咽頭損傷

咽頭損傷も食道損傷と同様に，咽後膿瘍による縦隔炎などの敗血症に進展する可能性があるため，早期の診断および治療が重要である。

食道損傷とは異なり，咽頭造影による咽頭損傷の発見は感度が低いため，疑わしい場合は積極的に内視鏡を行う[16,46,47]。

1cm未満の感染を伴わない穿孔では非手術治療により治癒可能かもしれないが，感染を伴う1cmを超える穿孔では手術治療が必須である[48]。

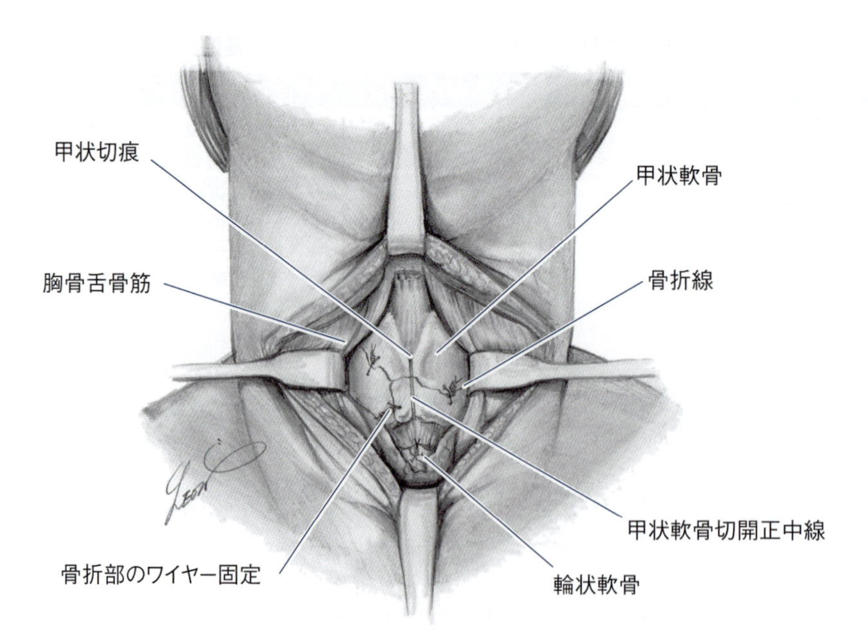

図3-3-C-3　Group Ⅲの喉頭損傷に対する外科的修復

2. 喉頭・気管損傷

喉頭・気管損傷を認めた場合，気道確保に最大の注意を払うべきである[49]。低酸素，呼吸困難，頻呼吸，増大する皮下気腫，縦隔気腫および緊張性気胸などの所見がある場合には，気胸を解除し，気管支鏡を用いて気管損傷を検索する。気管挿管また気管切開をすでに行っている場合は，チューブの位置の確認が重要である。また気道からの大量出血を認めた場合には周囲の血管損傷の可能性があり，気管チューブを抜去せず，カフを出血点直上に進め，圧迫止血を試みる。

喉頭損傷は損傷程度により分類され，それぞれ治療戦略が異なる[50][51]。軽症のGroup Ⅰは軽度の血腫や裂傷のみで保存的に，中等度の血腫，浮腫，裂傷または安定型の骨折を伴うGroup Ⅱは気管切開などの気道の確保を行う。著明な浮腫，粘膜の破綻，不安定型骨折，声帯の不動性などを認めるGroup Ⅲは外科的修復が必要であり，損傷部の縫合，骨折の整復固定などを行う（図3-3-C-3）。粉砕骨折による軟骨の不安定性，広範な粘膜損傷，前交連の破綻したGroup Ⅳに対しては，外科的修復の際にステントが必要となる（図3-3-C-4）。

気管損傷に対しては，損傷部位が小さい場合は吸収糸で修復を行い，付随した血管損傷や食道損傷を認める場合には，瘻孔予防のために胸鎖乳突筋または肩甲舌骨筋で修復部の被覆を行う[52]。損傷部位が大きい場合は損傷部位に気管チューブを挿入し，その部位を気管切開術と同様に使用する。空気漏れが起こる場合は，数針縫合を行う。

気管損傷を修復した後の抜管の時期については，挿管チューブ留置が長ければ修復部の炎症を起こす可能性が高くなるので，早期抜管が奨められている。Rossbachらの報告[53]では，穿通性外傷による気管損傷は平均2日，鈍的外傷による気管損傷は平均5日で抜管を行っている。Dertsizらの報告[54]では平均1.4日で抜管を行っており，早期抜管を強く推奨している。

3. 頸部血管損傷

1）頸動静脈損傷

頸動脈損傷はすべての血管損傷の5〜10%を占める。多くは穿通性外傷であるが，10%弱が鈍的外傷による[55]。致死率は10〜30%であり，脳神経障害合併率は40%ほどである[56]。また胸部または頸部のシートベルトサインを認める患者の3%に頸動脈損傷を認める報告がある[57]。

Zone Ⅱの損傷に対するneck explorationは，頸椎損傷が否定的であるならば，肩の下にロール状のタオルを置き，首を伸展させ，顔を損傷側の反対側にローテーションして行う。ただし穿通性外傷で，弾道や刃物のトラクトが頸部の側面から入り反対側に抜けると推測される場合は，両側の血管損傷も存在

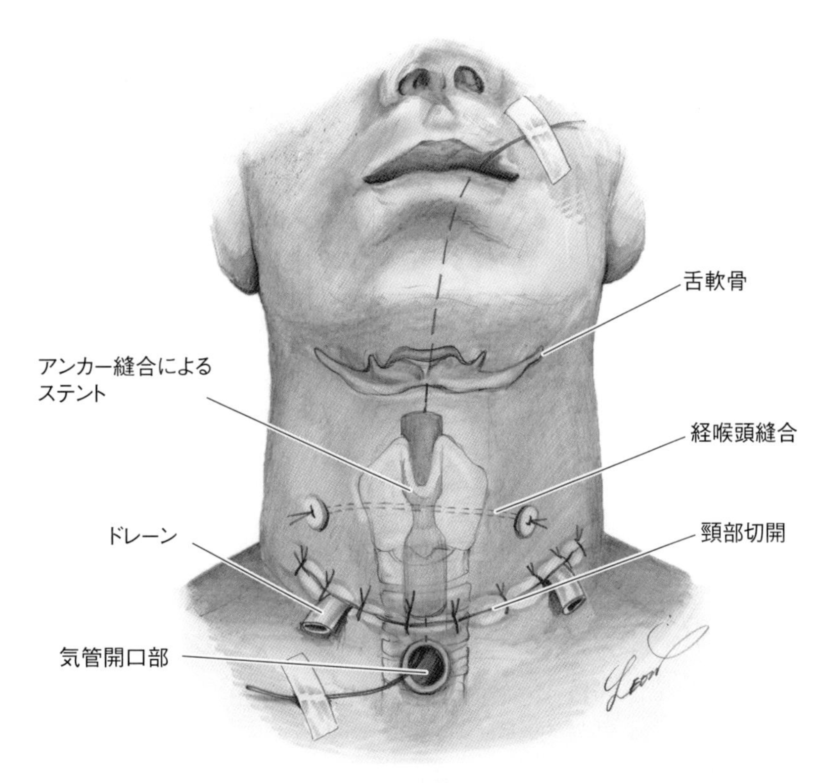

図3-3-C-4　Group Ⅳの喉頭損傷に対する外科的修復

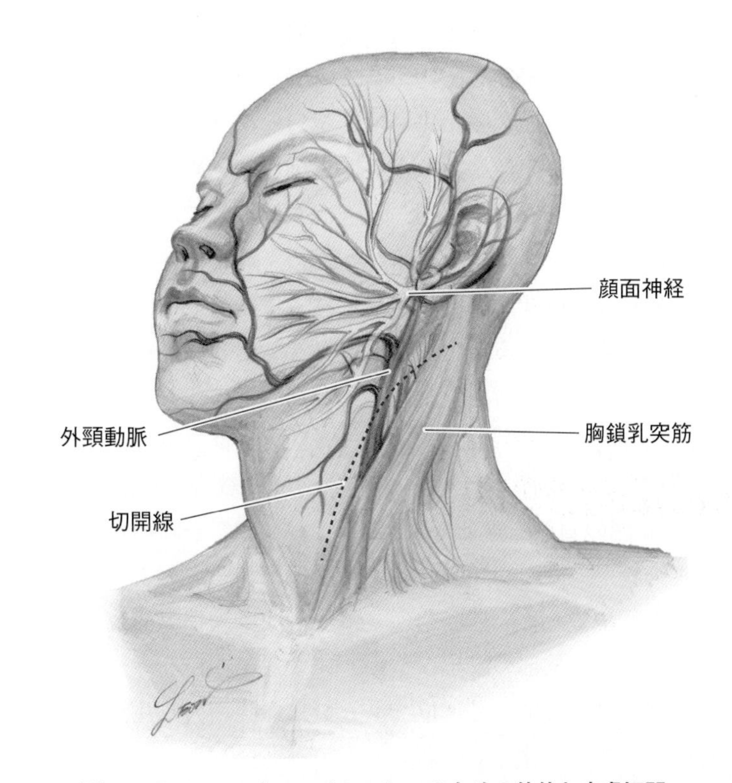

図3-3-C-5　neck explorationのための体位と皮膚切開

する可能性があるためU字型切開を行う。この場合は顔面を正中位で固定する。

皮膚切開は胸鎖乳突筋前縁に沿って行い，術野展開の必要があれば乳様突起および胸骨切痕まで皮膚切開を延長する（図3-3-C-5）。広頸筋を切開すると胸鎖乳突筋が露出され，それを外側に牽引すると血管鞘が現れる。血管鞘を切開すると内頸静脈が露出される。内頸静脈に損傷を認めた場合は，空気塞栓予防のためTrendelenburg体位とし，指による圧迫止血を行う。単純に側方修復できれば修復を試みるが，修復困難またはショックであれば躊躇することなく結紮する。

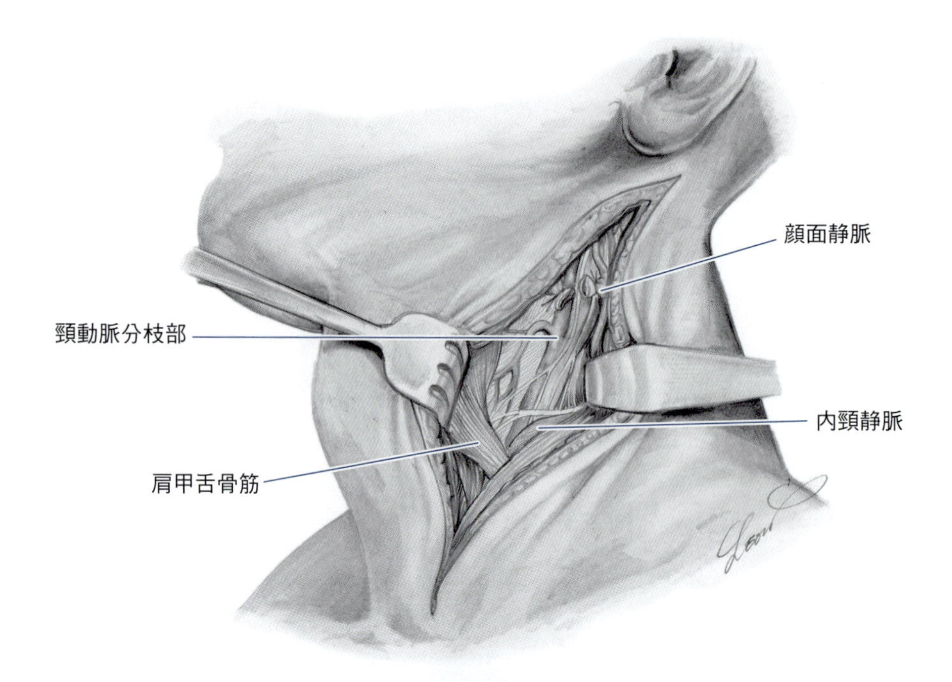

図3-3-C-6　**内外頸動脈分枝部の露出**

総頸動脈は内頸静脈の後方に位置する。内頸静脈から内側に分枝する顔面静脈を結紮切離することにより，内外頸動脈分枝部を露出できる（図3-3-C-6）。

血腫や活動性出血を認める場合には，頸動脈損傷の可能性が高く，血腫を開ける前または出血を認める場合には，指で出血をコントロールしながら，損傷動脈の近位を露出し，近位側のコントロールを行わなければならない。必要であれば皮膚切開を胸骨上縁まで延ばし，胸骨正中切開が必要となる場合もある。Zone Ⅰにおいては近位側コントロールや腕頭動脈，鎖骨下動脈修復のため，開胸が必要となる。

損傷部位より近位部に血管テープをかけ，テープに軽く牽引をかけながら血管周囲の剝離を進める。その際，頸動脈前面には迷走神経が，また内頸動脈近位部の前面には舌下神経が走行するため，損傷しないように剝離を進める。内頸動脈遠位部の露出が必要な場合，顎関節を脱臼させることによって遠位部展開が可能となる[58]。血腫が下顎まで達している場合には，遠位側コントロールが困難なことが多く，血腫内でコントロールせざるを得ない。

近位側コントロールの後，側方修復や端々吻合で修復可能であれば，直ちに損傷部修復を行う。

修復が困難な場合には，一時的シャントを選択する。出血量が多く致死的な場合には，総頸動脈の結紮もやむを得ない。また内頸動脈の出血部が遠位のため結紮できない場合は，血管内にバルーンを挿入し膨らませた状態で留置する方法もある[59]。

血管吻合を行う場合は，まず3～5FrのFogartyカテーテルを用いて近位側・遠位側ともに血栓除去を行う。その際，遠位側はあまり奥に進めず数cm以内にとどめておく。血栓除去後も遠位側からの逆流が低下している場合は，神経学的改善が望めないため，結紮すべきとの意見もある[60][61]。グラフトには大伏在静脈また人工血管を用いる。ほかの合併損傷を考慮してヘパリン投与が可能であるならば，吻合開始前にヘパリン5,000～10,000単位を投与する。

間置グラフトは，縫合が困難な遠位側後方から行う。連続縫合も可能であるが，成長期の患者の場合，今後の狭窄予防のため結節縫合を選択する。外頸動脈は結紮してもよい[62]。

内頸動脈損傷修復後は，頭蓋内外傷や他臓器損傷による出血がなければ，抗血栓療法を開始する。術後は血腫増大に注意する。

2）椎骨動脈損傷

椎骨動脈は解剖学的に4つのパートに分かれ，部位により外科的アプローチが異なる。鎖骨下動脈分枝部から椎骨に入るまでの第1部，C6～C1までの横突孔内を走る第2部，C1横突孔を出て回旋し，大後頭孔から硬膜内へ入るまでの第3部，硬膜内の脳幹腹側を走行し，対側の椎骨動脈と合流するまでの第4部に分かれる（図3-3-C-7）[63]。第1部は胸部領

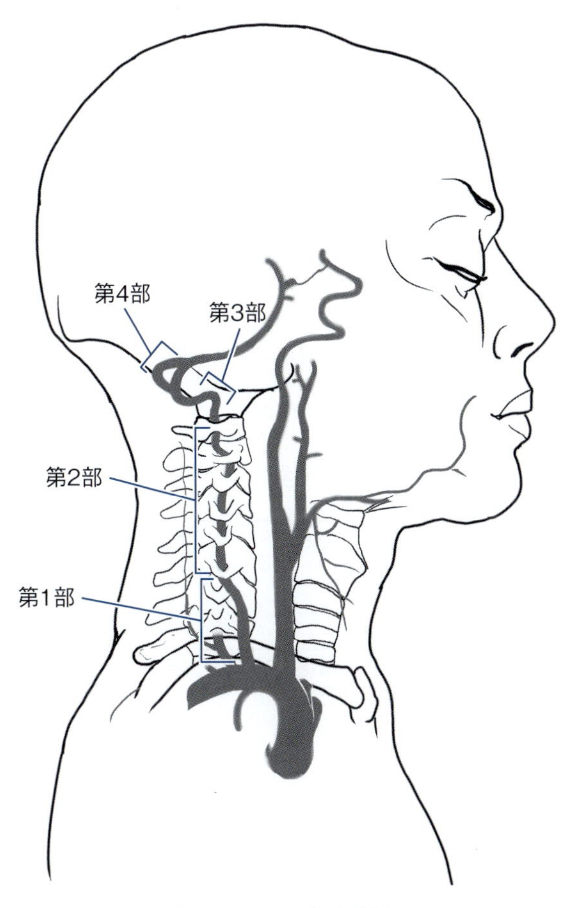

図3-3-C-7　椎骨動脈

域および頸部領域となるため開胸とneck explorationが，第2部はneck explorationが，第3部，第4部は開頭が必要となる。椎骨動脈損傷については循環動態が安定していれば，血管造影による診断・治療が適している[64]。頸動脈鞘に問題なく傍脊柱筋より活動性出血を認める場合は，椎骨動脈損傷を疑う。頸動脈鞘を内側に牽引し，傍頸椎筋を外側に牽引すれば，横突起に達する。

近位側のコントロールを行っても，反対側の椎骨動脈からの逆流のため，出血コントロールは困難である。Bowleyら[65]は，パッキング後に皮膚を閉じ気管挿管のまま帰室し，パッキングを除去しても再出血はまれであると報告している。

出血部位に骨蠟を使用して出血コントロールを行い，血管造影下で止血するのも得策である。第3部，第4部の高位損傷での複雑な損傷は，血管造影での出血コントロールは困難であり，後頭蓋の部分開頭による結紮が必要となる[66]。

3）頸動脈や椎骨動脈への鈍的外傷（BCVI）

大部分のBCVI患者に対し，脳梗塞発生率と死亡率を両方減少させるために抗血栓療法（アスピリンまたはヘパリン）を使用することが推奨される（推奨レベルⅠ）[39]。抗血栓療法は診断確定後できるだけ早期に行うべきであり，出血を増悪させる可能性のある併存損傷がある患者に対しては，もっとも適した抗血栓療法を検討することが必要である。

BCVIの治療方法と予後の観点より，Grade分類が提唱されている（表3-3-C-4）[38,43]。治療法もGradeに応じて推奨されている[38,43,67～81]。

BCVIのGradeⅡまたはⅢの成人患者において，脳梗塞のリスクを減らすために抗血栓療法の補助としてステント留置はルーチンとしては行わない[39]。これは脳梗塞の予防効果に乏しく，ステント内血栓形成による脳梗塞を助長する危険性があるため，症例ごとの検討が必要である。

発症初期の段階で神経障害を認める場合は，血流を保持するために外科的または血管内治療を考慮する（推奨レベルⅢ）。

4. 食道損傷

非穿通性食道損傷は非常にまれであり，食道損傷全体の1%以下であるが，食道が過度に拡張しているときに頸部前面より鈍的外力が加わった際に起こり得る。穿通性食道損傷では，嚥下痛，嚥下障害，吐血，頸部皮下気腫などの所見を認めるが，特異性に乏しい[82,83]。したがって，食道造影検査による造影剤漏出像のチェックまたは内視鏡による観察により診断を行う（推奨レベルⅡ）[83～86]。診断的検査は迅速に行う必要があり，24時間以上経過して修復した場合は合併症率が高くなる。

頸部食道は，正中よりやや左に位置するので，アプローチは左側より行う。その後は頸部アプローチと同様に，頸動脈鞘を外側に牽引すれば食道の側面に達する。胃管チューブが挿入されていれば，同定は容易である。肩甲舌骨筋，中甲状腺静脈，下甲状腺動脈を切離すれば，食道全体を露出できる（図3-3-C-8）。

頸動静脈血管鞘に巨大な血腫を認め，血管鞘より正中からのアプローチが困難な場合は，血管鞘の外側からアプローチする。食道の露出後，鈍的に食道を全周性に剝離し，ペンローズドレーンをかける。その際に反回神経の損傷に注意する。

表3-3-C-4　Denver Grade分類と臨床所見，治療選択

Grade	Ⅰ	Ⅱ	Ⅲ	Ⅳ	Ⅴ
損傷程度	25%以下の狭窄を伴う内膜不整	25%以下の狭窄を伴う乖離または壁内血腫 内膜のCT値の低下	仮性動脈瘤	閉塞	血管外漏出を伴う血管離断
脳梗塞発症率(%)	頸動脈　8% 椎骨動脈　6%	頸動脈　14% 椎骨動脈　38%	頸動脈　26% 椎骨動脈　27%	頸動脈　50% 椎骨動脈　28%	頸動脈　100% 椎骨動脈　100%
初期治療	抗血栓療法	抗血栓療法	抗血栓療法	抗血栓療法	抗血栓療法
外科的/カテーテル治療	必要なし	まれに必要 神経所見や解離の進行，治療に難渋するときに検討	有症状時または瘤径が1cm超えるとき検討	ステントは通常無効 脳梗塞が6時間以内に認識された場合は血栓除去±ステント	緊急手術
画像followのタイミング	初回7〜10日後 以後は3〜6カ月ごと治癒まで	初回7〜10日後 以後は3〜6カ月ごと治癒または根本治療まで	初回7〜10日後 以後は3〜6カ月ごとまたは症状に応じて	症状に応じて	症状に応じて
長期治療	抗血小板薬 治癒まで	抗血小板薬 治癒または外科的根本治療まで	抗血小板薬 治癒または外科的根本治療まで	抗血小板薬 終生にわたり	(データなし；症状あれば治療を考慮)

〔文献38)43)より引用・改変〕

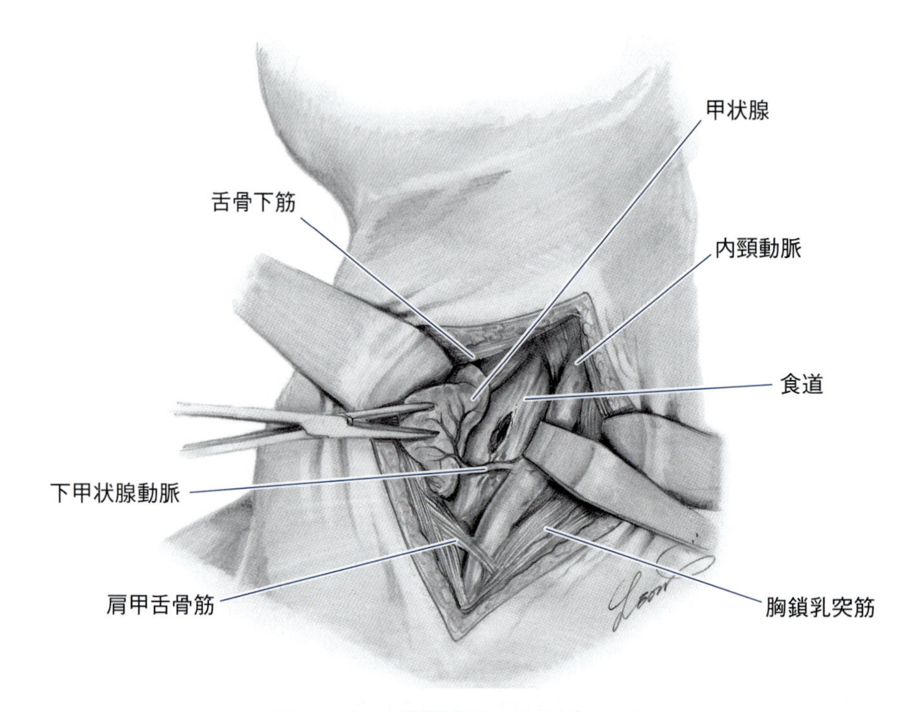

図3-3-C-8　頸部食道へのアプローチ

修復は損傷食道壁のデブリドマンを行い，緊張をかけることなく1層または2層での閉鎖を行う。可能であればその上に胸鎖乳突筋を被せ，修復部を保護する。欠損部が大きく修復が困難なときはドレナージを第一とし，ドレーンを留置して食道瘻造設を行う。

文　献

1) 日本外傷学会・日本救急医学会監，日本外傷学会外傷初期診療ガイドライン改訂第6版編集委員会編：頸部外傷．外傷初期診療ガイドラインJATEC，改訂第6版，へるす出版，東京，2021，pp159-162.
2) Demetriades D, Asensio JA, Velmahos G, et al：Complex problems in penetrating neck trauma. Surg Clin North Am 1996；76：661-683.

3) Shilston J, Evans DL, Simons A, et al：Initial management of blunt and penetrating neck trauma. BJA Educ 2021；21：329-335.
4) Kenneth D Boffard著，日本Acute Care Surgery学会，日本外傷学会監訳：DSTC外傷外科手術マニュアル，医学書院，東京，2016.
5) Beall AC Jr, Noon GP, Harris HH：Surgical management of tracheal trauma. J Trauma 1967；7：248-256.
6) Gilroy D, Lakhoo M, Charalambides D, et al：Control of life-threatening haemorrhage from the neck：A new indication for balloon tamponade. Injury 1992；23：557-559.
7) Herrera FA, Mareno JA, Easter D：Management of penetrating neck injuries：Zone Ⅱ. J Surg Educ 2007；64：75-78.
8) Monson DO, Saletta JD, Freeark RJ：Carotid vertebral trauma. J Trauma 1969；9：987-999.
9) Apffelstaedt JP, Müller R：Results of mandatory exploration for penetrating neck trauma. World J Surg 1994；18：917-919.
10) Shiroff AM, Gale SC, Martin ND, et al：Penetrating neck trauma：A review of management strategies and discussion of the 'No Zone' approach. Am Surg 2013；79：23-29.
11) Low GM, Inaba K, Chouliaras K, et al：The use of the anatomic 'zones' of the neck in the assessment of penetrating neck injury. Am Surg 2014；80：970-974.
12) Osborn TM, Bell RB, Qaisi W, et al：Computed tomographic angiography as an aid to clinical decision making in the selective management of penetrating injuries to the neck：A reduction in the need for operative exploration. J Trauma 2008；64：1466-1471.
13) Roepke C, Benjamin E, Jhun P, et al：Penetrating neck injury：What's in and what's out? Ann Emerg Med 2016；67：578-580.
14) Expert Panels on Neurologic and Vascular Imaging：Schroeder JW, Ptak T, Corey AS, et al：ACR Appropriateness Criteria® Penetrating neck injury. J Am Coll Radiol 2017；14：S500-S505.
15) Tisherman SA, Bokhari F, Collier B, et al：Clinical practice guideline：Penetrating zone Ⅱ neck trauma. J Trauma 2008；64：1392-1405.
16) Sperry JL, Moore EE, Coimbra R, et al：Western Trauma Association critical decisions in trauma：Penetrating neck trauma. J Trauma Acute Care Surg 2013；75：936-940.
17) Nowicki JL, Stew B, Ooi E：Penetrating neck injuries：A guide to evaluation and management. Ann R Coll Surg Engl 2018；100：6-11.
18) Chandrananth ML, Zhang A, Voutier CR, et al：'No zone' approach to the management of stable penetrating neck injuries：A systematic review. ANZ J Surg 2021；91：1083-1090.
19) Paladino L, Baron BJ, Shan G, et al：Computed tomography angiography for aerodigestive injuries in penetrating neck trauma：A systematic review. Acad Emerg Med 2021；28：1160-1172.
20) Hundersmarck D, Reinders Folmer E, de Borst GJ, et al：Penetrating neck injury in two dutch level 1 trauma centres：The non-existent problem. Eur J Vasc Endovasc Surg 2019；58：455-462.
21) Biffl WL, Moore EE, Rehse DH, et al：Selective management of penetrating neck trauma based on cervical level of injury. Am J Surg 1997；174：678-682.
22) Sriussadaporn S, Pak-Art R, Tharavej C, et al：Selective management of penetrating neck injuries based on clinical presentations is safe and practical. Int Surg 2001；86：90-93.
23) Nason RW, Assuras GN, Gray PR, et al：Penetrating neck injuries：Analysis of experience from a Canadian trauma centre. Can J Surg 2001；44：122-126.
24) Narrod JA, Moore EE：Initial management of penetrating neck wounds：A selective approach. J Emerg Med 1984；2：17-22.
25) Narrod JA, Moore EE：Selective management of penetrating neck injuries：A prospective study. Arch Surg 1984；119：574-578.
26) Golueke PJ, Goldstein AS, Sclafani SJ, et al：Routine versus selective exploration of penetrating neck injuries：A randomized prospective study. J Trauma 1984；24：1010-1014.
27) Morales-Uribe C, Ramírez A, Suarez-Poveda T, et al：Diagnostic performance of CT angiography in neck vessel trauma：Systematic review and meta-analysis. Emerg Radiol 2016；23：421-431.
28) Mazolewski PJ, Curry JD, Browder T, et al：Computed tomographic scan can be used for surgical decision making in zone Ⅱ penetrating neck injuries. J Trauma 2001；51：315-319.
29) Múnera F, Soto JA, Nunez D：Penetrating injuries of the neck and the increasing role of CTA. Emerg Radiol 2004；10：303-309.
30) Núñez DB Jr, Torres-León M, Múnera F：Vascular injuries of the neck and thoracic inlet：Helical CT-angiographic correlation. Radiographics 2004；24：1087-1098.
31) Inaba K, Munera F, McKenney M, et al：Prospective evaluation of screening multislice helical computed tomorgraphic angiography in the initial evaluation of penetraing neck injuries. J Trauma 2006：61：144-149.
32) Woo K, Magner DP, Wilson MT, et al：CT angiogra-

phy in penetrating neck trauma reduces the need for operative neck exploration. Am Surg 2005；71：754-758.
33） Bell RB, Osborn T, Dierks EJ, et al：Management of penetrating neck injuries：A new paradigm for civilian trauma. J Oral Maxillofac Surg 2007；65：691-705.
34） Bryant AS, Cerfolio RJ：Esophageal trauma. Thorac Surg Clin 2007；17：63-72.
35） 日本外傷学会東京オリンピック・パラリンピック特別委員会：銃創・爆傷患者診療指針〔Ver.1〕. 日外傷会誌 2018；32：1-63.
36） Asensio JA, Dabestani PJ, Wenzl FA, et al：A systematic review of penetrating extracranial vertebral artery injuries. J Vasc Surg 2020；71：2161-2169.
37） Schubl SD, Robitsek RJ, Sommerhalder C, et al：Cervical spine immobilization may be of value following firearm injury to the head and neck. Am J Emerg Med 2016；34：726-729.
38） Stone DK, Viswanathan VT, Wilson CA：Management of blunt cerebrovascular injury. Curr Neurol Neurosci Rep 2018；18：98.
39） Kim DY, Biffl W, Bokhari F, et al：Evaluation and management of blunt cerebrovascular injury：A practice management guideline from the Eastern Association for the Surgery of Trauma. J Trauma Acute Care Surg 2020；88：875-887.
40） Watridge CB, Muhlbauer MS, Lowery RD：Traumatic carotid artery dissection：Diagnosis and treatment. J Neurosurg 1989；71：854-857.
41） Sanzone AG, Torres H, Doundoulakis SH：Blunt trauma to the carotid arteries. Am J Emerg Med 1995；13：327-330.
42） Biffl WL, Moore EE, Offner PJ, et al：Optimizing screening for blunt cerebrovascular injuries. Am J Surg 1999；178：517-522.
43） Biffl WL, Moore EE, Offner PJ, et al：Blunt carotid arterial injuries：Implications of a new grading scale. J Trauma 1999；47：845-853.
44） Cothren CC, Moore EE, Biffl WL, et al：Cervical spine fracture patterns predictive of blunt vertebral artery injury. J Trauma 2003；55：811-813.
45） Cothren CC, Moore EE, Ray CE Jr, et al：Screening for blunt cerebrovascular injuries is cost-effective. Am J Surg 2005；190：845-849.
46） Offiah C, Hall E：Imaging assessment of penetrating injury of the neck and face. Insights Imaging 2012；3：419-431.
47） Ahmed N, Massier C, Tassie J, et al：Diagnosis of penetrating injuries of the pharynx and esophagus in the severely injured patient. J Trauma 2009；67：152-154.
48） Bourhis T, Mortuaire G, Rysman B, et al：Assessment and treatment of hypopharyngeal and cervical esophagus injury：Literature review. Eur Ann Otorhinolaryngol Head Neck Dis 2020；137：489-492.
49） Herrera MA, Tintinago LF, Victoria Morales W, et al：Damage control of laryngotracheal trauma：The golden day. Colomb Med（Cali）2020；51：e4124599.
50） Schaefer SD：The treatment of acute external laryngeal injuries. 'State of the Art'. Arch Otolaryngol Head Neck Surg 1991；117：35-39.
51） Schaefer SD, Close LG：Acute management of laryngeal trauma：Update. Ann Otol Rhinol Laryngol 1989；98：98-104.
52） Mathisen DJ, Grillo H：Laryngotracheal trauma. Ann Thorac Surg 1987；43：254-262.
53） Rossbach MM, Johnson SB, Gomez MA, et al：Management of major tracheobronchial injuries：A 28-year experience. Ann Thorac Surg 1998；65：182-186.
54） Dertsiz L, Arici G, Arslan G, et al：Acute tracheobronchial injuries：Early and late term outcomes. Ulus Travma Acil Cerrahi Derg 2007；13：128-134.
55） Martin RF, Eldrup-Jorgensen J, Clark DE, et al：Blunt trauma to the carotid arteries. J Vasc Surg 1991；14：789-793；discussion 793-795.
56） Weaver FA, Yellin AE, Wagner WH, et al：The role of arterial reconstruction in penetrating carotid injuries. Arch Surg 1988；123：1106-1111.
57） Rozycki GS, Tremblay L, Feliciano DV, et al：A prospective study for the detection of vascular injury in adult and pediatric patients with cervicothoracic seat belt signs. J Trauma 2002；52：618-623；discussion 623-624.
58） Dossa C, Shepard AD, Wolford DG, et al：Distal internal carotid exposure：A simplified technique for temporary mandibular subluxation. J Vasc Surg 1990；12：319-325.
59） Clifford PC, Immelman EJ：Management of penetrating injuries of the internal carotid artery. Ann R Coll Surg Engl 1985；67：45-46.
60） Richardson R, Obeid FN, Richardson D, et al：Neurologic consequences of cerebrovascular injury. J Trauma 1992；32：755-758；discussion 758-760.
61） Wood VE：The results of total claviculectomy. Clin Orthop Relat Res 1986；207：186-190.
62） Mittal VK, Paulson TJ, Colaiuta E, et al：Carotid artery injuries and their management. J Cardiovasc Surg（Torino）2000；41：423-431.
63） Demetriades D, Charalambides D, Lakhoo M：Physical examination and selective conservative management in patients with penetrating injuries of the neck.

Br J Surg 1993 ; 80 : 1534-1536.
64) Higashida RT, Halbach VV, Tsai FY, et al : Interventional neurovascular treatment of traumatic carotid and vertebral artery lesions : Results in 234 cases. AJR Am J Roentgenol 1989 ; 153 : 577-582.
65) Bowley DM, Degiannis E, Goosen J, et al : Penetrating vascular trauma in Johannesburg, South Africa. Surg Clin North Am 2002 ; 82 : 221-235.
66) Demetriades D, Theodorou D, Asensio J, et al : Management options in vertebral artery injuries. Br J Surg 1996 ; 83 : 83-86.
67) Bromberg WJ, Collier BC, Diebel LN, et al : Blunt cerebrovascular injury practice management guidelines : The Eastern Association for the Surgery of Trauma. J Trauma 2010 ; 68 : 471-477.
68) Biffl WL, Ray CE Jr, Moore EE, et al : Treatment-related outcomes from blunt cerebrovascular injuries : Importance of routine follow-up arteriography. Ann Surg 2002 ; 235 : 699-706.
69) Burlew CC, Biffl WL, Moore EE, et al : Blunt cerebrovascular injuries : Redefining screening criteria in the era of noninvasive diagnosis. J Trauma Acute Care Surg 2012 ; 72 : 330-335.
70) Prall JA, Brega KE, Coldwell DM, et al : Incidence of unsuspected blunt carotid artery injury. Neurosurgery 1998 ; 42 : 495-498 ; discussion 498-499.
71) Miller PR, Fabian TC, Bee TK, et al : Blunt cerebrovascular injuries : Diagnosis and treatment. J Trauma 2001 ; 51 : 279-285 ; discussion 285-286.
72) Cothren CC, Moore EE, Biffl WL, et al : Anticoagulation is the gold standard therapy for blunt carotid injuries to reduce stroke rate. Arch Surg 2004 ; 139 : 540-545 : discussion 545-546.
73) Wahl WL, Brandt MM, Thompson BG, et al : Antiplatelet therapy : An alternative to heparin for blunt carotid injury. J Trauma 2002 ; 52 : 896-901.
74) Troop BR, Carr SC, Hurley JJ, et al : Blunt carotid injuries. Contemp Surg 1996 ; 48 : 280-284.
75) Perry MO, Snyder WH, Thal ER : Carotid artery injuries caused by blunt trauma. Ann Surg 1980 ; 192 : 74-77.
76) Martin RF, Eldrup-Jorgensen J, Clark DE, et al : Blunt trauma to the carotid arteries. J Vasc Surg 1991 ; 14 : 789-793 ; discussion 793-795.
77) Halbach VV, Higashida RT, Dowd CF, et al : Endovascular treatment of vertebral artery dissections and pseudoaneurysms. J Neurosurg 1993 ; 79 : 183-191.
78) Yee LF, Olcott EW, Knudson MM, et al : Extraluminal, transluminal, and observational treatment for vertebral artery injuries. J Trauma 1995 ; 39 : 480-484 : discussion 484-486.
79) Duke BJ, Ryu RK, Coldwell DM, et al : Treatment of blunt injury to the carotid artery by using endovascular stents : An early experience. J Neurosurg 1997 ; 87 : 825-829.
80) Coldwell DM, Novak Z, Ryu RK, et al : Treatment of posttraumatic internal carotid arterial pseudoaneurysms with endovascular stents. J Trauma 2000 ; 48 : 470-472.
81) Cothren CC, Moore EE, Ray CE Jr, et al : Carotid artery stents for blunt cerebrovascular injury : Risks exceed benefits. Arch Surg 2005 ; 140 : 480-485 : discussion 485-486.
82) Meyer JP, Barrett JA, Schuler JJ, et al : Mandatory vs selective exploration for penetrating neck trauma : A prospective assessment. Arch Surg 1987 ; 122 : 592-597.
83) Weigelt JA, Thal ER, Snyder WH 3rd, et al : Diagnosis of penetrating cervical esophageal injuries. Am J Surg 1987 ; 154 : 619-622.
84) Wood J, Fabian TC, Mangiante EC : Penetrating neck injuries : Recommendations for selective management. J Trauma 1989 ; 29 : 602-605.
85) Ngakane H, Muckart DJ, Luvuno FM : Penetrating visceral injuries of the neck : Results of a conservative management policy. Br J Surg 1990 ; 77 : 908-910.
86) Srinivasan R, Haywood T, Horwitz B, et al : Role of flexible endoscopy in the evaluation of possible esophageal trauma after penetrating injuries. Am J Gastroenterol 2000 ; 95 : 1725-1729.

D　胸部外傷

要　約

1. 胸部外傷に対しては非手術治療が85%を占めるが，開胸手術を要する患者はより重篤で，緊急性を要するため，迅速・的確な治療戦略と戦術の理解が必要である。
2. 胸部外傷のダメージコントロール戦略を実行するためには蘇生的開胸術とそれに引き続く迅速な止血術に精通しておく。
3. 治療戦略においては，「ダメージコントロール戦略」と「根本治療の選択」との違いを把握し，各臓器損傷の特徴と治療戦術を理解して実践する。

はじめに

胸部には呼吸･循環の維持のために重要な肺，心･大血管が存在し，胸部外傷は気道，呼吸，循環の破綻の原因となるため，緊急度・重症度ともに高い病態を生じる。

primary surveyにおいては，身体所見と最小限の画像診断から胸部外傷を診断し，同時に蘇生を行うが，引き起こされる病態は直ちに酸素化障害および組織灌流障害につながるものであり，迅速な対応が求められる。この蘇生を要する病態は，同時あるいは引き続いて根本治療を要するものが多く存在する。さらにprimary surveyと蘇生の段階では顕著な所見を示さないが，見落とした場合には致死的もしくは臨床的問題が生じる病態に対しても，適切な根本治療を行う必要がある。

胸部外傷は，最近の日本外傷データバンクレポートでは四肢外傷，頭部外傷に次ぐ3番目に多い損傷で，約14.9%を占める[1)]。max AIS 3以上が約77%を占め，重症度の高い患者が多い[1)]。鈍的と穿通性外傷の両方でみられるが，わが国では約90%以上が鈍的外傷である[1)]。米国では，胸部の鈍的外傷は外傷入院患者の約8%，外傷死亡の25%を占めており，その原因として自動車事故がもっとも多い[2)〜5)]。一方，穿通性胸部外傷は，外傷患者数全体の7%，穿通性外傷患者数全体では16%を占めている[6)]。

I　病態と治療戦略

胸部外傷によって生じる重篤な病態には，①気道閉塞と呼吸不全，②閉塞性ショック，③出血性ショックがある。また，鈍的心損傷により心原性ショックとなることがある。しかし，もっとも頻度の高い胸部外傷は，肋骨骨折や胸壁軟部組織損傷であり[7)〜10)]，何らかの介入を必要とする胸部外傷の多くは，胸腔ドレナージ，疼痛管理，呼吸管理などの非手術的方法により治療可能である。鈍的胸部外傷では，疼痛は肺炎などの合併症の原因となり得る[11)〜13)]ため，適切な疼痛管理は早期離床と肺理学療法を可能とし，治癒を促進するための重要な治療戦略の一つと考えられている[14)]。鈍的胸部外傷に対する疼痛管理に関するEASTガイドラインでは，麻薬性鎮痛薬単独投与よりも硬膜外麻酔および複数の鎮痛薬の組み合わせでの疼痛管理を弱く推奨している[14)]。

開胸術を必要とする胸部外傷患者は約15%以下にとどまるとされ[8)〜10)]，多くの胸部外傷に対する治療は非手術療法（non-operative management；NOM）が中心となるものの，開胸手術を要する患者に対する迅速・的確な適応判断と術式選択・手術手技が，胸部外傷治療の質を支える[7)〜10)]。

その際に，中核となる治療戦略は，鈍的外傷や穿通性外傷においてもダメージコントロール戦略である。胸部の各臓器における治療戦略では「ダメージコントロール戦略」と「根本治療の選択」との違いを理解して実践することが不可欠である。

Ⅱ 治療戦術

1. 手術治療

1）手術目的

胸部外傷における手術の主要な目的として，

①胸腔内出血のコントロール

②上昇した心嚢/胸腔内圧の減圧

③心嚢内（心損傷）出血のコントロール

④空気漏出のコントロール

⑤消化管内容による汚染のコントロール

⑥機能的胸腔・胸郭の再建

⑦損傷血管からの出血の予防と遠位血流の維持（胸部大動脈損傷に対する手術）

などがあげられる[7)8)]。さらに，受傷後のいかなるタイミングで施行する手術であるかを明確にすることで，その目的がより明らかとなる。

2）開胸術の急性期適応

胸部外傷の開胸術の急性期の適応例を下記に示す[10)]。

- 救急外来における急激な循環破綻および心停止状態
- 穿通性または鈍的体幹部外傷で大動脈遮断の必要時
- 心タンポナーデ
- 胸腔ドレーンからの大量の血液とエアリーク
- 胸腔ドレーンからの消化液や食物残渣
- 画像検査および気管支鏡検査上の気管・気管支損傷
- 画像検査上の大血管損傷
- 胸郭出口部の血管損傷
- 心臓または肺動脈への弾丸による塞栓症
- 解剖学的胸壁欠損

3）開胸術のタイミング

急性期における開胸術のタイミングは，迅速に対応すべき病態かどうかの判断が大きく影響する[10)15)16)]。生命を脅かす可能性のある病態には，心タンポナーデ，急性大量出血，換気不全，心拍出量低下などがある。感染症（敗血症を含む），呼吸機能低下およびその他の臓器機能障害が二次的に発生する可能性があり，これらすべてが手術のタイミングの決定に影響する[10)]。

（1）超緊急開胸（蘇生的開胸術，immediate and emergent or resuscitative thoracotomy）

蘇生的開胸術（RT）の適応となる病態〔詳細は「蘇生的開胸術（RT）」，p.58を参照されたい〕には，心損傷による心タンポナーデや心破裂，大量血胸などが含まれる。

（2）緊急開胸（urgent thoracotomy）

損傷後6時間以内に行われる手術室での緊急開胸術がこれにあたる。集中治療室に入室後，新たに露見した生命を脅かす胸部外傷や緊急病態に対して行われる。病態や損傷部の悪化や感染の拡大を防ぐために施行する開胸術である[10)]。

（3）非緊急（遅延）開胸（delayed thoracotomy）

非急性期では，頭部外傷や重篤な肺挫傷などの合併損傷のために待機的に施行する大動脈損傷に対する手術，凝血血胸（clotted/retained hemothorax）に対する開胸あるいは胸腔鏡下手術，肋骨固定術（surgical stabilization of rib fractures；SSRF）などがこの適応となる[8)10)]。

4）手術の優先順位

外科的治療を必要とする胸部外傷病態は，呼吸・循環動態の不安定性に直接的に関与する損傷であることが大半で，多発外傷患者ではその優先順位が高い場合も多い。詳細は「多発外傷」（p.365）を参照されたい。

開胸時に遭遇した複数の胸腔内，縦隔内臓器損傷に対しては，前述した手術目的の①～⑤を行った後に，その根本治療ならびに⑥，⑦を行う。気管・気管支損傷による著しい換気･酸素化不全に対しては，止血や減圧操作とともに優先度が高い。

5）開胸法

蘇生的開胸術の適応がある場合，迅速に開胸し，胸腔内/心嚢内に到達する必要がある。開胸術では，どこから・どのようにアプローチするかの判断が重要である。誤ると，侵襲を新たに加えるも本来の目的を達成できないといった問題に直面するため，患者の生理学的状態と損傷形態から適切な開胸法を選択する。

図3-3-D-1に，胸部外傷で施行される開胸法を示す。

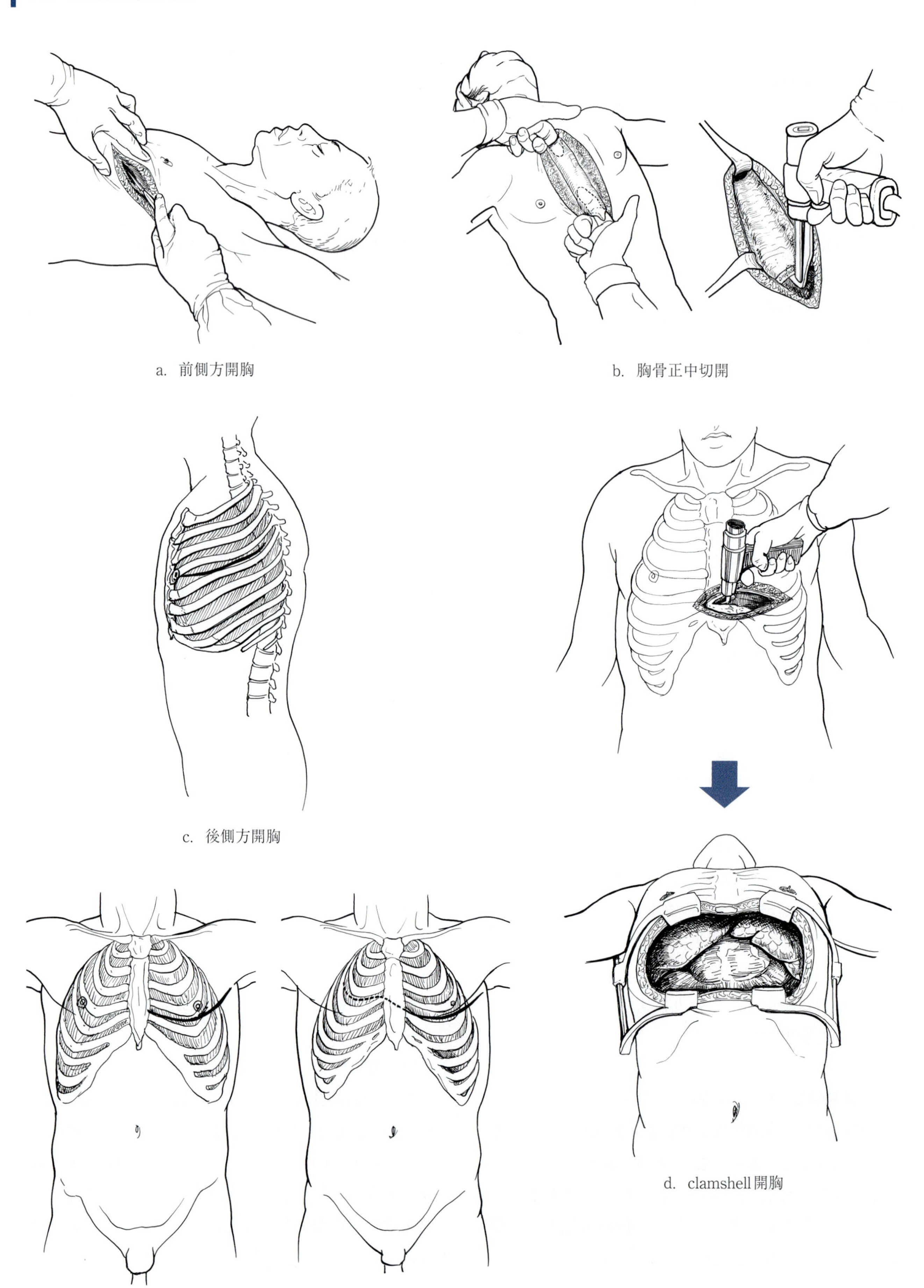

図3-3-D-1　開胸術で施行される開胸法

〔文献19)より引用〕

（1）前側方開胸

循環動態が不安定な状態のときに施行する開胸法である。蘇生的開胸術を施行する際には左前側方開胸で行う〔詳細は「蘇生的開胸術（RT）」，p.61を参照〕。この開胸術の利点としては，蘇生的開胸術の目的である心タンポナーデの解除，胸部下行大動脈クランプ，肺門部クランプ，開胸心マッサージなどが迅速に行えること，仰臥位で施行可能であること，胸骨を横断して反対側前側方開胸を行うことにより，clamshell開胸に容易に移行できることである[17)〜21)]。

仰臥位の状態で，第4または5肋間の高さ（男性では乳頭の下，女性では乳房の下縁）で皮膚切開をおき開始する。皮膚切開は胸骨外側縁から後腋窩まで腋窩に向かって行うが，肋間の走行に合わせて少し上向きに弧を描くように行う。肋骨に到達する深さで一気にメスで切開する。胸部前方の大胸筋とその背側にある小胸筋の下方成分を切開し，胸部側方の前鋸筋を切開すると，肋間筋に到達する。肋骨上縁に沿ってクーパー剪刀で肋間筋の一部を切開し，用手的に胸腔に通じる小孔を壁側胸膜に開け，胸腔内癒着の有無を確認する。癒着がなければ，その部分から指を入れ，それをガイドに肺を損傷しないようにクーパー剪刀を用いて肋骨上縁に沿って肋間筋および壁側胸膜を切開し，開胸創を広げる。この際，肋間動静脈・神経の損傷を予防するため，肋骨下縁での切開は行わない。術野確保のために開胸創を広げる場合には，後方（背側）に広げると広背筋などを切離することとなり，出血が増えるのみで術野は拡大されない。その際には，内側（胸骨側）に切開を広げる。

（2）胸骨正中切開

胸骨正中切開は，前方から胸骨を正中で縦切開しアプローチするため，心臓の全域と前縦隔にある血管，両側肺門部，気管の末梢半分，左気管支に対してアクセスが可能である。前胸部の穿通性損傷に適しており，単独心損傷の場合には，最初に考慮すべき開胸法で，ほぼすべての心損傷に対して対応が可能となる。術後疼痛や呼吸器合併症が少ない。腹部や頸部，鎖骨領域の損傷を合併している場合には，この創から頸部・鎖骨部・腹部に皮膚切開を延長することにより対応が可能となる。しかし，胸骨切開用の開胸鋸（スターナムソー）の準備を含め，前側方開胸と比べ迅速性に欠け，後縦隔へのアクセスが不良であり，蘇生目的の下行大動脈クランプも困難である。胸骨上切痕から剣状突起下数cmまで皮膚切開し，胸骨に至る。胸骨上切痕にある鎖骨間靱帯を剝離して切離する。その際にその背側にある頸静脈弓分枝を損傷するリスクがあるため結紮切離しておく。胸骨柄の背側に指を根元まで通し，胸骨上切痕の背側がしっかり剝離されていることを確認する。創の下部は，剣状突起の先端から下肢側にかけて白線（Linea alba）を切開し，腹膜前脂肪層を露出し，そこから頭側に胸骨のすぐ裏側に入り，指でその根元が入るまで剝離する。その際，腹膜を破り開腹しないように注意する。そのうえで，人工呼吸器を止め十分脱気した状態で，スターナムソーで胸骨を正中で切開する。開胸器を胸骨切開の真ん中から上部に挿入し，開胸器を広げていく[17)〜21)]。

（3）後側方開胸

後縦隔に位置する下行大動脈損傷や胸部食道，遠位気管，主気管支，および肺の全域や胸壁の損傷で，循環動態が安定している患者が適応となる。これを行うにあたり，患者の体位変換が必要で，完全側臥位とし，それを術中保持できるように固定具や陰圧装置で固定しなければならず，手術までの準備に時間を要する。つまり，体位変換と準備までの時間に耐えられるような安定した患者に限られる。突然心停止やショックになった場合の蘇生行為や腹腔内出血が増大した際の緊急開腹などは困難である。皮膚切開は，前腋窩線から肩甲骨下端（通常第6または7肋間上に位置する）の1〜2横指尾側を通り，頭側背側に，胸椎外側−肩甲骨内側縁間まで弧状に行う。両第5肋間開胸では両肺門部および肺全域，左第6または7肋間では胸部食道の遠位1/3，右第4肋間では胸部食道中部へのアプローチが容易となる。皮膚切開し，筋層に達すると，広背筋を切開ラインに沿って切離し，前鋸筋はできるだけ低位で切離する[17)〜21)]。

（4）clamshell開胸

clamshell開胸については，「蘇生的開胸術（RT）」（p.61）を参照されたい。

2. IVRとNOM

胸部外傷治療におけるIVRでは，大動脈損傷やその分枝血管損傷に対するステントグラフトによる治療と血胸に対する経動脈的塞栓術があげられるが，前者は「大血管損傷」(p.278）で述べる。

外傷による大量血胸，持続する血胸に対する出血源の診断と治療のゴールドスタンダードは開胸術とされてきた[22)～27)]。しかし近年，開胸術後に持続する血胸に対する肋間動脈へのTAEや，胸部CT上造影剤の血管外漏出を伴う動脈性出血による血胸に対するTAEの有用性に関する報告が増加している[28)～31)]。胸腔ドレナージ施行直後に開胸術の適応とはならないものの，その後に出血が持続する場合，その出血源は，①肺実質や肺動静脈などの肺循環系と，②胸壁などの体循環系に分けて考えることができる。これまで，いずれの出血源であっても開胸術の適応とされてきた。しかしながら，後者が出血源であることが診断できれば，侵襲の大きな開胸術を避け，TAEによる確実な止血を期待し得る。この出血源の鑑別とNOMの適応決定に際しては，下記①～③などを参考にしてTAEによる止血を第一選択とし得るか否かを判断する[32)]。

①胸部CTが施行可能であること
②CTにて大量血胸の原因となり得る重篤な肺損傷がないこと
③さらに，胸壁などより動脈相における造影剤の血管外漏出像（extravasation）を認めること，あるいは，転位を伴う多発肋骨骨折などを有すること

開胸手術後の胸壁などからの持続する出血も，同様に止血することが可能である。また，脊椎に近い後方の肋間動脈からの持続的な出血は，開胸術での出血のコントロールが困難なことがある。胸壁ばかりでなく，外科的に制御が困難な胸椎近傍や胸椎骨折部位，鎖骨下/腋窩動脈やその分枝からの出血に対しても適応となる[33)34)]。また，胸部CT検査で，肋間動脈仮性動脈瘤を認める場合にも破綻する前に塞栓する[29)34)35)]。肋間動脈を塞栓する場合には，近位・遠位の肋間動脈と側副血行路の走行および前後の肋間動脈を正確に把握しておくことが重要である[36)]。可能なかぎり塞栓は「front door-back door」方式で行う。front doorのみ塞栓すると，後に仮性動脈瘤の形成，血流変化に伴う他部位からの出血，血胸の持続や再燃などの可能性がある。また，背側の近位肋間動脈から塞栓する場合には，常に大動脈へのバックフローやAdamkiewicz動脈塞栓の危険性を念頭に置いておく[34)]。外傷性血胸に対する開胸術/TAEアルゴリズムを図3-3-D-2[34)]に示す。

3. その他の蘇生戦術

1）気道確保

胸部外傷に対する気道確保も，シングルルーメン気管チューブで行う。その後，胸部の緊急手術を行う，または，大量のエアリークや気道出血がある場合には，患者の状態によって，①シングルルーメン気管チューブを健側に進めて損傷側と分離する，②気管支ブロッカー付きチューブ，あるいは③ダブルルーメン気管チューブに入れ替えて分離する，といった方法を選択する。その際，シングルルーメン気管チューブを右に進めると，しばしば右上葉気管支の閉塞を引き起こす。また，ダブルルーメン気管チューブは適切な位置への設置に時間を要する場合があり，重度のショックや低酸素，換気状態が不安定な場合には，注意が必要である。気管・主気管支損傷が疑われる場合には，気管支鏡を用いて気管チューブを損傷部を越えて確実に誘導する。穿通性あるいは開放性頸部外傷患者において補助換気を行った際に，頸部からエアリーク音を認める場合には，頸部気管損傷の可能性が高い。その際には，応急的に損傷部から気管チューブを留置する場合もある。その際，ブジー（チューブイントロデューサー）を使用すると挿入しやすい。それが困難な場合には，損傷部から逆行性にブジーを挿入し，それをガイドに気管チューブを誘導し，損傷部に達したらブジーを抜去し，用手的に損傷部を越えて遠位に留置する。外科的気道確保が困難な場合には，体外式膜型人工肺（extracorporeal membrane oxygenation；ECMO）導入が必要となる場合もある[37)]。

2）胸腔穿刺

胸部外傷で胸腔穿刺の適応となるのは緊張性気胸である。準備や手技，合併症に関しては，『外傷初期診療ガイドラインJATEC改訂第6版』を参照されたい[26)]。

緊張性気胸は，病院前や救急外来における死亡原因となると考えられてきたが，緊張性気胸の正確な発生頻度，胸腔穿刺による減圧の実際の効果や有用性を示す比較検討した論文はない[17)]。病院前における切迫心停止や心停止の緊張性気胸患者に対するブ

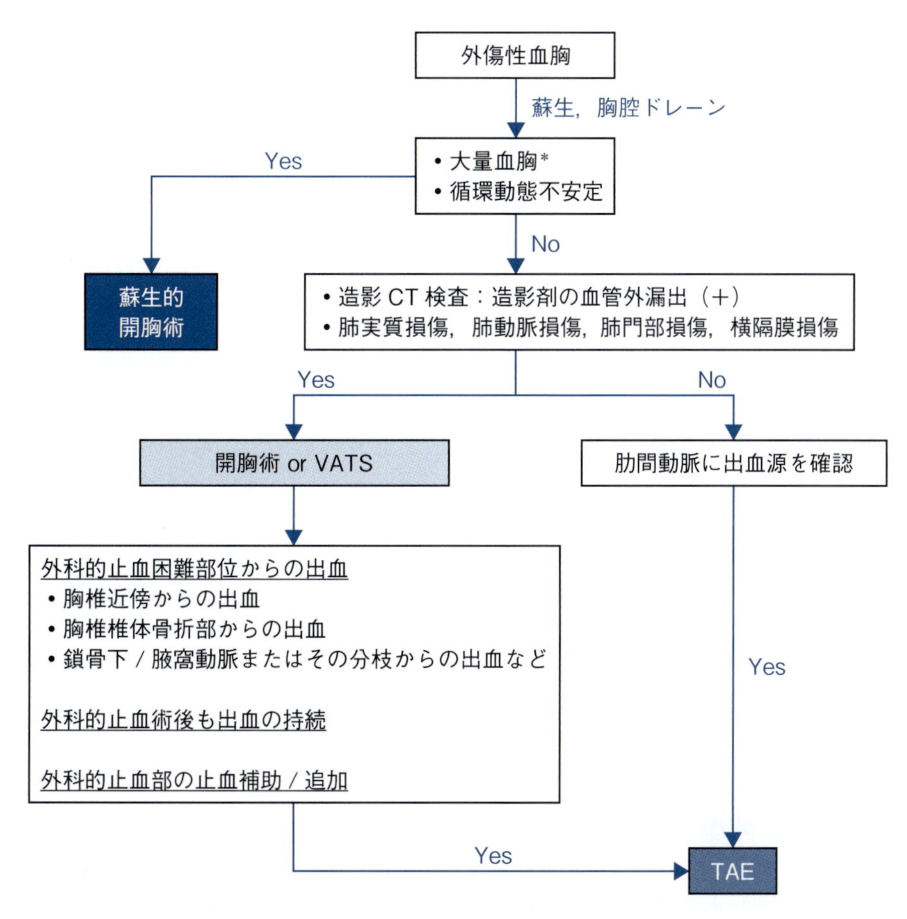

図3-3-D-2　外傷性血胸に対する開胸術/TAEアルゴリズム
＊胸腔ドレーン挿入後1,000〜1,500ml以上の出血を認める血胸
〔文献34)より引用・改変〕

ラインド下の胸腔穿刺は，実際に胸腔内に穿刺針が入るのは5〜10％未満で一時的な手技であり，迅速に胸腔ドレーン挿入を行う[17]。

3）胸腔ドレナージ

胸腔ドレナージの適応，禁忌，準備や手技に関しては，『外傷初期診療ガイドラインJATEC改訂第6版』を参照されたい[26]。

胸部外傷に対して行われるもっとも一般的な治療法である。胸部外傷で，外科処置が必要な患者のうち85％に施行されている。しかしながら，胸腔ドレーンを挿入された患者の25％以上は，ドレーンのずれ，位置異常，排液の問題などさまざまな合併症を認める。よく認める問題の一つは，血胸の排出が不十分で，結果的に血餅化した血液が遺残し，膿胸になることである[17]。また，約25％が肺および壁側胸膜が癒着しているため，気胸としてではなく，皮下気腫として出現する場合がある。このような場合において，胸腔ドレナージの必要時には，無理に癒着を剝がして胸腔に挿入するよりは，原因となっている肺実質損傷部の直上に留置する[17]。

4）心嚢穿刺

心損傷後の心タンポナーデを解除するために，蘇生手技としての心嚢穿刺が推奨されてきた。しかし，以前より外傷による急性心嚢内血腫は凝血しており，心嚢穿刺によるドレナージに適していないこと，心嚢穿刺後の医原性心損傷を認めることが指摘されてきた[10]。外傷後の心タンポナーデに対する心嚢穿刺の適応は限定的であること，緊急開胸や心膜切開のほうが適応となる場合が多いことを知っておく必要がある[17]。

5）剣状突起下心嚢切開術（心嚢開窓術）

剣状突起下心嚢切開術は，心嚢穿刺が困難な場合や心嚢内出血や血腫を検索するために手術室や救急外来で行われる。剣状突起の頭側から上腹部正中にかけて4〜5cmの皮膚切開を行い，白線を切開し腹膜前脂肪を出し，その層から剣状突起下～胸骨下に入ると心膜に達する[18)]。心膜を鉗子で把持し小さく切開すると，心嚢血腫を直接排出することができる[18)]。しかし，損傷部を確認して心縫合するための手技ではないため，心損傷を強く疑う際には，胸骨正中切開を行い，損傷を同定して縫合修復する[17)]。心嚢開窓術で，出血が少量で持続性に認めなければ，すぐに胸骨切開を行わず，まずは保存的に経過をみる方法が報告されている[38)～41)]。心嚢内を加温した生理食塩液で洗浄後，血液の排出を認めなければ，心嚢ドレーンを留置し，経過観察する。経過中に，明らかな出血を持続性に認めれば，胸骨正中切開を行い，外科的止血術を行う[40)～42)]。

Ⅲ　損傷別治療戦略と戦術

1.　気道閉塞をきたす外傷

肺挫傷や気管・気管支損傷による気道内出血は進行性に呼吸障害を生じ，持続性出血を伴う場合には，損傷肺の周囲あるいは対側肺の正常な換気を障害する。気管チューブから大量の血液が吸引される場合には，以下に示す緊急の対応を要する。

①健側の主気管支まで気管チューブを進め，健側肺のみを換気する。

②ダブルルーメンの気管チューブ（ブロンコ・キャス™）を用いて左右の分離換気を行う。

③気管支ブロッカー付きチューブ（ユニベント®）を用いて，損傷側気管支をバルーンにて閉塞し，それ以外で換気する。

④気管チューブの中にCOOK® Arndt気管支ブロッカーバルーンまたはクーデック®気管支ブロッカーチューブを挿入し，出血側気管支を閉塞し，それ以外で換気する。

これらの治療にもかかわらず，呼吸状態の改善が認められない場合には，ECMOによる呼吸補助，持続性出血のコントロールのための肺切除などの外科的治療を考慮する。ECMOの使用に際しての抗凝固薬使用は，全身性出血リスクがあるものの，相対的禁忌にとどまる[43)～46)]。また，ECMO導入時にヘパリンを投与しない，activated clotting timeの目標を低く設定するという方法も行われている[47)]。

2.　胸壁損傷（フレイルチェストを含む）

1）胸壁損傷の種類と治療戦略

フレイルチェストは，2カ所以上の肋骨・肋軟骨骨折が連続して複数本存在する，あるいは肋骨・肋軟骨骨折に胸骨骨折を合併し，身体所見上，奇異性呼吸を認めた場合に診断される。実際には，臨床的に重要でないものから重症の複雑な骨折を伴うもの

◆Clinical questions◆　**CQ 18**

造影 CT での肺実質内への血管外漏出は開胸術の適応となるか？

A　外傷専門医25名によるコンセンサス会議の投票の結果，「適応である」との回答が56%，「適応ではない」が24%であった。

「適応である」との回答には，「循環動態の破綻や気道内出血があれば手術が必要」，「開胸止血術が第一選択である」，「肺実質内出血にTAEでの止血は困難である」，「多くは肺挫傷を伴うため血液凝固障害が急速に進展し手術でも救命できなくなる」などの意見がみられた。一方，「適応ではない」との回答には，「実質内にとどまって止血されれば必ずしも必要ではない」，「循環動態が安定していればIVRの適応である」などの意見がみられた。

以上より，造影CTで肺実質内への血管外漏出に対しては，開胸による早期外科的手術が望ましい。循環動態が安定している場合にはIVRを検討する可能性もあるが，IVRで止血できない場合は手術を躊躇すべきではない。広範囲の肺挫傷を伴う肺実質内出血は，血液凝固障害が急速に進展して大量出血をきたす特性を理解して戦略決定が必要である，とした。

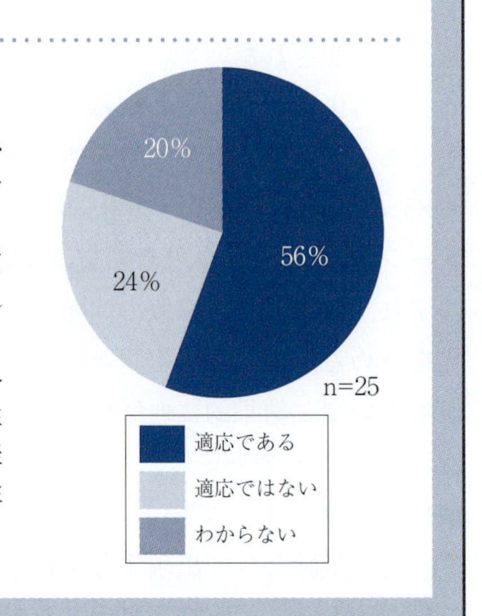

までさまざまな損傷形態を示す[48]。Edwardsらは，3本以上の肋骨が2カ所以上で骨折している画像検査所見を「フレイルセグメント」と呼び，身体所見上みられる奇異性呼吸を「フレイルチェスト」と呼ぶことを提案した[49]。

肋骨骨折と胸骨骨折の治療は，昨今まで麻薬による疼痛コントロールと一部の患者では機械的換気による陽圧換気に限られていた[50]。しかし，現在の胸壁損傷の管理では，局所麻酔，非麻薬性の経口および静脈内鎮痛薬の投与，および外科的固定術を選択的に施行する，集学的でプロトコル化されたアプローチの有効性が報告されている[49]。

胸壁損傷，とくに肋骨骨折の外科的固定術（surgical stabilization of rib fractures：SSRF）の分野は，約20年前までは発展しておらず，ほとんどの外傷外科医は，肋骨骨折に対するSSRFを推奨せず，肋骨または胸骨の修復・固定に関与しなかった[51]。昨今，3つ以上の肋骨骨折を有する患者の約7%がSSRFを受け[52]，件数が年々増加している[53]。また近年，胸壁損傷の治療に特化した国際的外科学会であるChest Wall Injury Society（CWIS）が組織された[49]。CWISは，骨折の位置，変位の程度，隣接する肋骨の合併骨折，フレイルチェストの定義など，肋骨の分類に関する複数の問題を扱った[49]。具体的には，骨折の変位はaxial CT画像でnondisplaced，offset，displacedに分け，肋骨骨折の位置は，前方，側方，後方と解剖学的に3つに分類し，骨折自体は単純骨折，楔状骨折，複雑骨折に分類した。しかし，この分類法の検証とこれを利用した研究はこれからである。また，胸壁損傷のスコアリングシステムも多く考案され，RibScoreは，肋骨骨折のパターンに関する詳細な情報を含んでいる[54][55]（表3-3-D-1a）。これは，肋骨骨折の重症度を標準的に評価でき，肺炎や呼吸不全，気管切開率と相関していた[54]。しかし，この静的なスコアは，損傷に対する生理学的反応を含んでいないため限界がある。最近では，動的な生理学的反応を反映したSCARF（Sequential Clinical Assessment of Respiratory Function）Scoreも使用されている[56]（表3-3-D-1b）。胸壁損傷に対する管理をこれらのスコアリングシステムを使用することにより，プロトコル化することが推奨されている。それにより診療のばらつきを最小限に抑え，救急初療室での滞在時間を短縮し，胸壁損傷患者の転帰を改善することにつながっている[56)~58]。

表3-3-D-1　胸壁損傷スコアリングシステム

a. RibScore

パラメータ	ポイント
6カ所以上の骨折	1
フレイルチェスト	1
両側骨折	1
3カ所以上の高度に変位した骨折	1
1カ所以上の前方＋側方＋後方骨折	1
第1肋骨骨折	1
合計	6

〔文献54）より引用・改変〕

b. SCARF Score

パラメータ	ポイント
Numeric Rating Scale（NRS）＊1≧5	1
インセンティブスパイロメトリー＊2＜50%（予測）	1
呼吸数≧20	1
ひどい咳	1
合計	4

＊1　Numeric Rating Scale：0が痛みなし，10が想像できる最大の痛みとして，0～10までの11段階に分けて，現在の痛みがどの程度かを指し示す段階的スケール。これが5以上の場合，1点となる
＊2　インセンティブスパイロメトリー：器具を用いた呼吸訓練。呼吸練習器〔患者に深い吸気を促す（吸気筋を働かせる）ことで肺の伸展性を高めるためのトレーニング器具〕による最大吸気容量または流量が予測の50%以下の場合，1点となる
〔文献56）より引用・改変〕

2）治療戦略

(1) NOM

胸壁損傷に対するNOMの基本は，鎮痛と排痰である。鎮痛薬は全身性のものと局所性のものに大別される。痛みをコントロールするために異なるクラスの鎮痛薬を同時に使用する「multimodal analgesia」を，胸壁損傷患者には常に考慮する。肋骨骨折に対する鎮痛法に関して，標準化された段階的なマネジメントガイドラインを作成することも推奨されている[48]。

アセトアミノフェンと非ステロイド性抗炎症薬（NSAIDs）はいずれも外傷患者において経口麻薬と同等の鎮痛効果があり，胸壁損傷患者には日常的に投与する[59]。ジアゼパムやシクロベンザプリンなどの筋弛緩作用のある薬剤もさらなる緩和の効果がある。保険適応外ではあるが，ガバペンチンの経口投与[60]，ケタミンの静脈内投与[61]，リドカインの静

脈内投与[62]などが，肋骨骨折の患者を対象に評価されている[48]。

肋骨骨折に対する硬膜外麻酔はもっとも広く研究されている。肋骨骨折で入院した患者の3%にしか使用されていないにもかかわらず，施行しない場合と比較して，合併症率および死亡率の有意な低下を認めた[52,63,64]。超音波ガイド下の脊柱起立筋と傍脊椎カテーテルでの局所ブロック麻酔は，硬膜外血腫のリスクがなく，抗凝固療法中でも施行可能である[65]。肋間神経ブロックやリポソームブピバカインを用いたビデオ支援胸腔鏡手術（video-assisted thoracoscopic surgery；VATS）による肋間神経ブロックなど，外科医が施行する局所麻酔療法には，術中に直接目視で留置できるという利点がある[65-67]。実際には，局所麻酔療法の選択は，患者の損傷パターンと施行者の熟練度に依存する。初期段階の多剤併用による鎮痛療法に反応しない肋骨骨折患者には，このような局所麻酔療法を施行する。EASTが発表した疼痛管理のための診療ガイドラインでは，とくに鈍的胸部外傷で入院した患者に対しては，多剤併用鎮痛法と硬膜外麻酔の両方をルーチンに使用することを条件付きで推奨している[14]。

（2）手術戦略

SSRFの適応に関しては，EASTガイドラインでは，フレイルチェストを有するすべての患者にSSRFを検討することを条件付きで推奨している[62,68]。しかし，その根拠となっている研究は，フレイルチェストの定義，損傷の重症度，損傷から手術までの時間，および手術手技の点で大きく異なっているため注意が必要である。実際には，フレイルセグメントのX線所見のみでSSRFは施行せず，NOM中に疼痛コントロールが限界に達する場合，または呼吸障害が悪化し改善傾向がない場合，肋骨骨折による呼吸不全を伴うフレイルセグメントを有する場合には，SSRFは有効である[69-71]。複数の転位のある肋骨骨折を認めるがフレイルセグメントがない場合にも，SSRFが有効な場合があり，患者の年齢，頭部外傷の重症度，呼吸状態などから総合的に判断する必要がある[69-72]。また，現在，非転位骨折に対するSSRFを支持する論文的根拠はない。エキスパートオピニオンとしては，①プロのスポーツ選手で痛みとともにクリック音を伴う可動性のある肋骨骨折が1つまたは2つある場合，②肋骨骨折が肺，横隔膜，脾などの臓器に刺さっている場合，③他の目的の手術で開胸部に肋骨骨折がある場合，④胸椎手術時のように計画的に肋骨切離を行った場合などは適応である。SSRFの禁忌は，①手術の効果が期待できない，②手術の効果は期待できるが，より優先度の高い損傷がほかにある，③手術の必要性を判断するためにNOMを試みている，などである。最近の研究では，軽度から中等度の肺挫傷をもつ患者に対するSSRFは良好な結果が報告されている[73]。肺挫傷を合併している場

◆Clinical questions◆　**CQ 19**

Q　フレイルチェストを伴う多発肋骨骨折において，外科的肋骨固定を行うべきか？

A　外傷専門医25名によるコンセンサス会議の投票の結果，「行うべき」との回答が80%，「行わない」が4%で大半が行うべきと回答した。

「行うべき」との回答には，「肋骨転位が大きく臓器損傷（肺，大動脈など）をきたす骨片があれば適応としている」，「保険適用となっており適応症例には行うべき」，「早期人工呼吸離脱が見込まれる患者は適応となる」，「全身状態を考慮してできるかぎり早期に実施する」，「肺合併症を防止する意味でも早期に固定を行っている」などの意見が多数あげられた。「行わない」との回答には，「フレイルチェストというだけで固定をするのではなく患者を選んでいる」との意見があげられた。

以上より，本文中にある記載とした。

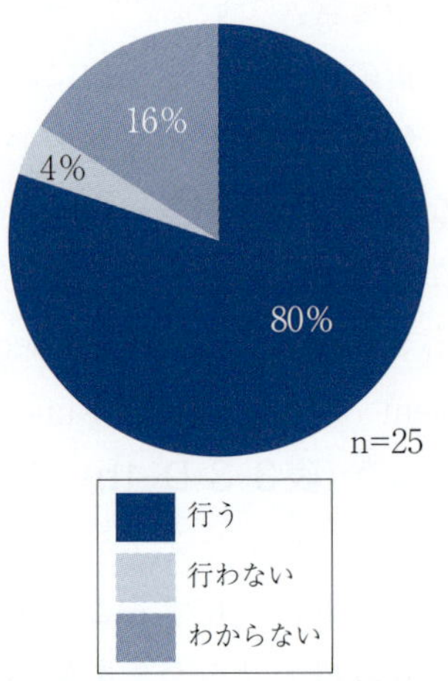

16%
4%
80%
n=25
行う
行わない
わからない

参考文献

• Kasotakis G, et al：J Trauma Acute Care Surg 2017；82：618-626.
• Schuurmans J, et al：Eur J Trauma Emerg Surg 2017；43：163-168.

合には，手術室への搬送や体位変換，片肺換気に耐え得るかどうかについて，臨床的判断が必要である。

高齢者では，不安定骨折による痛みや呼吸抑制に耐えられないため，最近の研究では，むしろ若年層よりもSSRFの恩恵を受けやすいとされている[74)75)]。

積極的な蘇生を行っているショック患者，頭蓋内圧亢進患者，不安定な脊椎損傷患者，胸部大動脈破裂患者，生理的に不安定または骨盤や四肢の創外固定のために体位変換が困難な患者には，早期のSSRFは避け，その前に患者を安定化させる。このような状態でなければ，損傷後できるだけ早期に（理想的には48時間以内），SSRFを行う。手術が遅れた場合，不安定な骨折により，肺合併症率の上昇，胸腔ドレナージ期間の延長，組織の浮腫や炎症反応の上昇などが起こり得る。SSRFまでの時間に関する多施設共同研究では，損傷の重症度を調整すると，48時間以内の手術が転帰を改善することが示された[76)77)]。この知見は，その後の単施設での研究でも再現されている[77)]。

初期評価と画像診断の時点で，SSRFの適応が不確実である場合には，まずは，NOMを行う。その際，3つの転位性骨折があり局所麻酔（神経ブロックや硬膜外麻酔も含む）後の疼痛コントロールが限界に達している場合には，呼吸器系の影響が出る前の12時間以内に再評価，手術の決定を行うことが望ましい[48)]。NOMを長期間（7～10日）行うと，肺障害が悪化し，むしろ安定化が遅れる[48)]。

(3) 手術戦術

SSRFは侵襲の大きな後側方開胸術から筋肉を温存した低侵襲アプローチへと変革してきた。VATSを利用した胸腔外[78)79)]および胸腔内[80)81)]のSSRFアプローチも報告されているが，ほとんどの手術は開胸することなく，金属プレートとスクリューを用いて行われる。フレイルセグメントを形成している複数の骨折は，基本的にすべて固定する。一方の骨折（通常は前方）を固定すれば，理論的にはフレイルチェストはなくなるが，残りの骨折は残存しているため，持続的な痛みや骨癒合不全のリスクを伴う。そのためすべての骨折を固定することが推奨されている[82)]。

①術前計画

術前に患者の胸部CT画像を系統的にみてどの骨折をどのように固定するか綿密に検討する。術中には，どの肋骨骨折が固定されたかを逐次チェックできるようなチェックシートを手術室に掲示しておくと便利である[48)]。一般的には，第3～10肋骨骨折は固定する。第1，2肋骨骨折は，呼吸機能への影響は少なく，手術が比較的難しいため固定しない。例外として，肝，脾，横隔膜，腎に刺さっている場合は，骨折片を単純に摘出することがある。後方の肋骨骨折の固定には，横突起との間に少なくとも3cmの距離が必要であり，横突起から5cm以内の骨折は固定しない。この領域での固定は，骨の露出のために筋肉や靱帯の切離や剝離を要し，逆に安定性が失われるため，外科的固定の有益性があまりない。前方の骨折は，肋骨軟骨や胸骨に固定することもある[48)]。

②体位とアプローチ法

体位とアプローチ法は，骨折の位置によって変わる。皮膚切開は骨折の真上ではなく，胸壁の筋肉の境界線に基づいて行い，筋肉はできるだけ切離するのではなく筋肉を剝離し牽引して術野展開する。

a) 側方骨折

患者を側臥位にして，広背筋の前縁に沿って斜めに7～9cmの縦切開でアプローチする。その後，筋肉前縁を切開し，筋肉の下を剝離し，フラップ状に後方に牽引すると前鋸筋が露見される。それを筋線維によって分割するとその下に肋骨を認める。この際，前腋窩線から前鋸筋の上を通っている長胸神経を損傷しないように注意する。通常，前鋸筋の1回の切開で3～5個の肋骨を連続して露出できる。

b) 前方骨折

患者を仰臥位にして，乳房下縁の皺に沿って斜めに切開してアプローチする。皮膚切開後，大胸筋の下の層を剝離し大胸筋をフラップ状に展開することで，第4～6肋骨の前面が露見できる。例外的に，第3肋骨の前方骨折は，大胸筋と小胸筋の筋線維を分けながら骨折部の直上に小さな切開を加えてアプローチする。

c) 後方骨折

脊椎の横突起に近いこと，肋骨の角度や肩甲骨下の位置などから，一般的にもっとも固定が難しい骨折である。このような骨折には，患者を腹臥位にして，同側の腕を手術台から約20cm下げたテーブルの上で支えた状態にしてアプローチする。この操作により，肩甲骨を横方向に開くことができ，肩甲骨下後方にある骨折の露出が容易になる。その後，肩甲骨先端のすぐ内側に縦方向に切開を入れる。聴診

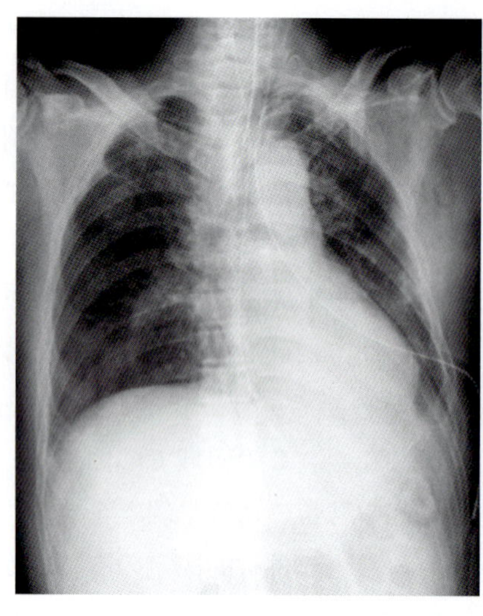
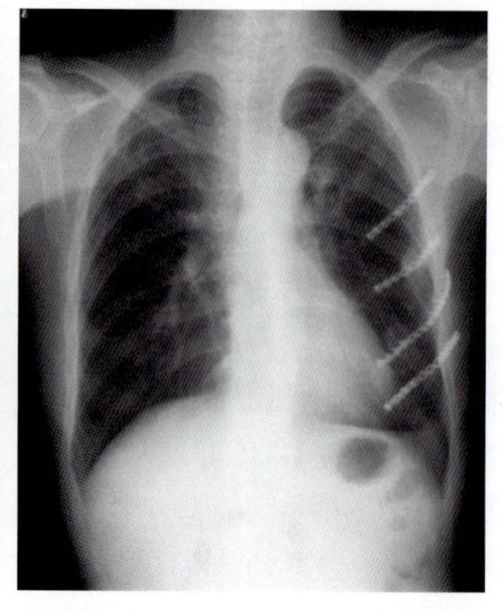

図3-3-D-3　monocortical screwを用いたanatomical plateによる肋骨固定術
術前（左）および術後（右）胸部X線単純写真

三角を展開し，僧帽筋と広背筋の下の層を剥離し，フラップを作成し持ち上げる。これにより，胸椎の骨折にも同時に対応することもできる。

d）複合骨折

フレイルチェストは，前方と側方の骨折，または側方と後方の骨折の組み合わせが多い。いずれの骨折パターンも，前述の各々の切開でアプローチすることができる。もう一つの骨折パターンは，両側の前方骨折を伴う前方フレイルチェストである。この骨折パターンは，両側の乳房下切開でアプローチする。

③固　定

肋骨は厚さ8～12mm，皮質の厚さはわずかに1～2mmであり，その骨折は斜骨折となることが多い[83]。皮質が薄いことに加え，フレイルチェストでの固定対象部位は肋骨そのものが厚い背側部分ではなく，骨が薄い側方から前方部分であることが多いため，しっかりとした固定性を得るためには骨折線の両サイドを長い距離で固定する必要がある。

現在まで主に用いられている固定材料は，Judet strut，mennen plateやチタン製rib staplerなどの肋骨そのものを把持する形のプレート，そして，cortical screwではなく，より薄い皮質にも適応可能なcancellous screwやmonocortical screwを用いたanatomical plateやU-plateなどである[83)～85)]。どのような方法を選択するかは，骨折部位と形態，侵襲性と固定性から判断する[84)86)]（図3-3-D-3～5）。

SSRFの手術中には可能なかぎり気管支鏡とVATSを施行し，気管・気管支内の痰吸引と胸腔内の損傷部の確認を行う。また，SSRF時に胸腔内灌流洗浄を繰り返し行うことで，その後の凝血血胸となる可能性が減少する。さらに，肺の損傷を認めれば，肺損傷部の部分切除または修復も同時に施行できる。それにより，術後の胸腔ドレナージ期間と感染症のリスクが減少する[87)88)]。SSRF時のVATSのその他の利点としては，横隔膜損傷の診断と修復，局所麻酔のサポート，胸腔ドレーン挿入のガイド，手術手技の教育などがある。

3）治療の推奨度

鈍的外傷による肋骨骨折に対するSSRFに関するEASTガイドラインが2017年に発表された[68)]。成人のフレイルチェスト患者において，NOMと比較してSSRFは，①死亡率低下，②人工呼吸期間の短縮，③ICU在室および入院期間の短縮，④肺炎合併率低下，⑤気管切開施行例の減少が期待できることから弱く推奨されている（推奨レベルⅢ）[68)]。

しかし，SSRFによる疼痛コントロールに関しては，NOMを対照とした十分な検討が行われておらず，その有効性を支持する強い疫学的根拠はない。そのためEASTガイドラインでは疼痛を軽減するかについては推奨を提示できていない。また，成人のフレイルチェストを伴わない肋骨骨折に対するSSRFに対する推奨も提示できていない。一方で2017年のメタ解析は，SSRFがNOMよりも上記アウトカムを改善することを示し，費用対効果も優れている

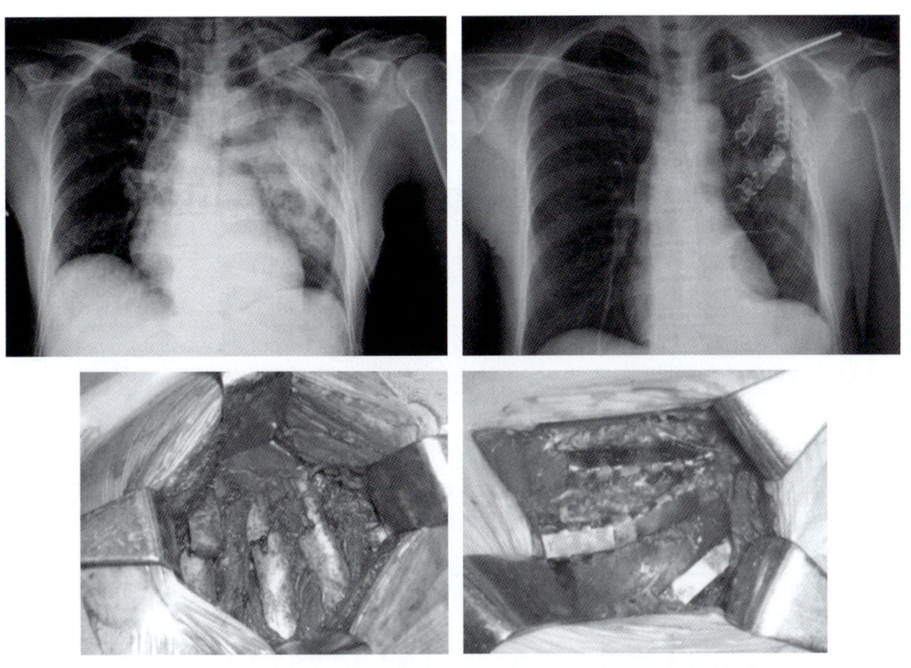

図3-3-D-4　チタン製rib staplerによる肋骨固定術
術前（左上）および術後（右上）胸部X線単純写真と術中所見

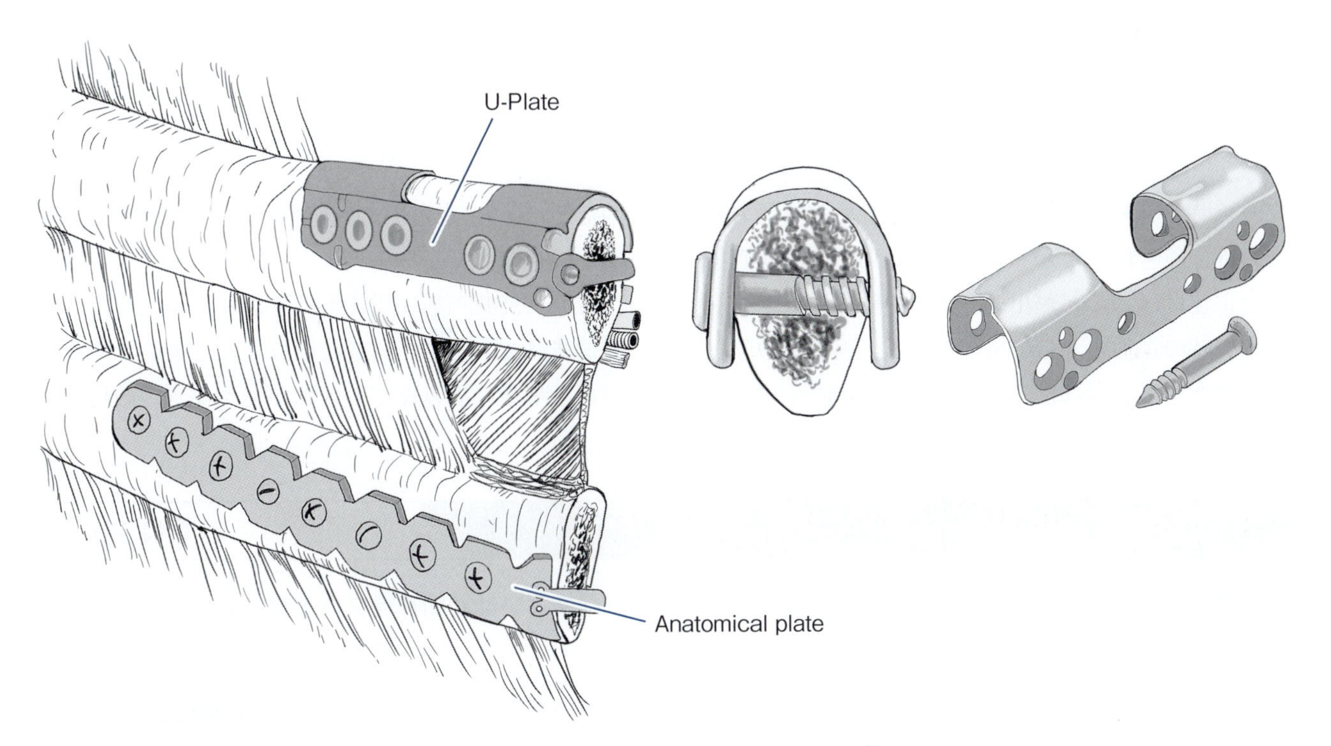

図3-3-D-5　U-plateとAnatomical plate

ということを示した[89]。

フレイルチェストの多くはinternal pneumatic stabilizationが行われているが[27)86)90)91]，長期にわたる呼吸機能障害を残すことも報告されている[92)93]。EASTガイドラインによる肺挫傷とフレイルチェスト（pulmonary contusion with flail chest；PC-FC）に関する主な推奨を表3-3-D-2に示す[86]。

4）合併症

SSRF後の合併症の発生率は5%以下[94)~97]と報告されているが，長期的な追跡調査はほとんど報告されていない。術中の合併症として，胸壁の神経・血管損傷，肋間動静脈損傷，肺実質損傷などがある。とくに神経損傷は，肋間神経の外側皮枝，高位側方および腋窩アプローチ時の長胸神経，高位側方アプ

表3-3-D-2　EASTガイドラインによるpulmonary contusion with flail chest（PC-FC）に関する推奨

推奨	レベル
過度な輸液制限をすべきでなく，適切な組織灌流を維持するために等張晶質液あるいは膠質液による蘇生を行うことが望ましい	推奨レベルⅡ
適切な輸液蘇生が行われたならば，不必要な輸液投与がないように細心の注意を払うことが望ましい	推奨レベルⅡ
呼吸不全を伴わない患者において，胸壁動揺性の改善のみを目的とした人工呼吸管理は避けることが望ましい	推奨レベルⅡ
人工呼吸管理を要する場合，各施設に応じた呼吸器設定を選択するが，可能なかぎり早期の離脱を図ることが望ましい	推奨レベルⅡ
人工呼吸器の設定には，PEEP/CPAP（positive end-expiratory pressure/continuous positive airway pressure）を含めることが望ましい	推奨レベルⅡ
適切な疼痛管理と積極的な肺理学療法により呼吸不全の発生を防ぐことが望ましい	推奨レベルⅡ
重症のフレイルチェストに対する疼痛管理法としては，持続硬膜外麻酔が望ましい	推奨レベルⅡ
肺挫傷の治療としてのステロイドは使用しないことが望ましい	推奨レベルⅡ
人工呼吸管理の適応境界領域の呼吸状態である意識清明な症例に対しては，十分な疼痛管理と非侵襲的陽圧換気の使用を考慮する	推奨レベルⅢ
重篤な一側性肺挫傷で，換気血流比不均等が著しい，あるいは気道出血の制御が困難な場合，分離肺換気の適応を考慮する	推奨レベルⅢ
肺挫傷を伴う鈍的胸部外傷に対する高頻度陽圧呼吸により生命予後が改善するとの証明はないが，ほかの呼吸管理法では改善の認められない患者の酸素化を改善する可能性があり，一般的な呼吸管理法では対応困難な場合に適応を考慮するが，その基準は明らかでない	推奨レベルⅢ
肋骨骨折に対する外科的固定において特定のインプラントを推奨する根拠はないが，プレートあるいは骨把持型固定材は骨髄内ワイヤーと比較して固定性に優れ，これらを選択したほうがよいとの意見もある	推奨レベルⅢ

〔文献86）より引用・改変〕

ローチ時の副神経などがあり，肩甲骨や胸腹部の筋肉の機能障害の合併が報告されている[98)99)]。術直後の合併症はほとんどが出血で，肋間動静脈損傷や筋肉牽引時の穿通枝からの出血である。固定具の除去を必要とする手術部位の深部感染は，SSRFの約1%の症例で発生し，BMIの高値や来院時の出血性ショックと関連している[48)]。

また，SSRF後の固定具の逸脱や移動，破損は比較的まれである[97)]。逸脱時はほとんど無症状で，骨折の治癒後に痛みなどの症状が発生する。破損する

◆Clinical questions◆　CQ 20

フレイルチェストに対する鎮痛において硬膜外麻酔あるいは肋間神経ブロックは有用か？

A 外傷専門医25名によるコンセンサス会議の投票の結果，「有用である」との回答が72%，「有用ではない」が4%で多くが有用であると回答した。

「有用である」との回答には，「多発肋骨骨折に対する麻酔効果は証明されている」，「静注鎮痛薬より呼吸抑制が少なく有用である」，「疼痛コントロールが呼吸不全発生の防止につながる」，「肋間神経ブロックは異物留置がなく合併症も少ない」，「離床が促進する」などの意見が多数みられた。ただし，「血液凝固障害が強い症例では実施は奨められない」との意見もあげられた。一方，「有用ではない」との回答には，「非常に有用であったとの経験がない」との意見がみられた。

以上より，硬膜外麻酔あるいは肋間神経ブロックは有用であると考えられる。ただし，外傷による血液凝固障害を伴う場合には硬膜外麻酔は適応とならない，とした。

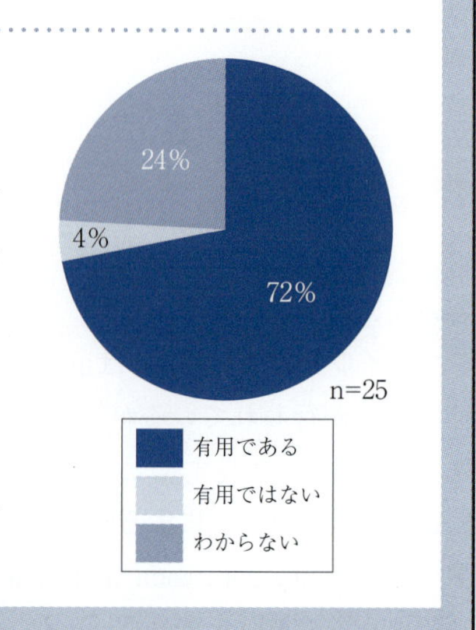

参考文献

• McKendy KM, et al：J Surg Res 2017；214：117-123.

もっとも一般的な場所は後方で，これは肋骨の角度と前鋸筋による固定具への剪断力が原因であると考えられている[96]。固定具が逸脱し，皮下に触れる場合，症状があれば摘出する。吸収性プレートは，現在のところ広く開発されていないが，感染のリスクが減少する可能性がある[48]。

3. 肺損傷

1）肺損傷の特徴

肺損傷は，気道・呼吸・循環に影響する。迅速に評価し蘇生しないと致死的となる重篤な状態になる場合もある。肺損傷の管理で最初に行うことは，緊急手術の必要性を判断することである。外科手術を必要とする症例の頻度は低く，穿通性胸部外傷の6%，鈍的胸部外傷の2%程度である[100)101)]。しかし，開胸術を要する外傷あるいは血胸に対する開胸例に限定すれば，20〜30%において何らかの肺切除術が行われている[4)100)〜103)]。肺損傷に対する手術適応とどのような外科的治療が行われるかを認識しておくことは重要である。

肺は生理学的には複雑であるが，解剖学的には単純で，主に肺胞と血管で構成されている。肺動脈と肺静脈は低圧系であるが大容量で，気管支の血管系は全体的に圧が高いが，比較的口径の小さい血管が多い。肺胞が損傷すると気胸を起こし，肺実質が圧縮，挫滅，機械的な破壊が起こると肺挫傷となり，肺機能が障害を受ける。

2）治療戦略

(1) 開放性気胸

胸壁に気管径の2/3以上の大きさの欠損があると，胸腔と大気の圧レベルが同じになり，肺は直ちに虚脱する。

治療の基本は胸腔ドレーンの留置後に開放創を閉鎖することであり，胸腔ドレナージチューブの挿入は胸壁開放創からではなく，創から離れた清潔な部位からとしたほうがよい（CQ21）。胸腔ドレナージを施行することなく開放創を単純閉鎖した場合，肺損傷合併時に緊張性気胸を招くおそれがあるので行ってはならない。胸壁欠損が大きく，創閉鎖が困難な場合には，大部分の患者で気管挿管下の陽圧呼吸が必要となり，胸壁開放創に対する外科的閉鎖あるいは再建術を行う。

(2) 緊張性気胸

治療は，可及的速やかに胸腔ドレナージを行う。胸腔ドレナージ後も，ドレナージチューブから空気漏出が持続したり，大量の血液排出を認める場合がある。前者の場合，肺の再膨張が得られない場合には，肺損傷や気管・気管支損傷に対する外科的治療を要する可能性がある。

◆Clinical questions◆　CQ 21

Q 開放性気胸のドレナージチューブは開放創以外から挿入すべきか？

A 外傷専門医25名によるコンセンサス会議の投票の結果，「開放創以外から挿入すべき」であると回答したものが64%と多かったが，24%は「開放創から挿入してもよい」と回答した。「開放創以外から挿入する」という回答には，「あえて汚染創から挿入させる必要はなく，胸腔内感染（膿胸）のリスクを上げることにつながる」，「開放創の創傷治癒の観点から開放創からの挿入は避けるべきである」などの感染対策上避けるべきであるとの意見が多かった。一方，「挿入してもよい」との回答のなかには，「迅速性を要求される初回留置は許容される」，「病院前診療など一時的な処置としては行ってもよい」などの意見がみられた。

以上から，開放性気胸のドレナージチューブは，緊急性のある場合を除いて原則的には開放創以外から挿入するのが望ましい，とした。

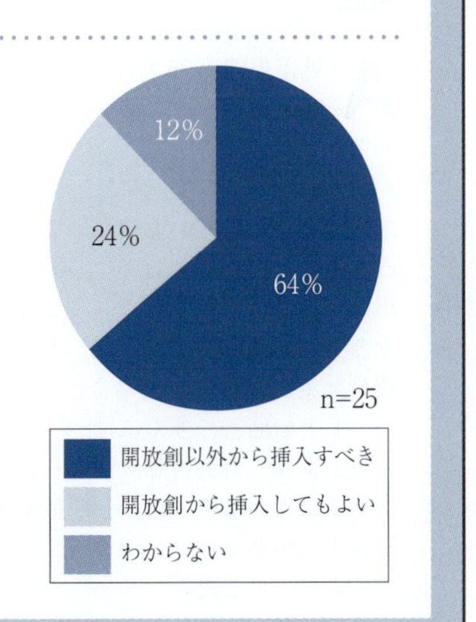

(3) 血　胸

ショックの原因となる血胸を大量血胸として区別する。穿通性外傷，鈍的外傷の原因によらず，血管損傷（胸部大動脈，肺動静脈，肋間動脈，内胸動脈，上大静脈，無名静脈，奇静脈），心損傷，肺損傷，横隔膜破裂を伴う腹部臓器損傷などで生じる。成人では一側の胸腔内に2,000～3,000mlの血液が貯留し得るが，1,000ml以上の出血が急速に起こると，循環血液量の減少と胸腔内圧上昇による静脈還流障害により循環不全に陥る。また大量の血液による肺の圧迫による呼吸不全も合併する。

治療はまず胸腔ドレナージである。虚脱した肺の再膨張による呼吸状態の改善が期待されるが，一方で再膨張に伴う肺血管床の増大により循環血液量はさらに減少することになる。通常1,000mlの血液が急速に回収された場合は，早い段階での開胸止血術を判断する[16]。胸腔ドレナージ施行後の出血量からみた手術適応を表3-3-D-3に示す。開胸術の適応としての出血量は，穿通性外傷に対する治療経験に基づくエキスパートオピニオンとして提唱されたものである。一方，鈍的外傷の開胸術の適応としては，EASTガイドラインでは，出血量そのものより，生理学的異常に基づく治療介入が望ましいとしている（推奨レベルⅡ）[104]。これは，緊急開胸術を行った胸部外傷患者の手術適応などを比較した観察研究において，穿通性外傷と比較して，鈍的外傷では出血量に基づいて止血を要することが少なかったことを根拠としている[105]。

表3-3-D-3　血胸に対する開胸術の適応

①胸腔ドレナージ施行時1,000ml以上の血液を吸引
②胸腔ドレナージ開始後1時間で1,500ml以上の血液を吸引
③2～4時間で200ml/時以上の出血の持続
④持続する輸血が必要

循環動態が安定した外傷性血胸の管理に関して，EASTガイドラインから，以下の4点に関して，各々推奨がなされた[106]。

①循環動態が安定した外傷性の少量血胸（500ml以下）に対して胸腔ドレナージをルーチンに行うべきか

②ドレナージを必要とする外傷性血胸で血行動態が安定している患者では，ピッグテールカテーテル（14Fr以下）と胸腔ドレナージチューブ（20Fr以上）のどちらを留置すべきか

③循環動態が安定した外傷性凝血血胸に関して，胸腔内血栓溶解療法（t-PAなど）とVATSはどちらを行うべきか

④循環動態が安定し，ドレナージが必要と判断された外傷性凝血血胸の患者において，早期VATS（4日以内）と後期VATS（4日以上）のどちらが行われるべきか

①に関して，選択された研究はどれもエビデンス

◆Clinical questions◆　　CQ 22

外傷性肺気瘤（pneumatocele）に手術を行うべきか？

A 外傷専門医25名によるコンセンサス会議の投票の結果，「行うべき」との回答が28%，「行わない」との回答が48%であった。約1/4の24%は「わからない」と回答した。

「行わない」との回答には，「多くは自然消退するので手術は行わない」，「気道内出血をきたしていなければ切除は必要ない」などの意見がみられた。一方，「行うべき」との回答には，「気胸が合併する場合は手術がよい」，「気瘤内の活動性出血があれば手術を行う」，「気道内出血がコントロールできないものは手術を行う」との意見があげられた。「行わない」と回答したものからも「気瘤内出血，感染，気胸が合併した場合は手術を考慮する」との意見があげられた。「わからない」との回答の多くには，「手術の経験がない」との意見がみられた。

以上より，外傷性肺気瘤は一般に保存的加療にて消退するため保存的治療を選択するほうがよい。ただし，気道内出血がコントロールできない，気瘤内への活動性出血がある，コントロールできない気胸合併例などに対しては手術を考慮してもよい，とした。

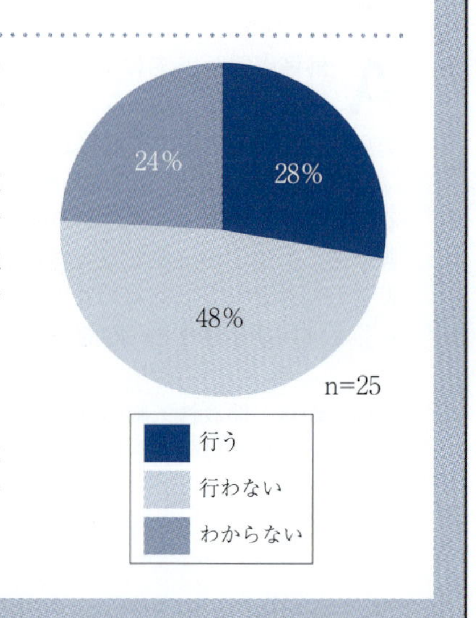

の質が非常に低く，500ml以下の少量の血胸に対するルーチンの胸腔ドレナージを推奨しなかった。②に関しても質の高い研究はなかったが，循環動態の安定している血胸に対するドレナージに関して，胸腔ドレナージチューブよりピッグテールカテーテルの使用を条件付きで推奨した。③に関しても質の高い研究はなかったが，循環動態が安定した外傷性凝血血胸に関して，血栓溶解療法よりもVATSを行うことを条件付きで推奨した。④も同様に該当した研究はどれもエビデンスの質は非常に低かったが，4日以内の早期VATSを推奨した。

(4) 肺挫傷

肺挫傷の病態は，肺胞毛細血管構造の断裂や破壊で生じる肺の間質と肺胞内への出血に加え，これに伴う周囲の浮腫や微小無気肺によって形成される。初期には臨床症状が軽微であっても，受傷後24〜48時間は酸素化能低下が進行することがある。胸部単純X線画像では，初期に酸素化能の低下があっても明らかな異常を呈さないこともある。受傷後1時間以内に85%の患者で斑状陰影が認められ，数時間以内に明らかになることが多い。典型例では，3〜4日以内には胸部X線画像の所見は消退する[27)107)]。受傷直後からX線所見が明確であり，高濃度腫瘤陰影を呈するのは肺内血腫形成例である。胸部CT検査は，胸部X線画像よりも鋭敏に肺挫傷の所見を描出するが，臨床的に意義の少ない程度のものまで診断することにもなる[100)]。

治療は酸素化の維持であるが，酸素療法のみで不十分であれば気管挿管下に人工呼吸管理を行う。気道内出血がある場合の対処は「気道閉塞をきたす外傷」(p.148)を参照されたい。

3）手術適応

前述した胸腔ドレーンチューブからの大量出血に対する止血目的の開胸手術以外に，原因のはっきりしない循環動態不安定な胸部外傷に対して，蘇生と胸腔内の検索目的に蘇生的開胸術を施行する。

胸腔ドレーンチューブからの出血量を評価する際には，注意が必要である。出血量の急激な減少は，必ずしも胸腔内の止血を意味するとはかぎらず，胸腔ドレーンチューブが凝固した血餅で詰まった可能性もある。この場合，血胸の増加はその後の胸部X線や胸部CTで確認されるまでわからないこともある。2本目の胸腔ドレーンチューブが有効な場合もあるが，凝血血胸が大量にある場合には，外科的に胸腔内検索とドレナージを行う。とくに，状態が安定している場合には，血栓が器質化し癒着が完成する損傷後数日以内の早期に胸腔鏡下手術を行うことが有効である[108)109)]。凝血血胸，持続的な気漏，損傷の見逃しや膿胸などさまざまな外傷による合併症

◆Clinical questions◆ CQ 23

Q 肋間動脈損傷による大量血胸に対して，TAE は開胸術に優先されるか？

A 外傷専門医25名によるコンセンサス会議の投票の結果，「優先される」が44%，「優先されない」が20%，「わからない」が36%であった。

「優先される」との回答には，「CTが施行できる状態であれば優先される」，「循環動態が安定していれば優先される」，「肋間動脈引抜き損傷ではTEVARも検討する」，「多発肋間動脈損傷では外科的止血は容易ではない」などの意見がみられた。さらに，「循環動態不安定や切迫心停止であれば開胸術が優先される」との意見も多くみられた。一方，「優先されない」との回答には，「大量血胸で循環動態が不安定であれば開胸術が適応である」との意見がほとんどであった。「わからない」との回答の多くは，「循環動態の条件により判断が異なる」，「循環動態が悪い場合は開胸で一定の安定が得られているものはTAE」との意見が多くみられた。

以上より，肋間動脈損傷による大量血胸の治療戦略決定には，循環動態の評価が重要であり，循環動態が不安定もしくは心停止が切迫している場合は開胸による止血術が望ましく，循環動態が維持されているものに対してはTAEが優先される，とした。

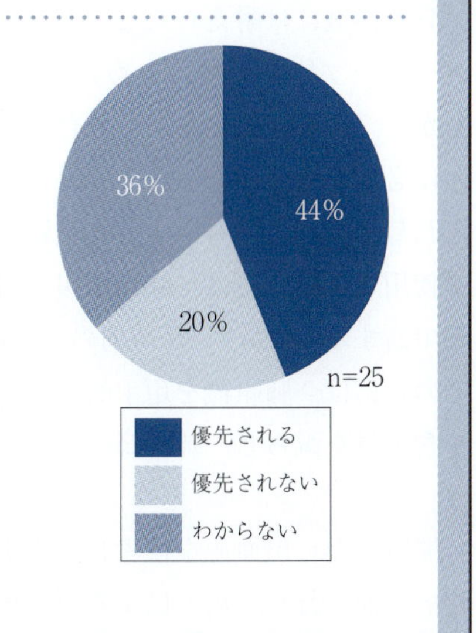

に対して，亜急性期に手術介入が必要となることがある。外傷後の膿胸はほとんどの場合，手術で治療するのが最善である。これらの非緊急の手技の多くは，VATSなどの非侵襲的な方法を用いて行うことができる[108)109)]。

米国レベル1外傷センターにおいて15年間に施行された肺損傷に対する外科的治療の後ろ向き解析から，93％（397例中371例）が穿通性外傷であり，手術内訳は肺縫合58％，楔状切除あるいは葉切除21％，創路切開術11％，肺全摘術8％，血腫除去2％であった。全体の死亡率は27％であるが，肺全摘術施行例では69.7％と高率であった[110)]。肺実質の切除範囲が少ないほど，予後は良好であると報告されている[4)]。

4）治療戦術

(1) 開胸法の選択

開胸法には前述した方法がある。定型的な肺の手術では，後側方開胸が第一選択であるが，循環動態が不安定な場合には，前側方開胸を選択する。前側方開胸は後縦隔の露出が制限されるが，仰臥位の状態で同側の上肢を90°外転し，同側の背部にパッドや厚めのタオルを敷き約15～20°程度高くし，半側臥位とし切開を後腋窩へ延長させると，循環動態への影響を最小限にし，胸腔内背側の露出が改善できる[48)]（図3-3-D-6）[19)]。

(2) 手術方法

肺の定期手術では，ダブルルーメンの気管チューブ（ブロンコ・キャス™）を用いて左右の分離換気を行うが，循環動態が不安定な外傷患者では，肺の分離換気には耐えられないとともに，適切な部位へチューブ位置調整のための時間的な余裕もない。しかし，大量喀血があった場合には，肺の分離が救命に必要な場合がある。この場合，気管チューブの入れ替えをせずに対応する。気管チューブをそのまま使用する場合には，肺の修復や切除の際に，換気を中断する。しかし，長時間の中断は耐えられない。その際には，肺組織を用手的に圧迫することによって含気量を減らし，肺の修復や切除などの手技を行う。

開胸したら出血源を検索し，まずは用手による一時的止血を行う。用手による一時止血が困難な場合には，下肺靱帯を切離し，肺門部遮断を行う。肺門部遮断は，用手による遮断，ペンローズドレーンの二重ループによる遮断，クランプ鉗子による遮断および肺門部を捻って閉塞するpulmonary hilar twistなどがある。これにより致死的な出血とエアリーク，空気塞栓の制御が可能となる[48)111)112)]。一方で，急激な肺動脈圧の上昇による急性右心不全を起こし，循環動態がさらに悪化する可能性があるため注意が必要である。肺門部遮断時間をできるだけ短時間にし，損傷部の修復または切除を迅速に行う[48)]。

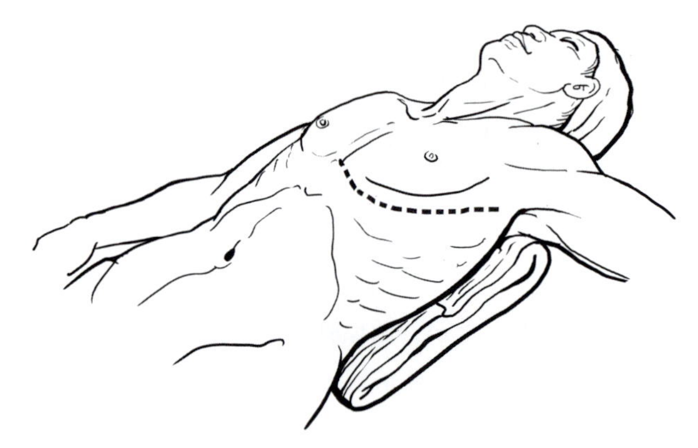

図3-3-D-6　半側臥位での前側方開胸
〔文献19)より引用〕

①肺縫合と楔状切除

穿通性外傷などによる肺の比較的末梢部位での損傷に対しては，肺縫合あるいは自動縫合器による損傷部を含めた肺楔状切除を選択する。肺損傷に対してもっとも多く用いられる術式であり，穿通性外傷の多くはこれらにより対処可能である。出血や空気漏出を認める場合の肺縫合では，4-0あるいは3-0吸収糸による連続縫合，または断端を畳み込み結節縫合を行うOverholt法を用いる。肺組織の浮腫が強い場合や高齢者などで組織が脆弱な場合には，テフロンフェルト帯を補強材として使用して縫合する。縫合時には，可能なかぎり縫合修復部の換気を中断し，用手圧迫により含気量を減らすようにする。これにより操作は容易となり，縫合後の空気漏出のリスクを減らすことが可能である。自動縫合器を用いる肺楔状切除は比較的容易に施行できる（図3-3-D-7）。本法を行う場合も，同様に可能なかぎり切除部の含気量を減少させる。刺創や銃創による貫通創に対しては，胸腔内出血，呼吸不全，空気塞栓症，肺膿瘍などを引き起こすため，安易に縫合閉鎖してはならない。貫通創に対しては次に述べる肺創路切開術を行う[111)]。

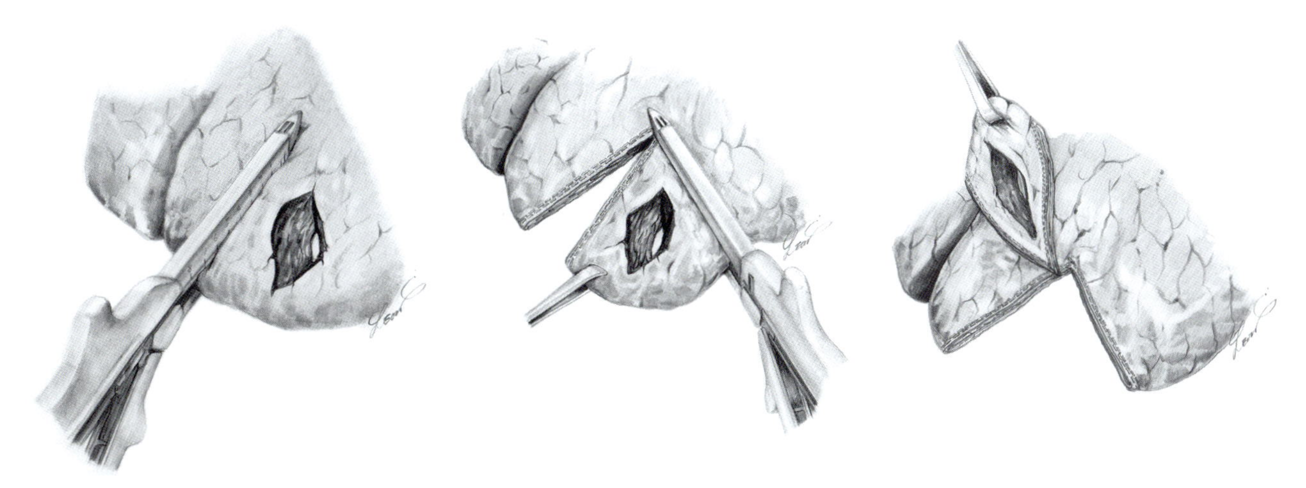

図3-3-D-7　自動縫合器を用いた非解剖学的肺切除
肺組織の厚さに応じた自動縫合器を選択し，損傷部を切除するように非解剖学的に肺を切除する。自動縫合器による切離は健常肺部分で行う

②肺創路切開術（pulmonary tractotomy）

創路切開術は，刺創や銃創などで損傷が深部に到達しているものの，明らかに肺切除を行う必要はない場合に，肺組織を温存しつつ止血および損傷を修復するための方法である。自動縫合器を用いて貫通する損傷孔を開放することにより，肺内の損傷部を表在化し，直接的なアプローチが可能となる。出血部位や空気漏出部位が明らかとなったら，同部に対して直視下に縫合・結紮などの処置を行う（図3-3-D-8）。びまん性出血部位に対しては，吸収性ポリグリコール酸（PGA）シート（ネオベール®）とフィブリン糊（ボルヒール®）による止血やガーゼパッキングによる止血を行うこともある[113]。創路切開術により切離開放した貫通創は閉鎖の必要はない。穿通性外傷以外でも，術式の単純化のために応用し得る方法である。また，まれに創路切開術を行った後に，肺の血流障害から虚血壊死を起こし，肺膿瘍などの合併症を術後にきたすことがある。貫通路切開を行う場合には，可能なかぎり血管の走行と平行に行う。施行後には，肺組織が虚血に陥っていないか観察し，その際には肺部分切除を追加する[20]。

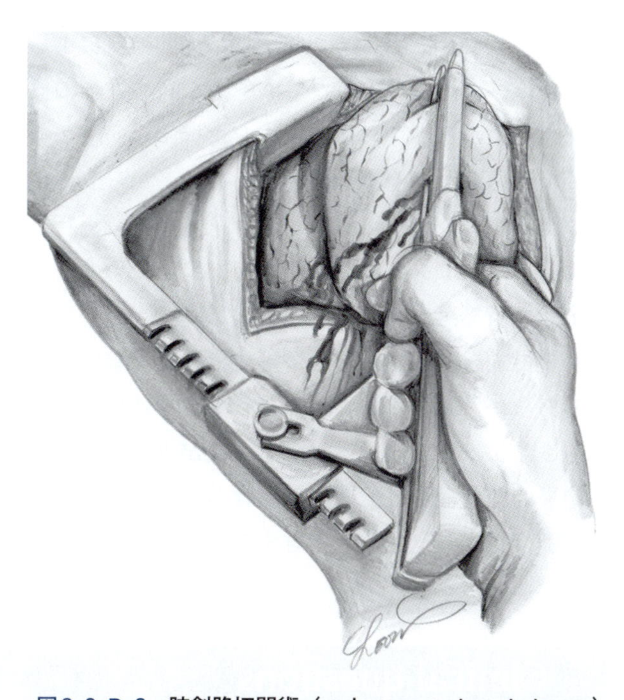

図3-3-D-8　肺創路切開術（pulmonary tractotomy）
自動縫合器などを用いて貫通する損傷孔を開放することにより，肺内の損傷部を表在化し，損傷部への直接的な到達を可能とする。創路切開術により内部にある出血源と空気漏出部位に対する結紮などの処置を行うことができる

③非解剖学的肺葉切除と解剖学的肺葉切除

鈍的外傷による肺破裂や比較的中枢側の穿通性外傷例では，肺葉切除を考慮する。創路切開術や肺縫合，肺楔状切除などを施行後に出血が持続する場合も同様である。外傷では，可能なかぎり多くの正常肺組織を残すことと，緊急に肺葉切除を行わざるを得ない状況では，damage control surgeryが施行されることが多いため，非解剖学的肺葉切除が選択されることが多い。これらの損傷に対する本術式施行時には，大量気道出血のリスク，肺実質および肺動静脈からの血液喪失を減らすために，肺門部または肺葉の中枢側にて，Satinsky鉗子あるいは大動脈遮断鉗子でコントロールを行ったうえで，自動縫合器で切除する。切除前には，必ず肺動脈およびその分枝の位置を確認しておく[48]。非解剖学的肺葉切除を行った後，出血やエアリークが持続する場合には，定型的解剖学的肺葉切除術を必要とするが，まれである。

非解剖学的肺葉切除との比較では，死亡率が高いとの報告がある（77% vs 4%）[110]。よって解剖学的肺葉切除は，damage control surgeryでは可及的に選択せずに，損傷が1つの肺葉に限局し，肺門部まで達するような深部肺裂傷に対してのみ選択される。その際，分離肺換気と損傷部中枢側での換気と血流の遮断を迅速に行い，肺血管，気管支の切除に専用の自動縫合器などを使用すると安全に施行可能である。

④肺全摘術

複数葉にわたる肺破裂や，修復困難な肺門部肺動静脈損傷では，肺全摘術を選択せざるを得ない。肺門部の損傷では，より中枢での遮断のため，心嚢を開放し，心嚢内で肺動脈および肺静脈をクランプする。肺門部損傷は，直接修復することが困難であり，肺全摘が必要になる[48) 117)]。肺全摘は片肺換気による呼吸状態への影響のみでなく，急速な右心系への負荷をきたすこと，さらに本術式を選択する病態がきわめて緊急度が高くかつ重篤であることから，死亡率は50～100%で[48) 114)]，ショック状態で肺全摘を行った場合には，コントロールできない出血や急性右心不全が原因で死亡率は100%近くに達する[48) 115)～117)]。ほかの術式を選択することが可能であれば避けるべきであるが，肺切除の判断の遅れはさらに転帰を悪化させ得るため，迅速かつ大胆な決断が求められる[48)]。

定型的肺全摘術は，肺門部脈管と気管支をそれぞれ個別に露出し，結紮・切離するが，この方法は時間を要し，十分な技術と経験が要求される。外傷で肺切除を要する状況では，生理学的状態が不安定なことが多く，リニアステープラーまたはTA™ステープラーを用いた肺門一括処理による肺切除が選択される（simultaneous stapled pneumonectomy；SSP）。自動縫合器のカートリッジ選択は報告により異なる[114)]。ステープラーはできるだけ末梢にかけ，ステープラーを除去する前に必ず断端部の両端に縫合糸をかけるかAllis鉗子で把持し，切離後に断端部が縦隔側に入ってしまうのを予防する。断端部は非吸収糸による連続縫合またはテフロンプレジェットを使用した縫合閉鎖により補強する。しかし，damage control surgeryとしての初回手術では肺門部のクランプまたは結紮だけにとどめ，後日，生理学的状態や凝固障害が改善した段階で切除を完了するといった方法も報告されている[113)]。肺全摘術が必要な重症胸部外傷では呼吸・循環を含めた生理学的状態が破綻していることが多いため，理にかなった戦術である。

肺全摘術または肺門部クランプ後の重篤な呼吸不全や急性右心不全に対してはECMOによる補助も考慮する[48) 116)]。

⑤肺損傷に対するdamage control surgery

damage controlの概念は，近年胸部外傷にも適応されるようになった[48) 113) 118)]。肺損傷に対するdamage control surgeryには，肺創路切開術，縫合・血管結紮術，肺楔状切除術，肺および胸腔内ガーゼパッキ

◆Clinical questions◆　**CQ 24**

Q　胸部外傷に対する胸腔内パッキングは有効か？

A　外傷専門医25名によるコンセンサス会議の投票の結果，「有効である」との回答は60%，「有効ではない」が８%であった。

「有効である」との回答には，「肺の膨張は制限されるが肺実質や胸壁からの出血制御には有用である」，「血液凝固障害が強くなれば行わざるを得なくなる」，「胸壁・肋骨骨折・壁側胸膜剝離部などからの出血には有効である」，「複数の論文で有効事例が報告されている」，「凝固障害による開胸創の止血に有効であった経験がある」などの意見が多くあげられた。

一方，「有効ではない」との回答では，「有効であった患者の経験がない」，「パッキングガーゼが移動し有効な止血が得られない」などの意見もみられた。

以上より，胸部外傷に対する胸部ガーゼパッキングは，血液凝固障害に由来する出血などで有効なパッキング効果が得られる可能性がある。ただし，留置したガーゼは移動しやすく，効果的にパッキングを実施する必要がある，とした。

32%
60%
8%
n=25
有効である
有効ではない
わからない

ング，肺門部クランプ，一時的閉胸術などが含まれる。生理学的状態が破綻している場合に，蘇生的開胸術を行い，上記処置により迅速に出血とエアリークを制御し一時的閉胸を行う。かけられる時間は60分程度で90分は超えてはならない。ガーゼパッキングに関しては，ほかの止血術後に肺や胸壁から出血している場合や血管結紮部からの低圧系出血の場合に対して，止血補助としての有用性が報告されている[4)113)118)~121)]。damage control surgeryとしての一時的閉胸法に関しては，現在のところ一定の見解が得られていないが，胸壁の止血と迅速性を兼ね備えた方法を選択する。開胸の創部をガーゼパッキングしたうえで皮膚を一時的に連続縫合で閉鎖する方法や陰圧閉鎖療法を利用した方法もある。胸腔内パッキングと一時的閉胸としての陰圧閉鎖の併用は，定型的閉胸術と比較し気道内圧はむしろ低く心肺機能への影響も少なく，止血にも有効との報告がある[48)113)118)122)123)]。

⑥肺損傷に対するVATS

低侵襲手術の需要が増えたことで，安定した胸部外傷患者に対するVATSの需要が高まっている[108)109)]。診断および治療ツールとしてのVATSは，穿通性横隔膜損傷を診断し修復するための腹腔鏡下手術の代わりとして，また持続的なエアリークや凝血血胸，外傷後の膿胸に対するドレナージにおいて適応となる。大量血胸や重症肺実質損傷に対する緊急手術には不向きである[108)109)]。

VATSについてEASTガイドラインでは，最初の胸腔ドレーン挿入で血液（凝血塊）が完全に除去できない場合には，ドレーンを追加するのではなくVATSを行うことを推奨している（推奨レベルⅠ）[104)106)124)125)]。

VATSは手術室で，全身麻酔下，ダブルルーメンの気管チューブを用いて肺を分離して行う。肺を分離することで，優れた露出と良好な視認性を備えた術野が展開される。手術は患側を上にした完全側臥位で行う。必要に応じて開胸術に移行できるように，術野消毒範囲を広くしドレープをかける。片肺換気で，第1ポートは第4または第5肋間で，中腋窩または前腋窩線上に設置する。肩甲骨の先端を目印にすると適切な位置取りがしやすい。最初に使用する胸腔鏡は，胸腔内の凹凸部を見やすくするために角度のついた斜視鏡が望ましい。吸引カテーテルを光学ポートと同軸に配置することで洗浄と排出が容易になり，視認性がよくなる。その後，直接視認下にポートを追加する。VATSで使用する器具は腹腔鏡下手術のものと同様である。酸素を多く含むエアリークと電気焼灼が作用して引火する原因となるため，電気焼灼は慎重に行い，麻酔と換気の調整も行う。手術終了後，胸腔内を加温した生理食塩液で洗浄し，エアリークと出血がないか確認を行い，既存のポートを用いて直接視認しながら胸腔ドレナージチューブを留置し，肺を再膨張させてから創部を閉鎖する。術後，胸部単純X線を撮影し，開胸術後と同様に胸腔ドレナージチューブの位置の確認を行う。

5）合併症

(1) 肺　炎

肺炎は肺損傷後のもっとも一般的な重大な合併症であり，その相対的リスクは人工呼吸の必要性と密接に関連している。肺損傷後，挿管が必要な患者はそうでない患者に比べて約7倍も肺炎になりやすい[2)48)]。肺挫傷と診断されて入院した患者のうち，約50％が肺炎，圧損傷，無気肺を発症し，25％が急性呼吸促迫症候群（ARDS）を発症する[2)]。

(2) 凝血血胸

胸腔ドレーン挿入では，5％以上の患者で血胸を完全に排出できない[48)126)]。通常，少量血胸は再吸収されるが，外傷後の肺水腫や肺を巻き込んだ胸腔内の線維化は，凝血血胸に起因するものである[126)~128)]。

凝血血胸の治療は，米国の外傷センター間でも大きな違いがある。一般的に，CTで推定される血胸残存量が300ml以下の場合は感染がなければ問題なく経過観察できるが，300mlを超える場合はVATSで除去したほうがよい[129)]。VATSの実施時期については質の高い研究はないが，前述のようにEASTガイドラインでは4日以内の早期VATSを推奨している[106)]。

(3) 膿　胸

一般的に，外傷後の膿胸の原因としてもっとも多いのは凝血血胸であり，肺切除後や肺炎後はそれほど多くない。最近の大規模多施設研究では，外傷性血胸が残存した患者の26.8％に膿胸が発生したと報告している[128)]。

膿胸は，滲出性，膿性線維化，器質化の三段階に分類されている。早期の肺炎後膿胸のほとんどは胸腔ドレーンによるドレナージと抗菌薬の投与で治療可能である。しかし，外傷後膿胸の場合，貯留した血胸の排出が遅れ炎症反応が上昇し局在化すると，単純な胸腔ドレナージでは治療が不十分である。初期段階ではVATSがより効果的であり，後期の膿胸や初期治療に失敗した場合には開胸手術が最適である。125人の外傷後膿胸患者を対象とした単施設研究では，VATSと開胸手術がそれぞれ20％と80％の患者に行われ，死亡率は4％であったが，膿瘍に対する初期治療の失敗が，死亡と独立して関連していた[129]。

(4) 持続的なエアリークと気管支胸膜瘻

気管支損傷の合併が肺切除術後などに起こり得る。一般的に5～7日以上エアリークを認める場合に持続的と診断される。気管支損傷の可能性がある場合には気管支鏡検査を施行する。持続的な場合には，人工呼吸器の平均および吸気終末プラトー圧の低下，自己血胸膜癒着，さまざまなシーラント剤，気管支内ワンウェイバルブ，ハイムリッヒバルブ，手術などで対応する[130)131]。

(5) 輸液過剰と肺障害

輸液過剰による肺障害は，何十年もの間認識されていたが，ベトナム戦争による経験から，体液過剰とその結果としてのARDSは，過去20年間で理解が深まり，現在では，凝固障害にも影響することから制限輸液が実施されている。過剰輸液はさまざまな炎症性メディエータを活性化するだけでなく，ARDSを引き起こす。さらに，挫傷した肺は，無損傷の肺よりも，人工呼吸による圧外傷，肺炎，無気肺および肺水腫になりやすいため，肺挫傷を伴っている患者を管理する場合には注意が必要である[48]。

(6) 空気塞栓

空気塞栓症は，心臓への静脈還流と両心循環系に影響を与える。気管支または細気管支および肺静脈枝の損傷を伴う損傷は，肺静脈空気塞栓症を引き起こし，それが全身性空気塞栓症になり得る[48]。深部肺裂傷を認めているときに，陽圧換気や開胸術施行時など医原性に起こることがもっとも多く，全身性空気塞栓症は，40mmHgを超える気道内圧の上昇を伴うと起こり得る。肺静脈に塞栓した空気は左心房に移動し，冠動脈（患者が仰向けになったときに前方に位置することから主に右冠動脈）や脳動脈に空気が入り込むことで，全身性の空気塞栓症，痙攣発作，心室細動を引き起こす。発生した場合，ほとんどが致死的である[48]。これ以上の空気の流入を遮断するために，開胸し肺門部クランプを迅速に行う。

(7) 乳び胸

外傷に伴う乳び胸は，受傷後または手術後に乳白色の胸水が出ることが特徴であるが，まれである。診断は胸水の成分を分析し，胸水中のリンパ球が優位であるか否かにかかわらずトリグリセリド値が110mg/dl以上認めれば診断される。乳び胸の主な合併症は，栄養不良，電解質異常，免疫機能の低下である。非手術的管理としては，タンポナーデ効果を促進するための肺の拡張，完全非経口栄養，中鎖トリグリセリドの経腸投与およびオクトレオチド投与があげられる。これらの治療を行うも5～7日間，乳びの排液が続く場合には非手術的治療は限界である。外科的治療として，リンパ管造影による位置確認後に直接結紮する方法が望ましい[132)133]。

4. 心損傷

1）受傷メカニズムと心損傷の種類

穿通性心損傷は致死率の高い損傷であり，病院に到着するまでに生存する割合はわずか25～50％である[134)135]。救急搬送システムが整備されてきた現代においても，生命徴候がある状態で搬送された穿通性心損傷の全病院死亡率は30～85％で，救急外来で開胸術が施行された症例の生存率は約15％，手術室で開胸術が施行された症例の生存率は74～86％であった。刺創による心損傷の生存率は70～80％であるのに対して，銃創による心損傷の生存率は30～40％と報告されている[134)135]。米国の主要な外傷センターでさえも総死亡率は長年大きく変わっていない。鈍的心損傷の実際の発生率は不明である。自動車事故による胸部外傷の死亡率は25％で，そのうち10～70％は鈍的心損傷であったとの報告や，穿通性損傷よりも予後が悪く，生存率は約20％程度と報告されている[134)136]。

心損傷により心嚢内に血液が蓄積すると，心室拡張障害により1回拍出量が減少する。カテコラミンの代償的な上昇により，頻脈と右心充満圧の上昇が起こる。心嚢が血液で満たされると右側の拡張性が限界に達し，中隔が左側に移動して左心室機能がさらに低下する。心嚢内の血液量はわずか60～100mL

でタンポナーデの臨床像が現れる[137]。Beckの三徴（心音の減弱，低血圧，静脈圧の上昇）がそろうのはごく一部にしかみられず，これらがすべてそろっていないからといって心タンポナーデを否定できるものではない。心タンポナーデにおいてより重要で再現性のある徴候は脈圧の狭小化である。

心損傷は単純損傷（simple injury）と複雑損傷（complex injury）に分けてとらえることができる[21][136]。simple injuryは到達・修復の容易な比較的小さな裂創，刺創などである。心損傷のなかには，心囊も損傷し，タンポナーデを呈さず大量血胸となっている場合もあるが，病院までたどり着けないことが多い。したがって，心タンポナーデを呈している患者において，いかに速やかにそれを解除するかが重要なポイントである。タンポナーデの解除とともにその原因となった心損傷の修復が必須で，修復操作は概ねオフポンプで単純に行える。

complex injuryは，到達・修復が困難な大きな損傷や冠動脈損傷，心臓弁（弁尖，乳頭筋，腱索など），心室中隔損傷合併例などが含まれ，必要に応じて人工心肺下での複雑な心損傷の修復と機能的再建が必要である。冠動脈損傷は，心損傷患者の5～9％とまれだが，死亡率は69％と高い[134][138]。

（1）穿通性心損傷

穿通性心損傷では，主な要因はナイフと銃器で，54％が刺創，42％が銃創であるとの報告がある[134][138]。損傷部位は右室40％，左室40％，右房24％，左房3％程度であり，死亡率は47％と高く，3分の1で多心房心室損傷が認められた[134][138]。外傷性心臓中隔損傷は，心房中隔欠損や心室中隔欠損など心臓内瘻孔を引き起こすが，最初の心修復術で生存した患者のうち，残存する中隔欠損で再手術を必要としたのはわずか2％であったとの報告がある[138]。したがって，損傷の大部分は心筋の単純な裂傷であり，心臓血管外科医がすぐに対応できない状況では，Acute Care Surgeonが手術加療も含めて管理することが求められている[134]。

胸部全体，とくに前胸部と心窩部が巻き込まれる穿通性損傷は，心損傷の可能性がある。心損傷のある患者は，正常なバイタルサインを伴う無症候性から心停止までさまざまである。しかし，心刺創の最大80％は，最終的には心タンポナーデを引き起こす[134]。

心臓への銃創で，損傷が大きく心囊の欠損が大きい場合は，タンポナーデよりも出血性ショックを呈することが多く，大量血胸となり失血死することもある。銃創による心臓内弾丸は，心筋内や心臓乳頭筋にとどまることもあるが，心腔内に遊離しているものもある。弾丸が小さく，右側損傷で，心臓の壁に完全に埋まり線維性被膜に包まれ，感染なく症状がない場合には，経過観察される。しかし，右側の弾丸は肺動脈に塞栓する可能性があり，大きい場合はカテーテルを用いて除去する。まれに卵円孔や心房中隔欠損から左側に入り，全身性に塞栓することもある。また，左側の弾丸は，損傷後すぐに全身性に塞栓し，動脈閉塞を引き起こす[134]。

（2）鈍的心損傷

心筋の軽微な打撲から心臓破裂に至る損傷までがこれに該当する。損傷メカニズムは，①増加した胸腔内圧が心室に直接伝わる，②腹部や四肢の静脈に力が加わり，その力が右心房に伝わる，③急速な剪断力が右心房にかかる，④直接外力が心臓に伝わる，⑤肋骨や胸骨骨折部による直接損傷，と考えられている[139]。剖検結果からは心破裂を伴う鈍的心損傷は左心室がもっとも多く，生存して病院に搬送された患者では右心房破裂（上大静脈-心房接合部，下大静脈-心房接合部，右心耳）が多く，複数部位の心破裂と刺激伝導系障害なども認められた[138]。臨床像としては，タンポナーデ，出血または重度の心機能障害を呈する。心中隔損傷や弁の損傷（弁断裂，乳頭筋断裂，腱索断裂）は，最初は症状がなくとも遅発性に心不全を引き起こし顕在化する。また，遅発性に原因不明の不整脈として現れる。心室性期外収縮を多く認めるが，心室頻拍，心室細動および上室性頻拍は，通常受傷後24～48時間以内に発生する[138]。

鈍的心損傷を除外するためには，①心電図異常を認めないこととともに，②トロポニン値が上昇していないことの確認が必要である（欧米では主としてトロポニンIが測定されており，トロポニンTによる評価は十分ではない）。いずれにも異常を認めなければ陰性的中率100％となるが，いずれかに異常を認める場合は入院による経過観察が必要である[140]。

心臓超音波検査は鈍的心損傷のスクリーニング検査としての意義は低いが，心電図異常が認められれば，心室収縮，壁運動，弁・乳頭筋などの異常を評価できる有用な検査である[141~144]。

(3) 心嚢（心膜）損傷

外傷性心嚢破裂はまれであるが，心嚢破裂を起こした患者のほとんどは合併する心損傷のために病院までたどりつけない。腹腔内圧の上昇または横方向の減速力による二次的な心嚢裂傷は，心嚢の両側，心嚢の横隔膜面，または縦隔に発生する。心臓が胸腔内または部位によっては腹腔内に移動するため，心機能障害を伴う心臓ヘルニアが発生する。右側心嚢破裂では，心臓が捻転し静脈還流が妨げられる。蘇生的左前側方開胸時に「空の」心嚢で発見されることもある。心嚢破裂による左側心臓ヘルニアでは，心尖部が引っかかり心嚢腔に戻ることができなくなり，「絞扼性心臓」という用語が適用されている[145,146]。心臓を正常な位置に戻さなければ低血圧や心停止が起こり得る。鈍的胸部損傷患者における心臓ヘルニアの存在を示す一つの徴候は，患者を移動させたり，ストレッチャーに乗せたりしたときに突然脈拍が消失するといった体位変換性低血圧である[145]。心臓ヘルニアで，外傷センターで治療を受けた患者の総死亡率は64％と高いままである[147]。

(4) 医原性心損傷

中心静脈カテーテルの挿入，心臓カテーテル検査，血管内治療，心嚢穿刺により医原性心損傷が発生する。中心静脈カテーテルの挿入による心損傷は，通常，左鎖骨下静脈または左内頸静脈のいずれかから生じる[148]。左側の中心静脈ラインまたはイントロデューサシースの挿入時のダイレーターでの拡張中に，左腕頭静脈，上大静脈または右房の穿孔を起こすことがある。これらの小さな穿孔は，時に代償性心タンポナーデを引き起こす。心嚢穿刺によるドレナージはしばしば困難で，剣状突起下心嚢開窓術または胸骨正中切開術によるドレナージが必要となる。手術時に心膜を開くと，損傷部位が閉鎖していることがあり，発見が困難な場合がある。冠動脈や心室の穿孔，胸部大動脈の解離など，冠動脈カテーテル治療による合併症はまれであるが，致命的となり得るため，緊急外科的介入が必要である[149]。その他の心臓損傷の原因となり得る医原性損傷には，心停止時の胸骨圧迫，開胸心マッサージ，経皮経胸的インターベンションなどがある[150]。

(5) 電気性心損傷

電気による心損傷には，即死，心不全を伴う急性心筋壊死，心筋虚血，不整脈，電気伝導障害，末梢性血管攣縮を伴う急性高血圧，心電図上の非特異的異常などがある。受傷機序は，心筋組織への直接損傷，電流による発熱による損傷，および転倒，爆発，火災に伴う二次性損傷によるものが含まれる[151]。

2）治療戦略

全層性心損傷は，致死率が高いため，適切な施設に迅速に搬送することが生存にはまず重要であり，

◆Clinical questions◆　　**CQ 25**

心タンポナーデを伴う単独心損傷に対する開胸アプローチは，胸骨正中切開がよいか？

A 外傷専門医25名によるコンセンサス会議の投票の結果，「はい」と回答したものが60％，「いいえ」との回答が12％であった。

「はい」との回答からは，「循環動態が安定している場合は望ましい」，「その後の心修復を考えると正中切開がよい」，「clamshell開胸より視野が良好である」などの意見があげられた。しかし，一方で「心停止が迫るような循環動態であれば蘇生的開胸術（左前側方開胸）で迅速に心膜切開を行うべきである」との意見が多くみられた。「いいえ」との回答には，「心タンポナーデは緊急性の高い病態であり迅速性に優れた左前側方開胸がよい」，「循環不安定であれば胸骨正中切開を行う余裕はない」などの意見がみられた。

以上より，心タンポナーデを伴う単独心損傷に対する開胸アプローチとしては，循環動態が維持できるのであれば胸骨正中切開を第一選択とするほうがよい。ただし，心停止が迫るなど循環動態が不安定な場合には，迅速性を優先し左前側方開胸（必要に応じてclamshell開胸）による心膜切開による心タンポナーデ解除を行うほうがよい，とした。

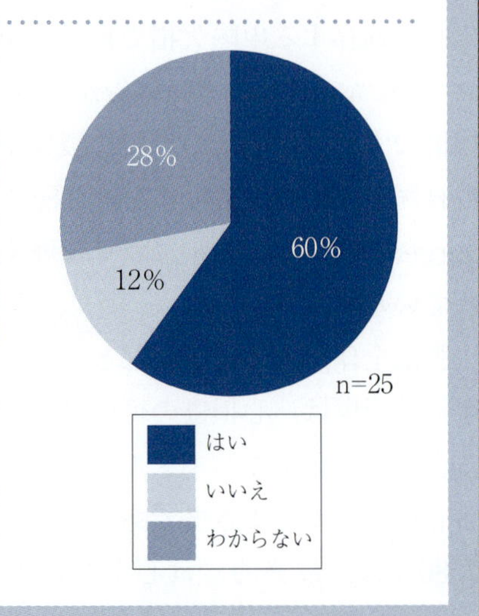

手術までに時間的猶予はない。不安定な心損傷では，迅速に蘇生的開胸を施行後，心嚢を開放し，心房損傷や心室損傷に対して用指圧迫により出血部位を直ちに制御しなければ救命は困難である。心損傷部の根治的修復術は，これらの蘇生処置が完了してはじめて可能になる。心臓血管外科医の到着を待つことができない場合でも，このような比較的単純な基本手術手技の組み合わせで対応可能であり，いかに迅速に蘇生処置を行い，心停止にさせないかが重要なポイントである。一時止血を行っても生理学的徴候が不安定であれば，damage control surgeryとして心修復術を行い，迅速に一時的閉胸を行う。凝固障害を伴っていることが多く，心縫合部の針穴や胸骨切開部，筋組織からoozing typeの出血が続く場合には，適宜止血剤やガーゼパッキングを追加し，心嚢は閉鎖せずに陰圧閉鎖法で一時的閉胸を行う[38)111)152)153)]。心不全や大量輸液や輸血により急激な心肥大を認める場合にも心嚢は開放したままにする。一時的閉胸後ICUに入室する。人工心肺装置は急性期の手術ではほとんど不要で，2～3%未満である[134)]。致死的ではない複雑損傷は，最適な環境が整うまで遅延させて修復するのが一般的である[138)]。

ICUに入室後，気道内圧の上昇や循環動態が不安定になる縦隔コンパートメント症候群を起こす可能性があるため，厳重な呼吸・循環管理を行う。心嚢を開放した状態でいると，医原性心ヘルニアや捻転が起こる可能性がある。不整脈や心筋虚血所見，低循環が続く場合には考慮する。また，術後6時間以内に経食道心超音波検査を行い，心室中隔損傷や弁膜症が合併していないか評価する[134)]。

生理学的徴候が改善した後，心機能の再評価を行い，心臓外科チームと再手術の計画を練る。damage control surgeryから24～72時間以内に計画的再手術を行う。パッキングガーゼの除去，心嚢内および縦隔の洗浄，心損傷修復部の再評価を行い，縦隔および心嚢内にドレーンを留置し，可能であれば心嚢を閉鎖し根治的閉胸を行う[134)]。

3）治療戦術

(1) 開胸法

開胸法については前述した（p.143）。また，「蘇生的開胸術（RT）」（p.61）を参照されたい。

(2) 止血／修復術

①心嚢切開および一時的止血

心嚢の外観のみから心タンポナーデとなっているか否かを正確に見極めることは容易ではないため，心損傷を疑う場合には迅速に心嚢を開放する。心嚢切開は，縦走する横隔神経の損傷を避けるため，その前方で縦方向に全長にわたり行う。胸骨正中切開を行い心嚢に到達した場合には，正中で切開し，頭側はそのまま上行大動脈に付着している心膜翻転部まで切り上げ，尾側は心膜-横隔膜癒合部手前まで切開し，そこから左右に切開を広げ，心臓全体を露出する[19)～21)]。

心嚢切開しタンポナーデを解除した後，迅速に出血源を用指圧迫し一時的止血を行う。これが止血の最初のステップであり，迅速にできなければ救命は困難である。一時止血が得られたならば，損傷部位を確認し，確実な止血法および修復法を検討する。

②心房損傷の一時止血法と修復法

用手圧迫止血を行いつつ，速やかにSatinsky鉗子でクランプする。これが迅速に行えるかどうかが救命のポイントである。最初のクランプが成功したら，2つ目のSatinsky鉗子を最初のクランプ部よりも広範囲でクランプし，最初のSatinsky鉗子を外す。これにより縫合部の心筋組織が確保できる。

根治的修復は，3-0または4-0ポリプロピレン縫合糸による水平マットレス縫合または連続縫合（図3-3-D-9），purse string sutureで行う。心房には補強材としてのテフロンプレジェットは不要であることが多い。

③心室損傷の一時的止血法と修復法

a）一時的止血法

心室からの出血に対して，鉗子を用いた一時的止血を試みてはならない。失血のコントロールができないだけでなく，心筋にダメージを与え，損傷を拡大するだけである。手指による圧迫止血，Foleyバルーンカテーテルを心腔内に挿入して引き上げることによる内腔からの圧迫止血，スキンステープラーによる一時的縫合止血（図3-3-D-10）のいずれか，あるいは組み合わせによりコントロールする。また大きな損傷に対して，損傷部の両側に平行に縫合（parallel suture）しその縫合糸を交差させ一時止血する方法もある（図3-3-D-11）[38)131)]。Foleyバルーンカテーテルを用いた一時的止血の際，過剰な牽引

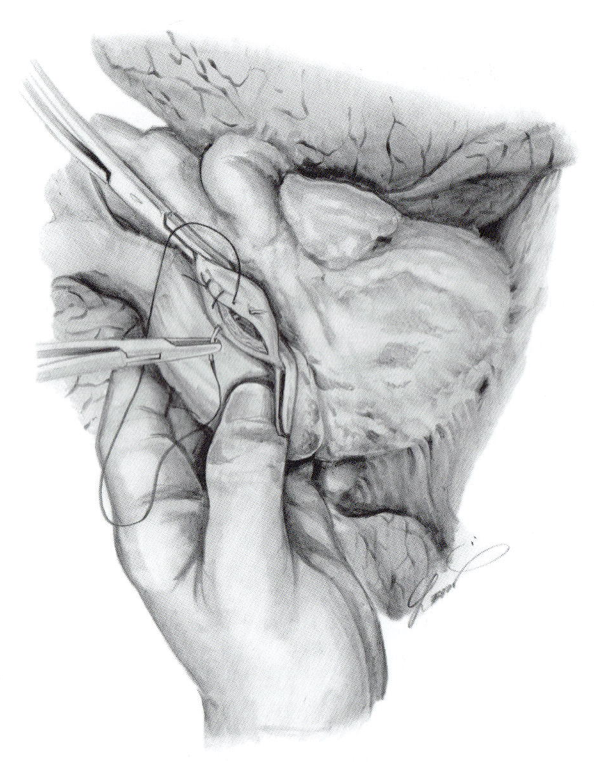

図3-3-D-9　右心房損傷に対するSatinsky鉗子を用いた出血のコントロールと心縫合
心房損傷に対しては，損傷破裂端付近をAllis鉗子やBabcock鉗子などで把持し，中枢側をSatinsky鉗子にて遮断して一時的な出血のコントロールを行う。4-0ポリプロピレン縫合糸による連続縫合にて修復する

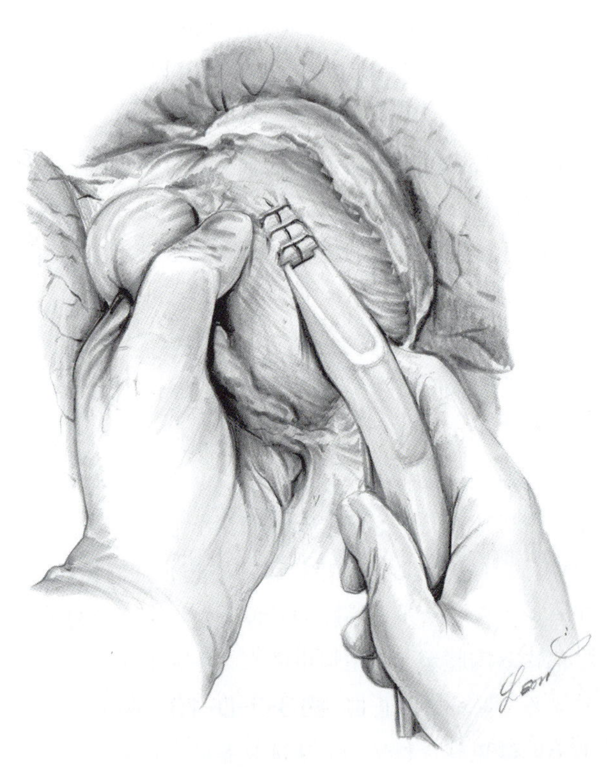

図3-3-D-10　スキンステープラーによる心室損傷に対する一時的止血
スキンステープラーによる止血は縫合止血までの一時的止血手段であり，心縫合時にはスキンステープラーを必ずしも除去する必要はない

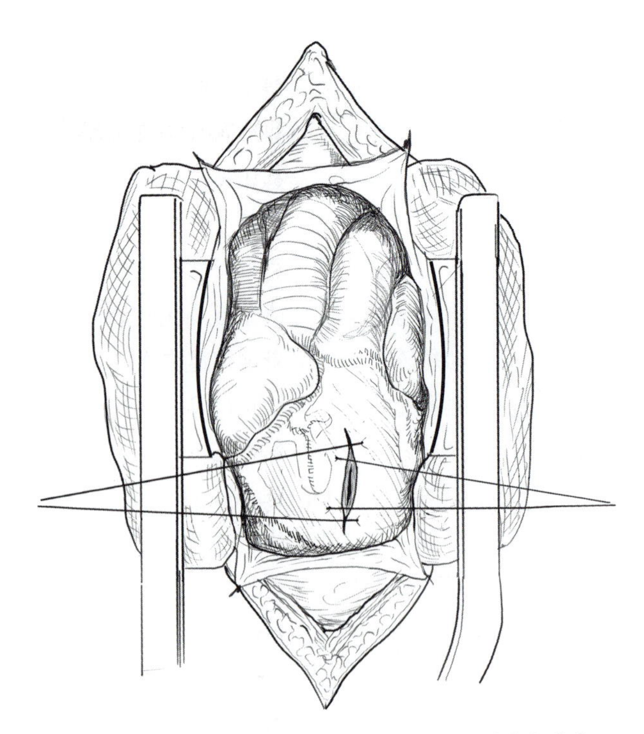

図3-3-D-11　parallel sutureによる一時的な止血
〔文献38)より引用・改変〕

圧は損傷を広げることになるため注意する。また，不用意に引き抜けた場合には心筋が裂け大きな損傷となるため，壁の薄い右心室には施行しないほうがよい[131]。ステープラーによる止血は縫合止血までの一時的手段である。とくにナイフなどによる穿通性損傷で効果的であるが，組織の挫滅した銃創などでは効果が乏しい。また，心室に大きな穿孔部を認め，大出血している場合の一時的な出血のコントロール法に，右心房と上大静脈および下大静脈の接合部を圧迫し，血液の流入を抑えるinflow occlusion法がある（図3-3-D-12）[19]。この方法は，単純かつ迅速に行え，出血量を劇的に減少させるが，短時間にとどめなければ心停止に陥る[19,111,131]。

b）修復法

修復には，比較的針の大きな両端針の2-0または3-0ポリプロピレン縫合糸による水平マットレス縫合，8の字縫合，連続縫合を基本とする。テフロンプレジェットのルーチン使用は，日ごろから準備していないと時間を浪費するため多くの場合，行われない。しかし，心筋がカッティングしてしまうような場合には，使用することもあり（図3-3-D-13），すぐに準備できないようであれば心膜片を使用する方法もある。

心室のcomplex injuryに対する修復では，いくつ

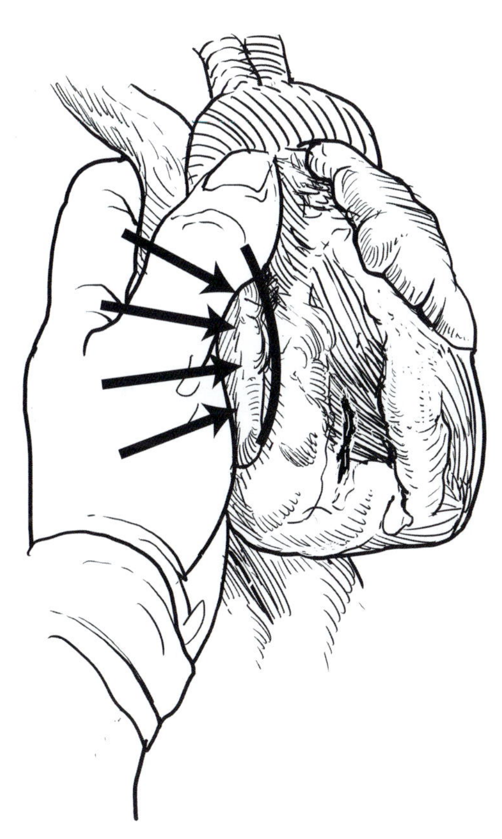

図3-3-D-12　Inflow occlusion法

〔文献19)より引用〕

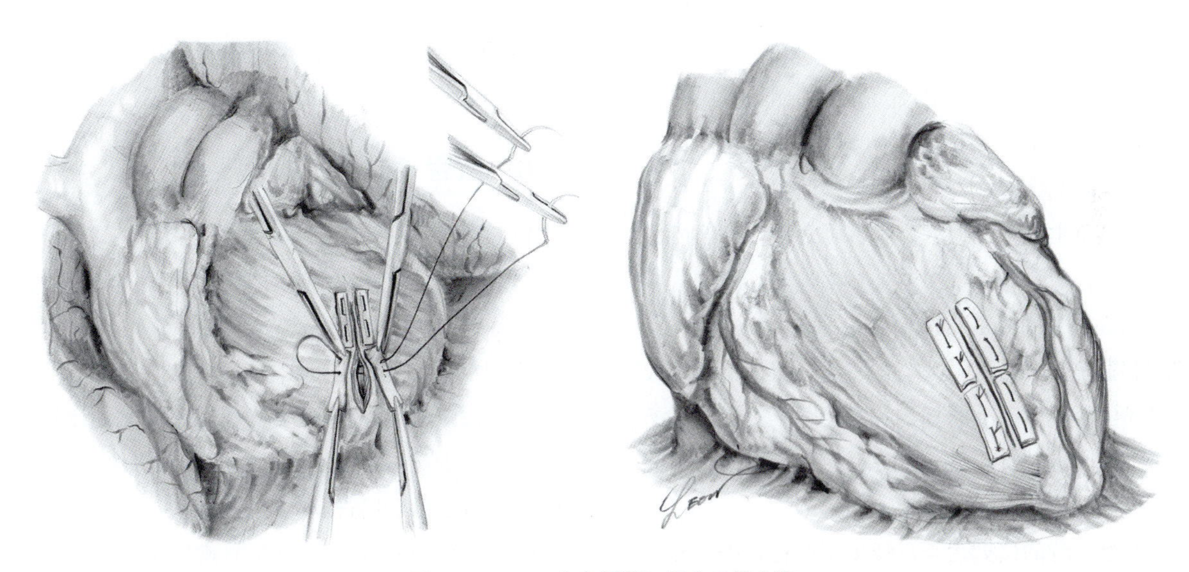

図3-3-D-13　心室損傷に対する縫合術

心室損傷部の修復には，両端針の3-0ポリプロピレン縫合糸による，テフロンプレジェットを使用した水平マットレス縫合を基本とする

かの注意が必要である。冠動脈近傍での損傷では，縫合に際して冠動脈の閉塞・狭窄をきたさないようにする。そのため，縫合糸を冠動脈の下方を通過させるように水平マットレス縫合にて修復する（図3-3-D-14）。穿通性外傷により冠動脈損傷を伴っている場合，中枢側では，心損傷の修復とともに冠動脈損傷からの出血をBulldog鉗子などによりコントロールし，心臓外科チームによる冠動脈の修復もしくはバイパス術に引き継ぐ。遠位冠動脈損傷は単純結節縫合を行い，心臓の動きを観察する。不整脈が出現すれば，縫合を外し，用指による圧迫止血に切り換え，その間に人工心肺装置の準備を行い，心

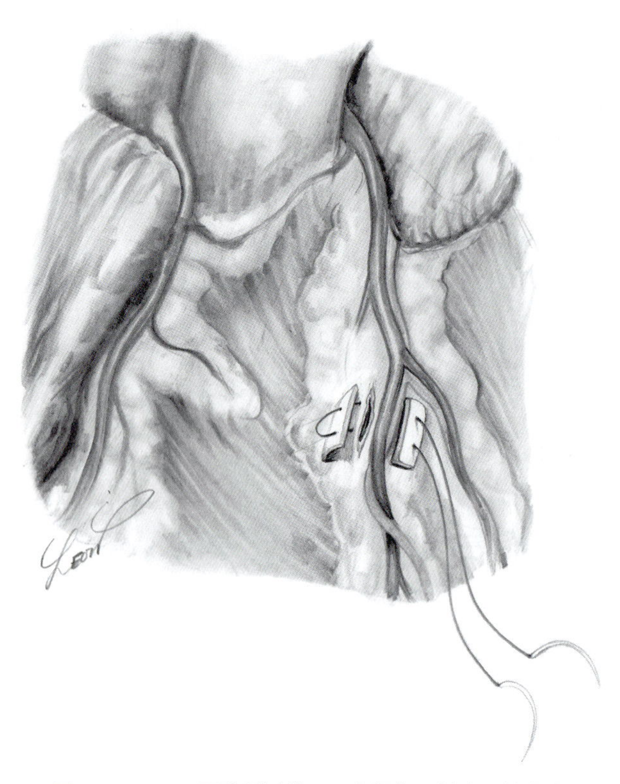

図3-3-D-14　冠動脈近傍での心損傷に対する縫合術
冠動脈近傍での損傷では，縫合に際して冠動脈の閉塞・狭窄をきたさないようにするため，縫合糸を冠動脈の下方を通過させるように水平マットレス縫合にて修復する

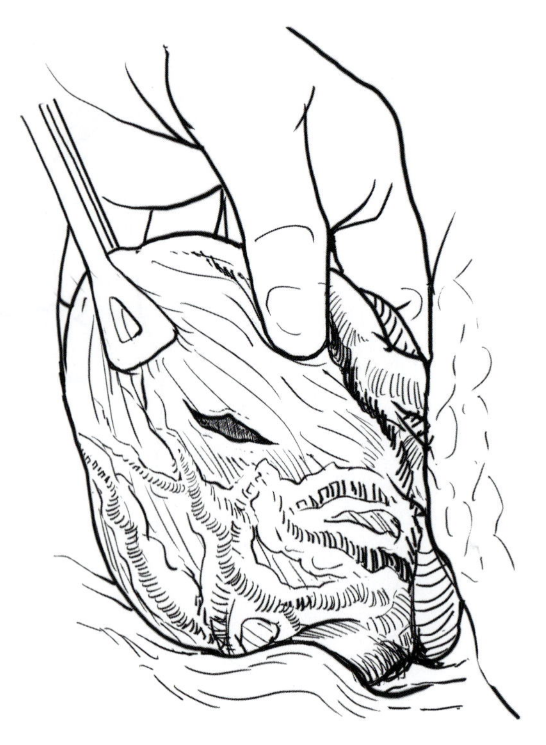

図3-3-D-15　心後壁損傷に対するcardiac lift
〔文献38)より引用・改変〕

臓血管外科チームに引き継ぐ。

後壁損傷に対する修復では，心臓の側方への圧排や脱転を必要とする。そのため静脈還流は容易に障害されて，閉塞性ショックとなり，血圧低下，徐脈が直ちに出現する。脱転を要する場合には細心の注意を要する。ゆっくりと，外科タオルを心臓の背側に挿入するのも術野展開の有効な補助手段となる。脱転による後壁の展開では，心尖部を肺把持鉗子などで把持し軽く引き上げることで展開する方法もある[38)]（図3-3-D-15）が，心筋がさらに裂ける可能性がある。

心収縮を一時的に抑え，心修復術を行いやすくする方法にアデノシンの静脈投与なども知られているが，すでに損傷している心臓は心停止に耐えられないため，たとえ短時間であっても損傷を修復するために心停止させないほうがいいといった意見もある[19)〜21)]。心臓弁や心室中隔損傷を認めた場合には，致死的な損傷修復が完了し全身状態が改善した段階で，最適な環境で修復術を施行する[138)]。

5. 胸部大動脈損傷

「大血管損傷」（p.278）を参照されたい。

6. 気管・気管支損傷

1）気管・気管支損傷の特徴と診断

気管・気管支損傷の発生頻度は低く，穿通性機序による発生率は4.3％で，頸部外傷では3〜6％，胸部外傷では1〜2％程度であるとされる[154)〜156)]。鈍的外傷では，気管・気管支損傷は80％以上が気管分岐部から2.5cm以内であるが，頸部損傷も含めてその発生頻度は0.4％程度である[154) 157)]。広範な皮下気腫や縦隔気腫の存在，胸部単純X線写真やCTでの“fallen lung sign”，さらに，適切に挿入された胸腔ドレナージにもかかわらず，虚脱の改善しない気胸と持続的空気漏出の合併などは，気管・気管支損傷を疑う所見である。CT検査を施行し得る呼吸・循環動態であれば，CT画像の再構成によるバーチャル気管支撮影が診断に有用である。ただし十分な感度をもって損傷の存在を否定できるものではないため，現時点では気管支鏡検査がもっとも確定的な診断法である。

2）治療戦略

気管・気管支損傷においてまず行うべきことは気道の確保であり，そのためには損傷部より末梢に気管チューブを挿入しカフを膨らませる。気管支鏡を用いて誘導するのが安全であり，主気管支損傷では対側主気管支に挿入する。気管損傷部が明らかで，気道確保のために損傷部を通して緊急に気管チューブを挿入した場合でかつ経口または経鼻気管挿管が困難な場合には，気管損傷部からブジーを逆行させて挿入し，それをガイドに気管チューブを挿入し，損傷部よりも遠位に誘導して気管損傷部を確認し修復を行う。呼吸状態の維持ができないようならば，ECMOによる呼吸補助も選択肢となる[37]。

気管・気管支損傷の治療は，手術による修復が主である。しかし，限られた患者（2cm未満，線状，非全層性損傷）は，ステント留置やNOMが適応となる場合がある[157)〜159]。持続的エアリークや末梢の閉塞を伴わない損傷でも，NOMは選択できる。鈍的外傷では膜様部を中心とした損傷であることが多いが，NOMを施行するためには1/3周以下の損傷で，かつ挫滅・虚血部分が存在しないことが条件である。NOM後には損傷部の狭窄をきたし得ることを念頭に置き，厳重に経過観察を行う。

3）治療戦術

気管への血流は下甲状線動脈と気管支動脈から分節的に認め，主要血管は3時と9時の位置にある。外科的治療を要する気管・気管支損傷の修復は，吸収糸を用いた結節縫合により行う。術前に気管・気管支損傷の診断をすることができた場合，まず，どのようにアプローチするかを検討する。頸部からのアプローチか，右側か左側か，開胸するか，開胸するならどの肋間かを決定する。

- 気管頭側1/2については頸部襟状切開（collar incision）でアプローチをする（図3-3-D-16a）[19]。胸骨上縁から2横指頭側で，両側の胸鎖乳突筋の正中まで弧状に皮膚切開を行う。広頸筋を切開し広頸筋の下の層でフラップ状に上下に剝離していくと，舌骨下筋群を認める。舌骨下筋を正中で分離し正中から側方に牽引すると，気管，喉頭，甲状腺を認める。甲状腺峡部が気管露出の障害となっている場合には，甲状腺峡部を貫通結紮後に切離する。これにより，気管頭側1/2が露出することができる。この気管前面の層を鈍的に剝離すれば，胸骨の部分的な切開を行わずにアプローチ可能となる。ここから気管の下部を露出するには胸骨正中切開が必要になる。そのうえで，左腕頭静脈を結紮・切離すると気管下部へ到達できる。気管下部の単純な穿通性損傷であれば，collar incisionと胸骨正中切開で展開することで修復可能となる（low cervical collar incision extend T incision）（図3-3-D-16b）[19]。
- 気管損傷尾側1/2，気管分岐部，右主気管支，左主気管支近位部については右第4肋間後側方開胸でアプローチをする。ダブルルーメンの気管チューブを使用すれば術野展開が容易となる。対側気管支にシングルルーメンの気管チューブを挿入しても可能である。開胸後には縦隔側胸膜を幅広く展開し，奇静脈を結紮・切離することで損傷部に到達できる。
- 左主気管支については左第4肋間後側方開胸でアプローチする，ただし，気管分岐部に接している場合には大動脈弓部の存在のため，左開胸からの展開は困難な場合がある。

ほとんどの穿通性損傷では，重大な気管組織の欠損がなければ吸収糸による単結節縫合で修復可能である。壊死組織があるときには，単純な修復ではなくデブリドマン後に縫合を行う。気管の複雑損傷の場合には，周囲の筋組織（気管上部であれば舌骨下筋，下部であれば肋間筋）を剝離したうえで気管修復部を被覆するように縫合固定する。全周性の損傷であれば，縫合ラインが虚血とならない程度に最小限のデブリドマンを行い，気管前面の無血管野の層を鈍的に剝離し，気管を授動することにより端々吻合が可能となる。喉頭分離などはほとんど必要ない。縫合時には粘膜と粘膜の位置を確実に合わせ，緊密かつテンションのかからない縫合修復が必要である（図3-3-D-17）[19]。また縫合時には，気管チューブを縫合しないように気管チューブのカフをデフレートさせたり，一時的に換気を停止するなど工夫を行う。血管損傷や食道損傷を合併している場合には，瘻孔形成を予防するために血流のある有茎筋フラップを間に介在させる。頸部では胸鎖乳突筋，胸部では肋間筋が理想的である。胸部気管支損傷で肺実質損傷を合併している場合には，気管支再建ではなく肺切除を考慮する。

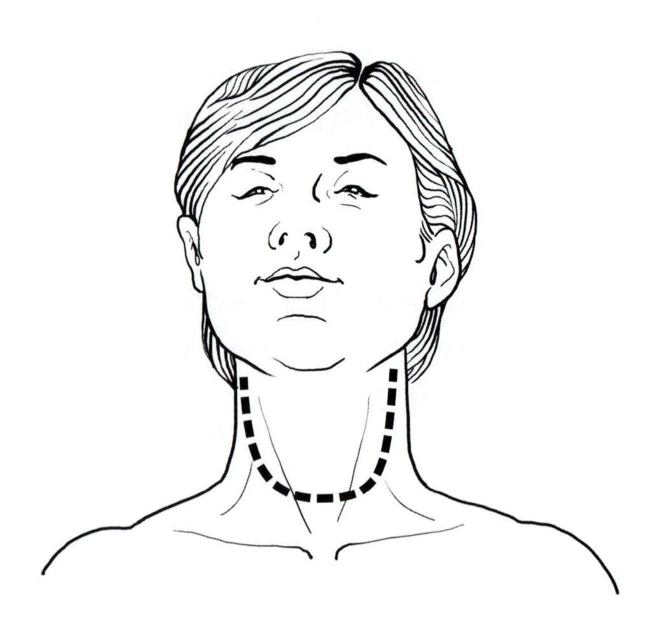

a. collar incision

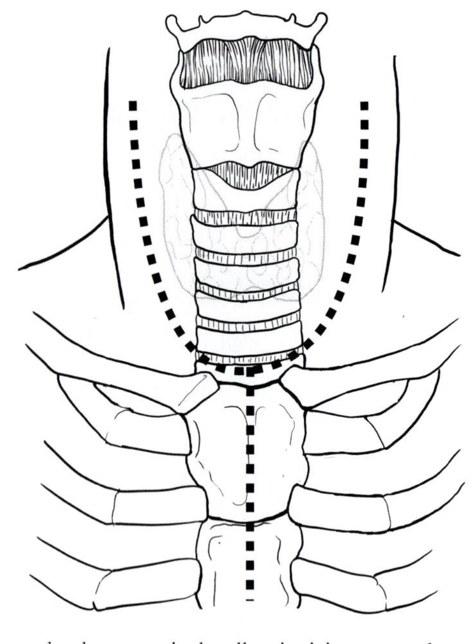

b. low cervical collar incision extend T incision

図3-3-D-16　気管へのアプローチ

〔文献19)より引用・改変〕

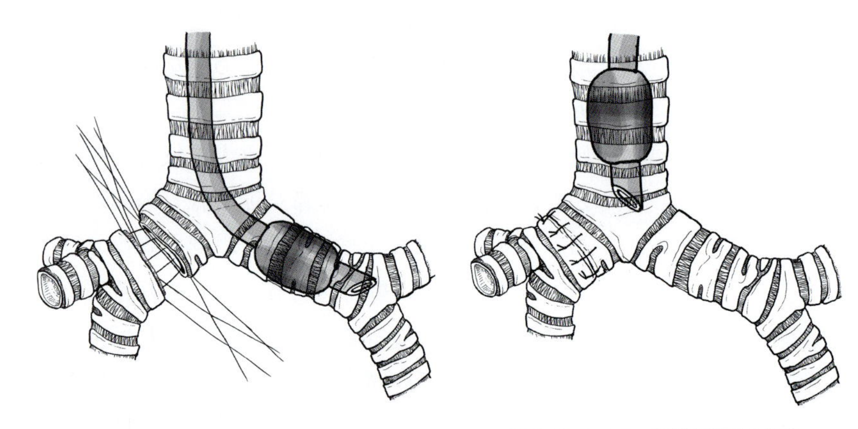

図3-3-D-17　気管裂傷の修復

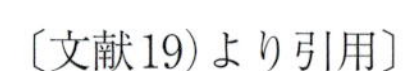

〔文献19)より引用〕

気管・気管支の損傷は重度の呼吸不全を伴い，従来の人工呼吸による積極的な管理が効を奏さない場合もある。このような場合で，重度の低酸素や高二酸化炭素血症がある場合，直ちに手術することは致死的である。その際はVV-ECMOを確立し外科的修復術を施行する[160]。

4）術後管理，合併症と転帰

術後は複雑な修復を行った場合または人工呼吸がほかの理由で必要な場合を除いて，早期抜管を目指す。術後人工呼吸が必要なら，気管支鏡で確認しながら挿管チューブのカフ部を修復部よりも末梢側に進める。積極的に吸痰を行い，気道内圧は低く保つ。術後7～10日間で気管支鏡検査を施行し，早期狭窄などないか修復部の評価を行う。

死亡率は最高で40％で，ほとんどの死亡例は合併する損傷と関連していた[161]～[163]。合併症は患者の約25％に発生し，短期と長期に分けられる。敗血症，肺炎，呼吸不全はよく遭遇する短期の合併症で，主な長期合併症は，気管狭窄症，発音異常，声帯麻痺などである[162][163]。

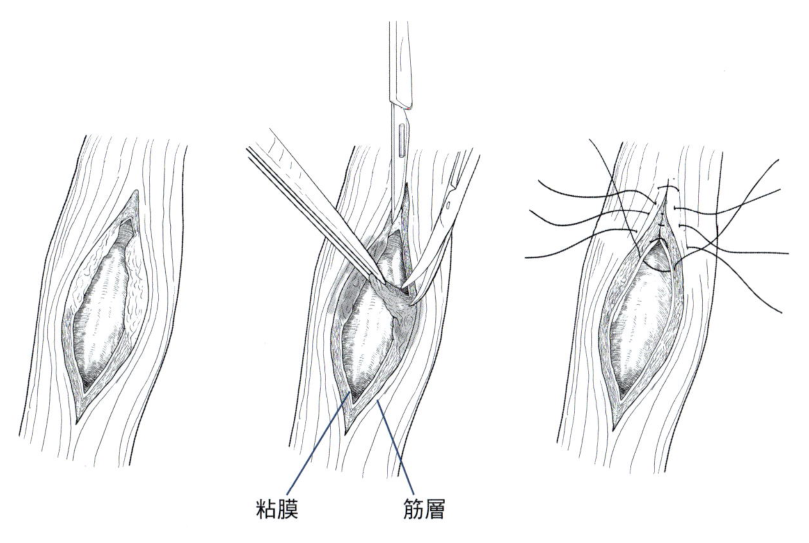

図3-3-D-18　食道損傷部のデブリドマンと縫合
〔文献157）より引用・改変〕

7. 胸部食道損傷

1）胸部食道損傷の特徴と治療戦略

食道損傷の大部分は穿通性外傷であり，外傷入院患者の発生率は0.6％であるのに対し鈍的外傷は0.06％と非常にまれであり，過伸展した頸部への直接打撃や食道内腔の過圧により発生することがある[2]。穿通性食道損傷は，98％に合併損傷を認めたとの報告がある[164]。とくに胸部食道を損傷した場合は深刻である。胸部食道を損傷した患者は，肺や血管の損傷により気胸や血胸を併発している可能性がある。胸腔ドレナージで，明らかに唾液や食物残渣がみられる場合は，緊急に食道の評価を行う[164)～167]。穿通性外傷では，受傷部位と自他覚所見から食道損傷が疑われれば，ガストログラフィンによる食道造影および内視鏡検査を施行する。これらの検査による診断の感度は，頸部食道で47～67％であるが，胸部食道では89～100％，正診率95％以上である[157,168]。一方，鈍的外傷において，胸部X線写真上，広範な縦隔気腫，血気胸，膿胸を認めれば，食道造影および内視鏡検査の適応となる。食道造影のみでは食道損傷を見逃す可能性がある。また，食道内視鏡検査の陰性適中率は100％であるが，陽性的中率は約33％しかない[157,167,169,170]。食道造影検査を組み合わると精度は100％に近くなる[157,167]。また，食道造影後にCT検査を追加すると食道外への漏出像が確認でき，ほぼ診断される。胸部食道損傷は，縦隔気腫，皮下気腫，血胸，食道周囲の気腫，損傷後24時間以内の説明のつかない発熱などの所見で発見されることがある。CT検査で，食道周囲に気腫や液体貯留を認める場合には食道損傷の可能性を疑い，とくに弾丸の軌道上に食道がある場合には可能性を常に念頭に置く。また術中内視鏡検査は，穿孔部位の確認，修復後のリークの評価，穿孔の原因となった食道病変や術後リークに関連する病変（悪性腫瘍や狭窄など）を確認するために推奨され，メチレンブルーの使用も有用である[171)～173]。

2）治療戦術

食道壁は粘膜層と筋層からなり，漿膜を欠くため術後リークが起こりやすい。食道は頸部では左側に位置し，胸部に下行しながら右側に向かった後，中央から左側に向かい，横隔膜を貫通する。血流は，胸部上部食道では甲状腺動脈から，胸部中部食道では大動脈からの分枝血管や気管支動脈から，胸部下部食道では左胃動脈から主に供給されるが豊富ではなく，不要な食道の剝離は虚血につながるため剝離操作は最小限にとどめる。食道損傷の修復の基本は，粘膜損傷の全範囲を確認することである。筋層の損傷は粘膜損傷部よりも縮小してみえるため，粘膜損傷部の両端が確実に可視化できるまで筋層を切開する（図3-3-D-18）[157]。粘膜は吸収糸による単結節縫合で閉鎖し，筋層は非吸収糸による単結節縫合で閉鎖する。縫合時には，緊張がないこと，十分な血流が維持されていることを確認する。食道損傷の手術の原則は，修復のための食道長の確保，適切な一時

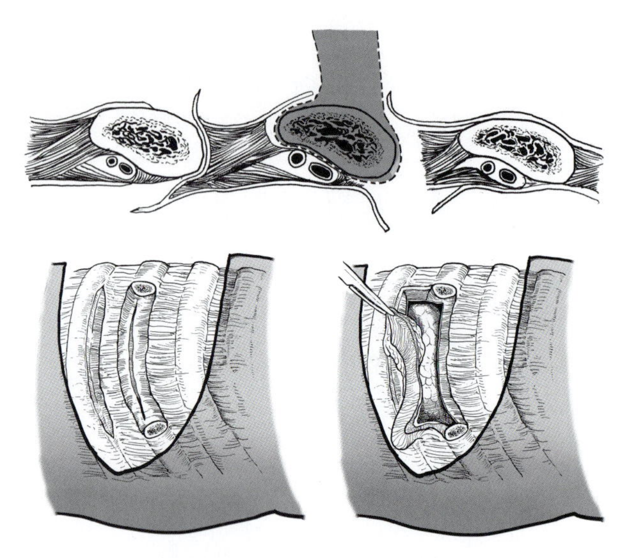

図3-3-D-19　有茎肋間筋フラップ
〔文献19)より引用〕

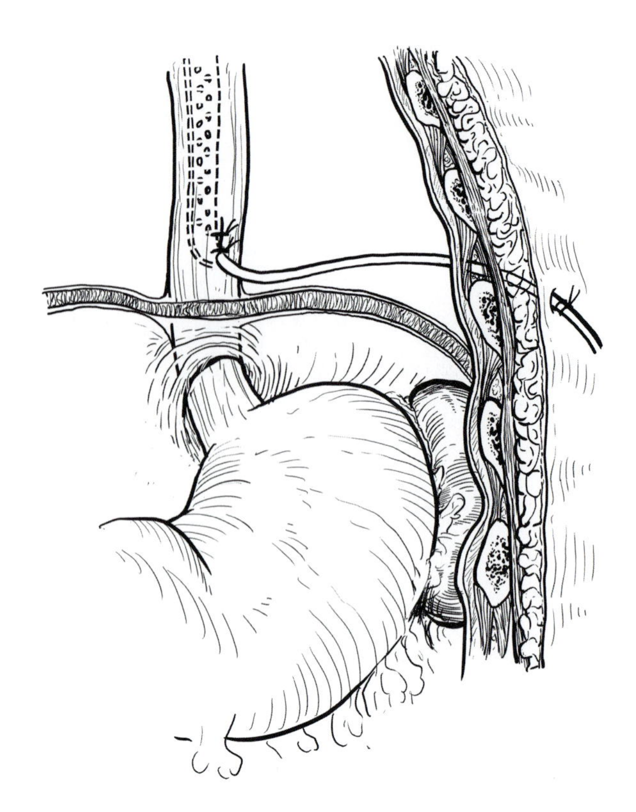

図3-3-D-20　食道損傷に対する口側ドレナージ
〔文献19)より引用〕

修復，修復部の補強，広範囲のドレナージ，抗菌薬の投与，経腸栄養路の確保である。手術のアプローチに影響するため，術前の損傷部位の特定は重要である。また，受傷から修復までの時間が治療成績に影響し，縦隔汚染の程度が術中のマネジメントを決定するうえで重要な因子となる。

胸部遠位食道損傷以外は，右後側方開胸でアプローチする。奇静脈を二重結紮のうえ切離し，肺を拡張制限し授動する。縦隔側壁側胸膜を十分に広く切開し，食道を露出させ，テーピングする。汚染し壊死した縦隔や食道組織はデブリドマンをする。そのうえで，前述のように食道の修復を行う。修復後は補強を行う。その際，有茎肋間筋フラップや大網を使用する（図3-3-D-19）[19]。とくに肋間筋は組織として丈夫でかつ容易に採取できるため，修復部の補強には理想的である[157) 167]。そのほか，胸膜片や心膜，心膜外脂肪フラップは，受傷後急性期には血行に問題があり使用しないほうがよい。補強後は広範囲の縦隔および胸腔内のドレナージを行い，経腸栄養路の確保のため空腸瘻を作成する。術後約1週間で造影検査を行い，リークを認めなければ経口摂取を開始する。

食道遠位部および食道胃接合部損傷に対しては，左第6または第7間後側方開胸術，開腹術，胸腔鏡下アプローチなどがある。とくに安定した胸腔内食道遠位部損傷には胸腔鏡を用いたアプローチが最適である。食道遠位部の損傷はfundal wrap（タール氏パッチ，Nissen wrap），大網での補強が適している。部位にかかわらず，一次的修復と補強，および十分な縦隔・胸腔ドレナージが最適な治療法である。食道切除や食道瘻造設は避け，食道の長さを温存するように全労力を注ぐ。まれに食道損傷の大きさや患者の臨床状態，手術が遅れ胸腔および縦隔の汚染が著明な場合などに一時的な縫合閉鎖が困難な場合がある。このような場合には食道穿孔部をドレナージすることにより穿孔部を瘻孔化する[21]。太い多孔性ドレーンチューブを穿孔部から口側に向けて挿入し，チューブ挿入部周囲の食道を縫合し，固定する（図3-3-D-20）[19]。そのうえで，縦隔と胸腔内の広範囲のドレナージを組み合わせる[157) 174]。

良性の食道穿孔に対する食道ステントの使用がここ数年の間に著しく増加している[157]。医原性または外傷性食道穿孔に対してステントが使用されており[175)～179]，医原性食道損傷に対してカバー付きステントは手術と比較して効果は同等で，合併症率が低く入院期間も短く低費用であった[175]。医原性でない外傷患者に対しては適切な研究はまだ行われていない。しかし，ステントは，持続的な食道からの漏れによる継続的な汚染を抑えることができるため，代替手段となり得る可能性がある[175)～179]。

3）合併症と転帰

外傷性食道損傷の死亡率は0〜44％と報告により幅があるが[159]，治療の遅れ，合併損傷，一時修復より食道切除などと関連していた[157)180)〜182]。AASTの大規模な研究では，死亡率は19％で[164]，食道関連の合併症は38〜66％であった[157)181)〜183]。これらの合併症の独立した危険因子としては，手術の遅れ，グレードの高い食道損傷，食道切除や食道瘻作成などがあげられる[181)182]。術後縫合不全の発生率は，損傷を12時間以内に修復した場合は20％であるのに対して，24時間を超えて修復した場合は100％となることが報告されており[184]，良好な結果を得るためには，迅速な診断と手術，適確な技術，そして切迫した状況下での選択判断が不可欠である[157)168]。

8. 横隔膜損傷

1）横隔膜損傷の特徴

横隔膜損傷の発生頻度は，鈍的外傷では1〜7％，穿通性外傷では10〜15％と報告されているものの，診断が必ずしも容易でないため報告により著しく異なる[185)〜187]。2012年米国のNational Trauma Data Bank（NTDB）登録症例における頻度は0.46％で[188]，2016年の同NTDBでは鈍的外傷患者はまれで，発生率は0.17％であった[185)189]。もっとも高率に合併するのは胸腹部移行帯の穿通性外傷であり，42％の頻度の報告があり，同部位の銃創では63％の発生頻度と報告され，たとえ明らかな症状がない患者においても24％に本外傷が認められている[190)191]。損傷部位は左横隔膜が65〜80％を占める[107)185]。横隔膜損傷には腹腔内臓器損傷を高率に合併し，とくに右横隔膜損傷では肝損傷を合併しやすい。左横隔膜損傷では77％に腹腔内臓器損傷を合併すると報告されている。また鈍的外傷によるものでは50％以上がショックを呈する[185]。

Grimesは横隔膜損傷を，急性期，無症状期間の潜伏期，横隔膜ヘルニア状態となり心血管系の障害または消化管の閉塞や穿孔を引き起こす閉塞期の3つの段階に分類した[192]。急性期には，重症の場合重度のショックや呼吸障害を認める。重症度の低い患者では，肩の痛み，心窩部痛，嘔吐，呼吸困難，呼吸音の欠如，胸部での腸音聴取などさまざまな臨床所見を認める[186)192]。一部は画像検査で診断されるが，ほとんどは手術時に診断されることが多い[193)194]。潜伏期には，横隔膜損傷や横隔膜ヘルニアは無症状であることが多く，ほかの理由で行われた画像検査で偶然に発見されることが多い。大半は急性期に診断されるが，症例報告では3〜15％が潜伏期または閉塞期に明らかとなる[195)196]。閉塞期に発見された患者は，消化器症状，胸痛，腹痛，呼吸困難などから閉塞した内臓の絞扼や壊死に関連した穿孔による敗血症性ショック，循環不全や呼吸不全を伴う重篤な状態を呈することもある[197]。Murrayらによる研究では，外傷性横隔膜ヘルニアの患者28人のうち14人（50％）が外科的緊急事態となり，その関連の死亡率は11％であった[198]。

横隔膜の中心部は腱性成分で，辺縁は筋性成分からなり，中心腱は心嚢底面に付着する。横隔膜は，下位胸骨，下位6本の肋軟骨と隣接する肋骨，内外側の弓状靱帯・腰肋弓，腰椎に付着する。呼気時の高さは乳頭の高さに達する。横隔膜損傷の特徴を理解するためには，横隔膜の血流支配と神経の走行を把握することが重要である。横隔膜への血液供給は非常に豊富であり，壊死はまれである[185)199]。横隔膜腹側への主な血流は腹部大動脈または腹腔動脈幹の分枝である下横隔動脈である。その他の血液供給は上横隔動脈，心膜横隔動脈，筋横隔動脈および肋間動脈である。横隔膜の神経支配は第3〜5頸椎を神経根とする横隔神経より受けている。横隔神経は，前斜角筋の上を通った後に心嚢に沿って縦隔を走行し，腱中心の前縁付近から横隔膜に入る。これらの神経は横隔膜を貫通する前に横隔膜胸部表面に沿って分岐し，前方，後方および側方に枝を広げる。神経は筋肉の奥深くに埋まっていることが多く，神経を視認することは困難である。横隔膜における横隔神経の走行を図3-3-D-21[185]に示す。図3-3-D-21の点線Bのような横隔膜辺縁から2〜3cmの損傷は神経損傷のリスクが非常に少ない。損傷形態が点線Aのような場合では，横隔神経を横断しているため，修復後に高率に横隔膜麻痺が起こり得る[185)199]。

2）診　断

鈍的外傷による横隔膜損傷の診断には，受傷機転と胸部X線写真が手がかりとなる。しかし，胸部単純X線の感度は，左側損傷で27〜62％，右側損傷で18〜33％と低く，横隔膜損傷の存在を示唆する所見

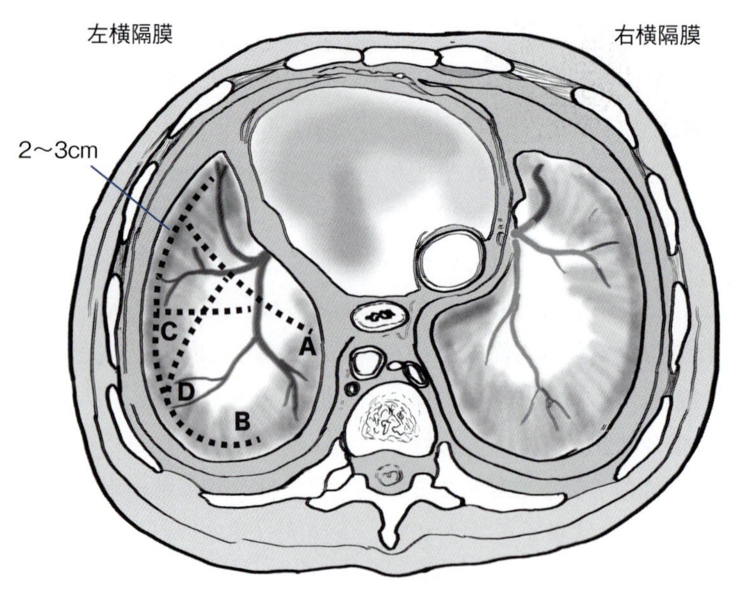

図3-3-D-21　横隔神経の横隔膜での神経走行
〔文献185)より引用〕

を呈するのは25〜50%とされる[200)]。経鼻胃管挿入による横隔膜ヘルニアの診断も感度が低く，胸部単純X線で診断された横隔膜損傷11%のうち経鼻胃管の位置異常で診断された患者は認めなかったと報告されている[193)]。CT検査は診断に有用であるが，横断像のみでは消化管の胸腔内への脱出がない場合の診断は必ずしも容易ではない。MDCTの再構築画像により，冠状断像などによる評価を行えば確定診断に有用であり（図3-3-D-22）[201)]，感度71〜100%，特異度75〜100%と報告されており[202)]，最新のMDCTにより，診断精度はさらに向上している。横隔膜損傷の際にみられるCT所見としては，直接所見としてdiscontinuous diaphragm sign（横隔膜の途絶），dangling diaphragm sign（横隔膜の裂けた端が内側腹側にカールしたような所見），間接所見としてorgan herniation（腹腔内臓器のヘルニア），dependent viscera sign（肝の頭側1/3が右背側肋骨に接している，あるいは胃や腸管が左背側肋骨や脾に接している所見），collar sign（横隔膜損傷部から胸腔内に脱出している腹腔内臓器がくびれたように圧迫されている所見で冠状断像がわかりやすい），胸腔内と腹腔内で連続した損傷所見（例：血胸と血性腹水が連続している所見），非特異的所見としてthickening of the diaphragm（横隔膜の肥厚）などがある[203)]。MRI検査は横隔膜の解像度が高く，肝や無気肺などの周囲の組織から分離された画像を提供する。MRIの適応は，循環動態が正常でCT所見がはっきりしない患者には役割があるかもしれないが，利用性，検査時間，その他の問題から限定的であり[204)]，その精度を検証した大規模な研究は現在までにない。

3）治療戦略

外傷性横隔膜損傷の診断と治療に関するEASTのガイドラインでは，左側の刺創（銃創は含まれない）でかつ循環動態が安定し腹膜炎を伴わない患者に対しては，CT検査よりも腹腔鏡による観察を推奨している[205)]。これは，主に観察研究を対象としたシステマティックレビューにより，CTよりも腹腔鏡による観察のほうが高い診断感度，特異度を有していることを根拠にしており，エビデンスレベルは低いが条件付きで推奨している。腹腔鏡手術の精度は高く，開腹手術のリスクと比較検討されるが，そのリスクはほとんどないと報告されている[205)]。

横隔膜損傷に対する手術では，①胸腔に脱出した臓器を腹腔に還納すること，②横隔膜をwatertightに修復することである。同時に，修復を要する臓器損傷に対して治療を行う[185)206)]。EASTガイドラインでは，循環動態が安定している横隔膜損傷（左右に関係なく）の急性期手術では，死亡率，遅発性ヘルニア，胸腹部損傷の見逃し，および手術に関連する合併症（手技に伴う合併症，入院期間，手術部位感染，膿胸）を減らすために，胸部よりも腹部からのアプローチを推奨している[205)]。ただし，アプローチする部位を直接比較した研究はなく，質の低いエビ

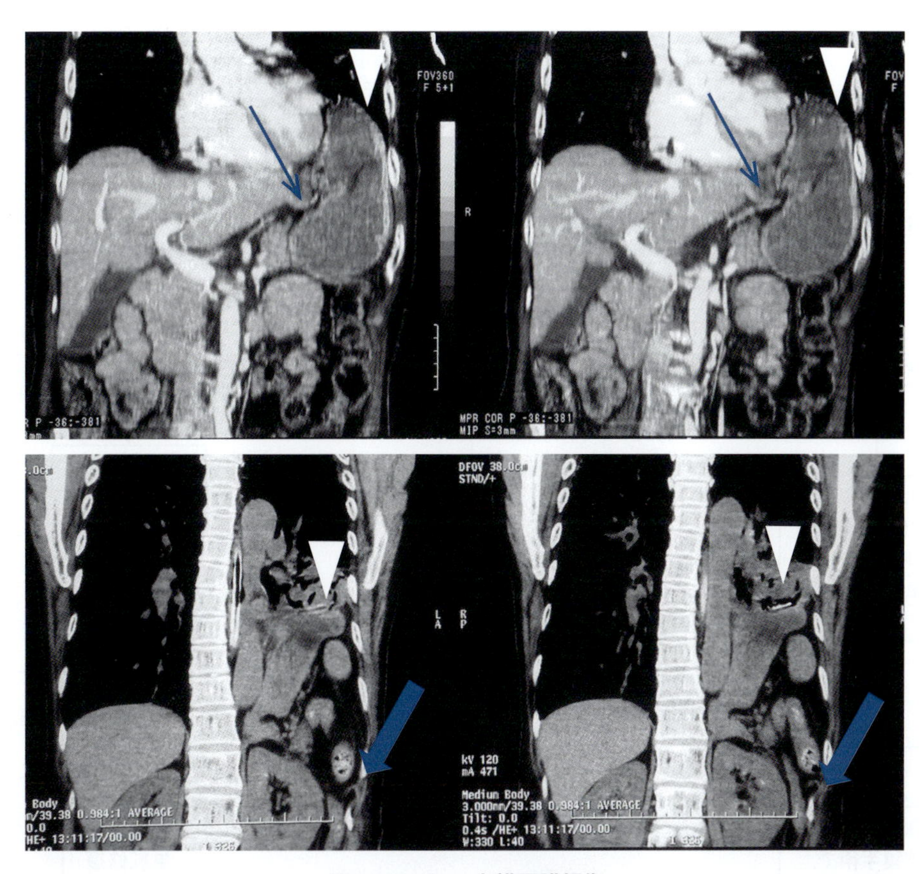

図3-3-D-22　左横隔膜損傷

胸腔内に明らかに胃が脱出している症例であり，横隔膜（→と➡）の連続性が確認できず，胸腔内に突出した胃（▽）は冠状断像のCTにて容易に確認することができる
〔文献201）より引用〕

デンスによる条件付き推奨である。また，腹腔内臓器損傷の可能性が低いと考えられる穿通性損傷の急性期には，遅発性横隔膜ヘルニアのリスク，胸腹部移行部臓器損傷の見逃しおよび手術に関連する合併症を考慮して，開腹手術よりも腹腔鏡手術を推奨している。ただし，質の低い4つの観察研究をもとにした条件付きの推奨である[205]。

鈍的横隔膜損傷に伴う腹部臓器損傷の割合が高く，患者1人当たり平均1.6個の腹腔内臓器損傷があることから，急性鈍的損傷の横隔膜の修復は，試験開腹術（審査腹腔鏡を含む）下で行うのが前述したように最善とされている。同様に，不安定な穿通性損傷の患者は開腹手術が必要である。穿通性損傷の安定した患者は審査腹腔鏡を受け，外科医の腹腔鏡技術に応じて損傷の腹腔鏡下修復術または開腹手術への移行が行われる。限られたデータではあるが，安定した右側穿通性損傷に対するNOMは，肝の付着靱帯や間膜が，肝のヘルニアを防ぎ，肝自体が腸の右胸への脱出を防ぐため，比較的安全であるとされている[205]。EASTガイドラインにおいても，穿通性外傷で右横隔膜損傷が診断あるいは疑われ，かつ循環動態が安定し腹膜炎を伴わない患者には，遅発性横隔膜ヘルニアのリスク，胸腹部移行部臓器損傷の見逃しおよび手術に関連する合併症を考慮して，手術治療よりもNOMを推奨している[205]。ただし6つのケースシリーズという，非常に限られたデータを根拠とした条件付きの推奨である。一方で，大きな欠損や胆汁の胸部への漏出がある場合は外科的修復術が必要である[185]。

右横隔膜の手術的検索は，肝鎌状間膜を切開し，肝を下方に牽引し行う。左横隔膜は，脾と胃の大彎を下方に牽引し探査する。横隔膜の中央腱も食道裂孔と共に探査する。脱出した腹腔内臓器の腹腔内への還納は受傷直後であれば困難ではない。還納が困難な場合には，嵌頓した消化管の内容物を減圧するか，横隔神経を傷つけないように注意しながら横隔膜を部分的に一部切開し広げる。還納後には虚血による壊死や損傷がないか十分に確認する。

横隔膜損傷に対する外科的治療アルゴリズムを図3-3-D-23に示す[185]。

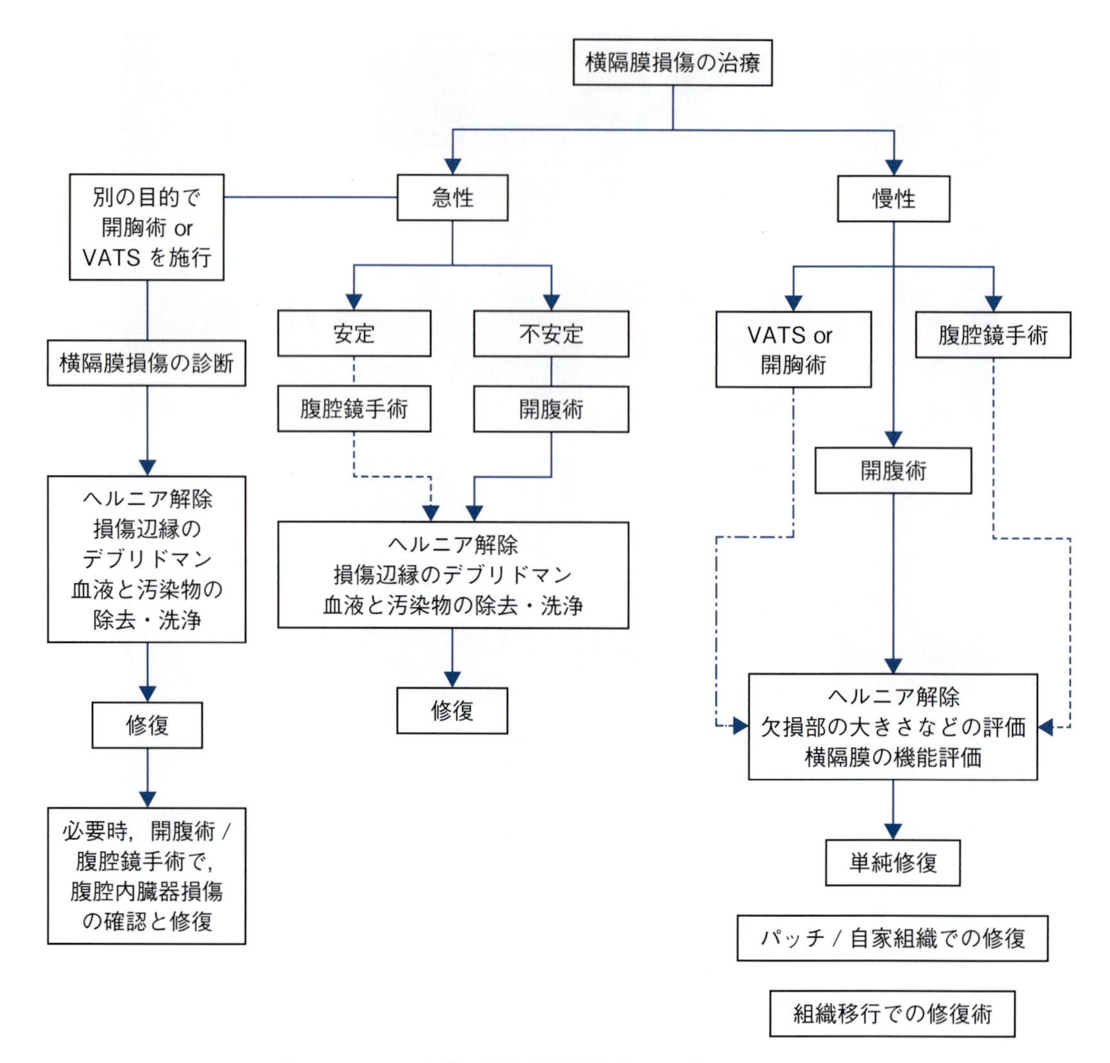

図3-3-D-23　急性/慢性 横隔膜損傷の治療アルゴリズム

VATS：video-assisted thoracoscopic surgery

〔文献185）より引用・改変〕

4）治療戦術

穿通性外傷の後によくみられる小さな横隔膜損傷は，一般に非吸収性縫合糸による単結節縫合で修復する。鈍的外傷のようなより大きな欠損創は，8の字縫合，水平マットレス縫合，連続縫合，二層縫合などで修復する。一般に，0～1号のモノフィラメントか編糸の非吸収性縫合糸を選択する。最初の修復に吸収性縫合糸を使用した場合，再発率が高くなるといった報告がある[196)]。横隔膜損傷部の辺縁は反転する可能性があり，Allis鉗子などで損傷縁を把持し手前に牽引して縫合していく。中心腱の裂傷で心臓の下面が露出している場合には心臓を損傷しないように縫合修復する。縫合が完了した時点で，結紮する前に加温した生理食塩液を胸腔内に注入し，胸腔内圧を上昇させ，横隔膜の動きと縫合線の密閉性を確認する。腹部管腔臓器の損傷を伴う場合，腹部の陽圧と胸腔内の陰圧の圧力勾配により胸部の汚染が起こりやすく，膿胸の発生率が3倍となる。そのため，横隔膜修復に先立ち横隔膜損傷部から胸腔内をしっかりと灌流洗浄する[196)207)]。しかし，汚染が重篤で血液や凝血塊が吸引される場合には，経横隔膜処置を続けるよりは開胸を追加し確実に対応する。

横隔膜損傷部の大きな欠損創を修復する際には，まずその穿孔部の辺縁を合わせ，横隔膜の筋肉の張力を評価する。8cmまでの欠損は閉鎖することができる[208)]。それ以上大きな損傷の場合には，許容できない横隔膜の扁平化を引き起こすため，横隔膜を再建するために人工物が必要となる。polytetrafluoroethylene（PTFE），polypropylene素材のメッシュやパッチが使用される[209)]（図3-3-24）。合成素材に代わるものとして牛心膜パッチがあり，ケースシリーズでは，その有用性が報告されている[210)]。固

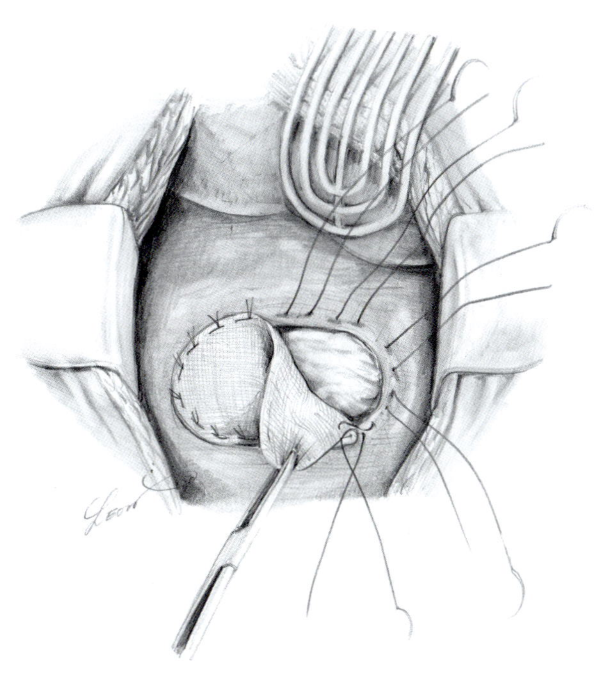

図3-3-D-24　直接縫合が困難な横隔膜損傷に対する修復
損傷部に対する直接縫合閉鎖が困難な場合には，PTFEシートなどを用いた修復を行う

定に十分な組織がない，もしくは損傷が外側の場合，人工物は本来の横隔膜の自然の位置にある肋骨周囲組織に単結節または水平マットレス縫合で固定する。内側損傷では横隔膜と人工物（メッシュ）を逢着した後，その人工物を心膜に固定するか，あるいは後方の横隔膜脚に固定する[208]。

肝損傷を伴う右横隔膜損傷では，大量血胸に対する開胸術時に診断がつくことがある。このような場合，胸腔から横隔膜を修復し，肝のほか腹腔内臓器損傷を検索するために開腹手術が必要となる。その際肝後面下大静脈損傷を合併している可能性があり，この状態で肝を授動して腹腔側から横隔膜を修復しようとすると致死的な大出血となる。そのため，肝授動の際にbare areaは開放せずに，胸腔側から横隔膜損傷部を大きく縫合閉鎖し，腹腔側からは肝周囲パッキングを行い止血する[185]。

横隔膜の胸壁への付着部周辺の損傷で，同側胸壁のフレイルセグメントがある場合には肋骨固定術を行ったうえで，横隔膜の修復を行う[186]。急性期には横隔膜の退縮はそこまで生じないため，大きな組織欠損は生じにくく，基本的にはメッシュなどの人工物の使用は不要である。しかし，急性期に胸壁への縫合固定が困難な大きな欠損がある場合には，非吸収性人工メッシュを使用する。ただし術野の汚染が強い場合には非吸収性メッシュによる再建は避ける。damage control surgeryの場合は横隔膜欠損部を閉じなくてもよいが，再手術の際，横隔膜欠損部の断端部の筋肉は短縮し欠損部が大きくなることがある。そのため吸収性メッシュを使用し，胸壁と横隔膜欠損部断端を一時的に縫合固定をしておく。再手術で損傷部が汚染されていなければ，吸収性メッシュを非吸収性メッシュに置換し再建する[21]。

横隔膜損傷の腹腔鏡下修復術も最近ではよく施行されている[205,211]。腹腔鏡下に縫合修復もしくは自動縫合器で修復する[188]。腹腔鏡下に行うかどうかの判断はあくまでも術者の技量に依存する。横隔膜損傷に対して腹腔鏡下手術を行う際には，送気により気胸となるリスクがあるため，モニターや循環動態，酸素化や気道内圧に注意を払う。気胸が起こった場合には送気を中断し，胸腔ドレーンを挿入する。左側横隔膜損傷を除外するための審査腹腔鏡ではポートの位置が重要である。最初のポートは患者の体格にもよるが，臍の高さかそのすぐ上に置く。ポートが入ったら左横隔膜をよりよく観察しやすくするため，逆Trendelenburg体位かつ軽度右側臥位とする。肝を牽引するために剣状突起下にポートを留置し，左側肋骨弓下にやや横向きにポートを追加する。このポートは，胃や脱出した臓器を牽引するために使用する。臍部ポートは30°腹腔鏡カメラに使用する。損傷部の位置や形態により，両側の鎖骨中線肋弓下にワーキングポートを適宜追加する。腹腔内臓器を慎重に腹腔内に還納後，損傷の有無を確認し，問題なければ欠損部を修復する。修復の技術は開腹手術と同様である。右側損傷の場合ポート配置は同様で，左側肋弓下ポートを右側に移動する。肝鎌状間膜と右三角靱帯は十分な牽引と損傷部の露出のために切離が必要な場合がある。修復前に著しい血胸または気胸があった場合は，胸腔ドレーンを挿入する。どちらもない場合は横隔膜修復の縫合糸を結紮する前に，あらかじめカテーテルを経横隔膜的に挿入した状態で胸腔内の空気を抜きながら結紮する。

5）合併症と転帰

横隔膜損傷後の死亡率は合併する損傷の重症度に依存する[194]。死亡率は穿通性損傷では4〜9%，鈍的損傷では15〜24%である[193,195]。急性期の外科的修復に直接関係する術後合併症には，縫合線の離開または横隔膜修復の失敗，横隔神経への医原性損傷を含めた二次的な横隔膜の麻痺，呼吸不全，膿胸および肺膿瘍が含まれる。横隔膜損傷修復後の合併症率は30～68％である[212) 213)]。無気肺は11～68％の患者に認め，肺炎と胸水は10～23％，敗血症，多臓器不全，肝膿瘍および腹腔内膿瘍は2～10％の患者で報告されている[212) 213)]。横隔膜の鈍的損傷と穿通性損傷の合併症率を比較した研究では，鈍的損傷の合併症率は60％であったのに対し，穿通性損傷の合併症率は40％であった[214)]。無症状の横隔膜ヘルニア患者の死亡率は10％未満で，消化管閉塞を呈する患者は，合併症率（60％以上）および死亡率（25～80％）で有意に高くなる[214) 215)]。このことは，ヘルニアによる閉塞症状が現れる前に，横隔膜損傷の診断と外科的治療および管理を確実に施行する必要性を示している。

9. 穿通性胸部外傷

1）穿通性損傷の特徴

胸部穿通性損傷は外傷入院患者の1～13％を占め，穿通性外傷患者全体の16％を占める[6)]。胸部穿通性外傷で緊急の開胸手術が必要となるのは，刺創では14％，銃創では20％に過ぎず[6)]，大半が胸腔ドレナージなどでのNOMが可能である。しかし，胸腔ドレナージで管理された患者のうち，凝血血胸，膿胸，持続的なエアリーク，横隔膜損傷の見逃しなどが25～30％に及ぶため注意深く経過観察する必要がある[4) 216)]。また，銃創後の大血管損傷の全発生率は5.3％，胸部刺創後の全発生率は2％[217)]と報告されている。穿通性心損傷の全発生率は入院患者210人当たり1人[218)]，入院した胸部穿通性外傷患者の65％が心損傷を認めた[219)]。緊急開胸術を必要とする患者において，心損傷は刺創の約16～52％，銃創の10～37％に認め，肺損傷は刺創の30～59％，銃創の65～86％に認められた[16) 105) 220)]。そのなかで死亡率に影響したのは，搬入時にショックかどうか，積極的な蘇生と外科的介入が迅速に行えたか，安定した患者に対して適切な画像診断が行えたかであった[221) 222)]。また晶質液よりも積極的な血液製剤の使用，適応があればpermissive hypotensionによる蘇生，迅速な蘇生的手術が適切に行えたかが生存に影響した[216)]。

2）治療戦略と戦術

（1）解剖の理解とアプローチ

胸部前面の乳頭線と後面の肩甲骨の間の穿通性損傷は，心・大血管損傷の可能性がある。危険領域は，上腹部から胸骨切痕部，胸骨の外側3cm以内の領域である[219) 223)]。胸部前面では乳房下縁／乳輪の高さ以下，後面では肩甲骨下端以下，とくに左胸下部の穿通性損傷は，横隔膜損傷の可能性があり[3)]，胸部穿通性損傷の約20％が腹部損傷を伴う[222)]。ただし，銃創の場合には，胸部のどの部位も損傷する可能性があり，これらの解剖学的関係はあくまで一般論と考えるべきである。

穿通性外傷患者の診療は，①安定か不安定か，②損傷メカニズム，③損傷部の位置の3つの要因が相互に影響する。同様に胸部穿通性外傷でも，生理学的に安定か不安定かで治療方針が大きく異なる。不安定な場合には，迅速なdamage control surgeryで対応する。安定している場合には，身体診察やCT/CTA（CT angiography）をはじめとした画像診断を適切に行い，確実な根治的治療を行う。銃創の場合，銃創の位置と数を把握および記録し，迅速に銃創の位置を含めた2方向のX線検査を行い，銃創路を評価する。超音波検査も同様に行い評価する。初期診療と銃創路のアセスメントを照らし合わせ，損傷形態と損傷臓器を迅速に把握する。

（2）循環動態不安定時の穿通性外傷の診療アルゴリズム（図3-3-D-25）[224)]

①切迫心停止または心停止時の対応

胸部穿通性外傷患者が切迫心停止状態であれば迅速に蘇生的開胸術を行う。循環動態が不安定な胸部銃創症例は基本的にdamage control surgeryが必要であり，搬送要請があった段階でdamage control surgeryおよび緊急大量輸血ができる準備を整える。救命のためには，搬入後5分以内に蘇生的開胸術と輸血が行えるような体制構築が必要である。蘇生的開胸術を行いつつ，身体所見から銃創路の確認を行う。縦隔を通る銃創路が考えられる場合には，心損傷をはじめ大血管，肺損傷の可能性が高い。その際には，clamshell開胸に移行する。上縦隔の大血管損傷が示唆される場合には，胸骨正中切開を追加する，または，反対側の開胸を第1～2肋間上げて行うとアプローチできる。胸骨正中切開を追加した場合には，必要時，頸部や鎖骨上まで創を延長することも

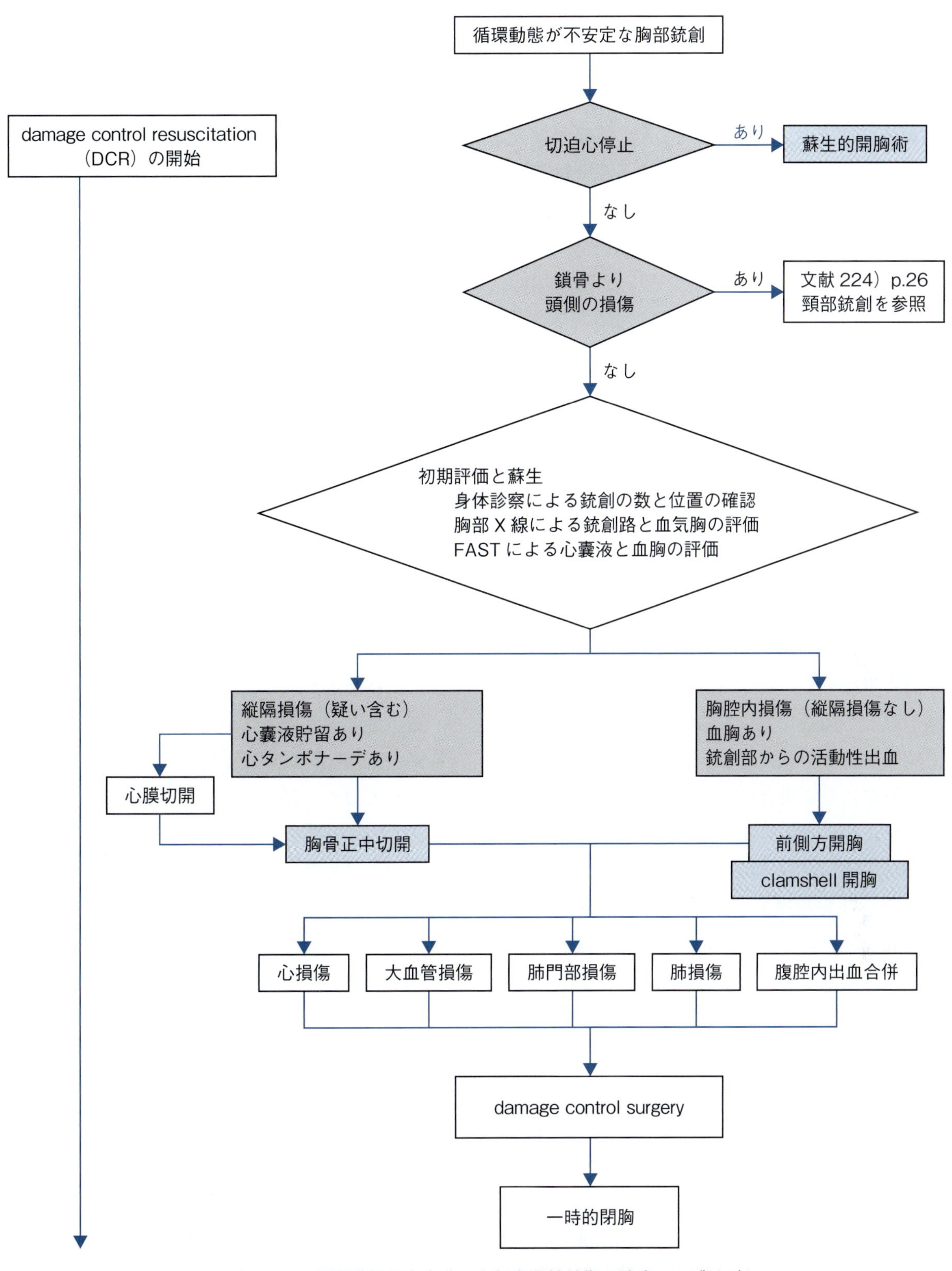

図3-3-D-25　循環動態不安定時の胸部穿通性外傷の診療アルゴリズム

〔文献224)p.32より引用・改変〕

できる。上記アプローチで，迅速に出血（損傷）部位に到達し一時的止血と同時に下行大動脈クランプを施行し，心停止を回避することが重要である。心停止時には開胸心マッサージを行う。この状態での手術は前述のようにすべてdamage control surgeryとして行う。

②循環動態不安定時の対応（切迫心停止／心停止ではない場合）

切迫心停止または心停止状態ではないが循環動態が不安定な場合には，迅速にprimary surveyを行いながら止血戦略を立てる。気道確保を行い気胸または血胸を示す所見を認めれば，迅速に胸腔ドレーンを挿入する。疑わしい場合は確認のための胸部X線を待つよりも胸腔ドレーンを挿入する。時間的余裕があればEFASTで心囊，気胸/血胸の評価を行う[225]。超音波検査上，血胸がある場合，心囊の検査結果が陰性であっても心損傷を否定することはできない[226]。胸部X線により，損傷の左右差を確認し，銃創路と血気胸を評価しつつ，経縦隔損傷や多発性損傷を鑑別し気管チューブの位置確認も行う。ショックに対しては輸血による蘇生で迅速に対応する。多くの患者で，上記の初期蘇生に反応し安定化が得られる[222]。安定した場合には「循環動態安定時の胸部穿通性外傷の診療アルゴリズム」(図3-3-D-26)[224]に移行する。胸部から鎖骨より頭側にも銃創路を認める場合には頸部損傷を合併している可能性があり，頸部銃創の治療も念頭に置いてアプローチする。頸部の動脈性損傷を合併し心停止が切迫しているときには，迅速に胸骨正中切開を行い，大動脈弓部から分岐している腕頭動脈，左総頸動脈，左鎖骨下動脈などを適宜選択して遮断しproximal controlを行う。銃創路が腹部を通過している場合には，胸部ばかりでなく開腹手術も必要になる。この間に循環動態がさらに不安定になる場合には，前述の「切迫心停止または心停止時の対応」(p.178) を行う。

両側鎖骨中線よりも外側の損傷，胸部後方の損傷，縦隔を横断する損傷が疑われない胸部損傷は，前側方開胸でアプローチする。両側損傷が疑われる場合には，出血量が多い側を先に開胸し，必要に応じてclamshell開胸に移行する。開胸したら，迅速に損傷と出血部位を同定しdamage control surgeryを行う。

心損傷を認めるまたは疑われる場合には，前述の「心損傷」(p.162) を参照されたい。上縦隔に血腫がある場合は，上縦隔の大血管およびその分枝血管の損傷が示唆される。盲目的に上縦隔内血腫にアプローチする前に，可能であれば損傷血管と考えられる中枢側および末梢側の確保を先に行う[227]。開胸し上縦隔から大出血を認める場合には，まずは同部を用手圧迫により一時的に出血を制御し，迅速に中枢側および末梢側血管の確保を行う。その際に左腕頭静脈を確保し，必要であれば結紮・切離すると腕頭動脈と左総頸動脈にアプローチしやすくなる[227, 228]。血管損傷の対処については「大血管損傷」(p.278) を参照されたい。

肺および肺門部中心の損傷に関しては，前述の「肺損傷」(p.155) を参照されたい。ここでは穿通性損傷に特化して記載する。大量出血している肺および肺門部に向かう穿通性外傷に対しては，肺門の迅速なコントロールと創路切開術 (tractotomy) を施行する。それにより損傷部が明らかとなり，出血制御を可能にし肺広範囲切除や肺全摘除術の回避が可能となる[102, 111, 119]。創路切開術を施行せず穿通性損傷の入口と出口を縫合閉鎖した場合，肺内出血，呼吸不全，空気塞栓症を引き起こしかねない。

穿通創が，胸腹部移行帯，つまり胸部下部1/3から上腹部にかけて認める場合，開胸術とともに開腹術が必要となる。最初に開胸術を行うか開腹術を行うかは，臨床所見，胸腔ドレーンの量，胸部X線画像，超音波検査などにより決定する。大動脈遮断が必要時には左前側方開胸術から開始し，不要時には出血がもっとも多い部位から開始する[229]。

(3) 循環動態安定時の診療アルゴリズム (図3-3-D-26)[227]

循環動態が安定していても突然不安定になることもあるため，常に循環動態はモニタリングできるようにしておく。銃創であれば，その数と位置を確認し，2方向の胸部X線撮影で銃創路の確認とともに血気胸の評価を行い[230]，胸腔ドレナージの必要性を判断する。銃創路の評価のために創部の出入り口の部位をマーキングし，必要があれば腹部X線も追加する。FASTも行い，心囊液の評価を行う[225]。

評価中に患者の循環動態が不安定になる，または蘇生を必要とする活動性出血を認めた場合，循環動態が不安定時のアルゴリズムに移行する。

胸部多発銃創の安定した患者に対しては，CT/CTAが弾丸の貫通経路と破片を特定できるとともに詳細な臓器損傷，血管損傷の評価が可能であるため，最近ではよく施行されている[111]。

①循環動態安定時の肺・胸壁損傷への対応

安定した穿通性肺・胸壁損傷への対応に関する詳細は，前述の「肺損傷」(p.155)「胸壁損傷」(p.148) を参照されたい。気胸や血胸が明らかな場合は胸腔ドレナージを行うが，小さな気胸または血胸がある患者は最大24時間まで経過観察する。小さな気胸はほとんどの患者で脱気の必要はないが，安定した患者であっても経過観察入院させる[104, 231]。穿通性外傷後の緊急開胸術の一般的な適応は，胸腔ドレ

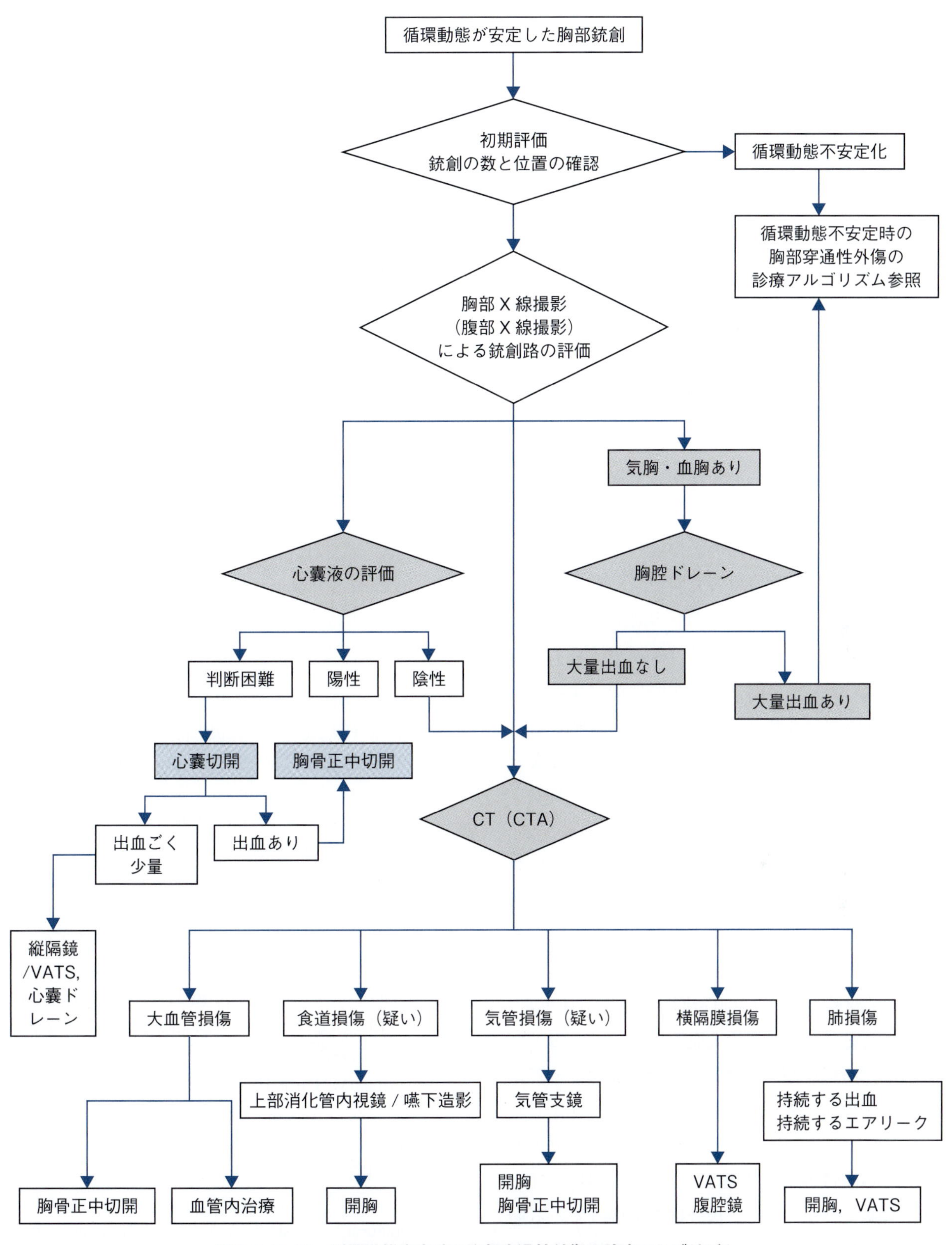

図3-3-D-26　循環動態安定時の胸部穿通性外傷の診療アルゴリズム
〔文献224)より引用・改変〕

ナージの量（刺傷では28%，銃創では50%）である[105)]。24時間以内に1,500mlを手術適応とすることで手術の遅れや合併症が少なくなったという報告もある[104)]。ただし，胸腔ドレナージ量ばかりに判断を依存すると，損傷の重症度/緊急度を過小評価し，適切な手術タイミングを逸する可能性があるため注意を要する[229)]。大量の凝血血胸，一過性不安定状態，またはほかの臨床所見（説明のつかないアシドーシス，大量エアリーク，横隔膜損傷などの合併など）がある場合，より少ない血液排出量でも迅速な手術判断を行う[104]。出血のスピードが緩やかになって安定したと思われる患者には，VATSも選択肢となり得る。出血が持続する場合，出血源や患者の安定性に疑問がある場合は，開胸術が望ましいが，出血が片側性か，どのような損傷形態が関与しているかによって，アプローチの選択が違ってくる。一般的に，片側性損傷の安定した患者には，後側方からのアプローチが有効である。

②循環動態安定時の横隔膜損傷への対応

循環動態が安定した穿通性横隔膜損傷に関する詳細は「横隔膜損傷」（p.173）を参照されたい。創傷の位置，弾丸の経路または臨床所見により横隔膜損傷を疑う。

昨今の画像診断技術の進歩に伴い，穿通性横隔膜損傷の診断の精度も向上しているが，それでもなお損傷を見逃すことがあるため，損傷の疑いが強い患者には診断的腹腔鏡検査（審査腹腔鏡）を行う。

③循環動態安定時の縦隔損傷への対応

患者が安定しているときには，縦隔を横断するような銃創は，すぐには臨床所見が明らかでない場合があり，身体診察と胸部X線で血気胸を評価し超音波検査で心損傷を除外した後は，造影CT（CTAを含む）を施行する。CT/CTAで，銃創路が胸郭・縦隔を通っているかどうか，大血管/分枝血管損傷，臓器損傷の有無を確認する[222]。金属アーチファクトで血管壁の正確な評価ができない場合，血管造影検査を追加する。気管・気管支損傷や食道損傷を示唆する所見があれば，内視鏡検査を施行する。状況に応じて消化管造影（胃食道造影）検査を追加する。

循環動態安定時の穿通性大血管損傷に対するアプローチ法や修復法などの詳細は「大血管損傷」（p.277）を参照されたい。安定した患者では，CT/CTAで診断がなされている。外科的手術か血管内治療を選択するか，心血管外科と協議する。銃創の場合には，大血管損傷ばかりでなく，複合損傷を伴っている場合が多く，手術かIVRか，どこで，どの部位から止血術/修復術を開始するか，同時に施行するか，などを決定する。治療戦略を協議中に不安定になる場合もあり，厳重なモニタリングは継続する。

また，「心損傷」，「食道損傷」，「気管・気管支損傷」の取り扱いについては，銃創での特記事項は少なく，前述の各々の損傷の項を参照されたい。

文　献

1) JTDB 2021. https://www.jtcr-jatec.org/traumabank/dataroom/data/JTDB2021.pdf（Accessed 2022-2-28）
2) Karmy-Jones R, Jurkovich GJ：Blunt chest trauma. Curr Probl Surg 2004；41：211-380.
3) Calhoon JH, Trinkle JK：Pathophysiology of chest trauma. Chest Surg Clin N Am 1997；7：199-211.
4) Karmy-Jones R, Jurkovich GJ, Shatz DV, et al：Management of traumatic lung injury：A Western Trauma Association Multicenter review. J Trauma 2001；51：1049-1053.
5) Probst C, Pape HC, Hildebrand F, et al：30 years of polytrauma care：An analysis of the change in strategies and results of 4849 cases treated at a single institution. Injury 2009；40：77-83.
6) Demetriades D, Velmahos GC：Penetrating injuries of the chest：Indications for operation. Scand J Surg 2002；91：41-45.
7) LoCiecero J, Mattox KL：Epidemiology of chest trauma. Surg Clin North Am 1989；69：15-19.
8) Mattox KL, Wall MJ Jr, Tsai PI：Trauma thoracotomy：Principles and techniques. In：Mattox KL, Moore EE, Feliciano DV, eds. Trauma. 7th ed, McGraw-Hill, New York, 2012, pp461-467.
9) Wall MJ, Huh J, Mattox KL：Indications for and techniques of thoracotomy. In：Feliciano DV, Mattox KL, Moore EE, eds. Trauma. 6th ed, McGraw-Hill, New York, 2008, pp513-523.
10) Ghanta RK, Wall MJ Jr, Mattox KL：Trauma thoracotomy：Principles and techniques. In：Feliciano DV, Mattox KL, Moore EE, eds. Trauma. 9th ed, McGraw-Hill, New York, 2020, pp561-566.
11) Flagel BT, Luchette FA, Reed RL, et al：Half-a-dozen ribs：The breakpoint for mortality. Surgery 2005；138：717-723.
12) Sirmali M, Türüt H, Topçu S, et al：A comprehensive analysis of traumatic rib fractures：Morbidity, mortality and management. Eur J Cardiothorca Surg 2003；24：133-138.
13) Carrier FM, Turgeon AF, Nicole PC, et al：Effect of epidural analgesia in patients with traumatic rib fractures：A systematic review and meta-analysis of randomized controlled trials. Can J Anesth 2009；56：230-240.
14) Galvagno SM, Smith CE, Varon AJ, et al：Pain management for blunt thoracic trauma：A joint practice management guideline from the Eastern Association for the Surgery of Trauma and Trauma Anesthesiology Society. J Trauma Acute Care Surg 2016；81：936-951.

15) Wall MJ Jr, Soltero E：Damage control for thoracic injuries. Surg Clin North Am 1997；77：863-878.
16) Karmy-Jones R, Jurkovich GJ, Nathens AB, et al：Timing of urgent thoracotomy for hemorrhage after trauma：A multicenter study. Arch Surg 2001；136：513-518.
17) Burlew CC, Moore EE：Resuscitative Thoracotomy. In：Feliciano DV, Mattox KL, Moore EE, eds. Trauma. 9th ed, McGraw-Hill, New York, 2020, pp299-315.
18) 鰐渕康彦，安達秀雄訳：重要血管へのアプローチ；外科医のための局所解剖アトラス，メディカル・サイエンス・インターナショナル，東京，1995.
19) 外傷外科手術治療戦略（SSTT）コース運営協議会編：外傷外科手術治療戦略（SSTT）コース 公式テキストブック，改訂第2版，へるす出版，東京，2018.
20) 大友康裕監訳，森下幸治，松島一英編訳：外傷手術手技アトラス，ぱーそん書房，東京，2018.
21) Hirshberg A, Mattox KL：Top knife：The Art and Craft of Trauma Surgery. TFM Publishing, Harley（Shrewsbury in UK）, 2004.
22) Richardson JD：Indications for thoracotomy in thoracic trauma. Curr Surg 1985；42：361-364.
23) Richardson JD, Miller FB, Carrillo EH, et al：Complex thoracic injuries. Surg Clin North Am 1996；76：725-748.
24) American College of Surgeons：ATLS：Advanced Trauma Life Support for Doctors. 8th ed, American College of Surgeons, Chicago, 2008.
25) Washington B, Wilson RF, Steiger Z, et al：Emergency thoracotomy：A four-year review. Ann Thorac Surg 1985；40：188-191.
26) 日本外傷学会・日本救急医学会監，日本外傷学会外傷初期診療ガイドライン改訂第6版編集委員会編：外傷初期診療ガイドラインJATEC，改訂第6版，へるす出版，東京，2021，pp 75-97.
27) Livingston DH, Hauser CJ：Chest wall and lung. In：Feliciano DV, Mattox KL, Moore EE, eds. Trauma. 6th ed, McGraw-Hill, New York, 2008, pp525-552.
28) Carrillo EH, Heniford BT, Senler SO, et al：Embolization therapy as an alternative to thoracotomy in vascular injuries of the chest wall. Am Surg 1998；64：1142-1148.
29) Hagiwara A, Yanagawa Y, Kaneko N, et al：Indications for transcatheter arterial embolization in persistent hemothorax caused by blunt trauma. J Trauma 2008；65：589-594.
30) Kessel B, Alfici R, Ashkenazi I, et al：Massive hemothorax caused by intercostal artery bleeding：Selective embolization may be an alternative to thoracotomy in selected patients. Thorac Cardiovasc Surg 2004；52：234-236.
31) Matsumoto H, Suzuki M, Kamata T, et al：Intercostal artery injuries treated by angiographic embolization：Case report. J Trauma 1998；44：392-393.
32) 久志本成樹，宮内雅人，増野智彦，他：外傷性血胸に対する経動脈的塞栓術の適応を考える；自験4例と文献報告からの検討. 日外傷会誌 2010；24：27-32.
33) Moore C, Kwayisi G, Esiobu P, et al：Successful treatment of massive hemothorax with class IV shock using aortography with transcatheter embolization of actively bleeding posterior left intercostal arteries after penetrating left chest trauma：A case for the hybrid OR. Int J Surg Case Rep 2018；48：109-112.
34) Lohan R, Leow KS, Ong MW, et al：Role of intercostal artery embolization in management of traumatic hemothorax. J Emerg Trauma Shock 2021；14：111-116.
35) Chemelli AP, Thauerer M, Wiedermann F, et al：Transcatheter arterial embolization for the management of iatrogenic and blunt traumatic intercostal artery injuries. J Vasc Surg 2009；49：1505-1513.
36) Sekino S, Takagi H, Kubota H, et al：Intercostal artery pseudoaneurysm due to stab wound. J Vasc Surg 2005；42：352-356.
37) Kushimoto S, Nakano K, Aiboshi J, et al：Bronchofiberoscopic diagnosis of bronchial disruption and pneumonectomy using a percutaneous cardio-pulmonary bypass system. J Trauma 2007；62：247-251.
38) González-Hadad A, Ordoñez CA, Parra MW, et al：Damage control in penetrating cardiac trauma. Colomb Med（Cali）2021；52：e4034519.
39) Chestovich PJ, McNicoll CF, Fraser DR, et al：Selective use of pericardial window and drainage as sole treatment for hemopericardium from penetrating chest trauma. Trauma Surg Acute Care Open 2018；3：e000187.
40) Nicol AJ, Navsaria P, Hommes M, et al：Sternotomy or drainage for a hemopericardium after penetrating trauma：A safe procedure? Ann Surg 2016；263：e32.
41) Nicol AJ, Navsaria PH, Hommes M, et al：Sternotomy or drainage for a hemopericardium after penetrating trauma：A randomized controlled trial. Ann Surg 2014；259：438-442.
42) Beall AC Jr, Bricker DL, Crawford HW, et al：Surgical management of penetrating thoracic trauma. Dis Chest 1966；49：568-577.
43) ELSO Guidelines for ECMO Centers, Vl. 8（or Japanese Translation）.
https://www.elso.org/portals/0/igd/archive/filemanager/faf3f6a3c7cusersshyerdocumentselsoguidelinesecmocentersv1.8.pdf（Accessed 2022-2-28）

44) Campione A, Agostini M, Portolan M, et al：Extracorporeal membrane oxygenation in respiratory failure for pulmonary contusion and bronchial disruption after trauma. J Thorac Cardiovasc Surg 2007；133：1673-1674.
45) Madershahian N, Wittwer T, Strauch J, et al：Application of ECMO in multitrauma patients with ARDS as rescue therapy. J Card Surg 2007；22：180-184.
46) Masiakos PT, Hirsch EF, Millham FH：Management of severe combined pulmonary and myocardial contusion with extracorporeal membrane oxygenation. J Trauma 2003；54：1012-1015.
47) Bedeir K, Seethala R, Kelly E：Extracorporeal life support in trauma：Worth the risks? A systematic review of published series. J Trauma Acute Care Surg 2017；82：400-406.
48) Coleman JJ, Pieracci FM, DuBose JJ, et al：Chest wall and lung. In：Feliciano DV, Mattox KL, Moore EE, eds. Trauma. 9th ed, McGraw-Hill, New York, 2020, pp567-587.
49) Edwards JG, Clarke P, Pieracci FM, et al：Taxonomy of multiple rib fractures：Results of the chest wall injury society international consensus survey. J Trauma Acute Care Surg 2020；88：e40-e45.
50) Avery EE, Benson DW, Morch ET：Critically crushed chests；A new method of treatment with continuous mechanical hyperventilation to produce alkalotic apnea and internal pneumatic stabilization. J Thorac Surg 1956；32：291-311.
51) Mayberry JC, Kroeker AD, Ham LB, et al：Long-term morbidity, pain, and disability after repair of severe chest wall injuries. Am Surg 2009；75：389-394.
52) Cheema FA, Chao E, Buchsbaum J, et al：State of rib fracture care：A NTDB review of analgesic management and surgical stabilization. Am Surg 2019；85：474-478.
53) Kane E, Jeremitsky E, Pieracci FM, et al：Quantifying and exploring the recent national increase in surgical stabilization of rib fractures. J Trauma Acute Care Surg 2017；83：1047-1052.
54) Chapman BC, Herbert B, Rodil M, et al：RibScore：A novel radiographic score based on fracture pattern that predicts pneumonia, respiratory failure, and tracheostomy. J Trauma Acute Care Surg 2016；80：95-101.
55) Wycech J, Fokin AA, Puente I：Evaluation of patients with surgically stabilized rib fractures by different scoring systems. Eur J Trauma Emerg Surg 2020；46：441-445.
56) Hardin KS, Leasia KN, Haenal J, et al：The Sequential Clinical Assessment of Respiratory Function (SCARF) score：A dynamic pulmonary physiologic score that predicts adverse outcomes in critically ill rib fracture patients. J Trauma Acute Care Surg 2019；87：1260-1268.
57) Gonzalez KW, Ghneim MH, Kang F, et al：A pilot single-institution predictive model to guide rib fracture management in elderly patients. J Trauma Acute Care Surg 2015；78：970-975.
58) Todd SR, McNally MM, Holcomb JB, et al：A multidisciplinary clinical pathway decreases rib fracture-associated infectious morbidity and mortality in high-risk trauma patients. Am J Surg 2006；192：806-811.
59) Thybo KH, Hägi-Pedersen D, Dahl JB, et al：Effect of combination of paracetamol (acetaminophen) and ibuprofen vs either alone on patient-controlled morphine consumption in the first 24 hours after total hip arthroplasty：The PANSAID randomized clinical trial. JAMA 2019；321：562-571.
60) Moskowitz EE, Garabedian L, Hardin K, et al：A double-blind, randomized controlled trial of gabapentin vs. placebo for acute pain management in critically ill patients with rib fractures. Injury 2018；49：1693-1698.
61) Carver TW, Kugler NW, Juul J, et al：Ketamine infusion for pain control in adult patients with multiple rib fractures：Results of a randomized control trial. J Trauma Acute Care Surg 2019；86：181-188.
62) Pieracci FM, Majercik S, Ali-Osman F, et al：Consensus statement：Surgical stabilization of rib fractures rib fracture colloquium clinical practice guidelines. Injury 2017；48：307-321.
63) Gage A, Rivara F, Wang J, et al：The effect of epidural placement in patients after blunt thoracic trauma. J Trauma Acute Care Surg 2014；76：39-45；discussion 45-46.
64) Bulger EM, Edwards T, Klotz P, et al：Epidural analgesia improves outcome after multiple rib fractures. Surgery 2004；136：426-430.
65) James M, Bentley R, Goodman B：Erector spinae plane vs. paravertebral blockade for rib fracture analgesia. Anaesthesia 2019；74：1064-1065.
66) Truitt MS, Murry J, Amos J, et al：Continuous intercostal nerve blockade for rib fractures：Ready for primetime? J Trauma 2011；71：1548-1552；discussion 1552.
67) Jackson SM, Whitlark JD：Pain control with liposomal bupivacaine after thoracoscopies/thoracotomies. Ann Thorac Surg 2015；100：2414-2415.
68) Kasotakis G, Hasenboehler EA, Streib EW, et al：Operative fixation of rib fractures after blunt trauma：A

practice management guideline from the Eastern Association for the Surgery of Trauma. J Trauma Acute Care Surg 2017；82：618-626.

69) Farquhar J, Almarhabi Y, Slobogean G, et al：No benefit to surgical fixation of flail chest injuries compared with modern comprehensive management：Results of a retrospective cohort study. Can J Surg 2016；59：299-303.

70) DeFreest L, Tafen M, Bhakta A, et al：Open reduction and internal fixation of rib fractures in polytrauma patients with flail chest. Am J Surg 2016；211：761-767.

71) Doben AR, Pieracci FM：Reply to "Open reduction and internal fixation of rib fractures in polytrauma patients with flail chest" by DeFreest et al. Am J Surg 2017；213：1189.

72) Pieracci FM, Agarwal S, Doben A, et al：Indications for surgical stabilization of rib fractures in patients without flail chest：Surveyed opinions of members of the Chest Wall Injury Society. Int Orthop 2018；42：401-408.

73) Jiang Y, Wang X, Teng L, et al：Comparison of the effectiveness of surgical versus nonsurgical treatment for multiple rib fractures accompanied with pulmonary contusion. Ann Thorac Cardiovasc Surg 2019；25：185-191.

74) Ali-Osman F, Mangram A, Sucher J, et al：Geriatric (G60) trauma patients with severe rib fractures：Is muscle sparing minimally invasive thoracotomy rib fixation safe and does it improve post-operative pulmonary function? Am J Surg 2018；216：46-51.

75) Fitzgerald MT, Ashley DW, Abukhdeir H, et al：Rib fracture fixation in the 65 years and older population：A paradigm shift in management strategy at a Level I trauma center. J Trauma Acute Care Surg 2017；82：524-527.

76) Pieracci FM, Coleman J, Ali-Osman F, et al：A multicenter evaluation of the optimal timing of surgical stabilization of rib fractures. J Trauma Acute Care Surg 2018；84：1-10.

77) Iqbal HJ, Alsousou J, Shah S, et al：Early surgical stabilization of complex chest wall injuries improves short-term patient outcomes. J Bone Joint Surgery Am 2018；100：1298-1308.

78) Merchant NN, Onugha O：Extra-thoracic video-assisted thoracoscopic surgery rib plating and intra-thoracic VATS decortication of retained hemothorax. Surg Technol Int 2018；33：251-254.

79) Merchant NN, Onugha O：Novel extra-thoracic VATS minimally invasive technique for management of multiple rib fractures. J Vis Surg 2018；4：103.

80) Pieracci FM：Completely thoracoscopic surgical stabilization of rib fractures: can it be done and is it worth it? J Thorac Dis 2019；11 (Suppl 8)：S1061-S1069.

81) Pieracci FM, Johnson JL, Stovall RT, et al：Completely thoracoscopic, intra-pleural reduction and fixation of severe rib fractures. Trauma Case Rep 2015；1 (5-8)：39-43.

82) Marasco S, Liew S, Edwards E, et al：Analysis of bone healing in flail chest injury：Do we need to fix both fractures per rib? J Trauma Acute Care Surg 2014；77：452-458.

83) Sales JR, Ellis TJ, Gillard J, et al：Biomechanical testing of a novel, minimally invasive rib fracture plating system. J Trauma 2008；64：1270-1274.

84) Fitzpatrick DC, Denard PJ, Phelan D, et al：Operative stabilization of flail chest injuries：Review of literature and fixation options. Eur J Trauma Emerg Surg 2010；36：427-433.

85) Vu KC, Skourtis ME, Gong X, et al：Reduction of rib fractures with a bioresorbable plating system：Preliminary observations. J Trauma 2008；64：1264-1269.

86) Simon B, Ebert J, Bokhari F, et al：Management of pulmonary contusion and flail chest：An Eastern Association for the Surgery of Trauma practice management guideline. J Trauma Acute Care Surg 2012；73 (5 Suppl 4)：S351-S361.

87) Majercik S, Vijayakumar S, Olsen G, er al：Surgical stabilization of severe rib fractures decreases incidence of retained hemothorax and empyema. Am J Surg 2015；210：1112-1116；discussion 1116-1117.

88) Chou YP, Kuo LC, Soo KM, et al：The role of repairing lung lacerations during video-assisted thoracoscopic surgery evacuations for retained haemothorax caused by blunt chest trauma. Eur J Cardiothorac Surg 2014；46：107-111.

89) Swart E, Laratta J, Slobogean G, et al：Operative treatment of rib fractures in flail chest injuries：A meta-analysis and cost-effectiveness analysis. J Orthop Trauma 2017；31：64-70.

90) Ahmed Z, Mohyuddin Z：Management of flail chest injury：Internal fixation versus endotracheal intubation and ventilation. J Thorac Cardiovasc Surg 1995；110：1676-1680.

91) Hauser CJ, Livingston DH：Pulmonary contusion and flail chest. In：Asensio JA, Trunkey DD, eds. Current therapy of trauma and surgical critical care. Mosby, Philadelphia, 2008, pp269-277.

92) Beal SL, Oreskovich MR：Long-term disability associated with flail chest injury. Am J Surg 1985；150：324-326.

93) Landercasper J, Cogbill TH, Lindesmith LA：Long-term disability after flail chest injury. J Trauma 1984；24：410-414.
94) Thiels CA, Aho JM, Naik ND, et al：Infected hardware after surgical stabilization of rib fractures：Outcomes and management experience. J Trauma Acute Care Surg 2016；80：819-823.
95) Sawan TG, Nickerson TP, Thiels CA, et al：Load sharing, not load bearing plates：Lessons learned from failure of rib fracture stabilization. Am Surg 2016；82：E13-E17.
96) Marasco SF, Sutalo ID, Bui AV：Mode of failure of rib fixation with absorbable plates：A clinical and numerical modeling study. J Trauma 2010；68：1225-1233.
97) Sarani B, Allen R, Pieracci FM, et al：Characteristics of hardware failure in patients undergoing surgical stabilization of rib fractures：A Chest Wall Injury Society multicenter study. J Trauma Acute Care Surg 2019；87：1277-1281.
98) Skedros JG, Mears CS, Langston TD, et al：Medial scapular winging associated with rib fractures and plating corrected with pectoralis major transfer. Int J Surg Rep 2014；5：750-753.
99) Ting M, Gonzalez J：Something is growing inside：An unusual adverse effect of paravertebral block. Reg Anesth Pain Med 2017；42：537-538.
100) Karmy-Jones R, Meredith JW：Lungs and pleura. In：Britt LD, Trunkey DD, Feliciano DV, eds. Acute Care Surgery：Principles and Practice. Springer, New York, 2007, pp362-388.
101) Biocina B, Sutlić Z, Husedzinović I, et al：Penetrating cardiothoracic war wounds. Eur J Cardiothorac Surg 1997；11：399-405.
102) Asencio JA, Demetriades D, Berne JD, et al：Stapled pulmonary tractotomy：A rapid way to control hemorrhage in penetrating pulmonary injuries. J Am Coll Surg 1997；185：486-487.
103) Tominaga GT, Waxman K, Scannell G, et al：Emergency thoracotomy with lung resection following trauma. Am Surg 1993；59：834-837.
104) Mowery NT, Gunter OL, Collier BR, et al：Practice management guidelines for management of hemothorax and occult pneumothorax. J Trauma 2011；70：510-518.
105) Mansour MA, Moore EE, Moore FA, et al：Exigent postinjury thoracotomy analysis of blunt versus penetrating trauma. Surg Gynecol Obstet 1992；175：97-101.
106) Patel NJ, Dultz L, Ladhani HA, et al：Management of simple and retained hemothorax：A practice management guideline from the Eastern Association for the Surgery of Trauma. Am J Surg 2021；221：873-884.
107) Pryor JP, Asensio JA：Thoracic injury. In：Peitzman AB, Rhodes M, Schwab CW, eds. The Trauma Manual：Trauma and Acute Care Surgery. 3rd ed, Lippincott Williams & Wilkins, Philadelphia, 2007, pp 209-229.
108) Carrillo EH, Heniford BT, Etoch SW, et al：Video-assisted thoracic surgery in trauma patients. J Am Coll Surg 1997；184：316-324.
109) Heniford BT, Carrillo EH, Spain DA, et al：The role of thoracoscopy in the management of retained thoracic collections after trauma. Ann Thorac Surg 1997；63：940-943.
110) Huh J, Wall MJ Jr, Estrera AL, et al：Surgical management of traumatic pulmonary injury. Am J Surg 2003；186：620-624.
111) Karmy-Jones R, Namias N, Coimbra R, et al：Western Trauma Association critical decisions in trauma: penetrating chest trauma. J Trauma Acute Care Surg 2014；77：994-1002.
112) Wiencek RG Jr, Wilson RF：Central lung injuries：A need for early vascular control. J Trauma 1988；28：1418-1424.
113) Garcia A, Martinez J, Rodriguez J, et al：Damage-control techniques in the management of severe lung trauma. J Trauma Acute Care Surg 2015；78：45-50；discussion 50-51.
114) Wagner JW, Obeid FN, Karmy-Jones RC, et al：Trauma pneumonectomy revisited：The role of simultaneously stapled pneumonectomy. J Trauma 1996；40：590-594.
115) Alfici R, Ashkenazi I, Kounavsky G, et al：Total pulmonectomy in trauma：A still unresolved problem--our experience and review of the literature. Am Surg 2007；73：381-384.
116) Baumgartner F, Omari B, Lee J, et al：Survival after trauma pneumonectomy：The pathophysiologic balance of shock resuscitation with right heart failure. Am Surg 1996；62：967-972.
117) Halonen-Watras J, O'Connor J, Scalea T：Traumatic pneumonectomy：A viable option for patients in extremis. Am Surg 2011；77：493-497.
118) Gonçalves R, Saad R Jr：Thoracic damage control surgery. Rev Col Bras Cir 2016；43：374-381.
119) Wall MJ Jr, Villavicencio RT, Miller CC 3rd, et al：Pulmonary tractotomy as an abbreviated thoracotomy technique. J Trauma 1998；45：1015-1023.
120) Gasparri M, Karmy-Jones R, Kralovich KA, et al：Pulmonary tractotomy versus lung resection：Viable options in penetrating lung injury. J Trauma 2001；

51 : 1092-1095. discussion 1096-1097.
121) Cothren C, Moore EE, Biffl WL, et al : Lung-sparing techniques are associated with improved outcome compared with anatomic resection for severe lung injuries. J Trauma 2002 ; 53 : 483-487.
122) O'Connor JV, Dubose JJ, Scalea TM : Damage-control thoracic surgery : Management and outcomes. J Trauma Acute Care Surg 2014 ; 77 : 660-665.
123) Phelan HA, Patterson SG, Hassan MO, et al : Thoracic damage-control operation : Principles, techniques, and definitive repair. J Am Coll Surg 2006 ; 203 : 933-941.
124) Chou YP, Lin HL, Wu TC : Video-assisted thoracoscopic surgery for retained hemothorax in blunt chest trauma. Curr Opin Pulm Med 2015 ; 21 : 393-398.
125) Smith JW, Franklin GA, Harbrecht BG, et al : Early VATS for blunt chest trauma : A management technique underutilized by acute care surgeons. J Trauma 2011 ; 71 : 102-105 ; discussion 105-107.
126) Eddy AC, Luna GK, Copass M : Empyema thoracis in patients undergoing emergent closed tube thoracostomy for thoracic trauma. Am J Surg 1989 ; 157 : 494-497.
127) DuBose J, Inaba K, Demetriades D, et al : Management of post-traumatic retained hemothorax : A prospective, observational, multicenter AAST study. J Trauma Acute Care Surg 2012 ; 72 : 1 1-22 ; discussion 22-24.
128) DuBose J, Inaba K, Okoye O, et al : Development of posttraumatic empyema in patients with retained hemothorax : Results of a prospective, observational AAST study. J Trauma Acute Care Surg 2012 ; 73 : 752-757.
129) Demetri L, Martinez Aguilar MM, Bohnen JD, et al : Is observation for traumatic hemothorax safe? J Trauma Acute Care Surg 2018 ; 84 : 454-458.
130) Venuta F, Rendina EA, De Giacomo T, et al : Postoperative strategies to treat permanent air leaks. Thorac Surg Clin 2010 ; 20 : 391-397.
131) Cerfolio RJ, Bass CS, Pask AH, et al : Predictors and treatment of persistent air leaks. Ann Thorac Surg 2002 ; 73 : 1727-1730 ; discussion 1730-1731.
132) Nair SK, Petko M, Hayward MP : Aetiology and management of chylothorax in adults. Eur J Cardiothorac Surg 2007 ; 32 : 362-369.
133) McGrath EE, Blades Z, Anderson PB : Chylothorax : Aetiology, diagnosis and therapeutic options. Respir Med 2010 ; 104 : 1-8.
134) Wall MJ Jr, Ghanta RK, Mattox KL : Heart and Thoracic Vessels. In: Feliciano DV, Mattox KL, Moore EE, eds. Trauma. 9th ed, McGraw-Hill, New York, 2020, pp599-628.
135) Morse BC, Mina MJ, Carr JS, et al : Penetrating cardiac injuries : A 36-year perspective at an urban, Level I trauma center. J Trauma Acute Care Surg 2016 ; 81 : 623-631.
136) Santavirta S, Arajärvi E : Ruptures of the heart in seatbelt wearers. J Trauma 1992 ; 32 : 275-279.
137) Ivatury RR : The injured heart. In : Moore EE, Feliciano DV, Mattox KL, eds. Trauma. 5th ed, McGraw-Hill, New York, 2004, pp555-568.
138) Wall MJ Jr, Mattox KL, Chen CD, et al : Acute management of complex cardiac injuries. J Trauma 1997 ; 42 : 905-912.
139) Mattox KL, Flint LM, Carrico CJ, et al : Blunt cardiac injury (formerly termed "myocardial contusion") (editorial). J Trauma 1992 ; 31 : 653.
140) Clancy K, Velopulos C, Bilaniuk JW, et al : Screening for blunt cardiac injury : An Eastern Association for the Surgery of Trauma practice management guideline. J Trauma Acute Care Surg 2012 ; 73 (5 Suppl 4) : S301-S306.
141) Nagy KK, Krosner SM, Roberts RR, et al : Determining which patients require evaluation for blunt cardiac injury following blunt chest trauma. World J Surg 2001 ; 25 : 108-111.
142) Velmahos GC, Karaiskakis M, Salim A, et al : Normal electrocardiography and serum troponin I levels preclude the presence of clinically significant blunt cardiac injury. J Trauma 2003 ; 54 : 45-50 ; discussion 50-51.
143) Athanassiadi K, Gerazounis M, Moustardas M, et al : Sternal fractures : Retrospective analysis of 100 cases. World J Surg 2002 ; 26 : 1243-1246.
144) Vignon P, Boncoeur MP, François B, et al : Comparison of multiplane transesophageal echocardiography and contrast-enhanced helical CT in the diagnosis of blunt traumatic cardiovascular injuries. Anesthesiology 2001 ; 94 : 615-622 ; discussion 5A.
145) Wall MJ Jr, Mattox KL, Wolf DA : The cardiac pendulum : Blunt rupture of the pericardium with strangulation of the heart. J Trauma 2005 ; 59 : 136 -141 : discussion 141-142.
146) Carrick MM, Pham HQ, Scott BG, et al : Traumatic rupture of the pericardium. Ann Thorac Surg 2007 ; 83 : 1554.
147) Galindo Gallego M, Lopez-Cambra MJ, Fernandez-Acenero MJ, et al : Traumatic rupture of the pericardium : Case report and literature review. J Cardiovasc Surg 1996 ; 37 : 187-191.
148) Baumgartner FJ, Rayhanabad J, Bongard FS, et al : Central venous injuries of the subclavian-jugular and innominate-caval confluences. Tex Heart Inst J 1999 ;

30：177-181.
149) Elsner M, Zeiher AM：[Perforation and rupture of coronary arteries]. Herz 1998；23：311-318.
150) Ivatury RR, Simon RJ, Rohman M：Cardiac complications. In: Mattox KL, ed. Complication of Trauma. Churchill Livingstone, New York, 1994, pp409-428.
151) Lee RC：Injury by electrical forces：Pathophysiology, manifestations, and therapy. Curr Probl Surg 1997；34：677-764.
152) Wandling MW, An GC：A case report of thoracic compartment syndrome in the setting of penetrating chest trauma and review of the literature. World J Emerg Surg 2010；5：22.
153) Ditzel RM, Anderson JL, Eisenhart WJ, et al：A review of transfusion- and trauma-induced hypocalcemia：Is it time to change the lethal triad to the lethal diamond? J Trauma Acute Care Surg 2020；88：434-439.
154) Kummer C, Netto FS, Rizoli S, Yee D：A review of traumatic airway injuries：Potential implications for airway assessment and management. Injury 2007；38：27-33.
155) Lee RB：Traumatic injury of the cervicothoracic trachea and major bronchi. Chest Surg Clin N Am 1997；7：285-304.
156) Symbas PN, Hatcher CR Jr, Boehm GA：Acute penetrating tracheal trauma. Ann Thorac Surg 1976；22：473-477.
157) Dubose JJ, Scalea TM, Ghanta RK, et al：Trachea, Bronchi, and Esophagus. In: Feliciano DV, Mattox KL, Moore EE eds. Trauma. 9th ed, McGraw-Hill, New York, 2020, pp589-597.
158) Roh JY, Kim I, Eom JS, et al：Successful stenting for bronchial stenosis resulting from blunt airway trauma. Intern Med 2018；57：3277-3280.
159) Madden BP, Datta S, Charokopos N：Experience with ultraflex expandable metallic stents in the management of endobronchial pathology. Ann Thorac Surg 2002；73：938-944.
160) Schmoekel NH, O'Connor JV, Scalea TM：Nonoperative damage control：The use of extracorporeal membrane oxygenation in traumatic bronchial avulsion as a bridge to definitive operation. Ann Thorac Surg 2016；101：2384-2386.
161) Madani A, Pecorelli N, Razek T, et al：Civilian airway trauma：A single institution experience.
162) Huh J, Milliken JC, Chen JC：Management of tracheobronchial injuries following blunt and penetrating trauma. Am Surg 1997；63：896-899.
163) Richardson JD：Outcome of tracheobronchial injuries：A long-term perspective. J Trauma 2004；56：30-36.
164) Asensio JA, Chahwan S, Forno W, et al：Penetrating esophageal injuries：Multicenter study of the American Association for the Surgery of Trauma. J Trauma 2001；50：289-296.
165) Aiolfi A, Inaba K, Recinos G, et al：Non-iatrogenic esophageal injury：A retrospective analysis from the National Trauma Data Bank. World J Emerg Surg 2017；12：19.
166) Bryant AS, Cerfolio RJ：Esophageal trauma. Thorac Surg Clin 2007；17：63-72.
167) Petrone R, Kassimi K, Jiménez-Gómez M, et al：Management of esophageal injuries secondary to trauma. Injury 2017；48：1735-1742.
168) Karmy-Jones R, Wood DE, Jurkovich GJ：Esophagus, trachea and bronchus. In：Feliciano DV, Mattox KL, Moore EE, eds. Trauma. 6th ed, McGraw-Hill, New York, 2008, pp553-567.
169) Port JL, Kent MS, Korst RJ, et al：Thoracic esophageal perforations: a decade of experience. Ann Thorac Surg 2003；75：1071-1074.
170) Demetriades D, Theodorou D, Comwell E, et al：Evaluation of penetrating injuries of the neck：Prospective study of 223 patients. World J Surg 1997；21：41-47.
171) Biffl WL, Moore EE, Feliciano DV, et al：Western Trauma Association Critical Decisions in Trauma：Diagnosis and management of esophageal injuries. J Trauma Acute Care Surg 2015；79：1089-1095.
172) Ivatury RR, Moore FA, Biffl W, et al：Oesophageal injuries：Position paper, WSES, 2013. World J Emerg Surg 2014；9：9.
173) Kuppusamy MK, Hubka M, Felisky CD, et al：Evolving management strategies in esophageal perforation：Surgeons using nonoperative techniques to improve outcomes. J Am Coll Surg 2011；213：164-171；discussion 171- 172.
174) Andrade-Alegre R：T-tube intubation in the management of late traumatic esophageal perforations：Case report. J Trauma 1994；37：131-132.
175) Kozarek RA, Raltz S, Brugge WR, et al：Prospective multicenter trial of esophageal Z-stent placement for malignant dysphagia and tracheoesophageal fistula. Gastrointest Endosc 1996；44：562-567.
176) Blackmon SH, Santora R, Schwarz P, et al：Utility of removable esophageal covered self-expanding metal stents for leak and fistula management. Ann Thorac Surg 2010；89：931-936；discussion 936-937.
177) Ali JT, Rice RD, David EA, et al：Perforated esophageal intervention focus (PERF) study：A multi-center examination of contemporary treatment. Dis Esophagus 2017；30：1-8.

178) Thornblade LW, Cheng AM, Wood DE, et al：A nationwide rise in the use of stents for benign esophageal perforation. Ann Thorac Surg 2017；104：227-233.
179) Freeman RK, Herrera A, Ascioti AJ, Dake M, et al：A propensity-matched comparison of cost and outcomes after esophageal stent placement or primary surgical repair for iatrogenic esophageal perforation. J Thorac Cardiovasc Surg 2015；149：1550-1555.
180) Patel MS, Malinoski DJ, Zhou L, et al：Penetrating oesophageal injury：A contemporary analysis of the National Trauma Data Bank. Injury 2013；44：48-55.
181) Feliciano DV, Bitondo CG, Martox KL, et al：Combined tracheoesophageal injuries. Am J Surg 1985；150：710-715.
182) Makhani M, Midani D, Goldberg A, et al：Pathogenesis and outcomes of traumatic injuries of the esophagus. Dis Esophagus 2014；27：630-636.
183) Wu JT, Mattox KL, Wall MJ Jr：Esophageal perforations：new perspectives and treatment paradigms. J Trauma 2007；63：1173-1184.
184) Armstrong WB, Detar TR, Stanley RB：Diagnosis and management of external penetrating cervical esophageal injuries. Ann Otol Rhinol Laryngol 1994；103：863-871.
185) Biffl WL, Cioffi WG：Diaphragm. In：Feliciano DV, Mattox KL, Moore EE eds. Trauma. 9th ed, McGraw-Hill, New York, 2020, pp645-656.
186) Hanna WC, Ferri LE：Acute traumatic diaphragmatic injury. Thorac Surg Clin 2009；19：485-489.
187) Scharff JR, Naunheim KS：Traumatic diaphragmatic injuries. Thorac Surg Clin 2007；17：81-85.
188) Fair KA, Gordon NT, Barbosa RR, et al：Traumatic diaphragmatic injury in the American College of Surgeons National Trauma Data Bank：A new examination of a rare diagnosis. Am J Surg 2015；209：864-868；discussion 868-869.
189) Fantus RJ, Schlanser V：Through the barricade：Blunt diaphragm injuries. Bull Am Coll Surg 2018. http://bulletin.facs.org/2018/06/through-the-barricade-blunt-diaphragm-injuries/#.（Accessed 2022-2-28）
190) Shimamura Y, Gunvén P, Ishii M, et al：Repair of the diaphragm with an external oblique muscle flap. Surg Gynecol Obstet 1989；169：139-160.
191) Simpson JS, Gossage JD：Use of abdominal wall muscle flap in repair of large congenital diaphragmatic hernia. J Pediatr Surg 1971；6：42-44.
192) Grimes OF：Traumatic injuries of the diaphragm：Diaphragmatic hernia. Am J Surg 1974；128：175-181.
193) Ties JS, Peschman JR, Moreno A, et al：Evolution in the management of traumatic diaphragmatic injuries：A multicenter review. J Trauma Acute Care Surg 2014；76：1024-1028.
194) Zarour AM, El-Menyar A, Al-Thani H, et al：Presentations and outcomes in patients with traumatic diaphragmatic injury：A 15-year experience. J Trauma Acute Care Surg 2013；74：1392-1398.
195) Shah R, Sabanathan S, Mearns AJ, et al：Traumatic rupture of diaphragm. Ann Thorac Surg 1995；60：1444-1449.
196) Hanna WC, Ferri LE, Fata P, et al：The current status of traumatic diaphragmatic injury：Lessons learned from 105 patients over 13 years. Ann Thorac Surg 2008；85：1044-1048.
197) Degiannis E, Levy RD, Sofianos C, et al：Diaphragmatic herniation after penetrating trauma. Br J Surg 1996；83：88-91.
198) Murray JA, Weng J, Velmahos GC, et al：Abdominal approach to chronic diaphragmatic hernias：Is it safe? Am Surg 2004；70：897-900.
199) Anraku M, Shargall Y：Surgical conditions of the diaphragm：Anatomy and physiology. Thorac Surg Clin 2009；19：419-429.
200) Mirvis SE, Shanmuganagthan K：Imaging hemidiaphragmatic injury. Eur Radiol 2007；17：1411-1421.
201) 久志本成樹，横田順一朗，中島康雄，他：今日の外科的治療と画像診断に求めるもの．インナービジョン 2008；23：12-19.
202) Bodanapally UK, Shanmuganathan K, Mirvis SE, et al：MDCT diagnosis of penetrating diaphragm injury. Eur Radiol 2009；19：1875-1881.
203) Panda A, Kumar A, Gamanagatti S, et al：Traumatic diaphragmatic injury：A review of CT signs and the difference between blunt and penetrating injury. Diagn Interv Radiol 2014；20：121-128.
204) Sliker CW：Imaging of diaphragm injuries. Radiol Clin North Am 2006；44：199-211.
205) McDonald AA, Robinson BRH, Alarcon L, et al：Evaluation and management of traumatic diaphragmatic injuries：A Practice Management Guideline from the Eastern Association for the Surgery of Trauma. J Trauma Acute Care Surg 2018；85：198-207.
206) Schuster KM, Davis KA：Diaphragm. In：Mattox KL, Moore EE, Feliciano DV, eds. Trauma. 7th ed, McGraw-Hill, New York, 2012, pp529-538.
207) Eren S, Esme H, Sehitogullari A, et al：The risk factors and management of posttraumatic empyema in trauma patients. Injury 2008；39：44-49.
208) Finley DJ, Abu-Rustum NR, Chi DS, et al：Reconstructive techniques after diaphragm resection. Thorac Surg Clin 2009；19：531-535.

209) Sattler S, Canty TG Jr, Mulligan MS, et al：Chronic traumatic and congenital diaphragmatic hernias：Presentation and surgical management. Can Respir J 2002；9：135-149.
210) Zardo P, Zhang R, Weigmann B, et al：Biological materials for diaphragmatic repair：Initial experiences with the PeriGuard Repair Patch®. Thorac Cardiovasc Surg 2011；59：40-44.
211) Ochsner MG, Rozycki GS, Lucente F, et al：Prospective evaluation of thoracoscopy for diagnosing diaphragmatic injury in thoracoabdominal trauma：A preliminary report. J Trauma 1993；34：704-710.
212) Wiencek RG Jr, Wilson RF, Steiger Z：Acute injuries of the diaphragm：An analysis of 165 cases. J Thorac Cardiovasc Surg 1986；92：989-993.
213) Beal SL, McKennan M：Blunt diaphragm rupture：A morbid injury. Arch Surg 1988；123：828-832.
214) Meyers BF, McCabe CJ：Traumatic diaphragmatic hernia：Occult marker of serious injury. Ann Surg 1993；218：783-790.
215) McElwee TB, Myers RT, Pennell TC：Diaphragmatic rupture from blunt trauma. Am Surg 1984；50：143-149.
216) Ivey KM, White CE, Wallum TE, et al：Thoracic injuries in US combat casualties：A 10-year review of Operation Enduring Freedom and Iraqi Freedom. J Trauma Acute Care Surg 2012；73（6 Suppl 5）：S514-S519.
217) Demetriades D：Penetrating injuries to the thoracic great vessels. J Card Surg 1997；12（2 Suppl）：173-179；discussion 179-180.
218) Rhee PM, Foy H, Kaufmann C, et al：Penetrating cardiac injuries：A population-based study. J Trauma 1998；45：366-370.
219) Siemens R, Polk HC Jr, Gray LA Jr, et al：Indications for thoracotomy following penetrating thoracic injury. J Trauma 1977；17：493-500.
220) Karmy-Jones R, Nathens A, Jurkovich GJ, et al：Urgent and emergent thoracotomy for penetrating chest trauma. J Trauma 2004；56：664-668；discussion 668-669.
221) O'Connor JV, Scalea TM：Penetrating thoracic great vessel injury：Impact of admission hemodynamics and preoperative imaging. J Trauma 2010；68：834-837.
222) Renz BM, Cava RA, Feliciano DV, et al：Transmediastinal gunshot wounds：A prospective study. J Trauma 2000；48：416-421；discussion 421-422.
223) Brown J, Grover FL：Trauma to the heart. Chest Surg Clin N Am 1997；7：325-341.
224) 一般社団法人日本外傷学会東京オリンピック・パラリンピック特別委員会：銃創・爆傷患者診療指針〔Ver.1〕. 日外傷会誌 2018；32：Ver1-1-Ver1-63.
225) Dulchavsky SA, Schwarz KL, Kirkpatrick AW, et al：Prospective evaluation of thoracic ultrasound in the detection of pneumothorax. J Trauma 2001；50：201-205.
226) Ball CG, Williams BH, Wyrzykowski AD, et al：A caveat to the performance of pericardial ultrasound in patients with penetrating cardiac wounds. J Trauma 2009；67：1123-1124.
227) Pate JW, Cole FH Jr, Walker WA, et al：Penetrating injuries of the aortic arch and its branches. Ann Thorac Surg 1993；55：586-592.
228) Vosloo SM, Reichart BA：Inflow occlusion in the surgical management of a penetrating aortic arch injury：Case report. J Trauma 1990；30：514-515.
229) Hirshberg A, Wall MJ Jr, Allen MK, et al：Double jeopardy：Thoracoabdominal injuries requiring surgical intervention in both chest and abdomen. J Trauma 1995；39：225-229；discussion 229-231.
230) Chen SC, Markmann JF, Kauder DR, et al：Hemopneumothorax missed by auscultation in penetrating chest injury. J Trauma 1997；42：86-89.
231) Kirkpatrick AW, Rizoli S, Ouellet JF, et al：Occult pneumothoraces in critical care：A prospective multicenter randomized controlled trial of pleural drainage for mechanically ventilated trauma patients with occult pneumothoraces. J Trauma Acute Care Surg 2013；74：747-754；discussion 754-755.

E 腹部外傷

要約

1. 腹部外傷蘇生の基本はprimary surveyにおけるABCの安定化である。
2. 各臓器損傷における「ダメージコントロール戦略」と「根本的治療戦略」の違いを理解し，実践することが不可欠である。
3. 決定した戦略を実現できるための適切な戦術を選択し，実践することが救命の鍵を握る。
4. 出血を伴う重症腹部臓器損傷では，循環動態の安定・不安定により戦略が大きく異なる。

はじめに

腹部外傷においても，治療の優先順位を決定する因子は生理機能異常の度合いである。なかでも出血性ショックを引き起こす急性期の出血と消化管などの損傷に起因する腹膜炎のコントロールが重要である。治療の優先順位は以下のごとく，①ショックを伴う腹腔内出血の止血，②ショックを伴わない持続する出血例に対する止血，③腹膜炎（腹腔内汚染）の治療，の順に診療を進めるべきである（図3-3-E-1）[1]。出血性ショックから離脱できない場合には，蘇生的な意味での緊急止血術を行わなければ救命できない。本項では，腹部外傷における全般的な治療戦略の概要について述べるとともに，各臓器の特性に応じた治療戦略と戦術について解説する。

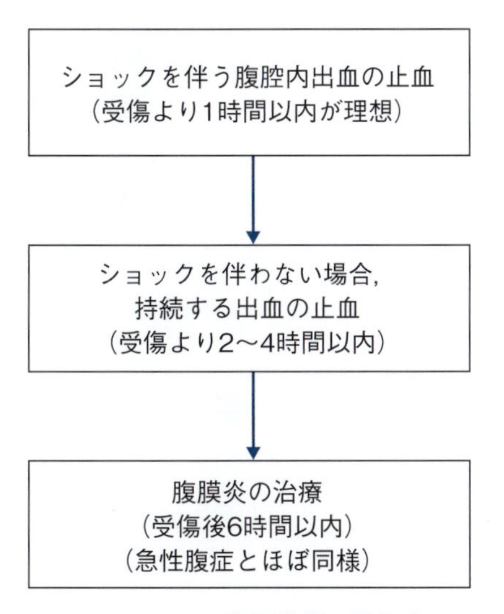

図3-3-E-1 腹部外傷の緊急度
〔文献1）より引用〕

I 腹部外傷の診療手順

他の部位と同様，腹部外傷における蘇生として重要なのは出血のコントロールである。出血性ショックの原因が腹腔内にあると判明し，初期輸液においてショックから離脱できない場合は蘇生のための開腹止血術を行わなければならない[1]。ここで行われる開腹止血術はprimary surveyにおける循環の蘇生の一環である。腹部外傷に伴う出血性ショックでは，出血源となるのは主に遊離腹腔と後腹膜である。ショックを認知した場合，腹腔内出血の有無をもっとも簡便に検索する方法はFASTである。初療室とCT検査室が一体化しているハイブリッドERなどでは，CT検査で出血源を検索することも可能である。ショックを伴い腹腔内の液体貯留が陽性の場合，出血源は遊離腹腔内に存在すると判断する。初期輸液に反応がみられない場合は，蘇生の一環として緊急開腹止血術を行う。一方，腹部以外の出血源が否定され，ショックから離脱できないもののFASTで腹腔内液体貯留がみられない場合は，高位後腹膜の出血を想定する。高位後腹膜出血は大血管損傷，膵周囲の血管損傷，腎茎部を含む腎損傷などの後腹膜臓器の血管損傷に起因しており，損傷形態によっては迅速な止血を要求される。高位後腹膜出血を想定した場合，初期輸液に反応すれば腹部CT検査を実施して出血源の特定を行う。初期輸液に反応しない場合には，遊離腹腔内出血と同様に腹部CTを行うことなく開腹術による止血を行う。

ショックから離脱してprimary surveyをクリアできればsecondary surveyに移る。腹部臓器損傷が想

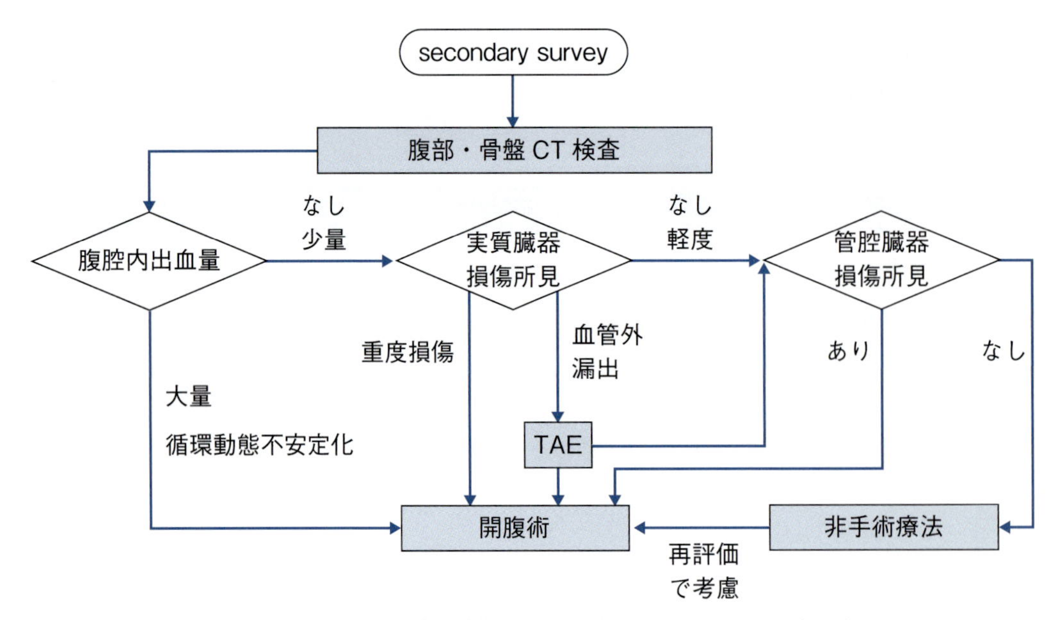

図3-3-E-2　呼吸・循環の安定している腹部外傷評価のアルゴリズム
〔文献1)より引用〕

定される場合，通常は，secondary surveyにおいて腹部CT検査を行う。呼吸・循環が安定している腹部外傷の評価アルゴリズム[1]を示す（図3-3-E-2）。

治療戦略決定において重要なことは，緊急の止血や消化管損傷に代表される腹膜炎の治療の必要性の有無と，それらの緊急度合を判断することである。腹部CTで腹腔内出血が確認された場合，出血源を同定し止血の必要性を検討する。血管外漏出（extravasation）が確認されれば経カテーテル動脈塞栓術（TAE）による止血を選択することも多い。ただ，出血量が多く循環動態が不安定な場合には，開腹術による止血を優先する。腹部CTにより大量の腹腔内出血が確認された場合，循環動態が不安定となれば緊急開腹術を優先させる。また，出血は少量であっても管腔臓器損傷を疑う所見がある場合，身体所見および血液検査などを総合的に評価して手

◆Clinical questions◆　CQ 26

Q　腹部造影CTで出血点が確認された患者がその後循環不安定となった場合，止血術としてTAEは開腹止血術よりも優先され得るか？

A　外傷専門医25名によるコンセンサス会議の投票の結果，「優先されない」との回答が60%，「優先される」が28%であった。

「優先されない」との回答には，「循環動態が不安定であり出血点もすでにわかっているのであれば開腹による外科的止血を行うべき」，「循環動態不安定な患者に対するTAEの安全性は確立していない」との意見が多数みられた。その一方で，「出血点がすでにわかっており手術的アプローチが困難な場合（TAEのほうが止血として優れている部位であれば），TAEを優先したほうがよい場合もあり得る」との意見もみられた。

「優先される」との回答には，「出血部位がすでにわかっているのであればTAEを優先してもよい」，「手術よりも確実に止血できる場合（骨盤後腹膜出血など）はTAE先行がよい」などの意見がみられた。

以上より，腹部造影CTで出血点が確認されている患者の循環動態が悪化し不安定となった場合，原則的に開腹による外科的止血を優先するほうが望ましい。ただし，すでに出血点が判明しており外科的アプローチよりもTAEによる塞栓のほうが確実な止血となるような損傷血管の場合には，外傷蘇生を行いながら迅速なTAEを考慮してもよい，とした。

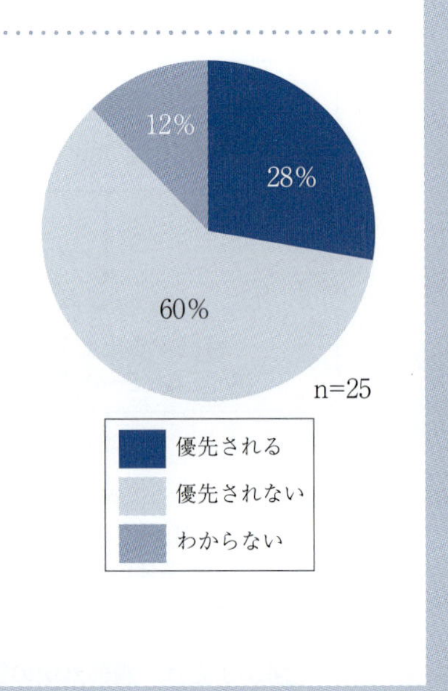

術適応の可否を判断する。

Ⅱ 穿通性腹部外傷の治療戦略

腹部の穿通性外傷には主に，刃物による刺創，杙創，またはわが国ではまれではあるが銃創がある。腹部穿通性外傷で損傷を受けやすい臓器として重要なのは小腸，肝，胃，大腸，大血管などがある。

1. 銃 創

銃創（gunshot wounds；GSW）において，外科的手術が必要になる割合は80～95％と刺創の25～33％と比較して多い。

銃創では多くの場合，腹腔内臓器損傷は修復を必要とすることが多く，診断的な意味での開腹が行われる。2019年にWestern Trauma Associationkから出された腹部銃創の診断・治療アルゴリズムを示す（図3-3-E-3）[2]。従来は，腹部銃創はほぼ全例に積極的な緊急開腹術が適応されていた[3]。Demetriadesらの前向き研究の報告では41例の腹部所見が軽微なGSWを非手術療法（NOM）で管理した結果，4時間から4日までに7例のみにおいて開腹術が必要で，いずれの症例においても死亡例や重症な合併症の発生はなかったと報告している[4]。また，刺創でのNOMの良好な成績を受け，循環動態の安定した33例（AAST Grade Ⅰ/Ⅱ：8例，Grade Ⅲ：14例，Grade Ⅳ/Ⅴ：11例）を前向きに検討した結果，31例（94％）でNOMを完遂し，肝が原因での開腹術への移行例は認めなかった[5]との報告もあり，アルゴリズムに則った注意深い観察によって，NOMはGSWにも比較的安全に適応できることがわかってきた。ただし，わが国のようなGSWの経験が少ない環境下では，NOMの施行は安易に推奨できない。

NOM適応については循環動態の安定のほか，腹膜炎の否定，ほかの手術すべき腹部臓器損傷の除外が必須となる。骨や実質臓器などを通過しない銃弾は，概ね直線的に移動するため，創と銃弾の位置関係を把握するために，単純X線写真が有用である。単純X線を撮影する際，体表の創をX線非透過性のマーカーでマーキングすることで弾の軌跡を把握することの助けとなる。弾道により，腹腔内のどの臓器が損傷されているかの見当をつけることも重要である。

複数の銃創の場合には判断はより困難になるが，循環動態が不安定な場合は，損傷の評価のための検査は行わず開腹手術が行われるべきである。射入創や射出創を判断する必要はなく，銃創の場所，数，形態，斑点や火薬による皮膚初見が重要である[6]。銃創の数が奇数の場合は体内に弾が残っていることを示唆する所見であり，より注意を要する。

前腹部銃創は背部銃創と比較すると，緊急開腹術になることが多い[7]。側腹部や背部の銃創の場合，筋肉や後腹膜などの組織があるために腹部の他の部位に比べると重症な損傷は少ないとされている。乳頭から肋骨弓下縁の範囲の胸腹部銃創では，胸部と腹部の両方の臓器が損傷を受けることがあるため，注意を要する[6]。

胸部と腹部の両方の損傷が疑われる場合，どちらを先に手術するかについては議論の余地があるが，血圧が60mmHgを下回るような瀕死の場合には蘇生的開胸術が行われるべきである[8]。重要なことは胸部X線撮影，FASTなどで心嚢液貯留，胸水貯留の有無を確認して腹部以外の臓器損傷の評価を迅速に行うことである。気胸や血胸を認めるGSWでは，横隔膜損傷の可能性が高いが，胸部X線写真やCTでも正確な診断が困難なことがある[9]。近年，胸腔鏡や腹腔鏡により横隔膜を直接観察して損傷の診断をすることも選択肢となっており，内視鏡外科の進歩によりその精度も上がっているうえ，鏡視下での損傷の修復の報告もある[10～12]。

GSWにおいて患者の循環動態が安定している場合，FASTによる手術適応の判断は限定的であり，FAST陰性症例においても，他のモダリティーを駆使した検索が潜在的な腹部臓器損傷の評価に必要とされる[13]。CTは銃創の評価における効果は限定的といわれていたが，循環動態が安定している場合は腹部臓器損傷の評価としてCT検査は有効とする報告や[14]，NOMが選択されるような患者においては有効な評価方法であり，適切なCTフォローアップによりNOMの成功率を95.2％とすることができたとの報告もある[15]。腹部所見が顕著でない循環動態が安定している症例においても，時に横隔膜損傷を合併するため，NOMの合併症として横隔膜ヘルニアや胆汁胸膜瘻に注意を要する[5]。

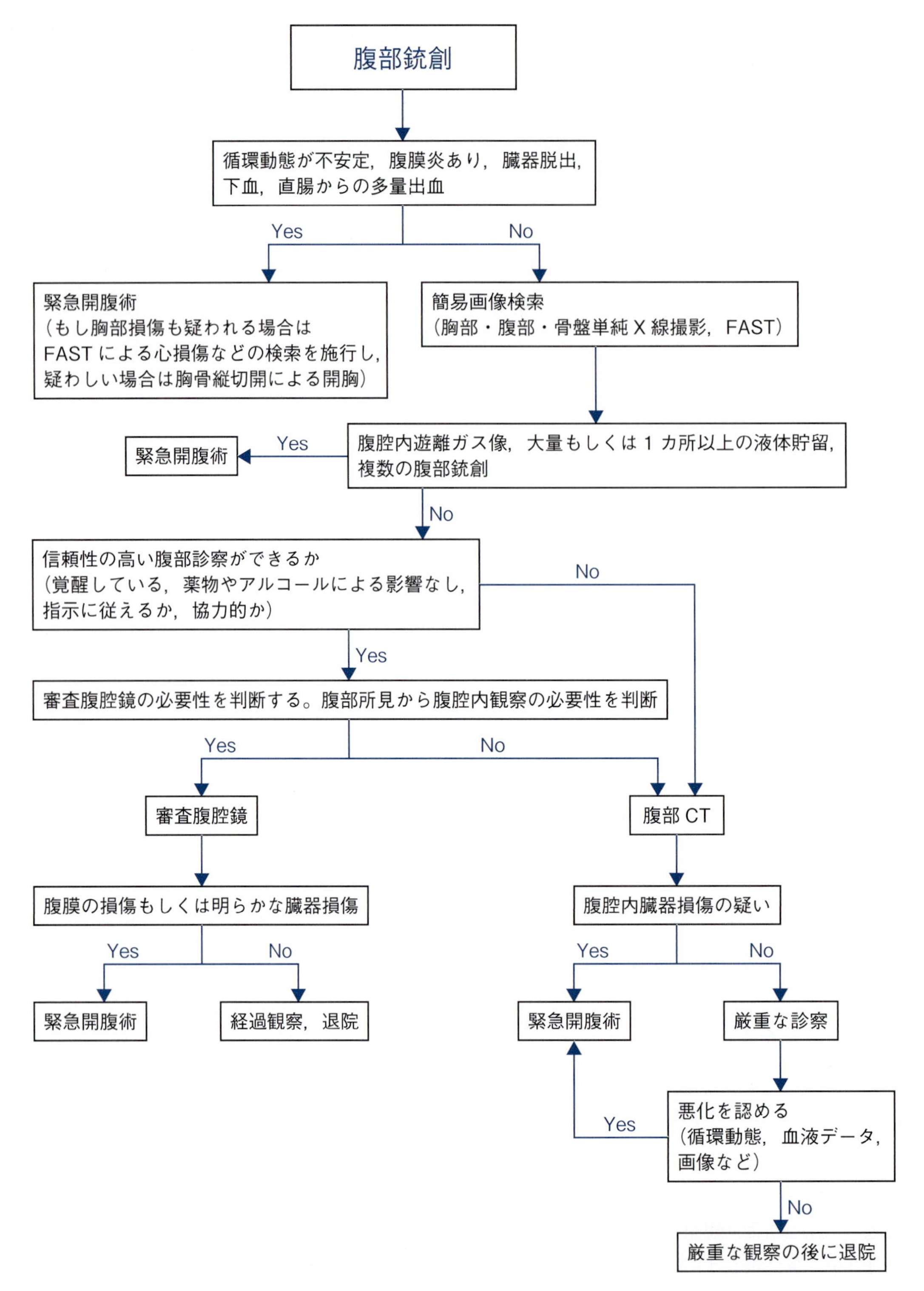

図3-3-E-3　腹部銃創の診断・治療アルゴリズム

〔文献2）より引用・改変〕

2. 刺　創

刺創においては，鈍的外傷と同様にショックを伴い循環動態が不安定な場合には手術適応であり，迅速な止血が優先される。腹部刺創の診断治療アルゴリズム[1)16)17)]を示す（図3-3-E-4）。

ショックのない穿通性腹部外傷では，local wound exploration（LWE）を行い創の深さを確認する。腹膜を貫通していなければ創処置を行ってよい。LWEで腹膜の貫通が確認できない，もしくは疑わしいと判断した場合は腹部CTで腹壁損傷の度合いや腹腔内臓器損傷の有無を確認し，手術適応を判断する。明確な消化管損傷を示唆する所見があれば手術の適応である。緊急手術の必要がないと判断された場合

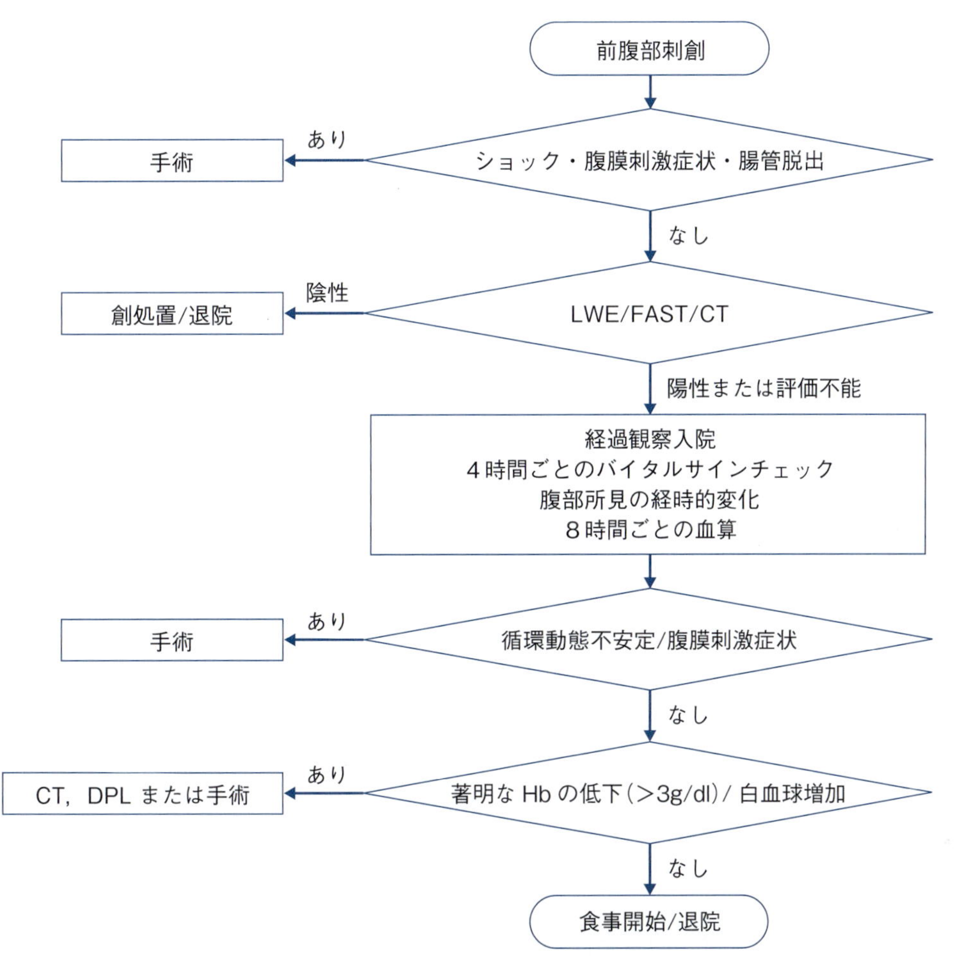

図3-3-E-4　腹部刺創の診断・治療のアルゴリズム

LWE：local wound exploration
〔文献16)より引用・改変〕

◆Clinical questions◆ **CQ 27**

Q 刺創による横隔膜損傷が疑われる場合，探索のための審査腹腔鏡（または胸腔鏡）は施行すべきか？

A 外傷専門医25名によるコンセンサス会議の投票の結果，「施行する」と回答したのは68%，「施行しない」は12%であった。

「施行する」との回答には，「循環動態が安定している胸腹部移行帯の穿通性外傷では臓器損傷がなければ審査腹腔鏡により横隔膜損傷を否定しておくほうがよい」，「非常に視野がよく，疑われる場合は適応といえる」，「CTなどの画像のみでは臓器損傷が見落とされていることもあり行うほうがよい」，「CTで横隔膜損傷が疑われるのであれば鏡視下での探索が必要である」，「行ってもよい」などの意見がみられた。一方，「施行しない」との回答には，「胸腹部移行帯の刺創は慎重に対応すべきであり，基本的には開胸または開腹が原則である」との意見が出された。

以上より，刺創による横隔膜損傷が疑われる場合には，探索のための腹腔鏡や胸腔鏡を考慮してもよい。ただし，循環動態が安定しており，ほかの臓器損傷が疑われない患者に対して実施するのが望ましく，循環動態が不安定な患者や臓器損傷が疑わしい患者は原則的に開腹（場合によっては開胸を追加）を考慮する，とした。

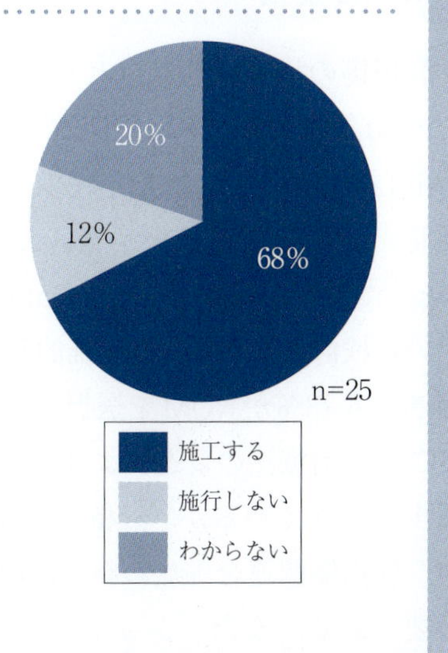

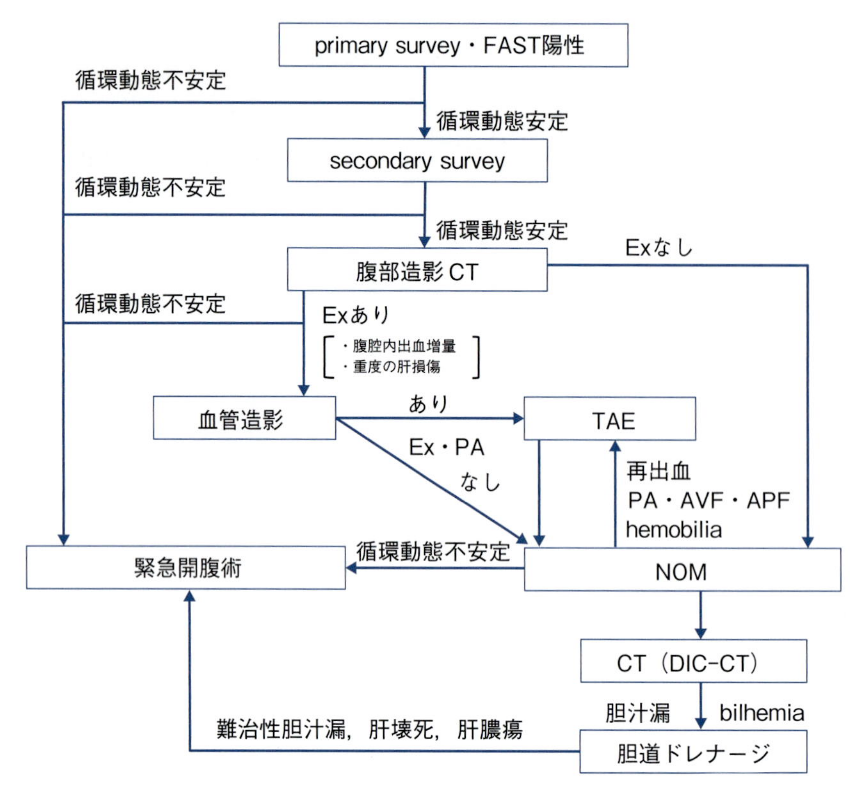

図3-3-E-5　肝損傷治療戦略
Ex：血管外漏出，PA：仮性動脈瘤，AVF：動静脈瘻，APF：動脈門脈瘻

であっても，入院のうえ，厳重な経過観察を行い[16]，経過のなかで循環動態が不安定となる，もしくは腹膜刺激症状が出現すれば緊急手術を決断する。来院時より腸管脱出がある場合は，原則として開腹術を行う[18]。

Ⅲ 肝損傷の治療戦略と戦術

1. 治療戦略

肝損傷の治療戦略は，とくに鈍的外傷において，この30年間で劇的に変化してきた。1980年代の手術中心の治療から，1990年代以降はNOMが増加し，現時点では手術は症例を選んで施行されるようになった[19]。National Trauma Data Bank（NTDB）を用いた検討によると，重症鈍的肝損傷（AIS 4以上）でさえも73%がNOMを選択されている[20]。

これら治療法の変遷により，肝損傷関連の死亡は減少してきているが[21]，積極的なNOMの施行に伴い，肝損傷関連合併症の頻度は増加しており注意が必要である。また，ショック徴候の存在，輸血量，肝の解剖学的損傷度などはNOMの失敗に寄与することがわかっており，その適応は慎重に検討されるべきである[22]。

肝は動脈と門脈による二重血流支配を受け，腹部最大臓器でもあり血流量は非常に豊富である。肝内血管は，ともにGlisson鞘に覆われているため，軽微な外力では損傷されにくい。しかし，いったんGlisson鞘が損傷されると，併走している動脈と門脈がともに損傷される。一方，肝静脈は脈管を被覆する線維性組織はなく，動脈や門脈に比べて軽微な外力でも容易に損傷をきたす。

肝損傷の急性期治療において，優先すべきは出血に対する迅速な止血である。止血が得られたのちに，胆管損傷の有無を判断し，治療の必要性を決定する。肝損傷の治療戦略を図3-3-E-5に示す。

穿通性肝損傷においては，従来手術の適応とされてきた[3]。しかし，全身状態とCTでの画像評価により，肝刺創に対して近年NOMも選択される割合が増加している。循環動態が安定し，腹膜炎を疑う所見がなければNOMの選択は妥当であるが，腸管損傷をはじめとするほかの腹部臓器損傷の存在を常に念頭に置き，慎重な経過観察が必要となる。

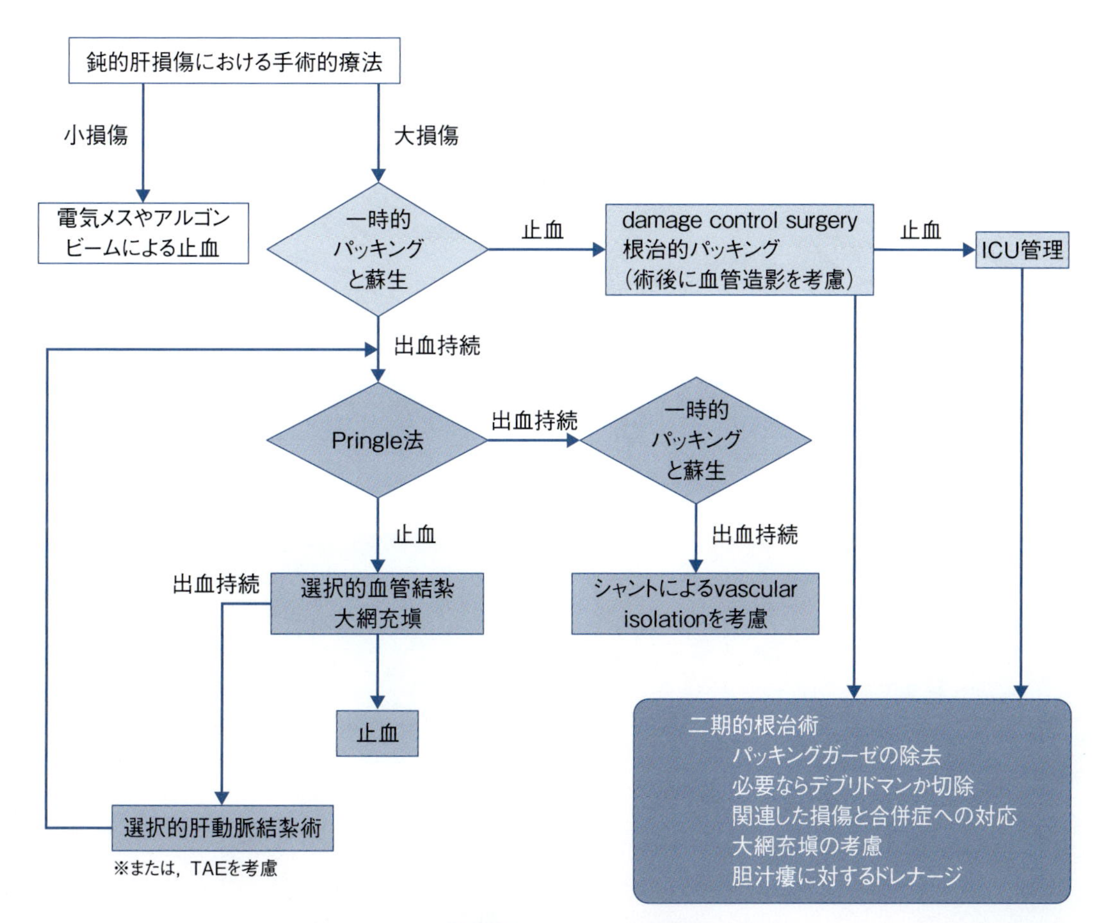

図3-3-E-6　鈍的肝損傷の手術治療アルゴリズム

〔文献23)より引用・改変〕

2. 治療戦術

1）手術治療

2011年にWestern Trauma Associationから出された肝損傷の手術治療アルゴリズムを示す（図3-3-E-6）[23]。

(1) 循環動態が不安定な場合の手術

肝損傷では開腹して初めて診断が得られることも珍しくはない。

crash laparotomyにて開腹したのち，肉眼的および用手的に肝の損傷部を評価し，活動性出血に対しては用手的に圧迫する。用手圧迫にて効果があれば，肝周囲ガーゼパッキング術（perihepatic packing；PHP）を施行し循環動態を安定化させる[23]。Bealは重症肝損傷35例にPHPを積極的に実施することにより，86%を救命したと報告している[24]。

損傷形態により圧迫方向が異なるので，PHPに際し，パッキングを有効に行うために必要があれば肝鎌状間膜を切離する。ただし，肝後面下大静脈や近位肝静脈損傷が疑われる場合には，bare areaの開放により出血を助長させるため，原則として初回手術時には三角間膜と冠状間膜は切離しない（図3-3-E-7）[25]。

用手圧迫にても出血が持続する場合は，Pringle法による肝門部遮断を行い，一時止血に努める（図3-3-E-8）[25]。Pringle法については，一般的には20分間の遮断と5分間の遮断解除を繰り返す[26][27]。Pringle法でも出血のコントロールが不十分な場合は，肝静脈損傷や肝動脈の走行異常を考える。

PHPにより止血が得られるのは，低圧系の肝静脈や門脈からの出血である。パッキングとPringle法によって止血が得られた場合には，動脈性出血と判断し，術中もしくは直後にTAEを施行する。なお，早期にTAEの施行が困難な状況であれば，肝動脈を結紮する。

PHPの目的は圧迫による一時止血であるが，過度な圧迫は弊害を生む[28]。Gaoらの報告では，PHP後に10%で腹部コンパートメント症候群（ACS）を合併した[29]。また，肝門部が高度に圧迫されると，門脈閉塞に伴い腸管の高度浮腫が惹起される。さらに，

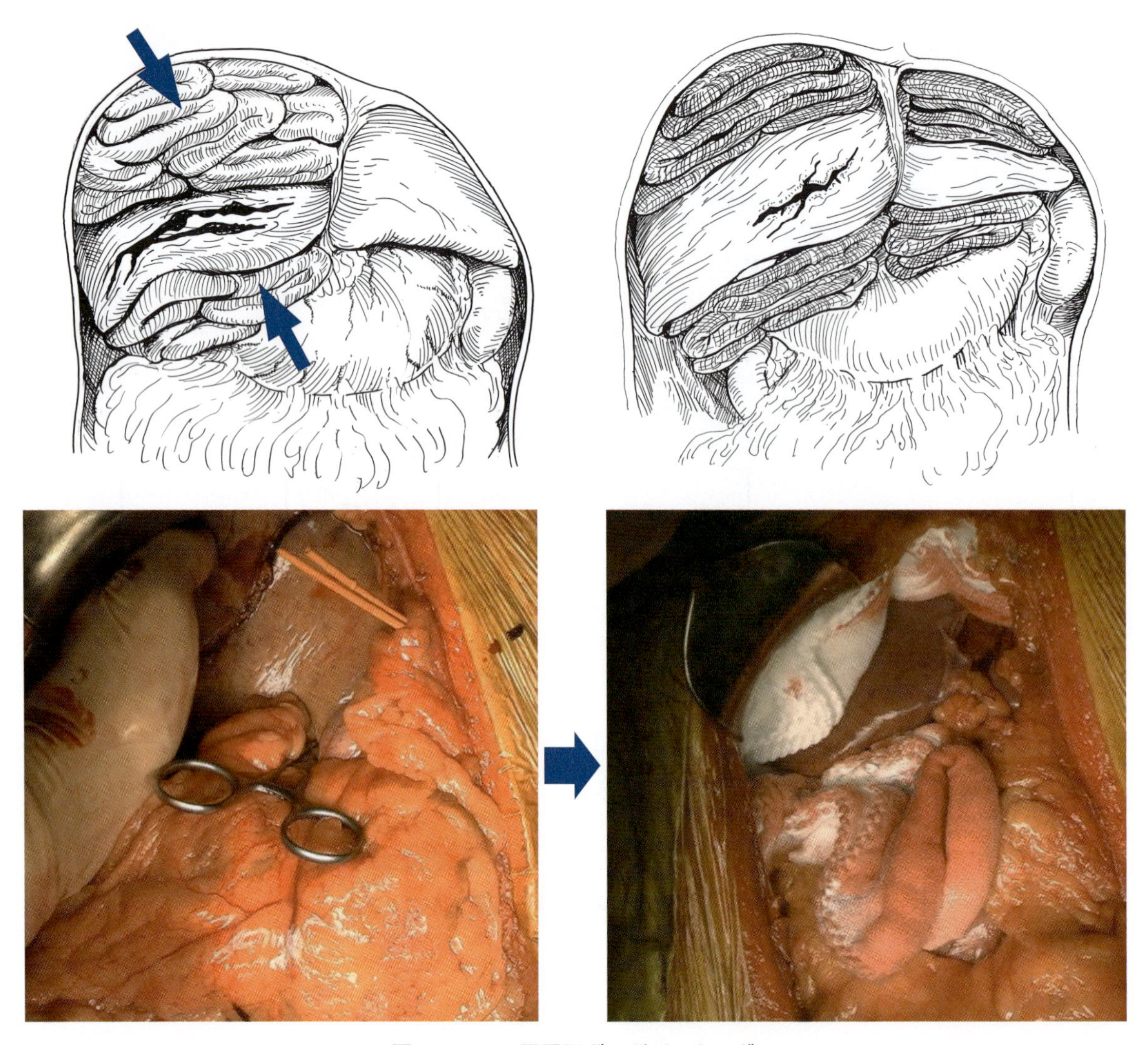

図3-3-E-7　肝周囲ガーゼパッキング

〔文献25）より引用〕

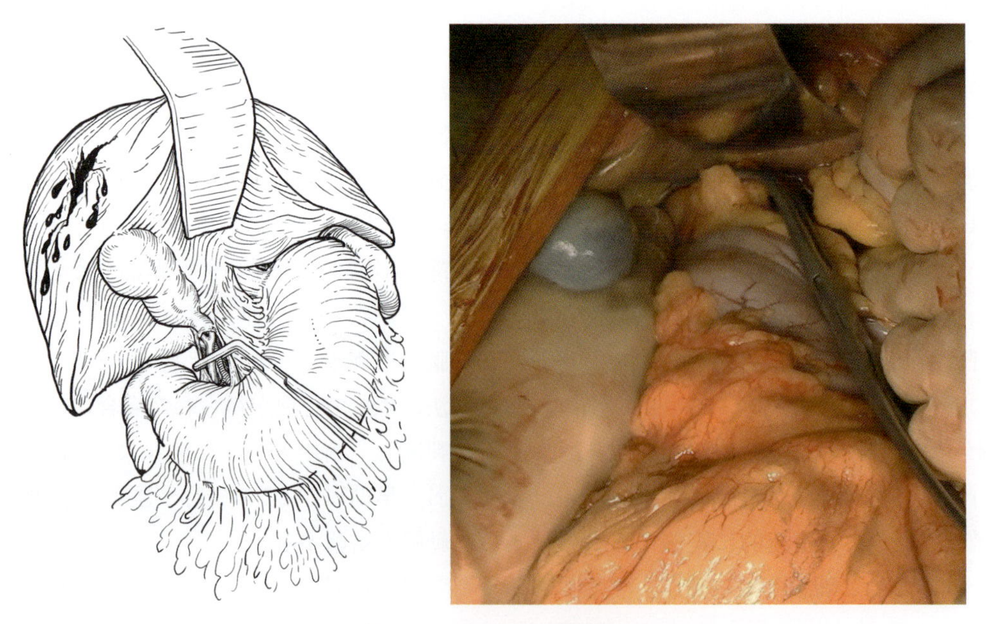

図3-3-E-8　Pringle法

〔文献25）より引用〕

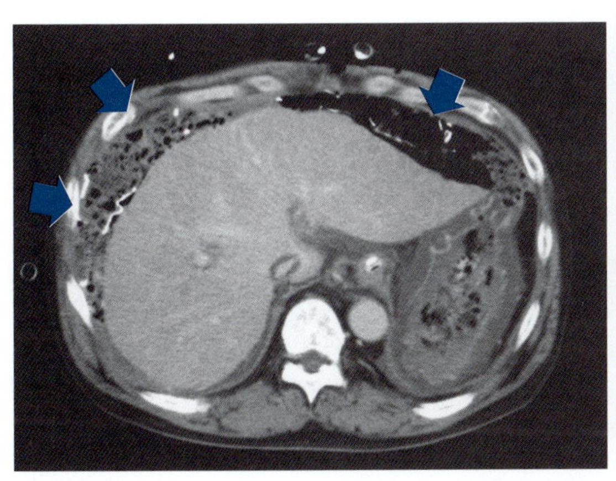
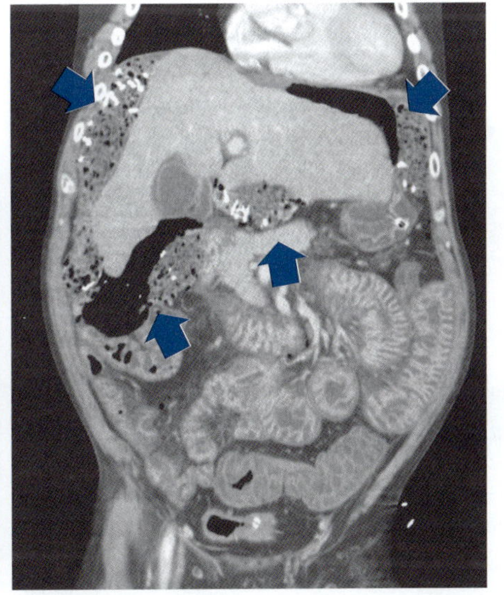

図3-3-E-9　有効なパッキングのイメージ

〔文献25)より引用〕

表3-3-E-1　perihepatic packing成功のポイント

①損傷裂傷を合わせるように有効なサンドイッチを作る（損傷部を挟み込む圧迫方向）
②用手圧迫の形をイメージしたパッキングを行う
③深部から順次パッキングを行う
④肋骨と椎体で挟み込むベクトルをイメージする
⑤畳んだ状態のガーゼを用いる
⑥止血が得られる最低限のパッキングをする

〔文献25)より引用・改変〕

高度に下大静脈が圧迫されると，静脈還流の低下に伴いショックが持続する。また，血栓が形成され，時に肺血栓塞栓症の原因となる[30]。これらを考慮して，止血が得られる最低限のガーゼ枚数による圧迫を心がける必要がある（図3-3-E-9）[25]。肝損傷に対するPHPの要点を表3-3-E-1[25]に示す。肝の貫通創では，創路に自作バルーンカテーテル留置に始まり[31]，尿道バルーンカテーテルやS-Bチューブなどを挿入することで止血する場合もある[32,33]。

肝周囲のドレナージは不要であるが，胆嚢や胆管損傷による胆汁漏が高度であれば，損傷部近傍にドレーンを留置しておく[3]。止血が確認できれば，vacuum packingなどによる陰圧閉鎖療法（negative pressure wound therapy；NPWT）を用いた一時的閉腹を行い，速やかに集中治療を開始する。NPWTに際しては，ドレープとガーゼおよびサクションチューブで自作した方法が広く使われていた。最近ではABThera™に代表されるNPWT用のデバイスが発売されている。このシステムは従来法と比較して体液喪失が少なく，感染などの合併症軽減につながる。また閉腹の際に筋膜閉鎖の成功率が従来法に比べて有意に勝っていることが示されており（89％ vs 59％，$p < 0.05$），入院日数，医療費削減の面からも推奨される方法である[34]。

集中治療により全身状態が改善されたのち，パッキングガーゼを除去する。除去の時期としては24～72時間程度が妥当である。24時間以内の早期除去では再出血の危険性が高く[35]，72時間を過ぎると感染性合併症が増加する[36]。除去の際にはガーゼが肝表面に固着していることも多く，剝離により容易に再出血をきたすことから，PHP施行時に肝接触面のガーゼをドレープで被覆したり，肝表面に非固着性シートを置く方法もある[37]。ガーゼ除去後に再出血を認めた場合には，再パッキングを考慮する。

(2) 循環動態安定時に選択し得る術式

肝損傷の手術治療には，いくつかの術式のオプションが存在する。

①肝縫合術（図3-3-E-10）

肝裂傷部に対しては，止血が得られていればあえて縫合処置は不要であるが[25]，浅在性損傷に対しては単純縫合が有用である。この際，とくに挫傷部の肝実質は脆弱であり，被膜とともに死腔をなくすように縫合する必要がある。被膜は決して強靱ではないため，フェルトを用いた水平マットレス縫合が安全である。また，縫合により死腔が残存するような深在性損傷に対しては，血流の良好な大網の充塡を併用することで，止血効果も高まり有用である[3]。

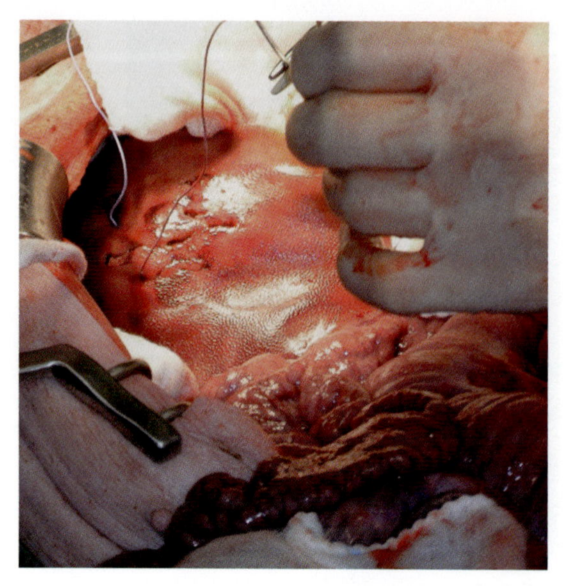

図3-3-E-10　**肝縫合術**
〔文献22)より引用〕

②肝切開術

肝裂傷部から活動性出血を認める場合，破綻血管を同定して結紮することは必ずしも容易ではない。損傷血管の断端は実質内に埋没しやすく，断端を鉗子で確保することは難しく，盲目的な止血操作により損傷の拡大が危惧される。循環動態が比較的安定している場合に，あえて裂傷部を開放し，直視下に損傷血管を同定のうえ結紮止血（selective vascular ligation）を行うことがあるが，肝実質の挫滅が軽度の穿通性損傷が適応となることが多い。この際，主要な損傷胆管も結紮しておく。

③非解剖学的肝切除術

損傷部を完全に切除できれば，確実に止血が得られる。しかし，急性期に侵襲の大きい肝切除術に耐え得る外傷患者はほとんどいない。肝切除術のうち，肝裂傷部に沿って損傷部を切除する，いわゆる非解剖学的肝切除術は，比較的短時間で施行できることから，とくに肝外側区域の不全断裂例などでは，初回手術においても施行し得る。肝右葉については，S6などの肝辺縁部の損傷に限定される。この術式では，切除断端に挫滅肝実質が残存しており，術後に感染を合併する可能性がある。外傷性肝損傷に対する，肝部分切除は通常推奨されない[38)]。

④解剖学的肝切除術

開腹適応となる肝損傷は，基本的に循環が不安定であることから，急性期に定型的な解剖学的肝切除術を施行することはない[31)]。ダメージコントロール戦略における二期的手術の際に，損傷部の切除が望ましいと判断された場合に解剖学的肝切除術を考慮する[39)]。あくまで循環動態の安定が施行における絶対条件であることはいうまでもない。

初回手術における定型的肝切除は，その低い生存率から，多くの論文で批判的考えが出された[40)~46)]。最近のWestern Trauma Association（WTA）の鈍的肝損傷手術治療アルゴリズム[23)]では，初回手術における定型的肝切除は推奨されていない。一方で重症肝損傷に対する定型的肝切除術が有効かつ安全であるとの報告も散見されてはいるが[39)47)~50)]，推奨されるに足るほどの文献的根拠はない。

2）NOM

1990年代に入り，鈍的肝損傷に対するNOMが広く行われるようになった。1995年にCroceらは前向き検討を行い，損傷形態や腹腔内出血量にかかわらずNOMを選択したところ，NOM完遂率は89%と高率であった[51)]。一方，Malhotraらは，AASTのOrgan Injury Score（AAST-OIS）（表3-3-E-2）[52)] Grade Ⅳの14%，Grade Ⅴの23%でNOMを中断しており，Grade Ⅰ～Ⅲでの非完遂率（3～7.5%）に比べて高率であった[53)]。

これらの流れを受け，2003年にEASTから鈍的肝損傷に対するNOMの適応に関するガイドラインが作成され[54)]，循環動態が安定した患者に対するNOMの妥当性が示された（推奨レベルⅡ）。その後，IVRや内視鏡的治療などを含めた集学的治療の普及に伴い，NOMの適応はさらに拡大している。ゆえにIVRはNOMの基軸となる治療戦術である。2012年にはEASTのガイドラインが改訂され[55)]，NOMを行ううえで年齢を考慮する必要のないことが示された（推奨レベルⅡ）。全体としてNOMの不成功率は9.5%（0～24%）で，血圧（$p<0.05$），輸液量（$p=0.02$），輸血量（$p=0.003$），腹膜刺激症状（$p<0.0001$），Injury Severity Score（ISS）（$p=0.03$），肝臓以外の腹腔内臓器損傷合併（$p<0.01$）などがNOMの不成功の関連因子として報告されている[22)]。一方でZafarらが行ったNTDBのデータに基づいた解析では，NOMを選択したGSWの20.8%で後に手術が必要となっており，NOMの失敗が死亡率と有意に相関していた[56)]。EASTのガイドラインでも，新たに，モニタリング，集中治療や緊急手術に対応可能

表3-3-E-2　liver injury scale（2018 revision）

AAST Grade	AIS 重症度	画像診断の基準（CT所見）	手術所見の基準	病理診断基準
Ⅰ	2	被膜下血腫＜表面積の10% 実質裂創＜深さ1cm	被膜下血腫＜表面積の10% 実質裂創＜深さ1cm 被膜損傷	被膜下血腫＜表面積の10% 実質裂創＜深さ1cm 被膜損傷
Ⅱ	2	被膜下血腫（表面積の10～50%） 実質内血腫＜直径10cm 実質内血腫＜深さ1～3cm，≦長さ10cm	被膜下血腫（表面積の10～50%） 実質内血腫＜直径10cm 実質内血腫＜深さ1～3cm，≦長さ10cm	被膜下血腫（表面積の10～50%） 実質内血腫＜直径10cm 実質内血腫＜深さ1～3cm，≦長さ10cm
Ⅲ	3	被膜下血腫＞表面積の50%；破裂した被膜下血腫または実質血腫 実質裂創＞長さ10cm 裂創＞深さ3cm 肝血管損傷の存在または肝実質内の活動性出血	被膜下血腫＞表面積の50%，または拡大；破裂した被膜下血腫または実質血 実質内血腫＞10cm 裂創＞深さ3cm	被膜下血腫＞表面積の50%；破裂した被膜下血腫または実質血腫 実質内血腫＞10cm 裂創＞深さ3cm
Ⅳ	4	肝葉の25～75%の実質破壊 肝実質を越えて腹膜に及ぶ活動性出血	肝葉の25～75%の実質破壊	肝葉の25～75%の実質破壊
Ⅴ	5	肝葉の75%を超える実質破壊 肝後面下大静脈と肝静脈本幹を含む肝周囲肝静脈損傷	肝葉の75%を超える実質破壊 肝後面下大静脈と肝静脈本幹を含む肝周囲肝静脈損傷	肝葉の75%を超える実質破壊 肝後面下大静脈と肝静脈本幹を含む肝周囲肝静脈損傷

〔文献52）より引用・改変〕

な環境でのみNOMが施行されると明記された（推奨レベルⅡ）。

NOMの合併症としては，遅発性出血，胆道関連合併症，腹部コンパートメント症候群，肝膿瘍，腸管損傷の診断遅延などがあげられる。合併症の発生率は，AAST Grade Ⅲで1%，Grade Ⅳで21%，Grade Ⅴで63%であった[57)～59)]。また，損傷形態が高度なほど，胆道関連合併症が多い[59)]。遅発性出血は3%前後と頻度は低いものの，NOMに伴う重要な合併症であり死亡原因にもなり得る[21)]。多くは受傷72時間以内に生じ[59)]，循環が安定していれば動脈性出血に対してはTAEを施行する。

(1) TAE

NOMの急速な広がりの背景には，IVRが少なからず関与している。肝損傷に対する急性期のIVRは，TAEによる止血術である。

①TAEの適応

造影CT検査において，血管外漏出があればTAEを考慮する（推奨レベルⅡ）。このうち，造影剤の漏出が腹腔内に及ぶ場合には活動性出血と判断し，緊急TAEの適応である。一方，肝実質内にとどまるような血管外漏出に対しては，TAEの必要性は議論が分かれるところである[19)]。これらには，minor bleedingに加えて，仮性動脈瘤や動静脈瘻も含まれる。仮性動脈瘤や動静脈瘻の自然経過については不明であるが，とくに仮性動脈瘤は遅発性出血の原因となる[60)]。2022年にわが国から小児の鈍的肝損傷および脾損傷における治療戦略についての多施設コホート研究が発表された（SHIPPs study）。本研究では，遅発性仮性動脈瘤の発生率は5.7%，遅発性破裂は1.1%であり，45%が自然消失したと報告している[61)]。

循環が安定しているケースにおいては経過観察をして，臨床的に出血の持続が疑われる場合にのみ，TAEを行う待機的止血術を推奨する報告も少なくない[57)62)63)]。また，安定している患者において，TAEは合併症のリスクと，死亡率を改善しないとの報告から，不必要なTAEを回避すべきとの意見もある[64)]。一方，輸血量の減少や手術の回避につながることから，早期のTAEを推奨する報告[65)]やTAEの遅延は24時間死亡率を上昇させるなどの報告もある[66)]。

造影CT検査で血管外漏出を認めない重症肝損傷に対しても，時にTAEが必要となる。Hagiwaraらの報告では，循環の安定したAAST Grade Ⅲ以上の重症例に血管造影を施行したところ，CTでの血管外漏出の有無にかかわらず，Grade Ⅲのほぼ半数，Grade Ⅳのほぼ全例において血管外漏出が確認された[63)]。このように，血管攣縮による一時止血や，凝血塊の溶解に伴う再出血など，経時的に病態は変化するものであり，CT所見だけで肝内の血管損傷を否定できるものではない。

近年，TAEは重症例に対しても積極的に施行される傾向にあり，止血率は90％以上と良好である[67) 68)]。Mohrらによると，初期輸液に反応したAAST Grade Ⅲ以上の重症例に対して，TAEを手術に先行させることにより，有意に輸血量と感染合併率が低下したと報告した[69)]。さらに，Monninらは，血圧維持に2L/時以上の輸液を要する重症例に対しても，全例TAEにて止血し得た[68)]。このように，環境が整えば，循環が安定しているとはいえない患者に対するTAEも可能であるが[54) 70) 71)]，その適応については慎重であるべきである。また，手術が先行された場合，PHP後のTAEも有用である[72)]。Asensioらは，早期PHPと術後TAEの組み合わせにより，死亡率はAAST Grade Ⅳで8%，Grade Ⅴで22%まで改善したと報告した[73)]。また，Matsushimaらも，PHPと補助的な術後TAEの施行により，24時間後死亡率，在院死亡率の改善が認められたと報告しており，その有用性を示唆している[74)]。

②TAE戦術

肝血流量は，およそ肝動脈25%，門脈75%の比率であるが，酸素供給量はともに同程度である[3)]。通常，どちらか一方が開存していれば，肝壊死は回避できるとされている[75)]。また，TAE後でも，下横隔動脈などの肝外枝や肝動脈分枝による肝内側副路の形成により，末梢領域への供血も起こり得る。しかし，重症例では外傷による組織のダメージが強く，とくにPHPにより門脈血流が低下している場合には，TAE後に肝壊死に陥る可能性が高いため，TAEの原則は選択的塞栓術である。時間的余裕がない場合には肝動脈近位側から一時的塞栓物質（セレスキュー®など）にて塞栓を行うが，固有肝動脈レベルで塞栓を行うと，時に胆嚢壊死をきたす[70) 76)～79)]。肝動脈近位から塞栓する場合には，胆嚢動脈分岐より末梢側での塞栓を心がける[78)]。塞栓部位や塞栓物質によっては再出血の可能性があり，必要があれば再TAEを考慮する。

(2) NOMでの管理法

損傷部の治癒までに要する期間は，AAST Grade Ⅰで6日（中央値），Grade Ⅱで29日，Grade Ⅲで34日，Grade Ⅳで78日と報告されている[80)]。入院中の安静解除については一定の見解がない。米国小児外科学会のガイドラインでは，AAST Gradeに1を加えた日数分の安静期間を推奨している[81)]。一方，出血持続の徴候のない小児に対しては，AAST Grade Ⅱ以下では安静1日，Grade Ⅲ以上は安静2日という基準が提唱されている[82)]。なお，成人での安静解除の時期は，遅発性出血とは無関係とされる[83)]。

◆Clinical questions◆　**CQ 28**

Q　肝損傷に対する患者の安静は行うべきか？

A　外傷専門医25名によるコンセンサス会議の投票の結果，「行うべき」であるとの回答は60%，「行う必要はない」が16%であった。24%は「わからない」と回答した。

「行うべき」であるとの回答には，「エビデンスはないがⅢ型損傷のものには数日間の安静を行っている」，「Ⅲb型で腹腔内出血が多いものは行っている」，「止血が完了しfollow CTで仮性動脈瘤が否定されるまでは安静にすべきである」，「NOMの患者でも少なくとも受傷24時間後までは安静にしている」，「被膜損傷のあるものでは安静での管理を行う」，「肝後面下大静脈損傷は安静が必要。安静を行い段階的に離床を進めている」，「NOMを行ったⅢb型損傷では3日の床上安静と5～7日目のCT検査で問題がなければ安静解除としている」などの意見がみられた。一方，「行う必要はない」との回答には，「手術やTAEで止血が得られているものは予定手術と同様の対応でよい」，「患者の状態にあわせて徐々に離床を進める」などの意見がみられた。

以上から，肝損傷患者の安静は，深在性損傷の場合には短期間（1～3日程度）の安静を行うほうが望ましいが，ルーチンでの実施は必要ない，とした。

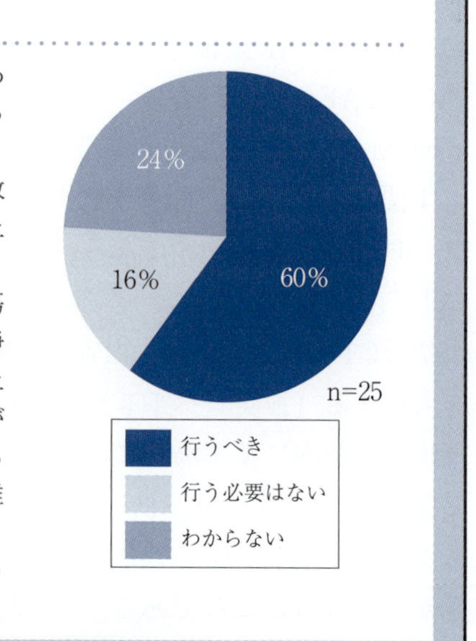

安静に伴い深部静脈血栓症（deep vein thrombosis；DVT）の合併が危惧されるが，予防のための薬剤投与開始時期についてはコンセンサスが得られていない[57]（推奨レベルⅢ）。単独肝損傷に対して入院3日以内に低分子ヘパリンを投与しても，NOM完遂率は低下しなかった[84]。

NOMを遂行するにあたり，フォローアップのCT撮影の必要性については議論が分かれるところである。とくに，AAST Grade Ⅲ以上の重症例では施行されることが多い[3]。しかし，Coxらは，NOMを選択した530例に対して受傷1週間以内にCTを撮影したところ，51％で変化なく，35％で改善していた。CT所見から再度IVRを施行したのはわずか3例で，いずれも臨床症状が悪化していた。したがって，損傷形態にかかわらずルーチンのフォローアップCT撮影は不要で，全身性炎症反応症候群（SIRS）持続，原因不明の貧血進行，腹痛，黄疸，ならびに急激な肝機能の悪化などを認めた場合にCTを撮影することを提唱している[85)~89]（推奨レベルⅢ）。

3. 合併症

1）胆道関連合併症

胆汁性腹膜炎，胆汁腫，胆汁漏などの胆道関連合併症は，肝損傷の約3％に認められる[90]。hepatobiliary iminodiacetic acid scan（胆道シンチグラフィ）は，胆管損傷の感度・特異度ともにほぼ100％とされる[91]が，わが国で施行されることは比較的少ない。高ビリルビン血症における感度の低下はあるものの，その簡便性からDIC-CTも胆管損傷の診断に利用される[92]。胆汁漏に対して，胆汁性腹膜炎や胆汁腫への進展を回避するために，早期の胆道減圧が有効との報告がある[93]。

腹腔内へ漏出した胆汁によりSIRSが発症・遷延し[3]，多くは受傷数日後に腹膜炎を呈する[19]。近年，腹腔鏡下洗浄の有用性が報告されている[94)95]。

2）胆汁腫 biloma

肝実質の裂傷内に漏出した胆汁による内圧上昇が近傍の挫滅組織の壊死を起こし，胆汁腫が形成される[96]。超音波検査により限局する肝内低エコー像と

◆Clinical questions◆ **CQ 29**

Grade Ⅲ以上の重症肝損傷においてスクリーニングとしての胆道造影を行うべきか？

A 外傷専門医25名によるコンセンサス会議の投票の結果，「行うべき」との回答が44％，「必要はない」が40％と意見が大きく割れる結果となった。「行うべき」であるとの回答からは，「damage control surgeryの場合は計画的再手術時に行い，NOMの場合は受傷すぐに施行して胆道損傷を評価している」，「CT結果で胆道損傷が疑われる場合には胆道損傷の評価を行うことで治療期間の短縮につながる」，「NOMでは受傷1～2日にDIC-CTを行い，手術症例ではCチューブ造影で評価をするのが妥当である」，「胆汁腫や胆汁瘻があれば，ERCを施行して胆管ステントによるドレナージを行う」，「全例ではなく症例を選んで実施する」などの意見がみられた。一方，「行う必要はない」との回答からは，「全例にスクリーニングを行う必要はなく，胆汁腫が疑われた患者に実施する」，「ERCは合併症もありルーチンでの実施は必要ない」，「胆汁腫形成後の感染合併や経過をみて必要性を判断する」などの意見があげられた。

「わからない」との回答が16％みられ，「現時点で胆道造影のavailabilityの問題もありルーチンに行うのがよいかどうかはわからない」，「行うべきとのコメントは難しい」などの意見がみられた。

以上より，Grade Ⅲ以上の重症肝損傷に対する胆道造影をスクリーニングとして行うことの是非に関しては意見が分かれた。ただし，CT検査などにより胆道損傷が疑われる場合には胆道造影を行うことの妥当性はある。NOM症例では，受傷後早期にDIC-CTによる評価を行い，胆道ドレナージが必要な症例にはERCと胆道ステント留置（ENBDを含む）などを検討する。手術症例では初回手術では止血を優先し，胆道損傷を疑う場合は計画的再手術においてCチューブドレナージなどを検討するのが望ましい，とした。

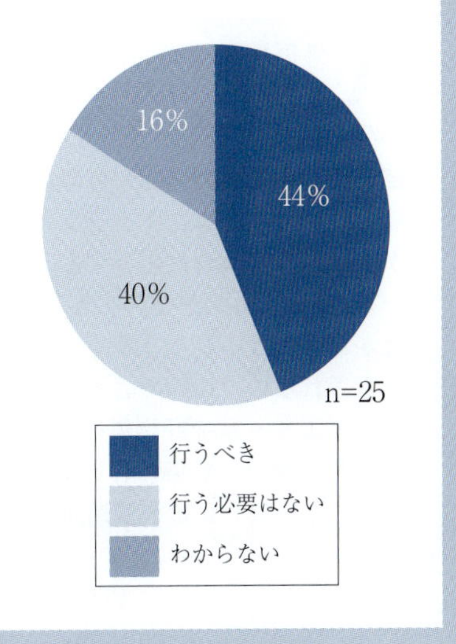

してとらえられるが，フォローアップの単純CTで，肝挫傷部のCT値が20HU以下の低値を示す場合，胆汁腫の可能性が高い[97]。肝内の胆汁腫が増大するときにALP値が上昇することがある。無症候性胆汁腫に対する治療の必要性は不明であるが[19]，サイズが増大する場合は経皮的ドレナージを施行する。時にドレナージが4〜6週間と長期化することもある[3]。ドレナージ治療に抵抗性の胆汁腫については，内視鏡的胆道ドレナージ（ステント留置）を考慮する[98]。感染性胆汁腫については，経皮的ドレナージや抗菌薬投与にて改善しなければ，外科的ドレナージを考慮する[3]。

3）動静脈瘻・動脈門脈瘻

損傷に伴い動脈と静脈系に短絡路が形成されることがある。ともに多くは末梢レベルで形成されるが，時に多発例や両者の合併例も認める。ほとんどの場合，肝裂傷部の治癒に伴い，短絡路が自然閉鎖するため，急性期は経過観察でよい。長期的に短絡路が残存した場合，心不全や門脈圧亢進症を引き起こすため，受傷1カ月を目安に選択的TAEを考慮する[99]。

4）hemobilia

hemobiliaもまれな合併症であり，およそ1%程度に認める[100]。多くが上部消化管出血で発症する。病態としては胆管と動脈との瘻孔形成であり[24]，それによる仮性動脈瘤に対してはTAEが瘻孔閉鎖に有用であるが，サイズによっては併存する胆汁腫の治療も必要である[101][102]。

5）bilhemia

胆管と静脈との瘻孔形成であり，きわめてまれな合併症である。胆汁性静脈血が体循環に還流することにより，肝機能に比して著明な高ビリルビン血症を認める[103]。治療としては胆道の減圧が必要であり，内視鏡的胆管ステント留置や乳頭切開術を考慮する[48]。

6）肝壊死

肝壊死に陥っている場合は，やがて感染を併発し膿瘍化する。経皮的ドレナージでNOMを継続する場合もあるが，胆汁瘻を併発して難治性であることも多く，病悩期間がきわめて長期化する。また，経過中に敗血症に陥る危険性もあり，肝切除も考慮する（CQ 30参照）[48]。

7）肝膿瘍

肝関連合併症として，肝内および肝周囲膿瘍がある。肝膿瘍はNOMの4%に生じ，死亡率は約10%とされる[104]。CTにおいて，内部にガスや液面形成を伴う限局性の液体貯留像により診断される。多くの

◆Clinical questions◆　　**CQ 30**

Q　重症肝損傷のdamage control surgeryにおいて，TAE後の肝壊死は，計画的再手術時に肝切除を行うべきか？

A　外傷専門医25名によるコンセンサス会議の投票の結果，計画的再手術で肝切除を「行うべき」との回答は40%，「行う必要はない」は32%で意見が分かれた。「行うべき」であると回答したもののなかには，「壊死範囲が明確で部分切除や系統的切除が可能なものは行うべき」，「壊死組織を残すことで感染や難治性胆汁漏をきたすようなものは病悩期間が長くなるため行うべき」，「肝壊死が全身状態の改善に影響するようなものは切除するべき」などの意見がみられた。一方，「行う必要がない」との回答には，「壊死部に感染が合併すれば切除が必要だがなければ不要」，「多くはドレナージのみで改善する」，「感染していなければ吸収されるので切除の必要はない」などの意見があげられた。

以上より，重症肝損傷のdamage control surgeryにおいて，TAE後に肝壊死を生じた場合，感染の合併があるものは壊死部切除を検討してもよい。ただし，切除しない場合には病悩期間が延長する可能性がある，とした。

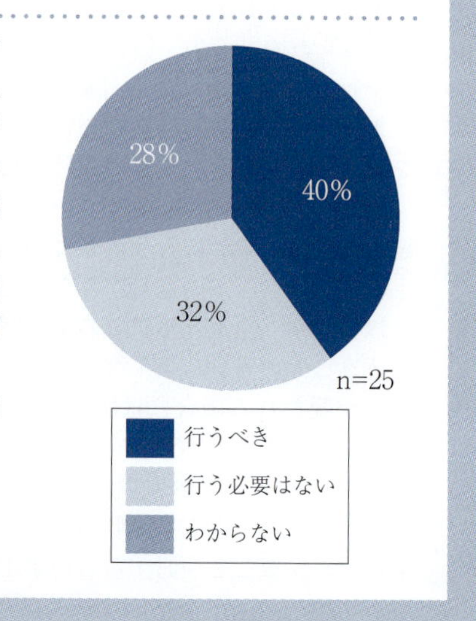

場合，経皮的ドレナージで治療可能であるが，時に腹腔鏡を含めた外科的ドレナージが施行される[105]。重篤なものは肝切除を必要とするものもある。

8）肝コンパートメント症候群

肝被膜下血腫が巨大化すると，肝実質が圧排され，区域性の門脈圧亢進症をきたして急激に肝機能が悪化する。典型例ではCT検査により，肝被膜下に肝実質を凸に圧迫する所見がみられることがある。これらは肝コンパートメント症候群と称され，まれな合併症である[106]。緊満した血腫を外科的にドレナージすることで，求肝性の血流は回復し，肝機能は劇的に回復する[107]。多くの被膜下血腫は血腫内圧の上昇に伴い自然止血されるが，時に活動性出血が持続することにより，これらの病態を引き起こす。NOM経過中に被膜下血腫が拡大する場合は，時にCTで活動性出血が確認可能であり，早期にTAEを行うことで回避できる可能性がある。

4. 付随する損傷

1）肝後面下大静脈損傷

造影CTで低吸収域が下大静脈まで及んでいても，多くの場合NOMが可能である[108]。肝静脈系は低圧であり（3～5cmH_2O），損傷部に形成される凝血塊により通常自然止血される[3]。

肝後面下大静脈損傷の多くは，当初は少量の出血であり，開腹して腹腔内圧が低下することにより出血量が増加する[21][37]。したがって，循環動態が不安定でなければ開腹手術は回避する。

かつては肝を授動したうえで損傷部の修復を行っていたが，きわめて成績が不良であった。1968年にSchrockらが，心房下大静脈シャントを用いた術式を考案したが[109]，その後の検討では，救命率は10～30％にとどまった[21]。一方，出血を助長する肝の授動を回避し，大網充塡による止血を試みたところ，死亡率は14～21％と低率であった[24][110]。これらの術式の変遷を経て，現在ではPHPが推奨されている[23]。

2）肝外胆管損傷

肝外胆管損傷は全外傷患者のおよそ0.1～0.2％ときわめてまれである[3]。このうち，胆囊損傷が約60％を占め，胆管損傷のほとんどは穿通性損傷に伴う[3]。

胆囊損傷はCTにより診断は可能であるが，実際は開腹時に診断されることが多い[3]。軽度の損傷であればNOMが選択されるが[111]，胆囊内の血腫は，やがて胆囊管の閉塞をきたし，急性胆囊炎を惹起する。

胆管損傷に対する治療は外科的修復が基本である

◆Clinical questions◆ **CQ 31**

Q 肝後面下大静脈損傷（肝静脈を含める）による出血について心房下大静脈シャント下での静脈縫合を行うべきか？

A 外傷専門医25名によるコンセンサス会議の投票の結果,「行わない」が60%,「行う」が12%で,「わからない」が28%であった。

「行わない」との回答には,「心房下大静脈シャントの救命例は海外も含めてきわめて限られる」,「下大静脈損傷は低圧系出血でありまずはパッキングによる制御が重要である」,「心房下大静脈シャントは現実的ではない」,「心房下大静脈シャントは難易度が高く致死率も高いため原則としてパッキングで対応すべき」,「最後の手段として行ったことはあるが救命できなかった」などの意見があげられた。一方,「行う」との回答には,「縫合するためにはシャントを置く必要がある」,「シャントはしていないが縫合止血した経験がある」,「必要時には行う」などの意見がみられた。

以上より，肝後面下大静脈損傷の出血に対しては，ガーゼパッキングによる止血が現実的であるが，パッキングで止血ができない場合には心房下大静脈シャントも考慮されるかもしれない。ただし，心房下大静脈シャントによる下大静脈縫合術は，難易度が高く致死率も高い手技であることを理解しておく必要がある，とした。

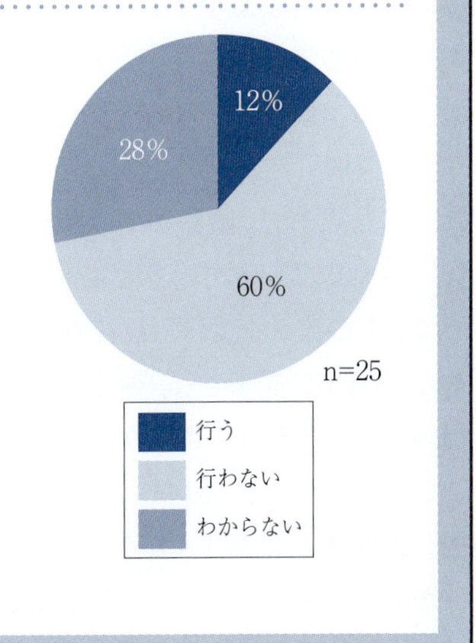

表3-3-E-3　hemodynamic instability score

Grade
Grade 0 明らかな低血圧（収縮期血圧＜90mmHg），または頻脈（心拍＞130/分）がない
Grade 1 低血圧または頻脈がある（ただし，救急室での記録がない）
Grade 2 初期輸液に反応する低血圧または頻脈がある
Grade 3 初期輸液に反応するが循環の維持に250ml/時以下の輸液や輸血を必要とする低血圧または頻脈がある
Grade 4 2Lの輸液負荷にやっと反応し，循環の維持に250ml/時以上の大量輸液や輸血を必要とする低血圧または頻脈
Grade 5 輸液や輸血投与に反応しない低血圧

〔文献116）より引用・改変〕

が，damage control surgeryの初回手術では汚染回避にとどめ，二期的に修復する。損傷部位や損傷程度によって縫合修復が困難であり，時に胆管空腸吻合などによる胆道再建が必要となる。

Ⅳ 脾損傷の治療戦略と戦術

1. 治療戦略

脾は肝と並んでもっとも損傷を受けやすい腹部臓器である[112]。歴史的には，積極的な脾摘出術による確実な止血術に始まり，脾温存術[113]，さらに1990年代に入りNOMへと変遷してきた[114]。NOMについては，脾の免疫能を考慮して小児で先に広まったが，非治療的開腹術が合併症の発生率を増加させることや，高解像度CT検査の登場により腹部合併損傷の見落としが減少するにつれ，成人でも広く受け入れられるようになった。しかし，2003年の前向き検討では，206例の鈍的腹部外傷（肝・脾・腎）のうち149例（72%）に選択されたNOMの非完遂率は22%と高率で，臓器別では脾が34%と，肝（17%），腎（18%）に比べて有意に高率であった[115]。

これらの流れを受け，最初のガイドラインがEASTから2003年に発表され，循環動態が安定していれば，損傷形態や年齢などにかかわらず，NOMを選択することの妥当性（推奨レベルⅡ）が示された[54]。その後，2008年にはWTAから以下の内容のガイドラインが発表された[116]。hemodynamic instability score（表3-3-E-3）による循環動態の分類に従い早期開腹例を決定し，250ml/時以下の輸液で循環動態が維持できる患者（Grade 3以下）に造影CT検査をし，血管外漏出があれば血管造影を考慮する。経過中に循環が不安定になる，またはCT画像で手術が必要なほかの腹腔内臓器損傷が判明すれば開腹術を行う。さらに，術中の循環動態によって術式を選択し，循環不安定なら脾摘出術を，安定していれば温存を試みる。

2012年にはEASTのガイドラインが改訂された[114]。2018年にはAASTのspleen injury scaleが血管損傷の有無を考慮した形で改変された[2]。さらに，動脈相での血管損傷の有無の評価を2018年改定のAASTのscaleに加味することでより正確なgradingが可能となり，治療戦略にも有意に影響を与えるとの報告もある[117]。循環不安定や腹膜炎が疑われた場合は即時開腹術が推奨され（推奨レベルⅠ），①AAST Grade Ⅲ以上（表3-3-E-4）[52]の高度損傷，②造影CTにおける血管外漏出，③中等度以上の腹腔内出血量，④出血持続が予想される場合などについては，血管造影を考慮する旨が新たに明記された（推奨レベルⅡ）。

これらガイドラインをもとに作成した脾損傷治療戦略を示す（図3-3-E-11）。

損傷形態別にみると，Grade Ⅰ，Ⅱで，循環動態が安定している場合，通常NOMが選択される。Grade Ⅲであれば，循環動態や臨床所見にもよるが，通常NOMで治療することが可能であり，状況によりTAEが付加される。Grade Ⅳでは，循環動態が安定していればTAEの適応となり得るが[118)～120]，Grade Ⅳ以上の損傷はNOM失敗の関連因子であるとの報告も

表3-3-E-4　spleen injury scale（2018 revision）

AAST Grade	AIS 重症度	画像診断の基準（CT所見）	手術所見の基準	病理診断基準
Ⅰ	2	表面積の10%未満の被膜下血腫 深さ1cm未満の実質裂創 被膜裂創	表面積の10%未満の被膜下血腫 深さ1cm未満の実質裂創 被膜裂創	表面積の10%未満の被膜下血腫 深さ1cm未満の実質裂創 被膜裂創
Ⅱ	2	表面積 10〜50%の被膜下血腫, 5cm未満の実質内血腫 1〜3cm の実質裂創	表面積 10〜50%の被膜下血腫, 5cm未満の実質内血腫 1〜3cm の実質裂創	表面積 10〜50%の被膜下血腫, 5cm未満の実質内血腫 1〜3cm の実質裂創
Ⅲ	3	表面積50%を超える被膜下血腫 破裂した被膜下血腫または5cm以上の実質内血腫 深さ3cmを超える実質裂創	表面積50%を超える被膜下血腫 破裂した被膜下血腫または5cm以上の実質内血腫 深さ3cmを超える実質裂創	表面積50%を超える被膜下血腫 破裂した被膜下血腫または5cm以上の実質内血腫 深さ3cmを超える実質裂創
Ⅳ	4	脾血管損傷または脾臓被膜内の活動性出血 25%を超えた虚血域を引き起こす分節血管または脾門部血管を含む実質の裂創	25%を超えた虚血域を引き起こす分節血管または脾門部血管を含む実質の裂創	25%を超えた虚血域を引き起こす分節血管または脾門部血管を含む実質の裂創
Ⅴ	5	活動性出血があり，脾を越えて腹腔内に広がった脾血管損傷 粉砕型損傷	脾虚血域を伴う脾門部血管損傷 粉砕型損傷	脾虚血域を伴う脾門部血管損傷 粉砕型損傷

〔文献52）より引用・改変〕

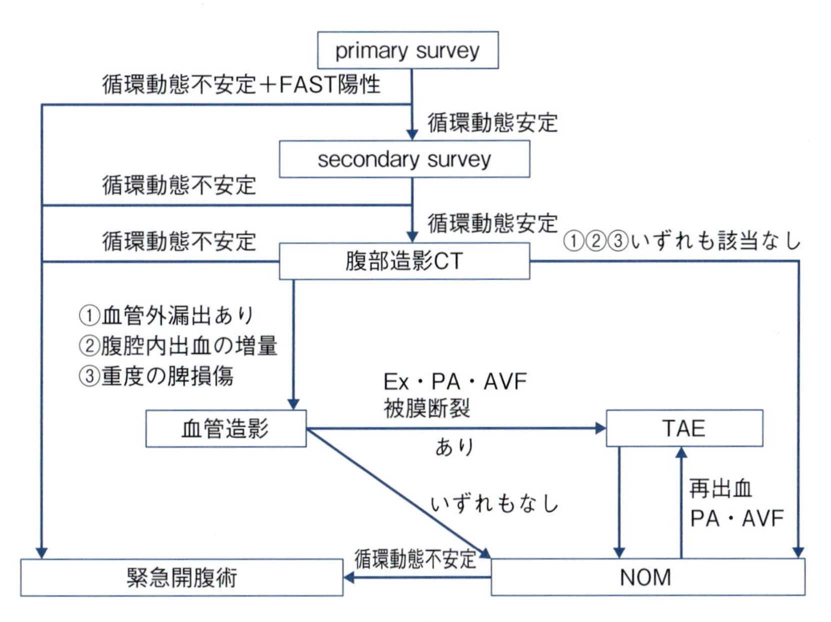

図3-3-E-11　脾損傷治療戦略
Ex：血管外漏出，PA：仮性動脈瘤，AVF：動静脈瘻

あり，厳重な管理が要求される[121)122)]。一方で，Grade Ⅴにおいても積極的なTAEにより，NOM管理が可能であるとの報告がある[123)124)]。

穿通性脾損傷に対しては，Demetriadesらの前向き検討[125)]があり，穿通性脾損傷28例中，NOMを完遂し得たのは1例のみであった。現状では，穿通性脾損傷に対する治療の原則は開腹術である。ただし，前述したように銃創例においても循環動態が安定し腹膜刺激症状がなければ，NOMも可能とする報告がある[7)126)127)]。したがって，NOMを選択する場合には，手術の必要性を常に考慮しつつ厳重な観察のもとに判断する。

2. 治療戦術

1）手術治療

(1) 循環動態が不安定な場合の手術

循環動態が不安定であれば，原則として開腹術を

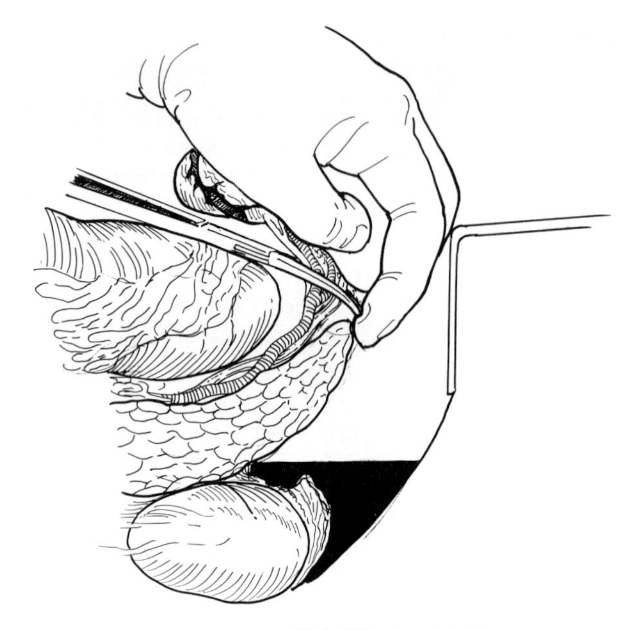

図3-3-E-12　脾を脱転する止血法
〔文献25）より引用〕

施行する。そのほか，手術が必要な他の腹腔内臓器損傷が判明した場合も，開腹のうえ脾損傷部が評価される[114]。

脾損傷における止血では，脾温存術を行うにしても，完全に脾を授動する必要がある[113]。

脾には周囲腹壁と固着していない「可動性がよい（mobile）脾」と腹壁と癒着しており可動性のよくない「固定された（stuck）脾」があるとされる。「可動性がよい（mobile）脾」に対しては脾の背側に手を入れ，正中側に引き寄せることでおおよそ授動され，脾腎間膜の切離も容易である。一方で「固定された（stuck）脾」を授動するためには，腹壁との癒着，横隔脾ヒダ，脾腎ヒダを切離する必要がある。いずれの脾に対しても，脾腎間膜が切離されれば[128]，切離面から内側へ入り，用手で鈍的に癒合筋膜を剝離することで尾側膵を含む脾が正中腹側方向へ授動される（**図3-3-E-12**）[25]。通常この時点で，用手的に脾門部をコントロールすることが可能となる。胃脾間膜は脾寄りで結紮・切離する。万一，癒着が高度で脾の授動に時間を要するようであれば，網嚢を開放し，直接脾門部にアプローチして血流の遮断を試みる。この際，REBOAや腹部大動脈遮断も補助的手段として有用である。なお，脾からの出血が高度で，循環動態が著しく不安定な場合を除き，鉗子による脾門部一括遮断は膵尾部損傷の危険性が高いため回避したほうがよい。開腹して，左横隔膜下に血腫がなく，肉眼的もしくは用手的観察にて脾損傷が否定的であれば，あえて脾を授動する必要はない[112]。癒着が高度であっても，循環動態が著しく不安定であれば，用手的剝離の後，迅速に脾摘術を行わなければならない場合もある。

バイタルサイン，全身状態，他の治療を要する合併損傷の有無，脾の損傷形態，術者のスキルなどから総合的に判断し，術式を決定しなければならない。現実的には，脾損傷が主たる原因で開腹を余儀なくされた場合には，結果的に脾摘出術が施行されることが多い。

damage control surgeryを決断した場合は，ガーゼパッキングではなく，単純かつ確実な止血手段である脾摘出術を施行する[114]。脾門部の血管処理にあたっては，動静脈瘻の形成を回避するために，動脈と静脈は各々結紮したほうがよい[112]。前向き多施設検討により，鈍的脾損傷に対する脾摘97例では，NOMを含む脾温存172例に比べて感染症の合併が有意に高率であり（32% vs 5.2%），可能なかぎりの脾温存を提唱している[129]。一方，ほぼ同時期のドイツの多施設検討（1,630例）では，脾摘出後の急性期感染症の発生率は，脾温存例と同等であった（18%）。しかし，10単位以上の大量輸血例や高度損傷例では，脾温存例において急性期感染症の合併率が高く，脾摘出術を考慮すべきと報告している[130]。脾の自家移植については，腹腔内汚染がない場合には安全に施行可能であるが，脾摘出後重症感染症（OPSI）を予防するほどの脾機能の獲得については不明である[131]。

（2）循環動態安定時に選択し得る術式

①脾縫合術

循環動態が安定している脾損傷に対しては，極力脾温存を心がける。脾縫合を行う場合は，被膜や実質の脆弱性を考慮し，フェルトを用いた水平マットレス縫合が安全かつ有用である。また，深在性損傷に対しては，止血材や大網充塡の併用も止血能が高まり効果的である[112]。裂傷が多発する場合は，メッシュラッピングも有用であるが，腸管損傷合併例では感染のリスクを考慮し，回避したほうがよい[132]。10年間の脾縫合術240例を検討した結果，損傷形態はAAST Grade Ⅲ以下の軽度損傷が86%を占めていた[133]。また，92%において単純縫合が施行され，部分切除術は少数であった。3例に術後出血を認め，全例脾摘出を要した。術後の胃拡張は，術後出血の危険因子の1つであり，脾摘出術や脾縫合術後は胃の減圧が必要となる[112]。

また，アルゴンレーザーによる止血の有用性が報告されているが[134]，近年ではより止血率の高いソフト凝固も多用される傾向にある。これらのデバイスを使用し，止血されれば脾縫合を必要としない場合もある。

②脾部分切除術

AAST GradeⅣのように，高度に損傷を受けているものの，上極または下極に損傷が限局している場合は，脾部分切除術を行ってもよい。損傷部位から切除範囲を決定し，責任血管を脾門部で結紮し，demarcation lineを露出させる。demarcation lineに沿って，電気メスで切離するか，状況によっては自動縫合器で切離することも可能である。切離面は電気メスで切離した場合は，フェルトを用いて水平マットレス縫合により閉鎖するか，切離面をフィッシュマウス様にし，縫合閉鎖することも可能である。脾の機能を温存するためには，脾の30％以上を残存させることを心がける[135]。

2）NOM

CT検査により脾損傷の確定診断を得たのち，前述のような即時開腹術の適応となる患者以外は，NOMの方針となる。循環動態が安定している脾損傷患者において，「脾損傷の重症度（CTによるgrading，腹腔内出血の程度）」，「神経所見」，「年齢が55歳以上」，「他臓器損傷の存在」などが存在しても，NOMを選択しない理由にはならない（推奨レベルⅡ）[114]。

2000年のEASTによる多施設検討[136]（1,488例）では，61％にNOMが実施され，その完遂率は89％であった。一方，NTDBを用いた2006年の大規模検討[137]では，Grade Ⅳ以上の高度損傷（3,085例）において，40％にNOMが実施され，完遂率は45％と低下する傾向があった。

近年のCT検査の普及やMDCTの出現により，脾に対するNOMの適応をCT所見に求めるようになってきた。造影CTにおいて，造影剤の血管外漏出，仮性動脈瘤および動静脈瘻を認める場合は，NOM非完遂率が40～67％と増加する[118][138]。損傷形態別のNOM非完遂率は，AAST Grade Ⅲ：19％，Grade Ⅳ：33％，Grade Ⅴ：75％であり，これら形態重症度と腹腔内出血量は相関していることから，これらの組み合わせがNOM中断の予測因子となると報告されている[136]。Marmeryら[139]は，旧AAST分類では活動性出血や血管損傷の有無が反映されないため，これらを考慮したCT分類を作成し，AAST分類よりも介入の予測に有用と報告した。CTを加味した損傷分類はわが国でも推奨されている[140]。その後，2018年に血管損傷や活動性出血が加味されたAAST分類が改定された。Morell-Hofertらは造影剤漏出の程度を考慮したCT severity index（CTSI）と2018年版AAST分類は旧AAST分類と比較して，中等度から重度の損傷における緊急手術の必要性との有意な関連性があったと報告しており，詳細な画像診断に基づいた治療戦略の選択の重要性が示唆されている[141]。

2003年に行われた前向き検討[142]では，他の腹部臓器損傷を合併している場合，NOM非完遂率は52％と，非合併例の20％に比べて高率であった。

その他のNOM危険因子として，急性期の輸血量があげられる。EASTの多施設検討[136]では，NOM完遂例では24時間以内の平均輸血量が1.2～1.9単位であったのに対し，6単位以上の輸血を必要とした患者では，有意に脾摘出率，感染合併率および死亡率が増加した。また，同じく2003年に行われた他グループによる前向き検討[115]では，NOM完遂例では来院6時間以内の平均輸血量が0.4単位であるのに対し，NOM非完遂例では1.7単位であった。門脈圧亢進症があれば，脾は巨大化するのみならず，脾実質の軟化を伴う[112]。これに関連した脾損傷における前向き検討[143]によると，487例中12例に肝硬変が併存しており，全例NOMを選択するも11例で完遂し得なかった。このように，出血性素因を有する場合のNOMには注意が必要である。

【TAE】

GradeⅢ以上の脾損傷，造影剤の血管外漏出，中等量の腹腔内出血，あるいは脾損傷からの持続する出血があれば，血管造影検査が望まれる（推奨レベルⅡ）。ただし年齢，損傷Grade，低血圧の存在も考慮して，手術もしくは血管造影の必要性を検討する（推奨レベルⅢ）[114]。

造影CT検査で血管外漏出の存在により血管損傷（活動性出血，仮性動脈瘤，動静脈瘻など）が疑われた場合，循環動態が安定していればTAEを目的とした血管造影を施行する[138)139)]。このうち，活動性出血についてはMDCTでの描出感度は良好であるが，仮性動脈瘤や動静脈瘻などの血管病変のうち25%以上は描出されない[139)]。あらゆる時相で確認できる血管造影と比べて，CTは撮影タイミングによって血管病変が描出されない可能性がある[144)〜146)]。

また，血管造影はNOMの際に限らず，damage control surgeryをはじめとした術後に施行することがあり，脾摘出や脾縫合術後の後出血に対してもTAEが時に有用である[112)]。

①TAEの適応

脾損傷に対するTAEは，1981年にSclafani[147)]によって最初に報告され，今やNOM中断のハイリスク群では欠かすことのできない低侵襲的止血法である。TAEの出現により，かつては治療成績がよくなかった[148)]AAST Grade Ⅳ以上の高度損傷例に対するNOMにおいても，2001年の大規模検討では完遂率は80%と良好であった[118)]。さらに，2011年のメタ解析[119)]によると，TAE施行例でのNOM完遂率は84%であり，とくに高度損傷例においてはTAE施行例は非施行例と比べて有意にNOM完遂率が高率であった。また，近年のEASTによる多施設検討においても（1,039例），AAST Grade Ⅳ以上の高度損傷例ではTAEを施行することで有意にNOMの失敗例を減少させることができ，Grade ⅣではTAEなしが23%に対し，TAEを施行した場合には3%，Grade ⅤではTAEなしが63%に対し，TAEを施行した場合には9%であった。循環動態の安定した高度損傷例に対しては積極的なTAEを推奨している[120)]。さらに，Millerらの前向き研究による報告では血管造影検査あるいはTAEをNOMが適用されたすべてのGrade Ⅲ〜Ⅴの鈍的脾損傷患者に行ったところ，NOMの失敗率は5%でこのプロトコルを導入する以前の15%と比較して有意にNOMの成功率が改善した[122)]。

一方，高度損傷例に対するTAEに警鐘を鳴らしている報告もあり，鈍的脾損傷における近位塞栓に関するコホート研究では，TAEの導入前後での死亡率に差はなく，導入によってARDSの合併が有意に増加したとしている[149)]。

血管造影にて血管損傷を認めた場合にTAEを考慮する。とくに循環動態に直接影響を及ぼすような腹腔内に至る活動性出血は，よい適応となる。しかし，術中に循環動態の悪化を認めた場合には，直ちに開腹術に切り替える。ただし，手術への橋渡しとして短時間での全脾塞栓，脾動脈バルーン塞栓なども考慮する[150)]。そのほか，仮性動脈瘤，動静脈瘻，主分枝の断裂に対しても塞栓を考慮する。

血管造影で明らかな血管損傷を認めなかった場合は，TAEを施行しないことも多いが，これらのおよそ10%はのちに何らかの外科的介入が必要となる[151)]。Marmeryら[152)]は前向き検討の結果，頭部外傷合併や出血傾向を有する場合にも，TAEを考慮すべきと報告している。また，EASTの多施設研究において，高度脾損傷例（AIS Grade Ⅳ，Ⅴ），大量腹腔内出血例ではNOMにおける完遂率が低いと報告されていたが[136)]，その後の報告ではTAEの適応が拡大される傾向にある[144)145)151)]。以前は循環動態の安定が血管造影の大前提であったが，Hagiwaraら[153)]はtransient responder 15例にTAEを試み，全例で止血に成功している。

②TAE戦術

TAEを行うにあたり，正常な脾機能を維持するためには，およそ30〜50%の温存が必要である[154)]。脾の温存を図りつつ，確実なTAEを行うためには，脾の動脈血流支配を理解しておく必要がある。脾は，脾動脈によって主たる血流を受けるほか，平均4〜6本ある短胃動脈[107)]や左胃大網動脈など胃からの血流と膵尾動脈など膵からも血流を受けている。

TAEの方法には，脾動脈本幹塞栓術（近位塞栓）と選択的脾動脈塞栓術（遠位塞栓）がある。脾動脈は脾内では動脈性区域を形成し，原則として区域間の吻合を認めないことから，塞栓により末梢側は梗塞に陥る。すなわち遠位塞栓では部分梗塞は必至である。一方，近位塞栓は，脾動脈灌流圧の低下による間接的な止血を目的としている[155)]。Requarth[156)]によると，近位塞栓によって，脾動脈圧は平均血圧48%，収縮期血圧61%の低下を認めており，脾内の減圧効果は思いのほか高い。

TAEを施行するにあたり，近位塞栓か遠位塞栓のどちらがよいかについては決着がついておらず，今のところ前向き検討による報告はない。近位塞栓の長所としては，より短時間で手技が完結でき，脾梗塞の合併率が低い[157)158)]。一方，短所として，再出血時に通常の脾動脈経由での選択的塞栓術の施行が困難となる[159)]。腹腔内に至るような活動性出血に対しては，近位塞栓だけでは止血困難な場合も少なくなく，CT画像で血管外漏出を有する患者に対して全例近位塞栓を施行したところ，29％でNOMを完遂できなかったとの報告がある[149]。

血管造影で明らかな活動性出血を認めない場合でも，CT画像で血管外漏出を認めていればTAEを多くの患者で行っていたという報告[160]はあり，その際は近位塞栓を考慮する[161]ことになる。しかしながら，再出血した際にカテーテルでのアプローチが困難になる。脾動脈本幹をバルーンカテーテルで閉塞することで末梢の血圧は低下する[156]ので，一時的にバルーンカテーテルを使用することで，経過を観察する方法もある。

③TAEの合併症

TAEの合併症として，再出血，梗塞，膿瘍に注意を要する。WTAによる多施設検討では，合併症の発生率は，介入を要した重度合併症20%，介入が不要であった軽度合併症23％であり，再出血が最多であった[116]。また，Schnürigerらによるレビュー[162]では，重篤な合併症は，近位塞栓4.7％，遠位塞栓6.3%と，塞栓方法による合併症発生率に有意な差は認めなかった。なお，TAE後のワクチン接種の有用性については不明であるが[114]，残存脾体積が30～40％以下の場合は，脾摘出に準じて接種を考慮する。

(2) NOMでの管理法

NOMを行うにあたり，ベッド上安静の必要性は不明である[112]。NOM中断の多くが6～8日以内に起こることから[112]，とくに損傷が高度な場合，この時期の画像検査を経たのちに安静解除を行うことが多い。

CT検査によるフォローアップは，適応や撮影時期について一定の見解を得ていない。Haanら[163]は，AAST Grade ⅠとGrade Ⅱに対して受傷24～48時間後にCTを撮影したところ，140例中2例のみ所見が悪化していたが，ともに臨床症状も悪化していた。一方，Weinbergら[164]は，330例中11例に仮性動脈瘤を認め，CTによるフォローアップの必要性を報告している。しかし，ルーチンでのCT再検の根拠としては乏しく，とくに損傷形態が軽度であれば，循環動態不安定，腹痛，貧血進行，発熱などの有症状の際にCT撮影を考慮する。臨床症状のない退院後の患者のCT撮影についても一定の見解がない。Savageらによると，損傷形態にかかわらず，成人例の84％が2.5カ月以内にCTで治癒が確認され[165]，長期的には，2～6カ月間のフォローアップを行うことが多い[107]。わが国ではCT検査の利便性が欧米諸国とは異なるため，これらの結果を無批判に取り入れることには注意を要する。また，退院後の運動制限解除についても，2～6カ月間が一応の目安とされる[107]。

3. 合併症

1）遅発性脾破裂

脾の遅発性破裂の頻度は1～2％とされる[136,166]。Sizerらの遅発性破裂306例の検討では，80％が受傷後14日以内に，95％が21日以内に発症しているが[167]，多くの場合5日以内に生じる[140]。遅発性出血の原因として，①血腫の融解に伴い被膜下の内圧が上昇して破裂，②脾周囲の癒着や脾内血腫の破裂，③仮性動脈瘤の破裂があげられる[7,125,126,166～169]。

遅発性出血のリスクとなる仮性動脈瘤などの血管異常を同定するために，血管造影が用いられる（推奨レベルⅢ）[114]。これまで仮性動脈瘤が確認されしだい直ちにTAEにより破裂予防処置を行ってきた。しかし，Haanら[170]は，NOM経過中に確認された仮性動脈瘤を保存的に治療しても，NOM完遂率は仮性動脈瘤を有さない場合と同等であったことから，TAEは絶対的適応ではないとしている。Muroyaらは，NOMが完遂された鈍的脾損傷104例のうち，16例に仮性動脈瘤が確認され，そのうち8例はTAEを要さず，自然経過により塞栓したと報告している[171]。破裂する仮性動脈瘤の特徴は明らかではなく，現状，各施設において放射線診断医と事前にコンセンサスを得ておく必要がある。

2）脾摘出後重症感染症（OPSI）

脾摘出後重症感染症（overwhelming postsplenectomy infection；OPSI）は脾摘出後の2％以下とまれであるが，死亡率は50％以上と高率である[172]。CDCのガイドライン[173]では，全身状態が安定ししだい，肺炎球菌，髄膜炎菌，インフルエンザ菌に対するワクチン接種を推奨している。ワクチン接種時期については議論が分かれるところであるが[174～176]，近年では，術後回復早期または退院時が推奨されている[172]。とくに，退院後はフォローアップが不十分になる可能性があり，退院までのワクチン接種を考慮する[112)]。なお，非外傷例での脾摘出後のワクチン接種は6年ごとの施行が推奨されている[112)]。外傷例では一定の見解はないが，TAE施行例において，施行後の脾機能は保たれており，OPSI発症例がなかったことが報告されている[177)]。

わが国においても，外傷後脾摘例と特定されているわけではないが，脾摘後（無脾）の患者に対し23価肺炎球菌莢膜多糖体ワクチン（PPSV23）接種が推奨されている。初回接種から5年以上経過している場合は，PPSV23接種が望ましい[178)]。

4. 小児脾損傷

小児では，網内系機能や赤血球生産のため脾は大きく[112)]，成人と異なり脾を外力から保護する胸郭骨成分の未熟さも加わり，容易に損傷を受けやすい。小児では，OPSIが知られるようになり，成人よりも早い時期から脾温存が試みられてきた。解剖学的にも，小児期の脾は被膜が厚く，実質は充実していて構造が密である[112)]。また，裂傷が脾内動脈（区域枝）と平行に生じる傾向がある[179)]。さらに，成人に比べて脾単独損傷の割合が高い[105)]。これらのことから，小児ではより脾が温存しやすく，小児でのNOMの成功率は95％以上と，成人（80～94％）に比べて高率である[180)～184)]。Birdらは73％ は中等度以上の腹腔内出血を認めたものの，97％はNOMによる管理で治療することができ，30日死亡率はゼロであったとしている[185)]。

小児におけるNOMの長期予後については報告が少ないが，Mooreら[186)]によると，平均74カ月間の観察期間において，重篤な合併症を認めていない。米国小児外科学会[81)]によれば，退院後の画像によるフォローアップは不要で，運動制限は，AAST Grade Ⅰで3週間，Grade Ⅱで4週間，Grade Ⅲで5週間，Grade Ⅳで6週間が推奨されており，Grade Ⅴについては言及されていない。

小児における脾損傷についてはこれまで自然消失する報告がみられたが，わが国からの多施設コホート研究において，小児肝および脾損傷の仮性動脈瘤自然消失率は45％であると報告された。小児の仮性動脈瘤の治療においてTAEを行う場合，自然消失の可能性も念頭に置く必要がある[61)]。

Ⅴ 腎損傷の治療戦略と戦術

1. 治療戦略

腎は，泌尿・生殖器のなかでもっとも外傷により損傷を受けやすい臓器であり，全外傷患者のおよそ1～5％程度を占め[187)]，人口10万人に約4.9人の頻度で発生する[188)]。また，腹部外傷のうち8～10％に認められ[188)]，肝・脾に続いて3番目に受傷頻度が高い[189)]。受傷機転としては，交通事故，墜落，スポーツなどによる鈍的外傷が90～95％を占める[190)]。

高エネルギー事故（高リスク受傷機転），受傷機転や腹部所見から腹部臓器損傷が疑われる場合には，腹部造影CTにより腎損傷の診断が得られる。一方，これらに該当しない軽症と判断された場合には，血尿の存在が腎損傷を疑う1つのサインとなる。しかし，重症腎損傷に必ずしも血尿を伴うわけではなく[191)]，血尿がないことで腎損傷が否定されるものではない。

腎損傷の治療にあたり，考慮すべき病態は出血と溢尿である。これらを，バイタルサイン，身体所見とCT所見などから総合的に判断し治療法を選択する。腎損傷の治療の目的は，救命，合併症の回避ならびに最大限の腎機能温存であり，状況に応じた治療法の選択が必要となる[192)]。

2014年には，European Association of Urology（EAU）によって，腎損傷を含めた泌尿・生殖器損傷の治療に関するガイドラインが新たに発表され[191)]，2022年に最新のガイドラインがアップデートされた[193)]。循環動態が不安定であれば開腹術を行い，安定していれば原則としてNOMを考慮する。鈍的腎損傷でAAST Grade ⅣやⅤの高度損傷であっても，循環動態が安定していればほとんどの場合NOMが成功でき，失敗例は6.5％としている。IVRについても選択的塞栓の有用性が明記されており，Grade Ⅲで94.9％，Grade Ⅳで89％，Grade Ⅴでも52％の成功率であったとしている[193)]。これらガイドラインをもとに作成した腎損傷治療戦略を示す（図3-3-E-13）。

外傷初期診療において循環動態が不安定もしくは輸液への一時的反応のみで不安定化を繰り返す場合には緊急開腹術の適応である[193)]。循環破綻の原因

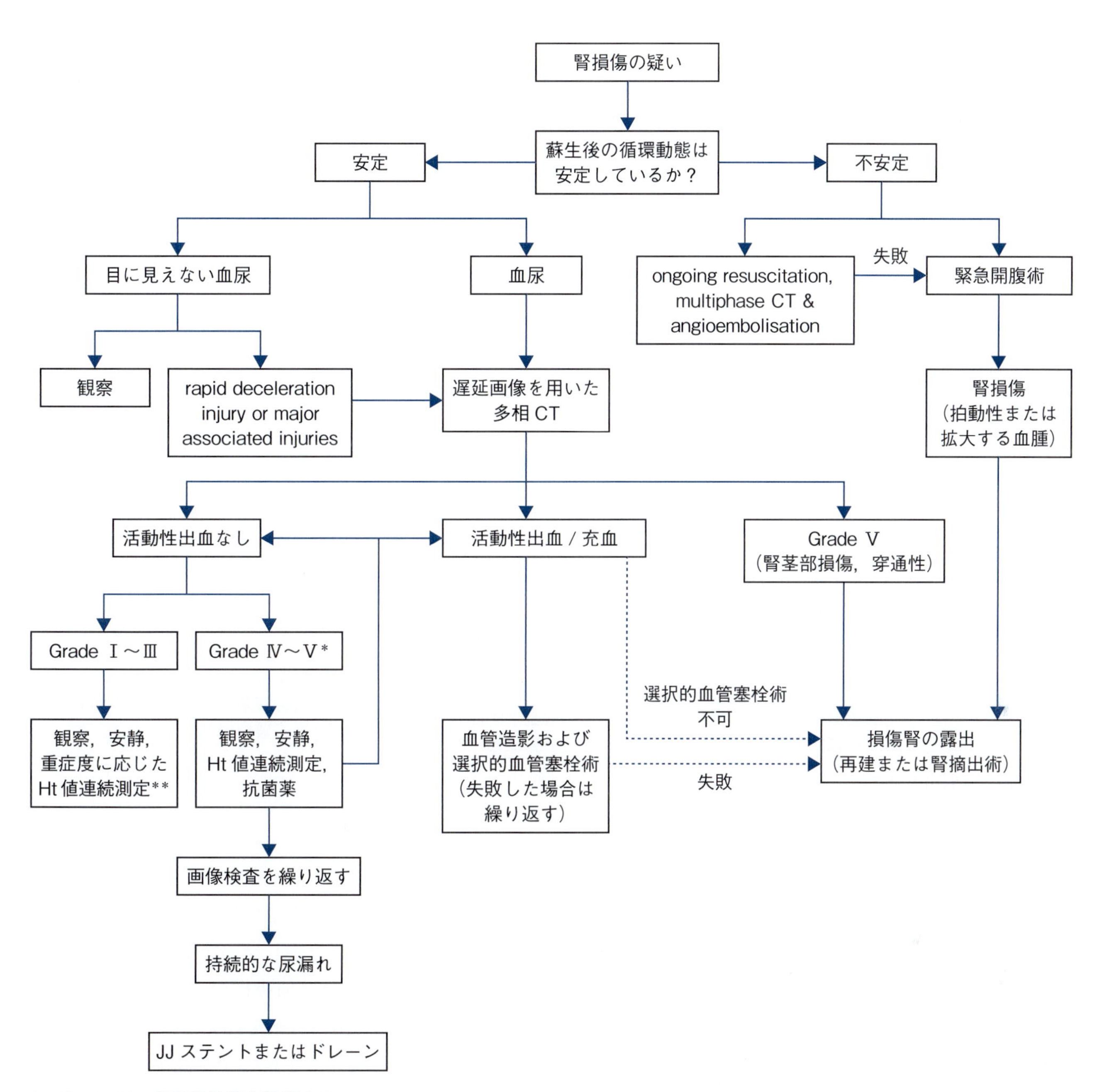

*　Grade Ⅴの穿通性外傷を除外する
** すべての穿通性外傷に抗菌薬を投与する必要がある
…… 循環動態が不安定な場合
Ht：haematocrit，SAE：selective angioembolisation

図3-3-E-13　**腎損傷治療戦略**

が腎損傷であり，拍動性の血腫の存在または血腫の増大傾向がみられる場合は，後腹膜を展開して腎の前方へとアプローチし，損傷腎の露出（renal exploration）を行う。腎の損傷が激しく出血量が多量である，または重症多発外傷の患者などではdamage control surgeryとする。腎茎部血管損傷を伴うGrade Ⅴはrenal explorationの絶対的手術適応である。腎損傷による循環破綻をきたす大量出血の場合には，迅速に腎摘出術を行う[193]。腎実質の修復（腎縫合など）は術中所見で決定されるが，可能なものではこれを検討する。ただし，循環破綻が高度なものには拘泥すべきではない。

循環動態が安定した腎損傷患者の診断には造影CT検査がもっとも有用である。腎実質損傷の程度，腎茎部血管損傷の有無，腎周囲血腫や尿漏の有無をみる。造影CTの読影においては，その画像が動脈相なのか，実質相なのか，さらに時間の経った排泄相なのかを認識する[194]。動脈相と実質相では腎実

表3-3-E-5　kidney injury scale（AAST 2018 revision）

AAST Grade	AIS 重症度	画像診断の基準（CT所見）	手術所見の基準	病理診断基準
I	2	被膜下血腫および/または裂創のない実質打撲傷	非拡張性被膜下血腫 裂創のない実質打撲傷	被膜下血腫あるいは実質裂創のない実質打撲傷
II	2	Gerota筋膜に限定した腎周囲血腫 尿漏のない深さ1cm以下の腎実質裂創	Gerota筋膜に限定した非拡張性腎周囲血腫 尿漏のない深さ1cm以下の腎実質裂創	Gerota筋膜に限定した腎周囲血腫 尿漏のない深さ1cm以下の腎実質裂創
III	3	腎盂破綻または尿漏のない深さ1cmを超える腎実質裂創 腎血管損傷またはGerota筋膜内の活動性出血がある損傷	腎盂破綻または尿漏のない深さ1cmを超える腎実質裂創	腎盂破綻または尿漏のない深さ1cmを超える腎実質裂創
IV	4	尿漏を伴う腎盂に及ぶ実質裂創 腎盂裂創および/または完全な腎盂破壊 部分的な腎動静脈損傷 Gerota筋膜を越えた後腹膜または腹腔への活動性出血 活動性出血のない部分的または完全な血栓による腎梗塞	尿漏を伴う腎盂に及ぶ実質裂創 腎盂裂創および/または完全な腎盂破壊 部分的な腎動静脈損傷 活動性出血のない部分的または完全な血栓による腎梗塞	腎盂に及ぶ実質裂創 腎盂裂創および/または完全な腎盂破壊 部分的な腎動静脈損傷 活動性出血のない部分的または完全な血栓による腎梗塞
V	5	主な腎動脈または腎静脈の裂創または腎門の剝離 活動性出血を伴う腎実質への血流途絶 腎の解剖学的形態が損なわれるほどの破裂損傷	主な腎動脈または腎静脈の裂創または腎門の剝離 活動性出血を伴う腎実質への血流途絶 腎の解剖学的形態が損なわれるほどの破裂損傷	主な腎動脈または腎静脈の裂創または腎門の剝離 腎実質への血流途絶 腎の解剖学的形態が損なわれるほどの破裂損傷

〔文献52）より引用・改変〕

質損傷および動脈損傷の描出が可能である。排泄相では腎盂・腎杯，尿管の造影をみるが，損傷があっても造影剤の溢流を検出できることは少なく，より遅い遅延相で尿漏が明らかになることもある[195]。

腎損傷のCTによる重症度診断の要点は，①腎周囲血腫の有無と広がり，②尿漏の有無と広がり，③腎全体が造影効果を示さない腎茎部損傷，である[194)195]。造影CT検査による腎茎部動脈損傷の診断率は98%にも及び，外傷初期診療におけるCT撮影の増加に伴い，報告は増加した[196]。閉塞例では患側腎の造影不良像を認めるが，被膜動脈が開存していれば，腎梗塞に特徴的ないわゆる“cortical rim sign”を認める[197]。

2018年に改定されたAASTのkidney injury scaleを示す（表3-3-E-5）[52]。造影CTにおいて，AAST Grade IまたはIIの場合は，保存的治療の適応である[193]。AAST Grade IIIの場合は，TAEでの選択的塞栓術を考慮し，基本的には保存的加療でベッド上安静とする。AAST Grade IVまたはVのように損傷形態が高度であった場合には，温存が可能かどうかを評価する。実質のみの損傷であればTAEを実施するなどして温存を考慮してもよい[193]。ただし，循環動態を維持するために大量の輸液や輸血を必要とする，またはこれらに反応しないなどの循環動態不安定状態となった場合は開腹術の適応である[193]。また腎周囲の血腫径が3.5cmを超える，もしくは血管外漏出を認める場合も手術の予測因子と考える[193]。腎門部の腎動脈または静脈が損傷している場合や穿通性外傷の場合はrenal explorationの適応と判断する[193]。TAEでの止血が困難と判断される場合も，開腹によるrenal explorationを行う。再建が可能か判断を行い，再建できないと判断した場合は腎摘出術を行う。

2. 治療戦術

1）手術治療

(1) 循環動態が不安定な場合の手術

循環動態が不安定な場合は外科的止血術を選択する。ショックの原因が腎損傷であれば，多くの場合腎摘出術が施行される。この際，アプローチは開腹とし[198]，Gerota筋膜の切開を行い，損傷腎を脱転

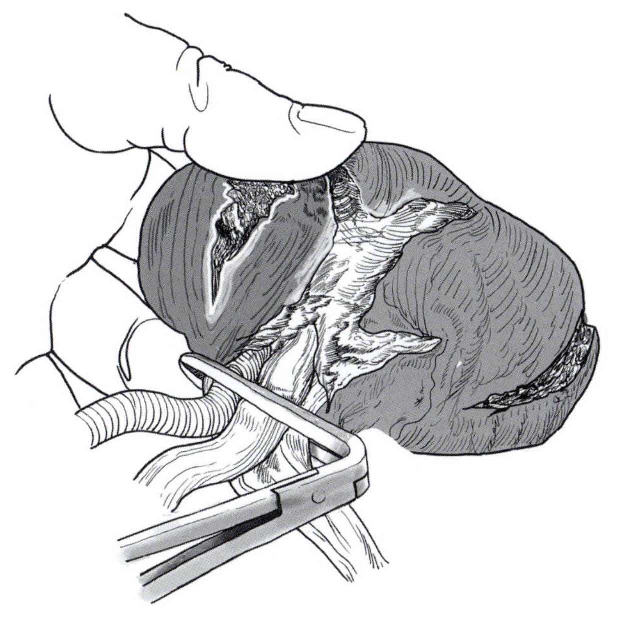

図3-3-E-14　**腎摘出術**

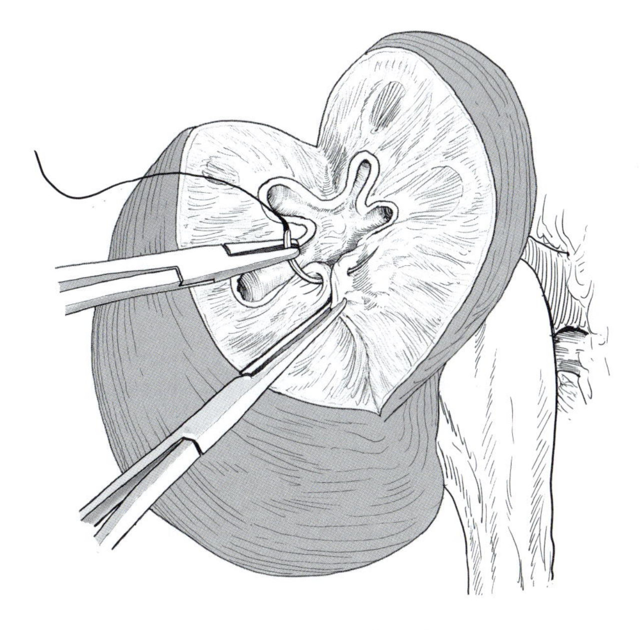

図3-3-E-15　**腎縫合術**

したのちに腎門部をクランプする。動静脈および尿管を結紮し，迅速に腎を摘出する。腎動静脈を処理する際は，動静脈瘻を回避するために，腎動脈と腎静脈を別々に結紮する[199]。腎門部における一時的血流遮断は，出血や腎の温存率を改善するものではなく（推奨レベルⅡ），その手技にとらわれる必要はない[200]。

renal explorationを行い温存は不可能と判断した場合は，腎摘出術を行う[193]。exploration中に腎摘出術を必要とする患者は約30％とされている[193]。多くは穿通性外傷や循環不安定な患者，またはISSが高値の患者である[201]。循環動態が安定している場合でもAAST Grade ⅣまたはⅤのように損傷形態が高度で腎茎部の血管損傷がある場合は腎摘出術（図3-3-E-14）が必要となることがある。腎実質損傷のみの場合は温存が可能なことが多い。NTDBの腎損傷9,002例を検討した結果，13％が来院後24時間以内に緊急手術を施行され，うち64％に腎摘出術が施行されたという報告もある[202]。腎以外の腹部臓器損傷を主たる治療対象として開腹した場合に，損傷腎に対する手術治療も行うか否か，つまり後腹膜腔を開放し，renal explorationの必要性について，術中に判断しなければならない。ルーチンで腎を露出することにより，腎の温存率は低下する[203]。さらに，Starnesらの報告[204]でも，AAST Grade Ⅲ以下の損傷形態においては，腎を露出することにより，露出しない場合に比べて腎関連合併症の発症率が2倍に増加した。循環動態が安定しており血腫が拡大しない場合は，原則として後腹膜は開放しない[193]。後腹膜中央部の血腫の存在や腎周囲血腫が拡大するような場合には腎茎部損傷や大血管損傷（大動脈・下大静脈損傷）が強く疑われる。このようなケースでは循環動態は不安定なことが多く，後腹膜を開放して止血を行う適応となる[205]。

(2) 循環動態安定時に選択し得る術式

腎温存術式としては，腎縫合と腎部分切除がある。これらの適応は，腎実質損傷の範囲が限定され，腎門部血管や腎盂損傷がないか，あっても軽度の患者である[206]。

腎縫合は，刺創症例においては腎実質の裂創部を腎被膜とともに一次縫合する[198]。挫滅創を有する鈍的腎損傷部に関しては，wedge resectionを行った後，開放した腎盂・腎杯を3-0，4-0吸収糸で縫合閉鎖する。のちの結石形成を回避するため，縫合糸は吸収糸を使用する。切除断端に止血材を当てがい，腎被膜・腹膜・軟部組織などを用いて被覆することで，より止血効果を高めることができる[199]。腎修復後はGerota筋膜を縫合し，腎門部を大網などの軟部組織で被覆しておく[199]。

上極や下極損傷では，部分切除が可能である[199]。壊死組織を切除したのち，出血している部位は4-0吸収糸で止血する。腎盂・腎杯の縫合閉鎖は，吸収糸でwatertightに縫合する[198]（図3-3-E-15）。腎盂・腎杯を完全に修復し得たなら，腎瘻や尿管ステントなどによる減圧は不要である[199)207)]。

2）NOM

近年の治療法の変遷に伴い，腎損傷に対してもNOMが選択されることが多くなった。NOMを選択するにあたり，循環動態の安定はもちろんのこと，損傷形態を詳細に画像で評価しておく必要がある。NOMを行った場合には，以下の点に注意する。①深在性損傷では原則として連日採血して血清Hb値の推移を確認する。②造影CT検査で，仮性動脈瘤の有無や後出血，尿漏の有無を診断する[208)209)]。③感染徴候が出現し，造影CT検査でurine extravasationを認めたら，double Jステント留置または経皮的ドレナージを考慮する[209)210)]。なお，安静度に関しては，血清Hb値の推移，肉眼的血尿の有無，造影CT所見（上記）を判断材料とする[211)212)]。

AAST Grade Ⅴのように損傷形態が高度であっても，循環動態が安定していればNOMの適応が拡大されつつある[193)213)214)]。Santucciらによる報告[211)]では，AAST Grade Ⅳの高度損傷324例において，NOM成功率は90％と高率であった。また，2013年に行われた多施設研究[212)]でも，AAST Grade Ⅳ以上の高度損傷206例の75％にNOMが選択され，完遂率は92％と高率であった。また，年齢55歳以上かつ受傷機転が交通事故による場合には，NOM中断のリスクが4倍に増加した。

尿漏や出血などの随伴症状を呈している場合には，フォローアップCTを行うのが妥当である。ただし，ほとんどの合併症が受傷1～3週間以内に発症する[211)]ので，随伴症状が認められなくても仮性動脈瘤発見のため，AAST Grade Ⅳ以上の場合，24～48時間後のCT再検が有用との報告がある[215)216)]。しかし定期的なCTフォローアップを疑問視する報告[217)～220)]もある。EAUのガイドラインでは，発熱，疼痛の増悪，ヘマトクリットの低下がある場合のみ，CTの再検を推奨している[193)]。

ベッド上安静に関する明確な文献的根拠はないが，肉眼的血尿が消失するまで必要とする方針が一般的である。その期間は軽症例では4日間程度，重症例では7日間以上が標準的である[207)]。

感染予防としての抗菌薬投与法について，推奨度の高い文献的根拠はないが，現時点では以下の方針が適当と考えられる。実質臓器内は本来無菌的であることが多く[221)]，必ずしも抗菌薬投与が必要ではない[222)223)]が，用いる場合にはセフェム系，ニューキノロン系やβ－ラクタマーゼ阻害薬配合ペニシリン系を選択する[221)]。

(1) TAE

①TAEの適応[207)]

腎損傷に対する近年の良好なNOM治療成績は，TAEをはじめとするIVRの影響も少なくない。多くは造影CT検査での血管外漏出に基づき，TAE前提の血管造影が施行される。デバイスの進化や技術の向上に伴い，末梢レベルの損傷血管までカテーテルを誘導しての超選択的なTAEも可能となり，腎実質の温存も図れるようになった[224)]。Breyerらは，TAEを施行した167例中，技術的成功率90％で，臨床的成功率79％であったと報告した[225)]。しかし，腎は後腹膜臓器であり，さらに強固なGerota筋膜に覆われていることから，minor bleedingであれば自然止血する場合も少なくない[226)]。Fuらは，CT画像で血管外漏出を認めた26例のうち，12例は血管造影時に止血が確認されTAEを必要としなかったと報告している[227)]。Nussらは，腎周囲血腫のサイズとCT画像における血管外漏出がTAEの適応基準として有用と報告しており[228)]，その後，Charbitらがこれらに Gerota筋膜の破綻を加えたTAE適応基準を提唱している[229)]。

近年のNTDBにおける検討では，AAST Grade Ⅳ以上の高度損傷48例に対してTAEを施行し，術後に適宜ドレナージなどを行うことにより，88％で腎の温存に成功している[230)]。このように循環動態が安定していれば，各種IVRや内視鏡治療を併用することにより腎の温存が期待できる。

IVR施行には循環動態の安定が大前提であり，高度腎損傷（AAST Grade Ⅴ）のうち，とくに腎茎部血管の断裂や裂傷に対しては原則的に緊急手術の適応である[213)231)232)]。しかしBrewerらは，循環動態が不安定なAAST Grade Ⅴの高度損傷9例に対してTAEを行い，全例で止血に成功している[233)]。これらはダメージコントロール戦略に基づいたIVR（DCIR）であり，腎動脈本幹レベルでの非選択的塞栓のほか，バルーンカテーテルによる一時的血流遮断も一法である。

活動性出血以外のTAEの適応として，仮性動脈瘤と動静脈瘻があげられる。これらの多くは穿通性損傷により生じ[234)235)]，ともに遅発性出血の原因となり，原則的に治療対象と考える。仮性動脈瘤の発症時期は，受傷10日～2週間前後との報告が多い[234)236)]。動静脈瘻については，医原性の場合は多くが自然治癒するのに対して，非医原性では残存しやすく，放置しておくと血尿を生じることもあり，高血圧や心不全の原因となる[236)]。

②TAE後の出血への対応

TAE後であっても，さまざまな理由で再出血を生じ得る。HotalingらによるNTDBの検討は，TAE施行例の29%に追加のTAEを必要としたと報告している[230)]。Menakerら[237)]はTAE後に2～3単位の輸血を必要とする場合は，開腹術を考慮すべきと報告しており，IVRに固執した治療戦略は時に危険である。

③TAE後の合併症

腎は脾と異なり周囲からの側副血行路に乏しく，腎動脈本幹レベルで塞栓すると広範囲にわたり腎梗塞に陥る。また，腎内の分枝についても終動脈であり，選択的塞栓により末梢側の梗塞は不可避である。これら梗塞領域の多くは長期的には萎縮性変化を呈するが，経過中に5%程度の膿瘍を併発するとの報告がある[238)]。

(2) 経皮的血管形成術（PTA）

鈍的腎動脈損傷はきわめてまれで，鈍的外傷の0.05～0.08%にすぎない[239)240)]。2006年の517例による大規模検討[240)]においても，17%は腎動脈の単独損傷であり，症状がなければ見逃す可能性がある。多くは減速あるいは加速機転に伴い腎動脈壁が伸展され受傷するが，腎動脈の椎体への圧迫機序によっても同様の損傷を生じ得る[239)]。解剖学的に右腎動脈は十二指腸と下大静脈の間で保護され，また左腎動脈のほうが背側に向かって急峻に大動脈から分岐していることから，左腎動脈のほうが頻度は高く（1.4～2：1）[197)241)]，腎動脈起始部から2cmほどの部位で損傷することが多い[242)]。損傷形態が断裂や裂傷の場合は出血となるが，解離や内膜損傷の場合は血栓を形成し閉塞に至る。

Hassらのレビュー[243)]によると，139例の片側腎動脈閉塞のうち34例に外科的血行再建術が施行されたが，技術的成功率は26%にすぎず，しかも67%は約2年間のフォローアップ中に腎機能低下を認めた。近年，腎動脈損傷に関しては経皮的血管形成術（percutaneous transluminal angioplasty；PTA）として腎動脈ステント留置の有用性が報告されている[231)244)～246)]。開腹術が不要で，かつ抗凝固療法が可能な患者であれば，循環動態の安定のもとPTAを考慮する[247)]。腎動脈を早期に再灌流させることが必要であり，受傷後3～4時間以内での血流再開が望ましい[197)248)]。

しかし，留置したステントの長期的な開存性は不明であり[242)]，今後の課題も少なくない[207)]。

3. 合併症

腎損傷に伴う早期合併症として，出血，膿瘍，梗塞，尿漏，urinoma，後期合併症として，高血圧，水腎症，腎機能低下などがあげられる[199)]。

出血性合併症に対しては，TAEを考慮する[249)250)]。尿漏の多くは自然消失する（74～87%）[251)～253)]が，持続することによりurinomaが形成される場合には，経皮的ドレナージや逆行性尿管ステントにより縮小が図れる[251)253)～255)]。urinoma自体への経皮的ドレナージが必要となることはきわめてまれである[218)]。膿瘍の多くは腎周囲膿瘍の形態をとり，経皮的ドレナージで改善することもあるが，時に手術が必要となる[256)]。

外傷後腎性高血圧症は，腎動脈閉塞，腎実質虚血領域，あるいは腎動静脈瘻が原因とされ，レニン-アンギオテンシン系の亢進によって発症する[257)]。その発症頻度は5%以下とされる。これらの多くは受傷1年以内に発症する[243)]。

ACE阻害薬による内科的治療を行うが，コントロール不良の場合，腎摘出術を含めた手術療法が考慮される場合もある[218)]。Clarkは，NOMを選択した腎動脈閉塞109例のうち，28%に高血圧を発症し，22%がのちに腎摘出を余儀なくされたと報告している[258)]。

腎摘出もしくは塞栓術による一側の腎機能廃絶でも，一般的には腎機能は保たれている場合が多い。しかし，高齢者や慢性腎臓病（CKD）を有する患者では，腎機能障害が後遺症として残るので，BUNやクレアチニンのフォローは不可欠である。

4. その他の注意点

1）穿通性腎損傷

1980年代より穿通性損傷に対する治療方針が劇的に変化してきており[125)259)260)]，鈍的損傷と同じくNOMの適応が広がっている[196)260)~262)]。とくに刺創では銃創以上にNOMが選択される傾向にある[218)]。NOMの成績として，刺創で約50%，銃創で40%が良好な成績を示したという報告もあり，NOMは有効な治療オプションとなりつつある[263)~265)]。

大量出血，腎実質の高度な損傷，高度な腹部臓器損傷，および腎血管損傷がなければ，NOMの適応となり得る[230)]。南アフリカのグループによる前向き臨床試験では，低血圧，腹腔内臓器損傷，あるいは尿漏所見がなければ，その後腎摘出に至る患者は認めず，入院日数も手術群に比べて短かった[266)]。

損傷度が低く循環動態が安定している患者に関しては，ほとんどの場合保存的に治療可能である一方で，高度損傷症例，腹腔内の複数臓器損傷例，および銃創においてNOMの失敗が多いとしている[267)]。全体として刺創の50%，銃創の40%においてNOMでの治療が可能であった[193)263)]。2022年のEAUガイドラインにおけるアルゴリズム[193)]では循環動態が安定しいて，画像的に活動性出血が否定的な場合，Grade Ⅳ，Ⅴの高度損傷であってもNOM，IVRでの戦略が可能であり，Grade Ⅴの高度穿通性損傷ではrenal explorationを推奨している。腎摘出術の割合はgrade Ⅳで15%，grade Ⅴで62%で，穿通性損傷は鈍的損傷に比べて，より損傷度が高く腎摘出の割合も高かった[268)]。

合併症として，鈍的損傷に比べて血管性病変（仮性動脈瘤，動静脈瘻）を伴いやすいため，これらを念頭に置いた画像のフォローアップが必要となる。

2）小児腎損傷

小児腎損傷は，小児腹部外傷の10%を占める[254)]。小児は成人に比べて，相対的に臓器が大きいこと，可動性が大きいこと，強固な胸壁で守られていないこと，腎周囲の軟部組織の発達が乏しいことなどの理由から，軽微な外力でも腎に損傷を受けやすい[254)]。また，同様の理由により，小児では成人に比べて腎動脈損傷を受けやすい[269)]。さらに腎に先天異常があれば，外傷によるダメージを受けやすく，小児腎損傷のうち先天異常を有する頻度は8%に及ぶ[270)]。

小児鈍的腎損傷においても，損傷形態にかかわらずNOMの成績は良好であるため，可及的に保存的治療を選択すべきである。また，開腹手術になった場合でも，可能なかぎり腎温存を試みるべきである[188)271)]。

機能予後については十分な検討がなされていない。放射線被曝を考慮し，軽度な損傷に対してはCTによる長期のフォローアップは不要とされるが[272)]，高度損傷に対する画像フォローアップについては一定の見解が得られていない。

表3-3-E-6　膵損傷の関連損傷

損傷臓器	合併頻度（%）
肝	46
胃	41
大血管	28
脾	26
腎	22
結腸	17
十二指腸	16
小腸	15
胆嚢/胆管	4

〔文献276)より引用・改変〕

Ⅵ 膵損傷の治療戦略と戦術

1. 治療戦略

膵損傷は鈍的外傷のなかでも発生頻度は0.004～0.6%と低い[273)274)]。解剖学的に重要臓器と近接しているため単独損傷はきわめてまれであり，90%以上に他臓器損傷を伴い，平均で2.5～4.6カ所の関連損傷を認めるといわれている[275)]（表3-3-E-6）[276)]。そのため，合併症や関連死の割合も高い。とくに十二指腸損傷を合併している場合の死亡率は15～32%と単独損傷の2倍といわれている[277)]。近年，診断機器の向上によりAAST Grade ⅠおよびⅡで発見される膵損傷が多くなり死亡率は低下傾向ではあるが[273)277)]，膵損傷で死亡する患者の約73%が受傷後48時間以内に多発外傷による大量出血や重症頭部外傷を原因としている。また急性期以降も，敗血症や多臓器不全，膵損傷に伴う合併症により27%が死亡する。診断や治療の遅れが循環動態の悪化や合

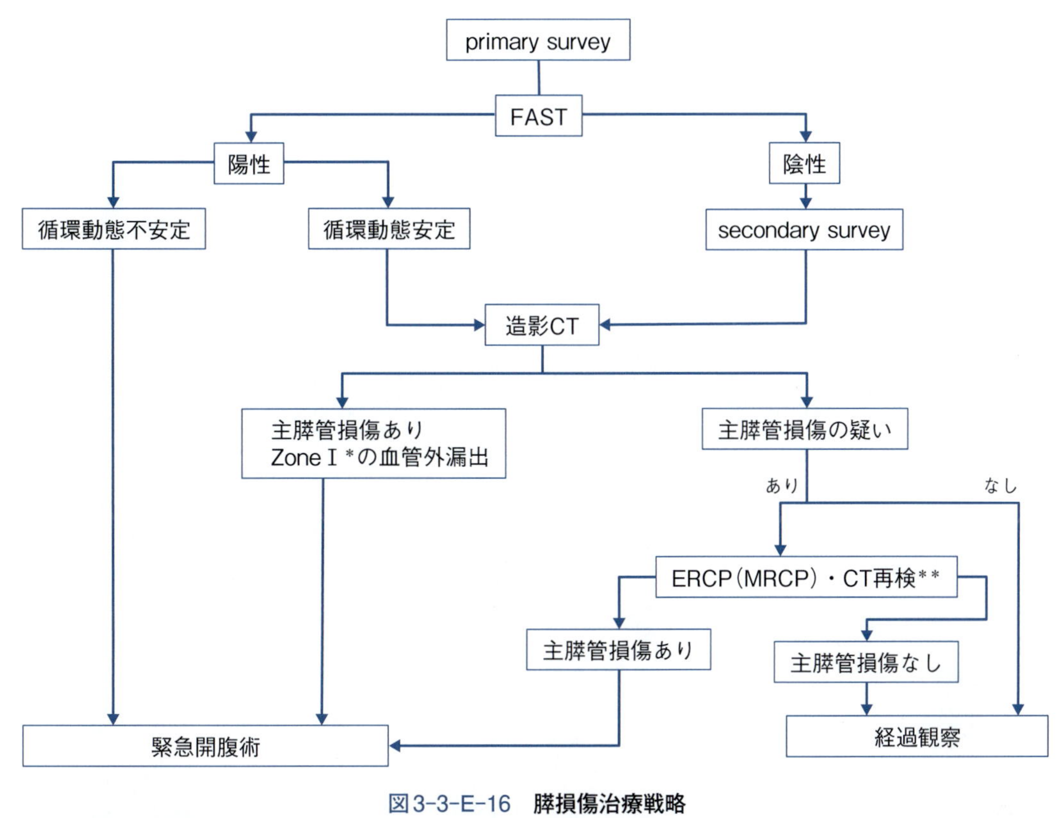

図3-3-E-16　膵損傷治療戦略

*「大血管損傷」(p.288) 参照
** 8時間以内

併症率，死亡率の増加につながるため，迅速で正確な診断と的確な治療戦略を立てることがきわめて重要となる[273) 277)]。

膵損傷の治療戦略を図3-3-E-16に示す。primary surveyでFASTを行い，FAST陽性で循環動態が不安定であれば，迅速に手術室に搬送して緊急開腹術を行う。

FAST陽性であっても循環動態が安定している患者および，FAST陰性であるが腹部CTの適応があるような患者には造影CT検査を行う。この際，膵損傷からの血管外漏出が認められれば，手術的止血が基本であり，TAEを推奨する報告はない。

また，主膵管損傷を伴う膵損傷は手術の適応である。CT上明らかな主膵管損傷がないものの，膵実質に限局性またはびまん性の腫大や不均一な造影効果を認め，前腎筋膜の肥厚，膵周囲の液体貯留や血腫，膵と脾静脈間の液体貯留（膵損傷の90％に認める）の所見がある場合には，主膵管損傷の可能性があるため積極的に精査を進める[278)]（図3-3-E-17）。主膵管損傷のMDCTの感度は52.4～54.0％，特異度は90.3～94.8％であった[279)]。12時間以内に施行された造影CT検査は所見をとらえ難いといった特徴があるため，腹部症状の増悪やアミラーゼの上昇を認める場合にはCT検査を繰り返し行う。ただし，血中アミラーゼ値については，受傷直後は膵損傷を「反映しない」といった報告がある一方で，「受傷3時間以降の上昇は膵損傷を反映する」[280)]，「最高値は重症度を反映する」，「48時間以内では膵損傷の92％で上昇する」などの報告もある。

CT画像で主膵管損傷の疑いがある場合や生化学検査で膵炎を疑うものの臨床所見に乏しい場合には，内視鏡的逆行性胆管膵管造影（endoscopic retrograde cholangiopancreatography；ERCP）が推奨される[281) 282)]。ERCPは診断と治療を兼ねた検査であり，膵管ステントにより手術を回避できる場合や術前に膵管ステントを留置することで術中の主膵管同定が容易になる場合もあるため，膵損傷を認める患者では考慮する[283)]（図3-3-E-18）。2001年以降，ERCPの代用として磁気共鳴胆管膵管撮影（magnetic resonance cholangiopancreatography；MRCP）が有用であるとの報告も散見される[284)]。非侵襲的に主膵管や胆管損傷の評価ができる一方で，急性期には血液や臓器浮腫による液体が腹腔内に多く，鮮明な膵管描出が困難であること，緊急検査としてすぐに

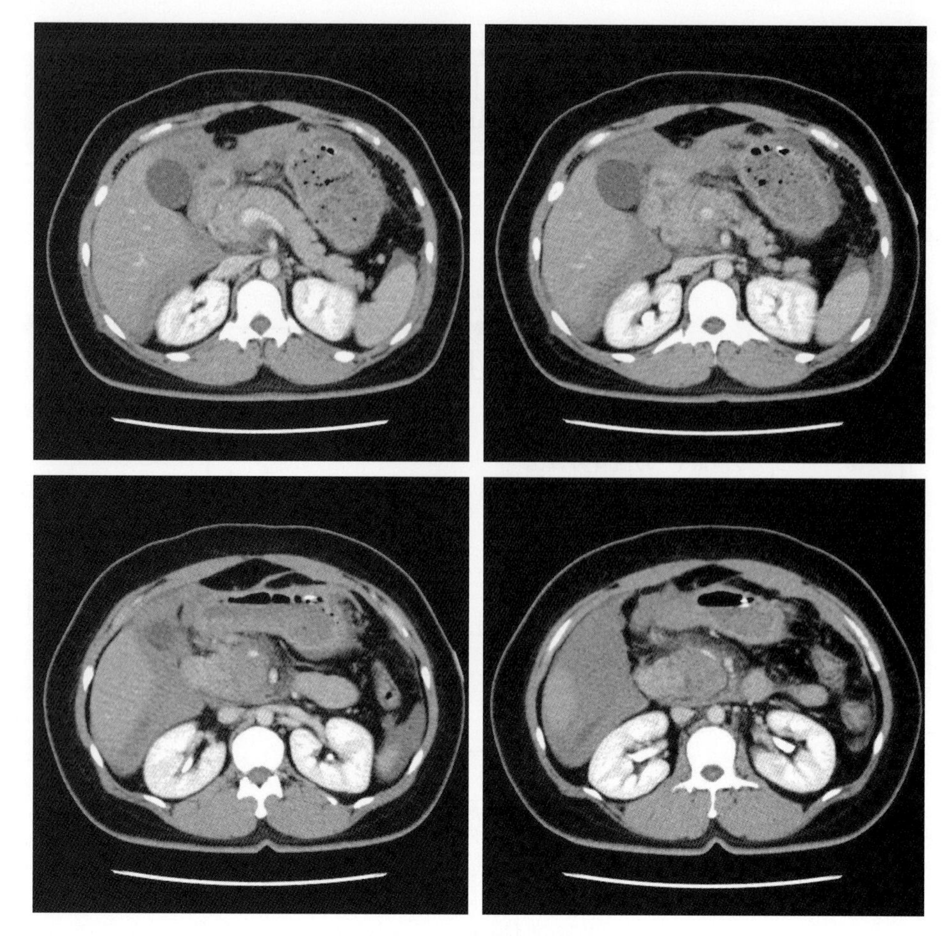

図3-3-E-17　膵損傷の造影CT

膵頭部がびまん性に腫大し，かつ不均一な造影効果が認められており，膵損傷が示唆される。Morison窩および脾周囲に腹腔内出血を認める

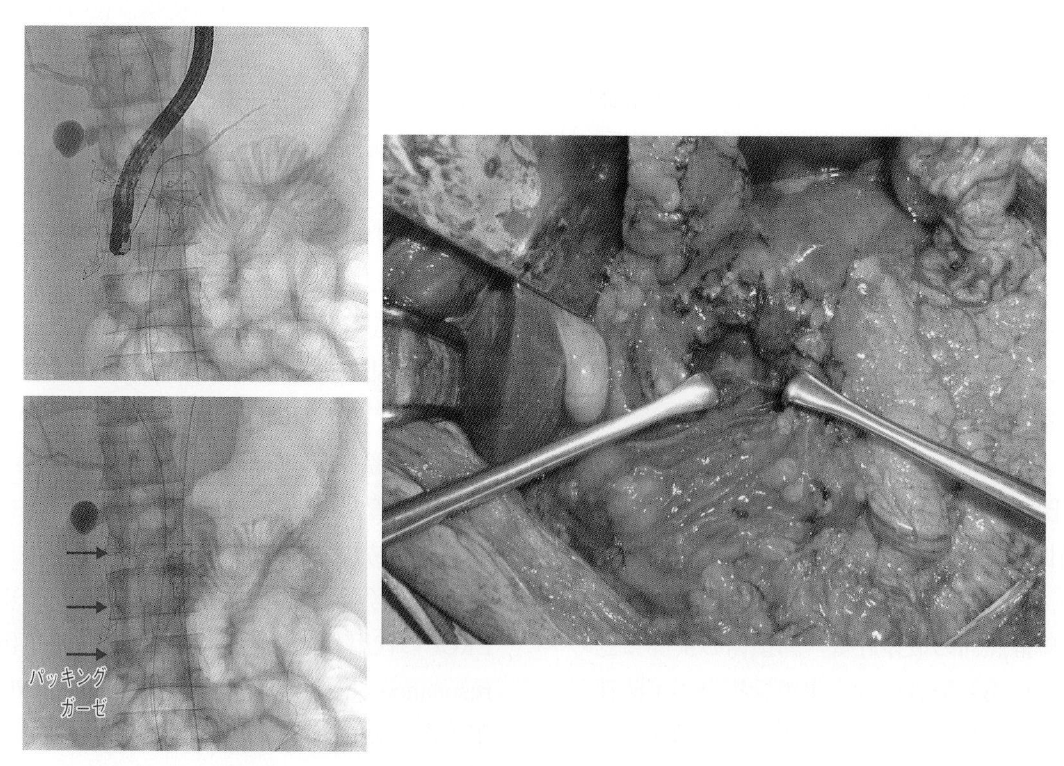

図3-3-E-18　主膵管の不全断裂に対して膵管ステントを留置して計画的再手術を施行した症例

表3-3-E-7 pancreas injury scale (AAST)

AAST Grade*	AIS 重症度	損傷形態	損傷
Ⅰ	2	血腫	主膵管損傷を伴わない小さな打撲傷
	2	裂創	主膵管損傷を伴わない浅い裂創
Ⅱ	2	血腫	主膵管損傷あるいは実質欠損を伴わない大きな打撲傷
	3	裂創	主膵管損傷あるいは実質欠損を伴わない大きな裂創
Ⅲ	3	裂創	主膵管損傷を伴う尾側膵離断または実質損傷
Ⅳ	4	裂創	近位側膵離断[a]または膨大部を含む実質損傷
Ⅴ	5	裂創	膵頭部の破壊的な損傷

* 多発外傷の場合はGrade Ⅲまで1段階上がる
[a] 近位側膵とは，上腸間膜静脈の右側にあるものを指す
〔文献52)より引用・改変〕

稼動できないこと，検査中にモニターなどの医療機器が使用できない，といった問題点もあるため，積極的には使用しにくい[285]。また，セクレチン負荷で主膵管の描出が向上するとの報告[286]もあるが，わが国では2003年以降セクレチンの販売が中止されているため，入手が困難である。最近，膵損傷に対する造影超音波検査の有用性についての報告[287]も散見される。

術前にERCPができない場合は，術中に行ってもよい。ERCPは術中に行う胆管膵管造影としてはもっとも低侵襲であるが，気腹のために閉腹が困難になるといった欠点もある[288]。

2. 治療戦術

治療戦術は損傷の程度と範囲により決定される。とくに，主膵管の損傷の有無は，戦術決定上重要である。AASTでは，膵損傷をGrade Ⅰ～Ⅴに分類している[289]（表3-3-E-7）[52]。主膵管損傷を伴うGrade Ⅲ/Ⅳ/Ⅴ膵損傷患者に対しては，原則手術治療が選択される。Grade Ⅰ/Ⅱ膵損傷患者に対するNOMは，合併症発生率が少ないとされ（膵炎9.1%，瘻孔形成6.8%），弱く推奨されている。術中に発見されたGrade Ⅰ/Ⅱ膵損傷患者に対しては，術後膿瘍形成例は膵切除例に多くみられ（42.8%，非切除例8.7%），非切除が弱く推奨されている[290]。

CT検査によって判明したGrade Ⅲ/Ⅳ膵損傷患

◆Clinical questions◆ CQ 32

Q 主膵管損傷を伴う膵頭部損傷手術において膵温存は許容されるか？

A 外傷専門医25名によるコンセンサス会議の投票の結果，68%が「許容される」と回答し，「許容されない」との回答は20%であった。

「許容される」との回答には，「ドレナージだけで治癒した経験がある」，「主膵管損傷を越えて膵管ステントを留置できた場合には温存が可能である」との意見が多数であった。一方，「許容されない」との回答には，「保存的治療失敗例の生命予後とQOLはきわめて悪いから」，「主膵管損傷を伴う膵頭部損傷症例ではドレナージのみで改善しない場合もあるため，原則として切除を行ったほうがよい」，「術後膵液漏による合併症のリスクが高い」などの意見があげられた。

以上より，主膵管損傷を伴う膵頭部損傷手術においては，主膵管損傷部を越えて膵管ステント（ENPDなど）を留置して膵液ドレナージができるのであれば膵温存ができる可能性がある。ただし，膵温存のリスクもあり適応には慎重であるべきである，とした。

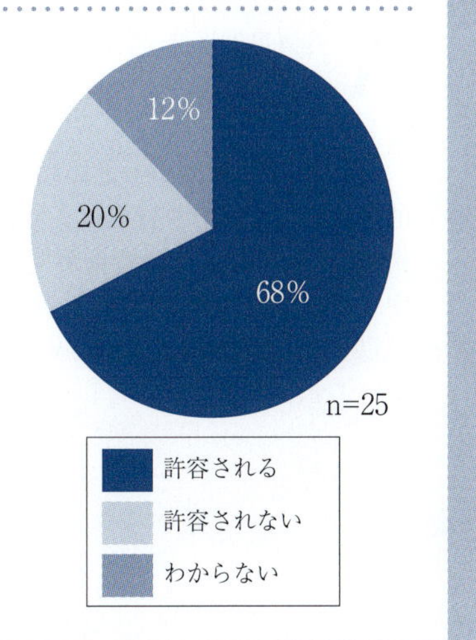

者に対しては，手術的治療が推奨されている。また，術中に発見されたGrade Ⅲ/Ⅳ膵損傷患者に対しては，切除が推奨されている。ただし，これらについての推奨度は高くない。Grade Ⅲ損傷すなわち体尾部の主膵管損傷を伴う患者については，膵体尾部切除術が基本となる[291]。循環動態が安定していれば脾温存膵体尾部切除を考慮する[290)~292]。しかしながら，循環動態が安定していない，もしくは術者の技量が十分でなければ，脾合併切除を伴う尾側膵切除の選択も許容される[290]。

Grade Ⅳ損傷すなわち頭頸部の主膵管損傷を伴う患者に対しては，残膵組織の評価とその後の膵機能を考慮したうえで拡大膵体尾部切除を選択する。また，術中に主膵管および総胆管の状態評価が不十分な場合は広範なドレナージ術のみにとどめ，術後にERCPを行って主膵管の状態を再評価することが推奨される。その際，ステント治療が可能であれば行ってもよい。切除膵が85～90%を超える場合には，術後に膵機能不全をきたす可能性が指摘されている[293]。正常膵組織が20%以下しか残らない状況では，Letton-Wilson法を考慮してもよい[294]。また，近年，膵頭部領域の穿通性損傷に対しては閉鎖吸引ドレナージのみでの管理も報告されている[292,295]。

Grade Ⅴ損傷すなわち膵頭部領域の破壊的な損傷に対しては膵頭十二指腸切除術を施行する文献[296)~298]が散見されるが，現状，明確な術式の推奨はされていない。Grade Ⅴ膵損傷は死亡率が高く，術中死・術直後死の可能性が高い[290]。Grade Ⅴ損傷をきたす外傷においては循環動態が不安定なことが多く，一期的な膵頭十二指腸切除は危険である。このような場合には初回手術ではダメージコントロール戦略を選択し，二期的に膵頭十二指腸切除術を施行することが望ましい[299)~302]。

1）手術治療

(1) 循環動態が不安定な場合の手術

循環動態が不安定な場合は，蘇生的開腹術が行われる。後腹膜血腫，胆汁汚染，脂肪壊死，上腸間膜領域の浮腫状変化を認める場合は，膵および十二指腸を中心に隣接する臓器を含めて損傷の有無を徹底的に検索する必要がある。出血点が確認できれば用手的な一時的止血を行う。膵頭部損傷からの止血困難な出血に対しては，Kocher授動術（図3-3-E-19）[303]で膵頭部を脱転して膵頭部前面と背面にガーゼを詰めてパッキングを行う。上腸間膜静脈からの出血に対しては，助手に出血点を用手圧迫させながら右側臓器正中脱転術（Cattell-Braasch法）を施行して上腸間膜静脈を露出し止血する。止血困難であれば上腸間膜静脈の結紮を考慮せざるを得ない。上腸間膜動脈損傷に対しては，腹腔動脈の頭側で腹部大動脈を背側に向かって用手圧迫して出血のコントロールを行うこともできる。この間に後腹膜

◆Clinical questions◆　**CQ 33**

damage control surgery を要する膵頭部損傷の場合，術中 ERCP を行うべきか？

A 外傷専門医25名によるコンセンサス会議の投票の結果，「行うべき」であるとの回答が12%であったのに対して，80%が「行うべきではない」と回答した。

「行うべきではない」との回答には，「damage control surgeryを要する生理学的状況下にERCPを行うべきではない」，「ERCPは計画的再手術の前もしくは同術中に行うべき」との意見が大半であった。一方，「行うべき」との回答には，「術中または術後に行うべきである」との意見があった。

以上より，damage control surgeryを要する膵頭部損傷には術中ERCPは行わないことが望ましい，とした。

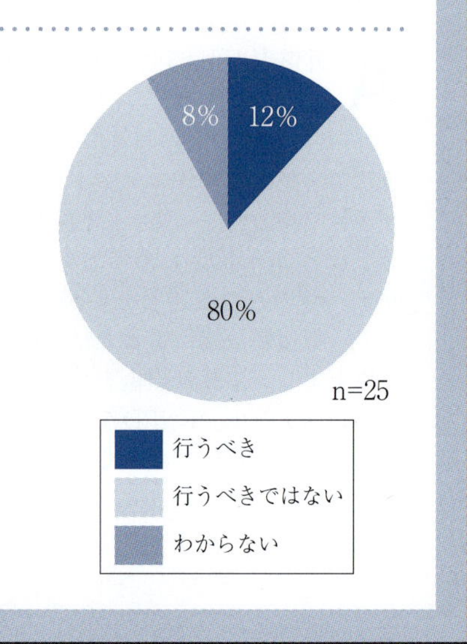

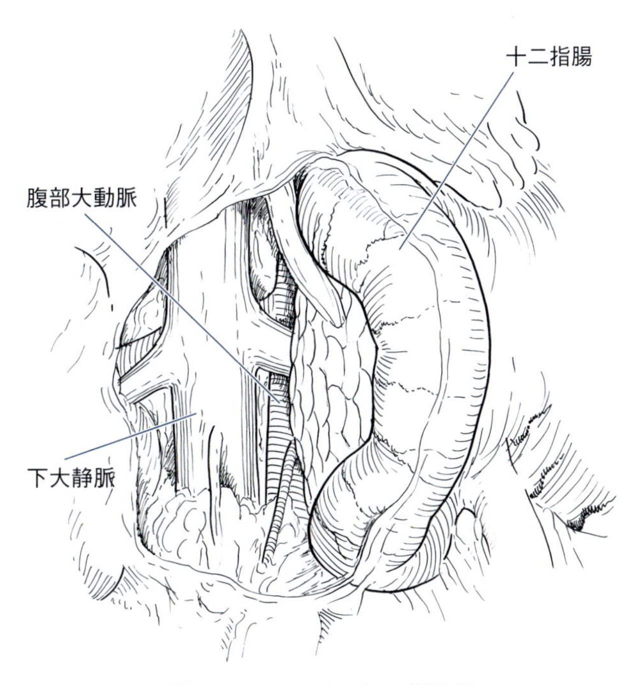

図3-3-E-19　Kocher授動術

十二指腸と膵頭部は大動脈前面が露出するまで十分に授動する

〔文献303)より引用〕

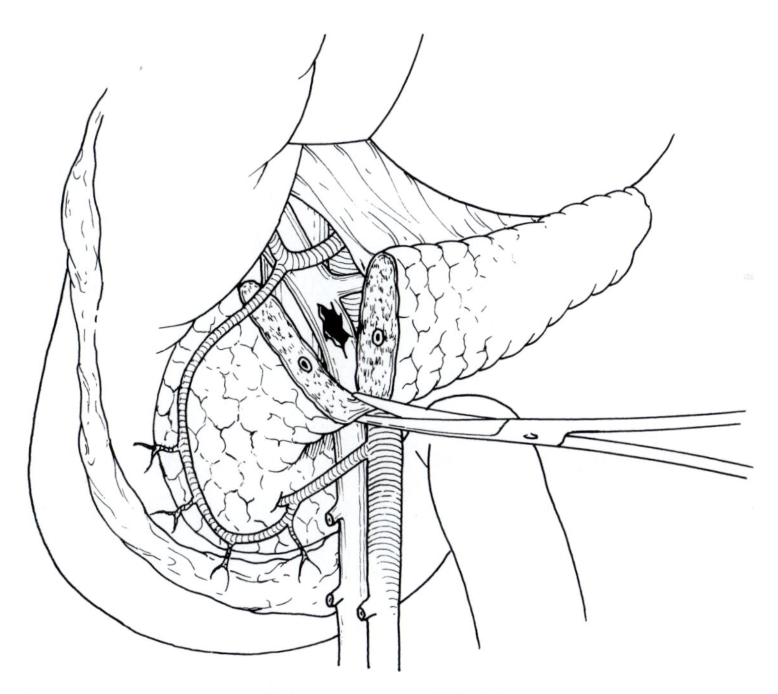

図3-3-E-20　膵頭部の離断

を展開して上腸間膜動脈にアプローチし，縫合止血を行う。脾静脈と上腸間膜静脈の合流部から出血している場合は，上腸間膜静脈直上で膵頸部を離断して直視下で縫合止血する（図3-3-E-20）。膵損傷は隣接臓器の損傷を伴うことが多い外傷であり，循環動態が不安定な状況下では，止血・デブリドマン・ドレナージを迅速に行い，集中治療管理により生理学的異常を改善した後に二期的に修復術を行う戦略を実践する[299]。

循環動態が不安定な体尾部の主膵管損傷に対しては，膵体尾部切除術が施行される。挫滅した膵断端部をデブリドマンし，主膵管を確実に結紮した後に膵頭部断端を非吸収糸で閉鎖する。膵離断あるいはデブリドマン後の断端閉鎖に自動縫合器を使うこと

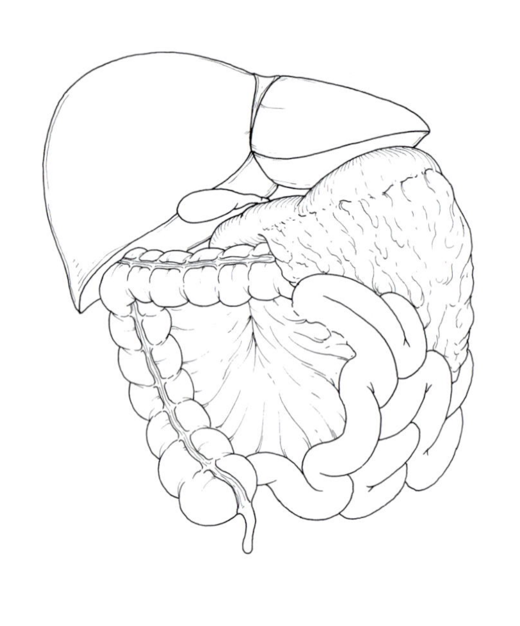

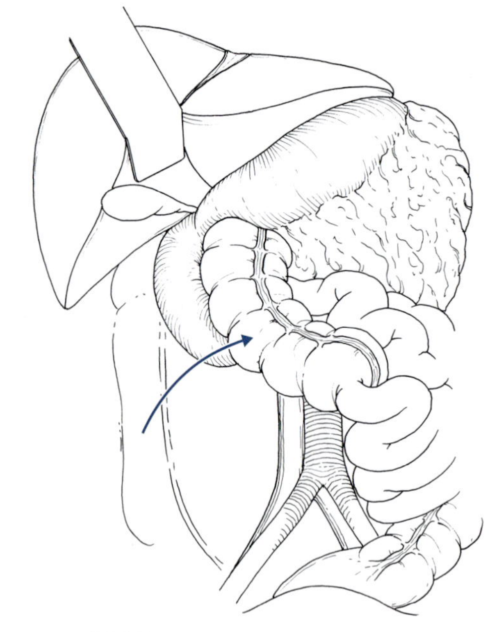

図3-3-E-21　**拡大Kocher授動術**

もできる[304]。

(2) 膵の露出

膵頭部への手術アプローチとして最初に行うべき手技はKocher授動術である。十二指腸下行脚を確認し，そのすぐ外側の後腹膜を切開して膵頭部の背側に入る。膵頭部を助手に腹側正中方向に牽引させながら，肝十二指腸間膜右縁〜上腸間膜静脈右縁まで授動すると，十二指腸第2部，第3部，膵頭部・膵鉤部を露出することができる。この際，同時に結腸肝彎曲部を正中に授動することで，よりよい視野が得られる。

また，後腹膜の切開を上行結腸外側にさらに延長して上行結腸を十分に授動し正中側へ翻転することで，下大静脈全域，右腎門部，右腸骨動脈へのアプローチが可能となる（拡大Kocher授動術，図3-3-E-21）。

さらに，回盲部からTreitz靱帯に向かって小腸間膜根を切離すると，十二指腸第3部，第4部全体，上腸間膜動静脈根部，膵背面の門脈の一部，腎動脈以下の大動脈と下大静脈，両側腎動静脈と総腸骨動静脈へ到達するCattell-Braasch法が可能となる。これにより最大限の視野が得られる一方で，上腸間膜領域の腸管が上腸間膜動静脈で支えられる形となり，不用意な牽引により副右結腸静脈が上腸間膜静脈から引き抜かれ思わぬ大出血につながることがあるため，視野展開の際には十分な注意が必要である。

膵体尾部の検索は胃結腸間膜を切離し，胃を翻転させて行う。膵体尾部背側は，膵下縁に沿って後腹膜を切開し，膵を頭側に翻転させて観察することができるが，脾を脱転すればさらに良好な視野を得ることができる。

(3) 循環動態安定時に選択し得る術式

①脾温存膵体尾部切除

2017年のAASTガイドラインでは，膵体尾部切除術の際に脾を温存すべきかについては，支持するデータがないことから推奨の記載を行っていない。しかし，脾合併切除により肺炎，髄膜炎，敗血症といった感染症，肺血栓塞栓症や癌の罹患率の上昇が報告されており[305]，循環動態が許せば，脾温存膵体尾部切除を行ったほうがよい（図3-3-E-22）[306]。脾温存膵体尾部切除には，脾動静脈を温存する方法と脾動静脈を切離・結紮する方法がある。

脾動静脈温存は十分な血流とドレナージを保証する一方で，脾動静脈から膵実質に入る脈管の処理が非常に煩雑であり，手術時間も要する。この場合，エネルギーデバイスを使用すると手術時間の短縮につながる。

脾動静脈を切離・結紮する方法はWarshaw法と呼ばれ，脾への血流とドレナージは短胃動静脈によってもたらされる（図3-3-E-23）[307]。手術時間の短縮が必要な外傷手術においては，手技が簡便であるため好んで使われるが，長期的には左側門脈圧

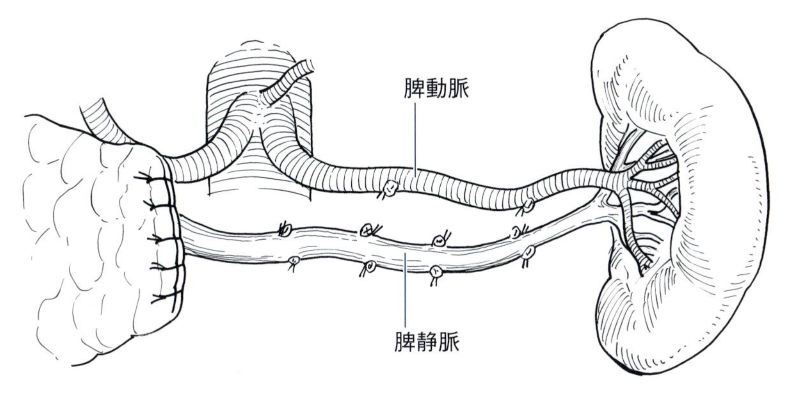

図3-3-E-22　脾動静脈を温存した脾温存尾側膵切除術の完成図
〔文献306)より引用〕

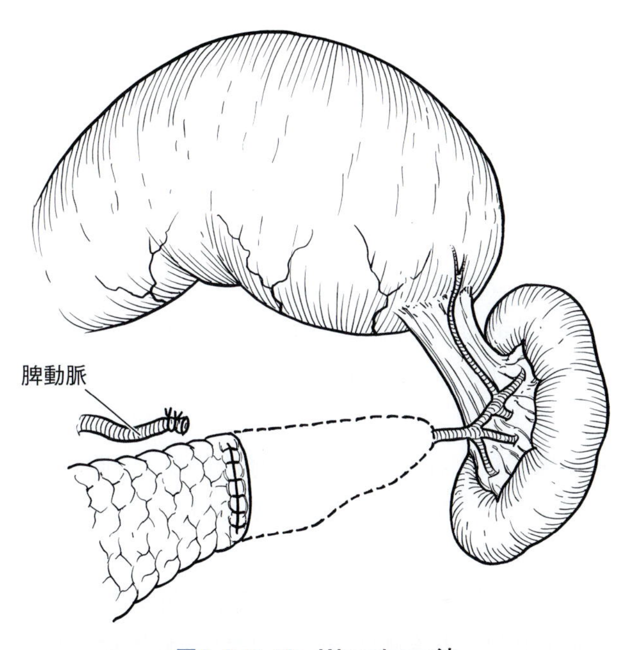

図3-3-E-23　Warshaw法
脾動脈は膵切離部および脾門部で結紮・切離する。短胃動静脈は温存し脾への血流を確保することによって，脾を温存する
〔文献307)より引用〕

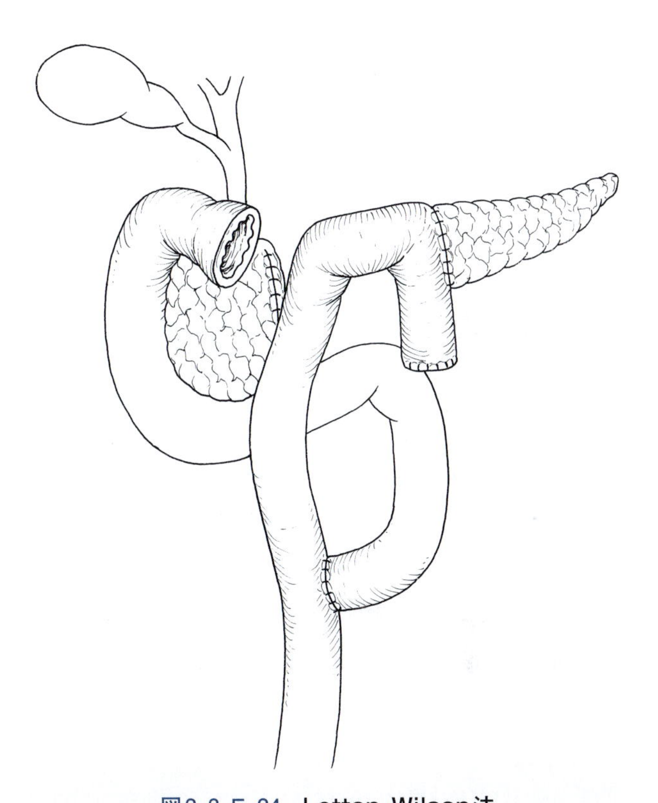

図3-3-E-24　Letton-Wilson法
Letton-Wilson法は尾側の切除膵を膵空腸吻合にて再建する

亢進症や胃静脈瘤の発生が報告されているため，時間が許せば，脾動静脈の温存を試みたほうがよい[308]。また，非外傷手術における腹腔鏡下という限定的な条件ではあるものの，脾動静脈温存法のほうが脾温存率，術後合併症率，平均在院日数においてWarshaw法より優れているという報告もある[309]。

②Letton-Wilson法[307]（図3-3-E-24）

膵温存手術の代表的手技である。原法は，膵頭側の断端を非吸収糸で閉鎖し，尾側膵断端にRoux-en-Yで挙上した空腸を端々吻合する術式である。膵頭側の主膵管は確実に結紮することが肝要である。膵頭頸部の損傷で拡大膵体尾部切除により残膵が20%以下になる場合に考慮される[294]。腫瘍に対する予定手術が対象ではあるが，膵空腸吻合の膵液瘻の発生率を減少させるためには，端側吻合で行う膵管ステントを用いた膵管空腸粘膜吻合を選択するほうがよいとするprospective randomized trialの報告があり，空腸の嵌入法は推奨されない[310]。小児においては膵体尾部切除とLetton-Wilson法で術後合併症率に差はなく，残膵組織が多く残るメリットがあるともいわれている[311]。一般に外傷時の膵は線維化を伴わない正常膵（いわゆるsoft pancreas）であり，膵管空腸粘膜吻合部の縫合不全の頻度は低くないため，これまで本法の選択は慎重に行うべきとの意見が多かった。2021年，日本腹部救急医学会から全国31施設を対象とした膵損傷手術の全国調査プロジェクトの結果が報告された[312]。受傷から48時間以内に手術を実施した163例の解析では，Letton-Wilson法実施例（n = 11）の死亡例は0%，在院期間31日とその安全性が報告された[312]。

③Bracey法

膵頭側の断端を非吸収糸で閉鎖し，尾側膵断端を胃と吻合する術式である。残膵の再建では，膵胃吻合は膵空腸吻合に比較して膵液瘻のリスクは高いともいわれる[313]。一方，2021年のわが国の膵損傷全国調査では，Bracey法の死亡率は0%と報告された[312]。

④主膵管縫合（Martin法）

膵損傷部の挫滅が少なければ，断裂した膵実質のデブリドマンを行い，主膵管吻合および実質縫合を行うことができる。主膵管内に外瘻チューブ[314]あるいはロストステント[315]を留置する。

⑤膵頭十二指腸切除術（PD，図3-3-E-25）

膵内胆管損傷や近位主膵管損傷，Vater乳頭断裂を伴った再建不能な膵頭部損傷が適応となる。しかしながら，このような損傷を伴う場合は，通常，生理学的状態が破綻しており，一期的にPDを施行することが困難なことが多く，Seamonらは生理学的状態が改善した後に再建術を行うことを強く推奨している（二期的PD）[300]。また，膵頭部からの多量の出血を認め循環動態が破綻している場合は，初回手術でdamage control surgeryを行い，2回目で切除とドレナージ，3回目で再建術を行うことを考慮してもよい[302]。Thompsonらも，自施設における膵損傷に対する15例のPDの経験から，一期的PDではなく，二期的もしくは三期的PD（multi-stage PD）を推奨している[316]。

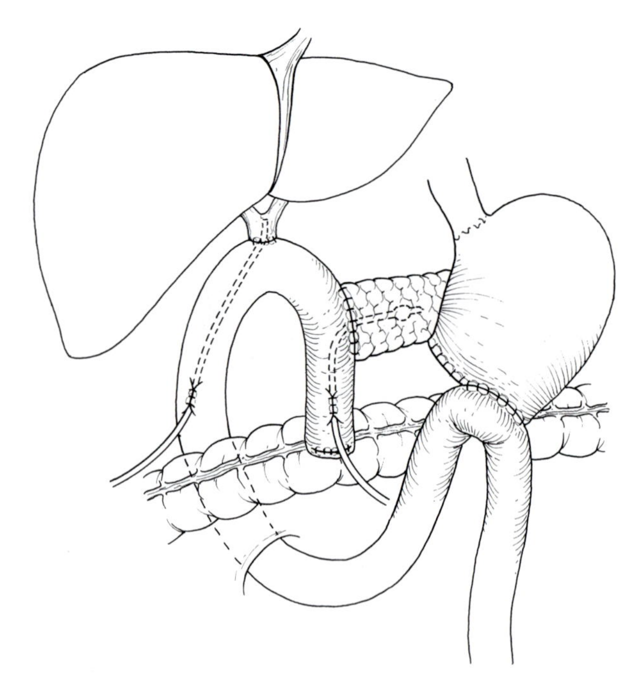

図3-3-E-25　**膵頭十二指腸切除術**

⑥幽門空置術（pyloric exclusion）（図3-3-E-26）

胃前庭部を大彎側に沿って切開し，幽門輪を内腔

◆Clinical questions◆　CQ 34

Q　状態の安定している膵尾部損傷に対して膵尾部切除を行う場合，脾動静脈温存法とWarshaw法のどちらを選択するか？

A　外傷専門医25名によるコンセンサス会議の投票の結果，「脾動静脈温存法を選択する」と回答したものが60%，「Warshaw法を行う」と回答したものが8%であり，「わからない」との回答が32%であった。

「脾動静脈温存法を選択する」との回答には，「可能なかぎり脾動静脈を温存して膵尾部切除を行うべき」，「Warshaw法のほうが手術は簡便であるが，長期的に門脈圧亢進や胃静脈瘤の発生などの合併症があるため脾動静脈温存法を施行すべき」との意見が多かった。一方，「Warshaw法を行う」との回答には，「簡便で短時間で手術が終了できる」との意見があった。

以上より，技術的に実施可能な医師がいる場合には，Warshaw法よりも脾動静脈温存法を第一選択とするほうが望ましい，とした。

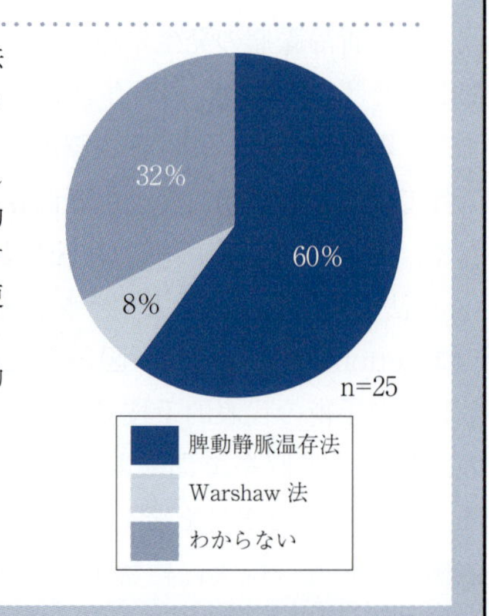

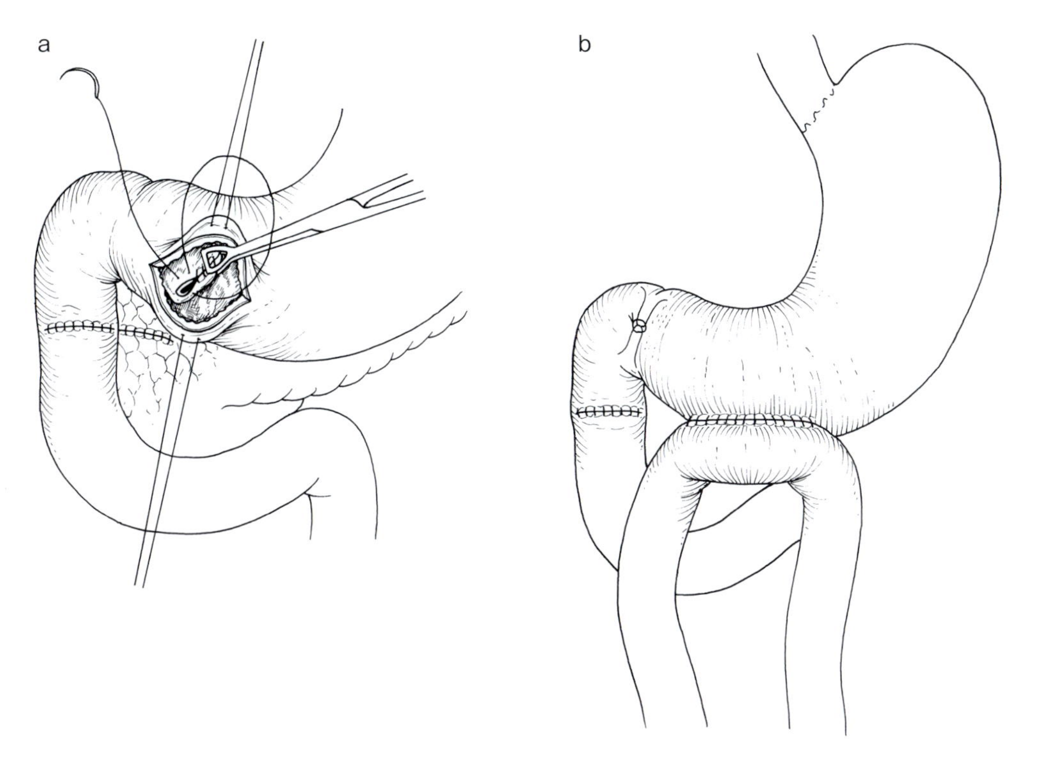

図3-3-E-26　**幽門空置術（pyloric exclusion）**

側から非吸収性モノフィラメント糸で縫合閉鎖した後，空腸をループで挙上して胃空腸吻合を行う。閉鎖した幽門輪は6～12週後に再開通するが，内視鏡で抜糸することも可能である。元来，十二指腸吻合部の安静を目的として施行されてきた付加手術であったが，近年は胃内の減圧とプロトンポンプ阻害薬の投与によりその有用性は低くなっている。また，幽門空置術が合併症の軽減や在院日数の短縮に寄与しないことも報告されており，最近では行われなくなりつつある[317)318)]。

2）NOM

2017年のEASTガイドラインでは，CT検査で診断されたGrade ⅠまたはⅡ損傷は，条件付きでNOM

◆Clinical questions◆　CQ 35

Q　膵頸部損傷においてLetton-Wilson法は適応となるか？

A　外傷専門医25名によるコンセンサス会議の投票の結果，56%が「適応となる」と回答し，16%が「適応とならない」，28%が「わからない」と回答した。

「適応となる」との回答には，「膵臓外科専門医が行うのであれば適応となり得る」，「循環動態が安定しており膵挫滅が限局している場合は考慮してもよい」，「EASTのガイドラインでも有害とされているわけではなく適応症例には実施できる」，「二期的手術で実施する」などの意見があげられた。一方，「適応とならない」との回答には，「尾側膵切除または主膵管再建（Martin法）を行う」との回答がみられた。

以上より，膵頸部損傷においてLetton-Wilson法は循環動態が安定しており，膵臓外科などの専門医が手術をするのであれば適応となり得る，とした。

回答	割合
適応となる	56%
適応とならない	16%
わからない	28%

n=25

参考文献

• Ando Y, et al：J Hepatobiliary Pancreat Sci 2021；28：183-191.

を推奨している[290]。膵管の損傷が否定できないのであれば，ERCPなどによりこれを確認する。Velmahosらは膵あるいは膵十二指腸損傷の41％がNOMで治療され，その10％に手術が必要となったと報告している[277]。また，Grade Ⅱ，Ⅲ損傷に対するNOMの際にはERCPは必須であり[319]，手術移行や膵関連合併症を減少させるという報告がある[320]。NOMから手術に移行した患者の検討ではISSとGrade Ⅲ，Ⅳ損傷が関連因子となっており，主膵管損傷を伴う膵損傷は原則として手術適応と考えるが[321]，主膵管の不完全断裂があり，尾側膵管への膵管ステント留置が成功した例では手術を回避することが可能との報告もある[283,322]。DuchesneらはAISが2以下の循環動態が安定しているlow gradeの膵損傷にNOMを適応し，NOMの失敗率は15％で，失敗症例のなかに死亡例はなかったと報告している[274]。また，BifflらはGrade Ⅰ，Ⅱのlow gradeの損傷患者における膵損傷関連合併症の発生は全体の15％で，内訳は42％が膵切除後，26％がドレナージ術後，NOMでは4％であり，膵切除は避けるべきで，可能なかぎりNOMを施行すべきとしている[323]。

3. 合併症

1）出　血

術後出血は，膵十二指腸損傷症例の約10％で起こるといわれている。輸血は循環動態と血液凝固障害を指標として行う[324]。循環が不安定な場合はdamage control surgeryと緊急輸血を行い，アシドーシス，血液凝固障害，低体温の是正に努める[299]。循環動態が安定している場合は，TAEで止血を図ることを考慮してもよい。また，膵壊死あるいは腹腔内膿瘍が進行すると遅発性出血の原因となり得るが，この場合は原則としてTAEにより止血を行う[325,326]。

2）膵液瘻

膵損傷における膵液瘻の合併率は一般的に11〜37％と報告されている[273,292,295]。膵液瘻は，ドレーン排液のアミラーゼ値が血中の3倍以上であった場合に診断される[327]。排液が200ml/日以下の膵液瘻は，適切なドレナージがなされていれば，自然軽快する。700ml/日を超える排液はまれであるが，長期のドレナージと栄養サポート，あるいは後に手術介入が必要となることもある[328]。早期のERCPによる括約筋切開やステントが有効かもしれない[322]。ソマトスタチンアナログは排液量の多い膵液瘻に対

◆Clinical questions◆　**CQ 36**

Q 小児膵断裂においてNOMは可能か？

A 外傷専門医25名によるコンセンサス会議の投票の結果，「可能である」と回答したものが24%，「可能ではない」が28%であった。一方，「わからない」と回答したものが約半数の48%であった。

「可能である」との回答では，「ERPが可能な年齢であればNOMの可能性がある」，「NOMでの成功経験がある」，「ERPで離断部より末梢にガイドワイヤーが通ればNOMが可能である」との意見があげられた。一方，「可能ではない」との回答には，「膵断裂であれば手術を推奨する」，「主膵管損傷を伴う膵断裂はNOMで治療を完遂できる可能性は低い」，「ごくまれに可能な場合もあるが，ドレナージが複数回となり病悩期間が長期となる可能性が高い」などの意見がみられた。「わからない」と回答した約半数からは，「ほとんど経験がないのでわからない」，「小児膵断裂のNOMで治療に成功した症例を経験しているが膵液漏や感染が生じた際はドレナージや手術を要することが多いと思われる」などの意見が多数みられた。

以上より，小児膵断裂の基本的戦略は手術であるが，小児のERPが実施可能な施設で損傷膵管より末梢までカニュレーションができた場合にはNOMにより治療できる可能性があり得る，とした。

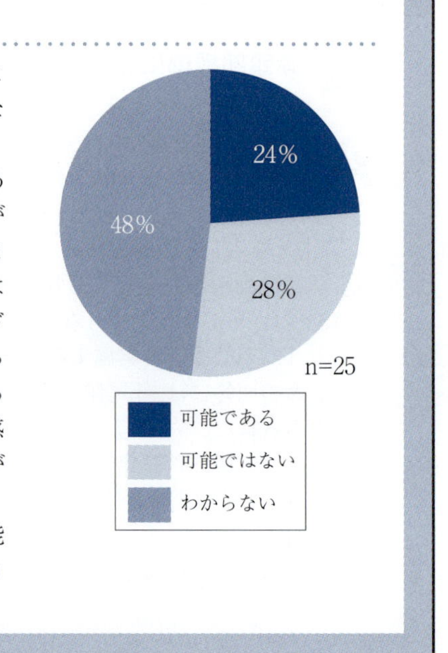

して使用され，膵液の排出量を減少させるが，瘻孔形成の期間短縮や自然閉鎖率向上には寄与しないため，使用は通常推奨されない[290,329,330]。多施設検討では，外傷に対する膵尾部切除における術後膵液瘻は14%であり，89%が8週以内に閉鎖すると報告されている[291]。

3）腹腔内膿瘍

初回手術のデブリドマンやドレナージが不十分であると，術後敗血症を契機に腹腔内膿瘍を併発することがある。ドレナージ手術は極力避け，超音波ガイド下あるいはCTガイド下に経皮的ドレナージを行うことが望ましい[18]。

4）仮性膵嚢胞，膵炎

早期の仮性膵嚢胞は膿瘍との鑑別が困難であり，診断と治療的観点から経皮的もしくは経胃吸引が有用である。仮性膵嚢胞の多くは6カ月程度の経過のなかで多くは自然消退する。晩期の仮性膵嚢胞は手術あるいは内視鏡的ドレナージ術が適応となる[331]。晩期の仮性膵嚢胞が形成された場合には，ERCPで主膵管の連続性を評価し，主膵管損傷がなければ，経皮的もしくは内視鏡的ドレナージでしばしば軽快する。内視鏡的膵管ステントが有用との報告もある[322]。

膵損傷に対する術後高アミラーゼ血症が遷延することは一般的であり，腹痛を伴った急性膵炎はきわめてまれである。CT検査で腹腔内膿瘍，仮性膵嚢胞あるいは他の合併症を否定する必要がある。診断されれば，治療は消化管の休息と栄養サポートであり，経腸栄養は許容される。

5）膵機能不全（pancreatic insufficiency）

膵の80%以上を切除すると膵内・外分泌機能障害が生じる可能性がある。上腸間膜動静脈の尾側で切除すれば，通常の膵機能を維持することができる[291]。

表3-3-E-8　十二指腸外傷の関連損傷

損傷臓器	合併頻度（%）
大血管	48
肝	44
結腸	31
膵	30
小腸	29
胃	23
腎	19
胆嚢/胆管	14
脾	3

〔文献276）より引用・改変〕

Ⅶ 十二指腸損傷の治療戦略と戦術

1．治療戦略

十二指腸損傷は鈍的外傷のなかでも発生頻度が低く，0.2～0.3%にすぎない[273,292,332,333]。したがって，単施設で個人が経験する患者数は少なく，周術期管理や手術の経験を十分に積むことが難しい外傷である。また，解剖学的には後腹膜腔に位置し，下大静脈・上腸間膜動静脈といった大血管や肝・膵・腎といった実質臓器，さらには胃・十二指腸・小腸・横行結腸といった管腔臓器にも近接しており，診断や治療の遅れが循環動態の悪化や合併症率の増加につながるため，迅速に診断して治療戦略を立てることがきわめて重要である[277,332,334～343]（表3-3-E-8）。AASTによる損傷分類を表3-3-E-9[52]に，十二指腸損傷に対する治療戦略を図3-3-E-27に示す。

primary surveyでFASTを行い，FAST陽性で循環動態が不安定であれば，迅速に手術室に搬送して緊急開腹術を行う。FAST陽性であっても循環動態が安定している患者，およびFASTは陰性であるが適応がある患者には造影CTを行う（図3-3-E-28）。free airや血管外漏出を認めれば緊急開腹術を行う。また，free airや血管外漏出を認めないものの，十二指腸壁の浮腫・血腫・肥厚や後腹膜の液体貯留，fat stranding（脂肪組織浸潤像）といった十二指腸損傷を疑う所見を認める場合は，十二指腸造影を考慮してもよい。ただし，特異度は98%と高いが，感度は54%と必ずしも高くない[343]。経口造影剤の壁外漏出を認めれば同様に緊急開腹術を行う。認めない

表3-3-E-9　duodenum injury scale（AAST）

AAST Grade*	AIS 重症度	損傷形態	損傷
Ⅰ	2	血腫	十二指腸の1つの部位を含む損傷
	3	裂創	非全層性損傷，穿孔なし
Ⅱ	2	血腫	十二指腸の2つ以上の部位を含む損傷
	4	裂創	壁環周率50%未満の破壊
Ⅲ	4	裂創	D2の壁環周率50～75%の破壊 D1，3，4の壁環周率50～100%の破壊
Ⅳ	5	裂創	D2の壁環周率75%を超える破壊 膨大部または遠位総胆管を含む損傷
Ⅴ	5	裂創	壊滅的な膵十二指腸複合損傷（膵と十二指腸が同時に損傷）
	5	血管損傷	十二指腸の血流途絶

＊多発外傷の場合はGrade Ⅲまで1段階上がる
D1：十二指腸第1部，D2：十二指腸第2部，D3：十二指腸第3部，D4：十二指腸第4部
〔文献52）より引用・改変〕

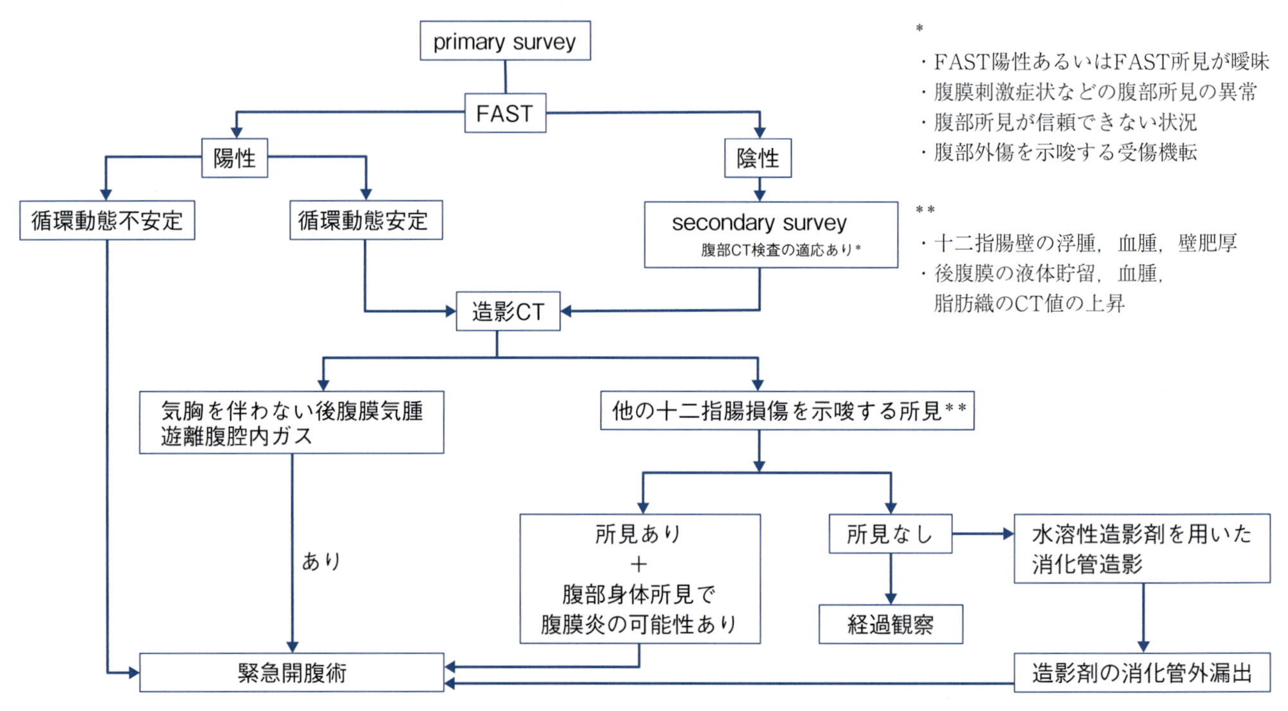

図3-3-E-27　**十二指腸損傷治療戦略**

場合には12～24時間後にCT検査を行って緊急開腹術の必要性を再検討する。

2. 治療戦術

AASTは十二指腸損傷をGrade Ⅰ～Ⅴに分類しているのに対し[289]，日本外傷学会による臓器損傷分類は，十二指腸損傷単独の分類ではなく，消化管損傷として食道，胃，小腸，結腸・直腸と共通の分類となっている。壁内血腫であるGrade Ⅰ・Ⅱ損傷は，原則NOMを選択する。消化管の穿孔・破裂を伴うGrade Ⅱ以上の損傷は手術治療を要する。

1）手術治療

(1) 循環動態が不安定な場合の手術

循環動態が不安定な場合は，緊急開腹術の適応である。上腸間膜動静脈領域の後腹膜血腫，腸液や胆汁による汚染，浮腫状変化は十二指腸損傷を疑う所見であるため，隣接する臓器を含めて損傷の有無を徹底的に確認する必要がある。

循環不安定な場合の手術は多くがdamage control surgeryを行う。十二指腸損傷部位は損傷度合いに

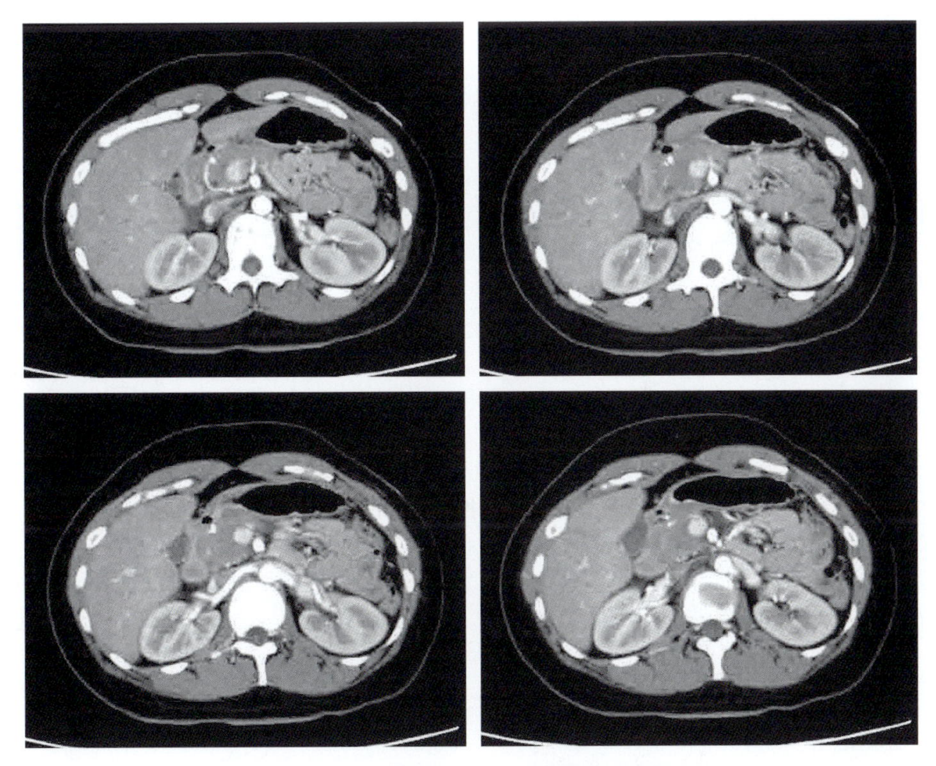

図3-3-E-28　膵頭部・十二指腸損傷の造影CT
膵頭部に血管外漏出を認め，十二指腸付近にfree airも認める

かかわらず最小限のデブリドマン後に単純縫合閉鎖を試みる。併せて胃管チューブによる胃十二指腸内減圧を行う。縫合閉鎖が困難な場合は十二指腸部分切除や十二指腸−十二指腸吻合などにより汚染のコントロールに努め，再建は多段階を含めた再画的再手術で行う[344]。

十二指腸損傷は隣接臓器の損傷を伴うことが多く，循環動態が不安定な状況下では，止血・デブリドマン・ドレナージを迅速に行い，集中治療管理による生理学的異常の改善を優先する[299]。

(2)　十二指腸の露出

原則，膵の露出（「膵損傷の治療戦略と戦術」，p.224参照）と同様である。Kocher授動術を行い，第3部まで露出可能である。さらに，回盲部からTreitz靱帯に向かって小腸間膜根を切離すると，第3部，第4部，上腸間膜動静脈根部が露出される。さらに，Treitz靱帯を切離することで，第4部から空腸起始部までが露出される。

(3)　循環動態安定時に選択し得る術式

循環動態が安定している際の戦術は，損傷の程度と範囲により決定される。

①壁内血腫に対する手術

腹腔内検索中に発見されることもあるが，多くはCT検査で同定される。発見された穿孔を伴わない壁内血腫は保存的治療の適応となるが，臨床経過のなかでgastric outlet obstructionをきたすことがある。血腫は，通常3週間で自然消失するが，その間，経静脈栄養と経鼻胃管による胃内容の持続吸引で治療する[345]。血腫形成後，壁内血腫と診断してNOMを行った場合，14日以上十二指腸の閉塞が改善しない場合は，手術治療を考慮すべきである[344]。腹腔内検索中に壁内血腫を発見した際は，Kocher授動術を行い，十二指腸狭窄や穿孔，膵損傷がないか十分に確認する。血腫が小さい場合は，経鼻胃管の挿入と術後腸管栄養のために空腸瘻を作成する。血腫が大きい場合には，十二指腸壁を切開して血腫を吸引し，十分な止血を行った後に縫合閉鎖する[334]。

②穿孔，断裂に対する手術（図3-3-E-29）

全周の50％以下の損傷は，十分な血流があれば，多くの場合，デブリドマン後に単純縫合閉鎖をすることで安全に修復できる[339]（図3-3-E-30）。ただし，受傷後24時間以上経過した場合には，その限りではない。縫合法は連続縫合でも結節縫合でも構わないが，縫合部にテンションがかからないことがもっとも重要である。内腔の狭窄を最小限にするために，腸管長軸方向の損傷に対して短軸方向での修

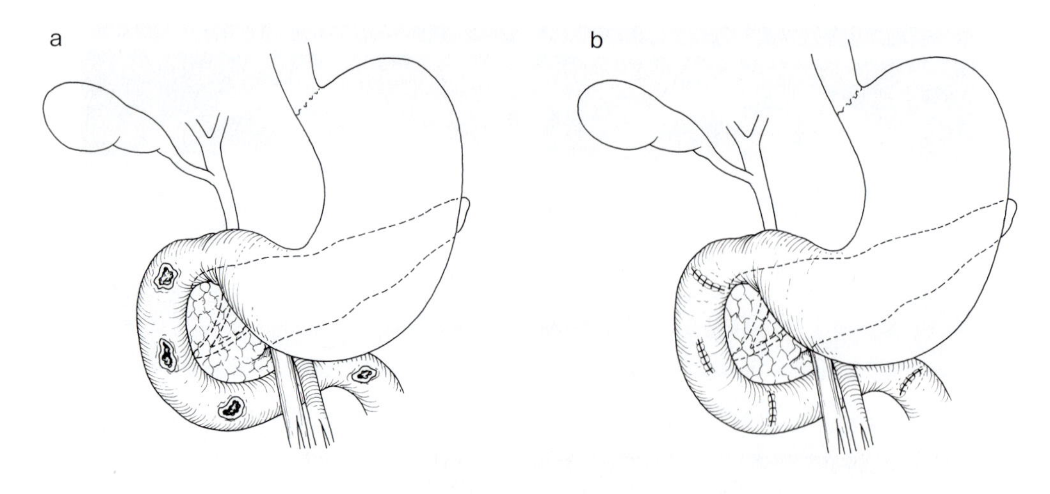

図3-3-E-30　**限局性十二指腸損傷に対する縫合閉鎖**

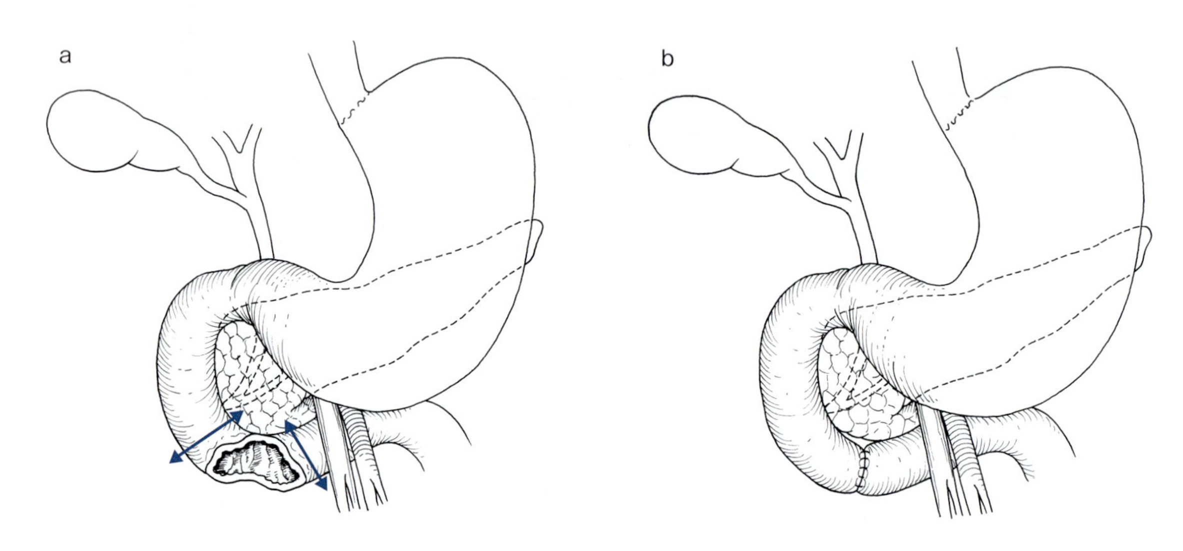

図3-3-E-31　**十二指腸損傷部切除（第3，第4部）**

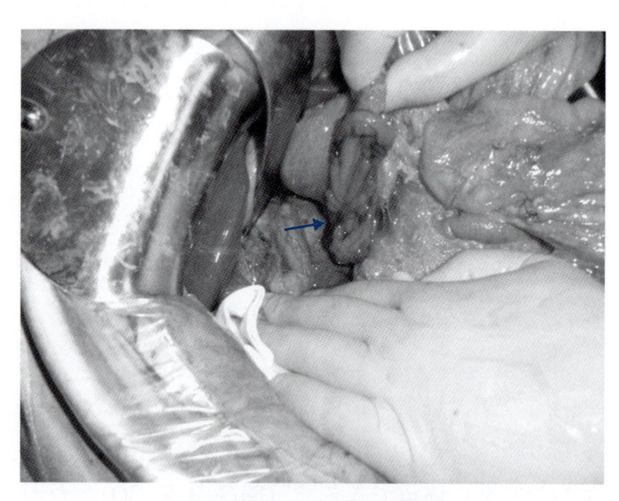

図3-3-E-29　**十二指腸損傷**

復が支持されてきたが，モノフィラメント糸の普及により，損傷が形成された方向での修復が推奨されている[346]。また，膵側の十二指腸損傷に対しては，十二指腸対側を切開して内腔側から修復することを考慮する。この際，Vater乳頭部を損傷しないようにあらかじめ位置を確認しておく必要がある。

全周の50％以上の損傷は，十二指腸縫合による合併症率や死亡率が高いことが報告されているため，縫合に付加的な手術もしくは単純縫合以外の修復法を考慮したほうがよい[336]。

デブリドマン後の十二指腸縫合が困難であると判断した場合は，分節切除を選択して，十二指腸－十二指腸端々吻合を考慮する（図3-3-E-31）。ただし，十二指腸第2部は強固に膵と付着しているため授動が困難であり，この術式が適応になることは少ない。第2部の修復ではVater乳頭部を損傷しないよう細心の注意を払う必要がある。Vater乳頭部より遠位の損傷では，損傷部を切除したのちRoux-en-Y再建を行う。空腸はretrocolic（結腸後）で挙上し，十二指腸空腸吻合を端々あるいは側々吻合で行う（図3-3-E-32[347)348)]，33）。十二指腸の遠位断端は縫合閉鎖し，Y脚は挙上空腸に吻合する。膵対側の損傷で，全周の50～75％の損傷の場合は，十二指腸空腸吻合術（Roux-en-Y）が可能である。従来はこのような損傷に対して空腸漿膜パッチが用いられていたが，近年ではあまり使用されなくなった。第3，第4部は腸間膜が短く，授動も困難で容易に虚血に陥り，十二指腸瘻のリスクが高くなる。したがって，十二指腸吻合よりは十二指腸空腸吻合のほうが好ましい。

◆Clinical questions◆ CQ 37

外傷による遅発性十二指腸穿孔において，primary closure を行うべきか？

A 外傷専門医25名によるコンセンサス会議の投票の結果，「行う」と回答したものが32%，「行わない」と回答したものが44%，「わからない」が24%と意見が割れた。

「行わない」と回答したものには，「十二指腸壁の血流障害があるため縫合不全や狭窄のリスクが高くなる」，「良好な組織修復が期待できない」，「遅発性穿孔はsevere injuryとAASTでは考えられており，修復まで24時間以上かかるケースは縫合不全のリスクが高く閉鎖プラス付加手術を行うべき」などの意見がみられた。一方，「行う」と回答したものでは，「穿孔部が小さい場合は考慮してもよい」，「大網充填や漿膜パッチなどの補強を行う」，「行うべきだがそれに加えて周囲のドレナージおよび胃十二指腸の減圧などが必須である」，「辺縁のデブリドマンを行い，必ず付加手術を追加する必要がある」などの意見がみられた。

以上より，外傷による遅発性十二指腸穿孔では，縫合不全のリスクが高くprimary closureは積極的には奨められない。ただし，損傷部の状況を評価し実施できると判断した場合は，縫合後に大網充填，漿膜パッチ，または付加手術などを行うことが望ましい，とした。

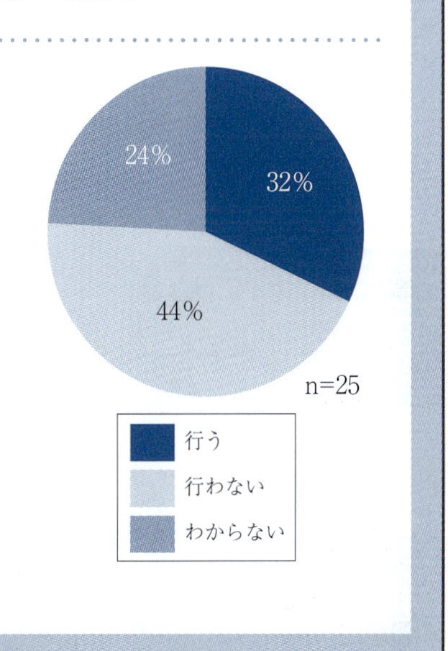

◆Clinical questions◆ CQ 38

重症十二指腸損傷において付加手術は行うべきか？

A 外傷専門医25名によるコンセンサス会議の投票の結果，「行うべき」との回答が48%，「行う必要はない」が28%であり，「わからない」との回答が24%であった。

「行うべき」との回答には，「穿通性か鈍的かなど受傷形態や合併損傷の有無で付加手術を考慮する必要はある」，「時間の経っている症例では幽門閉鎖やチューブドレナージなどを行う」，「AASTのsevere injuryのcriteriaでは縫合不全の確率が高く付加手術を行う」，「損傷部が大きくprimary closureできない場合は空腸や結腸を用いた付加手術を考慮する」，「鈍的外傷または銃創・D1やD2の75%以上の損傷・胆管または膵損傷の合併・受傷後24時間以上経過している場合には付加手術は施行すべきである」，「汚染や挫滅が高度，または手術まで時間が経過している場合には行うべき」などの意見があげられた。一方，「行う必要はない」との回答には，「必ずしもpyloric exclusionなどの付加手術を行う必要はない」，「付加手術の有用性を支持するエビデンスはほとんどない」などの意見がみられた。

以上から，重症十二指腸損傷において，損傷が大きく，膵胆道系の損傷が合併しているまたは受傷後24時間以上を経過するなどの単純縫合のみでは縫合不全のリスクが高いと考えられるものに対しては付加手術を追加することを検討してもよい，とした。

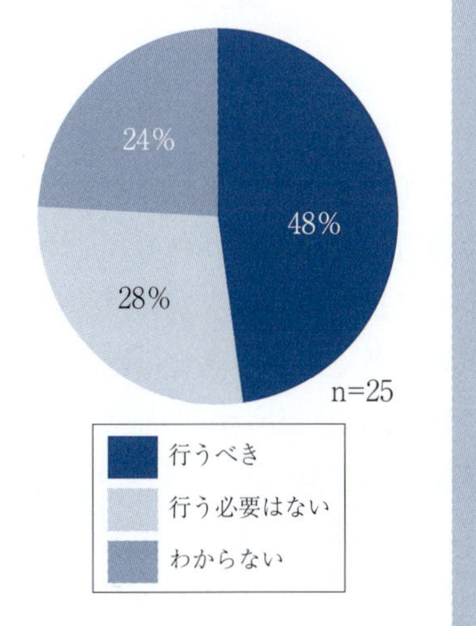

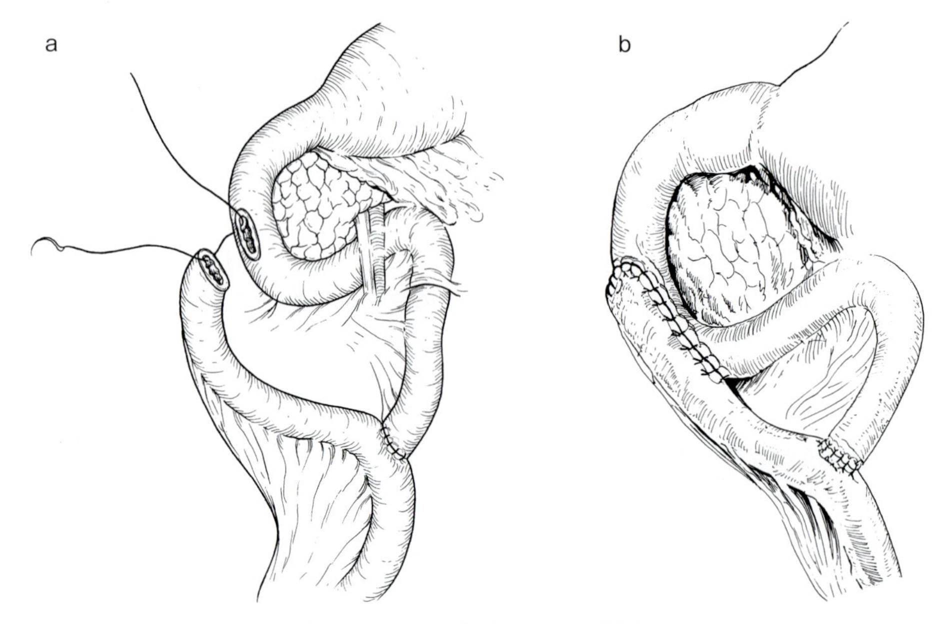

図3-3-E-32　double tract再建

〔文献347)348)より引用〕

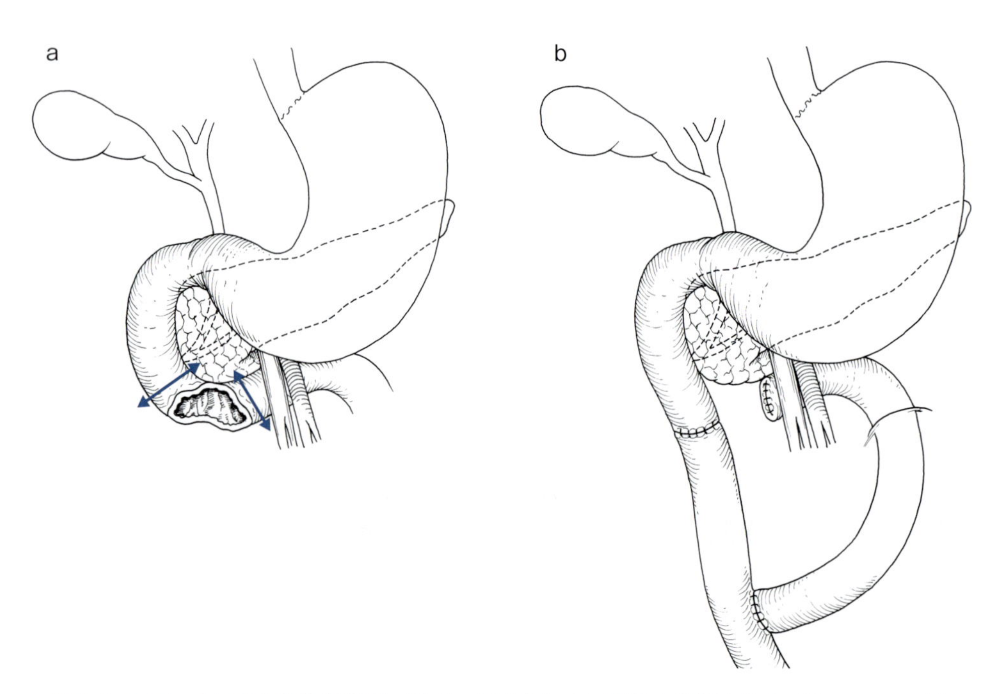

図3-3-E-33　十二指腸損傷部切除（第3，第4部）十二指腸空腸端々吻合（Roux-en-Y）

③膵頭十二指腸切除術（図3-3-E-34）

膵頭部の高度な挫滅により，膵頭部の温存が困難な患者に対して行われる。しかし，膵頭部損傷を伴う十二指腸損傷のなかには，循環動態が安定しない患者も多く，その場合は蘇生的手術を行い，二期的にPDを行うほうがよい。

④付加手術

付加手術は，十二指腸吻合部の安静を目的として施行されてきた手技であるが，近年は，胃内の減圧とプロトンポンプ阻害薬の投与が主流となっており，また合併症の軽減や在院日数の短縮に寄与しないことも報告されており，行われることは少なくなっている。付加手術として代表的な手技には，幽門空置術（図3-3-E-26）と十二指腸憩室化手術がある（図3-3-E-35）[348]。とくに十二指腸憩室化手術はもはや十二指腸損傷の手術としては推奨されない[344]。

2）NOM

十二指腸損傷に対するNOMは，AAST Grade Ⅰ，

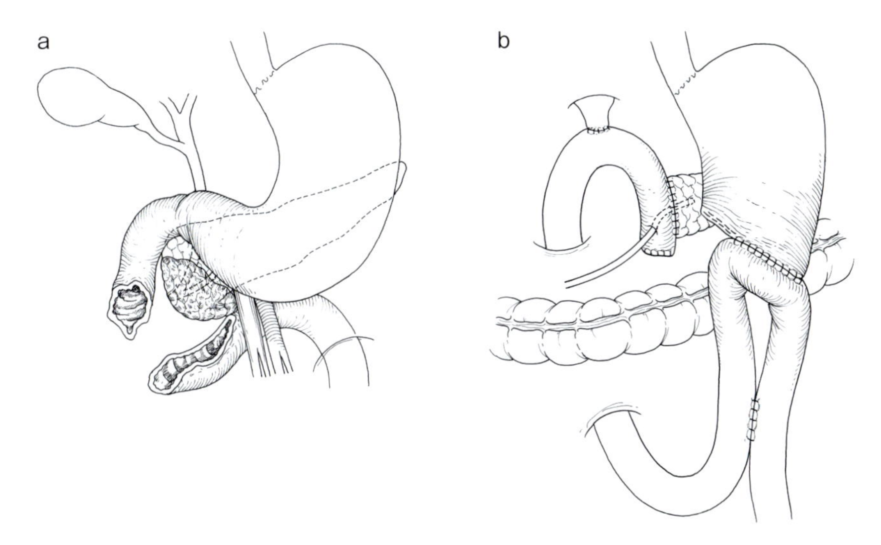

図3-3-E-34　主膵管損傷を伴う十二指腸損傷に対する膵頭十二指腸切除術

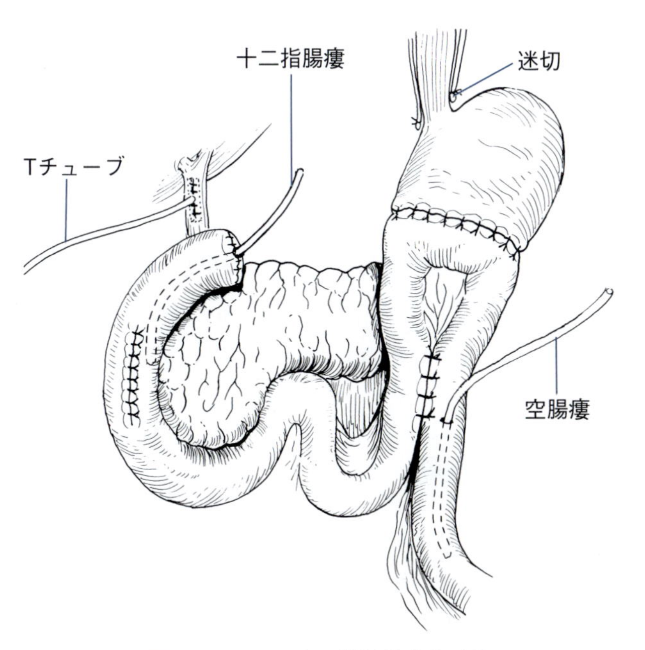

図3-3-E-35　十二指腸憩室化手術
〔文献348)より引用〕

Ⅱ損傷（壁内血腫）が適応となる。しかしながら，挫傷による穿孔と壁内血腫の鑑別は困難であり，NOMを選択した際は注意深い身体観察を継続し，必要であれば繰り返しCT検査を行って，穿孔の見逃しを防がなくてはならない。症状が悪化する，または画像所見の悪化がみられる場合は，NOM不成功例と判断する[344)]。十二指腸穿孔に対する診断の遅れは，高率な合併症の発生に寄与するため，早期診断に努めることが肝要である。

3. 合併症

1）出　血

術後出血は，膵十二指腸損傷例の約10%で起こるといわれている。循環動態が安定している場合は，TAEで止血を図る。

2）十二指腸瘻

十二指腸瘻の合併率は一般的に5%以下である。原因は縫合不全によるものがもっとも多く，時折，狭窄による遠位十二指腸閉塞を伴っていることもある。腸液の多い外側瘻孔の管理は困難であり，幽門空置術を行うことで，術後管理が単純化できる可能性がある。適切なドレナージにより，ほとんどの患者が3週間以上経過して軽快するが，ハイリスク患者では初回手術の際に腸瘻を造設して栄養ルートを獲得しておくことが望ましい。

3）腹腔内膿瘍

初回手術のデブリドマンやドレナージが不十分であると，術後敗血症を契機に発見されることがある。ドレナージ手術は極力避け，超音波ガイド下あるいはCTガイド下に経皮ドレナージを行うことが望ましい。

 胃・下部消化管損傷の治療戦略と戦術

EASTの報告によると，腹部消化管損傷の発症率は約1.2%であり，そのうち鈍的外傷における胃穿孔は約2.1%，小腸穿孔は25.7%と報告されている[349]。胃は壁が厚く，通常鈍的外傷による損傷は少ない。しかしながら，食直後でfull stomachの状態や，不適切なシートベルト着用により破裂することがある。胃壁が破裂するほどの力が腹部に加わるため，肝，脾，膵といった隣接臓器の損傷はしばしば重症である[350]。そのため，鈍的破裂の予後は隣接臓器の重症度に起因することが多い[351]。

鈍的小腸穿孔は，自動車事故などによりシートベルトで小腸が椎体との間に挟まれ，急な減速により腸間膜固定部の小腸が裂けるなどして生じる。救命の観点からシートベルト着用の有用性に変わりはないが，シートベルト着用者は非着用者と比較して腹部外傷の発生率に差はなく，非着用者と比較して有意に小腸穿孔の発生率が高いとの報告がある。またシートベルト痕は，腹部損傷の64%，小腸穿孔の21%に認められる[352]。鈍的小腸穿孔の患者のうち約20%は小腸単独損傷であり，約25%は手術を必要とする他の損傷を伴っている[353)～355]。

EASTが行った多施設共同研究では，27万5千例を超える消化管外傷患者の検討の結果，鈍的小腸損傷の画像診断は，現時点では十分な感受性を確保しておらず，今後の診断能向上が望まれると結論されている[356)～358]。この感度の低さは，スクリーニング検査（腸管損傷の正確な否定）としての診断能に多くの課題を残していることを示している。さらに最新のMDCTをもってしても，管腔臓器損傷の診断率は，感度64～95%，特異度48～84%と，十分に改善しているとはいえない[358)～362]。このため，見逃しによる開腹遅延から「防ぎ得る外傷死」に陥る。見逃し開腹遅延を100%回避するためには，適宜，診断的腹腔吸引・洗浄法[363,364]や診断的腹腔鏡[365]を追加で実施することが求められる。

結腸損傷による死亡率は近年3%まで減少している。しかしながら，合併症率は依然として高く，敗血症が約20%で起こるとされている[366)～371]。前方からの穿通性外傷では，開腹術を施行した患者の18%，後方からの穿通性外傷では，20%に結腸損傷が認められるとの報告もある[372]。鈍的外傷による結腸損傷は全鈍的外傷の0.5%と頻度が低く，開腹症例の10.6%に認められると報告されている[373,374]。損傷部位としては左結腸損傷がもっとも頻度が高く，次いで右結腸，横行結腸と続く。造影CT検査の感度と特異度はそれぞれ90%，96%といわれている[14]。結腸損傷から手術までに6時間以上を要した場合は腹腔内合併症率が高いため，迅速な診断と治療が求められる。

直腸損傷の死亡率は5%，合併症率は10%である。欧米においては直腸損傷の大部分が小銃などによる穿通性外傷であり，鈍的外傷によるものは5～10%にすぎず，その大部分は骨盤骨折が原因である[375)～379]。腹腔内直腸損傷の臨床症状や診断は，結腸損傷と同じであり，患者の大部分が腹膜炎症状を有し，診断はほとんどすべてが術中になされる。腹腔外直腸損傷は腹膜炎症状がないため診断に苦慮することが多い。腹腔外直腸損傷を疑う徴候があれば，直腸診と直腸S状結腸鏡検査とCT検査を行い診断する。直腸診と直腸S状結腸鏡検査の診断精度は80～95%であるが[375,377,380)～383]，偽陰性も31%と高いため，CT検査や注腸検査も考慮したほうがよい[384,385]。

1. 治療戦略

腹膜刺激症状があり，FAST陽性あるいはCT検査で消化管穿孔の疑いがある場合は開腹術を選択する。しかしながら外傷によって生じる腹膜炎（管腔臓器損傷）の診断は，困難なケースも存在する。腹膜炎は腹部の身体診察から診断するのが原則であるが，他部位の痛み，頭部外傷に伴う意識障害などが併存すると正確な腹部所見が得られない[386)～388]。また，管腔臓器の後腹膜への穿孔では，受傷早期には腹膜刺激症状が出現しない。したがって，積極的に画像診断を実施して総合的に判断し管腔臓器損傷をみつけなければならない。診断が遅れて手術のタイミングが遅れると，局所の腹膜炎から敗血症になるため，的確な診断と治療が必要である[389]。

2. 治療戦術

1）手術治療

(1) 循環動態が不安定な場合の手術

循環動態が不安定な場合は，ダメージコントロール戦略の必要性を判断する。適当と判断した場合は，腸間膜からの出血と汚染コントロールのみを主眼に置いた手術を行う。crash laparotomyで開腹し，5点パッキングののち，損傷腸管の検索を行う。胃・小腸穿孔部からの出血は少なくなく，吸収糸による連続縫合あるいは鉗子によるクランプで止血する。また，自動縫合器による穿孔部閉鎖は迅速かつ確実であり有用である。損傷部が大きい場合は切除のみを行い，生理学的異常を改善した24～48時間後に

◆Clinical questions◆ CQ 39

Q 循環動態安定時の消化管損傷が疑われる場合，審査腹腔鏡（腹腔鏡検査）は診断的腹腔洗浄（DPL）より優れているか？

A 外傷専門医25名によるコンセンサス会議の投票の結果，「優れている」との回答が60%，「優れていない」が16%であった。

「優れている」との回答には，「直接腹腔内を観察できることに加えそのまま治療に繋げられる可能性がある点で優れている」，「DPLはほとんどせず審査腹腔鏡をしている」，「審査腹腔鏡の際に鏡視下DPLを行うことでさらに精度があがる」，「腸間膜損傷による腸管虚血の診断はDPLでは困難」などの意見がみられた。一方，「優れていない」との回答には，「審査腹腔鏡による見落としの偽陰性の可能性はゼロではなく開腹手術判断が遅れてしまう危険がある」，「審査腹腔鏡は全身麻酔が必要であり，まずはDPLを行うべき」などの意見がみられた。

以上より，循環動態が安定した患者において消化管損傷が疑われる場合，審査腹腔鏡は直接腹腔内を観察できることに加えて，損傷部を発見すればそのまま手術を実施できる点ではDPLより優れている。ただし，手術室への移動，気腹，細かい損傷を見逃すなどリスクもあり，患者によってはベッドサイドで行えるDPLが優れている点もある。また，コンセンサス会議において細かい損傷の見逃しリスクを低減するために，鏡視下にDPLを追加するのも一つの選択肢となり得るとの意見がまとめられた。

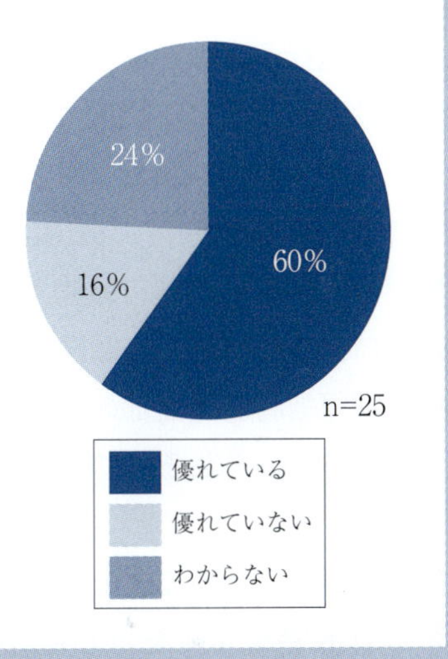

◆Clinical questions◆ CQ 40

Q 横隔膜損傷の修復術は，鏡視下手術が望ましいか？

A 外傷専門医25名によるコンセンサス会議の投票の結果，「望ましい」が52%，「望ましくない」が16%であった。

「望ましい」との回答には，「循環動態が安定しているのであれば視野もよく低侵襲のためよい適応である」，「待機的に行う前提であれば低侵襲な鏡視下手術が望ましい」，「VATS（video assisted thoracic surgery）は有効」，「手術合併症・入院期間・SSI・膿胸などの発生を考慮すると鏡視下手術が望ましい」などの意見が多数みられた。ただし，「望ましい」としながらも，「鏡視下の場合見逃し損傷が増えることも報告されているので，外傷における鏡視下手術に慣れている施設もしくは術者が行うべきである」との意見もみられた。一方，「望ましくない」との回答には，「当施設では開腹で修復する」，「修復以外の副次的操作（合併損傷の確認と修復や洗浄など）が必要となることが多いため推奨しない」との意見があげられた。

以上より，横隔膜損傷の修復術は，全身状態が安定した患者においては視野がよく低侵襲であることから鏡視下手術を考慮してもよい。ただし，見逃し損傷には十分注意が必要で，外傷における鏡視下手術に慣れている施設の術者が行うのが望ましい，とした。

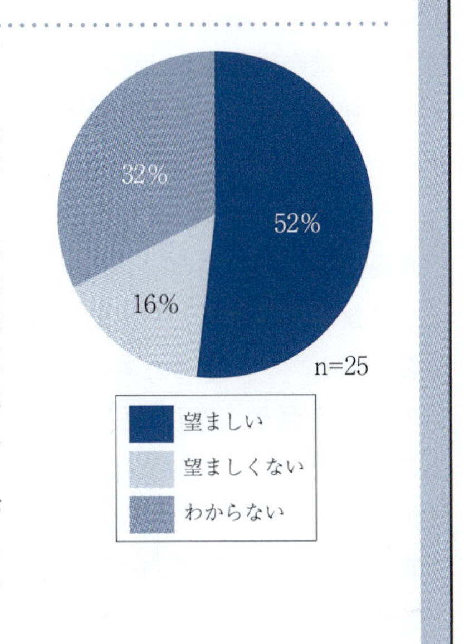

表3-3-E-10　stomach injury scale（AAST）

AAST Grade*	AIS 重症度	損傷
Ⅰ	2	打撲傷／血腫
		非全層性裂創
Ⅱ	3	食道胃接合部または幽門における2cm未満の裂創
		胃の近位部1/3における5cm未満の裂創
		胃の遠位部2/3における10cm未満の裂創
Ⅲ	3	食道胃接合部または幽門における2cmを超える裂創
		胃の近位部1/3における5cmを超える裂創
		胃の遠位部2/3における10cmを超える裂創
Ⅳ	4	胃2/3未満の実質欠損または血流途絶
Ⅴ	4	胃2/3を超える実質欠損または血流途絶

* 多発外傷の場合はGrade Ⅲまで1段階上がる
〔文献52)より引用・改変〕

再建術を施行するのが望ましい[390]。

循環動態が不安定な状況において，出血と汚染のコントロールを同時に行うには，全層の1層連続縫合か自動縫合器を使用する。結腸切除を必要とする損傷では，損傷部が横行結腸やS状結腸の場合，損傷部の口側と肛門側を自動縫合器で切離する。上行結腸～横行結腸肝彎曲部の損傷，脾彎曲部～下行結腸の損傷では，それぞれ結腸右半切除術，結腸左半切除術を行う。

循環動態がきわめて悪い場合には，手術時間を短縮する目的で腸間膜を自動縫合器もしくはエネルギーデバイスにて切離することを考慮してもよい。その際，切離断端からの出血に対しては，モノフィラメント縫合糸で連続縫合を追加する。damage control surgeryを行う場合に初回手術で人工肛門造設を行うと，術後の状態によっては大量輸液などにより腹壁が膨張し，人工肛門が虚血になることがある。初回手術では結腸切除だけにとどめ，後日腸管吻合を行ったほうが腹腔内合併症の可能性は低いことが報告されている[391) 392)]。

直腸損傷に伴う出血コントロールで問題となるのは，骨盤骨折に関連した出血である。骨盤内への出血をコントロールするためにはガーゼパッキングによる圧迫止血と，これに引き続くTAEの両者を行うことで止血できる。また，腹腔外直腸損傷が骨盤骨折に伴って発生した場合，骨盤腔内の汚染が大きな問題となる。骨盤腔内の汚染が広がれば，後に行う骨盤骨折の根治術への影響も大きく，また汚染がもとで重篤な敗血症へと移行するケースも少なくないため，確実な汚染回避を行うことが肝要である。損傷部の可及的縫合閉鎖を行う一方で，循環動態が安定していれば汚染が拡大しないように，口側からの便の流入による損傷部からの汚染を防ぐためにS状結腸など損傷部の上流での人工肛門の造設を行う。

(2) 循環動態安定時に選択し得る術式

①胃損傷

胃への手術アプローチは，損傷部を探す場合には胃の授動が重要である。胃結腸間膜からアプローチして網嚢内に入り，胃後壁を観察する。必要であれば，短胃動静脈を頭側に処理していき胃穹窿部の観察も行う。食道胃接合部や噴門部の観察が必要な場合は，肝胃間膜の切離をするが，迷走神経やその分枝あるいは左肝動脈の破格を損傷しないように注意が必要である。また，食道胃接合部の視野が悪い場合には，左三角間膜と左冠状間膜を切離して肝外側区域を脱転することで視野を得ることが可能である。

胃前壁に損傷部を発見した際には二次損傷部位の探索が必要であり，胃小彎，大彎，胃体上部や穹窿部の後壁，噴門部は見逃しやすいので注意する。とくに穿通性損傷では後壁への貫通性の損傷が存在することもあり，留意すべき点である。胃管チューブを使用したリークテストは有効な場合がある。

術式は損傷の程度と範囲により決定される。AAST（表3-3-E-10）[52] Grade Ⅰの壁内血腫は，血腫除去および止血後の漿膜筋層縫合で修復する。Grade Ⅱの穿孔は1層あるいは2層で縫合閉鎖する。大彎近傍のGrade Ⅲ損傷は手縫いによる縫合閉鎖あるいは自動縫合器による閉鎖を行う。とくに，損傷部が

表3-3-E-11　small bowel injury scale（AAST）

AAST Grade＊	AIS 重症度	損傷形態	損傷
I	2	血腫	血管損傷のない打撲傷または血腫
	2	裂創	非全層性損傷，穿孔なし
II	3	裂創	壁環周率50％未満の裂創
III	3	裂創	壁環周率50％以上の離断のない裂創
IV	4	裂創	小腸離断
V	4	裂創	部分的組織欠損を伴う小腸の離断
	4	血管損傷	血流途絶部位を伴う血管損傷

＊ 多発外傷の場合はGrade IIIまで1段階上がる
〔文献52）より引用・改変〕

食道胃接合部や幽門部に近い場合は狭窄に注意する。幽門部においては幽門形成を行うことを考慮する。Grade IV損傷では幽門側胃切除術あるいは噴門側胃切除術を必要とする。幽門側胃切除後の再建は慣れた方法でよいが，十二指腸損傷があればRoux-en-Y再建を選択したほうがよい。

横隔膜損傷を伴う場合は，胃損傷部を修復したのちに経横隔膜的に胸腔内を洗浄する。汚染がひどい場合は，左側方開胸などを追加して胸腔内を十分に洗浄する必要がある。

②小腸損傷

根治的修復は全小腸の探索が終了したのちに開始する。小腸壁近傍の腸間膜血腫は，腸間膜側の小腸壁に損傷がないかどうか確認する。小腸壁から離れた部位の腸間膜血腫は，増大がなければ手術終了前に再度確認する。

術式は損傷の程度と範囲により決定される。AAST（表3-3-E-11）[52]におけるGrade I（漿膜の裂創や血腫）は漿膜筋層縫合で修復する。Grade II（小腸円周の50％未満の裂創）ではデブリドマン後に単純閉鎖する。短軸方向での縫合閉鎖を基本とするが，長軸方向に長い裂創の場合はそのまま縫合する。Grade II損傷が多発する場合は個々に閉鎖するが，近接する場合は裂創をつなげてから縫合閉鎖，もしくは損傷腸管を切除してもよい。Grade III（小腸円周の50％以上の裂創）は単純閉鎖を行うと内腔の狭窄をきたすため，切除が望ましい（図3-3-E-36）。Grade IV（小腸離断）は損傷腸管の切除と吻合が必須である。Grade V（腸間膜血管の離断を伴った小腸損傷）も切除と吻合が必要であるが，中枢側での腸間膜血管の損傷は大量小腸切除が必要となる可能性がある。小腸血流を確認するためのさまざまな工夫が報告されているが，初回手術で虚血が疑わしい腸管は計画的再手術で再評価することにより切除腸管を最小限にとどめることができる。

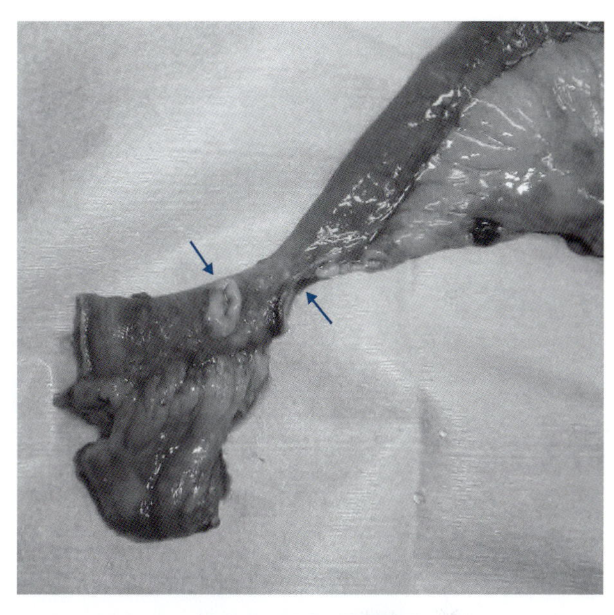

図3-3-E-36　小腸穿孔

また，外傷性小腸損傷に対する再建で，器械吻合と手縫い吻合の合併症率の検討では一定の見解はなく，合併症率にほとんど差はないと考えてよい[393)～395)]。

③結腸損傷および腹腔内直腸損傷（図3-3-E-37，38）

AASTでは結腸損傷をGrade I～Vに分類しているが[299)]（表3-3-E-12）[52)]，諸家の報告ではnon-destructive injuryとdestructive injuryに分けて論じられていることが多く，Grade I，IIはnon-destructive injury，大腸の壁周囲が50％以上損傷されているか，部分的に血行が遮断されている損傷（Grade

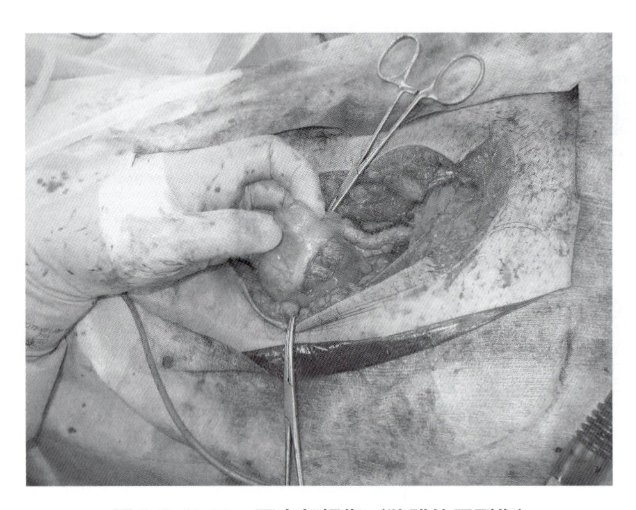

図3-3-E-37　回盲部損傷（漿膜筋層裂傷）

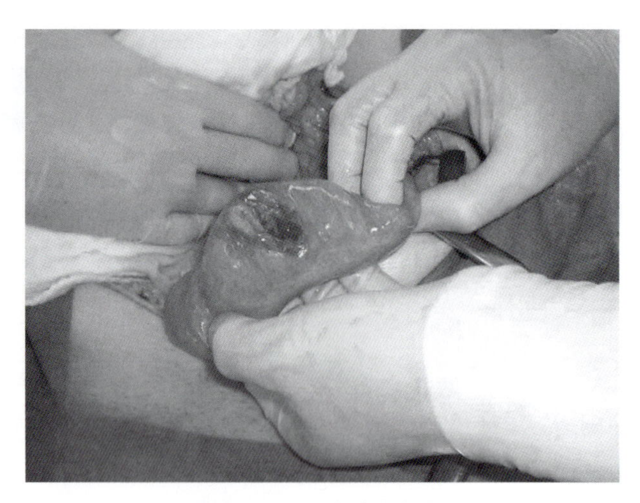

図3-3-E-38　S状結腸穿孔

表3-3-E-12　colon injury scale（AAST）

AAST Grade*	AIS 重症度	損傷形態	損傷
Ⅰ	2	血腫	血管損傷のない打撲傷または血腫
	2	裂創	非全層性損傷，穿孔なし
Ⅱ	3	裂創	壁環周率50%未満の裂創
Ⅲ	3	裂創	壁環周率50%以上の離断のない裂創
Ⅳ	4	裂創	結腸離断
Ⅴ	4	裂創	部分的組織欠損を伴う結腸の離断
	4	血管損傷	血流途絶部位を伴う血管損傷

* 多発外傷の場合はGrade Ⅲまで1段階上がる
〔文献52)より引用・改変〕

Ⅲ～Ⅴ）はdestructive injuryに相当する。穿通性外傷については，損傷分類を問わず一期的修復を推奨している論文が多いが（推奨レベルⅠ，推奨レベルⅡ），鈍的外傷についてはdestrucive injuryのうち，リスクファクターを伴うものについては人工肛門造設術を推奨している。Grade Ⅰ，Ⅱすなわち結腸のnon-destructive injuryの患者は一期的修復を行う。Sasakiらは71人の大腸損傷患者を一期的修復群あるいは人工肛門群にランダムに分けて検討したところ，一期的修復群の全合併症率が19%であったのに対して，人工肛門群のそれは36%であった。さらに人工肛門閉鎖に伴う合併症率を7%に認めたと報告している[396)]。また，Gonzalezらは穿通性結腸損傷109例を同様にランダムに分けて検討したところ，一期的修復群の敗血症関連合併症が20%であったのに対して，人工肛門群のそれは25%に認めたと報告している[371)]。無作為比較試験の結果から結腸のnon-destructive injuryに対する一期的修復は支持できるが，一方で慣習的に人工肛門造設を選択する施設もまだ多く存在している[397)～400)]。

Grade Ⅲ～Ⅴすなわち結腸のdestructive injuryに対しては多くのケースで部分切除術が必要となる。いくつかの前向き試験では一期的吻合の縫合不全率は2.5%であり，許容できると報告している[367)396)401)]。一方，2つの大規模後ろ向き試験では腹部穿通性外傷の重症度評価であるpenetrating abdominal trauma index（PATI）25以上[402)]，6単位以上輸血された患者はハイリスク群として人工肛門造設を考慮するよう推奨している[403)404)]。また，EASTガイドラインではショックや腹膜炎，基礎疾患のある穿通性損傷患者に対して人工肛門造設を考慮するよう推奨している（推奨レベルⅡ）[405)]。

AASTは結腸の穿通性destructive injuryにおける一期的吻合と人工肛門の安全性，結腸関連合併症に対する危険因子を明らかにするために，少なくとも72時間以上生存した手術適応のある穿通性結腸損傷297例を対象に前向き多施設試験を行った[406)]。全結腸関連死亡率は1.3%で，死亡例はすべて人工肛門造設群であった。もっとも多い腹部合併症は腹腔内膿瘍（19%）で，次いで筋膜離開（9%），縫合不全（6.6%）であった。多変量解析では多量の便汚染，4単位以上の輸血（≦24時間），不適切な予防的抗菌薬投与が腹部合併症の独立した危険因子であり，それらの因子がすべてある場合の腹部合併症率は約60%，2つでは34%，1つでは20%であり，いずれも認められない場合は13%と報告している。手術方法（一期的吻合あるいは人工肛門造設），手術までの時間（＞6時間），搬入時ショック，結腸損傷の部位，PATI＞25，ISS＞20，関連する腹腔内損傷は，独立した危険因子とならなかった。しかし，術中収縮期血圧≦90mmHg，6単位以上の輸血，激しい腹腔内汚染，手術遅延（損傷から手術まで6時間以上），PATI＞25のいずれかを認める高リスクグループを対象としたサブ解析では，人工肛門造設群の結腸関連死は4.5%であるのに対し，一次吻合群では死亡を認めなかった。また，腹腔内の敗血症性合併症率は高リスク群と低リスク群で差はなかった。入院期間についても人工肛門造設群でICU滞在率，入院期間ともに長い傾向にあった。これらの解析結果から，人工肛門造設がQOLを悪化させ，人工肛門閉鎖の必要性も生じるという観点を考えると，切除が必要な結腸損傷については一期的吻合を施行したほうがよいと結論づけている[371]。

鈍的結腸損傷についてはSharpeらが151例を集めて検討している（non-destructive injury 75例とdestructive injury 76例）。non-destructive injury例は全例に一期的縫合を，destructive injuryのうち危険因子のある患者（6単位以上の赤血球輸血，あるいは合併症を有する患者）には人工肛門を造設し，危険因子のない患者には切除・再建を行ったところ，縫合不全を2%，腹腔内膿瘍を5%に認め，結腸関連死亡率は2.1%であったと報告している[406]。したがって，穿通性結腸損傷については一期的縫合閉鎖が推奨されるが，鈍的結腸損傷で危険因子のある患者については人工肛門造設，危険因子のない患者については切除・消化管吻合術を考慮したほうがよい。

④腹腔外直腸損傷（図3-3-E-39）

a. 単純縫合閉鎖

損傷部が小さく，縫合可能な場所であれば，近位に人工肛門を造設せずに単純縫合閉鎖のみを施行するのが今や一般的である[376,377,382,383]。

b. 人工肛門造設

解剖学的位置や損傷の程度により十分な修復ができなかった場合には，有用な治療法である。また，Hartmann's colostomyは広範な破壊的直腸損傷に対して行われる。

経腹腔的にも経肛門的にも修復が困難な患者は，穿孔部の縫合は行わずに，口側の人工肛門造設のみにとどめたほうが安全であるといわれている[382,407,408]。また，他の研究では，腹腔鏡検査で腹腔内直腸損傷

◆Clinical questions◆ CQ 41

Q 大腸穿孔合併などの腹腔内汚染時に，実質臓器損傷（肝・腎・脾など）縫合のプレジェット使用は許容されるか？

A 外傷専門医25名によるコンセンサス会議の投票の結果，「許容されない」が48%と半数で，「許容される」としたのが36%であった。

「許容されない」との回答には，「異物は感染源となり膿瘍形成などの原因となるため使用しないほうがよい」，「腹膜・筋膜・大網などの代替組織を使用すべきである」，「下行結腸損傷の手術でプレジェットでの脾縫合を行った患者に膿瘍形成の経験がある」などの意見が大半であった。一方，「許容される」との回答には，「大腸穿孔などで時折リンフォースを使用しているが大きな問題は少ない」，「感染の懸念より止血効果が優先される」，「高度な汚染を除き基本的には使用は許容される」，「代替となる方法がなければ許容される」などの意見がみられた。

以上より，腹腔内汚染時のプレジェットの使用は感染のリスクを増大すると考えられるため，原則的に使用は避けるほうがよい。ただし，初回手術では止血が優先されるため，止血を行うにあたり必要であればその使用は許容され得るかもしれない，とした。

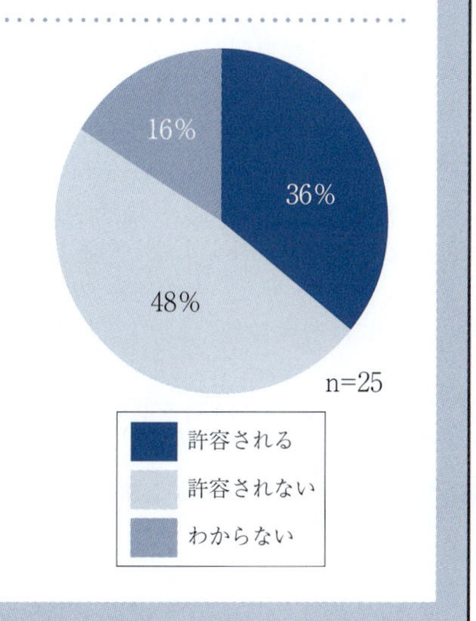

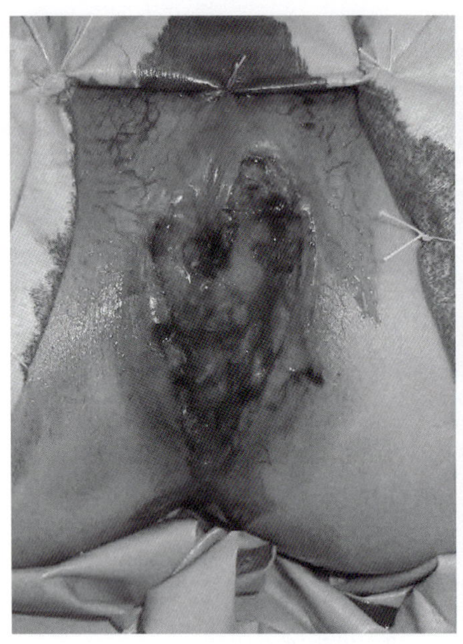
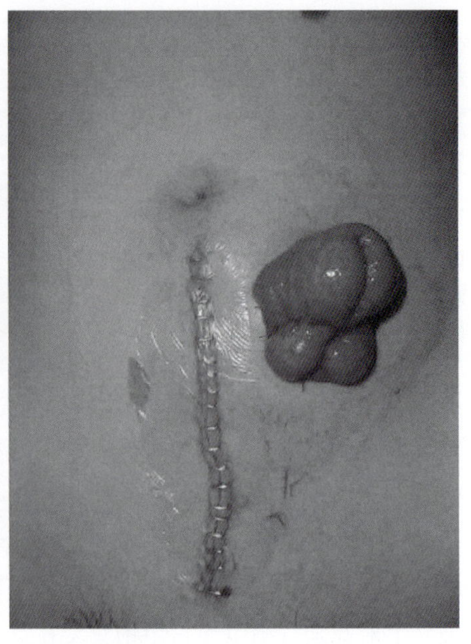

図3-3-E-39　**腹腔外直腸損傷**

を除外した後にS状結腸での双孔式人工肛門造設を行うと合併症率が低く，安全であると報告されている[407]。

c. 仙骨前面ドレーン留置

無作為試験を含むいくつもの研究で，ルーチンの仙骨前面ドレーン留置は有益ではないと報告されている[382) 383) 409) 410]。経腹腔的に留置する仙骨前面ドレーンは，開腹で修復した直腸後壁損傷の患者では有用であるかもしれない。

d. 遠位直腸洗浄

外傷患者においての遠位直腸洗浄の意義に関しての明確なデータはないが，以前は直腸損傷に対する遠位直腸洗浄は，敗血症性合併症を減少させると信じられてきた[411]。最近の予定手術における無作為試験において，非外傷性結腸直腸手術の術前に機械的洗浄をすることが感染性合併症率の低下に寄与しないことが報告されたため[412) 413]，外傷における直腸洗浄の意義も少ないと考えられるが，詳細は不明である。

◆Clinical questions◆　CQ 42

Q open abdomen management（OAM）において人工肛門適応症例に初回手術で人工肛門を造設すべきか？

A 外傷専門医25名によるコンセンサス会議の投票の結果，「すべきではない」との回答が56%，「行う」と回答したものが32%であった。

「すべきではない」との回答には，「OAM中はできるだけ人工肛門の造設を避けるべき」，「damage control surgeryの際には造設しないが長期化する場合は考慮することもある」，「腹壁浮腫によるストマ虚血や脱落などの合併症率が上昇するため造設しない」などの意見が多数みられた。

一方，「行う」との回答には，「OAMが長期化する場合は人工肛門が必要なものには造設してもよい」，「早期経管栄養を行うために造設する」との意見がみられた。

以上より，OAMを必要とする患者には人工肛門を初回手術で造設することは避けるほうがよいかもしれない。ただし，OAMが長期化する場合には計画的再手術の際に造設することを検討してもよい，とした。

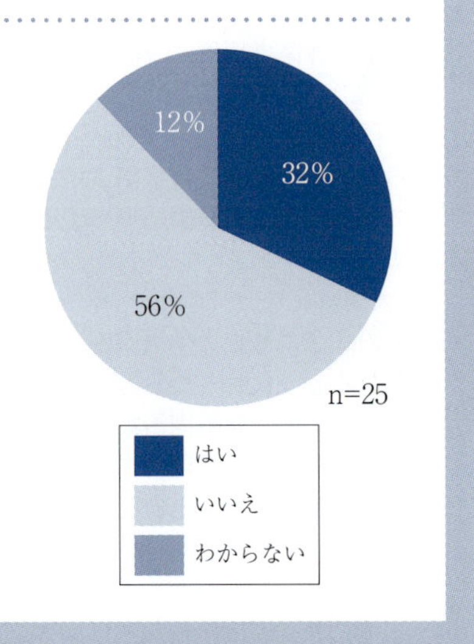

2）NOM

現時点では穿孔を伴う場合は，基本的に手術適応である。腸間膜の単独損傷に伴う出血に対しては，IVRの有効性を示す論文が散見されるようになってきた。しかしながら腸管損傷の合併，動脈のみならず静脈からの出血や，腸管虚血に伴い開腹に移行する患者も一定数存在することも念頭に置く必要がある。穿孔のない胃・小腸出血に対するIVRは，循環動態が比較的安定していれば選択肢となり得る。超選択的動脈塞栓術は80～90％の患者で出血コントロールが可能とされ，合併症は2％以下と報告されている[397) 414)～417)]。また，胃・小腸出血の治療による虚血性変化は内視鏡検査での小潰瘍や造影CT検査での造影不良域として偶発的に発見されるが，ほとんどは無症状であったと報告している[418)]。

穿孔のない結腸腸間膜損傷に対するIVRは症例報告のみであり，積極的には推奨できない[419)]。

3. 合併症

1）術後出血

腸間膜や胃小彎からの出血は，ショックによる低血圧のため術中に発見できないことがある。術後にショックから改善して血圧が安定化した際に再出血をきたし，血圧低下やヘマトクリット低下として顕在化するため注意が必要である[420)]。循環動態が不安定な場合には外科的止血術を施行する。

2）縫合不全，瘻孔および膿瘍

腹腔内膿瘍や腹膜炎として発症し，敗血症へと発展する。腹腔内膿瘍の発生は診断と外科的治療の遅延により増加することが知られている[421) 422)]。縫合不全の危険因子としては，大量の輸血や輸液の投与，膵損傷，腹部コンパートメント症候群，虚血の進行，昇圧薬の使用などがあげられる。大量輸液を必要とするショック例では，術後の腸管浮腫や相対的虚血などが縫合不全の危険因子となり得る[423)]。このような患者では初回手術での消化管縫合を回避し，ダメージコントロール戦略を選択したほうがよい。また，腸管損傷でopen abdomen management（OAM）を実施した患者のうち，術後5日後に筋膜閉鎖ができなかった患者は縫合不全の確率が高いことがわかっている[424) 425)]。腸管皮膚瘻〔enterocutaneous fistula；ECF（腸管と皮下の交通がある）〕，enteroatmospheric fistula〔EAF（腸管と大気の交通がある）〕は，縫合不全やdamage control surgery後のOAMの合併症として生じることが多い[426) 427)]。外傷開腹後の全ECF発生率は1.9％であり，OAM患者の8％で起こると報告されている[428)]。ECFの管理では，水分と電解質の補正，敗血症のコントロール，栄養と創傷ケアを行う。ソマトスタチンアナログ製剤であるオクトレオチドの使用は胃小腸の分泌液を抑制することで瘻孔からの排液を減少させるが，瘻孔の自然閉鎖率は改善しない[429)]。瘻孔からの排液が多い場合はNPWTが有効であるとの報告もある[430) 431)]。敗血症が改善し，十分な栄養サポートが得られていれば，通常4～6週間で瘻孔は閉鎖するが，自然閉鎖率は37％と決して高くないため，component separationなどによる腹壁閉鎖，瘻孔部腸管切除術，瘻孔切除閉鎖術などの「根治手術」が必要となる場合もある。

縫合不全のリスクファクターとして，結腸結腸吻合は回結腸吻合より縫合不全の発生率が高いといわれている。Murrayらは回結腸吻合を施行した患者の縫合不全の発生率は約4％であるが，結腸結腸吻合の場合は13％であったと報告している[404)]。また，AASTによる多施設前向き研究では，回結腸吻合の縫合不全率は4.2％であるのに対し，結腸結腸吻合では8.9％と報告している。上行結腸～横行結腸にかけての損傷に対しては，可能な範囲で回結腸吻合を選択したほうが術後縫合不全のリスクを減少できる。

縫合不全の大部分は，適切なドレナージと低残渣食の摂取により保存的に治療可能である[371) 432)]。再開腹によるドレナージと人工肛門造設術，あるいは縫合不全部の切除と再縫合術については，経皮的ドレナージで腹膜炎がコントロールできない場合，あるいは経皮的ドレナージが困難な場合に限ったほうがよい。

手縫い法と器械吻合の比較では縫合不全の発生率に有意差はない（手縫い7.8％ vs. 器械吻合6.3％）[433)]。また，1層縫合と2層縫合の比較検討では，両者の縫合不全率に差はなく，1層縫合は縫合時間およびコスト面で優れていると報告されている[346) 434)]。

3）創感染

結腸直腸損傷における初回手術での創閉鎖は，創感染と筋膜離開に対する独立危険因子である。無作為試験において，初回創閉鎖は，遅発性閉鎖の2倍の感染リスクがあると報告されている[435]。

4）腸閉塞

小腸閉塞は外傷に対する開腹患者の2.4％であり[436]，小腸あるいは大腸損傷を伴った患者では10.8％と高い[437]。小腸虚血を示唆するCT所見は小腸壁の造影効果の減少，粘膜の肥厚，腸間膜静脈のうっ血などがあるが，この所見で絞扼性腸閉塞と非絞扼性腸閉塞を鑑別することはできない[438]。術後の癒着予防としてhyaluronic acid and carboxymethylcellulose（HA/CMC）membraneが使われている。Fazioら[439]は多施設研究を行い，小腸切除後にHA/CMC membraneを使用することで小腸閉塞の発生率には差がないが，再手術を必要とする癒着性腸閉塞の発生を有意に減少させると報告している。一方で，Kumarら[440]はHA/CMC membraneの使用は癒着を減らすが，手術を必要とする小腸閉塞の減少にはつながらないと報告しており，HA/CMC membraneが小腸閉塞の発生率減少に寄与しているかどうかについては議論が分かれるところである。なお，外傷患者に対して有効であるかは明確な論文的根拠はない。

5）短腸症候群

短腸症候群は外傷後の8％に起こるとされ，その80％は腸間膜損傷によるものである[441]。臨床症状としては吸収不良，下痢，脂肪便，水分・電解質異常，低栄養などがある。晩期合併症としては胆石症や腎シュウ酸結石がある。100cm以上の回腸切除は下痢の原因となり，残存小腸が200cm以下で短腸症候群が明確となる。血清システイン値は小腸切除後の小腸不全のバイオマーカーと考えられている[442][443]。急性期には吸収不良が著明であり，1日に5L以上の下痢を生じることがあるため，積極的な輸液と電解質補正が必要である[444]。近年，テデュグルチド（GLP-2アナログ）が，短腸症候群の順応期間後の小腸粘膜細胞増殖促進と腸管粘膜表面積増大効果により小腸からの栄養素と水分の吸収能力を改善することが明らかとなり，遺伝子組換えテデュグルチドが保険収載された。しかし，外傷後の短腸症候群に対する効果については報告がない。

Ⅸ 腸間膜損傷の治療戦略と戦術

腸間膜損傷は全鈍的外傷の1％前後とかなりまれである[349]。小腸腸間膜損傷が大腸腸間膜損傷に比較して多く発生する[445]。損傷のメカニズムとしては急激なエネルギー減衰による固定部分と遊離部分との間に起きる剪断力によるもの，シートベルトによる圧迫によるものが主な原因である[446][447]。損傷の度合いによって，挫傷，裂傷から腸管虚血に陥るほどの腸間膜血管損傷とさまざまである[448]。Evansらが NTDBのデータをもとに解析した報告では，腸間膜損傷を伴う患者において，緊急開腹術となった患者は，鈍的損傷では44％，穿通性損傷では85％と，穿通性損傷ではほとんどの患者で手術が必要であった[449]。また，死亡率では鈍的損傷が16％，穿通性損傷が21％と穿通性損傷が有意に高く（$p < 0.001$），肝動脈，上腸間膜動脈の損傷の存在が有意に死亡率を上昇させた（OR 2.03，3.03；$p < 0.001$）[449]。

腸間膜損傷の治療戦略に関しての研究は少ないが，腸間膜血腫，腸間膜血管損傷による，腸管虚血，腸管壊死などの見逃しや，徐々に進行する腸間膜血腫による遅発性腸管損傷の診断の遅れは合併症，死亡率に大きく寄与するとの報告がある[445][446][450]。さらに，腸間膜血管の攣縮の解除，一時的に形成されていた腸間膜血栓の溶解や移動などによる遅発性腸間膜出血，腸管虚血などは初期には診断が困難な場合があり，見逃しの回避のためには，身体所見，血液生化学的検査に加え，造影CT検査などの検査を適切に行っていく必要がある[6][450]。適切な造影CT検査によるフォローアップが有意に見逃し損傷を減少させたとの報告がある[446][450]。

1. 治療戦略

循環動態が不安定でFAST陽性，あるいは造影CT検査で腸間膜血管損傷が疑われる場合，内臓脱出，腹膜刺激症状などがある場合は緊急開腹術が必要となる。腸間膜血管の損傷が疑われる場合でも，循環動態が安定している場合は，腹腔鏡やIVRなど，低侵襲治療も選択できる[451][452]。腸管損傷を伴っていない単独腸間膜損傷は，腹部所見に乏しく，造影CT検査で血管外漏出を認めない腸間膜血腫でも血腫の増大や遅発性の腸間膜出血が発生することがある。腹部所見のみでは正確な診断は困難であるため，受傷数時間後のフォローアップCTは遅発性腸間膜出血の診断に有用であり，軽微な腹部症状を認める場合は腸間膜損傷を疑って積極的かつ細やかな経過観察が診断の鍵となる[449)450)452)]。上腸間膜動脈（SMA），上腸間膜静脈（SMV）などの主幹血管損傷の存在は死亡率を高め，CT検査でこれらの主要血管損傷が疑われる場合は緊急手術の適応である。CTで血管壁の不整や途絶の存在は血管外漏出の有無にかかわらず，血管損傷が強く疑われるため，循環動態が安定している場合でもCT検査や超音波検査による経時的な観察が必要である[449)452)]。

2. 治療戦術

1）手術治療

循環動態が不安定な場合は，緊急開腹手術の適応となる。crash laparotomyで開腹し，5点パッキング後に，損傷部位の検索を行う。腸間膜からの出血は，出血性ショックの原因となるため，出血点を確認したら，用手圧迫にて出血をコントロールしつつ出血点を同定して鉗子でクランプして結紮するか，Z縫合をかけて止血する。腸間膜根部では，腸管血流に十分に配慮して止血法を選択し，やみくもな鉗子操作によって出血を助長しないように配慮する必要がある。また腸間膜損傷部の損傷血管断端は漿膜損傷部内に隠れていることが多く，必要に応じて漿膜切開を加えての検索が，確実な止血につながる。また腸間膜損傷に伴った消化管虚血を生じることも想定しておく必要がある。初回手術時に完全虚血でない場合でも，数時間後または翌日などに虚血腸管が壊死に至る例が存在する。腸管虚血のリスクがあると判断した場合には，一期的手術にこだわらず計画的再手術を考慮したほうがよい例もある。

SMAの損傷は広範な腸管虚血を引き起こすため，循環動態が安定していれば，可及的に修復することが望ましい。循環動態が不安定で，多臓器損傷も合併しているような患者では救命のためにやむを得ず結紮せざるを得ない場合もある。ステントなどで血流を確保し二期的な手術で再建するなど柔軟な対応を考慮する[453)]。SMV損傷の場合は修復できた患者が結紮のみの患者と比較して生存率はやや高いが（63% vs 40%），やむを得ない場合には，結紮も比較的安全にできるという報告がある[454)]。また，Sabatらは NTDBのデータをもとに，外傷性SMV損傷に関

◆Clinical questions◆ **CQ 43**

腸間膜損傷による出血に対して TAE は有効か？

A 外傷専門医25名によるコンセンサス会議の投票の結果，「有効ではない」との回答が40%，「有効である」が36%，「わからない」が24%と意見が大きく分かれた。

「有効ではない」との回答には，「止血そのものは可能かもしれないが腸管虚血・腸管損傷の評価も必要であり開腹手術を行うべき」，「静脈出血を同時にきたしている場合は止血できない」，「腸間膜損傷には腸管損傷・腸管虚血の合併も多く開腹手術を基本とすべき」との意見があげられた。一方，「有効である」との回答には，「緊急での止血という点では優れているが塞栓後の腸管壊死のリスクを十分に考える必要がある」，「小腸腸間膜やS状結腸間膜内にとどまる出血であれば有効」，「膵十二指腸周囲の後腹膜出血（膵十二指腸動脈領域）の出血に対しても有効」などの意見がみられた。

「わからない」との回答には，「有効な患者もあるとは思うが比較的中枢側で動静脈が損傷しているケースには無効ではないか」との意見がみられた。

以上より，腸間膜損傷による出血に対してTAEは，止血の観点からは優れているが，続発する消化管虚血のリスクがあること，合併の多い消化管損傷の治療ができないことなどから開腹術が望ましい。実施する場合には，消化管の虚血・壊死の発生を念頭において厳重な経過観察と直ちに手術が実施できる体制下で行うことが望ましい。

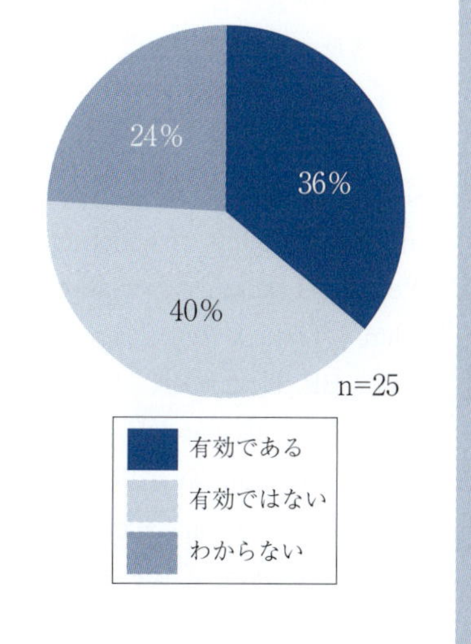

して検討したところ，修復群と結紮群では死亡率に有意差はなく（29.4％ vs 36.5％，$p = 0.20$），腸切除率も差を認めなかった（4％ versus 3％，$p = 0.12$）。一方で，修復群のほうが入院期間も長く（19.4 ± 24.8 versus 15.2 ± 24.4日，$p < 0.001$），ICU滞在日数も長かった（13 ± 17.1 versus 9.3 ± 11.8日，$p = 0.02$）と報告している[455]。SMVは結紮を行っても，末梢の静脈や後腹膜からのRetziusの穿通静脈などからの側副血行があるために，腸管のうっ血は起こるものの，比較的良好な経過をたどるとの報告もあり[452)453)456]，修復が困難な場合や，循環動態が不安定なSMV損傷に対する結紮は，選択し得る戦術といえる。

2）NOM

腸管損傷を伴わない腸間膜損傷の診断は困難なことも少なくない。腸間膜単独損傷において，循環動態が安定している場合は，TAEによる腸間膜損傷の治療に関する報告も増えている[449)452]。塞栓物質としてはマイクロコイルが一般的ではあるが，N-butyl-2-cyanoacrylate（NBCA）が使用されることもある[457)458]。

超選択的動脈塞栓術は安全で合併症も少なく施行できる[414)～417]。しかしながら超選択的に施行することが困難な場合，塞栓する部位によっては支配領域の腸管虚血を引き起こすリスクがある。損傷部の近位単独塞栓では辺縁動脈などを介した遠位からの血流により出血が持続するなど，TAE後の再出血の危険性があるため注意を要する[459]。

文　献

1）日本外傷学会，日本救急医学会監，日本外傷学会外傷初期診療ガイドライン改訂第6版編集委員会編：腹部外傷．外傷初期診療ガイドラインJATEC．改訂第6版，へるす出版，東京，2021，pp 100-101.

2）Martin MJ, Brown CVR, Shatz DV, et al：Evaluation and management of abdominal gunshot wounds：A Western Trauma Association critical decisions algorithm. J Trauma Acute Care Surg 2019；87：1220-1227.

3）Bruns BR, Kozar RA：Liver and biliary tract. In：Moore EE, Feliciano DV, Mattox KL, eds. Trauma. 8th ed, McGraw-Hill, New York, 2017, pp 551-573.

4）Demetriades D, Charalambides D, Lakhoo M, et al：Gunshot wound of the abdomen：Role of selective conservative management. Br J Surg 1991；78：220-222.

5）Omoshoro-Jones JA, Nicol AJ, Navsaria PH, et al：Selective non-operative management of liver gunshot injuries. Br J Surg 2005；92：890-895.

6）Biffl WL, Leppaniemi A：Management guidelines for penetrating abdominal trauma. World J Surg 2015；39：1373-1380.

7）Velmahos GC, Demetriades D, Toutouzas KG, et al：Selective nonoperative management in 1,856 patients with abdominal gunshot wounds：Should routine laparotomy still be the standard of care? Ann Surg 2001；234：395-402；discussion 402-403.

8）Burlew CC, Moore EE, Moore FA, et al：Western Trauma Association critical decisions in trauma：resuscitative thoracotomy. J Trauma Acute Care Surg 2012；73：1359-1363.

9）Shanmuganathan K, Mirvis SE, Chiu WC, et al：Triple-contrast helical CT in penetrating torso trauma：A prospective study to determine peritoneal violation and the need for laparotomy. AJR Am J Roentgenol 2001；177：1247-1256.

10）Murray JA, Demetriades D, Asensio JA, et al：Occult injuries to the diaphragm：prospective evaluation of laparoscopy in penetrating injuries to the left lower chest. J Am Coll Surg 1998；187：626-630.

11）Zantut LF, Ivatury RR, Smith RS, et al：Diagnostic and therapeutic laparoscopy for penetrating abdominal trauma：A multicenter experience. J Trauma 1997；42：825-829；discussion 829-831.

12）Ertekin C, Onaran Y, Güloğlu R, et al：The use of laparoscopy as a primary diagnostic and therapeutic method in penetrating wounds of lower thoracal region. Surg Laparosc Endosc 1998；8：26-29.

13）Udobi KF, Rodriguez A, Chiu WC, et al：Role of ultrasonography in penetrating abdominal trauma：A prospective clinical study. J Trauma 2001；50：475-479.

14）Velmahos GC, Constantinou C, Tillou A, et al：Abdominal computed tomographic scan for patients with gunshot wounds to the abdomen selected for nonoperative management. J Trauma 2005；59：1155-1160；discussion 1160-1161.

15）Navsaria PH, Nicol AJ, Edu S, et al：Selective nonoperative management in 1106 patients with abdominal gunshot wounds：Conclusions on safety, efficacy, and the role of selective CT imaging in a prospective single-center study. Ann Surg 2015；261：760-764.

16）Biffl WL, Kaups KL, Pham TN, et al：Validating the Western Trauma Association algorithm for managing patients with anterior abdominal stab wounds：A Western Trauma Association multicenter trial. J Trauma 2011；71：1494-1502.

17）Biffl WL, Leppaniemi A：Management guidelines for

penetrating abdominal trauma. Wold J Surg 2015；39：1373-1380.
18) Moore EE, Moore JB, Van Duzer-Moore S, et al：Mandatory laparotomy for gunshot wounds penetrating the abdomen. Am J Surg 1980；140：847-851.
19) Kozar RA, Moore FA, Moore EE, et al：Western Trauma Association critical decisions in trauma：Nonoperative management of adult blunt hepatic trauma. J Trauma 2009；67：1144-1149.
20) Polanco PM, Brown JB, Puyana JC, et al：The swinging pendulum：A national perspective of nonoperative management in severe blunt liver injury. J Trauma Acute Care Surg 2013；75：590-595.
21) Richardson JD, Franklin GA, Lukan JK, et al：Evolution in the management of hepatic trauma：A 25-year perspective. Ann Surg 2000；232：324-330.
22) Boese CK, Hackl M, Müller LP, et al：Nonoperative management of blunt hepatic trauma：A systematic review. J Trauma Acute Care Surg 2015；79：654-660.
23) Kozar RA, Feliciano DV, Moore EE, et al：Western Trauma Association/critical decisions in trauma：Operative management of adult blunt hepatic trauma. J Trauma 2011；71：1-5.
24) Beal SL：Fatal hepatic hemorrhage：An unresolved problem in the management of complex liver injuries. J Trauma 1990；30：163-169.
25) 外傷外科手術治療戦略（SSTT）コース運営協議会編：外傷外科手術治療戦略（SSTT）コース公式テキストブック，改訂第2版，へるす出版，東京，2018，pp 39-73.
26) Sheldon GF, Rutledge R：Hepatic trauma. Adv Surg 1989；22：179-193.
27) Man K, Fan ST, Ng IO, et al：Prospective evaluation of Pringle maneuver in hepatectomy for liver tumors by a randomized study. Ann Surg 1997；226：704-711.
28) Aydin U, Yazici P, Zeytunlu M, et al：Is it more dangerous to perform inadequate packing? World J Emerg Surg 2008；3：1.
29) Gao JM, Du DY, Zhao XJ, et al：Liver trauma：Experience in 348 cases. World J Surg 2003；27：703-708.
30) Waltensdorfer A, Mahla E, Zink M, et al：Central pulmonary artery embolism after perihepatic packing because of liver trauma. J Trauma 2007；63：E81-E84.
31) Poggetti RS, Moore EE, Moore FA, et al：Balloon tamponade for bilobar transfixing hepatic gunshot wounds. J Trauma 1992；33：694-697.
32) Demetriades D：Balloon tamponade for bleeding control in penetrating liver injuries. J Trauma 1998；44：538-539.
33) Seligman JY, Egan M：Balloon tamponade：An alternative in the treatment of liver trauma. Am Surg 1997；63：1022-1023.
34) Atema JJ, Gans SL, Boermeester MA：Systematic review and meta-analysis of the open abdomen and temporary abdominal closure techniques in non-trauma patients. World J Surg 2015；39：912-925.
35) Nicol AJ, Hommes M, Primrose R, et al：Packing for control of hemorrhage in major liver trauma. World J Surg 2007；31：569-574.
36) Caruso DM, Battistella FD, Owings JT, et al：Perihepatic packing of major liver injuries：Complications and mortality. Arch Surg 1999；134：958-962；discussion 962-963.
37) Sitzmann JV, Spector SA, Jin X, et al：A technique for emergency liver packing. J Gastrointest Surg 2005；9：284-287.
38) Boffard KD：Manual of Definitive Surgical Trauma Care, 4th ed, CRC Press, Boca Raton, FL, 2015.
39) Polanco P, Leon S, Pineda J, et al：Hepatic resection in the management of complex injury to the liver. J Trauma 2008；65：1264-1269；discussion 1269-1270.
40) Lucas CE, Walt AJ：Critical decisions in liver trauma. Experience based on 604 cases. Arch Surg 1970；101：277-283.
41) Lim RC Jr, Knudson J, Steele M：Liver trauma：Current method of management. Arch Surg 1972；104：544-550.
42) Mays ET：Lobectomy, sublobar resection, and resectional debridement for severe liver injuries. J Trauma 1972；12：309-314.
43) Trunkey DD, Shires GT, McClelland R：Management of liver trauma in 811 consecutive patients. Ann Surg 1974；179：722-728.
44) McInnis WD, Richardson JD, Aust JB：Hepatic trauma：Pitfalls in management. Arch Surg 1977；112：157-161.
45) Pachter HL, Spencer FC：Recent concepts in the treatment of hepatic trauma：Facts and fallacies. Ann Surg 1979；190：423-429.
46) Walt AJ：Founder's lecture：The mythology of hepatic trauma--or Babel revisited. Am J Surg 1978；135：12-18.
47) Strong RW, Lynch SV, Wall DR, et al：Anatomic resection for severe liver trauma. Surgery 1998；123：251-257.
48) Tsugawa K, Koyanagi N, Hashizume M, et al：Anatomic resection for severe blunt liver trauma in 100 patients：Significant differences between young and elderly. World J Surg 2002；26：544-549；discussion 549.

49）Duane TM, Como JJ, Bochicchio GV, et al：Reevaluating the management and outcomes of severe blunt liver injury. J Trauma 2004；57：494-500.
50）大友康裕，辺見弘，山本保博，他：肝損傷手術症例の治療成績．Jpn J Acute Care Surg 2011；1：59-65.
51）Croce MA, Fabian TC, Menke PG, et al：Nonoperative management of blunt hepatic trauma is the treatment of choice for hemodynamically stable patients：Results of a prospective trial. Ann Surg 1995；221：744-753；discussion 753-755.
52）The American Association for the Surgery of Trauma：Injury Scoring Scale.
https://www.aast.org/resources-detail/injury-scoring-scale（Accessed 2022-2-27）
53）Malhotra AK, Fabian TC, Croce MA, et al：Blunt hepatic injury：A paradigm shift from operative to nonoperative management in the 1990s. Ann Surg 2000；231：804-813.
54）Eastern Association for the Surgery of Trauma（EAST）Ad Hoc Committee on Practice Management Guideline Development：Non-operative management of blunt injury to the liver and spleen 2003.
https://www.east.org/content/documents/livspleen.pdf（Accessed 2022-2-27）
55）Stassen NA, Bhullar I, Cheng JD, et al：Nonoperative management of blunt hepatic injury：An Eastern Association for the Surgery of Trauma practice management guideline. J Trauma Acute Care Surg 2012；73：S288-S293.
56）Zafar SN, Rushing A, Haut ER, et al：Outcome of selective non-operative management of penetrating abdominal injuries from the North American National Trauma Database. Br J Surg 2012；99（Suppl 1）：155-164.
57）Kozar RA, Moore JB, Niles SE, et al：Complications of nonoperative management of high-grade blunt hepatic injuries. J Trauma 2005；59：1066-1071.
58）Goldman R, Zilkoski M, Mullins R, et al：Delayed celiotomy for the treatment of bile leak, compartment syndrome, and other hazards of nonoperative management of blunt liver injury. Am J Surg 2003；185：492-497.
59）Kozar RA, Moore FA, Cothren CC, et al：Risk factors for hepatic morbidity following nonoperative management：Multicenter study. Arch Surg 2006；141：451-459.
60）Finley DS, Hinojosa MW, Paya M, et al：Hepatic artery pseudoaneurysm：A report of seven cases and a review of the literature. Surg Today 2005；35：543-547.
61）Katsura M, Kondo Y, Yasuda H, et al；SHIPPs Study Group：Therapeutic strategies for pseudoaneurysm following blunt liver and spleen injuries：A multicenter cohort study in the pediatric population. J Trauma Acute Care Surg 2023；94：433-442.
62）Fang JF, Chen RJ, Wong YC, et al：Classification and treatment of pooling of contrast material on computed tomographic scan of blunt hepatic trauma. J Trauma 2000；49：1083-1088.
63）Hagiwara A, Murata A, Matsuda T, et al：The efficacy and limitations of transarterial embolization for severe hepatic injury. J Trauma 2002；52：1091-1096.
64）Samuels JM, Carmichael H, Kovar A, et al：Reevaluation of Hepatic Angioembolization for Trauma in Stable Patients：Weighing the Risk. J Am Coll Surg 2020；231：123-131.
65）Wahl WL, Ahrns KS, Brandt MM, et al：The need for early angiographic embolization in blunt liver injuries. J Trauma 2002；52：1097-1101.
66）Chehab M, Afaneh A, Bible L, et al：Angioembolization in intra-abdominal solid organ injury：Does delay in angioembolization affect outcomes? J Trauma Acute Care Surg 2020；89：723-729.
67）Gaarder C, Naess PA, Eken T, et al：Liver injuries：improved results with a formal protocol including angiography. Injury 2007；38：1075-1083.
68）Monnin V, Sengel C, Thony F, et al：Place of arterial embolization in severe blunt hepatic trauma：A multidisciplinary approach. Cardiovasc Intervent Radiol 2008；31：875-882.
69）Mohr AM, Lavery RF, Barone A, et al：Angiographic embolization for liver injuries：Low mortality, high morbidity. J Trauma 2003；55：1077-1082.
70）Ciraulo D, Luk S, Palter M, et al：Selective hepatic arterial embolization of grade IV and V blunt hepatic injuries：An extension of resuscitation in the nonoperative management of traumatic hepatic injuries. J Trauma 1998；45：353-359.
71）Hagiwara A, Murata A, Matsuda T, et al：The usefulness of transcatheter arterial embolization for patients with blunt polytrauma showing transient response to fluid resuscitation. J Trauma 2004；57：271-276；discussion 276-277.
72）Johnson JW, Gracias VH, Gupta R, et al：Hepatic angiography in patients undergoing damage control laparotomy. J Trauma 2002；52：1102-1106.
73）Asensio JA, Demetriades D, Chahwan S, et al：Approach to the management of complex hepatic injuries. J Trauma 2000；48：66-69.
74）Matsushima K, Hogen R, Piccinini A, et al：Adjunctive use of hepatic angioembolization following hemorrhage control laparotomy. J Trauma Acute Care Surg

2020 ; 88 : 636-643.
75) Eipel C, Abshagen K, Vollmar B : Regulation of hepatic blood flow : The hepatic arterial buffer response revisited. World J Gastroenterol 2010 : 16 ; 6046-6057.
76) Nijhof HW, Willemssen FE, Jukema GN : Transcatheter arterial embolization in a hemodynamically unstable patient with grade IV blunt liver injury : Is nonsurgical management an option? Emerg Radiol 2006 ; 12 : 111-115.
77) Görich J, Rilinger N, Brado M, et al : Non-operative management of arterial liver hemorrhages. Eur Radiol 1999 ; 9 : 85-88.
78) Goffette PP, Laterre PF : Traumatic injuries : Imaging and intervention in post-traumatic complications (delayed intervention). Eur Radiol 2002 ; 12 : 994-1021.
79) Takayasu K, Moriyama N, Muramatsu Y, et al : Gallbladder infarction after hepatic artery embolization. AJR Am J Roentgenol 1985 ; 144 : 135-138.
80) Tiberio GA, Portolani N, Coniglio A, et al : Evaluation of the healing time of non-operatively managed liver injuries. Hepatogastroenterology 2008 ; 55 : 1010-1012.
81) Stylianos S : Evidence-based guidelines for resource utilization in children with isolated spleen or liver injury : The APSA Trauma Committee. J Pediatr Surg 2000 ; 35 : 164-169.
82) St Peter SD, Keckler SJ, Spilde TL, et al : Justification for an abbreviated protocol in the management of blunt spleen and liver injury in children. J Pediatr Surg 2008 ; 43 : 191-193 ; discussion 193-194.
83) London JA, Parry L, Galante J, et al : Safety of early mobilization of patients with blunt solid organ injuries. Arch Surg 2008 ; 143 : 972-976.
84) Eberle BM, Schnüriger B, Inaba K, et al : Thromboembolic prophylaxis with low-molecular-weight heparin in patients with blunt solid abdominal organ injuries undergoing nonoperative management : Current practice and outcomes. J Trauma 2011 ; 70 : 141-146 ; discussion 147.
85) Cox JC, Fabian TC, Maish GO 3rd, et al : Routine follow-up imaging is unnecessary in the management of blunt hepatic injury. J Trauma 2005 ; 59 : 1175-1180.
86) Sharma OP, Oswanski MF, Singer D, et al : Assessment of nonoperative management of blunt spleen and liver trauma. Am Surg 2005 ; 71 : 379-386.
87) Cuff RF, Cogbill TH, Lambert PJ : Nonoperative management of blunt liver trauma : The value of follow-up abdominal computed tomography scans. Am Surg 2000 ; 66 : 332-336.
88) Lee WC, Kuo LC, Cheng YC, et al : Combination of white blood cell count with liver enzymes in the diagnosis of blunt liver laceration. Am J Emerg Med 2010 ; 28 : 1024-1029.
89) Tan KK, Bang SL, Vijayan A, et al : Hepatic enzymes have a role in the diagnosis of hepatic injury after blunt abdominal trauma. Injury 2009 ; 40 : 978-983.
90) Christmas AB, Wilson AK, Manning B, et al : Selective management of blunt hepatic injuries including nonoperative management is a safe and effective strategy. Surgery 2005 ; 138 : 606-610 ; discussion 610-611.
91) Wahl WL, Brandt MM, Hemmila MR, et al : Diagnosis and management of bile leaks after blunt liver injury. Surgery 2005 ; 138 : 742-747 ; discussion 747-748.
92) Fang JF, Chen RJ, Lin BC, et al : Blunt hepatic injury : Minimal intervention is the policy of treatment. J Trauma 2000 ; 49 : 722-728.
93) Osuka A, Matsuoka T, Mizushima Y, et al : Effectiveness of bile duct drainage for major intrahepatic bile duct damage after perihepatic packing for severe liver injury : A review. Injury Extra 2008 ; 40 : 6-8.
94) Letoublon C, Chen Y, Arvieux C, et al : Delayed celiotomy or laparoscopy as part of the nonoperative management of blunt hepatic trauma. World J Surg 2008 ; 32 : 1189-1193.
95) Franklin GA, Richardson JD, Brown AL, et al : Prevention of bile peritonitis by laparoscopic evacuation and lavage after nonoperative treatment of liver injuries. Am Surg 2007 ; 73 : 611-616 ; discussion 616-617.
96) Sugimoto K, Asari Y, Sakaguchi T, et al : Endoscopic retrograde cholangiography in the nonsurgical management of blunt liver injury. J Trauma 1993 ; 35 : 192-199.
97) Vazquez JL, Thorsen MK, Dodds WJ, et al : Evaluation and treatment of intraabdominal bilomas. AJR Am J Roentgenol 1985 ; 144 : 933-938.
98) Bridges A, Wilcox CM, Varadarajulu S : Endoscopic management of traumatic bile leaks. Gastrointest Endosc 2007 ; 65 : 1081-1085.
99) Guzman EA, McCabill LE, Rogers FB : Arterioportal fistulas : Introduction of a novel classification with therapeutic implications. J Gastrointest Surg 2006 ; 10 : 543-550.
100) Croce MA, Fabian TC, Spiers JP, et al : Traumatic hepatic artery pseudoaneurysm with hemobilia. Am J Surg 1994 ; 168 : 235-238.
101) Samek P, Bober J, Vrzgula A, et al : Traumatic hemobilia caused by false aneurysm of replaced right hepatic artery : Case report and review. J Trauma 2001 ; 51 : 153-158.
102) Glaser K, Wetscher G, Pointner R, et al : Traumatic

bilhemia. Surgery 1994；116：24-27.
103) Gable DR, Allen JW, Harrell DJ, et al：Endoscopic treatment of posttraumatic "bilhemia"：Case report. J Trauma 1997；43：534-536.
104) Yoon W, Jeong YY, Kim JK, et al：CT in blunt liver trauma. Radiographics 2005；25：87-104.
105) Claridge JA, Young JS：A successful multimodality strategy for management of liver injuries. Am Surg 2000；66：920-926.
106) Pearl LB, Trunkey DD：Compartment syndrome of the liver. J Trauma 1999；47：796-798.
107) Markert DJ, Shanmuganathan K, Mirvis SE, et al：Budd-Chiari syndrome resulting from intrahepatic IVC compression secondary to blunt hepatic trauma. Clin Radiol 1997；52：384-387.
108) Khan IR, Hamidian Jahromi H, Khan FM, et al：Non-operative management of contained retrohepatic caval injury. Ann Vasc Surg 2012；26：420.
109) Schrock T, Blaisdell FW, Mathewson C Jr：Management of blunt trauma to the liver and hepatic veins. Arch Surg 1968；96：698-704.
110) Fabian TC, Croce MA, Stanford GG, et al：Factors affecting morbidity following hepatic trauma：A prospective analysis of 482 injuries. Ann Surg 1991；213：540-548.
111) Soderstrom CA, Maekawa K, DuPriest RW Jr, et al：Gallbladder injuries resulting from blunt abdominal trauma：An experience and review. Ann Surg 1981；193：60-66.
112) Williams BH, Minei JP：Spleen. In：Moore EE, Feliciano DV, Mattox KL, eds. Trauma. 8th ed, McGraw-Hill, New York, 2017, pp575-595.
113) Shackfold SR, Sise MJ, Virgilio RW, et al：Evaluation of splenorrhaphy：A grading system for splenic trauma. J Trauma 1981；21：538-542.
114) Stassen NA, Bhullar I, Cheng JD, et al：Selective nonoperative management of blunt splenic injury：An Eastern Association for the Surgery of Trauma practice management guideline. J Trauma Acute Care Surg 2012；73：S294-S300.
115) Velmahos GC, Toutouzas KG, Radin R, et al：Nonoperative treatment of blunt injury to solid abdominal organs：A prospective study. Arch Surg 2003；138：844-851.
116) Moore FA, Davis JW, Moore EE Jr, et al：Western Trauma Association (WTA) critical decisions in trauma：Management of adult blunt splenic trauma. J Trauma 2008；65：1007-1011.
117) Hemachandran N, Gamanagatti S, Sharma R, et al：Revised AAST scale for splenic injury (2018)：Does addition of arterial phase on CT have an impact on the grade? Emerg Radiol 2021；28：47-54.
118) Bee TK, Croce MA, Miller PR, et al：Failures of splenic nonoperative management：Is the glass half empty or half full? J Trauma 2001；50：230-236.
119) Requarth JA, D'Agostino RB Jr, Miller PR：Nonoperative management of adult blunt splenic injury with and without splenic artery embolotherapy：A meta-analysis. J Trauma 2011；71：898-903.
120) Bhullar IS, Frykberg ER, Siragusa D, et al：Selective angiographic embolization of blunt splenic traumatic injuries in adults decreases failure rate of nonoperative management. J Trauma Acute Care Surg 2012；72：1127-1134.
121) Bhangu A, Nepogodiev D, Lal N, et al：Meta-analysis of predictive factors and outcomes for failure of non-operative management of blunt splenic trauma. Injury 2012；43：1337-1346.
122) Olthof DC, Joosse P, van der Viles CH, et al：Prognostic factors for failure of nonoperative management in adults with blunt splenic injury：A systematic review. J Trauma Acute Care Surg 2013；74：546-557.
123) Miller PR, Chang MC, Hoth JJ, et al：Prospective trial of angiography and embolization for all grade III to V blunt splenic injuries：Nonoperative management success rate is significantly improved. J Am Coll Surg 2014；218：644-648.
124) Crichton JCI, Naidoo K, Yet B, et al：The role of splenic angioembolization as an adjunct to nonoperative management of blunt splenic injuries：A systematic review and meta-analysis. J Trauma Acute Care Surg 2017；83：934-943.
125) Demetriades D, Hadjizacharia P, Constantinou C, et al：Selective nonoperative management of penetrating abdominal solid organ injuries. Ann Surg 2006；244：620-628.
126) Renz BM, Feliciano DV：Gunshot wounds to the right thoracoabdomen：A prospective study of nonoperative management. J Trauma 1994；37：737-744.
127) Chmielewski GW, Nicholas JM, Dulchavsky SA, et al：Nonoperative management of gunshot wounds of the abdomen. Am Surg 1995；61：665-668.
128) Hirshberg A, Mattox KL：Top knife：The art and craft of trauma surgery. TFM Publishing, Harley (Shrewsbury in UK), 2004.
129) Demetriades D, Scalea TM, Degiannis E, et al：Blunt splenic trauma：Splenectomy increases early infectious complications：A prospective multicenter study. J Trauma Acute Care Surg 2012；72：229-234.
130) Heuer M, Taeger G, Kaiser GM, et al：No further incidence of sepsis after splenectomy for severe trauma：A multi-institutional experience of the trauma

registry of the DGU with 1,630 patients. Eur J Med Res 2010；15：258-265.
131) Leemans R, Manson W, Snijder JA, et al：Immune response capacity after human splenic autotransplantation：Restoration of response to individual vaccine subtypes. Ann Surg 1999；229：279-285.
132) Wolf SE, Ridgeway CA, Van Way CW, et al：Infectious sequelae in the use of polyglycolic acid mesh for splenic salvage with intraperitoneal contamination. J Surg Res 1996；61：433-436.
133) Feliciano DV, Spjut-Patrinely V, Burch JM, et al：Splenorrhaphy：The alternative. Ann Surg 1990；211：569-580.
134) Dunham CM, Cornwell EE 3rd, Militello P：The role of the Argon Beam Coagulator in splenic salvage. Surg Gynecol Obstet 1991；173：179-182.
135) Eskandarlou M, Derakhshanfar A：Introduction of a simple technique for partial splenectomy in multiple trauma patients. Iran Red Crescent Med J 2013；15：e9072.
136) Peitzman AB, Heil B, Rivera L, et al：Blunt splenic injury in adults：Multi-institutional Study of the Eastern Association for the Surgery of Trauma. J Trauma 2000；49：177-189.
137) Watson GA, Rosengart MR, Zenati MS, et al：Nonoperative management of severe blunt splenic injury：Are we getting better? J Trauma 2006；61：1113-1118；discussion 1118-1119.
138) Haan JM, Bochicchio GV, Kramer N, et al：Nonoperative management of blunt splenic injury：A 5-year experience. J Trauma 2005；58：492-498.
139) Marmery H, Shanmuganathan K, Alexander M, et al：Optimization of selection for nonoperative management of blunt splenic injury：Comparison of MDCT grading systems. AJR Am J Roentgenol 2007；189：1421-1427.
140) 松本純一，服部貴行，山下寛高，他：CT所見に基づく脾損傷分類と治療法選択．日腹部救急医会誌 2012；32：1159-1162.
141) Morell-Hofert D, Primavesi F, Fodor M, et al：Validation of the revised 2018 AAST-OIS classification and the CT severity index for prediction of operative management and survival in patients with blunt spleen and liver injuries. Eur Radiol 2020；30：6570-6581.
142) Meguid AA, Bair HA, Howells GA, et al：Prospective evaluation of criteria for the nonoperative management of blunt splenic trauma. Am Surg 2003；69：238-242；discussion 242-243.
143) Fang JF, Chen RJ, Lin BC, et al：Liver cirrhosis：An unfavorable factor for nonoperative management of blunt splenic injury. J Trauma 2003；54：1131-1136；discussion 1136.
144) Haan JM, Biffl W, Knudson MM, et al：Splenic embolization revisited：A multicenter review. J Trauma 2004；56：542-547.
145) Wu SC, Chen RJ, Yang AD, et al：Complication associated with embolization in the treatment of blunt splenic injury. World J Surg 2008；32：476-482.
146) Atluri S, Richard HM 3rd, Shanmuganathan K：Optimizing multidetector CT for visualization of splenic vascular injury：Validation by splenic arteriography in blunt abdominal trauma patients. Emerg Radiol 2011；18：307-312.
147) Sclafani SJ：The role of angiographic hemostasis in salvage of the injured spleen. Radiology 1981；141：645-650.
148) Carlin AM, Tyburski JG, Wilson RF, et al：Factors affecting the outcome of patients with splenic trauma. Am Surg 2002；68：232-239.
149) Duchesne JC, Simmons JD, Schmieg RE Jr, et al：Proximal splenic angioembolization does not improve outcomes in treating blunt splenic injuries compared with splenectomy：A cohort analysis. J Trauma 2008；65：1346-1351；discussion 1351-1353.
150) 井戸口孝二：腹部外傷．画像診断 2013；33：1562-1576.
151) Haan J, Scott J, Boyd-Kranis RL, et al：Admission angiography for blunt splenic injury：Advantages and pitfalls. J Trauma 51；2001：1161-1165.
152) Marmery H, Shanmuganathan K, Mirvis SE, et al：Correlation of multidetector CT findings with splenic arteriography and surgery：Prospective study in 392 patients. J Am Coll Surg 2008；206：685-693.
153) Hagiwara A, Fukushima H, Murata A, et al：Blunt splenic injury：Usefulness of transcatheter arterial embolization in patients with a transient response to fluid resuscitation. Radiology 2005；235：57-64.
154) Van Wyck DB, Witte MH, Witte CL, et al：Critical splenic mass for survival from experimental pneumococcemia. J Surg Res 1980；28：14-17.
155) Franco F, Monaco D, Volpi A, et al：The role of arterial embolization in blunt splenic injury. Radiol Med 2011；116：454-465.
156) Requarth JA：Distal splenic artery hemodynamic changes during transient proximal splenic artery occlusion in blunt splenic injury patients：A mechanism of delayed splenic hemorrhage. J Trauma 2010；69：1423-1426.
157) Smith HE, Biffl WL, Majercik SD, et al：Splenic artery embolization：Have we gone too far? J Trauma 2006；61：541-544；discussion 545-546.
158) Killeen KL, Shanmuganathan K, Boyd-Kranis R, et al：CT findings after embolization for blunt splenic

trauma. J Vasc Interv Radiol 2001；12：209-214.

159) van der Vlies CH, Hoekstra J, Ponsen KJ, et al：Impact of splenic artery embolization on the success rate of nonoperative management for blunt splenic injury. Cardiovasc Intervent Radiol 2012；35：76-81.

160) Yuan KC, Wong YC, Lin BC, et al：Negative catheter angiography after vascular contrast extravasations on computed tomography in blunt torso trauma：An experience review of a clinical dilemma. Scand J Trauma Resusc Emerg Med 2012；7：20-46.

161) Bessoud B, Denys A, Calmes JM, et al：Nonoperative management of traumatic splenic injuries：Is there a role for proximal splenic artery embolization? AJR Am J Roentgenol 2006；186：779-785.

162) Schnüriger B, Inaba K, Konstantinidis A, et al：Outcomes of proximal versus distal splenic artery embolization after trauma：A systematic review and meta-analysis. J Trauma 2011；70：252-260.

163) Haan JM, Boswell S, Stein D, et al：Follow-up abdominal CT is not necessary in low-grade splenic injury. Am Surg 2007；73：13-18.

164) Weinberg JA, Magnotti LJ, Croce MA, et al：The utility of serial computed tomography imaging of blunt splenic injury：Still worth a second look? J Trauma 2007；62：1143-1148.

165) Savage SA, Zarzaur BL, Magnotti LJ, et al：The evolution of blunt splenic injury：Resolution and progression. J Trauma 2008；64：1085-1091；discussion 1091-1092.

166) Milia DJ, Brasel K：Current use of CT in the evaluation and management of injured patients. Surg Clin North Am 2011；91：233-248.

167) Sizer JS, Wayne ER, Frederick PL：Delayed rupture of the spleen. Review of the literature and report of six cases. Arch Surg 1966；92：362-366.

168) Firstenberg MS, plaisier B, Newman JS, et al：Successful treatment of delayed splenic rupture with splenic artery embolization. Surgery 1998；123：584-586.

169) Black JJ, Sinow RM, Wilson SE, et al：Subcapsular hematoma as a predictor of delayed splenic rupture. Am Surg 1992；58：732-735.

170) Haan JM, Marmery H, Shanmuganathan K, et al：Experience with splenic main coil embolization and significance of new or persistent pseudoaneurym：Reembolize, operate, or observe. J Trauma 2007；63：615-619.

171) Muroya T, Ogura H, Shimizu K, et al：Delayed formation of splenic pseudoaneurysm following nonoperative management in blunt splenic injury：Multi-institutional study in Osaka, Japan. J Trauma Acute Care Surg 2013；75：417-420.

172) Melles DC, de Marie S：Prevention of infections in hyposplenic and asplenic patients：An update. Neth J Med 2004；62：45-52.

173) Kroger AT, Atkinson WL, Marcuse EK, et al：General recommendations on immunization：Recommendations of the Advisory Committee on Immunization Practices（ACIP）. MMWR Recomm Rep 2006；55：1-48.

174) Hutchison BG, Oxman AD, Shannon HS, et al：Clinical effectiveness of pneumococcal vaccine：Meta-analysis. Can Fam Physician 1999；45：2381-2393.

175) Schreiber MA, Pusateri AE, Veit BC, et al：Timing of vaccination does not affect antibody response or survival after pneumococcal challenge in splenectomized rats. J Trauma 1998；45：692-697；discussion 697-699.

176) Caplan ES, Boltansky H, Synder MJ, et al：Response of traumatized splenectomized patients to immediate vaccination with polyvalent pneumococcal vaccine. J Trauma 1983；23：801-805.

177) Schimmer JA, van der Steeg AF, Zuidema WP：Splenic function after angioembolization for splenic trauma in children and adults：A systematic review. Injury 2016；47：525-530.

178) 大石和徳，大島信治，川上和義，他：肺炎球菌ワクチン再接種のガイダンス（改訂版）．感染症誌 2017；91：543-552.

179) Upadhyaya P, Simpson JS：Splenic trauma in children. Surg Gynecol Obstet 1968；126：781-790.

180) Dent D, Alsabrook G, Erickson BA, et al：Blunt splenic injuries：High nonoperative management rate can be achieved with selective embolization. J Trauma 2004；56：1063-1067.

181) Pearl RH, Wesson DE, Spence LJ, et al：Splenic injury：A 5-year update with improved results and changing criteria for conservative management. J Pediatr Surg 1989；24：428-431.

182) Morse MA, Garcia VF：Selective nonoperative management of pediatric blunt splenic trauma：Risk for missed associated injuries. J Pediatr Surg 1994；29：23-27.

183) Schwartz MZ, Kangah R：Splenic injury in children after blunt trauma：Blood transfusion requirements and length of hospitalization for laparotomy versus observation. J Pediatr Surg 1994；29：596-598.

184) Oller B, Armengol M, Camps I, et al：Nonoperative management of splenic injuries. Am Surg 1991；57：409-413.

185) Bird JJ, Patel NY, Mathiason MA, et al：Management of pediatric blunt splenic injury at a rural trauma cen-

ter. J Trauma Acute Care Surg 2012；73：919-922.
186) Moore HB, Vane DW：Long-term follow-up of children with nonoperative management of blunt splenic trauma. J Trauma 2010；68：522-525.
187) Baverstock R, Simons R, McLoughlin M：Severe blunt renal trauma：A 7-year retrospective review from a provincial trauma centre. Can J Urol 2001；8：1372-1376.
188) Wessells H, Suh D, Porter JR, et al：Renal injury and operative management in the United States：Results of a population-based study. J Trauma 2003；54：423-430.
189) Bent C, Iyngkaran T, Power N, et al：Urological injuries following trauma. Clin Radiol 2008；63：1361-1371.
190) Chow SJ, Thompson KJ, Hartman JF, et al：A 10-year review of blunt renal artery injuries at an urban level I trauma centre. Injury 2009；40：844-850.
191) Serafetinides E, Kitrey ND, Djakovic N, et al：Review of the current management of upper urinary tract injuries by the EAU Trauma Guidelines Panel. Eur Urol 2015；67：930-936.
192) MuGuire J, Bultitude MF, Davis P, et al：Predictors of outcome for blunt high grade renal injury treated with conservative intent. J Urol 2011；185：187-191.
193) Kitrey ND, Campos-Juanatey F, Hallscheidt P, et al：EAU guidelines on urological trauma. 2022. https://uroweb.org/guidelines/urological-trauma（Accessed 2022-9-11）
194) 中島洋介：腎尿管外傷. 救急医 2012；36：1804-1811.
195) 中島洋介, 北野光秀, 吉井宏：鈍的腎外傷の評価と治療方針について. 泌外 2008；21：147-154.
196) Jawas A, Abu-Zidan FM：Management algorithm for complete blunt renal artery occlusion in multiple trauma patients：Case series. Int J Surg 2008；6：317-322.
197) Cass AS：Renovascular injuries from external trauma. Diagnosis, treatment, and outcome. Urol Clin North Am 1989；16：213-220.
198) McAninch JW, Carroll PR, Klosterman PW, et al：Renal reconstruction after injury. J Urol 1991；145：932-937.
199) Kim FJ, da Silva RD：Genitourinary trauma. In：Moore EE, Feliciano DV, Mattox KL, eds. Trauma. 8th ed, McGraw-Hill, New York, 2017, pp 693-729.
200) Gonzalez RP, Falimirski M, Holevar MR, et al：Surgical management of renal trauma：Is vascular control necessary? J Trauma 1999；47：1039-1042；discussion 1042-1044.
201) Davis KA, Reed RL 2nd, Santaniello J, et al：Predictors of the need for nephrectomy after renal trauma. J Trauma 2006；60：164-169；discussion 169-170.
202) McClung CD, Hotaling JM, Wang J, et al：Contemporary trends in the immediate surgical management of renal trauma using a national database. J Trauma Acute Care Surg 2013；75：602-606.
203) Moudouni SM, Hadj Slimen M, Manunta A, et al：Management of major blunt renal lacerations：Is a nonoperative approach indicated? Eur Urol 2001；40：409-414.
204) Starnes M, Demetriades D, Hadjizacharia P, et al：Complications following renal trauma. Arch Surg 2010；145：377-381；discussion 381-382.
205) Atala A, Miller FB, Richardson JD, et al：Preliminary vascular control for renal trauma. Surg Gynecol Obstet 1991；172：386-390.
206) Moore EE, Feliciano DV, Mattox KL, eds：Trauma. 8th ed, McGraw-Hill, New York, 2017.
207) 日本泌尿器科学会編：腎外傷診療ガイドライン, 2016年版, 金原出版, 東京, 2016.
208) 中島洋介：腎外傷の病態と治療. 医事新報 2009；4441：60-64.
209) 中島洋介：腎外傷・尿管損傷. 日本泌尿器科学会2010年卒後教育テキスト 2010；15：359-365.
210) Summerton DJ, Djakovic N, Kitrey ND, et al：EAU guidelines on urological trauma 2013, pp9-74. https://uroweb.org/gls/pdf/1406Urological%20Trauma_LR.pdf（Accessed 2022-2-27）
211) Santucci RA, Fisher MB：The literature increasingly supports expectant（conservative）management of renal trauma：A systematic review. J Trauma 2005；59：493-503.
212) van der Wilden GM, Velmahos GC, Joseph DK, et al：Successful nonoperative management of the most severe blunt renal injuries：A multicenter study of the research consortium of New England Centers for Trauma. JAMA Surg 2013；148：924-931.
213) Altman AL, Haas C, Dinchman KH, et al：Selective nonoperative management of blunt grade 5 renal injury. J Urol 2000；164：27-30；discussion 30-31.
214) Henderson CG, Sedberry-Ross S, Pickard R, et al：Management of high grade renal trauma：20-year experience at a pediatric level I trauma center. J Urol 2007；178：246-250；discussion 250.
215) Nance ML, Lutz N, Carr MC, et al：Blunt renal injuries in children can be managed nonoperatively：Outcome in a consecutive series of patients. J Trauma 2004；57：474-478；discussion 478.
216) Malcolm JB, Derweesh IH, Mehrazin R, et al：Nonoperative management of blunt renal trauma：Is routine early follow-up imaging necessary? BMC Urol 2008；8：11.

217) Shirazi M, Sefidbakht S, Jahanabadi Z, et al：Is early reimaging CT scan necessary in patients with grades III and IV renal trauma under conservative treatment? J Trauma 2010；68：9-12.
218) Broghammer JA, Fisher MB, Santucci RA：Conservative management of renal trauma：A review. Urology 2007；70：623-629.
219) Davis P, Bultitude MF, Koukounaras J, et al：Assessing the usefulness of delayed imaging in routine followup for renal trauma. J Urol 2010；184：973-977.
220) 岡本英明：腎損傷に対するX線CTの有用性．聖マリアンナ医大誌 1998；26：691-703.
221) 荒木恒敏：腹部外傷と感染；実質臓器．日外感染症会誌 2011；8：337-341.
222) Nishizawa S, Mori T, Shintani Y, et al：Applicability of blunt renal trauma classification of Japanese Association for the Surgery of Trauma（JAST）. Int J Urol 2009；16：862-867.
223) Thompson-Fawcett M, Kolbe A：Paediatric renal trauma：Caution with conservative management of major injuries. Aust N Z J Surg 1996；66：435-440.
224) Beaujeux R, Saussine C, al-Fakir A, et al：Superselective endo-vascular treatment of renal vascular lesions. J Urol 1995；153：14-17.
225) Breyer BN, McAninch JW, Elliott SP, et al：Minimally invasive endovascular techniques to treat acute renal hemorrhage. J Urol 2008；179：2248-2252；discussion 2253.
226) Fanney DR, Casillas J, Murphy BJ：CT in the diagnosis of renal trauma. Radiographics 1990；10：29-40.
227) Fu CY, Wu SC, Chen RJ, et al：Evaluation of need for angioembolization in blunt renal injury：Discontinuity of Gerota's fascia has an increased probability of requiring angioembolization. Am J Surg 2010；199：154-159.
228) Nuss GR, Morey AF, Jenkins AC, et al：Radiographic predictors of need for angiographic embolization after traumatic renal injury. J Trauma 2009；67：578-582；discussion 582.
229) Charbit J, Manzanera J, Millet I, et al：What are the specific computed tomography scan criteria that can predict or exclude the need for renal angioembolization after high-grade renal trauma in a conservative management strategy? J Trauma 2011；70：1219-1227；discussion 1227-1228.
230) Hotaling JM, Sorensen MD, Smith TG 3rd, et al：Analysis of diagnostic angiography and angioembolization in the acute management of renal trauma using a national data set. J Urol 2011；185：1316-1320.
231) Haas CA, Dinchman KH, Nasrallah PF, et al：Traumatic renal artery occlusion：A 15-year review. J Trauma 1998；45：557-561.
232) Turner WW Jr, Snyder WH 3rd, Fry WJ：Mortality and renal salvage after renovascular trauma：A review of 94 patients treated in a 20 year period. Am J Surg 1983；146：848-851.
233) Brewer ME Jr, Strnad BT, Daley BJ, et al：Percutaneous embolization for the management of grade 5 renal trauma in hemodynamically unstable patients：Initial experience. J Urol 2009；181：1737-1741.
234) Lee RS, Porter JR：Traumatic renal artery pseudoaneurysm：Diagnosis and management techniques. J Trauma 2003；55：972-978.
235) Benson DA, Stockinger ZT, McSwain NE Jr：Embolization of an acute renal arteriovenous fistula following a stab wound：Case report and review of the literature. Am Surg 2005；71：62-65.
236) Heyns CF, van Vollenhoven P：Increasing role of angiography and segmental artery embolization in the management of renal stab wounds. J Urol 1992；147：1231-1234.
237) Menaker J, Joseph B, Stein DM, et al：Angiointervention：High rates of failure following blunt renal injuries. World J Surg 2011；35：520-527.
238) Sofocleous CT, Hinrichs C, Hubbi B, et al：Angiographic findings and embolotherapy in renal arterial trauma. Cardiovasc Intervent Radiol 2005；28：39-47.
239) Bruce LM, Croce MA, Santaniello JM, et al：Blunt renal artery injury：Incidence, diagnosis, and management. Am Surg 2001；67：550-554；discussion 555-556.
240) Sangthong B, Demetriades D, Martin M, et al：Management and hospital outcomes of blunt renal artery injuries：Analysis of 517 patients from the National Trauma Data Bank. J Am Coll Surg 2006；203：612-617.
241) Lee JT, White RA：Endovascular management of blunt traumatic renal artery dissection. J Endovasc Ther 2002；9：354-358.
242) Abu-Gazala M, Shussman N, Abu-Gazala S, et al：Endovascular management of blunt renal artery trauma. Isr Med Assoc J 2013；15：210-215.
243) Hass CA, Spirnak JP：Traumatic renal artery occlusion：A review of the literature. Tech Urol 1998；4：1-11.
244) Dobrilovic N, Bennett S, Smith C, et al：Traumatic renal artery dissection identified with dynamic helical computed tomography. J Vasc Surg 2001；34：562-564.
245) Inoue S, Koizumi J, Iino M, et al：Self-expanding metallic stent placement for renal artery dissection due to blunt trauma. J Urol 2004；171：347-348.

246) Memon S, Cheung BY : Long-term results of blunt traumatic renal artery dissection treated by endovascular stenting. Cardiovasc Intervent Radiol 2005 ; 28 : 668-669.
247) Vidal E, Marrone G, Gasparini D, et al : Radiological treatment of renal artery occlusion after blunt abdominal trauma in a pediatric patient : Is it never too late? Urology 2011 ; 77 : 1220-1222.
248) Flye MW, Anderson RW, Fish JC, et al : Successful surgical treatment of anuria caused by renal artery occlusion. Ann Surg 1982 ; 195 : 346-353.
249) Heyns CF, Van Vollenhoven P : Selective surgical management of renal stab wounds. Br J Urol 1992 ; 69 : 351-357.
250) Eastham JA, Wilson TG, Ahlering TE : Urological evaluation and management of renal-proximity stab wounds. J Urol 1993 ; 150 : 1771-1773.
251) Matthews LA, Smith EM, Spirnak JP : Nonoperative treatment of major blunt renal lacerations with urinary extravasation. J Urol 1997 ; 157 : 2056-2058.
252) Al-Qudah HS, Santucci RA : Complications of renal trauma. Urol Clin North Am 2006 ; 33 : 41-53.
253) Alsikafi NF, McAninch JW, Elliott SP, et al : Nonoperative management outcomes of isolated urinary extravasation following renal lacerations due to external trauma. J Urol 2006 ; 176 : 2494-2497.
254) Russell RS, Gomelsky A, McMahon DR, et al : Management of grade IV renal injury in children. J Urol 2001 ; 166 : 1049-1050.
255) Gill B, Palmer LS, Reda E, et al : Optimal renal preservation with timely percutaneous intervention : A changing concept in the management of blunt renal trauma in children in the 1990s. Br J Urol 1994 ; 74 : 370-374.
256) Moudouni SM, Patard JJ, Manunta A, et al : A conservative approach to major blunt renal lacerations with urinary extravasation and devitalized renal segments. BJU Int 2001 ; 87 : 290-294.
257) Stewart AF, Brewer ME Jr, Daley BJ, et al : Intermediate-term follow-up of patients treated with percutaneous embolization for grade 5 blunt renal trauma. J Trauma 2010 ; 69 : 468-470.
258) Clark RA : Traumatic renal artery occlusion. J Trauma 1979 ; 19 : 270-274.
259) Carroll PR, McAninch JW : Operative indications in penetrating renal trauma. J Trauma 1985 ; 25 : 587-593.
260) Velmahos GC, Demetriades D, Cornwell EE 3rd, et al : Selective management of renal gunshot wounds. Br J Surg 1998 ; 85 : 1121-1124.
261) Thall EH, Stone NN, Cheng DL, et al : Conservative management of penetrating and blunt Type III renal injuries. Br J Urol 1996 ; 77 : 512-517.
262) Wessells H, McAninch JW, Meyer A, et al : Criteria for nonoperative treatment of significant penetrating renal lacerations. J Urol 1997 ; 157 : 24-27.
263) DuBose J, Inaba K, Teixeira PG, et al : Selective non-operative management of solid organ injury following abdominal gunshot wounds. Injury 2007 ; 38 : 1084-1090.
264) Shefler A, Gremitzky A, Vainrib M, et al : [The role of nonoperative management of penetrating renal trauma]. Harefuah 2007 ; 146 : 345-348, 406-407.
265) Hope WW, Smith ST, Medieros B, et al : Non-operative management in penetrating abdominal trauma : Is it feasible at a Level II trauma center? J Emerg Med 2012 : 43 ; 190-195.
266) Heyns CF, De Klerk DP, De Kock ML : Nonoperative management of renal stab wounds. J Urol 1985 ; 134 : 239-242.
267) El Hechi MW, Nederpelt C, Kongkaewpaisan N, et al : Contemporary management of penetrating renal trauma - A national analysis. Injury 2020 ; 51 : 32-38.
268) Keihani S, Xu Y, Presson AP, et al : Contemporary management of high-grade renal trauma : Results from the American Association for the Surgery of Trauma Genitourinary Trauma study. J Trauma Acute Care Surg 2018 ; 84 : 418-425.
269) Brown SL, Elder JS, Spirnak JP : Are pediatric patients more susceptible to major renal injury from blunt trauma? A comparative study. J Urol 1998 ; 160 : 138-140.
270) McAleer IM, Kaplan GW, LoSasso BE : Congenital urinary tract anomalies in pediatric renal trauma patients. J Urol 2002 ; 168 : 1808-1810 ; discussion 1810.
271) Wright JL, Nathens AB, Rivara FP, et al : Renal and extrarenal predictors of nephrectomy from the national trauma data bank. J Urol 2006 ; 175 : 970-975 ; discussion 975.
272) Clark DE, Georgitis JW, Ray FS : Renal artery injuries caused by blunt trauma. Surgery 1981 ; 90 : 87-96.
273) Kao LS, Bulger EM, Parks DL, et al : Predictors of morbidity after traumatic pancreatic injury. J Trauma 2003 ; 55 : 898-905.
274) Duchesne JC, Schmieg R, Islam S, et al : Selective nonoperative management of low-grade blunt pancreatic injury : Are we there yet? J Trauma 2008 ; 65 : 49-53.
275) Akhrass R, Yaffe MB, Brandt CP, et al : Pancreatic trauma : A ten-year multi-institutional experience. Am Surg 1997 ; 63 : 598-604.

276) Biffl WL：Duodenum and pancreas. In：Moore EE, Feliciano DV, Mattox KL, eds. Trauma. 8th ed, McGraw-Hill, New York, 2017, pp 621-638.
277) Velmahos GC, Tabbara M, Gross R, et al：Blunt pancreatoduodenal injury：A multicenter study of the Research Consortium of New England Centers for Trauma (ReCONECT). Arch Surg 2009；144：413-419；discussion 419-420.
278) Linsenmaier U, Wirth S, Reiser M, et al：Diagnosis and classification of pancreatic and duodenal injuries in emergency radiology. Radiographics 2008；28：1591-1602.
279) Phelan HA, Velmahos GC, Jurkovich GJ, et al：An evaluation of multidetector computed tomography in detecting pancreatic injury：Results of a multicenter AAST study. J Trauma 2009；66：641-646；discussion 646-647.
280) Takishima T, Sugimoto K, Hirata M, et al：Serum amylase level on admission in the diagnosis of blunt injury to the pancreas：Its significance and limitations. Ann Surg 1997；226：70-76.
281) Barkin JS, Ferstenberg RM, Panullo W, et al：Endoscopic retrograde cholangiopancreatography in pancreatic trauma. Gastrointest Endosc 1988；34：102-105.
282) Sugawa C, Lucas CE：The case for preoperative and intraoperative ERCP in pancreatic trauma. Gastrointest Endosc 1988；34：145-147.
283) Lin BC, Liu NJ, Fang JF, et al：Long-term results of endoscopic stent in the management of blunt major pancreatic duct injury. Surg Endosc 2006；20：1551-1555.
284) Soto JA, Alvarez O, Múnera F, et al：Traumatic disruption of the pancreatic duct：Diagnosis with MR pancreatography. AJR Am J Roentgenol 2001；176：175-178.
285) Lin BC, Chen RJ, Fang JF, et al：Management of blunt major pancreatic injury. J Trauma 2004；56：774-778.
286) Gillams AR, Kurzawinski T, Lees WR：Diagnosis of duct disruption and assessment of pancreatic leak with dynamic secretin-stimulated MR cholangiopancreatography. AJR Am J Roentgenol 2006；186：499-506.
287) Valentino M, Serra C, Pavlica P, et al：Contrast-enhanced ultrasound for blunt abdominal trauma. Semin Ultrasound CT MR 2007；28：130-140.
288) Berni GA, Bandyk DF, Oreskovich MR, et al：Role of intraoperative pancreatography in patients with injury to the pancreas. Am J Surg 1982；143：602-605.
289) Moore EE, Cogbill TH, Malangoni MA, et al：Organ injury scaling, II：Pancreas, duodenum, small bowel, colon, and rectum. J Trauma 1990；30：1427-1429.
290) Ho VP, Patel NJ, Bokhari F, et al：Management of adult pancreatic injuries：A practice management guideline from the Eastern Association for the Surgery of Trauma. J Trauma Acute Care Surg 2017；82：185-199.
291) Cogbill TH, Moore EE, Morris JA Jr, et al：Distal pancreatectomy for trauma：A multicenter experience. J Trauma 1991；31：1600-1606.
292) Patton JH Jr, Lyden SP, Croce MA, et al：Pancreatic trauma：A simplified management guideline. J Trauma 1997；43：234-239；discussion 239-241.
293) Dragstedt LR：Some physiologic problems in surgery of the pancreas. Ann Surg 1943；118：576-589.
294) Yellin AE, Vecchione TR, Donovan AJ：Distal pancreatectomy for pancreatic trauma. Am J Surg 1972；124：135-142.
295) Vasquez JC, Coimbra R, Hoyt DB, et al：Management of penetrating pancreatic trauma：An 11-year experience of a level-1 trauma center. Injury 2001；32：753-759.
296) Oreskovich MR, Carrico CJ：Pancreaticoduodenectomy for trauma：A viable option? Am J Surg 1984；147：618-623.
297) Delcore R, Stauffer JS, Thomas JH, et al：The role of pancreatogastrostomy following pancreatoduodenectomy for trauma. J Trauma 1994；37：395-400.
298) Asensio JA, Petrone P, Roldán G, et al：Pancreaticoduodenectomy：A rare procedure for the management of complex pancreaticoduodenal injuries. J Am Coll Surg 2003；197：937-942.
299) Moore EE, Burch JM, Franciose RJ, et al：Staged physiologic restoration and damage control surgery. World J Surg 1998；22：1184-1190；discussion 1190-1191.
300) Seamon MJ, Kim PK, Stawicki SP, et al：Pancreatic injury in damage control laparotomies：Is pancreatic resection safe during the initial laparotomy? Injury 2009；40：61-65.
301) Koniaris LG, Mandal AK, Genuit T, et al：Two-stage trauma pancreaticoduodenectomy：Delay facilitates anastomotic reconstruction. J Gastrointest Surg 2000；4：366-369.
302) Yamamoto H, Watanabe H, Mizushima Y, et al：Severe pancreatoduodenal injury. Acute Med Surg 2015；3：163-166.
303) 鈴木裕，杉山政則，阿部展次，他：幽門輪温存膵頭十二指腸切除術．消化器外科 2008；31：1073-1080.
304) Andersen DK, Bolman RM 3rd, Moylan JA Jr：Management of penetrating pancreatic injuries：Subtotal

pancreatectomy using the auto suture stapler. J Trauma 1980；20：347-349.
305) Kristinsson SY, Gridley G, Hoover RN, et al：Long-term risks after splenectomy among 8,149 cancer-free American veterans：A cohort study with up to 27 years follow-up. Haematologica 2014；99：392-398.
306) 木村理, 渡辺利広, 森谷敏幸, 他：脾温存尾側膵切除術. 消化器外科 2008；31：1081-1091.
307) 阪本雄一郎：膵損傷の診断と治療. 救急医学 2011；35：334-341.
308) Ferrone CR, Konstantinidis IT, Sahani DV, et al：Twenty-three years of the Warshaw operation for distal pancreatectomy with preservation of the spleen. Ann Surg 2011；253：1136-1139.
309) Adam JP, Jacquin A, Laurent C, et al：Laparoscopic spleen-preserving distal pancreatectomy：Splenic vessel preservation compared with the Warshaw technique. JAMA Surg 2013；148：246-252.
310) Poon RT, Fan ST, Lo CM, et al：External drainage of pancreatic duct with a stent to reduce leakage rate of pancreaticojejunostomy after pancreaticoduodenectomy：A prospective randomized trial. Ann Surg 2007；246：425-433；discussion 433-435.
311) Borkon MJ, Morrow SE, Koehler EA, et al：Operative intervention for complete pancreatic transection in children sustaining blunt abdominal trauma：Revisiting an organ salvage technique. Am Surg 2011；77：612-620.
312) Ando Y, Okano K, Yasumatsu H, et al：Current status and management of pancreatic trauma with main pancreatic duct injury：A multicenter nationwide survey in Japan. J Hepatobiliary Pancreat Sci 2021；28：183-191.
313) Sudo T, Murakami Y, Uemura K, et al：Middle pancreatectomy with pancreaticogastrostomy：A technique, operative outcomes, and long-term pancreatic function. J Surg Oncol 2010；101：61-65.
314) Martin LW, Henderson BM, Welsh N：Disruption of the head of the pancreas caused by blunt trauma in children：A report of two cases treated with primary repair of the pancreatic duct. Surgery 1968；63：697-700.
315) 北野光秀, 茂木正壽, 奥沢星二郎, 他：膵体部完全離断例に対する主膵管再建膵縫合術. 手術 1992；46：301-304.
316) Thompson CM, Shalhub S, DeBoard ZM, et al：Revisiting the pancreaticoduodenectomy for trauma：A single institution's experience. J Trauma Acute Care Surg 2013；75：225-228.
317) DuBose JJ, Inaba K, Teixeira PG, et al：Pyloric exclusion in the treatment of severe duodenal injuries：Results from the National Trauma Data Bank. Am Surg 2008；74：925-929.
318) Seamon MJ, Pieri PG, Fisher CA, et al：A ten-year retrospective review：Does pyloric exclusion improve clinical outcome after penetrating duodenal and combined pancreaticoduodenal injuries? J Trauma 2007；62：829-833.
319) Wood JH, Partrick DA, Bruny JL, et al：Operative vs nonoperative management of blunt pancreatic trauma in children. J Pediatr Surg 2010；45：401-406.
320) Kong Y, Zhang H, He X, et al：Endoscopic management for pancreatic injuries due to blunt abdominal trauma decreases failure of nonoperative management and incidence of pancreatic-related complications. Injury 2013；45：134-140.
321) Mattix KD, Tataria M, Holmes J, et al：Pediatric pancreatic trauma：Predictors of nonoperative management failure and associated outcomes. J Pediatr Surg 2007；42：340-344.
322) Bhasin DK, Rana SS, Rawal P：Endoscopic retrograde pancreatography in pancreatic trauma：Need to break the mental barrier. J Gastroenterol Hepatol 2009；24：720-728.
323) Biffl WL, Ball CG, Moore EE, et al：Don't mess with the pancreas! A multicenter analysis of the management of low-grade pancreatic injuries. J Trauma Acute Care Surg 2021；91：820-828.
324) Kashuk JL, Moore EE, Sawyer M, et al：Postinjury coagulopathy management：Goal directed resuscitation via POC thrombelastography. Ann Surg 2010；251：604-614.
325) Park Y, Kim Y, Lee J, et al：Pancreaticoduodenal arterial hemorrhage following blunt abdominal trauma treated with transcatheter arterial embolization：Two case reports. Medicine（Baltimore）2020；99：e22531.
326) Girard E, Abba J, Cristiano N, et al：Management of splenic and pancreatic trauma. J Visc Surg 2016；153（4 Suppl）：45-60.
327) Bassi C, Dervenis C, Butturini G, et al：Postoperative pancreatic fistula：An international study group（ISGPF）definition. Surgery 2005；138：8-13.
328) Vassiliu P, Toutouzas KG, Velmahos GC：A prospective study of post-traumatic biliary and pancreatic fistuli：The role of expectant management. Injury 2004；35：223-227.
329) Martineau P, Shwed JA, Denis R：Is octreotide a new hope for enterocutaneous and external pancreatic fistulas closure? Am J Surg 1996；172：386-395.
330) Nwariaku FE, Terracina A, Mileski WJ, et al：Is octreotide beneficial following pancreatic injury? Am J Surg 1995；170：582-585.

331) Buccimazza I, Thomson SR, Anderson F, et al：Isolated main pancreatic duct injuries spectrum and management. Am J Surg 2006；191：448-452.
332) Blocksom JM, Tyburski JG, Sohn RL, et al：Prognostic determinants in duodenal injuries. Am Surg 2004；70：248-255；discussion 255.
333) Ballard RB, Badellino MM, Eynon CA, et al：Blunt duodenal rupture：A 6-year statewide experience. J Trauma 1997；43：229-232；discussion 233.
334) Vaughan GD 3rd, Frazier OH, Graham DY, et al：The use of pyloric exclusion in the management of severe duodenal injuries. Am J Surg 1977；134：785-790.
335) Stone HH, Fabian TC：Management of duodenal wounds. J Trauma 1979；19：334-339.
336) Snyder WH 3rd, Weigelt JA, Watkins WL, et al：The surgical management of duodenal trauma：Precepts based on a review of 247 cases. Arch Surg 1980；115：422-429.
337) Ivatury RR, Nallathambi M, Gaudino J, et al：Penetrating duodenal injuries：Analysis of 100 consecutive cases. Ann Surg 1985；202：153-158.
338) Shorr RM, Greaney GC, Donovan AJ：Injuries of the duodenum. Am J Surg 1987；154：93-98.
339) Cogbill TH, Moore EE, Feliciano DV, et al：Conservative management of duodenal trauma：A multicenter perspective. J Trauma 1990；30：1469-1475.
340) Graham JM, Mattox KL, Jordan GL Jr：Traumatic injuries of the pancreas. Am J Surg 1978；136：744-748.
341) Stone HH, Fabian TC, Satiani B, et al：Experiences in the management of pancreatic trauma. J Trauma 1981；21：257-262.
342) Jones RC：Management of pancreatic trauma. Ann Surg 1978；187：555-564.
343) Timaran CH, Daley BJ, Enderson BL：Role of duodenography in the diagnosis of blunt duodenal injuries. J Trauma 2001；51：648-651.
344) Coccolini F, Kobayashi L, Kluger Y, et al：Duodeno-pancreatic and extrahepatic biliary tree trauma：WSES-AAST guidelines. World J Emerg Surg 2019；14：56.
345) Jewett TC Jr, Caldarola V, Karp MP, et al：Intramural hematoma of the duodenum. Arch Surg 1988；123：54-58.
346) Burch JM, Franciose RJ, Moore EE, et al：Single-layer continuous versus two-layer interrupted intestinal anastomosis：A prospective randomized trial. Ann Surg 2000；231：832-837.
347) 北野光秀：十二指腸損傷の手術術式. 救急医学 2005；29：937-944.
348) 辺見弘：十二指腸破裂. 救急医学 1992；16：1263-1269.
349) Watts DD, Fakhry SM；EAST Multi-Institutional Hollow Viscus Injury Research Group：Incidence of hollow viscus injury in blunt trauma：An analysis from 275,557 trauma admissions from the East multi-institutional trial. J Trauma 2003；54：289-294.
350) Shinkawa H, Yasuhara H, Naka S, et al：Characteristic features of abdominal organ injuries associated with gastric rupture in blunt abdominal trauma. Am J Surg 2004；187：394-397.
351) Coimbra R, Pinto MC, Aguiar JR, et al：Factors related to the occurrence of postoperative complications following penetrating gastric injuries. Injury 1995；26：463-466.
352) Chandler CF, Lane JS, Waxman KS：Seatbelt sign following blunt trauma is associated with increased incidence of abdominal injury. Am Surg 1997；63：885-888.
353) Hackam DJ, Ali J, Jastaniah SS：Effects of other intra-abdominal injuries on the diagnosis, management, and outcome of small bowel trauma. J Trauma 2000；49：606-610.
354) Miller PR, Croce MA, Bee TK, et al：Associated injuries in blunt solid organ trauma：Implications for missed injury in nonoperative management. J Trauma 2002；53：238-242；discussion 242-244.
355) Nance ML, Peden GW, Shapiro MB, et al：Solid viscus injury predicts major hollow viscus injury in blunt abdominal trauma. J Trauma 1997；43：618-622；discussion 622-623.
356) Fakhry SM, Watts DD, Luchette FA：Current diagnostic approaches lack sensitivity in the diagnosis of perforated blunt small bowel injury：Analysis from 275,557 trauma admissions from the EAST multi-institutional HVI trial. J Trauma 2003；54：295-306.
357) Gans B, Sodickson A：Imaging of blunt bowel, mesenteric, and body wall trauma. Semin Roentgenol 2016；51：230-238.
358) Romano S, Scaglione M, Tortora G, et al：MDCT in blunt intestinal trauma. Eur J Radiol 2006；59：359-366.
359) Atri M, Hanson JM, Grinblat L, et al：Surgically important bowel and/or mesenteric injury in blunt trauma：Accuracy of multidetector CT for evaluation. Radiology 2008；249：524-533.
360) Stuhlfaut JW, Soto JA, Lucey BC, et al：Blunt abdominal trauma：Performance of CT without oral contrast material. Radiology 2004；233：689-694.
361) Mirvis SE, Gens DR, Shanmuganathan K：Rupture of the bowel after blunt abdominal trauma：Diagnosis with CT. AJR Am J Roentgenol 1992；159：1217-1221.

362) Ekeh AP, Saxe J, Walusimbi M, et al：Diagnosis of blunt intestinal and mesenteric injury in the era of multidetector CT technology：Are results better? J Trauma 2008；65：354-359.
363) Otomo Y, Henmi H, Mashiko K, et al：New diagnostic peritoneal lavage criteria for diagnosis of intestinal injury. J Trauma 1998；44：991-997；discussion 997-999.
364) Cha JY, Kashuk JL, Sarin EL, et al：Diagnostic peritoneal lavage remains a valuable adjunct to modern imaging techniques. J Trauma 2009；67：330-334；discussion 334-336.
365) Feliciano DV：Abdominal Trauma Revisited. Am Surg 2017；83：1193-1202.
366) George SM Jr, Fabian TC, Voeller GR, et al：Primary repair of colon wounds：A prospective trial in nonselected patients. Ann Surg 1989；209：728-733；discussion 733-734.
367) Chappuis CW, Frey DJ, Dietzen CD, et al：Management of penetrating colon injuries：A prospective randomized trial. Ann Surg 1991；213：492-497；discussion 497-498.
368) Demetriades D, Charalambides D, Pantanowitz D：Gunshot wounds of the colon：Role of primary repair. Ann R Coll Surg Engl 1992；74：381-384.
369) Ivatury RR, Gaudino J, Nallathambi MN, et al：Definitive treatment of colon injuries：A prospective study. Am Surg 1993；59：43-49.
370) Gonzalez RP, Merlotti GJ, Holevar MR：Colostomy in penetrating colon injury：Is it necessary? J Trauma 1996；41：271-275.
371) Demetriades D, Murray JA, Chan L, et al：Penetrating colon injuries requiring resection：Diversion or primary anastomosis? An AAST prospective multicenter study. J Trauma 2001；50：765-775.
372) Demetriades D, Rabinowitz B, Sofianos C, et al：The management of penetrating injuries of the back：A prospective study of 230 patients. Ann Surg 1988；207：72-74.
373) Ross SE, Cobean RA, Hoyt DB, et al：Blunt colonic injury：A multicenter review. J Trauma 1992；33：379-384.
374) Ciftci AO, Tanyel FC, Salman AB, et al：Gastrointestinal tract perforation due to blunt abdominal trauma. Pediatr Surg Int 1998；13：259-264.
375) Burch JM, Feliciano DV, Mattox KL：Colostomy and drainage for civilian rectal injuries：Is that all? Ann Surg 1989；209：600-610；discussion 610-611.
376) Thomas DD, Levison MA, Dykstra BJ, et al：Management of rectal injuries：Dogma versus practice. Am Surg 1990；56：507-510.
377) Levine JH, Longo WE, Pruitt C, et al：Management of selected rectal injuries by primary repair. Am J Surg 1996；172：575-578；discussion 578-579.
378) Tuggle D, Huber PJ Jr：Management of rectal trauma. Am J Surg 1984；148：806-808.
379) Brunner RG, Shatney CH：Diagnostic and therapeutic aspects of rectal trauma：Blunt versus penetrating. Am Surg 1987；53：215-219.
380) Morken JJ, Kraatz JJ, Balcos EG, et al：Civilian rectal trauma：A changing perspective. Surgery 1999；126：693-698；discussion 698-700.
381) Ivatury RR, Licata J, Gunduz Y, et al：Management options in penetrating rectal injuries. Am Surg 1991；57：50-55.
382) Velmahos GC, Gomez H, Falabella A, et al：Operative management of civilian rectal gunshot wounds：Simpler is better. World J Surg 2000；24：114-118.
383) McGrath V, Fabian TC, Croce MA, et al：Rectal trauma：Management based on anatomic distinctions. Am Surg 1998；64：1136-1141.
384) Grasberger RC, Hirsch EF：Rectal trauma：A retrospective analysis and guidelines for therapy. Am J Surg 1983；145：795-799.
385) Anderson SW, Soto JA：Anorectal trauma：The use of computed tomography scan in diagnosis. Semin Ultrasound CT MR 2008；29：472-482.
386) Nishijima DK, Simel DL, Wisner DH, et al：Does this adult patient have a blunt intra-abdominal injury? JAMA 2012；307：1517-1527.
387) Schurink GW, Bode PJ, van Luijt PA, et al：The value of physical examination in the diagnosis of patients with blunt abdominal trauma：A retrospective study. Injury 1997；28：261-265.
388) Ferrera PC, Verdile VP, Bartfield JM, et al：Injuries distracting from intraabdominal injuries after blunt trauma. Am J Emerg Med 1998；16：145-149.
389) Fakhry SM, Brownstein M, Watts DD, et al：Relatively short diagnostic delays (<8 hours) produce morbidity and mortality in blunt small bowel injury：An analysis of time to operative intervention in 198 patients from a multicenter experience. J Trauma 2000；48：408-414；discussion 414-415.
390) Carrillo C, Fogler RJ, Shaftan GW：Delayed gastrointestinal reconstruction following massive abdominal trauma. J Trauma 1993；34：233-235.
391) Miller PR, Chang MC, Hoth JJ, et al：Colonic resection in the setting of damage control laparotomy：Is delayed anastomosis safe? Am Surg 2007；73：606-609；discussion 609-610.
392) Ordoñez CA, Pino LF, Badiel M, et al：Safety of performing a delayed anastomosis during damage control

laparotomy in patients with destructive colon injuries. J Trauma 2011；71：1512-1517；discussion 1517-1518.
393) Witzke JD, Kraatz JJ, Morken JM, et al：Stapled versus hand sewn anastomoses in patients with small bowel injury：A changing perspective. J Trauma 2000；49：660-665；discussion 665-666.
394) Brundage SI, Jurkovich GJ, Hoyt DB, et al：Stapled versus sutured gastrointestinal anastomoses in the trauma patient：A multicenter trial. J Trauma 2001；51：1054-1061.
395) Kirkpatrick AW, Baxter KA, Simons RK, et al：Intra-abdominal complications after surgical repair of small bowel injuries：An international review. J Trauma 2003；55：399-406.
396) Sasaki LS, Allaben RD, Golwala R, et al：Primary repair of colon injuries: A prospective randomized study. J Trauma 1995；39：895-901.
397) Bandi R, Shetty PC, Sharma RP, et al：Superselective arterial embolization for the treatment of lower gastrointestinal hemorrhage. J Vasc Interv Radiol 2001；12：1399-1405.
398) Pezim ME, Vestrup JA：Canadian attitudes toward use of primary repair in management of colon trauma：A survey of 317 members of the Canadian Association of General Surgeons. Dis Colon Rectum 1996；39：40-44.
399) Eshraghi N, Mullins RJ, Mayberry JC, et al：Surveyed opinion of American trauma surgeons in management of colon injuries. J Trauma 1998；44：93-97.
400) Silver A, Bendick P, Wasvary H：Safety and efficacy of superselective angioembolization in control of lower gastrointestinal hemorrhage. Am J Surg 2005；189：361-363.
401) Gonzalez RP, Falimirski ME, Holevar MR：Further evaluation of colostomy in penetrating colon injury. Am Surg 2000；66：342-346；discussion 346-347.
402) Moore EE, Dunn EL, Moore JB, et al：Penetrating abdominal trauma index. J Trauma 1981；21：439-445.
403) Stewart RM, Fabian TC, Croce MA, et al：Is resection with primary anastomosis following destructive colon wounds always safe? Am J Surg 1994；168：316-319.
404) Murray JA, Demetriades D, Colson M, et al：Colonic resection in trauma：Colostomy versus anastomosis. J Trauma 1999；46：250-254.
405) Pasquale M, Fabian TC：Practice management guidelines for trauma from the Eastern Association for the Surgery of Trauma. J Trauma 1998；44：941-956；discussion 956-957.
406) Sharpe JP, Magnotti LJ, Weinberg JA, et al：Applicability of an established management algorithm for colon injuries following blunt trauma. J Trauma Acute Care Surg 2013；74：419-424；discussion 424-425.
407) Navsaria PH, Shaw JM, Zellweger R, et al：Diagnostic laparoscopy and diverting sigmoid loop colostomy in the management of civilian extraperitoneal rectal gunshot injuries. Br J Surg 2004；91：460-464.
408) Navsaria PH, Graham R, Nicol A：A new approach to extraperitoneal rectal injuries：Laparoscopy and diverting loop sigmoid colostomy. J Trauma 2001；51：532-535.
409) Navsaria PH, Edu S, Nicol AJ：Civilian extraperitoneal rectal gunshot wounds：Surgical management made simpler. World J Surg 2007；31：1345-1351.
410) Levy RD, Strauss P, Aladgem D, et al：Extraperitoneal rectal gunshot injuries. J Trauma 1995；38：273-277.
411) Lavenson GS, Cohen A：Management of rectal injuries. Am J Surg 1971；122：226-230.
412) Zmora O, Mahajna A, Bar-Zakai B, et al：Colon and rectal surgery without mechanical bowel preparation：A randomized prospective trial. Ann Surg 2003；237：363-367.
413) Slim K, Vicaut E, Launay-Savary MV, et al：Updated systematic review and meta-analysis of randomized clinical trials on the role of mechanical bowel preparation before colorectal surgery. Ann Surg 2009；249：203-209.
414) Patel TH, Cordts PR, Abcarian P, et al：Will transcatheter embolotherapy replace surgery in the treatment of gastrointestinal bleeding? Curr Surg 2001；58：323-327.
415) Kuo WT, Lee DE, Saad WE, et al：Superselective microcoil embolization for the treatment of lower gastrointestinal hemorrhage. J Vasc Interv Radiol 2003；14：1503-1509.
416) Schenker MP, Duszak R Jr, Soulen MC, et al：Upper gastrointestinal hemorrhage and transcatheter embolotherapy：Clinical and technical factors impacting success and survival. J Vasc Interv Radiol 2001；12：1263-1271.
417) Lenhart M, Paetzel C, Sackmann M, et al：Superselective arterial embolisation with a liquid polyvinyl alcohol copolymer in patients with acute gastrointestinal haemorrhage. Eur Radiol 2010；20：1994-1999.
418) Walker TG, Salazar GM, Waltman AC：Angiographic evaluation and management of acute gastrointestinal hemorrhage. World J Gastroenterol 2012；18：1191-1201.
419) Kakizawa H, Toyota N, Hieda M, et al：Traumatic mesenteric bleeding managed solely with transcathe-

ter embolization. Radiat Med 2007；25：295-298.

420) Hirshberg A, Wall MJ Jr, Ramchandani MK, et al：Reoperation for bleeding in trauma. Arch Surg 1993；128：1163-1167.

421) Croce MA, Fabian TC, Patton JH Jr, et al：Impact of stomach and colon injuries on intra-abdominal abscess and the synergistic effect of hemorrhage and associated injury. J Trauma 1998；45：649-655.

422) O'Neill PA, Kirton OC, Dresner LS, et al：Analysis of 162 colon injuries in patients with penetrating abdominal trauma：Concomitant stomach injury results in a higher rate of infection. J Trauma 2004；56：304-312；discussion 312-313.

423) Schnüriger B, Inaba K, Wu T et al：Crystalloids after primary colon resection and anastomosis at initial trauma laparotomy：Excessive volumes are associated with anastomotic leakage. J Trauma 2011；70：603-610.

424) Burlew CC, Moore EE, Cuschieri J, et al：Sew it up! A Western Trauma Association multi-institutional study of enteric injury management in the postinjury open abdomen. J Trauma 2011；70：273-277.

425) Cheatham ML, Chapman WC, Key SP, et al：A meta-analysis of selective versus routine nasogastric decompression after elective laparotomy. Ann Surg 1995；221：469-476；discussion 476-478.

426) Schecter WP, Hirshberg A, Chang DS, et al：Enteric fistulas：Principles of management. J Am Coll Surg 2009；209：484-491.

427) Becker HP, Willms A, Schwab R：Small bowel fistulas and the open abdomen. Scand J Surg 2007；96：263-271.

428) Fischer PE, Fabian TC, Magnotti LJ, et al：A ten-year review of enterocutaneous fistulas after laparotomy for trauma. J Trauma 2009；67：924-928.

429) Evenson AR, Fischer JE：Current management of enterocutaneous fistula. J Gastrointest Surg 2006；10：455-464.

430) Goverman J, Yelon JA, Platz JJ, et al：The "Fistula VAC," a technique for management of enterocutaneous fistulae arising within the open abdomen：Report of 5 cases. J Trauma 2006；60：428-431；discussion 431.

431) Al-Khoury G, Kaufman D, Hirshberg A：Improved control of exposed fistula in the open abdomen. J Am Coll Surg 2008；206：397-398.

432) Curran TJ, Borzotta AP：Complications of primary repair of colon injury：Literature review of 2,964 cases. Am J Surg 1999；177：42-47.

433) Demetriades D, Murray JA, Chan LS, et al：Handsewn versus stapled anastomosis in penetrating colon injuries requiring resection：A multicenter study. J Trauma 2002；52：117-121.

434) Law WL, Bailey HR, Max E, et al：Single-layer continuous colon and rectal anastomosis using monofilament absorbable suture (Maxon)：Study of 500 cases. Dis Colon Rectum 1999；42：736-740.

435) Velmahos GC, Vassiliu P, Demetriades D, et al：Wound management after colon injury：Open or closed? A prospective randomized trial. Am Surg 2002；68：795-801.

436) Renz BM, Feliciano DV：Unnecessary laparotomies for trauma：A prospective study of morbidity. J Trauma 1995；38：350-356.

437) Tortella BJ, Lavery RF, Chandrakantan A, et al：Incidence and risk factors for early small bowel obstruction after celiotomy for penetrating abdominal trauma. Am Surg 1995；61：956-958.

438) Rocha FG, Theman TA, Matros E, et al：Nonoperative management of patients with a diagnosis of high-grade small bowel obstruction by computed tomography. Arch Surg 2009；144：1000-1004.

439) Fazio VW, Cohen Z, Fleshman JW, et al：Reduction in adhesive small-bowel obstruction by Seprafilm adhesion barrier after intestinal resection. Dis Colon Rectum 2006；49：1-11.

440) Kumar S, Wong PF, Leaper DJ：Intra-peritoneal prophylactic agents for preventing adhesions and adhesive intestinal obstruction after non-gynaecological abdominal surgery. Cochrane Database Syst Rev 2009：(1)：CD005080.

441) Dabney A, Thompson J, DiBaise J, et al：Short bowel syndrome after trauma. Am J Surg 2004；188：792-795.

442) Crenn P, Messing B, Cynober L：Citrulline as a biomarker of intestinal failure due to enterocyte mass reduction. Clin Nutr 2008；27：328-339.

443) Piton G, Manzon C, Cypriani B, et al：Acute intestinal failure in critically ill patients：Is plasma citrulline the right marker? Intensive Care Med 2011；37：911-917.

444) Sundaram A, Koutkia P, Apovian CM：Nutritional management of short bowel syndrome in adults. J Clin Gastroenterol 2002；34：207-220.

445) Wang RF, Chong CF, Hsu HT, et al：Mesenteric injury caused by minor blunt abdominal trauma. Emerg Med J 2006；23：e27.

446) Hughes TM, Elton C：The pathophysiology and management of bowel and mesenteric injuries due to blunt trauma. Injury 2002；33：295-302.

447) Rutledge R, Thomason M, Oller D, et al：The spectrum of abdominal injuries associated with the use of seat belts. J Trauma 1991；31：820-825；discussion

825-826.
448) Xeropotamos NS, Nousias VE, Ioannou HV, et al：Mesenteric injury after blunt abdominal trauma. Eur J Surg 2001；167：106-109.
449) Evans S, Talbot E, Hellenthal N, et al：Mesenteric vascular injury in trauma：An NTDB study. Ann Vasc Surg 2021；70：542-548.
450) Bonomi AM, Granieri S, Gupta S, et al：Traumatic hollow viscus and mesenteric injury：Role of CT and potential diagnostic-therapeutic algorithm. Updates Surg 2021；73：703-710.
451) Lin HF, Chen YD, Lin KL, et al：Laparoscopy decreases the laparotomy rate for hemodynamically stable patients with blunt hollow viscus and mesenteric injuries. Am J Surg 2015；210：326-333.
452) Bertelli R, Fugazzola P, Zaghi C, et al：Transcatheter arterial embolization in abdominal blunt trauma with active mesenteric bleeding：Case series and review of literature. Emerg Radiol 2021；28：55-63.
453) Phillips B, Reiter S, Murray EP, et al：Trauma to the superior mesenteric artery and superior mesenteric Vein：A narrative review of rare but lethal injuries. World J Surg 2018；42：713-726.
454) Asensio JA, Petrone P, Garcia-Nuñez L, et al：Superior mesenteric venous injuries：To ligate or to repair remains the question. J Trauma 2007；62：668-675；discussion 675.
455) Sabat J, Hsu CH, Samra N, et al：Length of stay and ICU stay are increased with repair of traumatic superior mesenteric vein injury. J Surg Res 2019；242：94-99.
456) Melmer PD, Clatterbuck B, Parker V, et al：Superior mesenteric artery and vein injuries：Operative strategies and outcomes. Vasc Endovasclar Surg 2022；56：40-48.
457) Yata S, Ihaya T, Kaminou T, et al：Transcatheter arterial embolization of acute arterial bleeding in the upper and lower gastrointestinal tract with N-butyl-2-cyanoacrylate. J Vasc Interv Radiol 2013；24：422-431.
458) Huang CC, Lee CW, Hsiao JK, et al：N-butyl cyanoacrylate embolization as the primary treatment of acute hemodynamically unstable lower gastrointestinal hemorrhage. J Vasc Interv Radiol 2011；22：1594-1599.
459) 船曳知弘，山崎元靖，折田智彦，他：腸管腸間膜損傷の治療戦略．日腹部救急医会誌　2012；32：1187-1193.

F 尿路性器外傷

要 約

1. 尿路性器外傷は腎，尿道，膀胱，性器（精巣，陰茎），尿管の順に頻度が高い。
2. 尿路性器外傷の治療戦略の主体は，出血のコントロールと合併症対策および臓器機能の温存である。

はじめに

尿路性器外傷単独で生命が脅かされることはまれであるが，腹部外傷では高頻度に他臓器の合併損傷を伴うため，本外傷の管理には泌尿器科医と関連する他科との連携がきわめて重要である[1]。また，泌尿器科医としての治療戦略の主体は，合併症対策および損傷臓器機能の温存である[2]。

尿路性器外傷の頻度は，多い順に腎，尿道，膀胱，性器（精巣，陰茎），尿管であるが[3]，腎外傷は他項（「腹部外傷」，p.212）に譲り，本項では腎以外の泌尿・生殖器の臓器損傷に対する治療戦略と戦術を述べる。

なお，『泌尿器外傷診療ガイドライン2022年版』が刊行されており，腎尿管外傷，膀胱外傷，尿道外傷，生殖器外傷につき詳細に記載されている[4]。

I 尿管損傷の治療戦略と戦術

1. 病態の特徴と疫学

尿管は損傷すると同側の腎機能を脅かすといわれている[1]。細く小さく可動性がある後腹膜臓器であり，隣接する椎体，骨盤や筋肉に守られていて，外因性損傷はまれである[5]。尿管外傷は全尿路外傷の1～2.5％とされ[5]，原因は婦人科手術を主とする医原性損傷が8割以上ともっとも多い[6,7]。欧米では外因性尿管損傷の多くは銃創などの穿通性外傷であり，交通事故を主とした鈍的外傷の頻度はその1/4程度である[8]。受傷機転は身体に減速機序が加わる事故で起こり，椎体の過伸展性を有する小児に多く，主に腎盂尿管移行部が損傷を受ける[1,5]（図3-3-F-1）。

なお，2018年にAAST腎損傷分類が改訂され，腎盂断裂/腎盂尿管移行部断裂は腎損傷のAAST grade Ⅳに組み入れられている[4,9]。

2. 損傷分類

OIS分類[10]が存在するが，治療上，損傷が尿管壁の挫傷，裂傷にとどまるのか，あるいは全層性の断裂（不完全，完全）があるのかが重要となる。

3. 診 断

尿管損傷の診断はしばしば遅れるため[11]，すべての穿通性腹部外傷および減速機序による鈍的腹部外傷では，尿管損傷の存在を疑う[5]。血尿は尿管損傷の約50％でしかみられず，血尿がないからといって損傷を否定することはできない[1,7,11]。画像診断は，現在では造影CTの遅延相，あるいは造影CT後の腎尿管膀胱部単純撮影（KUB）による造影剤溢流の確認が有用である（図3-3-F-1a）。造影剤漏出像がなくとも遠位の造影不良や同側の水腎像があれば損傷を疑い，部位の詳細な診断がつかない際には，逆行性腎盂造影が有用な場合もある[11]。

4. 治療戦略と戦術

(1) 尿管壁の軽度な挫傷，裂傷であればNOMが可能で，double Jステントを留置する[12]。経皮的腎瘻ドレナージでも治療できるが，尿管狭窄の予防としてdouble Jステント留置が好ましい[11]。

(2) 尿管全層の不完全または完全断裂では手術が必要である。尿管の修復手術法として，損傷部の位

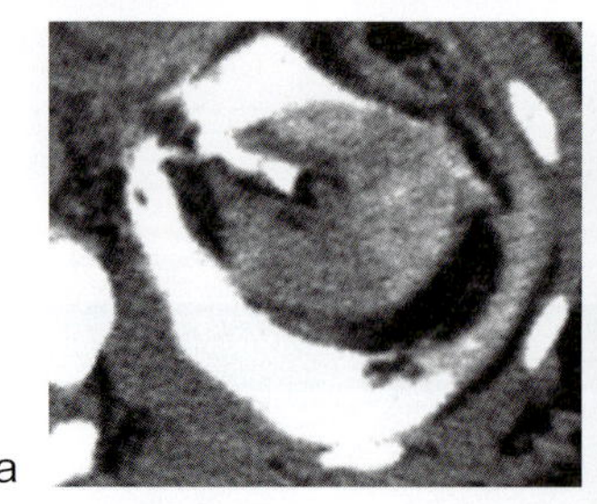
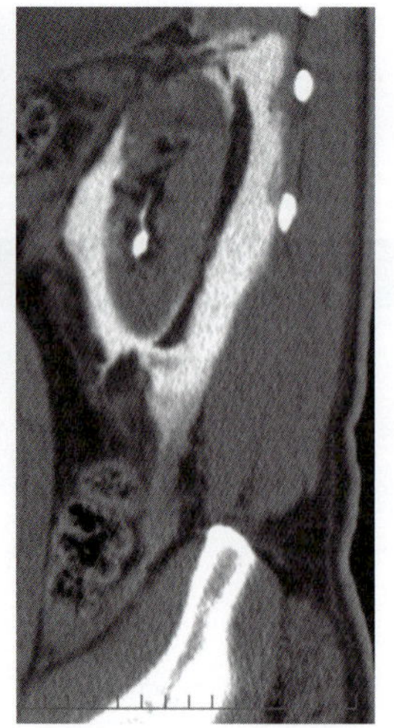

a

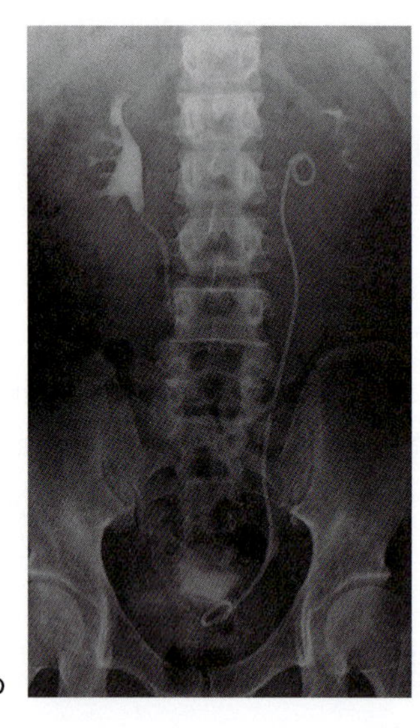

b

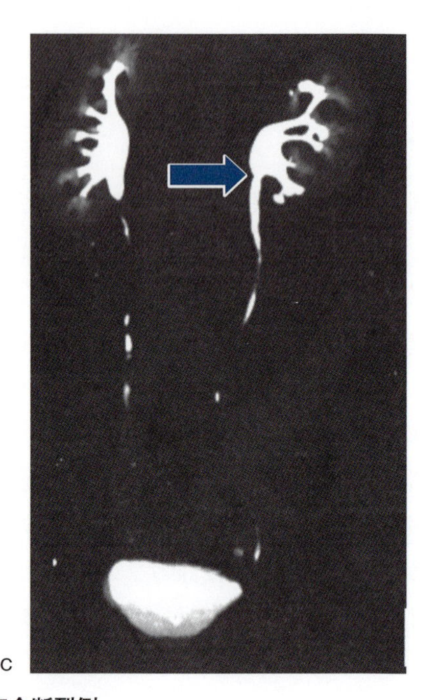

c

図3-3-F-1　左腎盂尿管移行部完全断裂例

36歳，男性。自動二輪車事故にて受傷。合併損傷として肋骨骨折，脾損傷があったが保存的に治療した

a：受傷日の遅延相CT画像。著しい造影剤の溢流を腎周囲に認める。左は横断像，右は冠状断像

b：受傷後30日の排泄性尿路造影（IVP）15分像。この直後double Jステントを抜去した

c：受傷後5カ月の遅延相CTをもとに構築された尿路造影像。左腎および吻合部（➡）の状態は良好であった

置，長さにより，尿管尿管吻合術[7)12)]，尿管膀胱新吻合術，psoas hitch法，回腸置換法などがある[1)5)12)]。

(3) 外傷後直ちに診断がつき治療できればよいが，遅れて診断された場合はまず経皮的腎瘻で対応せざるを得ないこともある[11)]。また，外傷急性期で患者の循環動態が不安定な場合は，尿管修復手術は諦め，damage control surgeryとして尿管結紮・腎瘻造設術を施行し，後日修復術を行うこともある[12)13)]。

(4) 尿管は血流が豊富な臓器ではなく，とくに中部尿管の血流は乏しい。尿管狭窄を引き起こすため，手術では尿管外膜内を縦走する血流をできるだけ保つような剥離が重要で，周囲脂肪織も付けた剝離操作が好ましい[1)]。損傷部の修復には表3-3-F-1の6点に留意する[5)]。図3-3-F-1に腎盂尿管移行部完全断裂例を示した。

いずれにしても泌尿器科専門医との連携が望ましい。

表3-3-F-1　尿管損傷の修復で注意する点

1. 損傷部断端のデブリドマン
2. 損傷部断端のspatulation
（吻合面積拡大による狭窄予防）
3. double Jステント留置
4. 吸収糸（4-0または5-0）によるwatertightな縫合
（ただし縫合pitchは細かくせず血流悪化は避ける）
5. ドレーン留置
6. 可能であれば損傷部の腹膜や大網による被覆

5. 合併症対策

手術治療後やdouble Jステントによる NOM後でも，損傷部あるいは吻合部の狭窄がもっとも危惧すべき合併症である。患者の治療経過，全身状態に依存するが，いずれの場合もdouble Jステント留置後1カ月をめどに損傷部を評価する（図3-3-F-1b, c）。造影CTの排泄相，遅延相をもとに狭窄の有無，造影剤の通過状態を評価してdouble Jステントを抜去する。抜去後1カ月程度で再度造影CTを行い，狭窄や水腎症の有無を評価する。狭窄を認め治療が必要な場合は，経尿管的な拡張術，double Jステント再留置を試みる。

Ⅱ 膀胱損傷の治療戦略と戦術

1. 病態の特徴と疫学，損傷分類

膀胱損傷は挫傷と破裂に分類され，後者が重要である。交通事故に伴う鈍的外傷が多く，刺創などの穿通性外傷はまれである[5)14)]。

膀胱破裂は，破裂形式により腹膜外破裂と腹膜内破裂，腹膜内外破裂に分類される。頻度は腹膜外破裂が60％でもっとも多く，次いで腹膜内破裂30％，内外破裂10％である[3)5)]。

腹膜外破裂はほとんど骨盤骨折に伴って発生し[15)]，骨折による膀胱への剪断力などにより生じる[5)]。腹膜内破裂は鈍的外力により急速に腹腔内圧が上昇して起こり，抵抗の小さな膀胱頂部に多く生じる[3)5)14)16)]。

2. 診　断

尿路損傷と異なり，ほとんどすべての症例で血尿を認め，95％は肉眼的血尿である。80％以上の症例は骨盤骨折を合併している。

骨盤骨折と肉眼的血尿を伴い循環動態の安定した患者では，膀胱破裂を強く疑って膀胱造影あるいはCT膀胱造影を施行する[5)12)]。腹部の著しい圧痛，腹膜刺激症状，排尿がない，尿道カテーテルから尿が出ないなどは，腹膜内破裂が疑われる。外尿道口に出血を認める場合は尿道損傷も疑って，以下の膀胱造影の前に逆行性尿道造影を行う[12)]。

1）CT膀胱造影（図3-3-F-2a）

膀胱破裂を疑ったら，CT膀胱造影〔CT撮影前に尿道カテーテルより膀胱内に薄めの造影剤（ヨード含有量10％程度）を約350ml注入しておく〕が有用とされる[5)]。現在では膀胱造影よりも偽陰性が少なく，造影剤排泄後の撮像が不要で迅速に実施可能であることからCT膀胱造影の優先度が高いとされている[17)]。血管造影後に尿道カテーテルを一定時間遮断した後のCT検査もしくは透視での診断は偽陰性が多く推奨されていない。

2）膀胱造影
（cystography；CG，図3-3-F-2b）[14)18)]

尿道カテーテルを膀胱に留置し，最初にKUBまたは骨盤部単純撮影を行い，骨盤骨折，骨片の状況，変位の有無を把握しておく。続いて2倍希釈の造影剤300～400ml（あるいは患者が尿意を訴えるまで）をカテーテルチップあるいは自然落下でゆっくり膀胱に注入して，前後像，斜位像を撮影する。膀胱を十分に拡張させ，小さな溢流像も見逃さないように造影剤排出後の像も撮影する。造影中だけでなく画像の読影も慎重に行う。時に横隔膜下，肝近傍の造影剤貯留像を呈する場合もあり，破裂部が不明瞭であれば造影後に横隔膜まで含めた撮影をする。

3. 治療戦略と戦術

破裂形式により治療方針が異なる。

1）腹膜外破裂

(1) 尿道カテーテル留置のみのNOMが原則である[5)12)]。
(2) 骨折片の膀胱への陥入，直腸穿孔の合併，開放骨盤骨折，著しい血尿，他臓器損傷の開腹手術のとき，あるいは整形外科手術時に発見されたときは，原則破裂部の修復術を行う[5)12)]。
(3) 修復術は，破裂部が前面か側面で視認可能であれば，外側から吸収糸（2-0程度）で2層に縫合する。尿ドレナージのためには尿道カテーテル留置のみでよく，膀胱瘻は不要である[12)]。

2）腹膜内破裂

(1) 開腹による修復術が必要である[5)12)]。

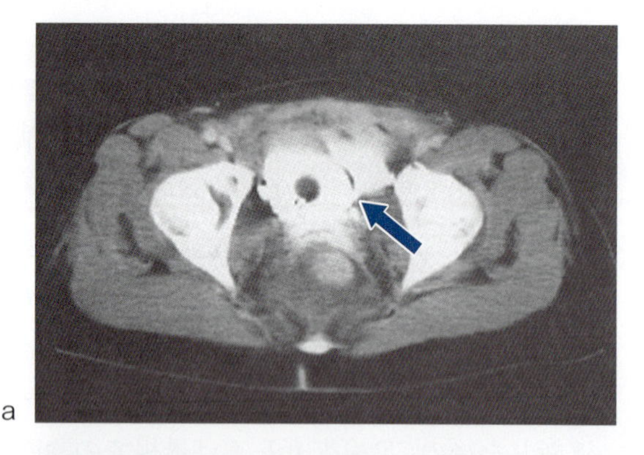
a

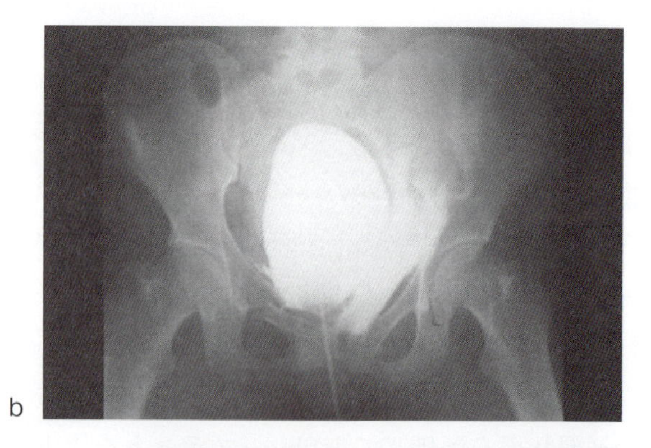
b

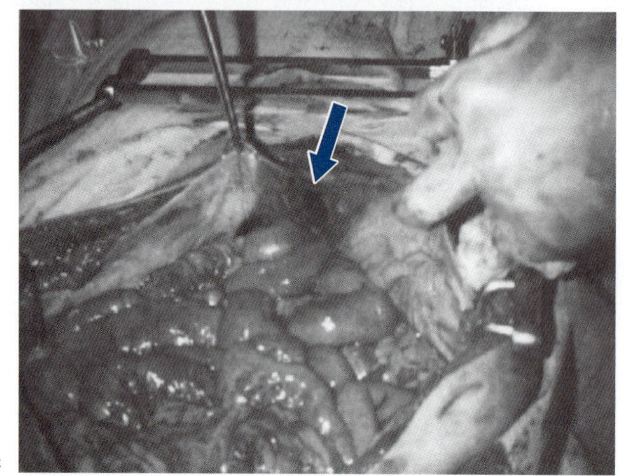
c

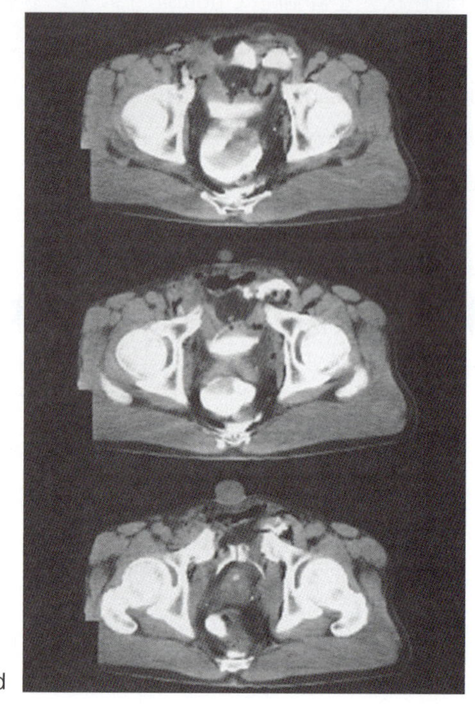
d

図3-3-F-2　膀胱破裂

a：膀胱腹膜外破裂の造影CT排泄相。膀胱左壁に腹膜外破裂部が認められる（➡）
b：同じ症例の膀胱造影で，膀胱の形状がteardrop signを示す
c：膀胱腹膜内破裂の術中所見。破裂部（➡）を膀胱頂部に認める。鑷子で把持しているのは腹膜。吸収糸により膀胱2層，腹膜1層の3層に縫合閉鎖した
d：膀胱腹膜内外破裂をきたした鉄パイプによる骨盤部の杙創の造影CT排泄相。損傷は恥骨結合，膀胱を貫き，直腸，仙骨まで至っていた。直ちに膀胱，直腸に対する緊急修復手術が行われた
〔a・bは文献18)より，cは文献14)より転載〕

(2) 吸収糸により膀胱2層，腹膜1層で縫合閉鎖する（図3-3-F-2c）。循環動態の安定した膀胱腹膜内破裂の単独例では，腹腔鏡下の修復術の報告もみられる[15)]。

3）腹膜内外破裂

開腹による修復術が必要である（図3-3-F-2d）。

4）術後管理

膀胱の損傷の程度により術後7〜14日に尿道カテーテルから膀胱造影を行い，尿漏がなければカテーテルを抜去する[5)19)]。尿漏があれば7日後に再度膀胱造影を行うのが望ましい[3)14)]。単純な損傷で健康な患者であれば，確認の膀胱造影なしで術後7〜10日に尿道カテーテルを抜去することが望ましい[20)]。

Ⅲ　尿道損傷の治療戦略と戦術

1. 病態の特徴と損傷分類

わが国における原因は，交通事故や転落などによる鈍的外傷がほとんどであり，主に男性に発生する。

損傷分類は，解剖学的部位によるものと損傷程度によるものがある。損傷部位により，尿道膜様部（外括約筋部）より近位の後部尿道損傷（膜様部尿道または前立腺部尿道の損傷）と，遠位の前部尿道損傷（球部尿道または振子部尿道損傷）に分類する。また損傷程度により，部分断裂および完全断裂に分類される[5)21)]。

後部尿道損傷の原因はほとんどが骨盤骨折に伴うもので，骨盤骨折の5～20％にみられる[3)5)]。とくに骨盤輪の破綻を伴う骨盤骨折，坐骨恥骨枝骨折，恥骨結合離開に伴うことが多い[5)22)23)]。

前部尿道損傷の主たる原因は騎乗型損傷（straddle injury）である。自動二輪車や自転車の交通事故でサドルやタンクにより，または転落転倒して棒状の構造物により，股間を打撲して主に球部尿道を損傷する[24)25)]。まれに後述する陰茎折症で受傷することもある[5)]。

前部尿道よりも後部尿道損傷が，より重症である。後部尿道損傷は完全断裂が多く，尿道再建術の難易度も高い[26)]。

2. 診　断

尿道損傷自体は致死的ではなく，骨盤骨折や他臓器損傷の評価および全身管理を優先する。循環動態が安定しているならば，後述する逆行性尿道造影により損傷の有無を確認する。

外尿道口の血液の付着[12)]や，排尿困難を訴えたら尿道損傷を疑う。また，陰嚢内の血腫や会陰部に蝶形皮下出血斑を認めたら，前部尿道損傷を疑う[3)14)]。

骨盤骨折例で尿道カテーテルが留置できない場合，後部尿道損傷を疑う。

確定診断は逆行性尿道造影（UG）で行う[5)12)]。外尿道口より14Fr程度のネラトンカテーテルを数cm挿入するか，注射器またはカテーテルチップを外尿道口に直接押し当てて，2倍希釈の造影剤を注入する。左前斜位で撮影し，造影剤の漏出から前述した損傷部位と損傷程度を診断する。完全断裂か部分断裂かは，逆行性に尿道に注入した造影剤が損傷部位（造影剤が尿道外に漏出している部分）を越えて近位尿道あるいは膀胱まで達しているかどうかで判断できる（図3-3-F-3a）。なお，造影直前に必ず単純X線撮影を行う。

3. 治療戦略と戦術

穿通性外傷による尿道損傷や陰茎折症を合併する前部尿道損傷では即時修復術を行うが，鈍的尿道損傷では急性期の管理の基本は尿ドレナージの確保である[5)12)]。尿道損傷には種々の損傷形態があり，合併臓器損傷やいくつもの治療手段が存在するため，明確には定められていない。最大の合併症は，損傷部尿道の狭窄あるいは閉塞による排尿障害である。

1）初期対応

(1) 完全断裂であれば初療は膀胱瘻を留置し，損傷部が瘢痕化して安定してから再建術を行う。

(2) 完全断裂でも，膀胱頸部損傷あるいは直腸損傷を合併している場合は，緊急に開放尿道形成術が必要である[5)]。

(3) 部分断裂の場合，後部尿道損傷では透視下に16 Fr程度の尿道カテーテルの挿入を試みてもよいが，決して無理はせず，挿入困難な場合は膀胱瘻を造設する[27)]。前部尿道損傷（球部尿道損傷）では，部分断裂でも直ちに膀胱瘻造設を行うのが好ましく，尿道カテーテルの留置は尿道狭窄のリスクが上昇してより複雑な狭窄となる可能性があり避けるべきである[28)]。また，球部尿道損傷において受傷直後の損傷部の切除および尿道端々吻合は推奨されない。なぜなら，損傷した尿道海綿体は構造上，急性期にはどこまでが挫滅部なのかの判断が難しく，適切な切除・端々吻合が不可能だからである。

(4) 留置に成功した尿道カテーテルは創傷治癒が起こるとされる2～3週間留置する[5)]。その後尿道カテーテル周囲から造影を行い，造影剤溢流の有無をみる。溢流がなければ尿道カテーテルを抜去し，排尿に問題がなければ1週間後に膀胱瘻を抜去する[14)]。

(5) 後部尿道損傷で完全断裂の場合，患者の状態が安定した受傷後14日以内（線維化が始まる前）に，ファイバースコープを用いて透視併用で尿道カテーテルを留置するprimary realignmentの試みが提唱されているが，いまだ確立された術式ではない[5)]。本治療の目的は，膀胱瘻単独よりも尿道狭窄の発生率が低いこと[29)]，および完全断裂により長くなった前立腺と近位尿道の転位距離を補正

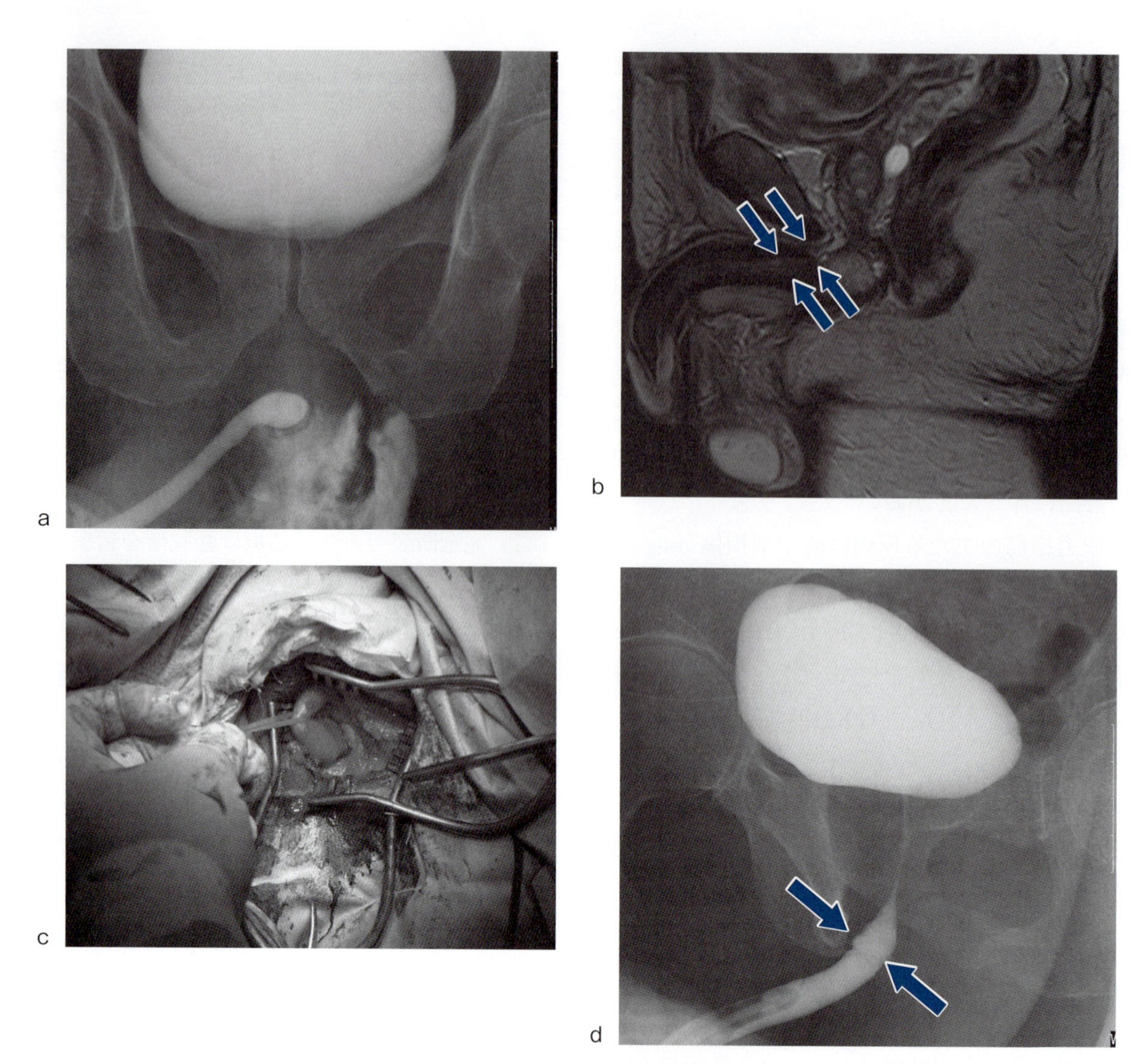

図3-3-F-3　前部尿道完全断裂

60歳，男性。自動二輪車事故により受傷

a：初療時の逆行性尿道造影（UG）。造影剤が尿道球部の損傷部で完全に漏出し，近位尿道から膀胱が造影されない。膀胱に貯留した造影剤は造影CTによるもの。直ちに膀胱瘻が造設された

b：受傷2カ月後，術前のMRI T2強調画像。尿道断裂部（➡）の長さはおよそ1.5cm

c：受傷2カ月後の尿道形成術（端々吻合術）術中写真

d：尿道形成術後2週間のUGおよび膀胱瘻よりの膀胱造影。➡は吻合部

し，後に発生する尿道狭窄の二期的手術を有利に進めるためとされる[5)]が，反対意見もある[30)]。

(6) 損傷部は血腫，尿漏などから炎症を起こし膿瘍形成，尿道皮膚瘻，尿道憩室などを形成し得る。初療で尿道カテーテルを留置した場合はもちろん，膀胱瘻造設により尿路変更した場合も，感染予防に抗菌薬投与を行う。投与期間は定まっていない。

2）二期的再建術（尿道形成術）

(1) 尿道損傷後は，仮に部分断裂で尿道カテーテルの留置に成功しても高率に尿道狭窄症を発症し，完全断裂であれば尿道狭窄あるいは閉塞が必発であり，二期的再建術を行う[5)]。

(2) 血腫，尿漏，炎症が治まり損傷部が瘢痕化して安定する受傷後3カ月以降に行う[5)]。

(3) 尿道狭窄長が短く瘢痕が強くなければ，経尿道的再建（内尿道切開）を試みてよいが[5)]，成績は決して良好ではなく[31)]，再狭窄をきたしたら尿道形成術が必要である。

(4) 外傷性尿道狭窄の理想的な治療は開放手術による尿道形成術であり，成功率も高い[26) 32) 33)]。球部尿道損傷（騎乗型損傷）後の尿道狭窄で狭窄長が2cm以内なら，狭窄部の切除および尿道端々吻合術を行う（図3-3-F-3b～d）。球部尿道の狭窄長が2cmを超える場合や，振子部尿道を含むよ

り遠位側の狭窄は，口腔粘膜などの代用組織を用いたsubstitution urethroplastyが選択される[34,35]。後部尿道損傷の大部分の患者や内尿道切開術の非成功例，再狭窄した部分断裂例などは，狭窄部切除，尿道端々吻合の適応であるが，前部尿道に比して視野が深く難易度の高い手術である[26,33]。

(5) 開放手術の尿道形成術は，会陰部に縦切開あるいは逆U字切開を置いて経会陰式に行うのが標準的である。再狭窄予防に必要な手術の成功の鍵は，瘢痕組織を切除して血流のある新鮮な尿道断端を吻合することである。後部尿道損傷で完全断裂長が長く複雑なケースでは，左右の陰茎海綿体の分離，恥骨下縁切除，尿道海綿体の授動や，恥骨後の経腹式アプローチの併用を要することもある[36]。

4. 尿道損傷の合併症とフォローアップ

尿道損傷，とくに後部尿道損傷の合併症として，前述した尿道狭窄症のほか，尿失禁，勃起不全が重要であり，患者のQOLを著しく損なう[18,37]。したがって，受傷後少なくとも1年間は経過観察を行うべきである[12]。

Ⅳ 性器損傷の治療戦略と戦術

男性性器損傷は尿路性器損傷全体の10％近くを占め，まれではない。多くは鈍的外傷により引き起こされる[5]。生命にかかわる外傷ではないが，性器は生殖，性機能という特殊な機能を有するため，外傷後の機能温存の有無は患者にとって問題となる[38]。本項では，精巣損傷として精巣挫傷，精巣破裂，精巣脱出症を，陰茎損傷として陰茎折症を取り上げる。女性性器損傷はきわめてまれであるため省略した。

1. 精巣挫傷・精巣破裂

精巣は可動性があり強靱な白膜に包まれているため破裂はまれで，挫傷がもっとも多い。強い外力が加わり恥骨に精巣が押さえつけられて起こるとされる。原因はスポーツ，交通事故，けんかが多い。精巣破裂の症状として陰嚢の激しい疼痛と著明な腫大を伴い，悪心，嘔吐，時に失神がみられる[5,38]。

治療上，精巣挫傷か破裂かを鑑別する必要がある。疼痛および腫大のため精巣そのものの触診は有効ではない。画像診断として超音波断層法が有用とされるが[3,5,38,39]，鑑別が困難な場合も少なくない。CT検査またはMRI検査は次に試みるべき検査であるが，これでも鑑別不可能ならば，探索的手術診断（exploration）が必要となる[5]。

軽度の挫傷は安静のみで対処する。精巣内血腫が大きく精巣が緊満しているときは，精巣萎縮の予防に血腫除去が必要とされる[40]。精巣破裂は，血腫の除去，挫滅精巣組織の切除と吸収糸による白膜の連続縫合・閉鎖が必要であるが，損傷が著しければ精巣摘除術を行う[5,12]。精巣破裂では，受傷後手術までの期間が長いと摘除率が上昇するため，破裂を疑ったら数日以内の早期に手術を行うのがよい[41]。

2. 精巣脱出症

精巣脱出症は，外力によって精巣が陰嚢外に脱出したまれな外傷である[5]。鼠径部などの皮下に脱出する表在性脱出，鼠径管内などに滑脱する内在性脱出，陰嚢皮膚が裂け陰嚢外に脱出する複合脱出に分類される。わが国では，表在性鼠径部脱出症がもっとも多く，原因は自動二輪車事故を主とする交通事故が最多であるが，スポーツ外傷でも起こる[38,42]。

陰嚢内に精巣を触知しない病態であるから，陰嚢の触視診は重要である。表在性および内在性脱出では，CT検査にて脱出した精巣が描出，診断されることがある[42]。

表在性脱出や内在性脱出では，自然下降した患者や用手整復可能であった患者が報告されている[5,42]。複合脱出は開放創であるため（図3-3-F-4）[42]，精巣脱出症は多くの場合，精巣の観血的整復固定術が行われる。

3. 陰茎折症

勃起状態にある陰茎に外力が加えられ，陰茎海綿体白膜および陰茎海綿体に断裂をきたした状態で，陰茎の変形・屈曲・腫脹を生じる。原因は性交，自慰，寝返りなどである[5,12,38]。

問診で性的エピソードと陰茎白膜断裂時のcrack

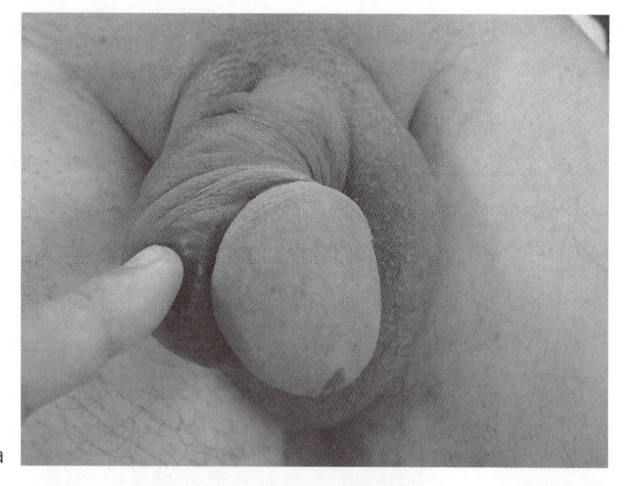
a

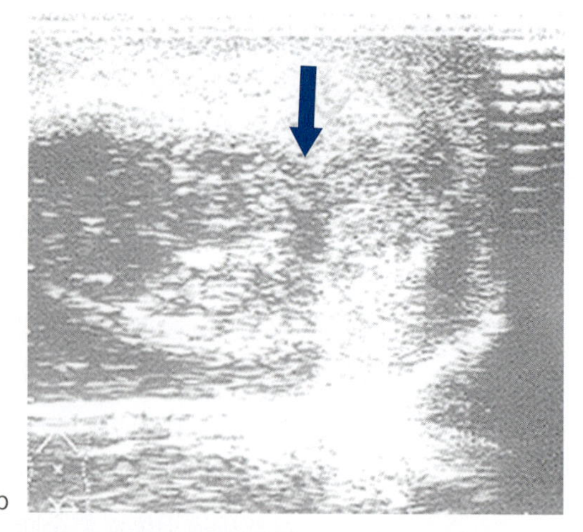
b

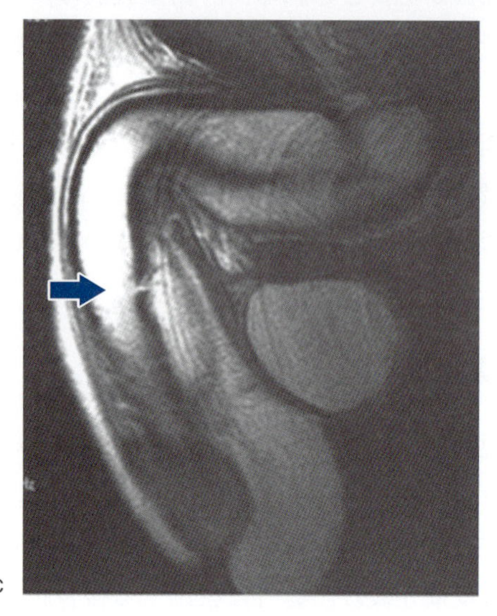
c

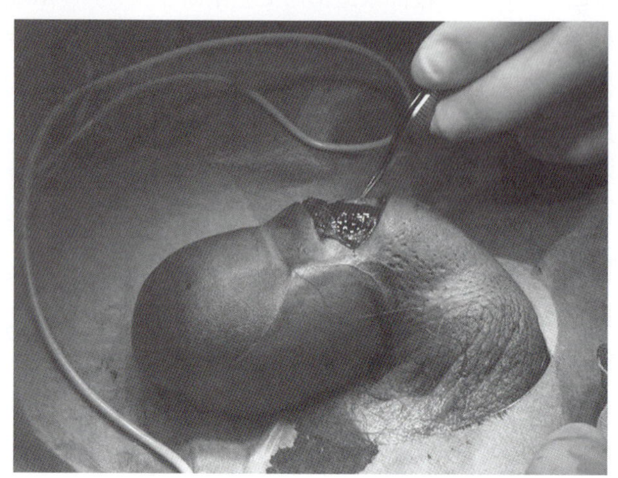
d

図3-3-F-5　陰茎折症

a：56歳，男性。右陰茎海綿体白膜の断裂により亀頭が左側に屈曲している
b：21歳，男性。左陰茎海綿体白膜の断裂例で，断裂部（➡）の超音波所見
c：同じ症例の断裂部（➡）のMRI T2強調画像
d：同じ症例の術中所見。包皮を断裂部直上で横切開して白膜を吸収糸で縫合閉鎖した

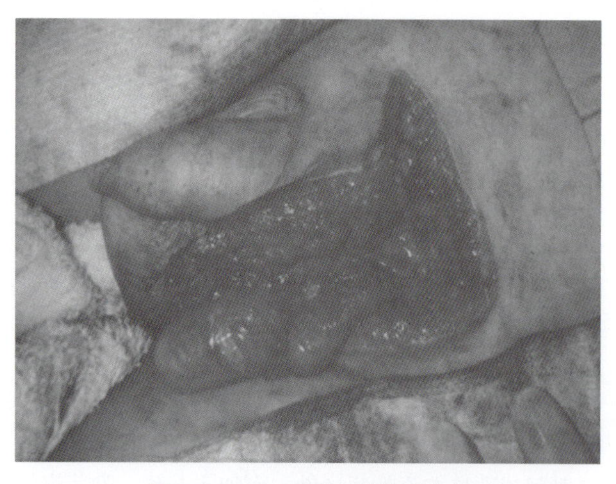

図3-3-F-4　12歳，精巣脱出症

自転車事故による左複合脱出で，左鼠径部より陰嚢にかけての開放創より左精巣が脱出しているが，精巣の構造は保たれていた。観血的整復固定術が施行された
〔文献42)より引用〕

音が聞こえたか確認する。陰茎の疼痛を訴え，血腫により陰茎が損傷側と反対側に屈曲する特徴的な変形・腫脹を認める（図3-3-F-5a）。以上で診断は容易であるが，白膜断裂部の同定には触診では不十分なことが多い。超音波検査と最近ではMRI検査の有用性が報告されている[5) 43) 44)]（図3-3-F-5b, c）。時に陰茎海綿体と尿道損傷を合併することがあり，尿道出血，排尿困難があるときは適宜，尿道造影を施行する[5) 12)]。

保存的治療では陰茎の変形，勃起不全などが生じるとされ，治療戦略としては手術が推奨される[5) 12)]。早期の手術が望ましいが[43) 45)]，必ずしも緊急で行う必要はない。戦術としては，包皮を白膜断裂部直上で横切開または縦切開して白膜を吸収糸で縫合閉鎖する（図3-3-F-5d）。術前に白膜断裂部が不明な場合は，環状切開により全包皮を陰茎根部まで剝離して同定する[5)38)]。

V 穿通性損傷の治療戦略と戦術

尿管から性器に至る尿路系損傷の多くは非穿通性外力により発生し，穿通性損傷はまれである。以下尿管から性器に至る順で穿通性損傷の特質を述べる。

1. 穿通性尿管損傷

海外の報告によると，尿管損傷の原因でもっとも多いのは医原性で，外力による成因では穿通性損傷のほうが多く，戦場のみならず平時の一般救急でも銃創によるものがもっとも多い[46)〜48)]。

戦場などにおける穿通性外傷は非穿通性よりも高い割合（2〜3%）で発生するため，急速減速による穿通性体幹外傷のみならず，腹部の穿通性損傷，とくにすべての銃創症例では常に尿管損傷を念頭に置いて診断を進める必要がある[46)49)]ことが欧州泌尿器科学会EAUガイドラインで強く推奨されている。また，米国泌尿器科学会AUAガイドラインでは術前画像を撮像していない尿路損傷を疑う患者では術中尿管を直視確認することが推奨されている。図3-3-F-6に教訓的な患者を提示する。

鈍的尿管損傷は骨盤および腰仙椎の損傷を伴うが，穿通性損傷は血管および消化管の損傷に合併することが多いので注意が必要である[50)51)]。

2. 穿通性膀胱損傷

穿通性膀胱損傷に関しては非穿通性外傷と大きく異なるところはない。

3. 穿通性尿道損傷

穿通性外力による前部尿道損傷はまれであり，銃創，刺傷，咬傷，異物挿入，陰茎切断などによって生じる[52)53)]。穿通性前部尿道損傷の15%に陰茎損傷を合併し，そのほかに精巣損傷や骨盤損傷を伴う[53)54)]。

穿通性後部尿道損傷は，主に骨盤，会陰，殿部の銃創によることが多く，腹腔内の傷害を合併する可能性（80〜90%）が高い[55)56)]。わが国では稀有で，海外でも平時においてはまれである[56)]。

非穿通性であろうと穿通性であろうと後部尿道損傷は重篤な損傷であることが多く，患者の全身状態の評価と蘇生的治療を優先する[57)]。しかし治療開始が遅延すると，狭窄，失禁，勃起不全など患者の機能的予後に悪影響を与え生活の質を低下させることになる[58)]。

女性の穿通性尿道損傷は非常にまれであるが一例を示す（図3-3-F-7）。

4. 穿通性性器損傷

性器損傷の80%は非穿通性外力により生じるが，米国の統計によると穿通性損傷の75.8%は銃器による[59)]。動物による外性器咬傷はまれで，創傷自体は通常軽微であるが，感染リスクは高い。外性器への銃創は比較的まれで，単独で生命を脅かすことは少ないが，生活の質に大きな影響を与える可能性がある。全穿通性性器尿路損傷の約40〜60%は外性器に関係しており[54)60)]，これらの35%は銃創である[61)]。戦場においては，大部分が爆傷によって生じ，銃創による受傷は少数であったという報告がある[62)]。男女を問わず穿通性損傷の70%は複数の臓器を損傷する。陰嚢の非穿通性外傷による両側陰嚢損傷はまれ（1%）であるが，貫通損傷では，30%が両側性である[61)63)]。

穿通性尿路損傷に関する前向き研究は非常に少なく，実診療に際して広汎に活用できる論文的根拠はごく限られている。本項は主にEAUとAUAのガイドラインを参照したが，EASTガイドラインではレベルII以上のエビデンスは存在しないことが明記されており，わが国でも日本泌尿器科学会から腎損傷ガイドラインが公表されているものの，尿路系に関する記載はない。

しかし多くの経験的な管理は，論文的根拠に乏しいながらも合理的と考えられており，国際的にも幅広いコンセンサスが形成されている。

前述した個別の臓器損傷に関する現状から図3-3-F-8のような穿通性損傷治療アルゴリズムが提唱されている[64)]。

今後他部位の損傷と同様，放射線診断・治療や内

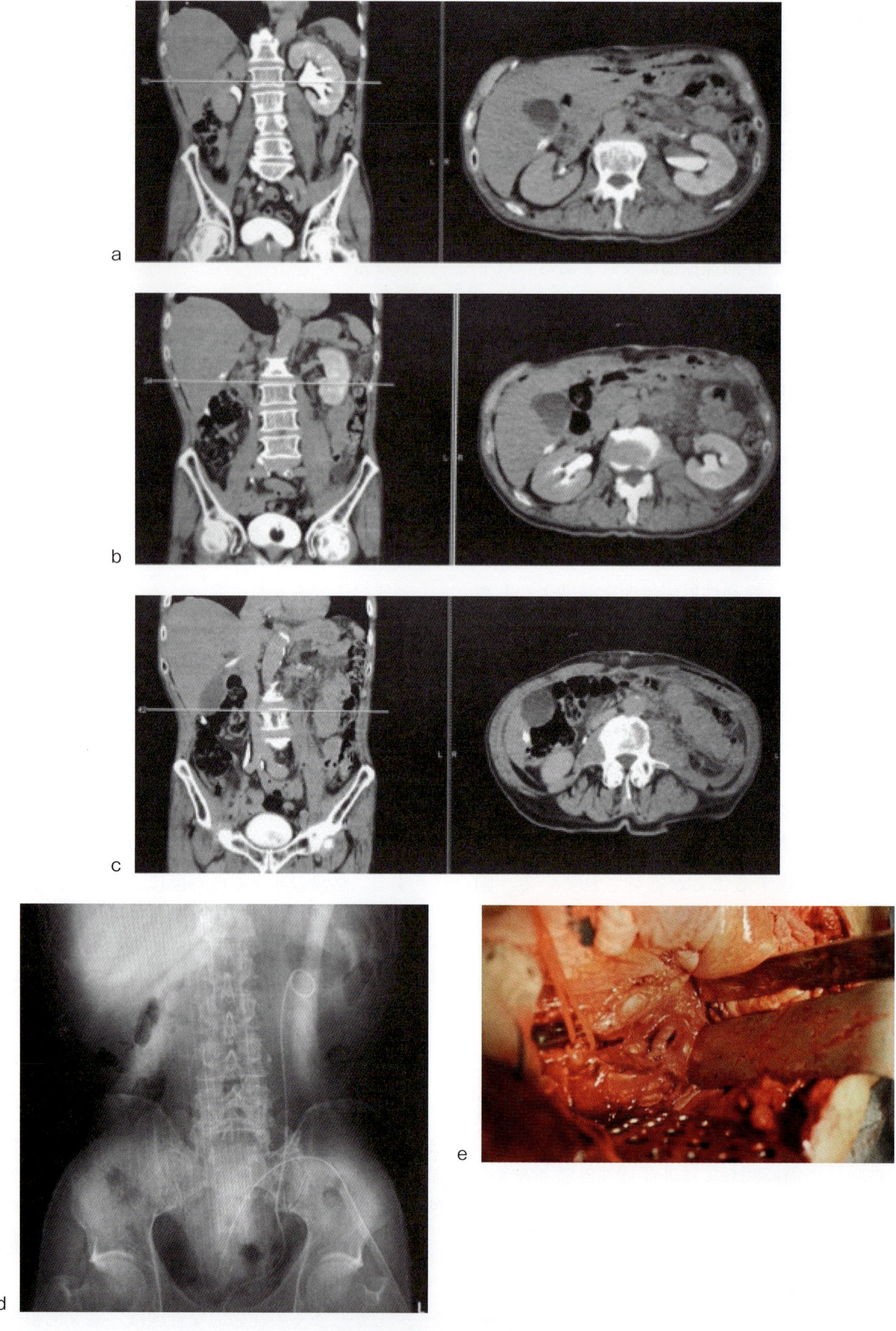

図3-3-F-6　**穿通性尿管損傷**

75歳，男性。腹部刺創にて救急搬送。救急隊現場到着時ショックバイタルであったため，手術室に直接搬入し，直ちに開腹。刺創路は小網から小腸間膜，結腸間膜を貫通し，数カ所の血管損傷を伴い左腸腰筋に至っていた。出血源はすべて処理可能で，そのまま閉腹した。翌日撮影した造影CTでは左腎盂から上部尿管に至る拡張と末梢側尿管の造影不良を認めた。末梢側尿管の逆行性造影ではCT画像と同部位の造影途絶を認め，カテーテルをそのまま留置。翌日再開腹にて離断部分を縫合修復した

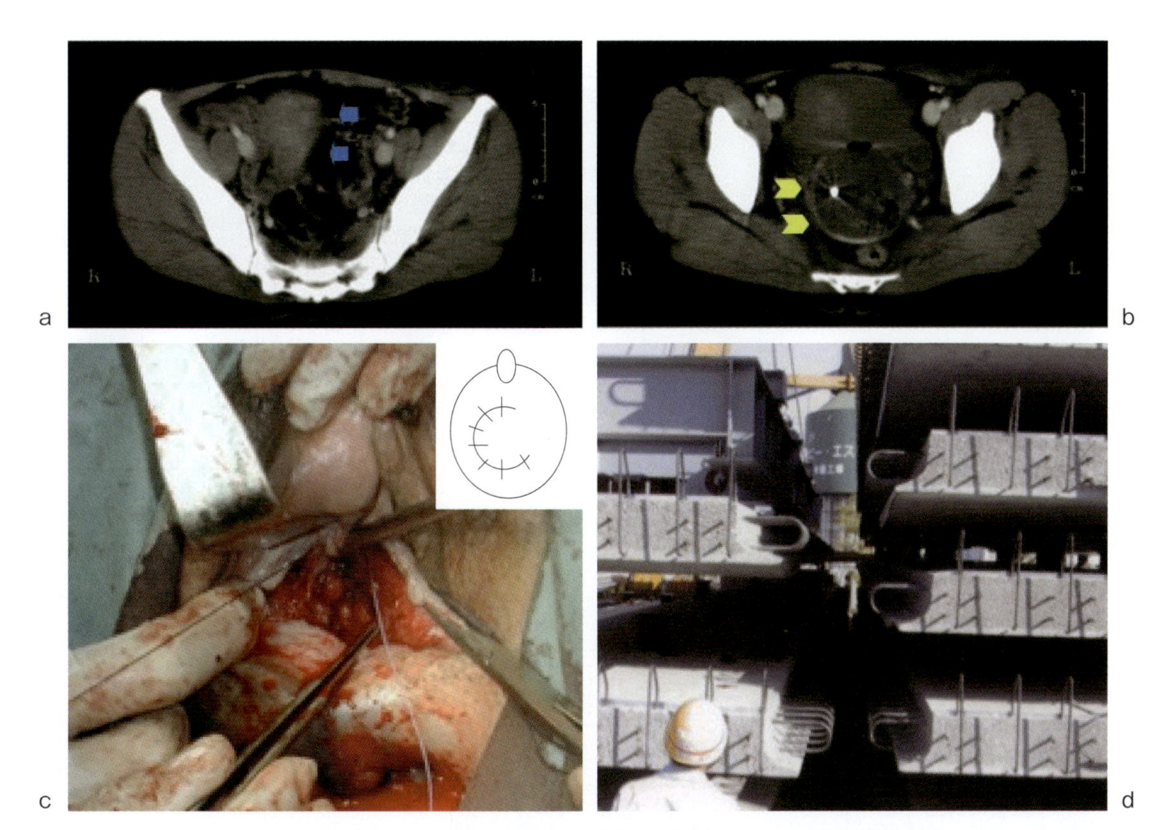

図3-3-F-7　穿通性尿道損傷

30歳，女性。現場作業中，鉄筋が突出したコンクリートの上から墜落した。救急隊現着時，下半身から大量の出血あり。病着時バイタルサインは比較的保たれていたが，股間から大量の出血あり，全身蒼白。腟内に大きな挫傷と活動性出血あり，タンポンガーゼ挿入。直腸内に損傷なし。尿道カテーテルは抵抗なく挿入し得たが，血液が持続的に流出していた。造影CT画像で骨盤骨折は認めず，尿道カテーテルは膀胱外のタンポンガーゼ内にあった（a，b）。経腟超音波検査で腟粘膜の広範な損傷と子宮・付属器に損傷がないことを確認した。腟の縫合止血（c）後に膀胱皮膚瘻造設術と逆行性膀胱造影を行い，膀胱損傷を否定。尿道は受傷32日後，二期的に再建した。後日判明した現場写真（d）から，墜落時にU字鋼が腟内に刺入されたのではないかと推定された

視鏡技術の進歩によりminimally invasiveを目的とした治療がますます導入されると予想されるが，臨床においては全身管理を担当する外傷専門医と泌尿器科専門医の連携が重要である。

文　献

1）中島洋介：腎尿管外傷．救急医学 2012；36：1804-1811.
2）中島洋介，北野光秀，吉井宏：鈍的腎外傷の評価と治療方針について．泌尿器外科 2008；21：147-154.
3）中島洋介：外傷・救急医療（腎，膀胱，尿道，精巣）．泌尿器外科 2013；26：406-420.
4）日本泌尿器科学会編：泌尿器外傷診療ガイドライン．医学図書出版，東京，2022.
5）Kitrey ND, Campos-Juanatey F, Hallscheidt P, et al：EAU guidelines on urological trauma-update, 2022. https://d56bochluxqnz.cloudfront.net/documents/full-guideline/EAU-Guidelines-on-Urological-Trauma-2022_2022-03-24-104100_fwda.pdf（Accessed 2022-2-28）
6）Dobrowolski Z, Kusionowicz J, Drewniak T, et al：Renal and ureteric trauma：Diagnosis and management in Poland. BJU Int 2002；89：748-751.
7）Elliott SP, McAninch JW：Ureteral injuries：External and iatrogenic. Urol Clin North Am 2006；33：55-66.
8）McGeady JB, Breyer BN：Current epidemiology of genitourinary trauma. Urol Clin North Am 2013；40：323-334.
9）Kozar RA, Crandall M, Shanmuganathan K, et al：AAST Patient Assessment Committee. Organ injury scaling 2018 update：Spleen, liver, and kidney. J Trauma Acute Care Surg 2018；85：1119-1122.
10）Moore EE, Cogbill TH, Jurkovich GJ, et al：Organ injury scaling. Ⅲ：Chest wall, abdominal vascular, ureter, bladder, and urethra. J Trauma 1992；33：337-339.
11）Brandes S, Coburn M, Armenakas N, et al：Diagnosis and management of ureteric injury：An evidence-based analysis. BJU Int 2004；94：277-289.
12）Morey AF, Brandes S, Dugi DD 3rd, et al：Urotrauma：AUA Guideline. J Urol 2014；192：327-335.
13）Smith TG 3rd, Coburn M：Damage control maneu-

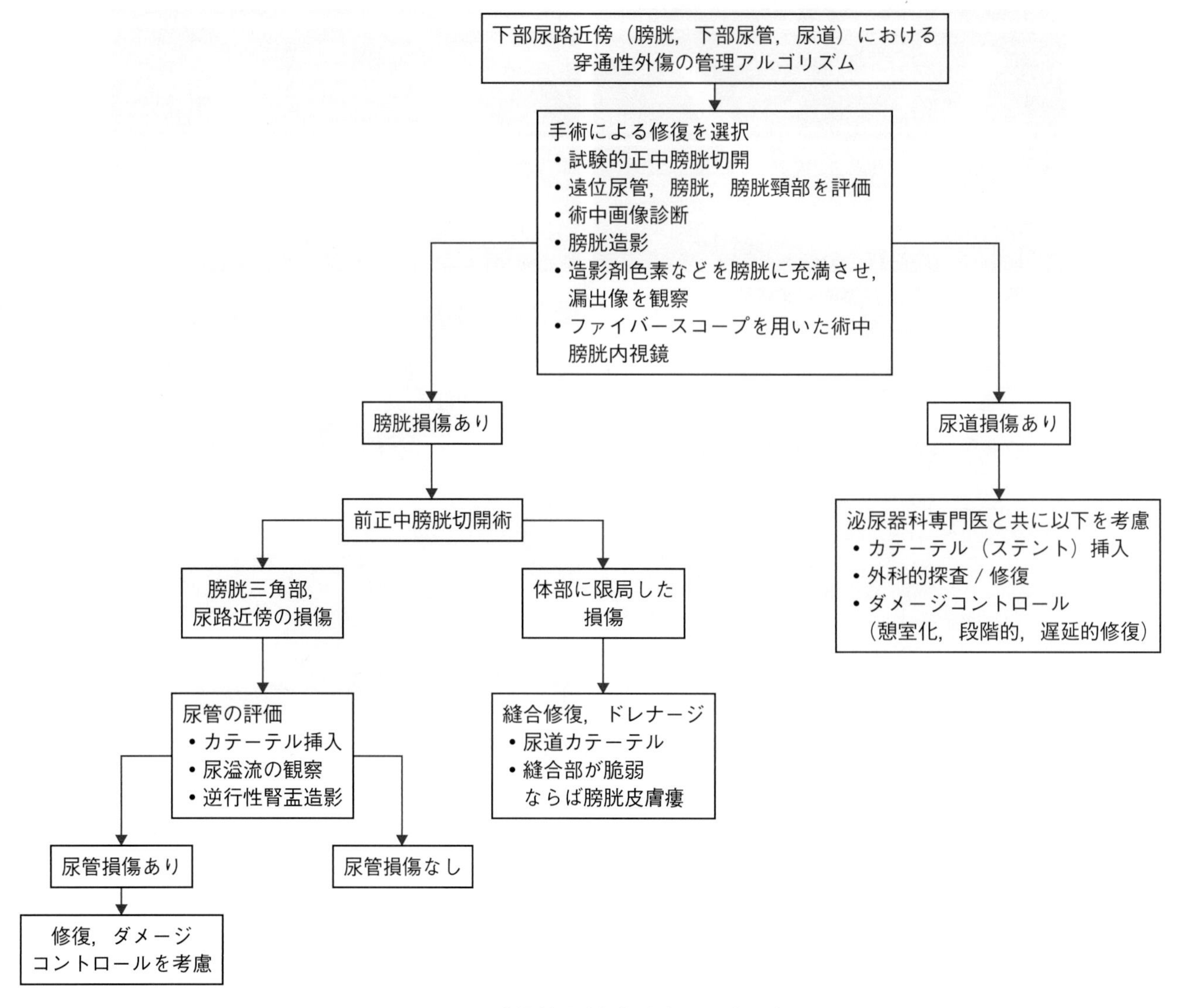

図3-3-F-8　穿通性尿路損傷治療アルゴリズム

〔文献64）より引用・改変〕

vers for urologic trauma. Urol Clin North Am 2013；40：343-350.

14）中島洋介：泌尿器外傷：膀胱外傷，尿道外傷．Urology View 2006；4：26-30.

15）Wirth GJ, Peter R, Poletti PA, et al：Advances in the management of blunt traumatic bladder rupture：Experience with 36 cases. BJU Int 2010；106：1344-1349.

16）中島洋介：膀胱破裂（腹膜外・腹膜内）．馬場志郎，松田公志編，Urologic Surgery シリーズNo.9；外傷の手術と救急処置，メジカルビュー社，東京，2001，pp24-28.

17）Chan DP, Abujudeh HH, Cushing GL, et al：CT cystography with multiplanar reformation for suspected bladder rupture：Experience in 234 cases. AJR Am J Roentgenol 2006；187：1296-1302.

18）中島洋介：膀胱・尿道損傷．日本泌尿器科学会2005年卒後・生涯教育テキスト 2005；10：68-72.

19）Inaba K, McKenney, Munera F, et al：Cystogram follow-up in the management of traumatic bladder disruption. J Trauma 2006；60：23-28.

20）Inaba K, Okoye OT, Bowder T, et al：Prospective evaluation of the utility of routine postoperative cystogram after traumatic bladder injury. J Trauma Acute Care Surg 2013；75：1019-1023.

21）Chapple C, Barbagli G, Jordan G, et al：Consensus statement on urethral trauma. BJU Int 2004；93：1195-1202.

22）Basta AM, Blackmore CC, Wessells H：Predicting urethral injury from pelvic fracture patterns in male patients with blunt trauma. J Urol 2007；177：571-575.

23）Bjurlin MA, Fantus RJ, Mellett MM, et al：Genitourinary injuries in pelvic fracture morbidity and mortality using the National Trauma Data Bank. J Trauma 2009；67：1033-1039.

24）Park S, McAninch JW：Straddle injuries to the bulbar urethra：Management and outcomes in 78 patients. J

Urol 2004；171：722-725.
25) Kommu SS, Illahi I, Mumtaz F：Patterns of urethral injury and immediate management. Curr Opin Urol 2007；17：383-389.
26) Koraitim MM：On the art of anastomotic posterior urethroplasty：A 27-year experience. J Urol 2005；173：135-139.
27) Mundy AR, Andrich DE：Urethral trauma：Part Ⅱ Types of injury and their management. BJU Int 2011；108：630-650.
28) Brandes S：Initial management of anterior and posterior urethral injuries. Urol Clin North Am 2006；33：87-95.
29) Firmanto R, Irdam GA, Wahyudi I：Early realignment versus delayed urethroplasty in management of pelvic fracture urethral injury：A meta-analysis. Acta Med Indones 2016；48：99-105.
30) Tausch TJ, Morey AF, Scott JF, et al：Unintented negative consequences of primary endoscopic realignment for men with pelvic fracture urethral injuries. J Urol 2014；192：1720-1724.
31) Santucci R, Eisenberg L：Urethrotomy has a much lower success rate than previously reported. J Urol 2010；183：1859-1862.
32) Santucci RA, Mario LA, McAninch JW：Anastomotic urethroplasty for bulbar urethral stricture：Analysis of 168 patients. J Urol 2002；167：1715-1719.
33) 堀口明男，新地祐介，田崎新資，他：骨盤骨折による後部尿道外傷に対する待機的尿道形成術の治療成績．日外傷会誌 2016；30：424-430.
34) Chapple C, Andrich D, Atala A, et al：SIU/ICUD consultation on urethral strictures：The management of anterior urethral stricture disease using substitution urethroplasty. Urology 2014；83：S31-S47.
35) Mangera A, Patterson JM, Chapple CR：A systematic review of graft augmentation urethroplasty techniques for the treatment of anterior urethral strictures. Eur Urol 2011；59：797-814.
36) Mundy AR：Anastomotic urethroplasty. BJU Int 2005；96：921-944.
37) Koraitim MM：Predictors of erectile dysfunction post pelvic fracture urethral injuries：A multivariate analysis. Urology 2013；81：1081-1085.
38) 古賀成彦，江口二朗，酒井英樹，他：泌尿器外傷；性器外傷. Urology View 2006；4：31-37.
39) 中島洋介，木村茂三，佐藤通洋：鈍的外力による陰嚢および陰嚢内臓器損傷の検討；非観血的治療の是非と超音波断層法の有用性について．泌尿器外科 1995；8：305-311.
40) Cass AS, Luxenberg M：Testicular injuries. Urology 1991；37：528-530.
41) Altarac S：Management of 53 cases of testicular trauma. Eur Urol 1994；25：119-123.
42) 中島洋介，木村茂三，佐藤通洋：外傷性精巣脱出症の4例．泌尿器外科 1991；4：817-820.
43) De Luca F, Garaffa G, Falcone M, et al：Functional outcomes following immediate repair of penile fracture：A tertiary referral centre experience with 76 consecutive patients. Scand J Urol 2017；51：170-175.
44) Dell'Atti L：The role of ultrasonography in the diagnosis and management of penile trauma. J Ultrasound 2016；19：161-166.
45) Amer T, Wilson R, Chlosta P, et al：Penile fracture：A meta-analysis. Urol Int 2016；96：315-329.
46) Elliott SP, McAninch JW：Ureteral injuries：External and iatrogenic. Urol Clin North Am 2006；33：55-66, vi.
47) Pereira BM, Ogilvie MP, Gomez-Rodriguez JC, et al：A review of ureteral injuries after external trauma. Scand J Trauma Resusc Emerg Med 2010；18：6.
48) Brandes S, Coburn M, Armenakas N, et al：Diagnosis and management of ureteric injury：An evidence-based analysis. BJU Int 2004；94：277-289.
49) Serkin FB, Soderdahl DW, Hernandez J, et al：Combat urologic trauma in US military overseas contingency operations. J Trauma 2010；69（Suppl 1）：S175-S178.
50) McGeady JB, Breyer BN：Current epidemiology of genitourinary trauma. Urol Clin North Am 2013；40：323-334.
51) Siram SM, Gerald SZ, Greene WR, et al：Ureteral trauma：Patterns and mechanisms of injury of an uncommon condition. Am J Surg 2010；199：566-570.
52) Latini JM, McAninch JW, Brandes SB, et al：SIU/ICUD consultation on urethral strictures：Epidemiology, etiology, anatomy, and nomenclature of urethral stenoses, strictures, and pelvic fracture urethral disruption injuries. Urology 2014；83（3 Suppl）：S1-S7.
53) Bjurlin MA, Kim DY, Zhao LC, et al：Clinical characteristics and surgical outcomes of penetrating external genital injuries. J Trauma Acute Care Surg 2013；74：839-844.
54) Phonsombat S, Master VA, McAninch JW：Penetrating external genital trauma：A 30-year single institution experience. J Urol 2008；180：192-195.
55) Cinman NM, McAninch JW, Porten SP, et al：Gunshot wounds to the lower urinary tract：A single-institution experience. J Trauma Acute Care Surg 2013；74：725-730.
56) Tausch TJ, Cavalcanti AG, Soderdahl DW, et al：Gunshot wound injuries of the prostate and posterior urethra：Reconstructive armamentarium. J Urol 2007；

178：1346-1348.

57) Barratt RC, Bernard J, Mundy AR, et al：Pelvic fracture urethral injury in males-mechanisms of injury, management options and outcomes. Transl Androl Urol 2018；7 (Suppl 1)：S29-S62.

58) Mundy AR, Andrich DE：Urethral trauma. Part Ⅱ：Types of injury and their management. BJU Int 2011；108：630-650.

59) Grigorian A, Livingston JK, Schubl SD, et al：National analysis of testicular and scrotal trauma in the USA. Res Rep Urol 2018；10：51-56.

60) Selikowitz SM：Penetrating high-velocity genitourinary injuries. Part Ⅰ. Statistics mechanisms, and renal wounds. Urology 1977；9：371-376.

61) Monga M, Hellstrom WJ：Testicular Trauma. Adolesc Med 1996；7：141-148.

62) Hudak SJ, Hakim S：Operative management of wartime genitourinary injuries at Balad Air Force Theater Hospital, 2005 to 2008. J Urol 2009；182：180-183.

63) Cass AS, Ferrara L, Wolpert J, et al：Bilateral testicular injury from external trauma. J Urol 1988；140：1435-1436.

64) Kim FJ, Donalisio da Silva R：Genitourinary Tract. In：Feliciano DV, Mattox KL, Moore EE, eds. Trauma, 9th ed. McGraw Hill, New York, pp824.

G　大血管損傷

要　約

1. 大血管損傷では迅速な一時的出血コントロールを行い，近位側および遠位側コントロールをしながら修復・血行再建術を行う。
2. damage control surgery としてシャント留置や結紮術がある。結紮した場合には起こり得る臓器障害を理解しておく。
3. 循環動態が安定している鈍的胸部下行大動脈損傷ではステントグラフトによる血管内治療が第一選択となる。

はじめに

鈍的外傷が多いわが国では，大血管損傷は遭遇することの少ない損傷形態である。多くの患者が搬入時には出血性ショックであることが多く，他臓器損傷の合併率も高いため適切な外科的処置が求められる[1)2)]。

ショックである場合は緊急手術が必要であり，原則的にFASTや胸部・骨盤X線検査などの最低限の検査のみ行い，手術室に向かう。循環動態が安定している場合は，造影CT検査や血管造影を用いて診断したうえで治療戦略を練る。

近年では圧迫止血不能な体幹出血（noncompressible torso hemorrhage；NCTH）という考え方が広まり，大血管損傷はその代表といえる[3)]。

I　疫学と分類

血管損傷の発生機序や発生率は国や地域により大きく異なる。血管損傷のうち穿通性によるものがコロンビアでは93％，ジョージアや米国では85％，マレーシアでは交通事故によるものが50％であった[1)4)5)]。米国での初めての大規模な報告は，1957年にMorrisらによりなされた[6)]。その報告によると136例のうちの50％近くが上肢の血管損傷であり，35％が総腸骨動脈以下の下肢血管損傷である。1971年Perryらによる508例の動脈損傷の報告においても[7)]，89％が上下肢血管外傷であり，頸部が8.3％，腹部血管外傷が4.7％であった。

大血管損傷は日本外傷学会の大血管損傷分類において，3つに分類される（日本外傷学会臓器損傷分類2008）。Ⅰ型は内膜損傷または外膜損傷，Ⅱ型は非全層性損傷，Ⅲ型は全層性損傷である。完全断裂の多くは活動性出血を伴うが，血管攣縮により血栓形成が起こり止血されていることもある。不完全断裂は完全断裂に比べ血管攣縮が起こりづらく，活動性出血が持続し得る。また仮性動脈瘤や動静脈瘻を形成することがある。内膜損傷は血管に過度な伸展や圧迫が加わった場合に認められ，血栓形成により閉塞することが多い。

II　ダメージコントロール戦略

大血管損傷を伴う外傷患者の多くは出血性ショックであり，場合によっては初療室での緊急開胸および胸部下行大動脈クランプ，横隔膜以下の損傷であればREBOAで一時的出血コントロールを行う。

また穿通性外傷の一時止血法として創部に尿道バルーンを挿入し，圧迫止血を行うこともできる[8)]。

術中のダメージコントロールとして，一時的血管内シャント留置（temporary intravascular shunt；TIVS）がある。Dawsonら[9)]はブタを用いた基礎研究によって，低血圧下においても24時間以内のシャントの開存は問題ないと証明した。イラク戦争においても一時シャントの有用性が証明され[10)]，また静脈に対してもその有用性を示す報告がある[11)]。一時的シャントは主に腋窩動脈，腸骨動脈，大腿動脈，膝窩動脈に使われているが，上腸間膜動脈[12)]，上腸間膜静脈や門脈に使用された報告もある[13)14)]。

損傷血管の近位および遠位をコントロールしたのちにArgyle™シャント，もしくは胃管チューブなどを挿入し，両サイドを絹糸などで結紮固定またはRummel tourniquetなどで固定する。結紮は単純であるが，血管壁を損傷し得る。シャントを挿入する際に，シャントの中央を絹糸などで結紮しておくとシャントの操作が容易になる。TIVSにより血行は維持される一方，シャント口径が患者の血管より狭小化することによるシャント閉塞（5.6％）や事故抜去（1.4％）に注意する[15)]。

結紮は損傷血管からの出血に対して非常にシンプルな方法であるが，その血管の結紮により起こり得る合併症を十分に考慮すべきである。鎖骨下静脈の結紮による上肢浮腫，総腸骨静脈または下大静脈結紮による下肢浮腫，門脈や上腸間膜静脈結紮による腸管浮腫，総頸動脈結紮による脳梗塞，上腸間膜動脈結紮による腸管壊死などがあげられる。

Ⅲ 根本治療

まず損傷血管の流入部および流出部で血行を遮断する。直接血腫を開放し，血行遮断を行おうとすると大量出血する可能性が高いため，損傷血管周囲の血腫に侵入することなく，近位側血行遮断を行う。その際に大腿動脈損傷時の鼠径靭帯，腕頭動脈損傷時の心嚢などの解剖学的隔壁を越えて血行遮断を行えばより安全に近位側血行遮断を行うことができる。遠位側血行遮断を血腫の外で行うのが困難な場合は，近位側を遮断した状態で血腫を開放し，血腫内で直接遠位側遮断を行う。近位側または遠位側の直接的な遮断が解剖学的に困難な場合（深い骨盤腔内の血管など）は，損傷部よりFogartyバルーンカテーテルを挿入し，血管内からコントロールする。

血管損傷に対する基本術式は，適切な損傷血管のデブリドマン，Fogartyバルーンカテーテルによる血栓除去，直接吻合または自家静脈や人工血管によるグラフト置換，そして筋脂肪組織による被覆である。

経皮的ステントグラフト留置は，とくに胸部大血管損傷において成績が向上している。2015年のEASTガイドラインでは循環動態が安定している腹部下行大動脈損傷は外科的修復よりもステントグラフトを用いた血管内治療を強く推奨している[16)]。

Ⅳ 損傷血管別の治療戦略と戦術

1. 胸部大血管損傷

米国外傷外科学会（American Association for the Surgery of Trauma；AAST）では表3-3-G-1[17)]のように胸部血管損傷を分類している。

胸部血管損傷の90％以上は穿通性外傷または医原性である[18)]。また大動脈損傷は交通外傷による死亡の15％ほどを占める[19)〜21)]。多くは下行大動脈近位部であり（54〜65％），上行大動脈または弓部大動脈が10〜14％，下行大動脈遠位部は12％と報告されている。鈍的外傷による下行大動脈損傷の病院前致死率は85％と高く[22)]，またDegiannisらの報告[23)]によると47％の患者は循環動態が不安定であり，緊急手術が必要である。鈍的胸部大動脈損傷は主に水平方向または垂直方向の減速作用機序で発生し，好発部位は左鎖骨下動脈を分枝した直後の下行大動脈（大動脈峡部）である[24)]。コンピュータシミュレーションによる衝突時の大動脈内圧は1,400mmHgを超えるとされ，回転力とあいまって大動脈峡部に最大の応力がかかることで好発部位となる[25)26)]。

鈍的外傷による胸部大動脈損傷は，交通事故による死亡原因としては頭部外傷に次ぐものであることが報告されている[27)]。Parmleyらの歴史的検討により，心停止に至ることなく病院に到着できるのは20％程度であり，これらの患者も根本治療を行わなければ24時間以内に30％が死亡するとされた[22)]。そのため，早期の診断と機を逸せぬ外科的治療が救命のために求められてきた。一方，エアバッグやシートベルトなど乗員の安全のための拘束装置が一般化されているにもかかわらず，大動脈損傷は必ずしも減少しておらず[28)〜30)]，側方からの衝突外力が本外傷メカニズムとして重要であることも報告されている[28)]。

穿通性外傷においては，解剖学的理由から刺創では上行大動脈が多く，銃創では下行大動脈が多い。穿通性胸部大動脈損傷の患者は，胸腔また縦隔への活動性出血のため循環動態は不安定である。検査をする間もなく開胸が必要で，術中に血管損傷の診断

表3-3-G-1　AAST分類（胸部血管損傷）

グレード*	損傷部位	ICD-9	AIS-90
I	肋間動脈/静脈	901.81	2～3
	内胸動脈/静脈	901.82	2～3
	気管支動脈/静脈	901.89	2～3
	食道動脈/静脈	901.9	2～3
	半奇静脈	901.89	2～3
	その他動脈/静脈	901.9	2～3
II	奇静脈	901.89	2～3
	内頸静脈	900.1	2～3
	鎖骨下静脈	901.3	3～4
	無名静脈	901.3	3～4
III	総頸動脈	900.01	3～5
	無名動脈	901.1	3～4
	鎖骨下動脈	901.1	3～4
IV	下行大動脈	901.0	4～5
	胸腔内下大静脈	902.10	3～4
	肺動脈（臓側胸膜内）	901.41	3
	肺静脈（臓側胸膜内）	901.42	3
V	上行大動脈，大動脈弓部	901.0	5
	上大静脈	901.2	3～4
	肺動脈本幹	901.41	4
	肺静脈本幹	901.42	4
VI	胸部大動脈，肺門の完全断裂	901.0	5
	胸部大動脈の断裂	901.41	4
	肺門の断裂	901.42	5

*全周の50％以上に損傷があった場合，グレードⅢ，Ⅳについては1つグレードを上げ，全周の25％以下のときグレードⅣについては1つグレードを下げる
〔文献17）より引用・改変〕

がなされる。一方，一部の鈍的胸部大動脈損傷は循環動態が維持されていることがあり，診断には画像評価が重要である。

低血圧，心タンポナーデを疑う三徴（頸静脈怒張，奇脈，心音微弱），両上肢血圧の左右差，上肢と下肢の収縮期血圧の逆転，胸郭出口の拡大する血腫，胸部のシートベルトサイン，大量血胸などは大動脈損傷を疑う所見である。

最初の画像診断としては胸部単純X線撮影が重要である。大量血胸，縦隔拡大，気管偏位，胸腔内の異物（銃弾など），銃弾の入口および出口から推測し得る弾道，肺尖部壁在血腫，胃管の偏位などの所見は胸部大血管損傷を疑う所見である（また胸骨骨折，肩甲骨骨折，左多発肋骨骨折，鎖骨骨折などのときには血管損傷を合併することがある）。

しかし縦隔拡大の出現は7.3～44％にとどまるとされ，胸部単純X線撮影では信頼性の高いスクリーニングはできない[31]。胸部造影CT検査はスクリーニングと確定診断上の有用性は高く，現在のMDCT（multi detector-row CT）による診断の感度は95％を超え，陰性的中率はほぼ100％である[32]。

大動脈造影はかつて確定診断のための必須検査であったが，現在はCT検査で診断が確定しない場合や血管内治療（ステントグラフト）を目的とする場合に限られている[32)～35]。

AASTにより鈍的胸部大動脈損傷の診断と治療に関する2回の多施設前向き観察研究が，1994～1996年（AAST1：30カ月間，50施設，274例）と2005～2007年（AAST2：26カ月間，18施設，193例）に行われた[36]。診断のための検査では，大動脈造影がAAST1の87.0％からAAST2では8.3％へ著しく減少した。一方，造影CT検査は34.8％から93.3％へ増加し，完全にその位置づけが入れ替わっている（表3-3-G-2）。

表3-3-G-2 胸部大動脈損傷診断方法の変化

	AAST1 n=253	AAST2 n=193	*p*値
大動脈造影，n（%）	220（87.0%）	16（8.3%）	＜0.001
胸部造影CT，n（%）	88（34.8%）	180（93.3%）	＜0.001
経食道超音波検査，n（%）	30（11.9%）	2（1.0%）	＜0.001

米国外傷外科学会による多施設前向き観察研究AAST1（1994～1996年，50施設，274例）とAAST2（2005～2007年，18施設，193例）の比較

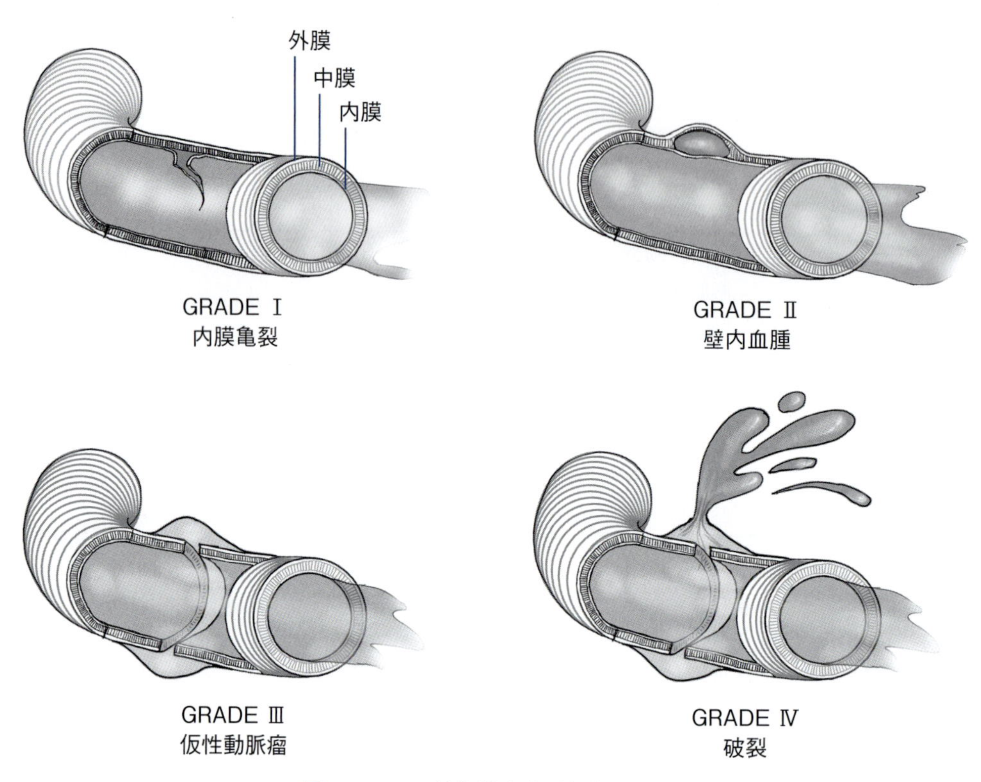

図3-3-G-1 外傷性大動脈損傷の分類

〔文献44）より引用・改変〕

MDCTによる診断感度，陰性的中率ともにほぼ100%であり，従来のスタンダードとされた大動脈造影とほぼ同等である[32)34)37)～40)]。2015年に公表されたEASTガイドラインでは，大動脈造影と比較して，簡便性，非侵襲性，迅速性で上回り，かつ胸腔内のほかの外傷のスクリーニングもできることから，鈍的胸部大動脈損傷を疑う患者に対しては，造影剤を使用したMDCTの使用を強い推奨とした（推奨レベルⅠ）[16)]。

そして画像診断精度の著しい向上により診断される患者も急増し[41)]，これまで診断できなかった“minimal aortic injury（MAI）”の存在を明らかにした。このMAIに注目した分類も提案されている（図3-3-G-1）[42)～44)]。MAIはMDCTで診断される鈍的胸部大動脈損傷の10%を占め，その半数は大動脈造影では診断することができず，破裂リスクの比較的低い病態であるとされる[31)45)]。しかし，その定義および未治療での自然経過などは明らかにされていない。

胸部大動脈損傷に対する治療では，著明な低血圧や徐脈を認める場合，初療室での左前側方開胸が必要となる。心嚢切開による心タンポナーデの解除，鎖骨下動脈損傷に対する胸腔尖部パッキングまたは創部からのバルーンカテーテル挿入，肺門部血管からの出血に対する肺門部クランプなどを行ったのち，手術室で根本治療を行う。必要時はclamshell開胸を行う。循環動態が許せば，上行大動脈および弓部大動脈は胸骨正中切開で，下行大動脈は左後側方開胸で行う。

1）上行大動脈および弓部大動脈損傷

鈍的外傷で生存して病院に到達するのは非常にまれであるが，1975年にReyesらが人工心肺下でのグラフト置換を行った患者を報告している[46]。血圧安定状態で搬送された患者のうち，上記損傷の生存率は50％である[20,47]。開胸は胸骨正中切開で行うが，弓部損傷に対しては正中切開を頸部に延長すれば，腕頭動静脈を含めた露出が可能になる。また必要に応じて腕頭静脈の切離を行えば，さらに良好な術野を得ることができる。前壁のみの損傷であれば単純縫合で可能であるが，後壁の修復が必要な場合は人工心肺が必要である。

2）腕頭動脈および左総頸動脈損傷

切開は胸骨正中切開で行い，必要であれば頸部への延長を行う。また腕頭静脈の切離によりさらなる術野を得られる。鈍的外傷においては腕頭動脈近位部の損傷が多く，近位側コントロールを大動脈弓部で行う。部分的な損傷のみであれば4-0モノフィラメント糸で縫合可能であるが，多くは上行大動脈と遠位部腕頭動脈のバイパスグラフトを行う[20,48]。

左総頸動脈損傷における気道確保では，まず緊急の気管挿管が原則で，気管切開は避ける。また，術中に気管損傷および食道損傷のチェックのため内視鏡検査を行う。修復の方法は腕頭動脈損傷に準じる。

3）下行大動脈損傷

本外傷は，診断確定後には直ちに外科的修復を行うことが原則であるとされてきた[22]。胸部血腫が拡大しているならば，下行大動脈損傷をまず修復する。しかし，胸部血腫が安定していれば，緊急度の高い腹腔内出血，後腹膜出血，頭蓋内血腫がある場合にはそれらの手術を先行させ，呼吸不全を伴う肺損傷が存在する場合にも待機的治療が選択される。β遮断薬などによる降圧（収縮期血圧＜100mmHg）により，比較的安全に待機手術が施行可能である[33,38,49]。さらにこれらの併存症や重篤な合併損傷のない患者でも，直ちに手術を行わず[31]，待機的治療が選択されるようになってきた。2015年のEASTガイドラインでは，治療時期に関する7つの研究[38,50〜54]からメタ解析が行われた[16]。待機手術では有意に死亡率が低く（リスク比 2.07，95％ CI 1.03〜4.15），対麻痺（リスク比 5.90，95％ CI 1.51〜22.97）の合併も有意に低かった。脳血管障害（リスク比 1.36，95％ CI 0.29〜6.43），腎障害（リスク比 0.87，95％ CI 0.42〜1.79）の発症には差が認められなかった。これらの解析を受けて，鈍的胸部大動脈損傷の患者に対して，待機的治療を行うことが望ましいとした（推奨レベルⅡ）。降圧薬による血圧管理が重要であることも付け加えた。

根本治療には，外科的修復術とステントグラフト（thoracic endovascular aortic repair；TEVAR）による血管内治療がある[55,56]。外科的修復は，左後側方開胸で行う。直接の単純縫合で修復も可能な場合もあるが，標準的には，近位部および遠位部の血管コントロール下のグラフト置換術である（図3-3-G-2）。近位側コントロールの際に，左反回神経損傷に注意しなければならない。また弓部大動脈や上行大動脈に損傷が及ぶ場合は人工心肺が必要となる。

近年，循環動態が安定した患者においては，ステントグラフトが選択されるようになってきた。前述したAAST1とAAST2を比較すると，すべてが外科的治療であったAAST1に対して，AAST2では約3分の2がステントグラフトによる血管内治療であった（表3-3-G-3）。そして，外科的治療例も遮断部末梢循環の確保のために補助循環がより多く用いられていた。死亡割合だけでなく，対麻痺の発生割合についても有意な低下が認められた。

さらに37の研究を対象としたメタ解析によるEASTガイドラインでは，ステントグラフトによる血管内治療は外科的治療と比較して，死亡割合が有意に低く（リスク比 0.56，95％ CI 0.44〜0.73），対麻痺の合併も有意に低かった（リスク比 0.36，95％ CI 0.19〜0.71）。脳血管障害の合併には差が認められなかった（リスク比 1.48，95％ CI 0.67〜3.27）[16]。複数のメタ解析でも同様の結果であり，ステントグラフト治療は死亡患者を減少させるだけでなく，対麻痺の発生も抑制されるものと考えられる[57,58]。最近の報告ではステントグラフトによるエンドリークなど，デバイス関連の合併症も減少してきている。2014年には，82例を2.3年フォローアップした結果，デバイス関連の合併症は2.4％と報告された[59]。これらの研究結果から，ステントグラフトによる血管内治療は強く推奨されている。若年者に対するステントグラフトの長期成績が明らかにされる必要があるが，標準的治療法は早期外科的治療から血管内治

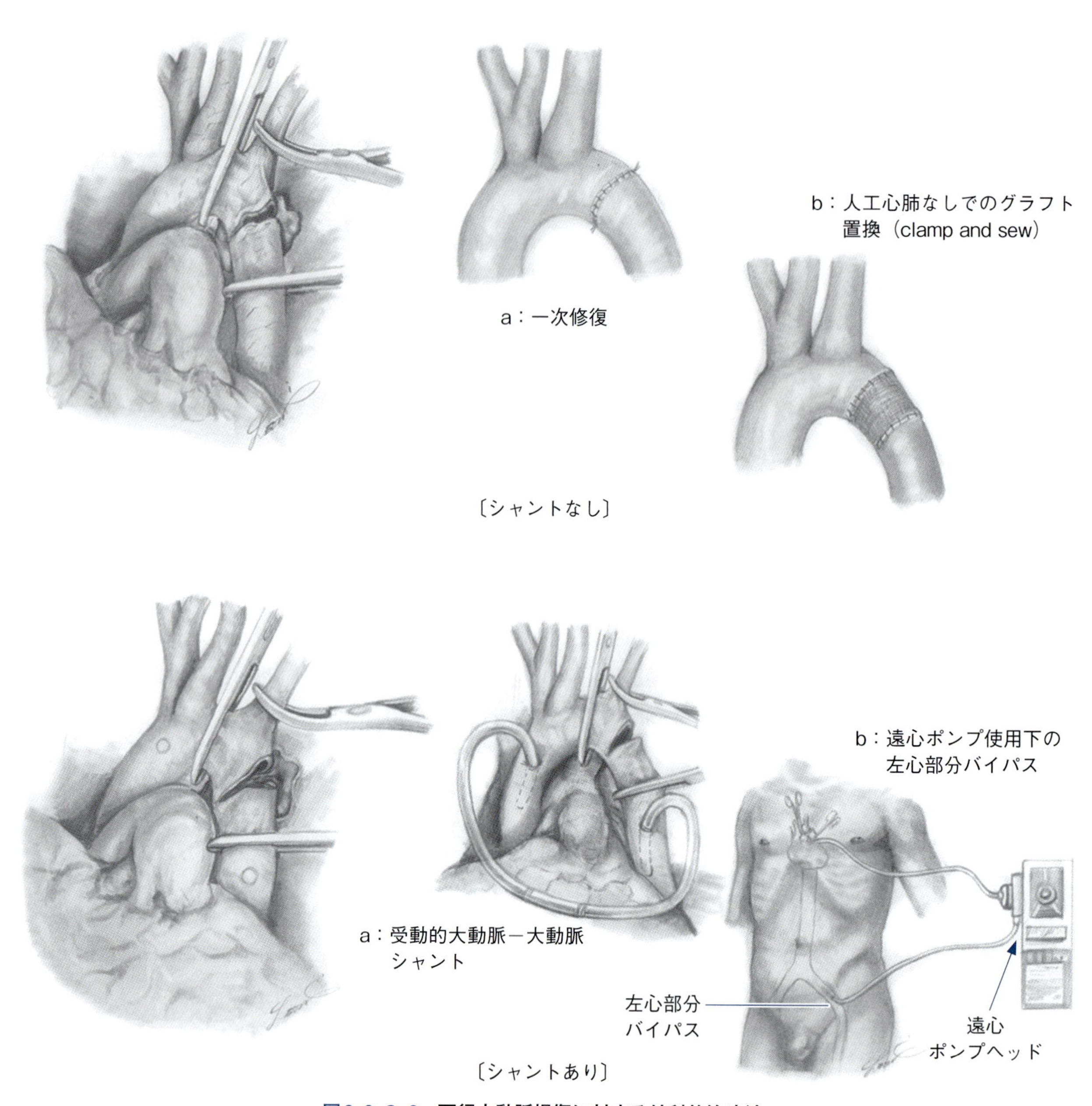

図3-3-G-2　下行大動脈損傷に対する外科的治療法

表3-3-G-3　胸部大動脈損傷治療法の変化

	AAST1 n=207	AAST2 n=193	*p*値
外科的修復術，n（%）	207/207（100%）	68/193（35.2%）	<0.001
単純遮断，n（%）	73/207（35.3%）	11/68（16.2%）	0.003
バイパス併用，n（%）	134/207（64.7%）	57/68（83.8%）	0.003
血管内治療，n（%）	0/207（0%）	125/193（64.8%）	<0.001

米国外傷外科学会による多施設前向き観察研究AAST1（1994～1996年，50施設，274例）とAAST2（2005～2007年，18施設，193例）の比較

療へと移行してきた。2017年に公表されたドイツからの報告では60%に，米国の多施設共同研究では68%にステントグラフトによる血管内治療が行われ，いずれも手術よりもよい治療成績を残していた[60)61)]。

なお待機的治療の時間に関する明確な定義はないが，米国外傷データバンクによる2012～2017年の間に鈍的胸部大動脈損傷でTEVARを受けた2,821例の分析では，24時間以内の早期修復群が2,118人（75%），24時間以降の待機修復群が703人（25%），修復までの平均時間は全体で31.9時間，早期修復群が6.9±5.6時間，待機修復群が106±132.8時間であった。また待機修復群では5年間で29.2時間（85.1時間から113.4時間）延長していた[41]。

わが国における過去の報告では，ステントグラフトによる血管内治療施行率は，10%程度にとどまってきた[62]。しかしDPCデータを用いた最近の研究では，わが国においてもステントグラフト内挿術の普及が顕著であり（ステント126例，手術76例，修復なし415例），その治療成績も向上している（死亡率：ステント5.6%，手術15.8%，修復なし45.3%）[63]。ステントグラフト内挿術は手術療法に比較して脳梗塞合併の頻度には差を認めないものの，死亡率と四肢麻痺発症率は有意に低い。2015年のEASTガイドラインにおいても，ステントグラフト内挿術の禁忌がないかぎり手術よりステントグラフト内挿術が強く推奨されている[16]。なお，いずれの治療法を選択する場合でも，処置がなされるまでは血圧のコントロールが必要である。

米国の研究では画像診断精度の著しい向上により鈍的胸部大動脈損傷と診断される患者が10年間（2003～2010年）でほぼ倍増し，さらにデバイスの改良もありステントグラフト治療例が急増している。その一方で外科的手術例，保存的治療例ともに減少していることから，軽症例へのステントグラフト治療の過剰な適応も危惧されている[41]。

若年者における長期治療成績，若年者などの大動脈径の小さな患者への適応などの問題は解決しなければならないものの[64]，デバイスと技術の進歩に伴い，現在では循環動態が安定している胸部下行大動脈損傷に対する標準的治療はステントグラフト内挿術を待機的に行うこととなっている[16]。

4）鎖骨下動脈損傷

鎖骨下動脈損傷は，解剖学的に到達が困難であるため非常に修復が難しい。鎖骨下動脈損傷の発生率は全血管損傷の5%ほどで，Grahamらの報告によると致死率は4.7%である[65]。鈍的外傷によるものは45%で，鎖骨下動脈の中間位または遠位に多く，腕神経叢引き抜き損傷を合併していることも多い[66]。50%の患者はショックであり，上肢の虚血所見（拍動消失，疼痛，蒼白，知覚異常，運動麻痺，冷感）は，豊富な側副血行路のため明らかでないことのほうが多い。

穿通性外傷の場合，ショックのため緊急手術をする際，Foleyカテーテルを用いて出血をコントロールしながら手術室に向かう場合もある[67]。1つのFoley

◆Clinical questions◆ **CQ 44**

鎖骨下動脈損傷の出血に対する止血には手術よりIVRが優先されるか？

A 外傷専門医25名によるコンセンサス会議の投票の結果，「手術が優先」が12%であったのに対して，「IVRが優先」との回答が60%であった。「わからない」との回答は28%であった。

「IVRが優先」との回答には，「ステント留置が可能であればIVR優先がよい」，「仮性動脈瘤にはIVRが優先である」，「鎖骨下動脈損傷の外科的アプローチは困難でありIVRが有利である」，「手術による外科的修復までの一時的止血にはIVRでのバルーン閉塞が有用である」，「IVRが可能であれば低侵襲であり理想的」などの意見がみられた。

一方，「手術が優先」との回答には，「切迫心停止など循環が不安定であれば手術が優先である」，「完全断裂症例では手術が必要」などの意見があげられた。

また両者を併用した考えとして，IVRでocclusion balloonによる近位遮断後にステント挿入もしくは外科的修復という意見もみられた。

以上から，循環動態が維持できる場合にはIVRによる近位側バルーン閉塞での止血やステント留置術が望ましい。ただし，切迫心停止など循環が不安定な症例では手術による外科的止血を考える必要もある。この場合，鎖骨下動脈へのアプローチは容易ではなく外科的にも時間を要することを理解しておく。また，IVRによるバルーン閉塞で近位側コントロールができれば，外科的アプローチによる修復のチャンスが生まれるため，両者をうまく併用することを見当するのもよい，とした。

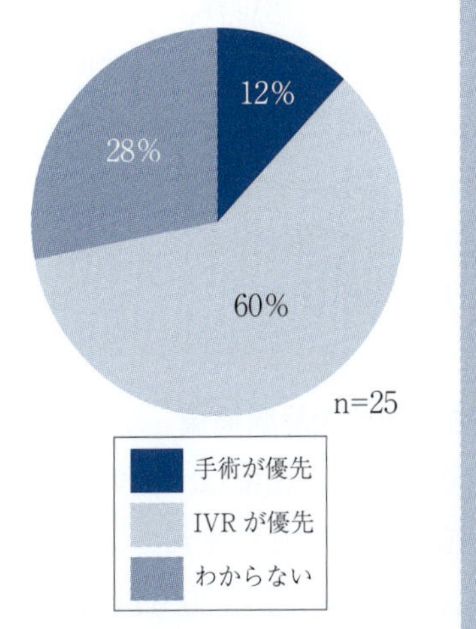

カテーテルでコントロールがつかない場合，追加のFoleyカテーテルを挿入することによりコントロールが可能になる場合もある[68]。

循環動態が安定している場合は，手術に際して有益な情報を得ることができるため，CTAか血管造影を行う。

鎖骨下動脈中間部および遠位端は鎖骨上切開で露出され，右鎖骨下動脈近位部は胸骨正中切開，左近位部は胸骨正中切開または第3肋間左前側方開胸で到達する。胸骨正中切開と左前側方開胸をつなぐtrap door開胸は，術後の神経痛が強いため使用を控えるほうがよい[65][69]。大量出血時には，損傷部位によらず近位側コントロールのため胸骨正中切開または左前側方開胸を行う。もし鎖骨の直下より出血を認める場合は，完全または部分的に鎖骨除去を行い，視野を得る。鎖骨除去による長期的な合併症はまれである。

鎖骨下動脈は薄く周囲に筋肉組織がないため，修復は端々吻合より緊張がないグラフト置換のほうが望ましい。また致死的状況下においては結紮もやむを得ない。結紮しても豊富な側副血行路があるため，上肢が虚血になることはまれである。最近では保険収載されたステントグラフトなどによる血管内治療も多く報告されるようになった[65)~72]。

5）肺動静脈損傷

肺門部肺動脈損傷の致死率は70％以上と高い[18][20]。心膜内の肺動脈は胸骨正中切開にて到達する。左主幹動脈および近位肺動脈は容易に露出されるが，心囊内右肺動脈は上大静脈と上行大動脈の間を剝離することにより露出される。前壁は容易に縫合できるが，後壁の修復は難しく，視野を得るには人工心肺が必要である[73]。もし致死的状況下で右または左主幹肺動脈または静脈の結紮が必要な場合は，肺切除が必要である。

遠位部肺動脈損傷による胸腔内出血は，同側の後側方開胸が望ましい。

6）胸部大静脈損傷

胸部大静脈損傷は，高い致死率ゆえに実際に遭遇することは非常にまれである。また合併損傷の頻度が高く，致死率は60％以上である。心タンポナーデを呈しており，人工心肺が導入されていないかぎり，大静脈の露出はきわめて困難である。縫合は右房と同様な方法で行う。一時的にはFoleyカテーテルによる止血が可能なこともある。

7）奇静脈損傷

奇静脈損傷はまれであるが，その血管径および血液流量より致死的損傷になり得る[74][75]。損傷部位の近位と遠位を結紮すれば止血を得られる。また食道損傷や気管損傷の合併を見逃さないようにする。

2. 腹部大血管損傷

AASTでは腹部血管損傷を表3-3-G-4[17]のように分類している。

米国では，腹腔内血管損傷の90～95％は銃創などの穿通性外傷が主な原因であると報告されている。腹腔内血管損傷は単独でみられることはまれであり，損傷血管数に伴い死亡率が高くなる。2000年のAsensioらの報告[76]によると，302例の腹部血管損傷の死亡率は，1血管のみの損傷（160例）で45％，2血管損傷（102例）で60％，3血管損傷（33例）で73％，4血管以上の損傷では100％であった。上腸間膜静脈（SMV）損傷に上腸間膜動脈（SMA）損傷が合併することが多く，全米34施設の多施設研究[77]では250例のSMA損傷例の84例（34％）にSMV損傷を認めたと報告している。門脈（PV）損傷も肝，胆道，膵，十二指腸はもちろんのこと周囲に存在する大血管の損傷を伴うことが多い。70～90％に下大静脈（IVC），大動脈，SMA，腎動静脈の損傷が合併している。

腹部大血管損傷は多くの場合，出血性ショックをきたす。一方，腹部動脈損傷のある患者の30％は循環動態が安定した状態で来院しているため循環動態から判断してはならない[78][79]。下大静脈損傷や腸骨静脈などでは後腹膜のタンポナーデ効果により来院時は循環動態が安定している場合もある[79)~82]。そのためFASTによる評価では偽陰性率が50％に及ぶ（後述のZoneによる分類ではZoneⅠ，ZoneⅡ，ZoneⅢの血管損傷で37％，45％，61％の偽陰性率）との報告[83]があり，大血管損傷が疑われる場合は可能なかぎり造影CT検査を行う。

腹部血管損傷の診断と治療に関して2020年に米国外傷外科学会（AAST）と世界救急外科協会（WSES）

表3-3-G-4　AAST分類（腹部血管損傷）

グレード*	損傷部位	ICD-9	AIS-90
Ⅰ	上腸間膜動静脈の分枝	902.20/.39	NS
	下腸間膜動静脈の分枝	902.27/.32	NS
	横隔動静脈	902.89	NS
	腰動静脈	902.89	NS
	精巣動静脈	902.89	NS
	卵巣動静脈	902.81/.82	NS
	その他結紮を必要とする動静脈	902.90	NS
Ⅱ	右肝・左肝・総肝動脈	902.22	3
	脾動静脈	902.23/.34	3
	右胃・左胃動脈	902.21	3
	胃十二指腸動脈	902.24	3
	下腸間膜動静脈の本幹	902.27/.32	3
	回結腸動脈などの名のついた腸間膜動脈の分枝，または腸間膜静脈	902.26/.31	3
	その他結紮や修復が必要な腹腔内の血管	902.89	3
Ⅲ	上腸間膜静脈の本幹	902.31	3
	腎動静脈	902.41/.42	3
	外腸骨動静脈	902.53/.54	3
	内腸骨動静脈	902.51/.52	3
	腎下部下大静脈	902.10	3
Ⅳ	上腸間膜動脈の本幹	902.25	3
	腹腔動脈	902.24	3
	腎上部肝下部下大静脈	902.10	3
	腎下部腹部大動脈	902.00	4
Ⅴ	門脈，肝実質外肝静脈	902.33 902.11	3 3（hepatic vein） 5（liver + veins）
	肝下面下大静脈，肝上部下大静脈	902.19	5
	腎上部横隔膜下腹部大動脈	902.00	4

*実質臓器2cm以内の血管損傷のある場合には実質臓器損傷分類に従う。全周の50％以上に損傷があった場合グレードⅢ，Ⅳについては1つグレードを上げ，全周の25％以下のときグレードⅣについては1つグレードを下げる。分類不能の場合はグレードをつけない
〔文献17）より引用・改変〕

によるガイドラインが示されている（表3-3-G-5，図3-3-G-3，4）[84]。このガイドラインでは2007年1月～2020年1月までに発表された文献の検討に基づき推奨事項とそのエビデンスレベルを示している。

1）surgical zoneと外科的処置

血管損傷は遊離腹腔内に出血を伴っている場合と血腫内で一応の止血がなされている場合とがある。血腫が後腹膜にとどまっている場合には，3つのZoneに分類（Zone Ⅰ；後腹膜正中，Zone Ⅱ；後腹膜外側，Zone Ⅲ；骨盤内，図3-3-G-5）される。さらに腹腔内血管損傷を同列に論じる際には，門脈肝後面領域を加える。4つの領域に開腹時所見で血腫が存在した場合の対処方法として，Zone Ⅰは穿通性または鈍的にかかわらず探索的手術診断（exploration）が必要である。Zone Ⅱは穿通性外傷ではexplorationが必要であるが，鈍的外傷では広範な血腫または拍動を伴う血腫があるときにexplorationを行う。Zone Ⅲは穿通性外傷ではexplorationを行うが，鈍的外傷では血腫増大を助長するためexplorationは行わない。

2）損傷部位の確認[85]

緊急開腹時にZone Ⅰと右側のZone Ⅱ，あるいは門脈肝後面領域（肝十二指腸間膜も含め）に血腫を認めたならば，必ず後腹膜を開放し出血源を特定する。Toldtの無血野ラインを切開し，右側臓器正中

表3-3-G-5　AAST-WSES腹部血管損傷ガイドライン（推奨項目と推奨度A）

項目	推奨度
<臨床症状と診断>	
腹部，骨盤外傷および腹膜炎の徴候を伴う循環動態の不安定な外傷患者は，それらが否定されるまで，主要な腹部血管損傷（AVI）を疑って対応する	1B
大動脈および腸骨動脈の損傷を除外するため，両側の大腿動脈の脈拍を確認する	1C
FASTの主要なAVIに関連する精度は低い	1B
CT血管造影検査（CTA）は，腹腔内損傷の徴候があるHDが安定した外傷患者のスクリーニングに推奨される	1A
CTAおよび血管造影は，腎動脈損傷の検出に有用な可能性がある	2C
腹膜前骨盤パッキングに血管造影を組み合わせた手法は，他の重大な出血源がない重度の骨盤骨折に推奨される	1A
骨盤CTAでみられる造影剤の血管外漏出は，血管造影と塞栓術が必要となる	1A
腹部の静脈損傷または骨盤損傷のある患者は，深部静脈血栓症（DVT）の発症に注意する	2B
<治療>	
□非手術治療	
非手術管理（NOM）は，CTA で造影剤の活動性血管外漏出がない場合，循環動態安定で評価可能なグレードⅠからⅢの単独損傷患者で考慮される	2C
□手術治療	
AVIが疑われる循環動態が不安定な外傷患者は，出血源の検索，出血制御，および蘇生のために直ちに手術室へ向かう	1B
可能な場合，FASTが陽性の不安定な患者では手術開始前に血圧維持を目的としたZone Ⅰ REBOAを検討する	2C
穿通性外傷では術中すべての後腹膜血腫を開放し検索する	1B
損傷機序に関係なく，すべてのZone Ⅰ血腫は後腹膜を開放し検索する	1B
鈍的損傷によるZone Ⅱ血腫は，拡大する場合にのみ開放し検索する	1B
鈍的損傷による循環動態が安定したZone Ⅲの血腫は経過をみる。骨盤骨折による拡大する血腫は，腹膜前パッキング，血管塞栓術，またはその両者を続けて行う	1C
可能な場合はZone Ⅲ REBOAを，骨盤損傷のtransient responder，non-responderにおける腹膜前パッキングの効果を高め根治的治療や血管内治療前の蘇生を目的として留置する	2C
循環動態が不安定な場合，血管結紮，一時的な血管内シャント（TIVS），一時的な腹部閉鎖などのdamage control surgeryを行う	1C
出血をコントロールし，十分に安定した患者では，一次修復，パッチ形成術，切除を伴う一次吻合，グラフト間置を伴う切除などの根治的修復を検討してもよい	2B
すべての大動脈損傷は蘇生が完了したのち，修復またはシャントし，その後再建する	2B
不安定な患者では，修復困難な高度の腎動脈下大静脈損傷は結紮止血することもある。腎動脈上大静脈損傷では腎不全を防ぐために修復またはシャントする必要がある	2C
腹腔動脈とその分枝への高度な損傷は，上腸間膜動脈（SMA）と門脈（PV）の血流により重大な合併症なしに結紮可能である	2C
下腸間膜動脈（IMA）/下腸間膜静脈（IMV）の損傷は，腸間膜動脈の進行したアテローム性動脈硬化症がないかぎり，重大な合併症なしに結紮可能である	2C
循環動態が不安定な高度のSMA損傷では，一時的シャントののち待機的に再建する。ただし一部の患者では結紮が許容される場合がある	2C
PVまたはSMVの高度な損傷は一時的シャントののち待機的に再建することが望ましいが，結紮も許容され得る。その場合，腸の浮腫と虚血をモニターするため一時閉腹を行う。内臓の循環血液量増加と全身性循環血液量減少に対する積極的な蘇生が必要である	2C
総腸骨動脈と外腸骨動脈は，安定した患者では修復し，不安定な患者ではシャントする。内腸骨動脈損傷は可能であれば修復するが重大な合併症なしに結紮可能である。ただし両側の内腸骨動脈結紮は避ける	2C
合併損傷のないグレードⅠ～Ⅳの単独損傷で安定した患者では，血管内治療が考慮される場合がある	2C

1A　強い推奨，高いエビデンス
1B　強い推奨，中程度のエビデンス
1C　強い推奨，低いまたは非常に低いエビデンス
2A　弱い推奨，高いエビデンス
2B　弱い推奨，中程度のエビデンス
2C　弱い推奨，低いまたは非常に低いエビデンス
〔文献84)より引用・改変〕

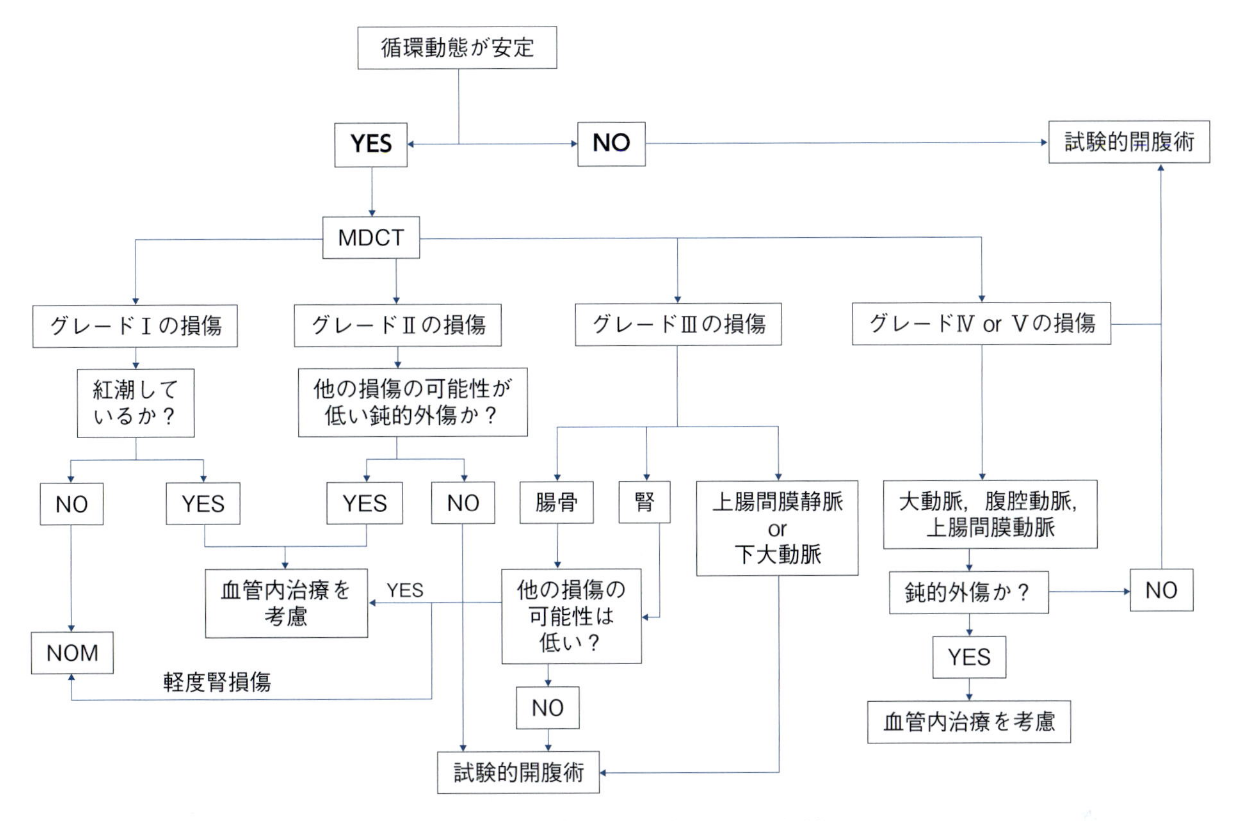

図3-3-G-3　**腹部血管損傷（診断と治療）**

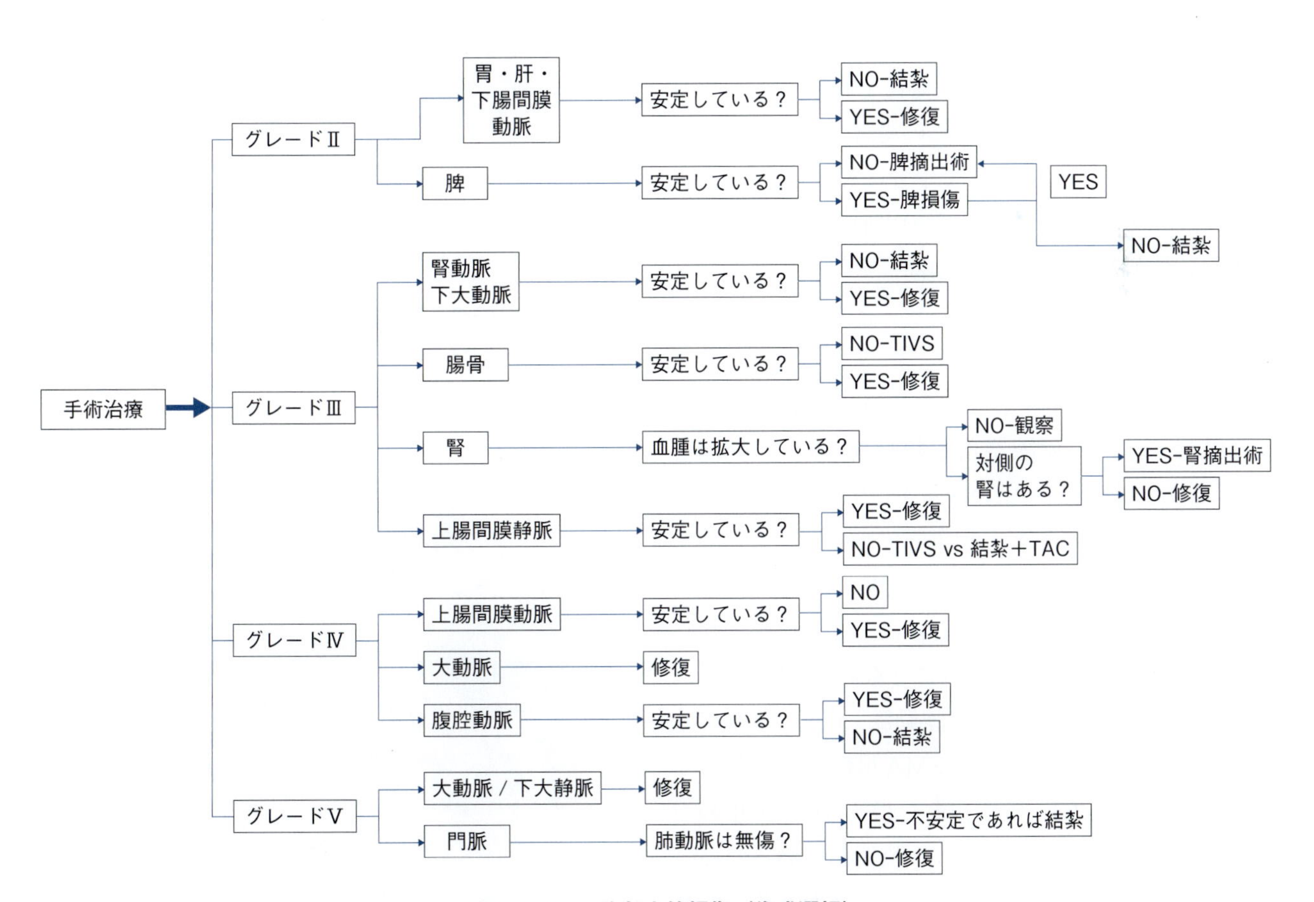

図3-3-G-4　**腹部血管損傷（術式選択）**

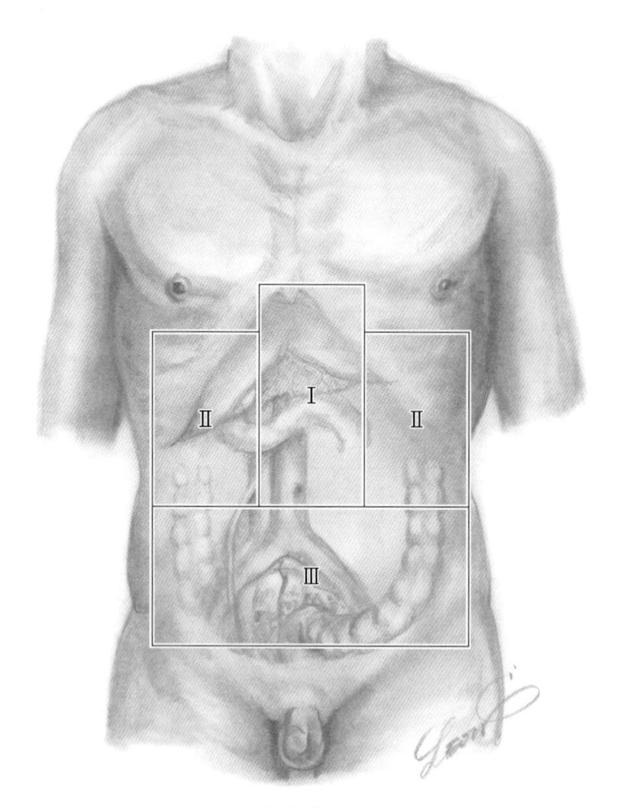

図3-3-G-5　**後腹膜腔の3つのZone**

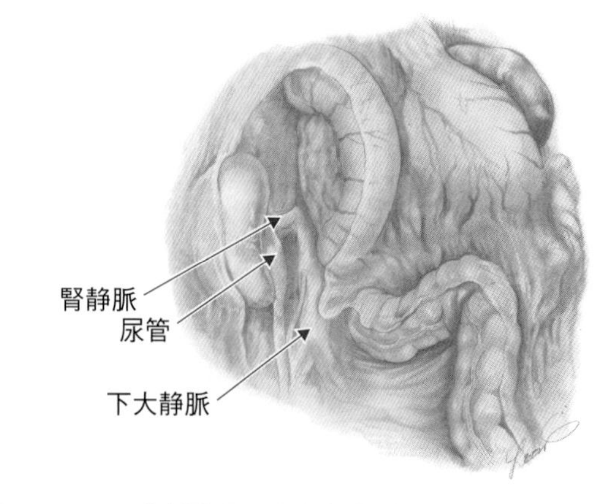

図3-3-G-6　**右側臓器正中翻転術（Cattell-Braasch法）**

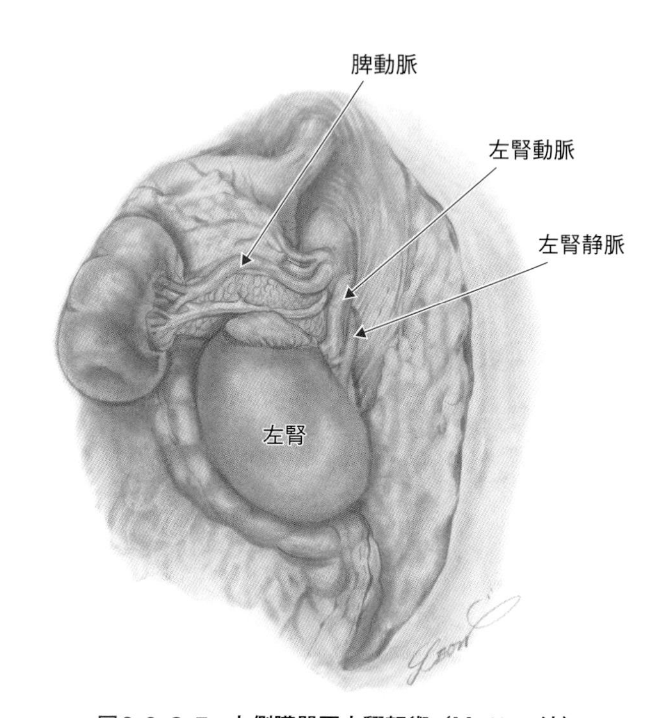

図3-3-G-7　**左側臓器正中翻転術（Mattox法）**

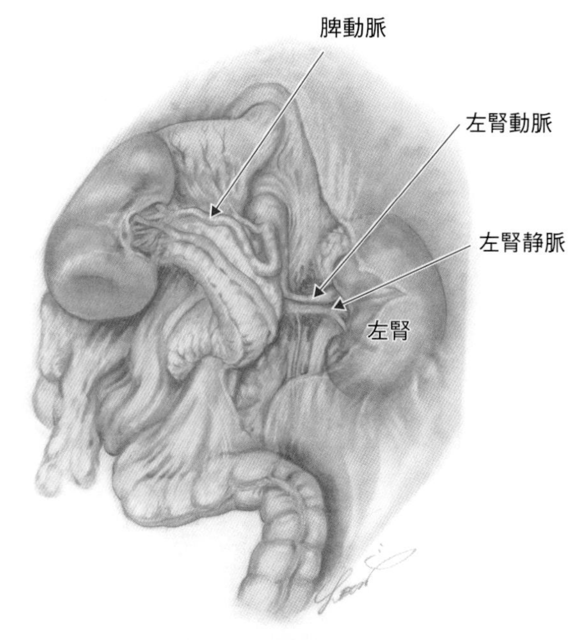

図3-3-G-8　**modified Mattox法**

翻転術（right medial visceral mobilization）いわゆるCattell-Braasch法にて右側腸管を脱転しIVCを露出させる（**図3-3-G-6**）。この場合，術者の左手がPVとIVCとの間に入るまで十分にKocher授動術を行い，SMAやSMV，PVからの出血がコントロールできるようにしておく。この際，近傍の血腫が除かれると突然大量に出血をきたすことがあるので注意が必要である。

緊急開腹時にZone Ⅰと左側のZone Ⅱに出血を認めた場合には，左側臓器正中翻転術（left medial visceral mobilization）いわゆるMattox法にて左側腸管，左腎，膵脾を脱転し損傷部位を確認する（**図3-3-G-7**）[86]。左側のZone Ⅱの損傷が軽度で腎動脈上部の損傷と判断される場合には，左腎を脱転しないmodified Mattox法を行うこともある（**図3-3-G-8**）。この方法はSMA，腹腔動脈（CA）の露出には大変有効である。近位のSMA損傷，すなわち後述のFullenのグレードⅠまたはグレードⅡのSMA損傷では，SMAは膵の裏に位置しているため膵切離を追加して出血点を確認することがある。

肝十二指腸間膜に血腫を認めたならば，Pringle法ができるようにしておく。術者の左手とSatinsky鉗子を用いて出血をコントロールし，出血点を同定する。

3）腹部大動脈損傷

腹部大動脈損傷による致死率は高く，鈍的外傷では31％[87]であり，銃創による損傷では85％[88]と報告されている。

腎動脈上腹部大動脈を露出する場合には，左側臓器正中翻転術を行う。胃および食道を左に牽引し，横隔膜脚の2時方向を鈍的に剝離すると下行大動脈が露出され，大動脈クランプを用いて近位側コントロールを行う。

腎動脈下の腹部大動脈損傷の場合は，横行結腸を頭側に挙上し，小腸を右側に授動した状態でTreitz靱帯を切離し，大動脈を露出して近位側コントロールを行う。

小さな動脈損傷であれば単純縫合で修復を行うが，欠損が大きい場合は人工血管（polytetrafluoroethylene；PTFE）によるパッチやグラフト置換を行う。しかしダメージコントロール戦略の状況下においては，狭窄を容認し，迅速に縫合止血する。再手術においてグラフト置換を行うべきである。またその際は腸管の合併損傷に伴う汚染から守るために，グラフトを大網で覆う。

4）上腸間膜動脈（SMA）損傷

Fullenらは1972年にSMA損傷の重症度分類を提唱している（表3-3-G-6）[89]。後の報告[90]によると，この分類は死亡率とよく相関している。FullenらのグレードⅠまたはグレードⅡのSMA損傷では，多くは生命の危機に瀕した出血性ショックであり，合併損傷も多数存在しており，SMAは速やかに結紮されている。Feliciano[91]は，SMA損傷に対して初回手術時には結紮を奨め，術後アシドーシスが改善しない場合には術後8～12時間に計画的再手術を奨めている。この際，再建は大伏在静脈または人工血管を用い大動脈に端側吻合を行う。膵損傷が合併していることも多く，再建は必ず損傷部位と離れた腎下部で，緊張がかからないように行う。

SMAの露出と出血コントロールにはいくつかの方法があるが，近位損傷（FullenゾーンⅠおよびⅡ）は，多くの場合，左側臓器正中翻転術（図3-3-G-7）でもっともよく露出される。さらに遠位の制御では膵下縁の腸間膜根部を横に切開して開き，最後の手段として膵を離断することも考慮する[92]。より遠位のSMA損傷（FullenゾーンⅢ）は，Treiz靱帯の切開，または拡大Kocher操作で露出できる。さらに遠位の損傷（FullenゾーンⅣ）では腸間膜から直接アプローチする[93)～95]。循環動態の安定した患者では，可能であれば全領域でモノフィラメント非吸収性縫合糸を使用して一次修復を試みる。その成功率は症例の22～40％と報告されている[96)～98]。近位SMAに大きな欠損がある場合，静脈パッチ，グラフト間置，再移植などが文献的に報告されているが，これらの再建は状態の安定した単独臓器損傷患者でのみ考慮される。2020年のAASTガイドラインでは，不安定な患者に対しては近位の損傷であれば一時血管内シャント留置（TIVS）もしくは結紮が示されている。腹部の血管損傷におけるTIVSは四肢の血管損傷でのTIVSと比較して血栓症の発生率が大幅に高くなる一方，合併症のリスクが低いことから結紮を回避する手段として有用とされている。血管内治療については推奨されないが，限定された患者や病変の露出が困難な場合の診断と治療の外科手術の補助手段となる可能性があるとしている[92]。

表3-3-G-6　SMAの損傷部位とグレード分類

SMAの損傷部位	グレード	虚血の程度	領域腸管
下膵十二指腸動脈分岐部より近位の本幹損傷	Ⅰ	広範囲	空腸，回腸，右結腸
下膵十二指腸動脈分岐部から中結腸動脈まで	Ⅱ	中程度	小腸と右結腸の一部
中結腸動脈より末梢	Ⅲ	軽度	小腸と右結腸の分節
分節枝領域	Ⅳ	なし	虚血腸管なし

〔文献89）より引用・改変〕

5）上腸間膜静脈（SMV）損傷

SMV損傷84例（24例に一期的修復，53例に結紮）について解析を行った報告において，SMV結紮は死亡率を増加させないことが示された[76]。またSMV損傷51例の報告[87]では，一期的修復術を行った16例の生存率は63％，結紮術を行った30例の生存率は40％であった。一期的修復術群の臓器損傷数の平均は2.6，関連血管損傷数の平均は1.6であった。一方，結紮群の臓器損傷数の平均は2.9，関連血管損傷数の平均は2.0であり，Revised Trauma Score（RTS）

とInjury Severity Score（ISS）も結紮群で有意に高く，より重症度が高かった。合併損傷があって循環動態の不安定な患者では結紮術が安全であるとしている。

SMVの露出にはまず小腸を下方に牽引しながらSMAを横行結腸間膜基部で触知する。その右側正中よりに静脈は位置するため，小腸腸間膜の根部を横切開しさらに露出させる際は下方に切開を加えT字状に展開する。

6）腹腔動脈（CA）損傷

Fryberg[88]はCA損傷に対する一期的修復を断念しなければならないと述べている。またFeliciano[91]もCA損傷に関してSMA損傷と同様に初回手術時には結紮を奨め，術後アシドーシスが改善しない場合には術後8～12時間の再手術を推奨している。この場合には肝動脈再建が行われる。

CAの迅速な露出には左側臓器正中翻転術（図3-3-G-7）を行う[93)94)99)100]。出血コントロールのために近位大動脈遮断が必要な場合，正中弓状靱帯と横隔膜左脚の間を剥離展開することにより大動脈が直視可能となる[101]。

CAの結紮は豊富な側副血行路によりSMAが温存されていれば腸管の虚血もなく安全とされているが，胆嚢虚血と壊死の報告もあり注意する[102]。

7）下大静脈（IVC）損傷

受傷形態にかかわらず，IVC損傷は非常に致死率が高く，50%ほどは病院にたどり着くことができず，また病院にたどり着いたとしても致死率は20～57%である[75)103)～108]。

肝後面（「肝損傷の治療戦略と戦術」，p.196参照）より遠位のIVCは右側臓器正中翻転術と拡大Kocher術にて露出され，最良のコントロールは直接の圧迫である。2つのスポンジスティックにてdry fieldを作り，直接縫合を行う[101)109]。しかし後壁からの出血は，腰静脈が存在するためIVCを翻転することができない。このため損傷した前壁側から後壁側を直接縫合する。致死的な状況下においては腎静脈より末梢であれば結紮することができる[110)111]が下肢の浮腫によるコンパートメント症候群の発生に注意する。腎静脈より中枢でのIVC結紮は腎不全をきたすため可能であれば修復するが，困難であればdamage control surgeryとして一時シャントや一時結紮止血を行い，待機的にグラフト間置で再建する。

IVC損傷に対する血管内バルーン閉塞[112]やVVバイパスの報告[113]があるがまだ確立された治療ではない。

◆Clinical questions◆　　**CQ 45**

重篤なショックを伴う上腸間膜動脈損傷時の血行再建は行うべきか？

A　外傷専門医25名によるコンセンサス会議の投票の結果，「行うべき」との回答が約半数の52%であり，「行わない」が24%であった。

「行うべき」との回答には，「damage control surgeryとして一時シャントにより血行再建を行う」，「穿通性損傷であれば血行再建を行う」，「再建が難しければ腹部大動脈から人工血管でバイパス手術を行う」，「原則として血管の直接縫合による血行再建を行うべき」，「どうしても循環が保てない場合はいったん鉗子などで遮断し循環動態の改善が得られた段階で二期的血行再建を行う」，「上腸間膜動脈の結紮は大量小腸切除となりあまりに合併症の重篤度が高すぎる」などの意見が多かった。一方，「行わない」との回答には，「止血による循環の安定が優先である」，「重度のショックが遷延するあるいは併存外傷があるのであれば大伏在静脈グラフトなどでの再建を行う時間的余裕はない」などの意見があげられた。

以上から，重篤なショックを伴う上腸間膜動脈損傷では，広範囲小腸壊死をきたす可能性が強く，可能なかぎり血行再建を行うことが望ましい。ただし，damage control surgeryを要する場合は根治的血行再建を避け，一時シャントによる血行再建にとどめ，計画的再手術での根治的再建を行うことを考慮してもよい，とした。

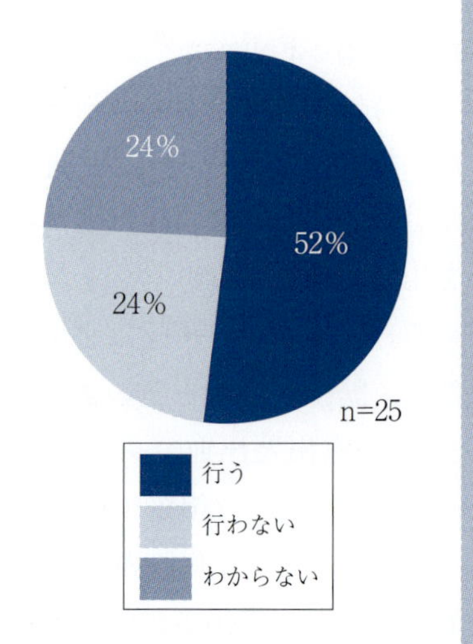

IVCの修復および結紮後の深部静脈血栓症の発生率は2.3～15％，肺血栓塞栓症の発生率は0.6～2.5％と報告されているが，予防的抗凝固と投与期間に関する一定の見解は定まっていない[107,114]。

8）門脈（PV）損傷

1982年にStoneらがPV損傷20例に対し結紮術を行い，17例の生存を得たと報告した[115]。それ以来，PVの再建は理想的であるが循環動態の不安定な症例では躊躇なく結紮術を行ったほうがよいと考えられている。まず側方縫合修復を試みるが，修復が困難な場合には再建を断念し，結紮してダメージコントロール戦略をとるのが現実的である。ただし肝流入血管がすべて遮断されているような患者では門脈再建のみが生存の可能性を決定づけるため，大伏在静脈，脾静脈または人工血管を用いる再建が必要である。

門脈の露出は肝右葉の挙上と横行結腸肝彎曲の授動により視野を確保し，Pringle法で出血のコントロールを図る。出血コントロールや止血処置にあたり門脈本幹の確保や露出を要する場合は膵の離断が必要になる。門脈を結紮した場合は腸管の浮腫や血流を再評価するsecond look手術を念頭に陰圧吸引システムなどを利用した一時閉腹（temporary abdominal closure）を行う[116-118]。

9）腸骨動静脈損傷

Bongardら[119]の報告によると腸骨動脈損傷は全血管損傷の2％，腹部血管損傷の10％であり，まれな血管損傷である。しかし致死率は24～40％と高い[120,121]。

結腸を後腹膜より授動することにより腸骨動脈は露出されるが，その際に尿道損傷に注意する。近位側コントロールを大動脈分岐部直下，近位部からの出血の場合は分岐部直上で行い，遠位側コントロールは鼠径部大腿動脈より行う。近位側および遠位側コントロールを行っても出血が継続することがあり，内腸骨動脈の同定と分離は重要である。小さな血管損傷であれば直接縫合を，不可能であれば自家静脈または人工血管による再建を行う。Burchら[120]の358例の穿通性腸骨動静脈損傷の研究によると，腸液や尿による汚染下においても上記血管修復に問題はないと報告している。

総腸骨動脈または外腸骨動脈の結紮は，行うべきではない。いくつかの症例報告[122]やイラク戦争の経験[10,11]より，一時シャントは良好な結果をもたらすとされている。内腸骨動脈損傷は，片側の場合は結紮してもよい。

腸骨動脈の損傷に対して一時シャントを行うことで，下肢切断をほぼ回避できる（47％→0％）。ただし筋膜切開が43％に必要であり，死亡率は43％と高値であるという報告もある[123]。

循環動態が安定している患者ではTAEやステントグラフトなどの血管内治療も増加している。2013年の米国外傷データバンクの分析では血管内治療群が手術群に比べ院内死亡率，敗血症，手術部位感染が有意に低いことが示されている[124-128]。

腸骨静脈損傷は多くは腸骨動脈損傷に合併するが，静脈の単独損傷も報告されている[129,130]。近位腸骨動脈損傷を認めた場合は，動脈を授動し直下に静脈損傷がないか注意すべきである。とくに右総腸骨動脈損傷に合併する静脈損傷は見逃しやすい。右総腸骨動脈を切離して腸骨静脈を露出し，修復する方法もあるが，必要となる機会はほとんどなく推奨されなくなっている[131]。修復後の狭窄は，血栓を形成する可能性があり，肺血栓塞栓症を起こし得るので，狭窄が強いときは結紮のほうが望ましい。結紮を行っても大きな問題はなく，時に下肢コンパートメント症候群になることがあるが，多くは一過性の下肢の浮腫にとどまる。狭窄が強いときは抗凝固療法を検討する[132]が，外傷急性期では出血のリスクを考えると投与しづらいのが現状である。

文　献

1）Branco BC, DuBose JJ, Zhan LX, et al：Trends and outcomes of endovascular therapy in the management of civilianvascular injuries. J Vasc Surg 2014；60：1297-1307. e1.

2）Thomson I, Muduioa G, Gray A：Vascular trauma in New Zealand：An 11-year review of NZVASC, the New Zealand Society of Vascular Surgeons' audit database. N Z Med J 2004；117：U1048.

3）Morrison JJ, Rasmussen TE：Noncompressible torso hemorrhage：A review with contemporary definitions and management strategies. Surg Clin North Am 2012；92：843-858, vii.

4）Konstantinidis A, Inaba K, Dubose J, et al：Vascular trauma in geriatric patients：A National Trauma Da-

tabank review. J Trauma 2011；71：909-916.
5) Rasmussen TE, Clouse WD, Jenkins DH, et al：The use of temporary vascular shunts as a damage control adjunct in the management of wartime vascular injury. J Trauma 2006；61：8-12；discussion 12-15.
6) Morris GC Jr, Creech O Jr, Debakey ME：Acute arterial injuries in civilian practice. Am J Surg 1957；93：565-570；discussion 570-572.
7) Perry MO, Thal ER, Shires GT：Management of arterial injuries. Ann Surg 1971；173：403-408.
8) Feliciano DV：Balloons are not just for children. Trauma Surg Acute Care Open 2021；6：e000808.
9) Dawson DL, Putnam AT, Light JT, et al：Temporary arterial shunts to maintain limb perfusion after arterial injury：An animal study. J Trauma 1999；47：64-71.
10) Clouse WD, Rasmussen TE, Peck MA, et al：In-theater management of vascular injury：2 years of the balad vascular registry. J Am Coll Surg 2007；204：625-632.
11) Rasmussen TE, Clouse WD, Jenkins DH, et al：The use of temporary vascular shunts as a damage control adjunct in the management of wartime vascular injury. J Trauma 2006；61：8-12；discussion 12-15.
12) Reilly PM, Rotondo MF, Carpenter JP, et al：Temporary vascular continuity during damage control：Intraluminal shunting for proximal superior mesenteric artery injury. J Trauma 1995；39：757-760.
13) Fraga GP, Bansal V, Fortlage D, et al：A 20-year experience with portal and superior mesenteric venous injuries：has anything changed? Eur J Vasc Endovasc Surg 2009；37：87-91.
14) Pearl J, Chao A, Kennedy S, et al：Traumatic injuries to the portal vein：case study. J Trauma 2004；56：779-782.
15) Inaba K, Aksoy H, Seamon MJ, et al：Multicenter evaluation of temporary intravascular shunt use in vascular trauma. J Trauma Acute Care Surg 2016；80：359-364.
16) Fox N, Schwartz D, Salazar JH, et al：Evaluation and management of blunt traumatic aortic injury：A practice management guideline from the Eastern Association for the Surgery of Trauma. J Trauma Acute Care Surg 2015；78：136-146.
17) The American Association for the Surgery of Trauma：Injury Scoring Scale：A resource for trauma care professionals.
https://www.aast.org/resources-detail/injury-scoring-scale（Accessed 2022-5-30）
18) Mattox KL, Feliciano DV, Burch J, et al：Five thousand seven hundred sixty cardiovascular injuries in 4459 patients：Epidemiologic evolution 1958 to 1987. Ann Surg 1989；209：698-705；discussion 706-707.
19) Feczko JD, Lynch L, Pless JE, et al：An autopsy case review of 142 nonpenetrating（blunt）injuries of the aorta. J Trauma 1992；33：846-849.
20) Mattox KL：Approaches to trauma involving the major vessels of the thorax. Surg Clin North Am 1989；69：77-91.
21) Williams JS, Graff JA, Uku JM, et al：Aortic injury in vehicular trauma. Ann Thorac Surg 1994；57：726-730.
22) Parmley LF, Mattingly TW, Manion WC, et al：Nonpenetrating traumatic injury of the aorta. Circulation 1958；17：1086-1101.
23) Degiannis E, Benn CA, Leandros E, et al：Transmediastinal gunshot injuries. Surgery 2000；128：54-58.
24) 日本外傷学会・日本救急医学会監，日本外傷学会外傷初期診療ガイドライン改訂第6版編集委員会編：胸部外傷．外傷初期診療ガイドラインJATEC，改訂第6版，へるす出版，東京，2021，pp75-97.
25) Siegel JH, Smith JA, Siddiqi SQ：Change in velocity and energy dissipation on impact in motor vehicle crashes as a function of the direction of crash：key factors in the production of thoracic aortic injuries, their pattern of associated injuries and patient survival. A crash injury research engineering network（CIREN）study. J Trauma 2004；57：760-777；discussion 777-778.
26) Siegel JH, Belwadi A, Smith JA, et al：Analysis of the mechanism of lateral impact aortic isthmus disruption in real-life motor vehicle crashes using a computer-based finite element numericmodel：With simulation of prevention strategies. J Trauma 2010；68：1375-1395.
27) Greendyke RM：Traumatic rupture of aorta：Special reference to automobile accidents. JAMA 1966；195：527-530.
28) Horton TG, Cohn SM, Heid MP, et al：Identification of trauma patients at risk of thoracic aortic tear by mechanism of injury. J Trauma 2000；48：1008-1013；discussion 1013-1014.
29) Schulman CI, Carvajal D, Lopez PP, et al：Incidence and crash mechanisms of aortic injury during the past decade. J Trauma 2007；62：664-667.
30) Teixeira PG, Inaba K, Barmparas G, et al：Blunt thoracic aortic injuries：An autopsy study. J Trauma 2011；70：197-202.
31) Neschis DG, Scalea TM, Flinn WR, et al：Blunt aortic injury. N Engl J Med 2008；359：1708-1716.
32) Bruckner BA, DiBardino DJ, Cumbie TC, et al：Critical evaluation of chest computed tomography scans

for blunt descending thoracic aortic injury. Ann Thorac Surg 2006；81：1339–1346.
33) Fabian TC, Richardson JD, Croce MA, et al：Prospective study of blunt aortic injury：Multicenter trial of the American Association for the Surgery of Trauma. J Trauma 1997；42：374–380；discussion 380–383.
34) Dyer DS, Moore EE, Ilke DN, et al：Thoracic aortic injury：How predictive is mechanism and is chest computed tomography a reliable screening tool? A prospective study of 1,561 patients. J Trauma 2000；48：673–682；discussion 682–683.
35) Mirvis SE, Shanmuganathan K, Buell J, et al：Use of spiral computed tomography for the assessment of blunt trauma patients with potential aortic injury. J Trauma 1998；45：922–930.
36) Demetriades D, Velmahos GC, Scalea TM, et al：Diagnosis and treatment of blunt thoracic aortic injuries：Changing perspectives. J Trauma 2008；64：1415–1418；discussion 1418–1419.
37) Demetriades D, Gomez H, Velmahos GC, et al：Routine helical computed tomographic evaluation of the mediastinum in high-risk blunt trauma patients. Arch Surg 1998；133：1084–1088.
38) Fabian TC, Davis KA, Gavant ML, et al：Prospective study of blunt aortic injury：Helical CT is diagnostic and antihypertensive therapy reduces rupture. Ann Surg 1998；227：666–676；discussion 676–677.
39) Melton SM, Kerby JD, McGiffin D, et al：The evolution of chest computed tomography for the definitive diagnosis of blunt aortic injury：A single-center experience. J Trauma 2004；56：243–250.
40) Parker MS, Matheson TL, Rao AV, et al：Making the transition：The role of helical CT in the evaluation of potentially acute thoracic aortic injuries. AJR Am J Roentgenol 2001；176：1267–1272.
41) Alarhayem AQ, Rasmussen TE, Farivar B, et al：Timing of repair of blunt thoracic aortic injuries in the thoracic endovascular aortic repair era. J Vasc Surg 2021；73：896–902.
42) Lee WA, Matsumura JS, Mitchell RS, et al：Endovascular repair of traumatic thoracic aortic injury. Clinical practice guidelines of the Society for Vascular Surgery. J Vasc Surg 2011；53：187–192.
43) Kapoor H, Lee JT, Orr NT, et al：Minimal aortic injury：Mechanisms, imaging manifestations, natural history, and management. RadioGraphics 2020；40：1834–1847.
44) Azizzadeh A, Keyhani K, Miller CC 3rd, et al：Blunt traumatic aortic injury：initial experience with endovascular repair. J Vasc Surg 2009；49：1403–1408.
45) Malhotra AK, Fabian TC, Croce MA, et al：Minimal aortic injury：A lesion associated with advancing diagnostic techniques. J Trauma 2001；51：1042–1048.
46) Reyes LH, Rubio PA, Korompai FL, et al：Successful treatment of transection of aortic arch and innominate artery. Ann Thorac Surg 1975；19：468–471.
47) Pate JW, Cole FH Jr, Walker WA, et al：Penetrating injuries of the aortic arch and its branches. Ann Thorac Surg 1993；55：586–592.
48) Johnston RH, Wall MJ, Mattox KL：Innominate artery trauma：A thirty-year experience. J Vasc Surg 1993；17：134–139；discussion 139–140.
49) Galli R, Pacini D, Di Bartolomeo R, et al：Surgical indications and timing of repair of traumatic ruptures of the thoracic aorta. Ann Thorac Surg 1998；65：461–464.
50) Demetriades D, Velmahos GC, Scalea TM, et al：Blunt traumatic thoracic aortic injuries：Early or delayed repair：Results of an American Association for the Surgery of Trauma prospective study. J Trauma 2009；66：967–973.
51) Estrera AL, Gochnour DC, Azizzadeh A, et al：Progress in the treatment of blunt thoracic aortic injury：12-year single-institution experience. Ann Thorac Surg 2010；90：64–71.
52) Hemmila MR, Arbabi S, Rowe SA, et al：Delayed repair for blunt thoracic aortic injury：Is it really equivalent to early repair? J Trauma 2004；56：13–23.
53) Pacini D, Angeli E, Fattori R, et al：Traumatic rupture of the thoracic aorta：Ten years of delayed management. J Thorac Cardiovasc Surg 2005；129：880–884.
54) Symbas PN, Sherman AJ, Silver JM, et al：Traumatic rupture of the aorta：Immediate or delayed repair? Ann Surg 2002；235：796–802.
55) DuBose JJ：Endovascular commentary to chapter 38. In：Feliciano DV, Mattox KL, Moore EE, eds. Trauma. 9th ed, New York, McGraw Hill, New York, 2021, pp770–771.
56) Steenburg SD：Diagnostic and interventional radiology. In：Feliciano DV, Mattox KL, Moore EE, eds. Trauma. 9th ed, New York, McGraw Hill, New York, 2021, pp398–408.
57) Hoffer EK, Forauer AR, Silas AM, et al：Endovascular stent-graft or open surgical repair for blunt thoracic aortic trauma：Systematic review. J Vasc Interv Radiol 2008；19：1153–1164.
58) Xenos ES, Abedi NN, Davenport DL, et al：Meta-analysis of endovascular vs open repair for traumatic descending thoracic aortic rupture. J Vasc Surg 2008；48：1343–1351.
59) Azizzadeh A, Ray HM, Dubose JJ, et al：Outcomes of

endovascular repair for patients with blunt traumatic aortic injury. J Trauma Acute Care Surg 2014；76：510-516.

60) Shackford SR, Dunne CE, Karmy-Jones R, et al：The evolution of care improves outcome in blunt thoracic aortic injury：A Western Trauma Association multicenter study. J Trauma Acute Care Surg 2017；83：1006-1013.

61) Gombert A, Barbati ME, Storck M, et al：Treatment of blunt thoracic aortic injury in Germany-Assessment of the TraumaRegister DGU®. PLoS One 2017；12：e0171837.

62) 金子直之：本邦における鈍的胸部大動脈損傷の疫学・診断・治療の現状；後ろ向き調査. 日外傷会誌 2007；21：151.

63) Tagami T, Matsui H, Horiguchi H, et al：Thoracic aortic injury in Japan：Nationwide retrospective cohort study. Circ J 2014；79：55-60.

64) Atkins MD, Marrocco CJ, Bohannon WT, et al：Stent-graft repair for blunt traumatic aortic injury as the new standard of care：Is there evidence? J Endovasc Ther 2009；16：I53-I62.

65) Graham JM, Feliciano DV, Mattox KL, et al：Management of subclavian vascular injuries. J Trauma 1980；20：537-544.

66) Cox CS Jr, Allen GS, Fischer RP, et al：Blunt versus penetrating subclavian artery injury：Presentation, injury pattern, and outcome. J Trauma 1999；46：445-449.

67) Gilroy D, Lakhoo M, Charalambides D, et al：Control of life-threatening haemorrhage from the neck：A new indication for balloon tamponade. Injury 1992；23：557-559.

68) Bowley DM, Degiannis E, Goosen J, et al：Penetrating vascular trauma in Johannesburg, South Africa. Surg Clin North Am 2002；82：221-235.

69) Mattox KL：Fact and fiction about management of aortic transection. Ann Thorac Surg 1989；48：1-2.

70) Janne d'Othée B, Rousseau H, Otal P, et al：Noncovered stent placement in a blunt traumatic injury of the right subclavian artery. Cardiovasc Intervent Radiol 1999；22：424-427.

71) Stecco K, Meier A, Seiver A, et al：Endovascular stent-graft placement for treatment of traumatic penetrating subclavian artery injury. J Trauma 2000；48：948-950.

72) Stockinger ZT, Townsend MC, McSwain NE Jr, et al：Acute endovascular management of a subclavian artery injury. J La State Med Soc 2004；156：262-264.

73) Clements RH, Wagmeister LS, Carraway RP：Blunt intrapericardial rupture of the pulmonary artery in a surviving patient. Ann Thorac Surg 1997；64：258-260.

74) Snyder CL, Eyer SD：Blunt chest trauma with transection of the azygos vein：Case report. J Trauma 1989；29：889-890.

75) Nguyen LL, Gates JD：Simultaneous azygous vein and aortic injury from blunt trauma：Case report and review of the literature. J Trauma 2006；61：444-446.

76) Asensio JA, Chahwan S, Hanpeter D, et al：Operative management and outcome of 302 abdominal vascular injuries. Am J Surg 2000；180：528-533；discussion 533-534.

77) Asensio JA, Britt LD, Borzotta A, et al：Multiinstitutional experience with the management of superior mesenteric artery injuries. J Am Coll Surg 2001；193：354-365；discussion 365-366.

78) Deree J, Shenvi E, Fortlage D, et al：Patient factors and operating room resuscitation predict mortality in traumatic abdominal aortic injury：A 20-year analysis. J Vasc Surg 2007；45：493-497.

79) Coimbra R, Hoyt D, Winchell R, et al：The ongoing challenge of retroperitoneal vascular injuries. Am J Surg 1996；172：541-544；discussion 5.

80) Coimbra R, Prado PA, Araujo LH, et al：Factors related to mortality in inferior vena cava injuries. A 5 year experience. Int Surg 1994；79：138-141.

81) Magee GA, Cho J, Matsushima K, et al：Isolated iliac vascular injuries and outcome of repair versus ligation of isolated iliac vein injury. J Vasc Surg 2018；67：254-261.

82) Fraga GP, Bansal V, Fortlage D, et al：A 20-year experience with portal and superior mesenteric venous injuries：Has anything changed? Eur J Vasc Endovasc Surg 2009；37：87-91.

83) Do WS, Chang R, Fox EE, et al：Too fast, or not fast enough? The FAST exam in patients with non-compressible torso hemorrhage. Am J Surg 2019；217：882-886.

84) Kobayashi L, Coimbra R, Goes AMO Jr, et al：American Association for the Surgery of Trauma-World Society of Emergency Surgery guidelines on diagnosis and management of abdominal vascular injuries. J Trauma Acute Care Surg 2020；89：1197-1211.

85) Asensio JA：Abdominal vascular injuries, exposure and management. In：Jacobs LM, et al eds. Advanced Trauma Operative Management. Cline-Med, Woodbury (Litchfield County in Connecticut), 2004, pp307-309.

86) Mattox KL, McCollum WB, Beall AC Jr：Management of penetrating injuries of the suprarenal aorta. J Trauma 1975；15：808-815.

87) Asensio JA, Petrone P, Garcia-Nunez L, et al：Superior mesenteric venous injuries：To ligate or to repair remains the question. J Trauma 2007；62：668-675；discussion 675.

88) Fryberg ER：Celiac trunk injury. In：Jacobs LM, et al eds. Advanced Trauma Operative Management. Cline-Med, Woodbury（Litchfield County in Connecticut), 2004, pp354-355.

89) Fullen WD, Hunt J, Altemeier WA：The clinical spectrum of penetrating injury to the superior mesenteric arterial circulation. J Trauma 1972；12：656-664.

90) Asensio JA, Berne JD, Chahwan S, et al：Traumatic injury to the superior mesenteric artery. Am J Surg 1999；178：235-239.

91) Feliciano DV：Exposure and repair of the celiac trunk and/or superior mesenteric artety. In：Jacobs LM, et al eds. Advanced Trauma Operative Management. Cline-Med, Woodbury（Litchfield County in Connecticut), 2004, pp361-362.

92) Hoyt DB, Coimbra R, Potenza BM, et al：Anatomic exposures for vascular injuries. Surg Clin North Am 2001；81：1299-1330, xii.

93) Asensio JA, Forno W, Roldán G, et al：Visceral vascular injuries. Surg Clin North Am 2002；82：1-20, xix.

94) Asensio JA, Soto SN, Forno W, et al：Abdominal vascular injuries：The trauma surgeon's challenge. Surg Today 2001；31：949-957.

95) Asensio JA, Chahwan S, Hanpeter D, et al：Operative management and outcome of 302 abdominal vascular injuries. Am J Surg 2000；180：528-533；discussion 33-34.

96) Asensio JA, Britt LD, Borzotta A, et al：Multiinstitutional experience with the management of superior mesenteric artery injuries. J Am Coll Surg 2001；193：354-365；discussion 365-366.

97) Asensio JA, Berne JD, Chahwan S, et al：Traumatic injury to the superior mesenteric artery. Am J Surg 1999；178：235-239.

98) Phillips B, Reiter S, Murray EP, et al：Trauma to the superior mesenteric artery and superior mesenteric vein：A narrative review of rare but lethal injuries. World J Surg 2018；42：713-726.

99) Dente C, Feliciano D：Abdominal vascular injury. In：Feliciano DV, Mattox KL, Moore EE, eds. Trauma. 6th ed, McGraw Hill, New York, 2008, pp737-757.

100) Asensio JA, Petrone P, Kimbrell B, Kuncir E：Lessons learned in the management of thirteen celiac axis injuries. South Med J 2005；98：462-466.

101) Wind GG, Valentine RJ：Anatomic exposures in vascular surgery. 3rd ed, Lippincott Williams, Philadelphia, 2013.

102) Martín de Carpi J, Tarrado X, Varea V：Sclerosing cholangitis secondary to hepatic artery ligation after abdominal trauma. Eur J Gastroenterol Hepatol 2005；17：987-990.

103) Duke JH Jr, Jones RC, Shires GT：Management of injuries to the inferior vena cava. Am J Surg 1965；110：759-763.

104) Graham JM, Mattox KL, Beall AC , et al：Traumatic injuries of the inferior vena cava. Arch Surg 1978；113：413-418.

105) Burch JM, Feliciano DV, Mattox KL, et al：Injuries of the inferior vena cava. Am J Surg 1988；156：548-552.

106) Khan MZ, Khan A , Mbebe DT, et al：Despite major therapeutic advances, vena caval trauma remains associated with significant morbidity and mortality. World J Surg 2022；46：577-581.

107) Balachandran G, Bharathy KGS, Sikora SS：Penetrating injuries of the inferior vena cava. Injury 51；2020：2379-2389.

108) Degiannis E, Velmahos GC, Levy RD, et al：Penetrating injures of the abdominal inferior vena cava. Ann R Coll Surg Engl 1996；78：485-489.

109) Feliciano DV：Management of traumatic retroperitoneal hematoma. Ann Surg 1990；211：109-123.

110) Carr JA, Kralovich KA, Patton JH, et al：Primary venorrhaphy for traumatic inferior vena cava injuries. Am Surg 2001；67：207-213；discussion 213-214.

111) Kuehne J, Frankhouse J, Modrall G, et al：Determinants of survival after inferior vena cava trauma. Am Surg 1999；65：976-981.

112) Reynolds LC, Celio AC, Bridges LC, et al：REBOA for the IVC? Resuscitative balloon occlusion of the inferior vena cava（REBOVC）to abate massive hemorrhage in retrohepatic vena cava injuries. J Trauma Acute Care Surg 2017；83：1041-1046.

113) Biffl WL, Moore EE, Franciose RJ：Venovenous bypass and hepatic vascular isolation as adjuncts in the repair of destructive wounds to the retrohepatic inferior vena cava. J Trauma 1998；45：400-403.

114) Singer MB, Hadjibashi AA, Bukur M, et al：Incidence of venous thromboembolism after inferior vena cava injury. J Surg Res 2012；177：306-309.

115) Stone HH, Fabian TC, Turkleson ML：Wounds of the portal venous system. World J Surg 1982；6：335-341.

116) Fraga GP, Bansal V, Fortlage D, et al：A 20-year experience with portal and superior mesenteric venous injuries：Has anything changed? Eur J Vasc Endovasc Surg 2009；37：87-91.

117) Coimbra R, Filho AR, Nesser RA, et al：Outcome

from traumatic injury of the portal and superior mesenteric veins. Vasc Endovascular Surg 2004；38：249-255.
118) Pearl J, Chao A, Kennedy S, et al：Traumatic injuries to the portal vein：Case study. J Trauma 2004；56：779-782.
119) Bongard F, Dubrow T, Klein S：Vascular injuries in the urban battleground：Experience at a Metropolitan Trauma Center. Ann Vasc Surg 1990；4：415-418.
120) Burch JM, Richardson RJ, Martin RR, et al：Penetrating iliac vascular injuries：Recent experience with 233 consecutive patients. J Trauma 1990；30：1450-1459.
121) Carrillo EH, Bergamini TM, Miller FB, et al：Abdominal vascular injuries. J Trauma 1997；43：164-171.
122) Nalbandian MM, Maldonado TS, Cushman J, et al：Successful limb reperfusion using prolonged intravascular shunting in a case of an unstable trauma patient：A case report. Vasc Endovascular Surg 2004；38：375-379.
123) Ball CG, Feliciano DV：Damage control techniques for common and external iliac artery injuries：Have temporary intravascular shunts replaced the need for ligation? J Trauma 2010；68：1117-1120.
124) Maithel S, Grigorian A, Kabutey NK, et al：Hepatoportal venous trauma：Analysis of incidence, morbidity, and mortality. Vasc Endovascular Surg 2020；54：36-41.
125) Richmond BK, Judhan R, Sherrill W, et al：Trends and outcomes in the operative management of traumatic vascular injuries：A comparison of open versus endovascular approaches. Am Surg 2017；83：495-501.
126) Boufi M, Bordon S, Dona B, et al：Unstable patients with retroperitoneal vascular trauma：An endovascular approach. Ann Vasc Surg 2011；25：352-358.
127) Starnes BW, Arthurs ZM：Endovascular management of vascular trauma. Perspect Vasc Surg Endovasc Ther 2006；18：114-129.
128) Cherry RA, Goodspeed DC, Lynch FC, et al：Intraoperative angioembolization in the management of pelvic-fracture related hemodynamic instability. J Trauma Manag Outcomes 2011；5：6.
129) Boulanger B, Green J, Rodriguez A：Blunt traumatic iliac vein laceration without pelvic fracture：A rare entity. J Vasc Surg 1992；16：87-89.
130) Buice WS, Hollenbeck JI, McElwee T：Isolated iliac vein injury from blunt trauma. Surgery 1990；107：350-352.
131) Chapellier X, Sockeel P, Baranger B：Management of penetrating abdominal vessel injuries. J Visc Surg 2010；147：e1-e12.
132) Feliciano DV, Asensio JA：Abdominal vessels. In：Feliciano DV, Mattox KL, Moore EE, eds. Trauma. 9th ed, New York, McGraw Hill, New York, 2021, pp747-769.

H 骨盤外傷

要 約

1. 骨盤輪骨折と寛骨臼骨折を区別する必要がある。骨盤輪骨折は不安定性の程度を示した分類がある。
2. 骨盤輪骨折に対する標準的止血アルゴリズムを理解し，各施設の対応能力に見合った治療ストラテジーを作成する。
3. 骨盤輪骨折に対する治療の柱は止血，骨折の初期固定，輸血，骨折の最終的内固定である。
4. 経カテーテル動脈塞栓術（TAE），後腹膜パッキングなどの止血法は，各施設の対応能力に応じ，適切な固定法と組み合わせ，迅速かつ的確に行う。
5. 骨折に対する最終内固定は，加わった外力の方向と不安定性を考慮した固定法を選択する。
6. 開放骨盤輪骨折は，初期から集学的なアプローチを必要とする感染率・致死率の高い損傷である。

はじめに

骨盤輪骨折は出血性ショックを呈している場合，死亡率は32％という報告があり依然として死亡率が高い外傷の1つである[1]。

骨盤輪骨折に対する治療戦略は，急性期では後腹膜出血に対する適切かつ迅速な止血と骨折部の止血を目的とした安定化を行うことと，その後の骨折に対する機能的予後を考慮した再建手術とに分けられる。

本項では，分類，診断，急性期の治療戦略について，最新の知見を含めて述べる。

I 分 類

骨盤輪骨折分類の基本的な考え方は，①外力の方向（前後圧迫外力，側方圧迫外力，垂直剪断力），②不安定性の程度（安定型，部分不安定型，完全不安定型），③損傷部位（片側性，両側性）の3つの要素からなる。

国際的に使用されている代表的な分類法および日本外傷学会分類について解説する。

1. Young-Burgess分類

骨盤輪骨折を外力の方向と大きさにより，損傷が及んでいく様子をわかりやすく表現した分類法である（図3-3-H-1）。整形外科以外の医師においても分類の一致率が高いとの報告がある[2]。

側方圧迫外力によるものをlateral compression（LC），前後圧迫外力によるものをanterior posterior compression（APC），垂直剪断力によるものをvertical shear（VS）とする3つの基本型に加え，複数方向からの外力と判断されるものをcombined mechanisms（CM）としている。そして，LC型とAPC型を外力の大きさと重症度によりⅠ，Ⅱ，Ⅲの3つのグレードに分類している。

2. AO/OTA分類

欧州のAOグループの分類と米国のOrthopaedic Trauma Association（OTA）の分類を統合した，整形外科でもっとも広く使用されている包括的な分類法である。2018年に内容が一部変更となった。

後方骨盤輪の損傷程度により3つのタイプに分類する。損傷のないものをタイプA，部分損傷を認めるものをタイプB，完全損傷を認めるものをタイプCとし，A，B，Cの3つのタイプはさらに転位の程度，特徴から1，2，3のサブタイプに分けられている（図3-3-H-2～4）。重症度はAからC，1から3の順に高くなる。

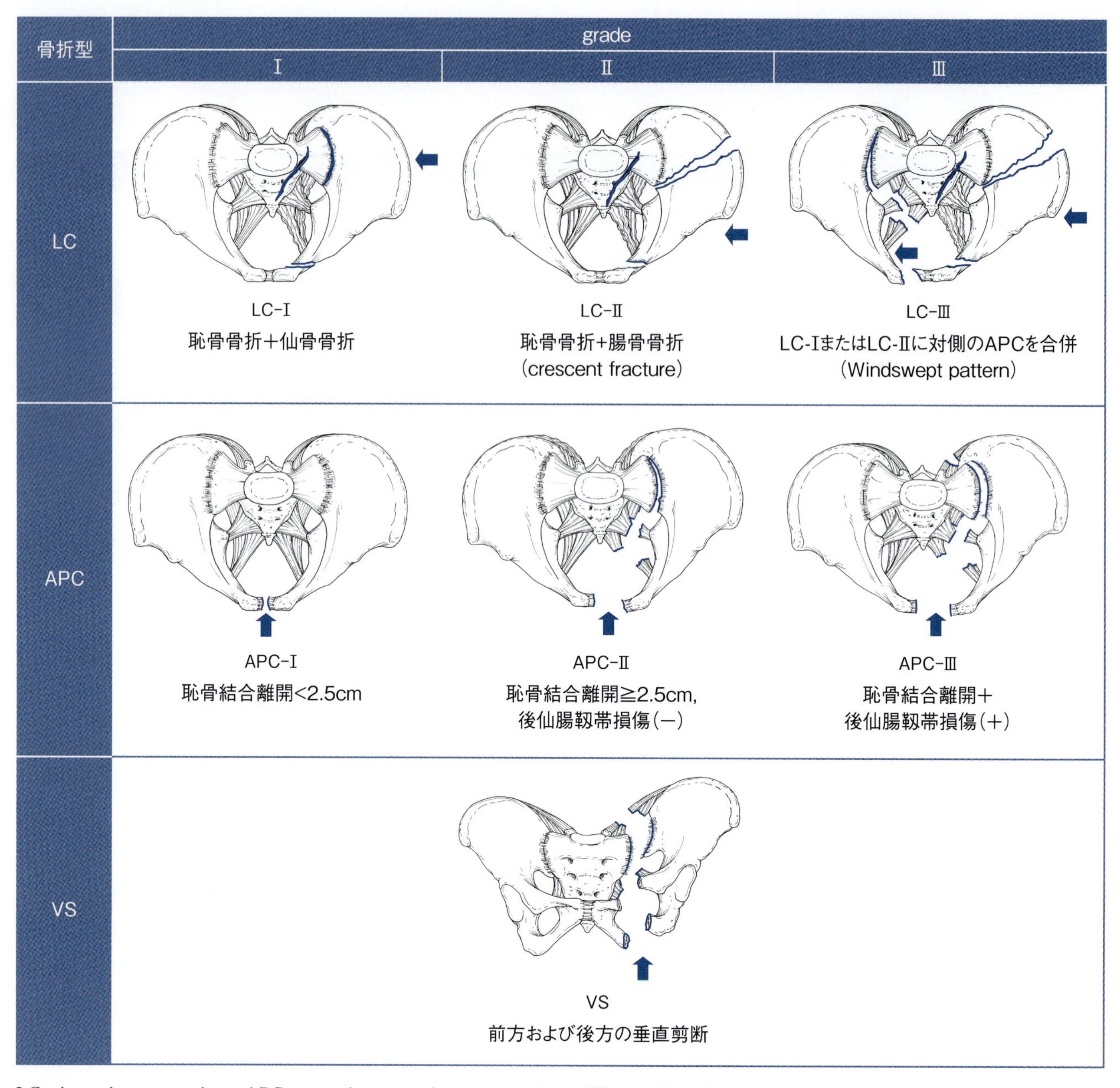

LC：lateral compression，APC：anterior posterior compression，VS：vertical shear

図3-3-H-1　Young-Burgess分類

3. 仙骨骨折の分類

1）Denis分類

仙骨骨折の損傷部位を3つのZoneに分け，仙骨孔より外側の仙骨翼部分の骨折をZone Ⅰ，仙骨孔部に骨折線が及ぶものをZone Ⅱ，中央の脊柱管部に骨折線が及ぶものをZone Ⅲとしている（図3-3-H-5）。Denisらは仙骨骨折236例の検討から，神経損傷の頻度はZone Ⅰで6%，Zone Ⅱで28%，Zone Ⅲで57%であったと報告している[3]。Zone Ⅲは骨折線の形状からU型・H型・λ（Y）型・T型などに分けられた[4]。とくにU型やH型はspino-pelvic dissociationと呼ばれ脊椎と骨盤輪の連続性が左右とも断たれており，高度に不安定な状態である（図3-3-H-6）。

2）Roy-Camille分類

1985年にRoy-Camilleらが上位仙骨横骨折の特殊な型として報告した[5]。高所からの墜落による特徴的な骨折型で，別名suicidal jumper's fractureと呼ばれる。仙骨側面像での仙骨の脱臼の程度によりType 1〜3に分類されている。のちにStrange-Vognsenらが上位仙骨の転位のない粉砕骨折をType 4として追加した[6]。Type 2，3では神経損傷

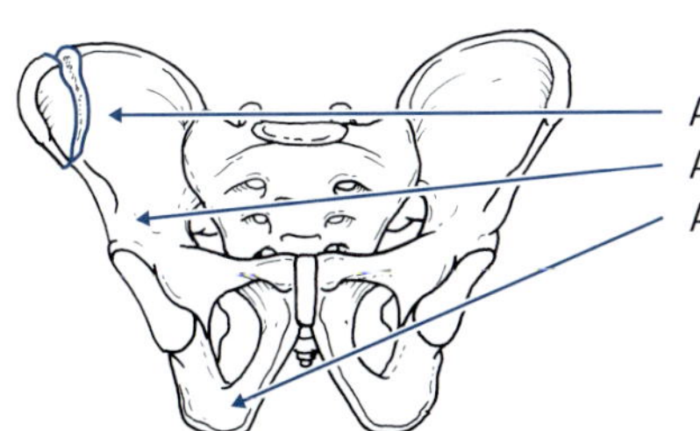
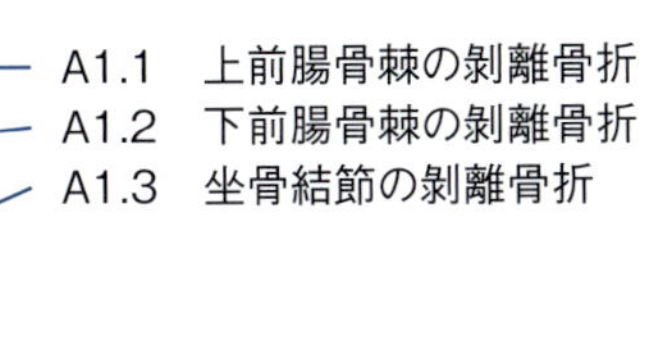

A1.1　上前腸骨棘の剥離骨折

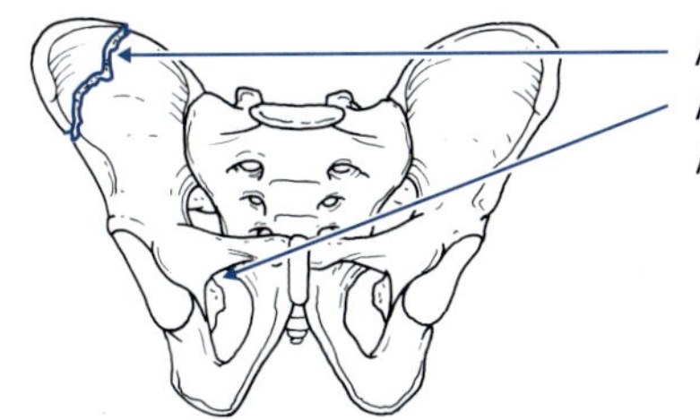

A2.1　腸骨骨折

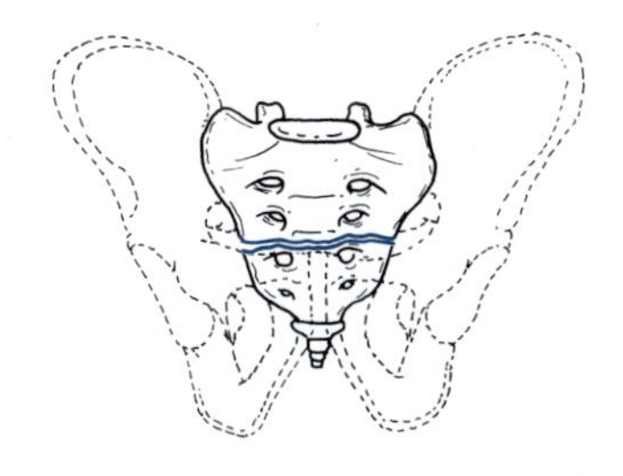

A3　仙骨(S3, S4, S5)と尾骨の横骨折

図3-3-H-2　AO/OTA分類（タイプA）

を合併することが多い（図3-3-H-7）。これらもspino-pelvic dissociationである。

4. 日本外傷学会分類

骨盤輪骨折をⅠ型（安定型），Ⅱ型（不安定型），Ⅲ型（重度不安定型）の3つに分類し，損傷が片側性か両側性かによりⅠ，Ⅱ型をa，bのサブタイプに分け，Ⅲ型をa，bに加えて垂直不安定型をcに分類している。Appendixとして，開放骨折をOi，合併する直腸損傷をR，腟損傷をV，尿路損傷をUと記載するようになっている[7]。

［備考：寛骨臼骨折］

寛骨臼骨折は，大腿骨の長軸方向に作用した外力または大転子部に側方から作用した外力が，大腿骨頭を介して股関節部に及んで生じる関節内骨折である（図3-3-H-8）。このため，すべての骨折線は股関節内に連続する。

単独寛骨臼骨折の多くは中等度の外力で生じ，出血性ショックとなることは少なく，TAEが必要となることは比較的まれである。骨盤輪骨折との合併例を除き，創外固定の適応となることはなく，治療は骨盤輪骨折とは異なる方針で臨まなければならない。同様に簡易固定法は適応とならないばかりか，外力の伝わる方向からわかるように転位を増大させるため注意が必要である。

Judet-Letornel分類，AO分類が広く使用されている。詳細については割愛するが，股関節に連続する骨片が骨盤輪から遊離している両柱骨折は浮遊寛骨臼（floating acetabulum，図3-3-H-9）とも呼ばれ，骨盤輪骨折と間違われやすい。

Ⅱ 診　断

骨盤輪骨折の最終的な診断には骨盤正面X線画像やCT画像を用いる。プレホスピタルや画像撮影前

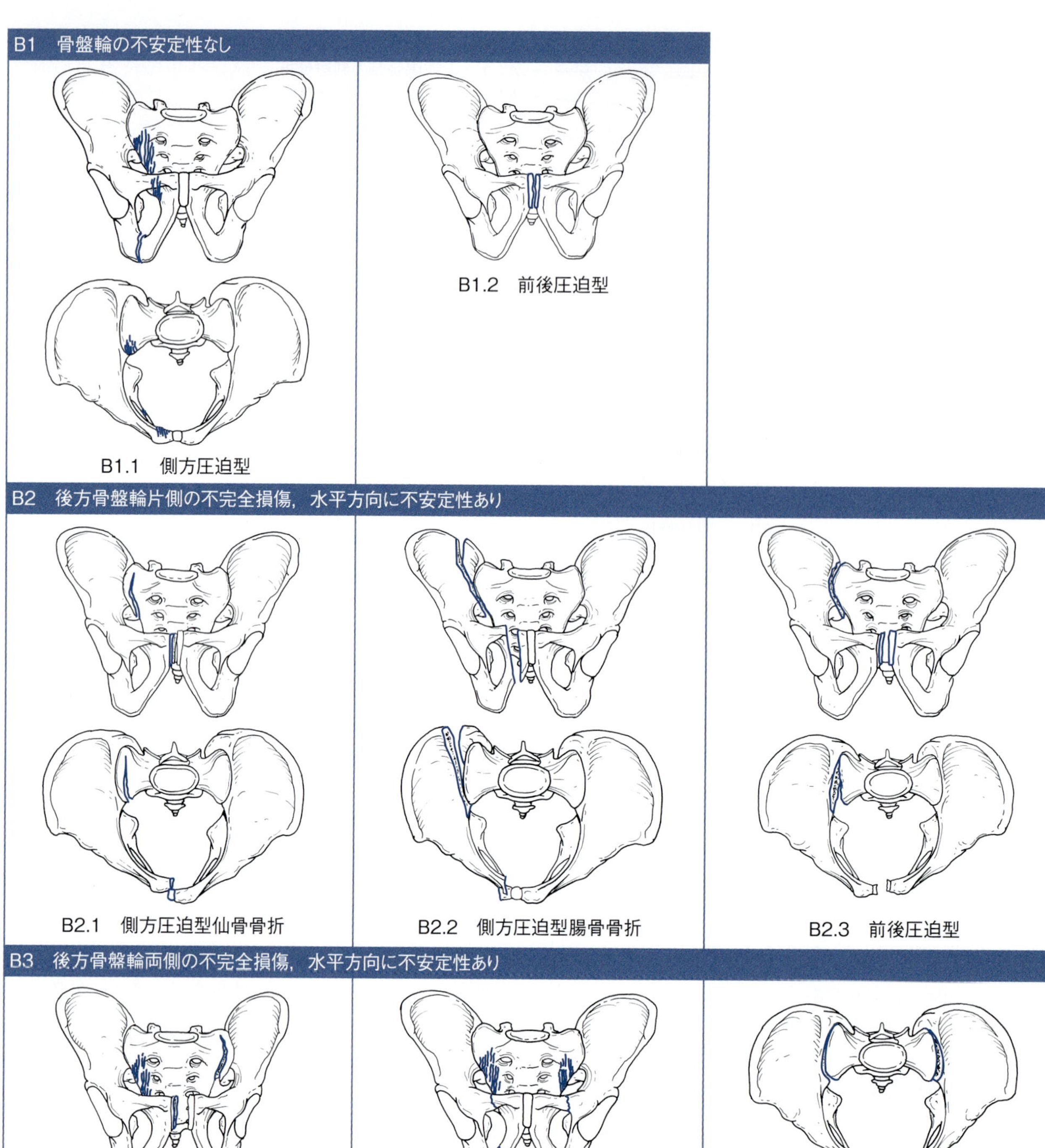

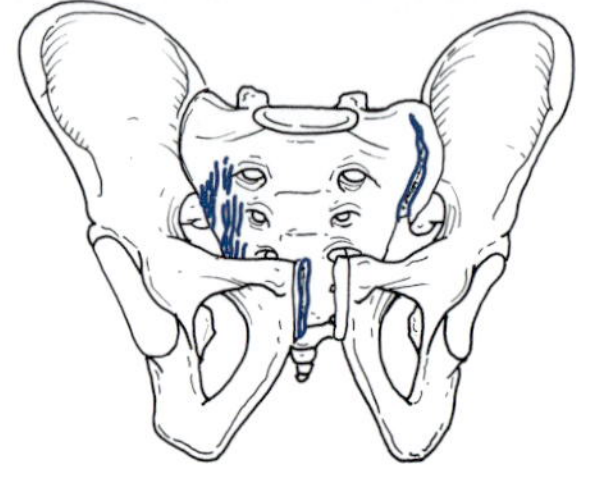

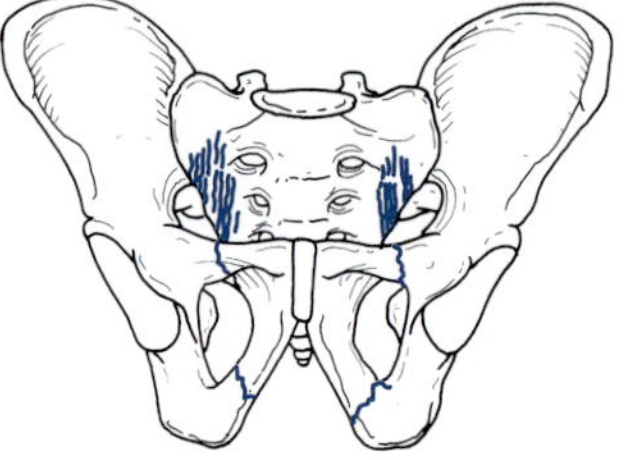

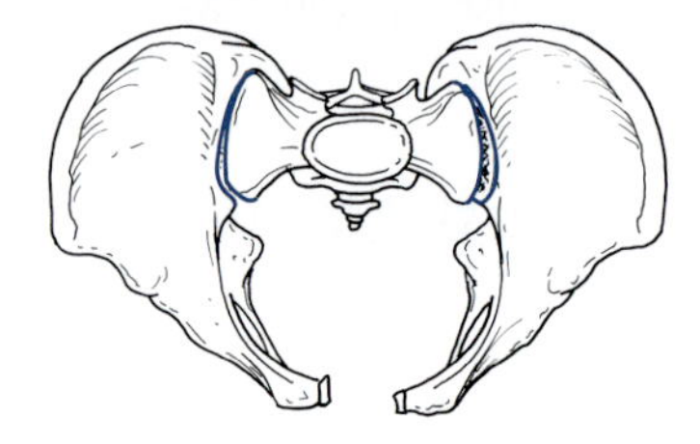

図3-3-H-3　AO/OTA 分類（タイプB）

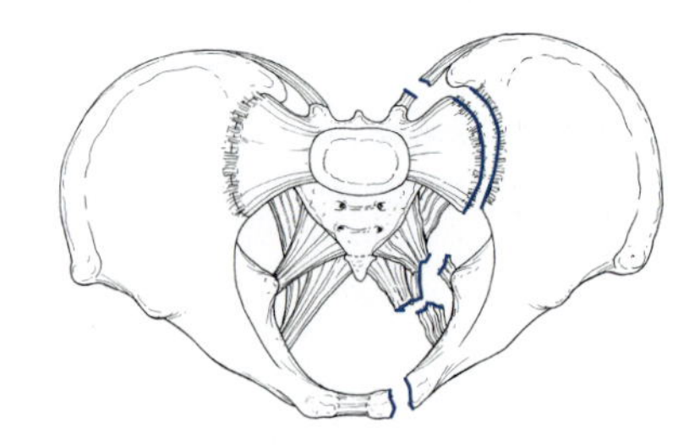
C1　後方骨盤輪片側の完全損傷

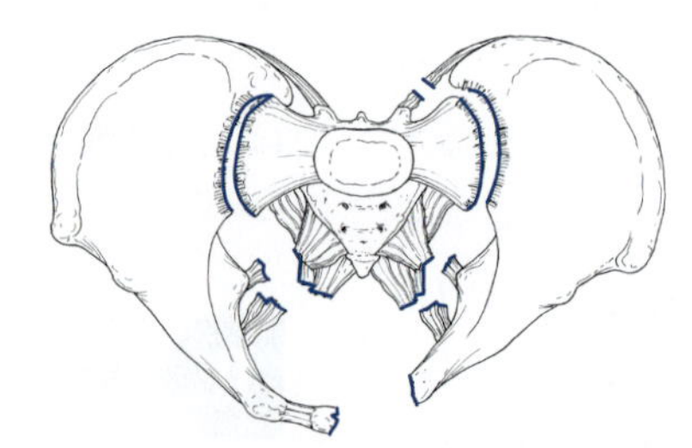
C2　後方骨盤輪片側の完全損傷，
対側の不完全損傷

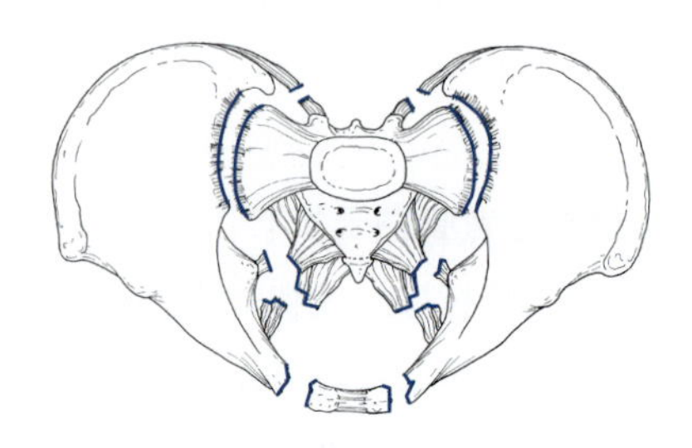
C3　後方骨盤輪両側の完全損傷

図3-3-H-4　AO/OTA 分類（タイプC）

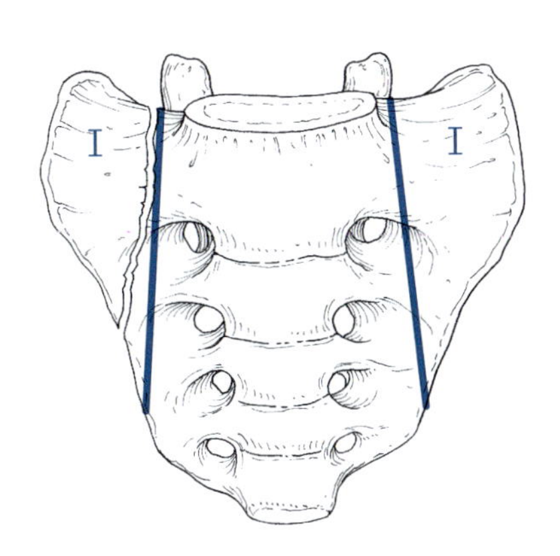

Zone Ⅰ
仙骨孔より外側の仙骨翼部分

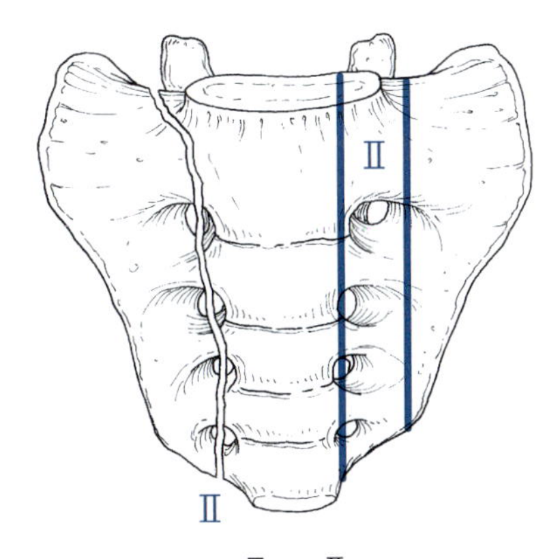

Zone Ⅱ
仙骨孔に骨折線が及ぶ

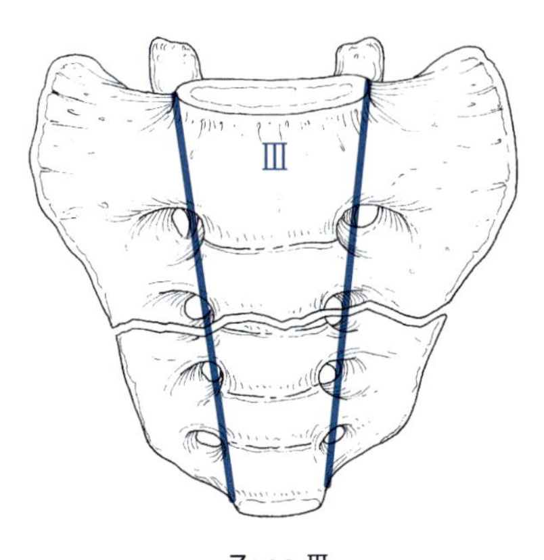

Zone Ⅲ
中央の脊柱管部

図3-3-H-5　Denis分類

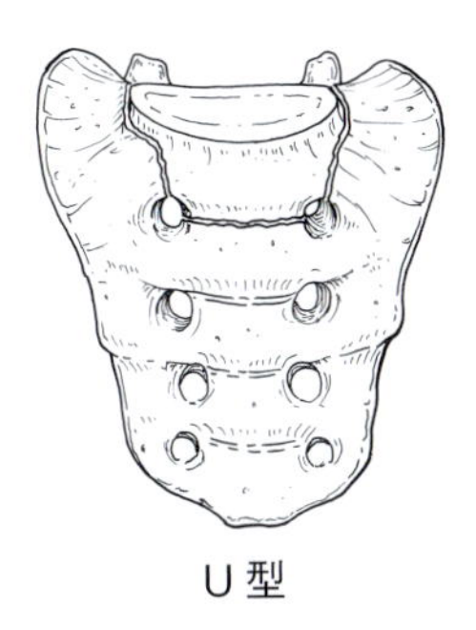

U型

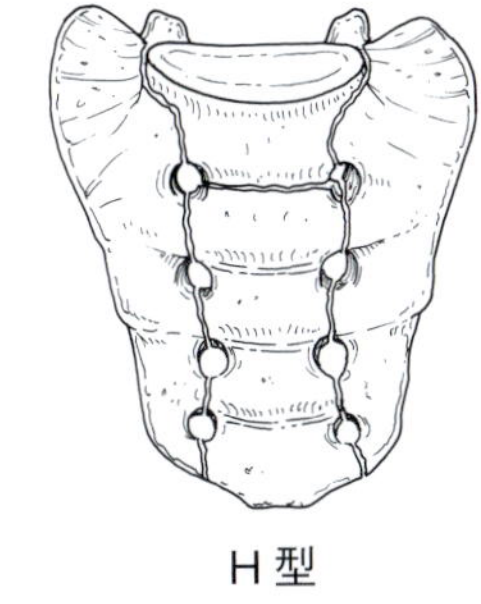

H型

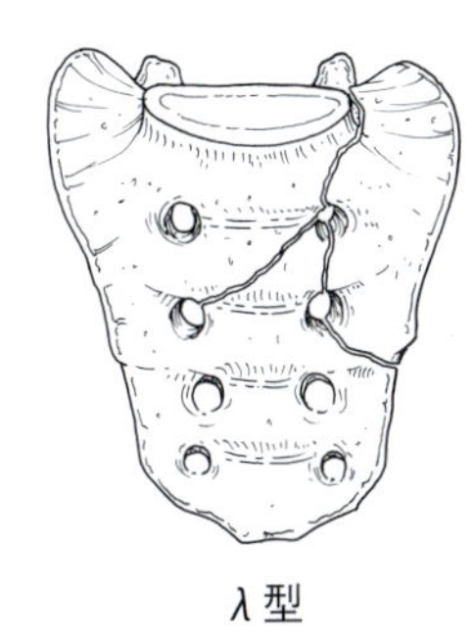

λ型

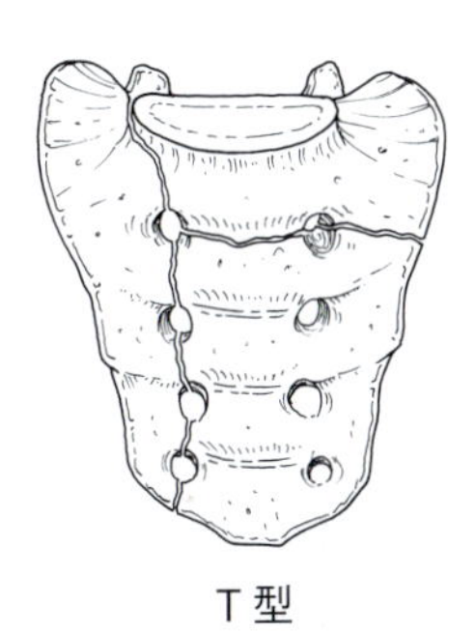

T型

図3-3-H-6　Denis分類（Zone Ⅲ）

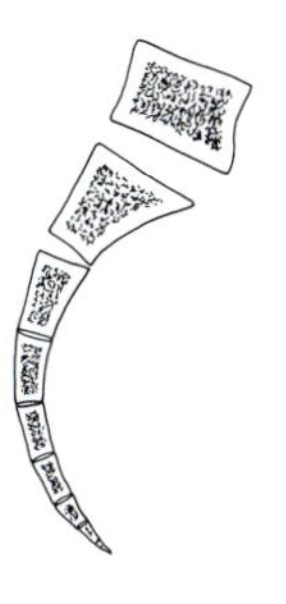

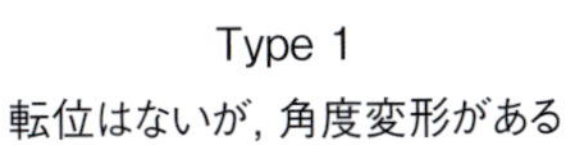

Type 1
転位はないが，角度変形がある

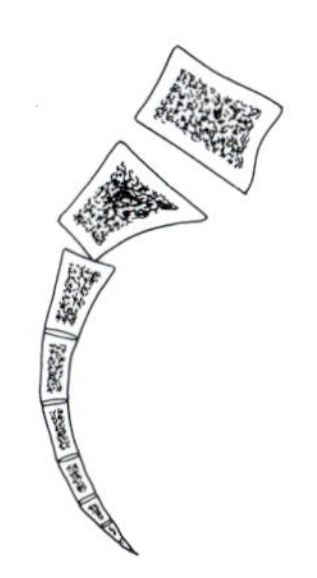

Type 2
転位を伴って角度変形がある

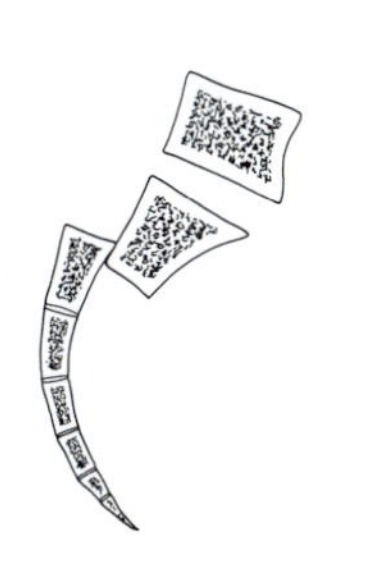

Type3
100%完全転位を伴っている

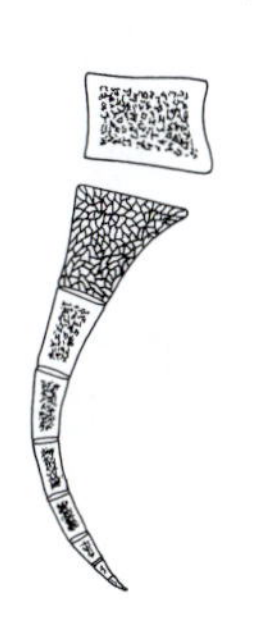

Type 4
転位はないが粉砕骨折がある

図3-3-H-7　Roy-Camille分類

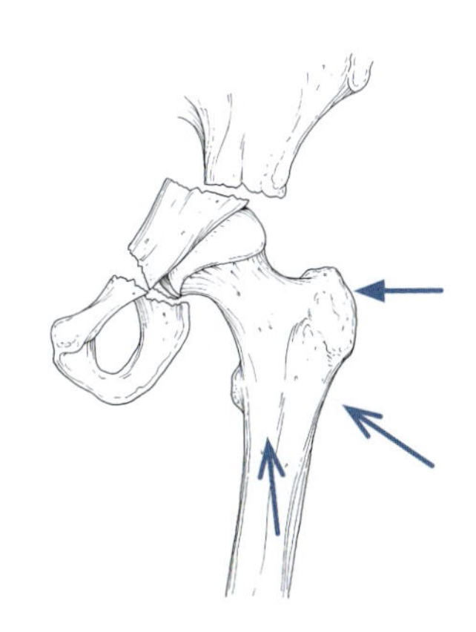

図3-3-H-8　寛骨臼骨折の発生メカニズム

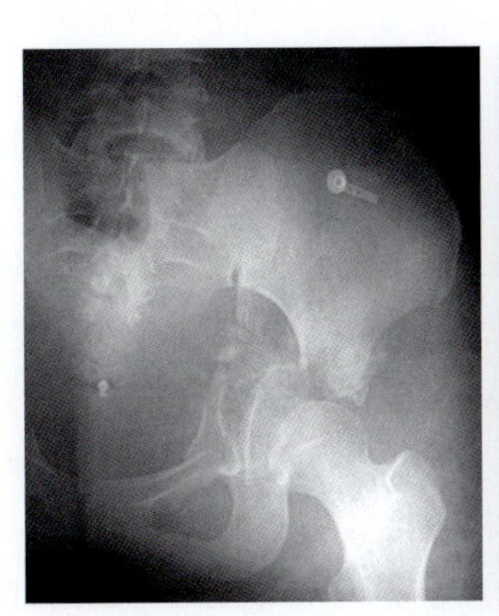

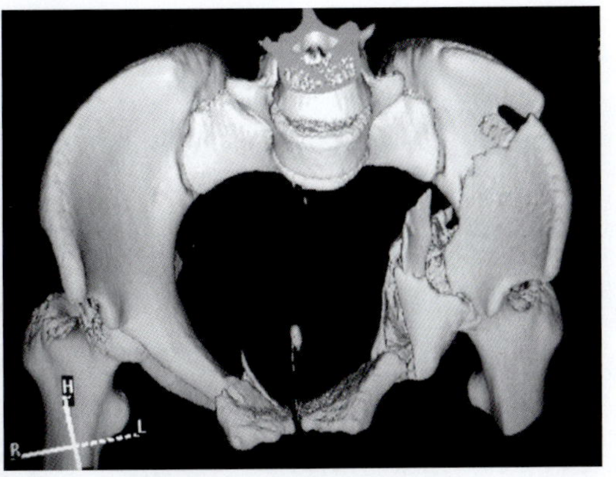

図3-3-H-9　浮遊寛骨臼（floating acetabulum）
左股関節部の関節面はすべて，骨盤輪との連続性がなく不安定な状態である

の診察では骨盤部の圧痛，触診による骨盤の不安定性，下肢長の左右差や下肢の内外旋変形は診断の一助となる。大量出血を呈する骨折型はAPC型とVS型に多く[8)9)]，この診断はX線単純画像で可能である。CT検査はX線撮影で判断が困難な後方要素の骨折の有無，軟部組織損傷，血腫量などを評価する。CT室への移動はバイタルサインを含めた全身状態を観察のうえ，慎重な判断を要する。画像評価で骨折型を過小評価する危険性が2点ある。1つが簡易固定を装着することで転位が整復されていること[10)]，またはCT撮影台の体幹固定ベルトで転位が整復されることがある[11)]。どちらもAPC型の骨折型に起こる可能性があり注意を要する。これらの患者では全身状態が落ち着いた際に簡易固定を外してX線撮影をする[12)]。不安定性の評価のために麻酔下に透視下でストレステストを行うことにより隠れた損傷を明らかにできるという報告もある[13)]。

蘇生処置後には合併損傷の診断も重要である。開放創の有無を確認する。とくに会陰部や直腸・腟の開放創は見逃しやすいため注意が必要である。膀胱・尿道損傷は6〜15%に合併すると報告されている[14)]。また，骨盤周囲の広範囲皮下デグロービング損傷はMorel-Lavallée lesionと呼ばれ，軟部組織の壊死と血腫形成をきたす[15)]〔「デグロービング損傷(皮膚剝脱損傷)」，p.338参照〕。骨折に合併する第5腰神経や仙骨神経叢・大腿神経・坐骨神経・外側大腿皮神経の損傷と，整復に伴う医原性損傷とを区別するために初療時に評価しておく。

Ⅲ 治療戦略と戦術

1. 止　血

骨盤輪骨折に起因する出血は，骨折部からの出血，静脈性，動脈性出血に分けられ，それぞれの出血源に対応する止血法を選択する必要がある。骨折部からの出血に対しては固定による骨折部の安定化，静脈性出血に対しては後腹膜パッキング，動脈性出血に対してはTAEが選択されるが，実際にはそれぞれの治療効果は互いに影響し，それぞれを組み合わせて治療を行う。腹腔内出血に対する止血手術のために開腹術が先行された患者において，腹腔内から後腹膜を切開して，直接両側内腸骨動脈を遮断する報告もある。しかし，後腹膜を切開することによる出血増加のリスクが高いことから一般的には推奨されない。

重要なことは，1つの止血法に固執することなく，患者の状態，放射線科医との協力体制，処置開始から終了までの時間，処置に伴う合併症，その後の骨折に対する治療への影響などを考慮し，自施設で迅速に行える止血法を選択し遂行することである。

また高齢者は結合組織が疎であるうえに，抗凝固薬や抗血小板薬を服用中の患者が多く止血されにくいため，安定型骨折においても早期に積極的な検索と止血が必要である。時間が経過してからショックになる場合もあり，注意深く経過観察を行う必要がある。

1）経カテーテル動脈塞栓術（TAE）

従来，骨盤輪骨折に伴う出血の80〜90%は骨折部と静脈由来であり，動脈性出血はまれとされてきた[16)]。しかし，循環動態が不安定な骨盤輪骨折では高率に動脈造影時に血管外漏出を認めることが報告され[17)18)]，動脈性出血の頻度については，対象症例によりかなりのばらつきがあることが明らかとなっている。

2011年のEASTガイドラインでは，①循環動態が不安定な骨盤輪骨折で骨盤輪以外に出血源がない場合，②CT検査にて骨盤部に血管外漏出が認められる場合には血管造影およびTAEを行うべきであるとされている[19)]（推奨レベルⅠ）。しかし，絶対的な指標はなく，年齢，ショックの有無，骨折型，Revised Trauma Score（RTS），ISS，骨盤内血腫の大きさ，造影CT上の血管外漏出所見などの因子があげられている。このうち高齢者，造影CT検査上の血管外漏出，500cm^{3}以上の骨盤内血腫などが比較的信頼性の高い指標とされている[20)]。60歳以上でAPC型・VS型の骨盤輪骨折がある場合には，循環動態が安定していても血管造影検査を考慮することが望ましい（推奨レベルⅡ）[19)]。また，ショックによる動脈攣縮により初回の動脈造影時やTAE後に出血が明らかでなかったものが，循環動態の改善とともに出血が起こることにも注意しなければならない。そのためTAE施行後であってもショックが遷延する場合には，繰り返しのTAEが考慮される（推奨レベルⅡ）[19]。このように，動脈性出血に対するTAEの有用性はコンセンサスが得られているものの，放射線科医との協力体制，TAE開始までの時間が施設により異なる点が治療成績に影響を及ぼしている[20]。最近では放射線科医が常時対応可能な体制で早期にTAEを施行することにより，死亡率が減少したとの報告が増えてきている[21)~23] ため，ガイドラインの改訂が進行中である。

TAEのデメリットに注意を払う必要がある。TAEが行われるカテーテル室は装置の安定化のため低温管理されているため，長時間のTAEは患者の体温低下を惹起させ，全身状態を悪化させる。

また，TAEは骨盤輪骨折の出血コントロールに有用な方法の一つではあるが，止血効果が得られない場合には，患者の状態により後腹膜パッキングや大動脈遮断術が迅速に行える環境下で施行することが重要である。そのためにはTAEを行う際には，放射線科医任せにするのではなく，外傷専門医かそれに準じた医師が付き添って患者の状態把握に努めて治療判断を下すことが重要である。

TAEを行える環境が施設によって大きく異なるわが国においては，これらを参考に，各施設の実情を考慮したTAEのプロトコルを作成して対応することが望ましい。

TAEによる比較的頻度の高い合併症として殿筋壊死が報告されているが[24]（図3-3-H-10），両側内腸骨動脈の塞栓とは必ずしも関連はなく，受傷時の軟部組織の挫滅，ショックの遷延や臥床による局所の圧迫など他の因子も影響しているものと推測されている[20]。また，勃起不全の発生とTAEの関連については否定的であり，骨盤輪骨折自体に起因する可能性が高いとされている[25]。そのほかのTAE合併症として刺入部トラブル，腎機能障害，脊髄虚血による感覚異常などが報告されている[26,27]。

◆Clinical questions◆　CQ 46

ショックを伴った骨盤輪骨折では動脈性出血の止血を最優先に行うべきではないか？

A 骨盤輪骨折患者におけるTAEと骨盤外固定，後腹膜パッキングの優先順位に関してエビデンスレベルが高い報告はないが，いつでも血管造影が行えるような体制を整えることが望ましい。

外傷患者の急性出血に対するTAEの効果と安全性についてはコンセンサスが得られている[1,2]。しかし，骨盤輪骨折患者におけるTAEと骨盤外固定，後腹膜パッキングの優先順位に関してエビデンスレベルが高い報告はない。これまで無作為化比較試験は実施されておらず，過去に発表されたシリーズ間の比較では，施設間でのTAE実施までの時間差，患者集団の違いによって妨げられ，転帰はしばしば骨盤出血だけでなく，関連する外傷などの要因によって決定されるからであった。

近年，外傷患者に積極的にTAEを施行している施設から，骨盤輪骨折に対する早期のTAEの有用性を示すレトロスペクティブ研究の結果が数多く報告されている[3~9]。それらによりTAE施行までの時間と24時間輸血量，受傷後7日間および28日間の死亡率が相関することが示され，すべての外傷センターが骨盤輪骨折に対する血管造影実施の遅れを最小化するためにリソースを割り当てるべきと結論づけている。

基本的に止血術が完了するまでは動脈性出血は持続していると考えられるため，止血を遅らせる理由はない。ショックに陥る前，凝固破綻する前に血管造影にて出血源を特定し，TAEを施行することも考慮すべきと考えられる。諸外国と比較して，外傷患者に対する血管造影へのアクセスが良好なわが国において，骨盤輪骨折に対する早期TAEの有用性を示すような研究結果が望まれる。

文献

1） Awwad A, et al：CVIR Endovasc 2018；1：32.
2） Davis JW, et al：J Trauma 2008；65：1012-1015.
3） Kim H, et al：Eur J Trauma Emerg Surg 2021；47：1661-1669.
4） Chou CH, et al：World J Emerg Surg 2019；14：28.
5） Kim H, et al：Eur J Trauma Emerg Surg 2022；48：1929-1938.
6） Matsushima K, et al：J Trauma Acute Care Surg 2018；84：685-692.
7） Tanizaki S, et al：Injury 2014；45：738-741.
8） Tesoriero RB, et al：J Trauma Acute Care Surg 2017；82：18-26.
9） Miller PR, et al：J Trauma 2003；54：437-443.

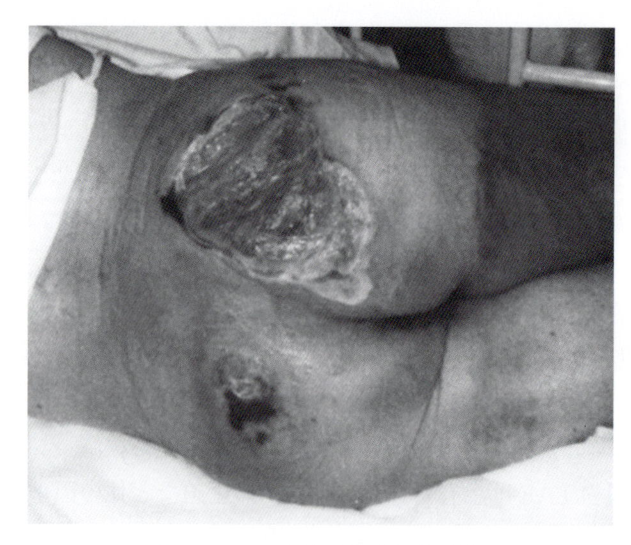

図3-3-H-10　TAE後の殿部の壊死

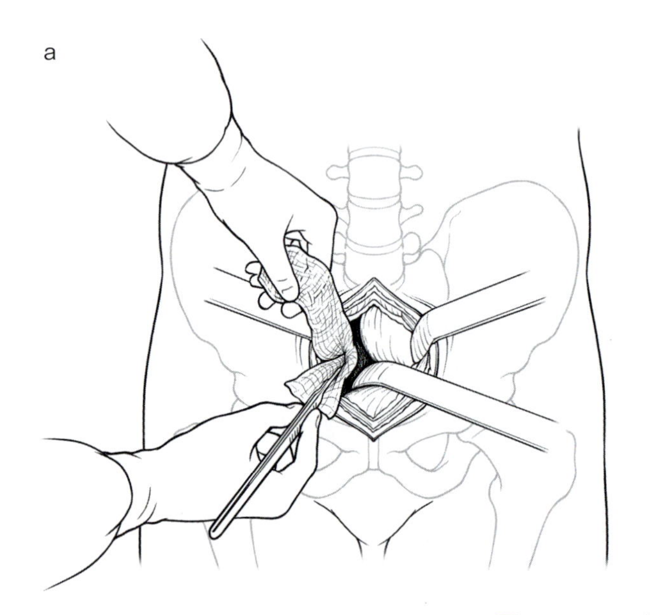

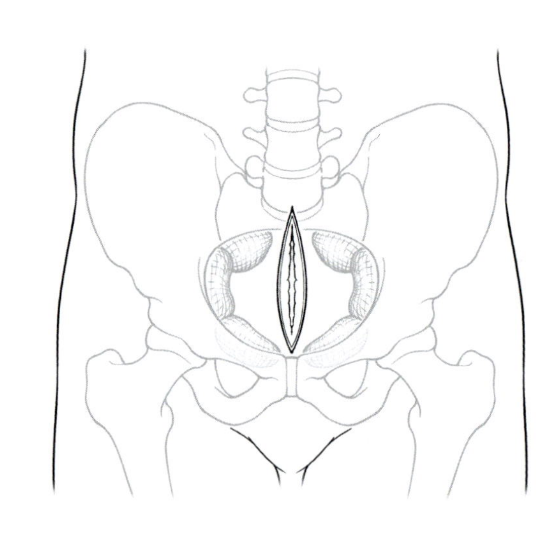

図3-3-H-11　後腹膜パッキング

2）後腹膜パッキング（図3-3-H-11）

欧州のAOグループにより紹介された，経腹膜的または経腹膜外的にアプローチして，外科タオルやガーゼをパッキングして止血を図る方法である。本法により骨折部および静脈性出血だけでなく内腸骨動脈分枝からの出血もコントロール可能とし，pelvic C-clampの併用により重症骨盤輪骨折に対する救命率を上げたと報告している[28)29)]。後腹膜パッキングとTAEを比較した報告では死亡率，合併症に有意差がないが，後腹膜パッキングのほうが早期に治療介入できたと述べられている[30)31)]。パッキング後にTAEを追加する頻度は7～67％とさまざまであるが，後腹膜パッキングはTAEを行うまでのダメージコントロールと位置づけられている[32)]。これら2つの方法を状況に応じて補完的に用いることにより重症骨盤輪骨折の死亡率減少が期待できる[29)33)]。

デンバーのグループは恥骨結合から近位へ向かって6～8cm縦切開し，linea alba（白線）部分を切開してRetzius腔（膀胱前腔）から到達しガーゼパッキングを行う方法をpreperitoneal pelvic packing（PPP）として報告している。通常，血腫により仙腸関節前方まで組織が剝脱されているため，Retzius腔に達したら追加の剝離操作は不要である。仙骨前方・膀胱横・恥骨裏の順番でガーゼをパッキングする。24～48時間で凝固能障害・低体温・アシドーシスから脱していればガーゼ除去を行う[34)]。後腹膜パッキングは手技が容易で有用な方法ではあるが，創外固定など骨折部の適切な固定と併用することが肝要である。ガーゼ挿入時には鋭利な骨折部で指を損傷しないよう，鑷子などを用いて挿入する。また6～10％程度と比較的高い感染率が報告されており[30)34)]，再パッキング例では感染率が45％とさらに高くなると報告されている[34)]。

後腹膜パッキングが有効な止血法であるか，との質問に対して外傷専門医の投票を行ったところ，「有効である」との回答は96％であり，大半が「有効である」と考えていることが示された。「有効である」との回答には，「エビデンスの確立された手技である」，「IVRをすぐに行うことができない環境の場合に有効」，「静脈性出血に有効である」，「IVRへ移動するためのつなぎの効果としては効果的」，「数分でできる手技で簡単に効果を得ることができる」，「仙骨前面静脈叢からの出血には効果的」，「IVRまでの循環の一時的立ち上げには効果的」などの意見が多数を占めた。

3）REBOA

TAEやパッキングを行うまでのtime-savingとしての役割が期待される。初療室で短時間に挿入可能であり，腹腔内出血にも対応できる利点がある。一方で，長時間閉塞すると腸管虚血や下肢虚血から壊死に陥る。REBOA使用により30日後の生存率が予測生存率の倍以上であったとするケースシリーズもあり[35)]，今後の質の高い研究報告が待たれる。

2. 初期固定

1）固定法の種類と意義

骨盤輪骨折の固定法として，非侵襲的な簡易固定法，創外固定法，内固定法の3つが基本となる。

ショックもしくは開腹術が必要な不安定型骨盤輪骨折に対して，早期に簡易固定法を用いれば，出血を抑える可能性がある[19)]（推奨レベルⅢ）。その止血機序は，骨折部の動揺性を制御することで骨折部からの出血を抑制し，血管内血栓や凝血塊の形成により止血された状態を維持することが主体である。骨折部を整復し骨盤腔の容量を減少させることによるタンポナーデ効果も期待されてはいるが，骨折時に骨盤床の靱帯が損傷された場合，骨折を整復したとしても骨盤腔は閉鎖腔とはならず，タンポナーデ効果による止血については限定的とする報告もみられる[20)]。

開腹術が必要な不安定型骨盤輪骨折に対して，開腹前に何らかの外固定を行うべきとする理由は，腹部の皮膚や筋肉が骨盤前方損傷部の固定に寄与しているため，APC型や完全不安定型骨折では，開腹とともに前方部の転位が大きくなり，出血量が増加する危険性があるからである[36)]。遺体を用いた実験では，恥骨結合部が5cm開大すると20％骨盤腔容量が増加することが立証されている[37)]。

2）簡易固定法

簡易固定法には，シーツなどを利用するシーツラッピング法と商品化された簡易骨盤固定具を用いる方法がある。装着部位の中心は大転子部であり，腸骨部でないことに注意する（図3-3-H-12）。また下肢が外旋すると骨盤輪も開くため，膝部も内旋位としてシーツなどで緊縛する。特別な手技を必要とせず，誰もが容易に短時間に装着可能であるうえ，比較的安価で，装着による合併症が少ない。献体を用いた実験で，固定強度は創外固定と同等であり[38)]，骨盤輪の安定化に有用である。骨盤外傷による危機的出血に対し，一時的簡易固定の緊急装着を考慮すべきである[19)]（図3-3-H-13）。またプレホスピタルの現場でも危機的出血に対して簡易骨盤固定具の装着が推奨されている[39)]。欠点として，圧迫による皮膚壊死（図3-3-H-14）や不適切な膝部の緊縛による腓骨神経麻痺などの合併症も報告されているため，短期間（24時間を超えない）の固定法として使用するのが原則である[40)～42)]。簡易固定法のもっともよい適応はAPC型である。LC型は骨折部をより転位させる方向へ外力を加えるため，転位した骨折端による周囲の臓器損傷の危険性があるので，控えるべきである[43)]（図3-3-H-15）。装着後には，X線単純画像などにより整復位を確認することが望ましい。

3）創外固定法（anterior frame）

創外固定法は，不安定型骨盤輪骨折に対する有効な固定法である[44)]。初期治療で簡易固定法を用いて固定を行うが，長時間の装着はできないことと，鼠径部へのライフライン確保操作，TAEや後腹膜パッキングの際に支障となることから，創外固定法に移行する。

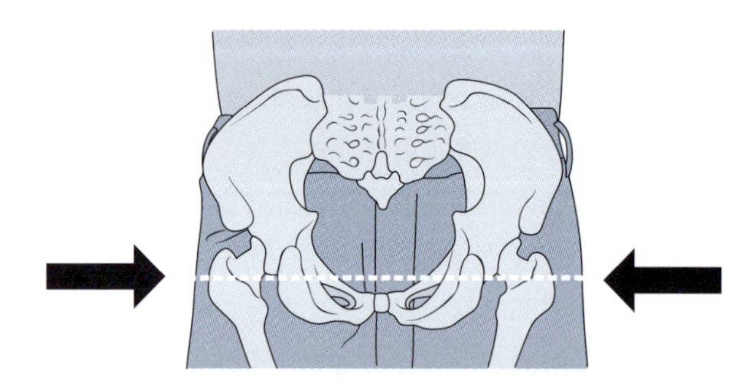

正しい装着位置は大転子

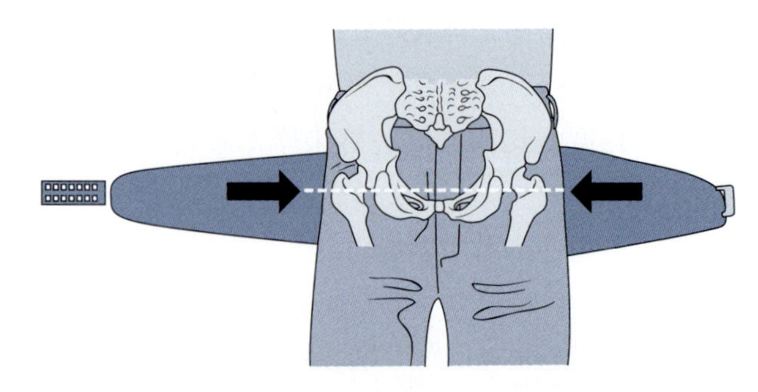

患者のパンツのポケットを空にしたり，殿部周辺に何も異物がないことを確認する。固定具を患者の大転子（殿部）の下に差し込み，患者の両側からゆっくりと緊縛する

図3-3-H-12　簡易骨盤固定具

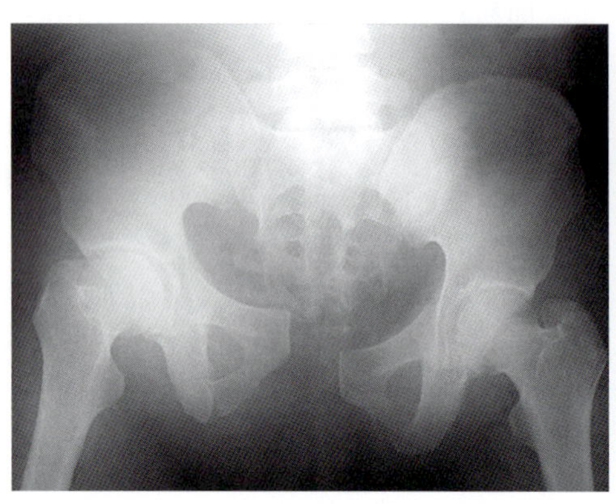

a：装着前

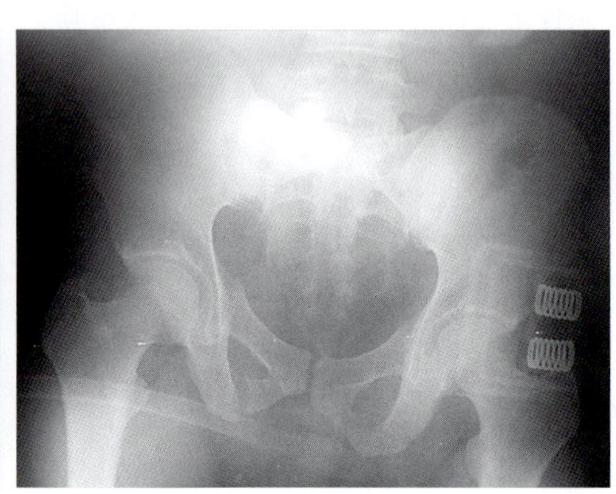

b：装着後

図3-3-H-13　簡易固定法による骨盤輪骨折の整復

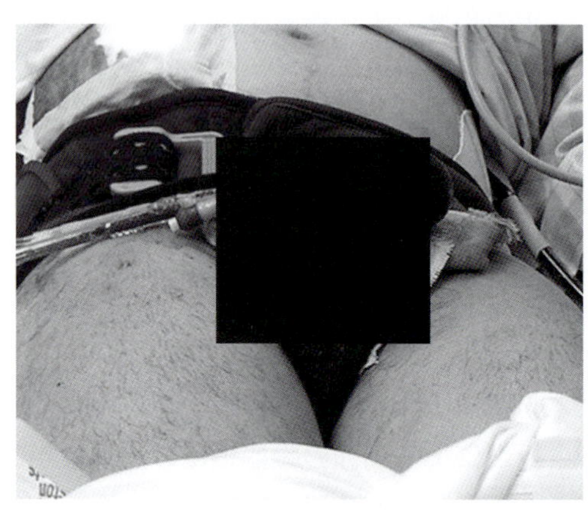

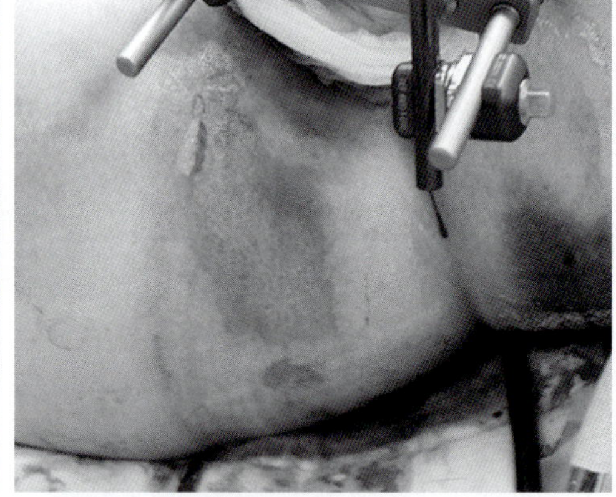

図3-3-H-14　長時間の簡易固定法による褥瘡形成
簡易固定を約1日装着後，創外固定に変更

腸骨稜に数本のピンを刺入して固定する方法（high route法，図3-3-H-16a）と，下前腸骨棘近傍にピンを1本刺入して固定する方法（low route法，図3-3-H-16b）があり，これらは骨盤輪の前方にピンを刺入して固定するためanterior frameと呼ばれる[45]。主な適応は不安定型骨盤輪骨折であるが，後方不安定性を呈する骨折型に対する最終固定としては不十分な固定力である。そのため内固定へのconversionが必要である[46]。

high route法のピン刺入は，慣れればX線透視は不要で初療室で素早く行うことができる。しかし，腸骨翼の骨幅の狭い部分にピンを通過させるため，ピンの骨外逸脱の危険性がある。そのため，確実に骨内にピンを刺入するにはX線透視で確認するとよ

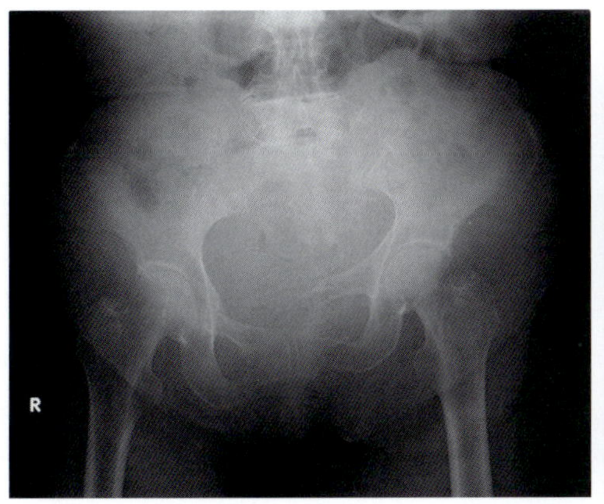

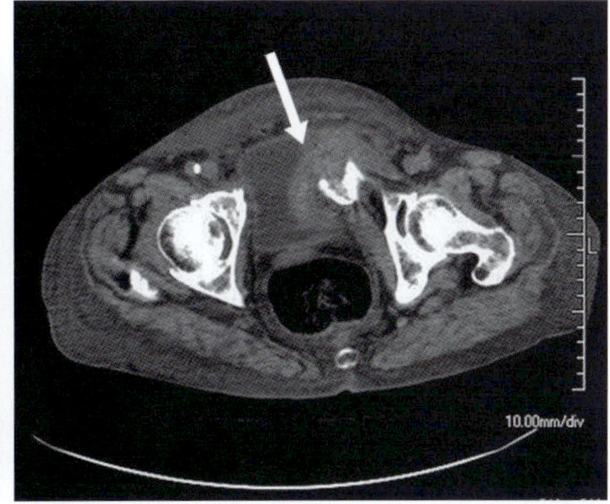

図3-3-H-15　側方圧迫型骨盤輪骨折による膀胱損傷

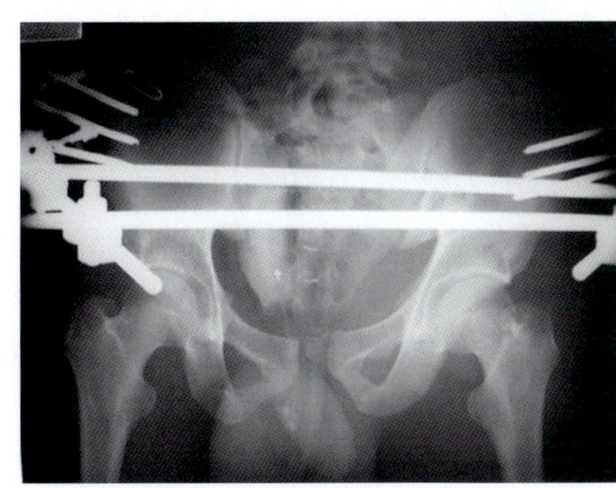

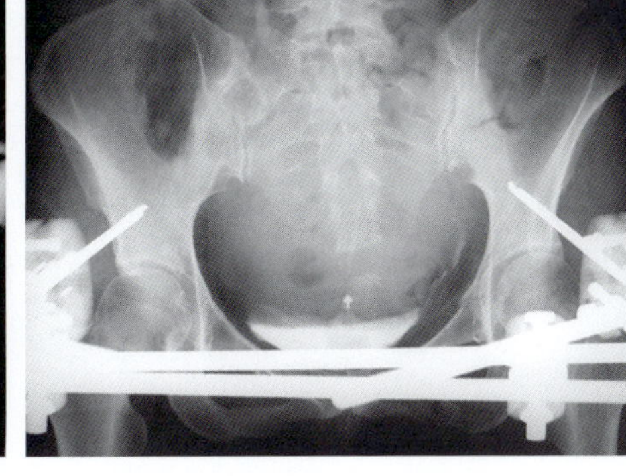

a：high route法　　b：low route法

図3-3-H-16　創外固定法

い。一方，low route法はピンの通過経路が広く骨外への逸脱は少なく固定力に優れる。しかし，刺入点である下前腸骨棘の位置とピンの方向を確認するためX線透視が必要である。また，この方法は軟部組織が厚いためピン刺入部感染の危険性がhigh route法と比較して高い。

どちらの方法を選択するかは，骨折型や骨盤輪骨折に対する最終内固定，創外固定を行う場所を考えながら決定する。最終内固定の手術創とピン刺入部が同じ術野に入ると感染の危険性が高くなるため異なる術野を選択する。ショック患者に対する緊急創外固定の場合には，術者の技量，X線透視装置の有無などの状況に合わせて，いずれの方法を選択してもよい。

4）pelvic C-clamp

一般的な創外固定によるanterior frameでは完全不安定型骨折に対する後方要素の固定性に乏しいことから，後方部の仙腸関節付近の骨にピンを刺入し，圧迫をかけながら固定するpelvic C-clampが開発された。止血効果については，従来いわれていた骨盤腔の狭小化に伴うタンポナーデ効果よりも，骨折部に加えられた圧迫力による海綿骨の密着による止血効果が高いとされている[19]。

よい適応は，循環動態の不安定な完全不安定型骨盤輪骨折である。骨折部の圧着による止血効果を期待するならば，仙骨の縦骨折がよい適応となる。腸骨翼に骨折がある場合には，骨折部からピンが骨盤腔に迷入する危険性があるため禁忌となる。また，Zone Ⅱの仙骨骨折に使用した場合，仙骨神経損傷による膀胱直腸障害，下肢運動障害を併発する可能性がある。

ピンの刺入は，上前腸骨棘と上後腸骨棘を結ぶ線と大腿骨軸の交点を刺入点の目安とするが（図3-H-17），ピンの刺入部が薄い腸骨部に位置すると後腹膜または腹腔内に貫通したり，大坐骨切痕部に誤刺入すると上殿動静脈や坐骨神経を損傷したりする危険性がある。このため，pelvic C-clampは重症例

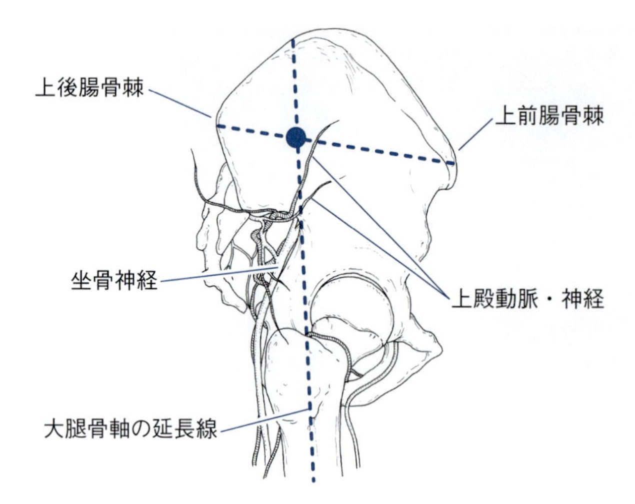

図3-3-H-17　pelvic C-clampの刺入点と周囲の重要な血管，神経の位置関係を示す

に対する救命目的の使用であることを認識すべきである。近年は簡易骨盤固定具に取って代わられつつあり，使用頻度は減少してきている。

3. DCR

DCRについては「damage control resuscitation」(p.47) を参考にしていただきたい。出血性ショックを伴った骨盤骨折の治療戦略は①止血，②初期固定，③DCRが三位一体となって行われるべきであり，どれか一つ欠けても成立しない。以下に骨盤輪骨折に対する治療アルゴリズムを記載する。

【骨盤輪骨折に対する止血アルゴリズムと注意点】

後腹膜出血に対する急性期の止血は，骨盤輪骨折型，合併損傷臓器と重症度，治療を行う施設の人的・物的資源の状況を見極めながら対応することになる。このため，施設により止血のアプローチは異なるが，ここでは標準的なアルゴリズムを示す（図3-3-H-18）。

①循環動態が不安定な患者で不安定型骨盤輪骨折と診断した場合，あるいは受傷機転や身体所見から同骨折が疑われる場合は簡易固定法を施行する。重篤なショックの場合はREBOAを考慮する。

②蘇生により循環動態が安定したら，CT検査などのさらなる画像診断と，必要に応じて創外固定およびICU管理を行う。

③蘇生によっても循環動態が安定しない場合，合併損傷の部位と重症度の検索を迅速に行う。とくに，腹腔内の出血性損傷の有無は，その後の治療方針の決定に重要である。FASTや腹腔内穿刺(DPA)，腹腔内洗浄（DPL）による腹腔内出血の診断的価値は，骨盤輪骨折に伴う後腹膜出血の影響を受けるため感度は低下する。しかし，循環動態が不安定な患者では開腹術決定判断の特異度は高いとされている[19]。腹腔内臓器損傷の診断は造影CT検査が優れた手段として推奨されているが，その適応は患者の循環動態，施設環境などで決定すべきである。

④腹腔内出血が明らかな場合は従来，開腹止血術が優先されてきたが，TAEを先行させるという意見もある[47,48]。

⑤骨盤輪骨折に対する固定は，原則として開腹前に患者の状態と骨盤輪骨折型に応じて適切な方法を選択する。腹腔内損傷に対する止血術を行った後，後腹膜出血に対する後腹膜パッキングを追加する。その際，パッキングの皮膚切開とつながらないようにする[34]。

⑥腹腔内出血が否定され，早期（理想的には30分以内）にTAEが施行可能な状況であるならばTAEを優先する。その後，他部位の画像診断とICU管理を行う。

⑦腹腔内出血が否定されたが，早期にTAEが行えない場合には後腹膜パッキングを検討する。

⑧開腹止血術，後腹膜パッキング後においても循環動態が不安定な場合は，TAEを考慮する。

⑨早期TAE施行後も循環動態が不安定な場合は，後腹膜パッキングを検討する。

⑩ICU入室後も輸血を継続しないと循環が保てない場合には再度TAEを検討する[34]。

⑪全身状態の安定化後に骨盤輪骨折に対する根本治療を行う。

4. 骨折の最終内固定

骨盤輪骨折の治療は，「蘇生のための仮固定」から「機能再建のための最終固定」へのスムーズな移行が望ましい。

「蘇生のための仮固定」により，後腹膜の止血だけでなく，ICU入室後にベッドアップや体位変換などが可能になる。基本的に安定型に対する仮固定は不要である。部分（不）安定型骨折ではanterior

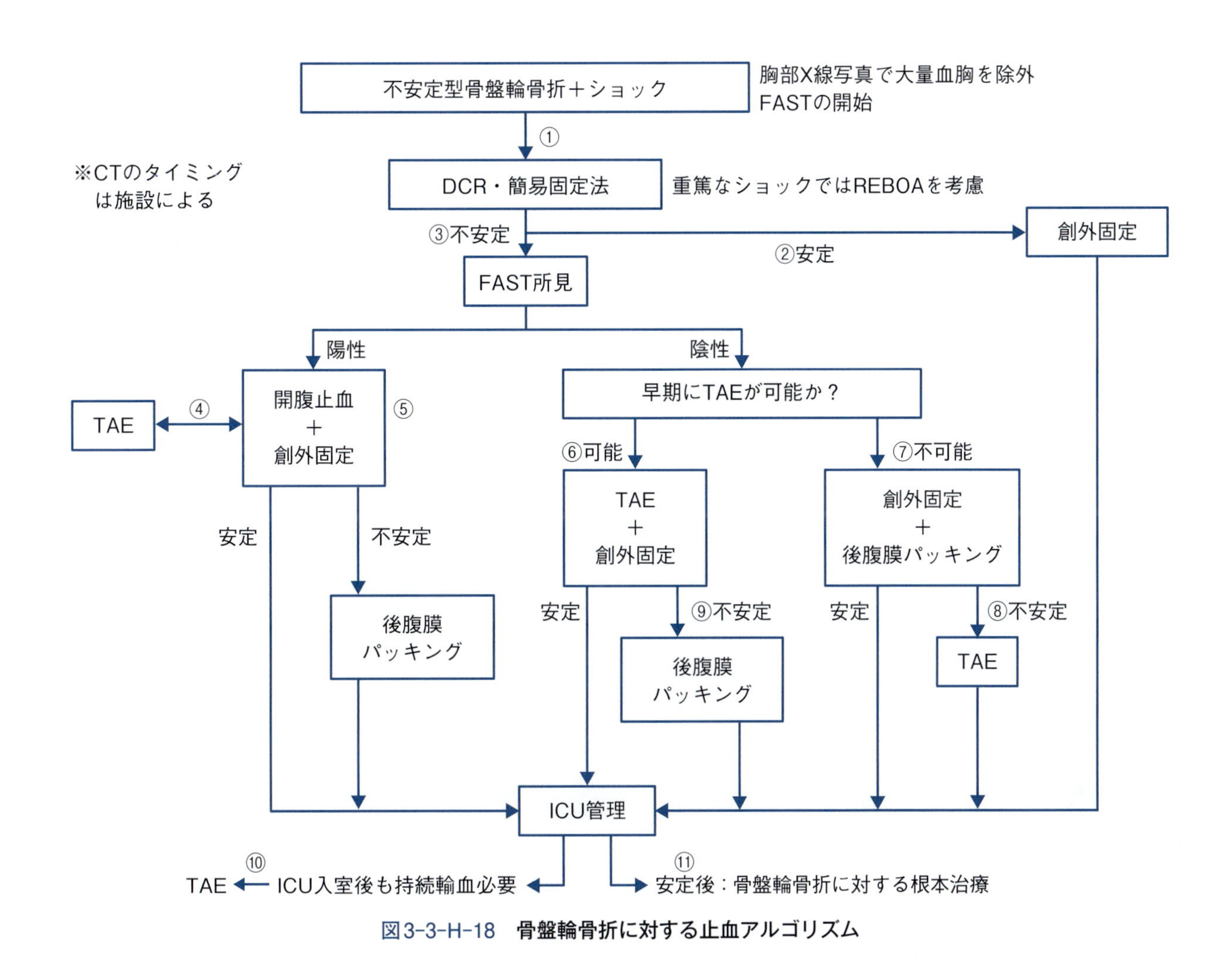

図3-3-H-18　骨盤輪骨折に対する止血アルゴリズム

flameによる創外固定のみで初期固定性は得られるが，完全不安定型骨折では創外固定に加えて，頭側への垂直転位を保持するため，同側の大腿骨遠位からの直達牽引を加える必要がある。

「機能再建のための最終固定」は，患者が急性期を脱したのちに，早期リハビリテーションを可能とし後遺障害を最小限にする目的で行われる。骨盤輪骨折は大腿骨骨折や脊椎骨折と同様に離床を著しく妨げ肺炎などの合併症をきたしやすく，待機期間が長くなると整復が困難となる。根本治療のタイミングは全身状態が安定すれば可及的早期が望ましく，受傷後24時間以内の急性期手術の報告がある[49]。しかし，侵襲の大きな手術になるため，呼吸循環などのバイタルサイン，凝固線溶系などの血液検査を繰り返し評価して手術のタイミングを計ることが望ましい[50]。骨盤輪が破綻していない安定型骨折は一般的に最終固定を要さないが，疼痛が強いものや筋付着部で転位の大きいものは内固定を要することもある。

部分不安定型骨折のうち，転位が少ないLC-1，APC-1型は保存治療可能であり，それ以外の後方要素に不安定性を呈する骨折型は最終内固定を要することが多い。これらの治療方針の決定はX線撮影やCT検査などの静的な画像診断で行われる。しかし，LC-1，APC-1型と診断された患者のうち，全身麻酔下にストレステストを行うと不安定性を呈する例があるとされている[13]（図3-3-H-19）。そのような患者での保存治療は，転位の進行や疼痛のため手術治療を選択したほうがよいと述べられている。

部分不安定型の内固定方法は前方の恥骨骨折，恥骨結合離開に対してプレート固定やスクリュー固定を行い，後方要素は水平断方向の不安定性のみであるので後方は固定を行わないか，IS（iliosacral）スクリューやTITS（transiliac transsacral）スクリュー，LC-Ⅱスクリューで固定する（図3-3-H-20）。初期固定の創外固定継続のままでよい場合もある。

完全不安定型骨折は後方要素の垂直不安定性を呈しているため，荷重負荷のかかる骨盤輪後方部の強固な固定と骨盤輪の再建が必要である。内固定方法は前述したISスクリュー，TITSスクリュー，iliosacral plateやtransiliac plateなどのプレート固定，

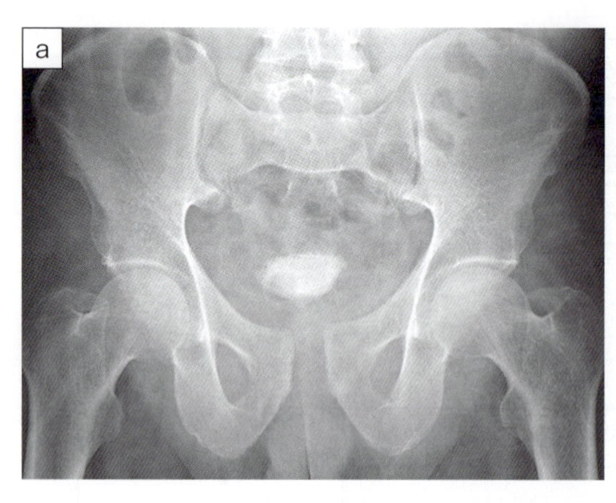

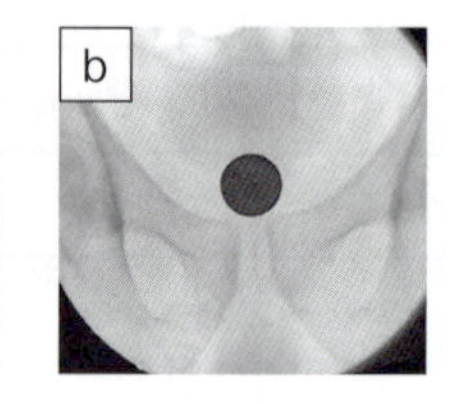

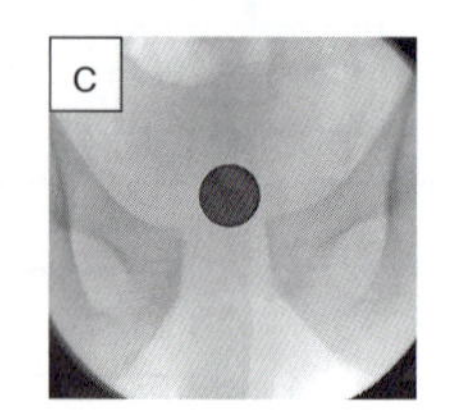

a：搬入時骨盤X線単純写真。恥骨結合の離開がみられる
b：軽度の不安定性と判断（コインの直径は2.5cm）
c：ストレス撮影で2.5cm以上の離開があり，中等度の不安定性と判断し創外固定を装着

図3-3-H-19　ストレス撮影による骨盤不安定性の評価

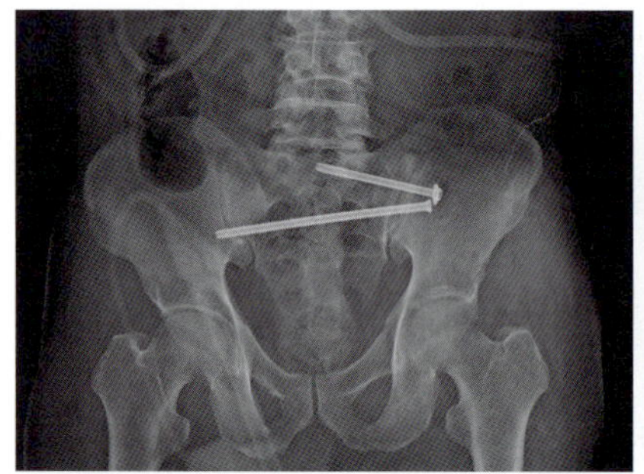

ISスクリュー＋TITS

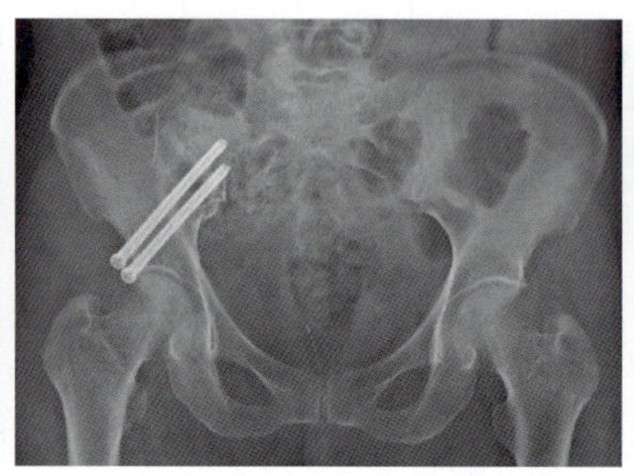

LC Ⅱスクリュー

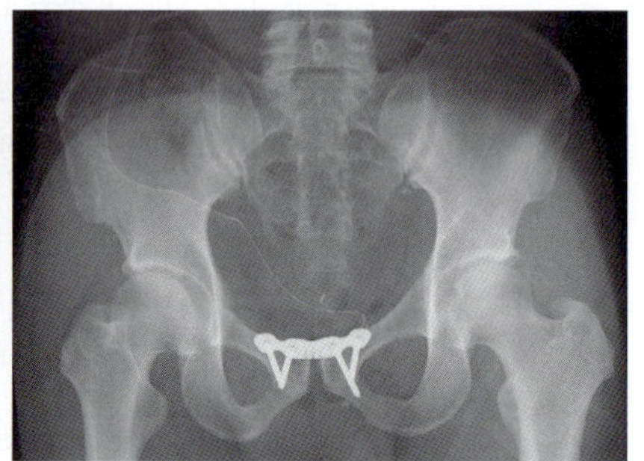

恥骨結合プレート

図3-3-H-20　部分不安定

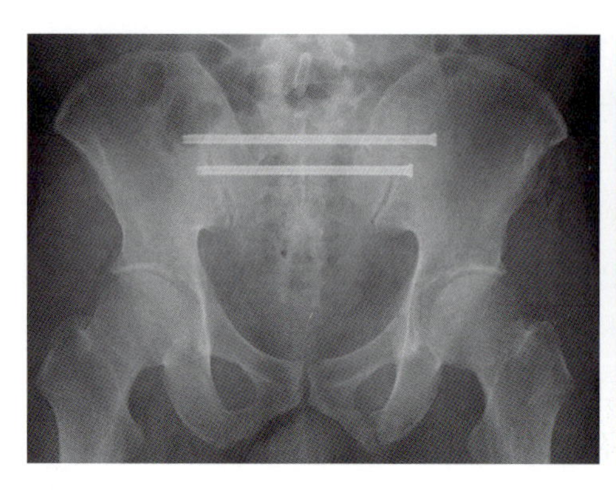

TITSスクリュー

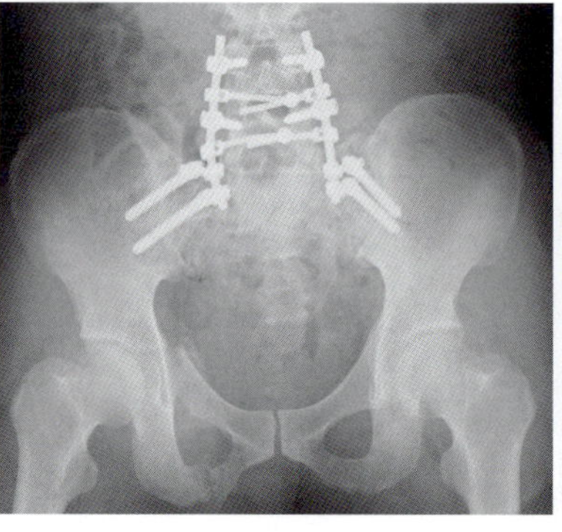

SPF

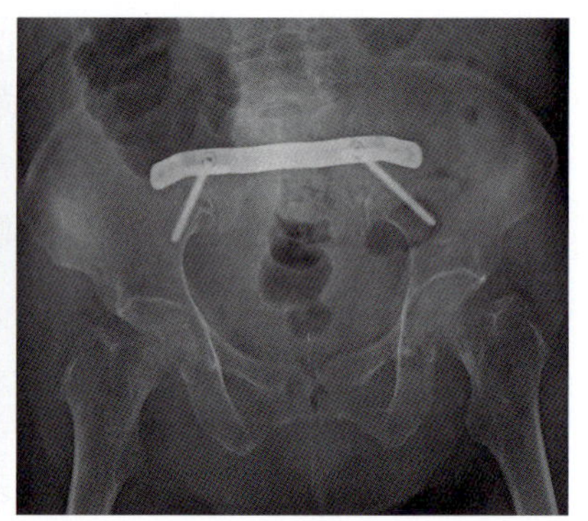

プレート

図3-3-H-21　完全不安定

脊椎インプラントを用いたSPF（spinopelvic fixation）がある（図3-3-H-21）。骨折部位，不安定性，軟部組織の状態，患者の全身状態などを含めて選択する。不適切な治療を受けた場合には，変形治癒や偽関節の問題を残す。骨折転位がある患者に保存的治療を行った場合に多く[51]，変形治癒の頻度は保存治療で30.3%，後方固定の手術治療では7%と述べられている[52]。また骨折転位を1cm以上残した場合にQOLが低下する例が増えるという報告もある[53]。

内固定の手術合併症として，術後の深部感染にはもっとも注意しなければならない。創外固定ピン刺入部の細菌の定着に起因する術後感染や，TAE後に有意に術後感染率が高いことが報告されているため[54]，創外固定ピンの刺入部位やTAEの適応については，後に施行される内固定への考慮が必要である。

救急外来での初療から機能再建までを考慮して適切な判断ができる整形外傷医がチーム医療に加わることで，患者の救命と機能再建および社会復帰に貢

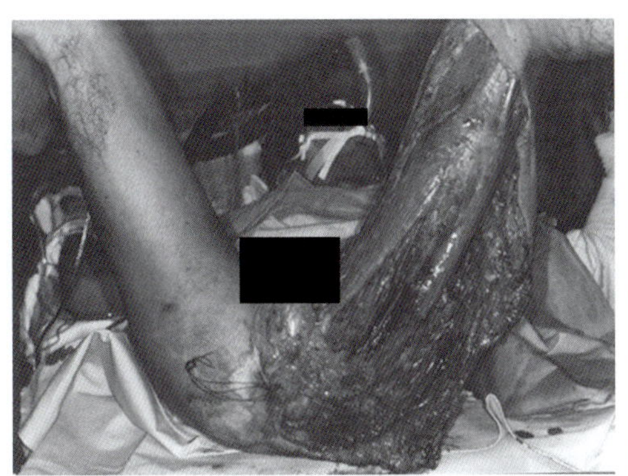

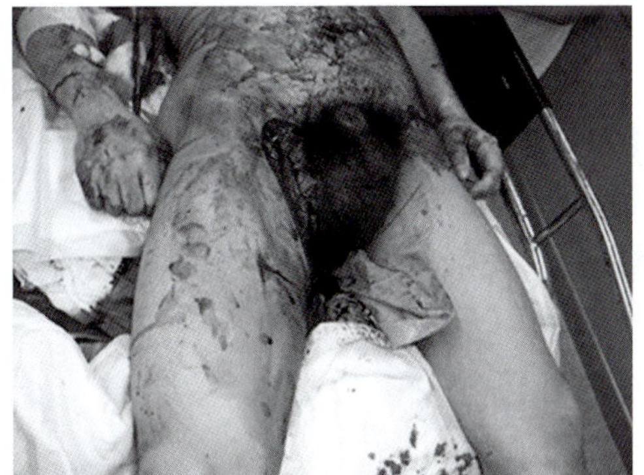

図3-3-H-22　開放骨盤輪骨折

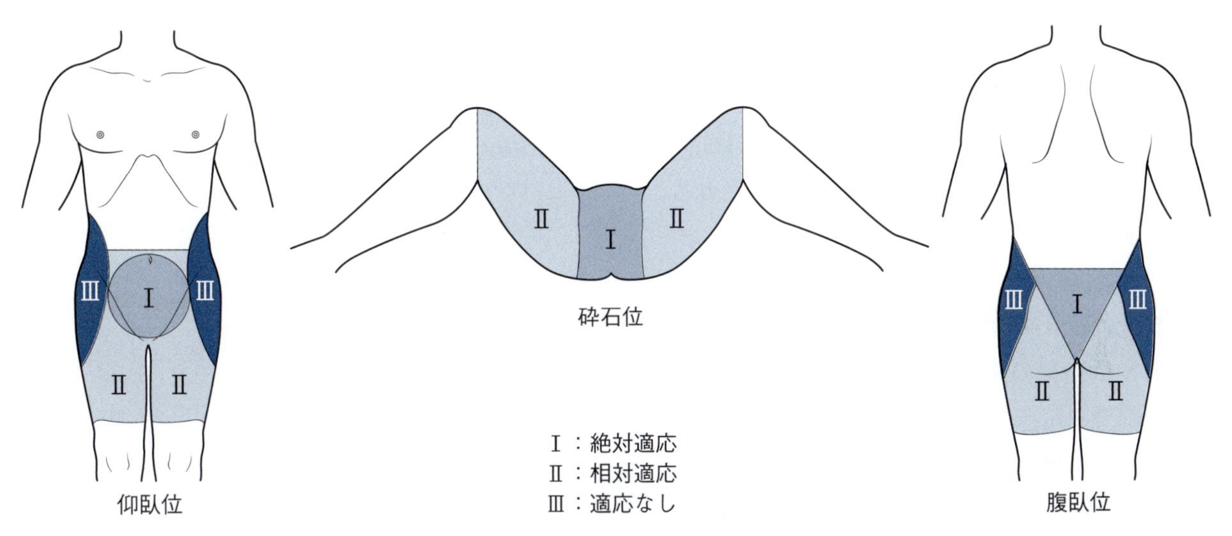

図3-3-H-23　開放創の局在部位による人工肛門造設適応の分類

献できるであろう。

5. 開放骨盤輪骨折

骨折部が皮膚，直腸，腟などの外界と交通しているものが開放骨盤輪骨折と定義され，全骨盤輪骨折の2～4％と比較的まれな外傷である[55]（図3-3-H-22）。感染や大量出血をきたすリスクならびに死亡率はいまだ高く，確立された治療戦略はない[3]。しかし，基本戦略は閉鎖骨盤輪骨折と共通であり，急性期の出血のコントロールと骨盤輪の安定化である。開放創に対しては頻回のデブリドマンによる感染の予防が重要である。

1）分　類

四肢開放骨折分類についてはGustilo-Anderson分類が汎用されているが，骨盤輪骨折に対する適用は難しく，いくつかの分類法が報告されている。

表3-3-H-1　Jones-Powell 分類

Class 1	安定型骨盤輪損傷
Class 2	不安定型骨盤輪損傷（直腸部や会陰部に開放創なし）
Class 3	不安定型骨盤輪損傷（直腸部や会陰部に開放創あり）

Faringerら[56]は開放創の局在部位により，人工肛門造設の適応からⅠ～Ⅲの3つに分類した（図3-3-H-23）。Jonesらは，多施設研究の結果をもとに骨盤輪骨折の不安定性と直腸損傷の有無により3つに分ける分類を発表した（表3-3-H-1）。不安定型骨盤輪骨折では会陰部や直腸部に開放創のあるタイプに死亡率がもっとも高く，とくに直腸損傷を伴うものには早期の人工肛門造設が必要とされている[57)58]。

2）診　断

開放創が骨盤周囲の診察上明らかな部位に存在す

れば診断は容易である。しかし，体表面から見えない直腸や腟に存在する場合，初診時に見逃されることが多い。会陰部に出血がみられるときはとくに，直腸診や女性では内診を積極的に行い，内壁の損傷の有無を確認するとともに，CT画像でこれら構造物周囲のガス像の存在にも注意すべきである。

3）治療戦略

(1) 止　血

閉鎖性骨盤輪骨折と異なる点は皮膚・軟部組織の破綻によりタンポナーデ効果が減弱しているため，開放創からおびただしい出血がみられることが多い。そのため止血には，初療室で開放創内にガーゼなどによるパッキングを行うとともに，患者に応じてTAE，後腹膜パッキング，REBOAが選択される。

(2) 初期固定

閉鎖性骨盤輪骨折では簡易固定法は有用であるが，開放骨盤輪骨折の場合，ベルト部分に開放創が被る場合や会陰部の開放創処置には不向きである。そのため創外固定法へのconversionを要するが，そのタイミングは施設や患者によって異なる。

(3) 感染予防

感染は予後不良のリスク因子である。そのため受傷後早期に抗菌薬の静脈内投与を行い，循環動態が安定した時点で，創内の洗浄とデブリドマンを行う。開放創の閉鎖，パッキングしたガーゼの除去時期，繰り返すデブリドマンの必要性については，全身状態，創の挫滅・汚染の程度，止血状態を判断しながら決定する。

直腸損傷合併例や開放創が会陰部に存在する例には，便汚染による感染リスクを下げるために早期に人工肛門を造設する。最終内固定を考慮して臍より頭側に作成することが望ましい[59)]。

ただし，人工肛門を造設しても感染を100％予防できるわけではない[60)]。

(4) 開放創の管理

重症例での創管理は，数日ごとにデブリドマンが必要となることもある。創治癒の促進と創管理の省力化の観点から，最近では陰圧閉鎖療法（NPWT）も使用される[61)]。創治癒のために積極的な栄養管理も重要である。最終的な創閉鎖は感染のコントロールを確認できた時点で，縫合または皮膚軟部組織移植術を行う。

(5) 骨折に対する根本治療

創治癒や感染制御の観点からも，骨折部の適切な固定は重要である。創外固定をそのまま根本治療とするか，内固定にconversionするかは，全身状態および軟部組織を含めた局所の状態を評価して決定する。

文　献

1) Costantini TW, Coimbra R, Holcomb JB, et al：AAST Pelvic Fracture Study Group：Current management of hemorrhage from severe pelvic fractures：Results of an American Association for the Surgery of Trauma multi-institutional trial. J Trauma Acute Care Surg 2016；80：717-723；discussion 723-735.
2) Koo H, Leveridge M, Thompson C, et al：Interobserver reliability of the Young-Burgess and Tile classification systems for fractures of the pelvic ring. J Orthop Trauma 2008；22：379-384.
3) Denis F, Davis S, Comfort T：Sacral fractures：An important problem：Retrospective analysis of 236 cases. Clin Orthop Relat Res 1998；227：67-81.
4) Vaccaro AR, Kim DH, Brodke DS, et al：Diagnosis and management of sacral spine fractures. Instr Course Lect 2004；53：375-385.
5) Roy-Camille R, Saillant G, Gagna G, et al：Transverse fracture of the upper sacrum：Suicidal jumper's fracture. Spine 1985；9：838-845.
6) Strange-Vognsen HH, Lebech A：An unusual type of fracture in the upper sacrum. J Orthop Trauma 1991；2：200-203.
7) 日本外傷学会：日本外傷学会臓器損傷分類2008. https://www.jast-hp.org/archive/sonsyoubunruilist.pdf（Accessed 2022-2-28）
8) Costantini TW, Coimbra R, Holcomb JB, et al：Pelvic fracture pattern predicts the need for hemorrhage control intervention-results of an AAST multi-institutional study. J Trauma Acute Care Surg 2017；6：1030-1038.
9) Abboud AE, Boudabbous S, Andereggen E, et al：Incidence rate and topography of intra-pelvic arterial lesions associated with high-energy blunt pelvic ring injuries：A retrospective cohort study. BMC Emerg Med 2021；21：75.
10) Swartz J, Vaidya R, Tonnos F, et al：Effect of pelvic binder placement on OTA classification of pelvic ring injuries using computed tomography：Does it mask the injury? J Orthop Trauma 2016；30：325-330.
11) Gibson PD, Adams MR, Koury KL, et al：Inadvertent reduction of symphyseal diastasis during computed to-

mography. J Orthop Trauma 2016；30：474-478.
12) Fagg JAC, Acharya MR, Chesser TJS, et al：The value of 'binder-off' imaging to identify occult and unexpected pelvic ring injuries. Injury 2018；49：284-289.
13) Sagi HC, Coniglione FM, Stanford JH：Examination under anesthetic for occult pelvic ring instability. J Orthop Trauma 2011；25：529-536.
14) Figler B, Hoffler CE, Reisman W, et al：Multi-disciplinary update on pelvic fracture associated bladder and urethral injuries. Injury 2012；43：1242-1249.
15) Shen C, Peng JP, Chen XD：Efficacy of treatment in peri-pelvic Morel-Lavallee lesion：A systematic review of the literature. Arch Orthop Trauma Surg 2013；133：635-640.
16) Huittinen VM, Slätis P：Postmortem angiography and dissection of the hypogastric artery in pelvic fractures. Surgery 1973；73：454-462.
17) Eastridge BJ, Starr A, Minei JP, et al：The importance of fracture pattern in guiding therapeutic decision-making in patients with hemorrhagic shock and pelvic ring disruptions. J Trauma 2002；53：446-450, disucussion 450-451.
18) Metz CM, Hak DJ, Goulet JA, et al：Pelvic fracture patterns and their corresponding angiographic sources of hemorrhage. Orthop Clin North Am 2004；35：431-437.
19) Cullinane DC, Schiller HJ, Zielinski MD, et al：Eastern Association for the Surgery of Trauma practice management guidelines for hemorrhage in pelvic fracture-update and systematic review. J Trauma 2011；71：1850-1868.
20) Grimm MR, Vrahas MS, Thomas KA：Pressure-volume characteristics of the intact and disrupted pelvic retroperitoneum. J Trauma 1998；44：454-459.
21) Frevert S, Dahl B, Lönn L：Update on the roles of angiography and embolisation in pelvic fracture. Injury 2008；39：1290-1294.
22) Tötterman A, Dormagen J, Madsen JE, et al：A protocol for angiographic embolization in exsanguinating pelvic trauma：A report on 31 patients. Acta Orthop 2006；77：462-468.
23) Velmahos GC, Toutouzas KG, Vassiliu A, et al：A prospective study on the safety and efficacy of angiographic embolization for pelvic and visceral injuries. J Trauma 2002；53：303-308.
24) Takahira N, Shindo M, Tanaka K, et al：Gluteal muscle necrosis following transcatheter angiographic embolization for retroperitoneal haemorrhage associated with pelvic fracture. Injury 2001；32：27-32.
25) Ramirez JI, Velmahos GC, Best CR, et al：Male sexual function after bilateral internal iliac artery embolization for pelvic fracture. J Trauma 2004；56：734-739；discussion 739-741.
26) Suzuki T, Kataoka Y, Minehara H, et al：Transcatheter arterial embolization for pelvic fractures may potentially cause a triad of sequela：Gluteal necrosis, rectal necrosis, and lower limb paresis. J Trauma 2008；65：1547-1550.
27) Hare WS, Holland CJ：Paresis following internal iliac artery embolization. Radiology 1983；146：47-51.
28) Tscherne H, Pohlemann T, Gänsslen A, et al：Crush injuries of the pelvis. Eur J Surg 2000；166：276-282.
29) Papakostidis C, Giannoudis PG：Pelvic ring injuries with haemodynamic instability：Efficacy of pelvic packing, a systematic review. Injury 2009；40 (Suppl 4)：S53-S61.
30) Li Q, Dong J, Yang Y, et al：Retroperitoneal packing or angioembolization for haemorrhage control of pelvic fractures：Quasi-randomized clinical trial of 56 haemodynamically unstable patients with Injury Severity Score ≥33. Injury 2016；47：395-401.
31) Hsu JM, Yadev S, Faraj S：Controlling hemorrhage in exsanguinating pelvic fractures：Utility of extraperitoneal pelvic packing as a damage control procedure. Int J Crit Illn Inj Sci 2016；6：148-152.
32) Bugaev N, Rattan R, Goodman M, et al：Preperitoneal packing for pelvic fracture-associated hemorrhage：A systematic review, meta-analysis, and practice management guideline from the Eastern Association for the Surgery of Trauma. Am J Surg 2020；220：873-888.
33) White CE, Hsu JR, Holcomb JB：Haemodynamically unstable pelvic fractures. Injury 2009；40：1023-1030.
34) Burlew CC：Preperitoneal pelvic packing for exsanguinating pelvic fractures. Int Orthop 2017；41：1825-1829.
35) Saito N, Matsumoto H, Yagi T, et al：Evaluation of the safety and feasibility of resuscitative endovascular balloon occlusion of the aorta. J Trauma Acute Care Surg 2015；78：897-903.
36) Ghanayem AJ, Wilber JH, Lieberman JM, et al：The effect of laparotomy and external fixator stabilization on pelvic volume in an unstable pelvic injury. J Trauma 1995；38：396-400；discussion 400-401.
37) Baqué P, Trojani C, Delotte J, et al：Anatomical consequences of "open-book" pelvic ring disruption：A cadaver experimental study. Surg Radiol Anat 2005；27：487-490.
38) Prasarn ML, Horodyski M, Conrad B, et al：Comparison of external fixation versus the trauma pelvic orthotic device on unstable pelvic injuries：A cadaveric study of stability. J Trauma Acute Care Surg 2012；

6：1671-1675.
39) Spahn DR, Bouillon B, Cerny V, et al：The European guideline on management of major bleeding and coagulopathy following trauma：Fifth edition. Crit Care 2019；23：98.
40) Spanjersberg WR, Knops SP, Schep NW, et al：Effectiveness and complications of pelvic circumferential compression devices in patients with unstable pelvic fractures：A systematic review of literature. Injury 2009；40：1031-1035.
41) Knops SP, Van Lieshout EM, Spanjersberg WR, et al：Randomised clinical trial comparing pressure characteristics of pelvic circumferential compression devices in healthy volunteers. Injury 2011；42：1020-1026.
42) Suzuki T, Kurozumi T, Watanabe Y, et al：Potentially serious adverse effects from application of a circumferential compression device for pelvic fracture：A report of three cases. Trauma Case Rep 2020；26：100292.
43) Rajab TK, Weaver MJ, Havens JM：Videos in clinical medicine：Technique for temporary pelvic stabilization after trauma. N Engl J Med 2013；17：e22.
44) Poenaru DV, Popescu M, Anglitoiu B, et al：Emergency pelvic stabilization in patients with pelvic posttraumatic instability. Int Orthop 2015；39：961-965.
45) Stahel PF, Mauffrey C, Smith WR, et al：External fixation for acute pelvic ring injuries：Decision making and technical options. J Trauma Acute Care Surg 2013；75：882-887.
46) Rommens PM, Hessmann MH：Staged reconstruction of pelvic ring disruption：Differences in morbidity, mortality, radiologic results, and functional outcomes between B1, B2/B3, and C-type lesions. J Orthop Trauma 2002；16：92-98.
47) Eastridge BJ, Starr A, Minei JP, et al：The importance of fracture pattern in guiding therapeutic decision-making in patients with hemorrhagic shock and pelvic ring disruptions. J Trauma 2002；53：446-450；discussion 450-451.
48) Katsura M, Yamazaki S, Fukuma S, et al：Comparision between laparotomy first versus angiographic embolization first in patients with pelvic fracture and hemoperitoneum：A nationwide observational study from the Japan Trauma Data Bank. Stand J Trauma Resusc Emerg Med 2013；21：82.
49) Vallier HA, Cureton BA, Ekstein C, et al：Early definitive stabilization of unstable pelvis and acetabulum fractures reduces morbidity. J Trauma 2010；69：677-684.
50) Pape HC, Pfeifer R：Safe definitive orthopaedic surgery (SDS)：Repeated assessment for tapered application of early definitive care and damage control? An inclusive view of recent advances in polytrauma management. Injury 2015；46：1-3.
51) Tripathy SK, Goyal T, Sen RK：Nonunions and malunions of the pelvis. Eur J Trauma Emerg Surg 2015；41：335-342.
52) Papakostidis C, Kanakaris NK, Kontakis G, et al：Pelvic ring disruptions：Treatment modalities and analysis of outcomes. Int Orthop 2009；33：329-338.
53) Verma V, Sen RK, Tripathy SK, et al：Factors affecting quality of life after pelvic fracture. J Clin Orthop Trauma 2020；11：1016-1024.
54) Manson TT, Perdue PW, Pollak AN, et al：Embolization of pelvic arterial injury is a risk factor for deep infection after acetabular fracture surgery. J Orthop Trauma 2013；27：11-15.
55) Grotz MR, Allami MK, Harwood P, et al：Open pelvic fractures：Epidemiology, current concepts of management and outcome. Injury 2005；36：1-13.
56) Faringer PD, Mullins RJ, Feliciano PD, et al：Selective fecal diversion in complex open pelvic fractures from blunt trauma. Arch Surg 1994；129：958-963；discussion 963-964.
57) Jones AL, Powell JN, Kellam JF, et al：Open pelvic fractures：A multicenter retrospective analysis. Orthop Clin North Am 1997；28：345-350.
58) Cannada LK, Taylor RM, Reddix R, et al：The Jones-Powell Classification of open pelvic fractures：A multicenter study evaluating mortality rates. J Trauma Acute Care Surg 2013；74：901-906.
59) Arvieux C, Thony F, Broux C, et al：Current management of severe pelvic and perineal trauma. J Visc Surg 2012；4：e227-e238.
60) Lunsjo K, Abu-Zidan FM：Does colostomy prevent infection in open blunt pelvic fractures? A systematic review. J Trauma 2006；60：1145-1148.
61) Labler L, Trentz O：The use of vacuum assisted closure (VAC) in soft tissue injuries after high energy pelvic trauma. Langenbecks Arch Surg 2007；392：601-609.

I　脊椎・脊髄外傷

要　約

1. 脊髄損傷の診断・評価は，治療の方針決定や効果の判定に不可欠であり，共通の評価法を用いて経時的に行うことが重要である。
2. 脊椎・脊髄損傷急性期の治療戦略は，適切な呼吸・循環管理と早期の神経除圧・脊椎固定が主体となる。
3. spine damage control の概念導入により早期からの体位変換，起坐位獲得，離床が可能となり，生命予後・機能予後の改善が期待される。

はじめに

脊髄・脊椎損傷は，上下肢機能の全廃または永続的な神経学的後遺症をもたらすおそれがあり，生命の危険にもかかわる。そのため，すべての外傷患者は，本損傷の存在を念頭に初期診療を行い，早期診断に努める必要がある。急性期の治療や管理は，患者の予後に大きな影響を与えるため，全身状態を評価したうえで，いち早く的確な治療方針を立てることが重要である。

急性期以降は，整形外科，泌尿器科，精神科，リハビリテーション科など複数の診療科の医師や，看護師，理学療法士・作業療法士，ケースワーカー，臨床心理士といった多くの関連職種の協力が不可欠で，初期診療から手術，リハビリテーション，社会復帰に至る切れ目のない医療を提供できる診療体制が望まれる[1]。

I　診　断

1. X線撮影による評価

意識清明・症状もしくは神経所見がない，かつ階段転落，バイク事故，高所転落の受傷機転でない患者に対しては頸椎CT検査による評価は必要なく，頸椎の外固定も除去してよいとされている[2]。3条件が満たされていない上記の患者においては，CT検査を行うことを推奨している。CTが撮影できない場合には3方向（正面，側面，開口位）の単純X線撮影を行う（推奨レベルⅠ）[3]。

2. 脊髄損傷の機能評価

脊髄損傷の診断・評価は，治療の方針決定や効果の判定に不可欠であり，厳密な神経学的診察を経時的に行うことが重要である。加えて，患者の症状を多施設間で横断的に比較するためには，共通の評価法が必要である。現在，世界でもっとも広く使用されている評価法は，米国脊髄損傷協会（American Spinal Injury Association；ASIA）の評価基準である。ASIAは，web上で脊髄損傷分類の国際基準International Standards for Neurological Classification of Spinal Cord Injury（ISNCSCI）を公開しており，2019年改訂版ワークシート日本語版（図3-3-I-1）を自由にダウンロードすることができる[4]。

3. 脊椎損傷の分類

1）上位頸椎損傷

環椎骨折はGehweiler分類[5]（図3-3-I-2），歯突起骨折はAnderson分類[6]（図3-3-I-3），軸椎関節突起間骨折（Hangman's fracture）はLevine分類[7]（図3-3-I-4）が代表的分類である。骨折を伴わない靱帯損傷によるpure dislocationには，環椎後頭関節脱臼，環軸関節脱臼（前方，後方，側方，垂直，回旋）があるが，ほとんどの患者が骨折を伴う複合損傷である。

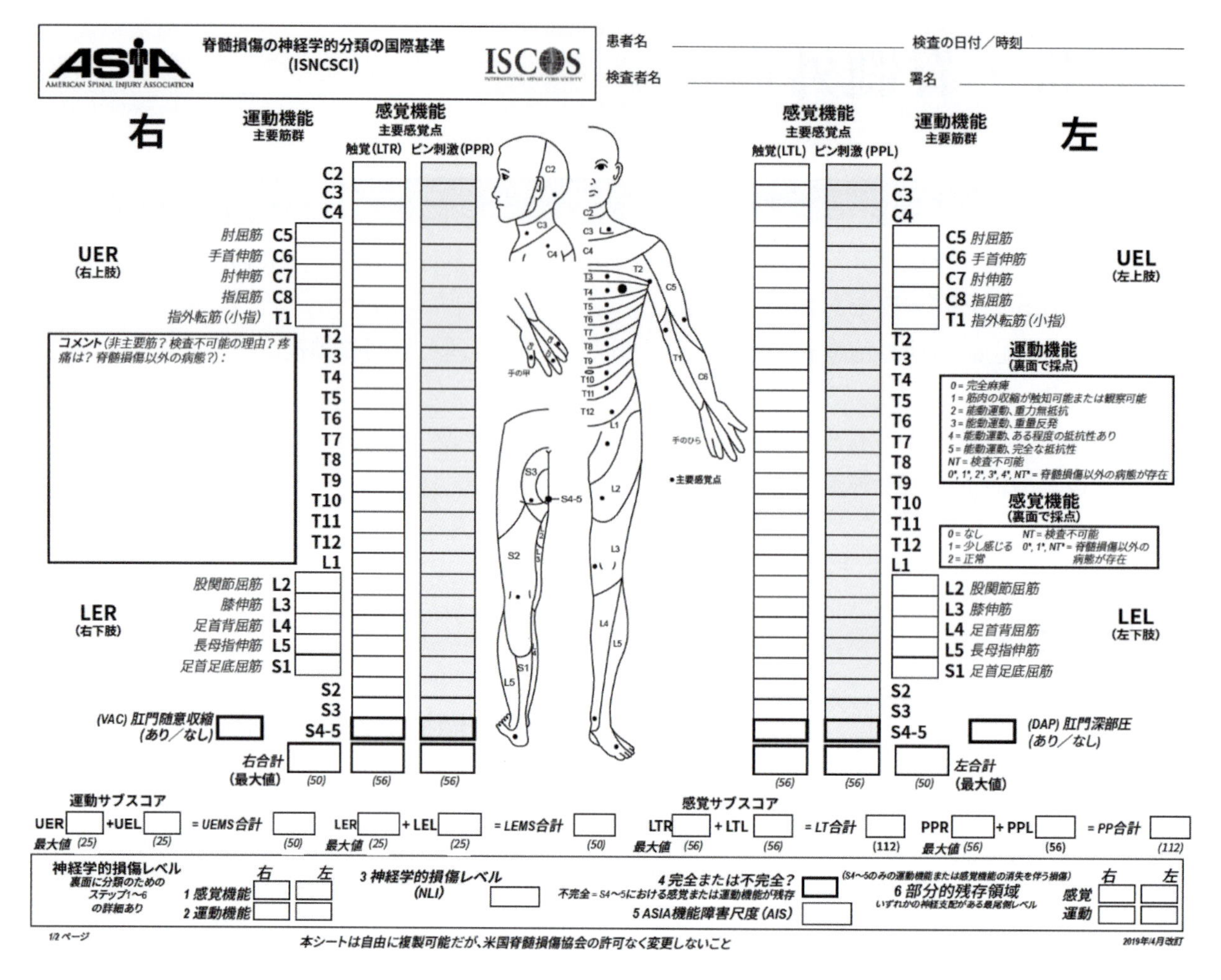

ASIA AMERICAN SPINAL INJURY ASSOCIATION
脊髄損傷の神経学的分類の国際基準
(ISNCSCI)
ISCoS INTERNATIONAL SPINAL CORD SOCIETY

患者名　　　　　　検査の日付／時刻
検査者名　　　　　署名

右
運動機能
主要筋群
感覚機能
主要感覚点
触覚(LTR)　ピン刺激(PPR)

C2
C3
C4
UER
(右上肢)
肘屈筋 C5
手首伸筋 C6
肘伸筋 C7
指屈筋 C8
指外転筋(小指) T1
コメント(非主要筋？検査不可能の理由？疼痛は？脊髄損傷以外の病態?):
T2
T3
T4
T5
T6
T7
T8
T9
T10
T11
T12
L1
LER
(右下肢)
股関節屈筋 L2
膝伸筋 L3
足首背屈筋 L4
長母指伸筋 L5
足首足底屈筋 S1
S2
S3
S4-5
(VAC) 肛門随意収縮
(あり／なし)
右合計
(最大値)　(50)　(56)　(56)

手の甲
手のひら
●主要感覚点

左
感覚機能
主要感覚点
触覚(LTL)　ピン刺激(PPL)
運動機能
主要筋群

C2
C3
C4
C5 肘屈筋
C6 手首伸筋
C7 肘伸筋
C8 指屈筋
T1 指外転筋(小指)
UEL
(左上肢)
T2
T3
T4
T5
T6
T7
T8
T9
T10
T11
T12
L1
L2 股関節屈筋
L3 膝伸筋
L4 足首背屈筋
L5 長母指伸筋
S1 足首足底屈筋
LEL
(左下肢)
S2
S3
S4-5
(DAP) 肛門深部圧
(あり／なし)
(56)　(56)　(50)
左合計
(最大値)

運動機能
(裏面で採点)
0＝完全麻痺
1＝筋肉の収縮が触知可能または観察可能
2＝能動運動、重力無抵抗
3＝能動運動、重量反発
4＝能動運動、ある程度の抵抗性あり
5＝能動運動、完全な抵抗性
NT＝検査不可能
0*, 1*, 2*, 3*, 4*, NT*＝脊髄損傷以外の病態が存在

感覚機能
(裏面で採点)
0＝なし　NT＝検査不可能
1＝少し感じる　0*, 1*, NT*＝脊髄損傷以外の病態が存在
2＝正常

運動サブスコア
UER ＋UEL ＝UEMS合計　LER ＋LEL ＝LEMS合計
最大値 (25)　(25)　(50)　最大値 (25)　(25)　(50)

感覚サブスコア
LTR ＋LTL ＝LT合計　PPR ＋PPL ＝PP合計
最大値 (56)　(56)　(112)　最大値 (56)　(56)　(112)

神経学的損傷レベル
裏面に分類のためのステップ1～6の詳細あり
右　左
1 感覚機能
2 運動機能
3 神経学的損傷レベル
(NLI)
4 完全または不完全？
不完全＝S4～5における感覚または運動機能が残存
5 ASIA機能障害尺度(AIS)
(S4～5のみの運動機能または感覚機能の消失を伴う損傷)
6 部分的残存領域
いずれかの神経支配がある最尾側レベル
右　左
感覚
運動

1/2 ページ
本シートは自由に複製可能だが、米国脊髄損傷協会の許可なく変更しないこと
2019年4月改訂

図3-3-I-1　脊髄損傷の神経学的分類の国際基準ワークシート

〔文献4)より引用〕

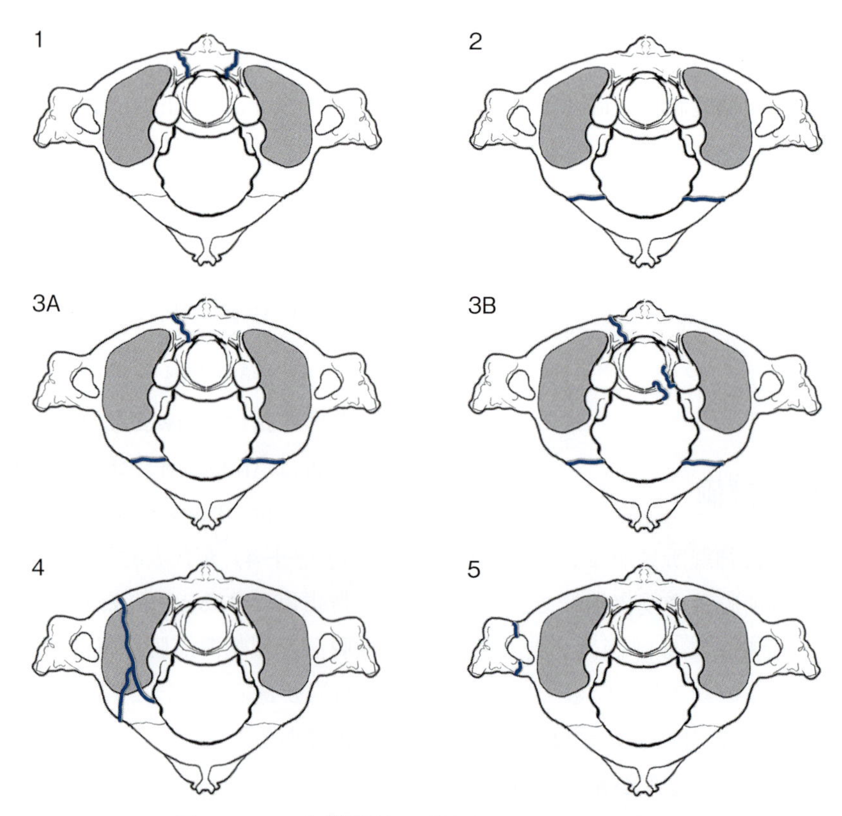

図3-3-I-2　環椎骨折の分類（Gehweiler分類）

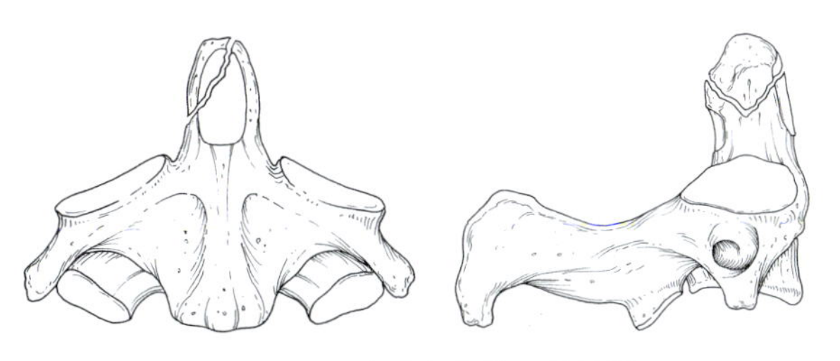

Type Ⅰ：歯突起先端の斜骨折

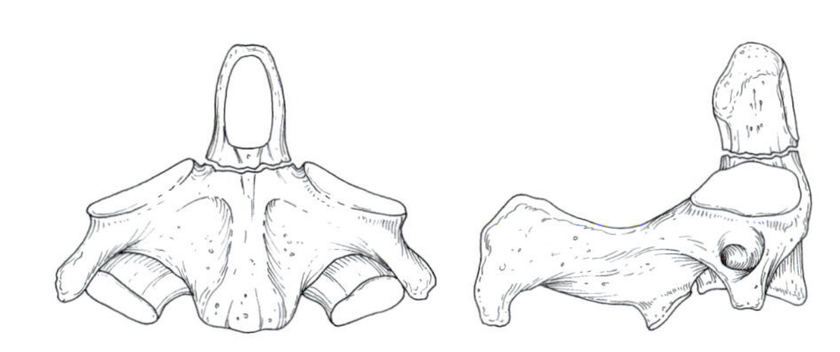

Type Ⅱ：歯突起基部の骨折

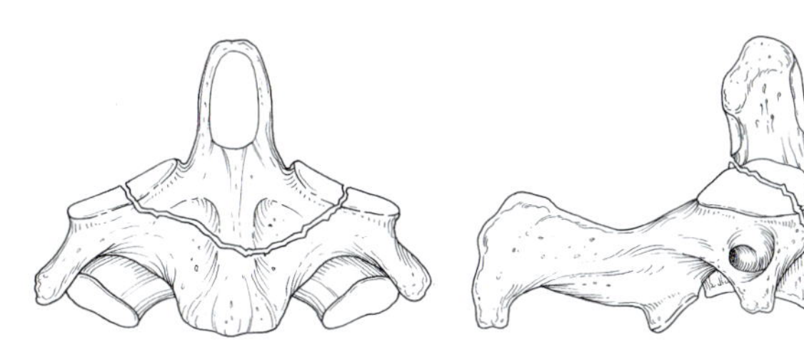

Type Ⅲ：椎体部分での骨折

図3-3-Ⅰ-3　歯突起骨折の分類（Anderson分類）

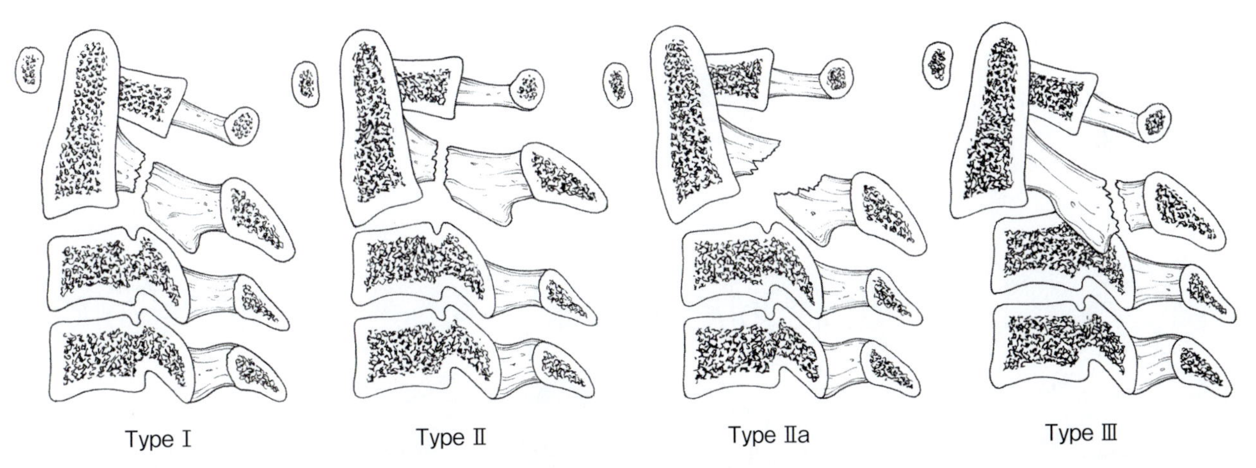

Type Ⅰ：転位＜3mm 角状変形なし，Type Ⅱ：転位＞3mm 角状変形＜10°，
Type Ⅱa：転位は小さいがC2/3の椎間板損傷あり 角状変形＞10°，Type Ⅲ：Type Ⅱ＋両側C2/3椎間関節脱臼

図3-3-Ⅰ-4　軸椎関節突起間骨折の分類　（Levine分類）

2）中下位頚椎損傷

(1) 前方脱臼と椎体骨折

中下位頚椎損傷（C3～C7）ではAllen分類[8]が従来一般的であったが，2007年にSLIC scoring system[9]がVaccaroらによって発表され，治療に直結した分類であるとして2013年のガイドラインではレベルⅠの推奨を得ている[3]（表3-3-Ⅰ-1）。2016年にはSLICをさらに発展させた新AO分類[10]（図3-3-Ⅰ-5）が発表されており，より優れた分類と評価されている。

(2) 骨傷のない脊髄損傷

脊椎損傷の分類ではないが，非骨傷性脊髄損傷と呼ばれる損傷がある。頚椎症や後縦靱帯骨化症などによる脊柱管狭窄を基盤に発症するものであり，わが国では骨折や脱臼に伴う頚髄損傷よりも多くみられ，高齢者が軽微な外傷で発症する特徴があり，英語ではspinal cord injury without bony lesionやspinal cord injury without radiologic evidence of trauma（SCIWORET）などと表記される。ここで，非骨傷性とは，前方脱臼や椎体骨折がないことを意味しており，椎体前縁の剥離骨折（chip fracture）や棘突起骨折など脊柱管に影響が及んでいない骨折のみを伴う場合も非骨傷性頚髄損傷の範疇に含まれる[1]。また，頚椎に外力が加わった直後から麻痺が出現するものであり，脊髄症の急性増悪例は除外される[1]。

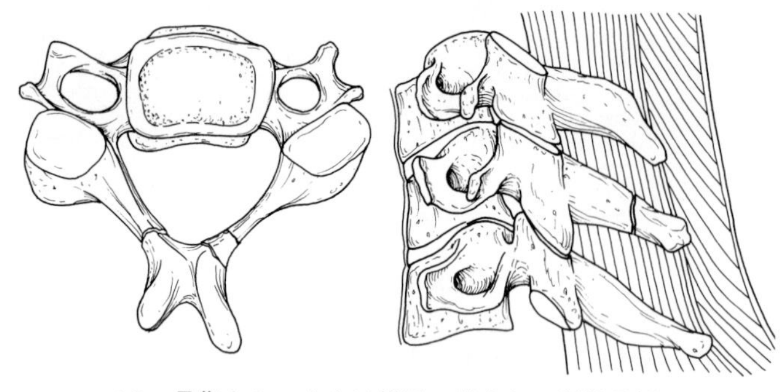

A0：骨傷なし，または椎弓・棘突起の単独骨折
（骨傷のない中心性脊髄損傷も含む）

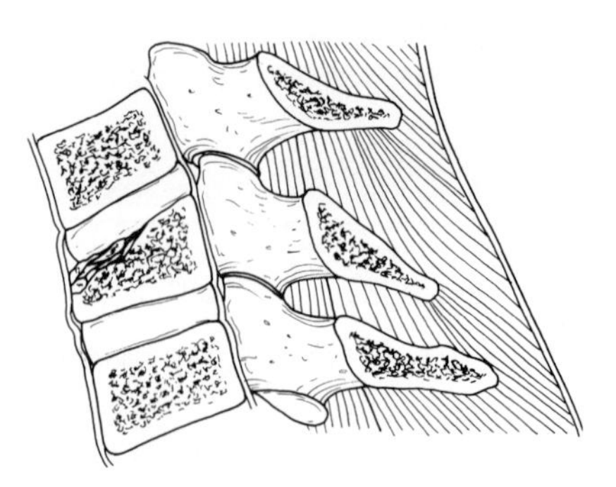

A1：片側の終板損傷を伴う圧迫骨折

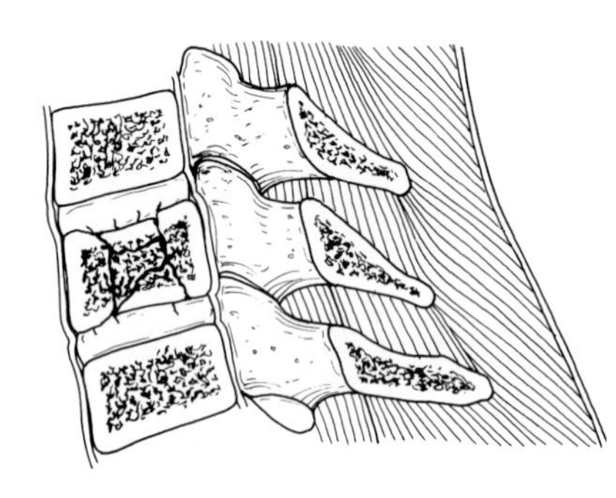

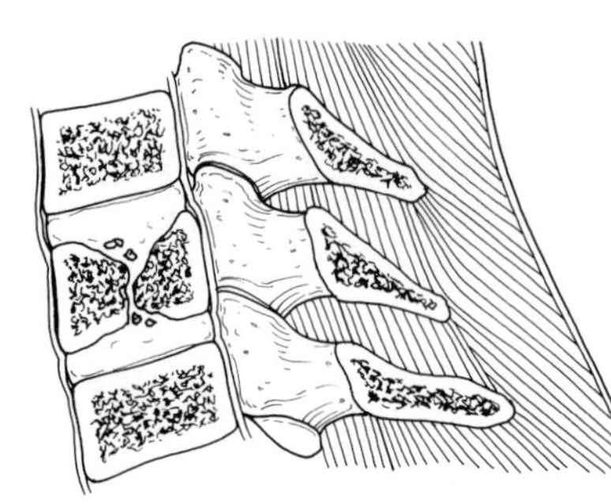

A2：スプリット，またはピンサータイプの圧迫骨折で，両側の終板損傷を含む

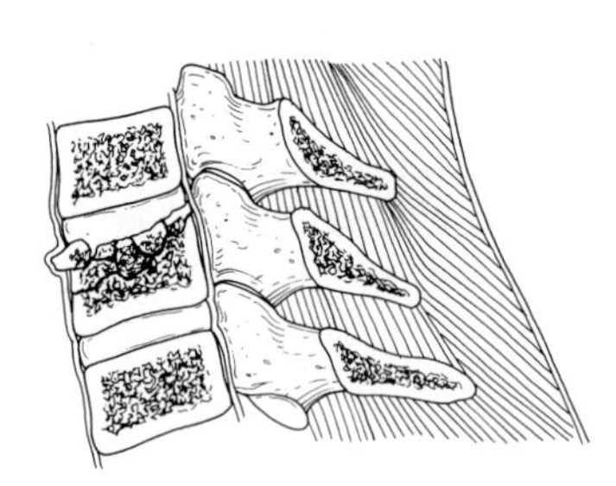

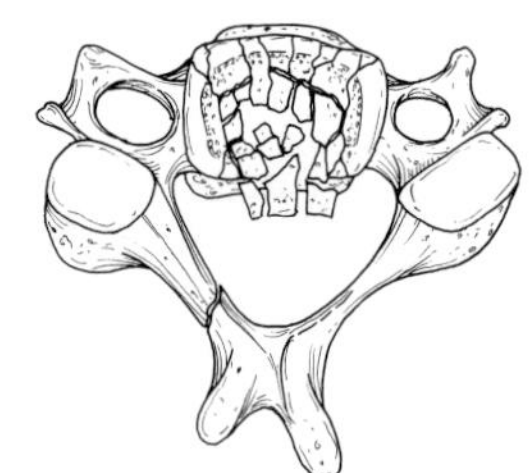

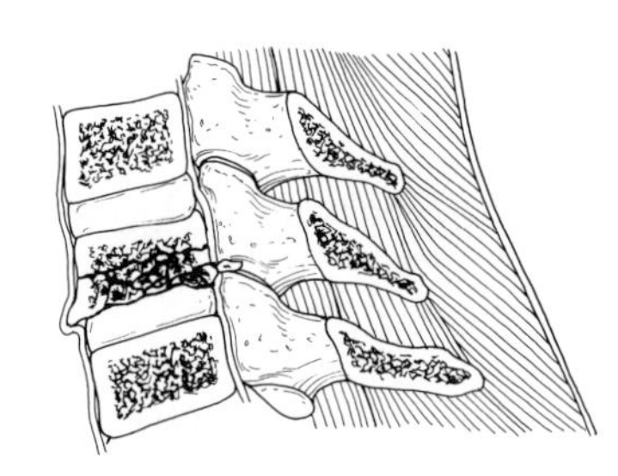

A3：片側の終板損傷を含む破裂骨折

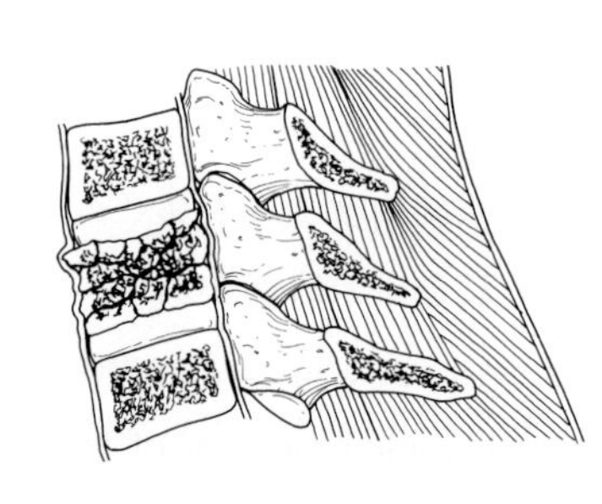

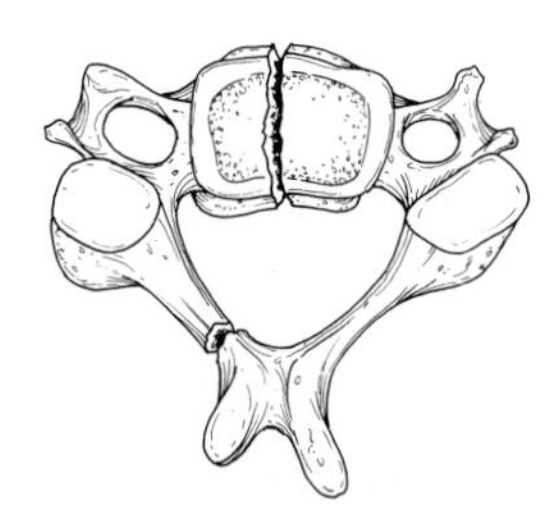

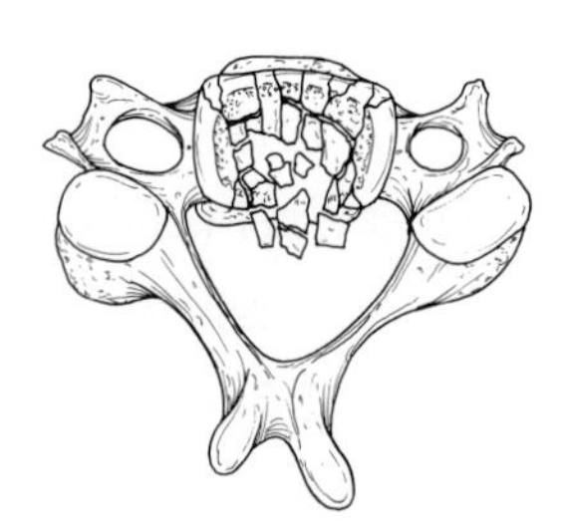

A4：両側の終板損傷を含む破裂骨折，または矢状面分割骨折

図3-3-I-5（1）　**中下位頸椎損傷の分類（新AO分類）**

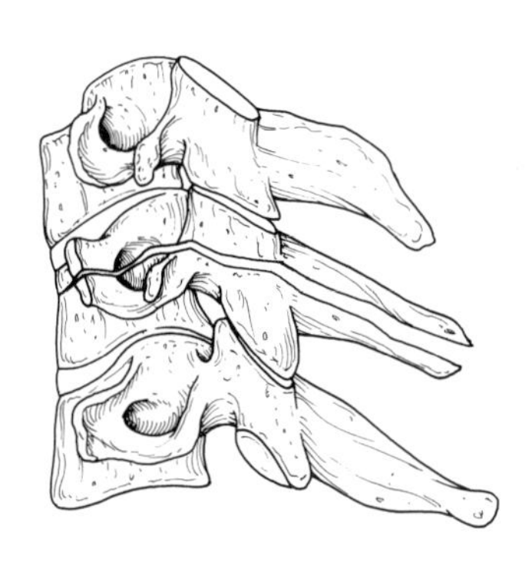
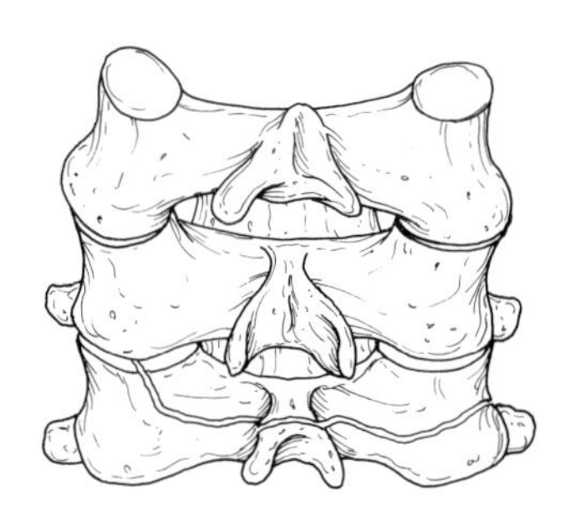

B1：骨性の後方tension band損傷

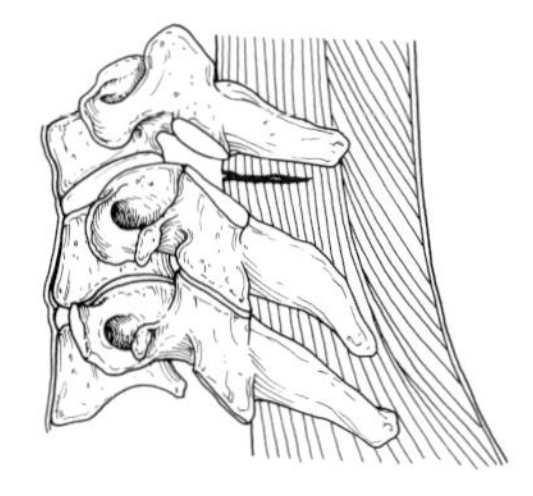
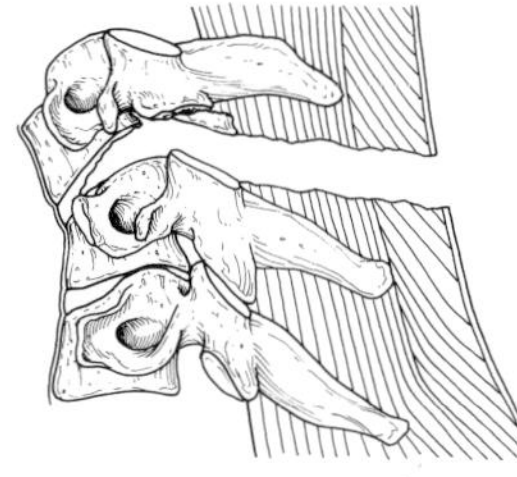
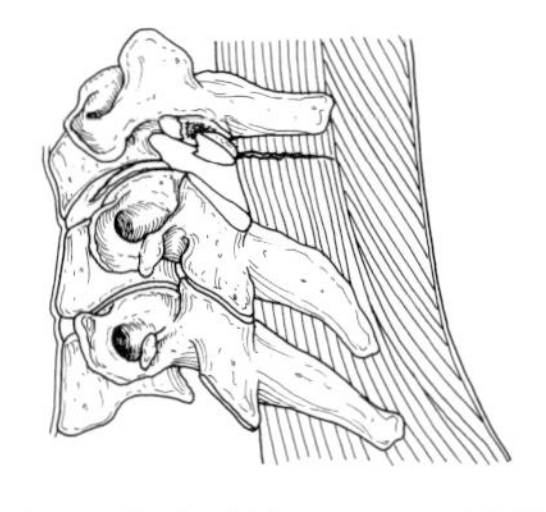
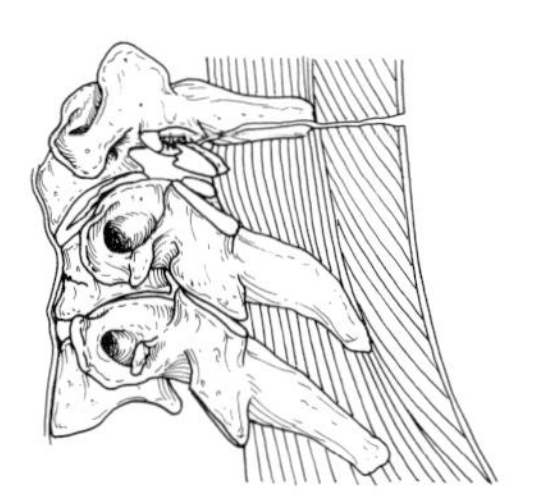

B2：後方靱帯構造（骨性も含む）の完全破綻，または解離

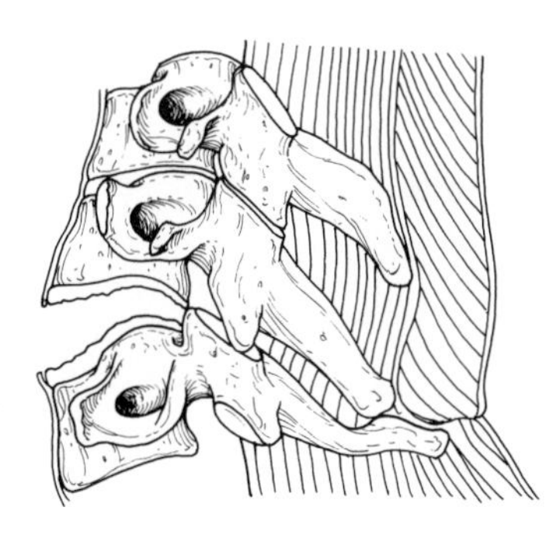
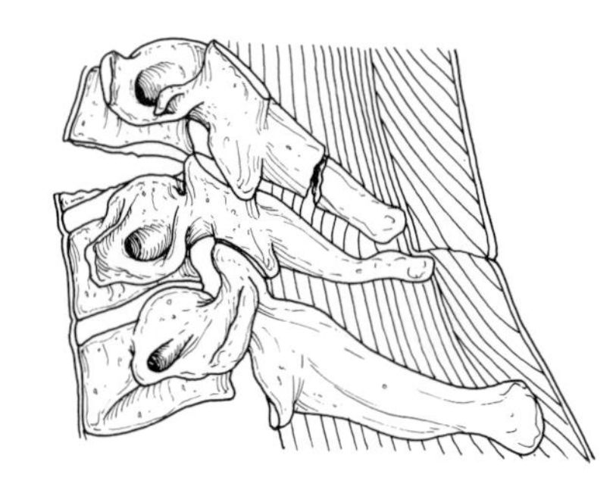
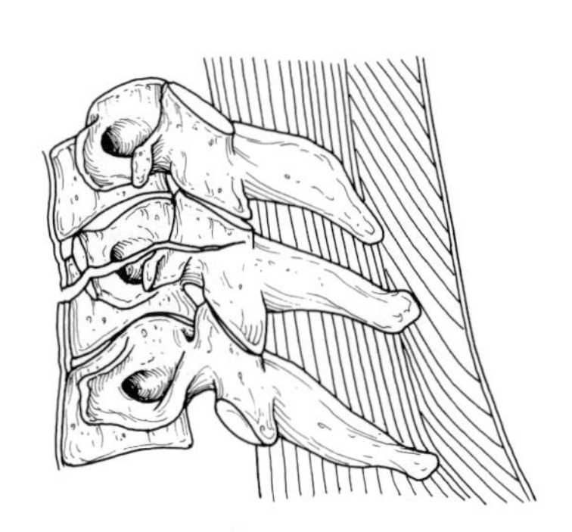

B3：前方tension band損傷

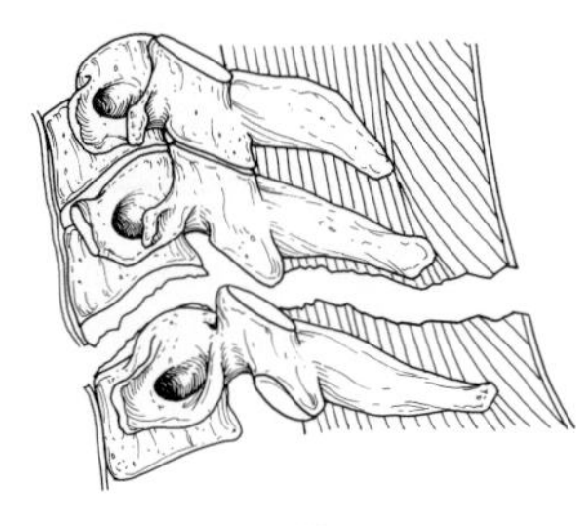
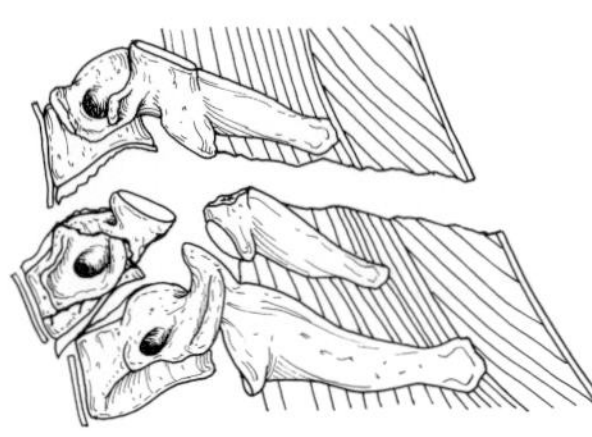
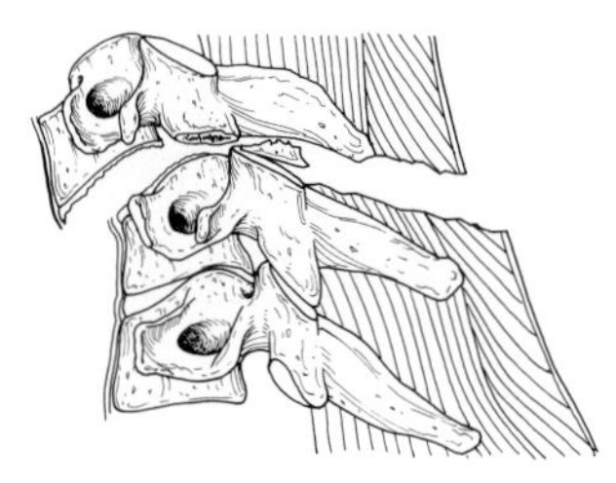
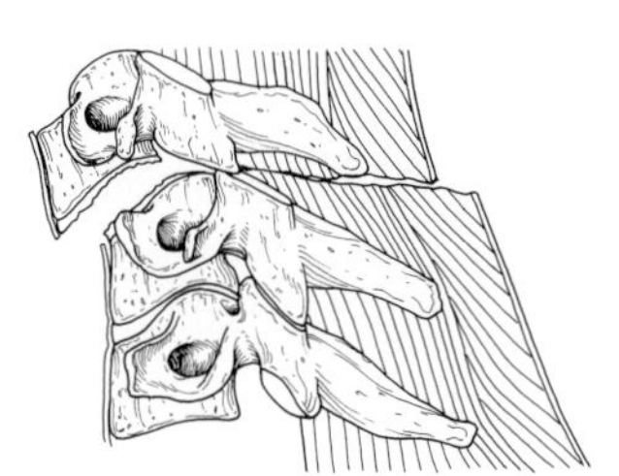
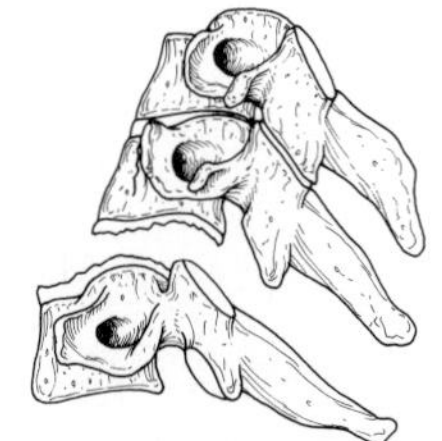
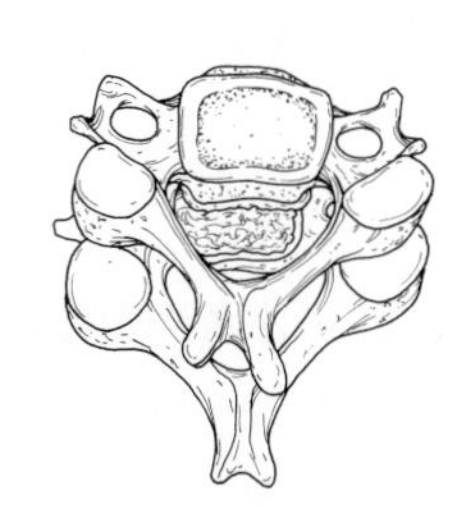

C：脱臼骨折

図3-3-I-5（2） **中下位頸椎損傷の分類（新AO分類）**

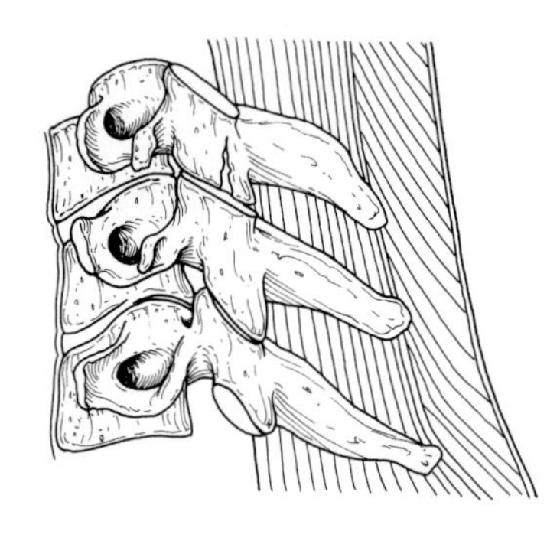

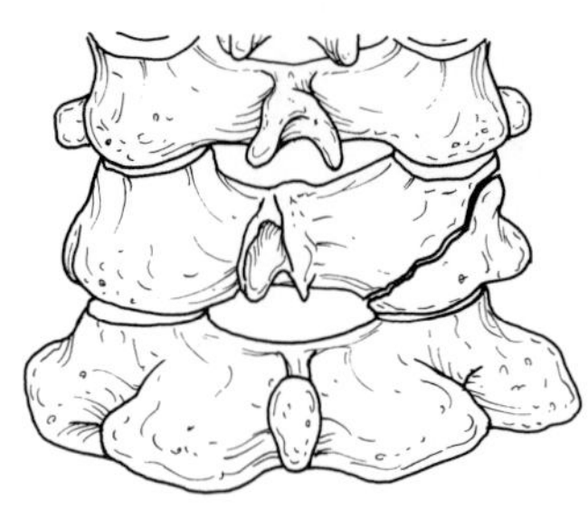

F1：転位のない椎間関節の骨折

F2：不安定性が潜在する椎間関節骨折
骨片>1cm 外側塊の>40%を含む，または転位あり

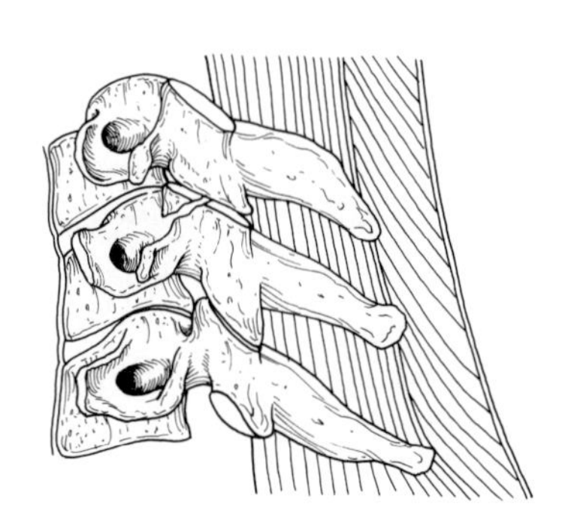

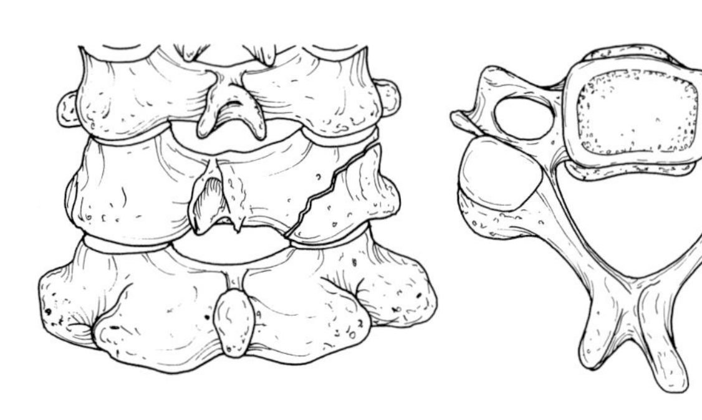

F3：floating外側塊

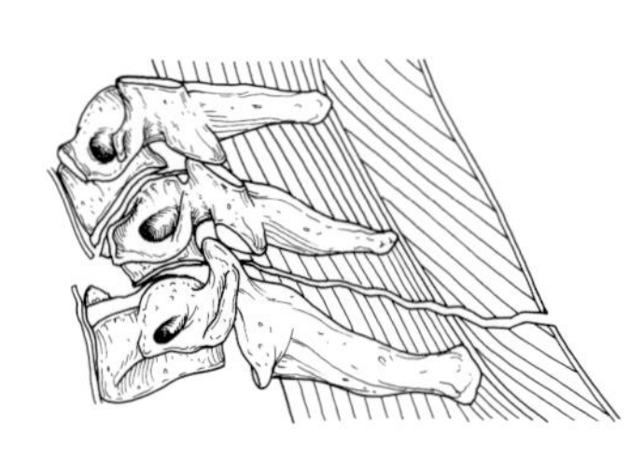

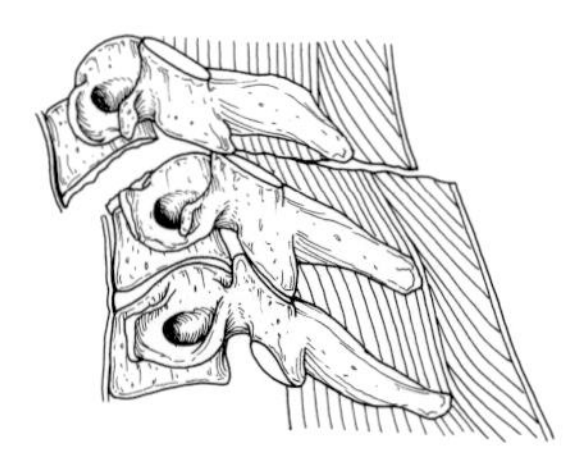

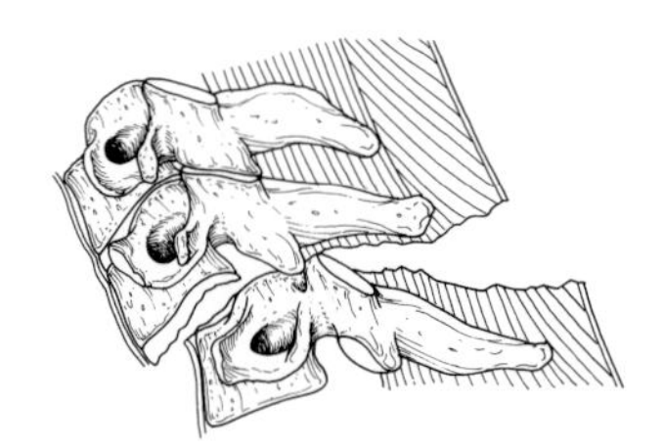

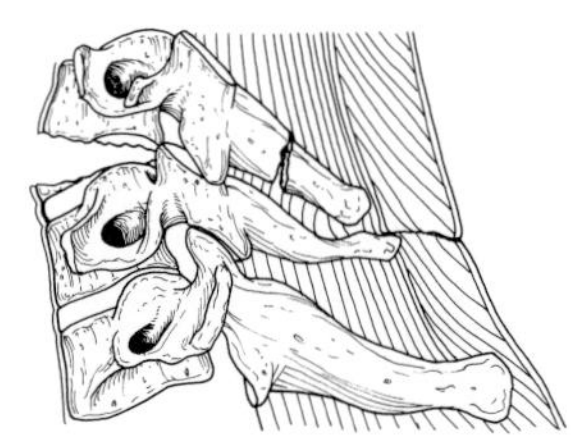

F4：亜脱臼，またはperched facet

図3-3-I-5（3）　**中下位頸椎損傷の分類（新AO分類）**

特殊な例として，小児では画像上異常がない脊髄損傷（spinal cord injury without radiographic abnormality；SCIWORA）を生じることがあり，柔軟な軟部組織の影響で，大きな外力を受けた際に骨折や脱臼を伴わず脊髄損傷が生じる。高齢者の非骨傷性頸髄損傷と異なり脊柱管狭窄ではないので，好発年齢，受傷機転，画像所見が異なる病態である。

また，中心性頸髄損傷（central spinal cord injury）と非骨傷性頸髄損傷は用語上しばしば混同されるが，中心性頸髄損傷は，上肢の麻痺が重篤で下肢の麻痺が軽症の不全麻痺の形態を意味するのに対し，非骨傷性頸髄損傷の麻痺形態は完全麻痺から不全麻痺までさまざまであり，明らかに両者は異なることに注意を要する。

表3-3-I-1　SLIC scoring system

①損傷形態	
正常	0
圧迫骨折	1
破裂	2
伸延損傷（例：facet perch，過伸展損傷）	3
回旋または変形損傷（例：椎間関節脱臼，不安定型tear drop，高度屈曲圧迫損傷）	4
②複合靱帯椎間板損傷	
損傷なし	0
明確ではないが損傷の可能性あり（例：棘突起間の開大，MRIでの信号変化のみ）	1
損傷あり（例：前方椎間板腔の開大，facet perch，椎間関節脱臼）	2
③神経学的な状態	
正常	0
神経根損傷	1
完全脊髄損傷	2
不完全脊髄損傷	3
持続する脊髄圧迫	+1

3つのカテゴリーの点数の合計で治療方針を決定
①+②+③=0〜3点：保存，4点：保存または手術，5点以上：手術

3）胸・腰椎損傷

胸・腰椎損傷では，three column theoryに基づいたDenis分類[11]，損傷形態と外力から包括的に分類したMagerl（AO）分類[12]，破裂骨折の定量的分類法である荷重分担分類[13]などが頻用される。最近では，VaccaroらがAO分類を改訂し，よりシンプルかつ神経症状をgradingした新AO分類[14]（図3-3-I-6）を発表した。さらに骨折形態，麻痺，後方靱帯損傷に応じた治療アルゴリズムを提唱し，臨床の現場で応用されてきている[15]（表3-3-I-2）。

表3-3-I-2　Thoracolumbar AOSpine injury score (TLAOSIS)

①骨折形態	
Type A	
A0	0
A1	1
A2	2
A3	3
A4	5
Type B	
B1	5
B2	6
B3	7
Type C	8
②神経学的な状態	
N0：無損傷	0
N1：一時的神経脱落	1
N2：神経根損傷	2
N3：不完全脊髄損傷，馬尾損傷	4
N4：完全脊髄損傷（ASIA：A）	4
NX：検査不能	3
③患者の特異的な修飾因子	
M1：後方靱帯損傷が不明瞭なType A骨折	1
M2：強直性脊椎炎，多発外傷など	0

3つのカテゴリーの点数の合計で治療方針を決定
①+②+③＝0〜3点：保存，4〜5点：保存または手術，6点：手術

II　急性期の治療戦略と戦術

呼吸･循環の適正な維持を中心とする全身管理と，脊髄二次損傷予防を主眼とする脊髄損傷の治療が2本柱となる（図3-3-I-7）。

1. 全身管理

脊髄損傷患者において，肺炎をはじめとする呼吸器疾患は，罹患率が高く（36〜83%），急性期死亡や入院の長期化につながる合併症である[16)〜18)]。全国労災病院関連施設の脊髄損傷データベース[18]でも，受傷24時間以内を除く死亡原因は肺炎がもっとも多く全体の20%を占めていた。また，低酸素血症や低血圧は，脊髄二次損傷を拡大助長するおそれが指摘されている[19,20]。そのため，呼吸・循環の適切な管理はきわめて重要であり，とくに重度頸髄損傷の受傷後7〜14日は集中治療室でのモニタリングが推奨されている[3,17]。

1）呼吸管理

頸髄損傷では，強制呼出の障害，横隔膜疲労などの影響から，徐々に低換気や低酸素血症に陥る例も多いため，呼吸障害の出現や進行がみられないかを注意深く観察する。

呼吸器合併症の予防には，肺理学療法がもっとも有効な手段となる。加湿器の使用とともに喀痰吸引を行い，用手的排痰と体位ドレナージ（2〜3時間ごと）を励行し，入院時から無気肺や肺炎の発症予防に努める。

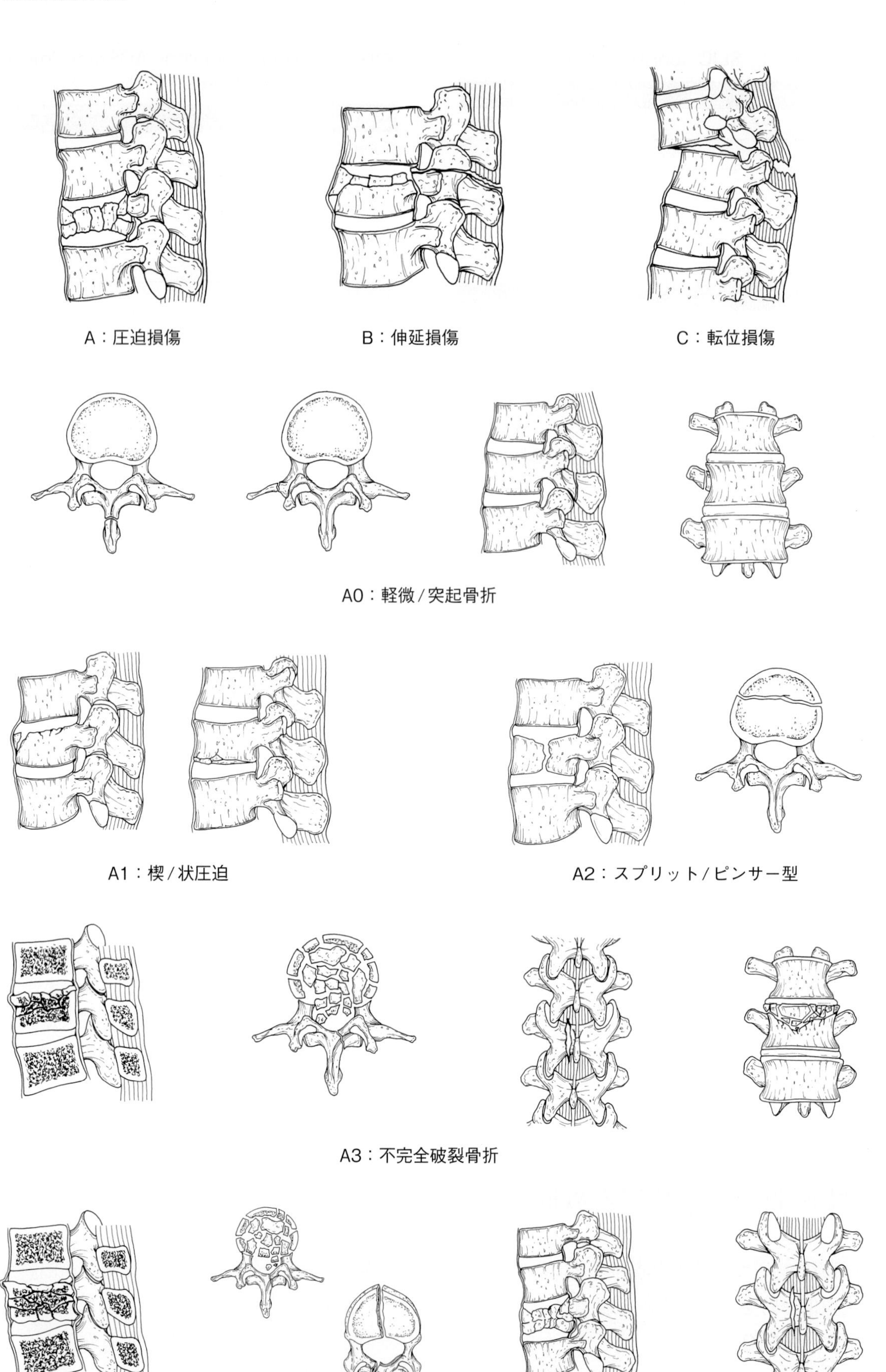

図3-3-I-6（1）　**胸・腰椎損傷の分類（新AO分類）**

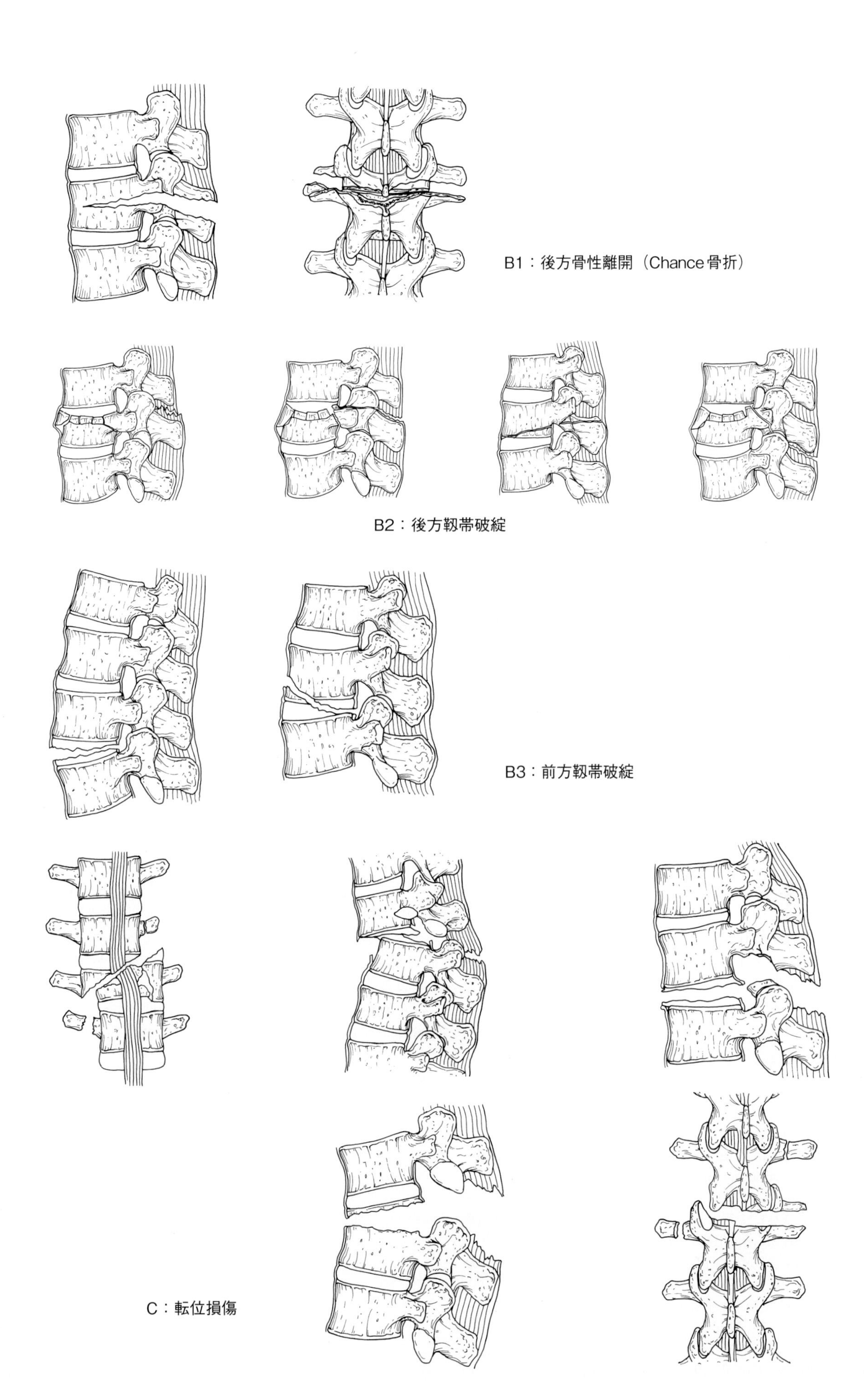

図3-3-Ⅰ-6（2）　**胸・腰椎損傷の分類（新AO分類）**

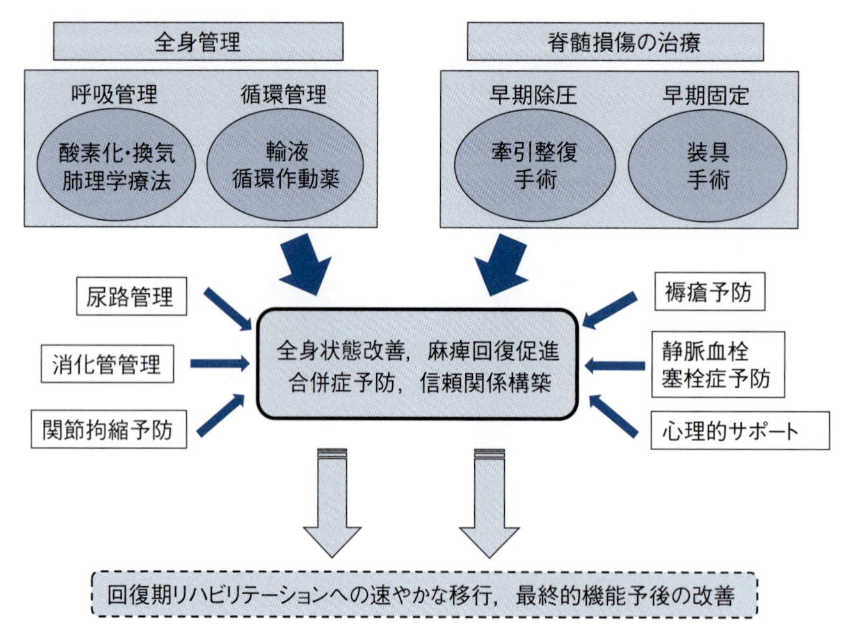

図3-3-I-7　脊椎・脊髄損傷急性期の治療戦略

◆Clinical questions◆　CQ 47

頸髄損傷患者に対する呼吸管理にNPPVは有効か？

A 頸髄損傷患者に対する人工呼吸管理は，従来気管挿管や切開などの侵襲を伴う管理方法〔侵襲的陽圧換気（invasive positive pressure ventilation；IPPV)〕が主であったが，近年侵襲を伴わない人工呼吸管理方法〔非侵襲的陽圧換気（noninvasive positive pressure ventilation；NPPV)〕が多くの総説，ガイドラインなどで報告されている[1)~7)]。NPPVとIPPVの有用性を比較検証した報告は見当たらず，観察研究がいくつかあるだけである[8)~10)]。球麻痺症状がなく意識レベルが清明な場合，NPPVは合併症がより少ないので奨められる[9)11)]。また，高位頸髄損傷患者ではNPPVは受傷から導入までの期間が短いほうがより効果的であると報告されている[8)12)]。スコープレビュー[6)]によると，NPPVは多くの頸髄損傷患者に利益をもたらす可能性はあるが，単一グループによって深く研究されていることを指摘している。NPPVを応用した頸髄損傷の呼吸リハビリテーションには，高度な技術を駆使し，患者の延命やQOLの向上につなげている施設がある一方，十分な対応ができる医療機関は実際には少ないのも現状である[5)]。

頸髄損傷患者に対してNPPVを利用することで，気管チューブ留置に伴う合併症を避けることができ，声によるコミュニケーションが可能となることから，不全麻痺例など症例を限定すれば患者への恩恵は大きい可能性がある。一方で，早期（7日間以内）気管挿管による呼吸管理は，人工呼吸器装着期間や入院期間の短縮，さらには人工呼吸器関連肺炎などの合併症を減少させる可能性もある[13)]ため，高位頸髄損傷完全麻痺などの重症例に関しては，さらなる検討が必要である。症例を選び，かつ人員確保された施設環境であれば，頸髄損傷患者に対する呼吸管理にNPPVの導入を検討することも支持される。

文献

1) Berlly M, et al：J Spinal Cord Med 2007；30：309-318.
2) Bach JR, et al：Phys Med Rehabil Clin N Am 2020；31：397-413.
3) McKim DA, et al：Can Respir J 2011；18：197-215.
4) Cosortium for Spinal Cord Medicine：J Spinal Cord Med 2005；28：259-293.
5) 日本リハビリテーション医学会監，日本リハビリテーション医学会診療ガイドライン委員会・神経筋疾患・脊髄損傷の呼吸リハビリテーションガイドライン策定委員会編：神経筋疾患・脊髄損傷の呼吸リハビリテーションガイドライン，金原出版，東京，2014.
6) Sun GH, et al：J Spinal Cord Med 2022；45：498-509.
7) Roquilly A, et al：Anaesth Crit Care Pain Med 2020；39：279-289.
8) Toki A, et al：J Spinal Cord Med 2021；44：70-76.
9) Bach JR：J Spinal Cord Med 2012；35：72-80.
10) Tromans AM, et al：Spinal Cord 1998；36：481-484.
11) Bach JR, et al：Chest 1990；98：613-619.
12) Vivodtzev I, et al：Chest 2020；157：1230-1240.
13) Foran SJ, et al：J Trauma Acute Care Surg 2022；92：223-231.

補助換気を要する状況となれば，気管挿管による人工呼吸を行う。人工呼吸器からの早期離脱や気管挿管の回避を図るうえで，非侵襲的陽圧換気法が有用となる可能性もある[21]。人工呼吸器装着期間の長期化（概ね14日間以上）が予想されるケースは，気管切開への切り替えを検討する[17]。

2）循環管理

脊髄損傷急性期に適度な血圧を維持することは，脊髄灌流の改善により最終的な神経学的予後の改善につながる可能性がある。このため，管理目標として受傷後7日間は平均動脈圧を85～90mmHg以上に保つことが推奨されている（推奨レベルⅢ）[2,15,17,18,20]。

神経原性ショックは，通常2～6週間以内に徐々に回復するが，まれにそれ以上継続することがある。対処法として，過剰な容量負荷にならないよう注意して輸液を行い，低血圧が持続するならばドパミンを併用する。高度な徐脈例（40回/分以下）では，硫酸アトロピンを投与し[22]，まれに一時ペーシングが必要となることもある[23]。徐脈は，神経原性ショックの離脱に伴い改善するが，吸引などを契機に迷走神経過反射が起こり，高度徐脈から心停止に至るおそれもあるので，注意深く管理を行う[1]。

2. 受傷早期の低侵襲手術（SDC）

近年，胸・腰椎の後方固定手術は，低侵襲手技で行われるようになっており，椎弓根スクリュー固定では経皮的手技も応用されている。多発外傷患者では，このような低侵襲手術で損傷脊椎の仮固定を行い，全身状態が改善してから根治的な最終固定を行うstaged surgeryが有用な治療戦略として位置づけられている（「多発外傷」，p.372参照）。また，頸椎損傷に対するハローベスト固定（図3-3-I-8）も，多発外傷や高齢者に対する長期装着は，呼吸器合併症を引き起こしやすい問題点があったが，椎弓根スクリュー固定など手術手技の進歩により，ハローベスト装着期間が短縮できるようになってきた。

以前であれば脊椎手術は危険であると考えられていた重症例も，spine damage control（SDC）の概念導入により早期からの体位変換，起坐位獲得，離床が可能となり，不安定性残存に由来する変形治癒も減らすことができる点から，生命予後・機能予後ともに改善が期待されている。

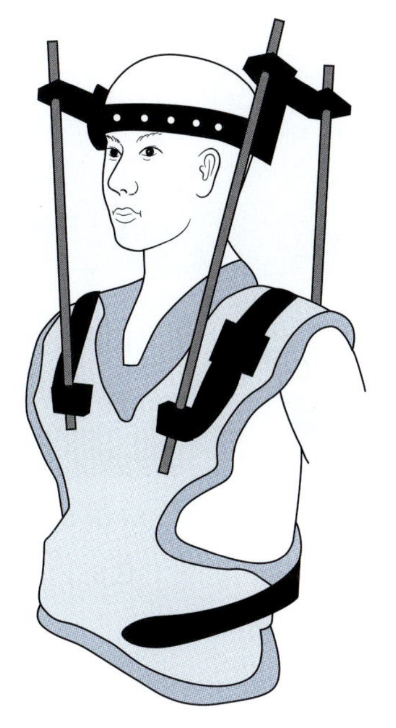

図3-3-I-8 ハローベスト

3. 頸椎損傷に合併する椎骨動脈損傷

頸椎損傷に付随する外傷として，椎骨動脈損傷（vertebral artery injury；VAI）が注目されている。とくに椎間関節脱臼，横突孔にかかる骨折，上位頸椎損傷がVAIを合併しやすく[24～27]，これらの“high-risk”損傷における発生率はおよそ33%と報告されている[24,25]。

VAIの損傷形態は，内膜損傷による狭窄がもっとも多く，次いで完全閉塞が多い[24,28]。そして，VAIの24%に脳幹・小脳症状が出現し，8%が死亡していたとの報告がある[29]。脳虚血症状の発症時期は受傷後8時間～12日が多く，遅発性に突然症状が出現する特徴がある[24,28]。そのため，“high-risk”損傷を認めた場合は，造影CTを用いたVAIのスクリーニング検査を行うべきである（推奨レベルⅠ）[25,26,30,31]。

VAIについては，「椎骨動脈損傷」（p.136）を参照されたい。

ただし，頸動脈損傷も含めた鈍的脳血管損傷（blunt cerebrovascular injury；BCVI）については，整復操作や早期除圧といった頸椎頸髄損傷の特殊性について考慮していない。椎間関節が片側性あるいは両側性に脱臼すると，椎骨動脈が損傷高位で伸展または骨に挟み込まれて損傷される危険があるが，遺体を

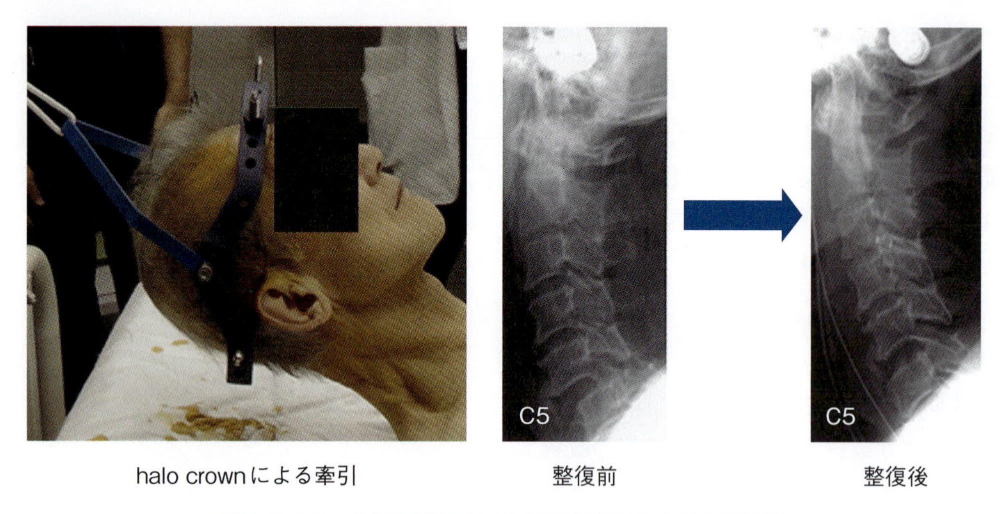

図3-3-I-9　頭蓋直達牽引による頸椎脱臼の非観血的整復

用いた実験では，脱臼の転位度が増すにつれて椎骨動脈の血流は減少し，最終的には非可逆性に途絶して閉塞に至ることが証明されている[32]。この結果は，頸椎アライメントを一刻も早く矯正することが血流再開と血栓形成防止のためのもっとも有効な解決策になり得ることを示しているが，矯正までに時間を要すると，すでに作成された血栓が整復操作により再開した血流で遊離し，脳梗塞を引き起こし得る[33,34]ことも示唆している。血栓が成長したVAIでは整復操作前に塞栓術を行う意義は大きい。一方で，整復操作の必要ない脊椎・脊髄損傷であれば，仮に血管が閉塞していても血栓移動のリスクは少なく，薬物治療で血栓が自然消失し血流が再開した報告[35,36]を踏まえると，血管内治療のリスクのほうがむしろ高いといえるかもしれない。また，後述するが，頸髄損傷の除圧までの時間は機能予後に大きく影響するため，除圧術は最優先事項の一つであり，血管内治療との優先度を検討しなければならない場合がある。血管損傷形態や対側椎骨動脈の血流状態，脳虚血徴候の有無，頸椎の脱臼整復や手術の必要性などを指標に，各施設の判断で治療法が選択されているのが現状であるが，いずれにしても，頸椎損傷ではVAIが潜在している危険を認識し，急性期管理では脳虚血症状の出現に細心の注意を払う必要がある。

4. 損傷部の急性期治療戦略

脊髄損傷はいったん障害を受けると回復せず，二次損傷を防ぐことが急性期治療の目的とされていた。しかし頸椎脱臼では，超早期の脱臼整復により麻痺が顕著に改善した症例の報告も散見される。

1）骨折・脱臼に伴う脊髄損傷の除圧

受傷後早期の手術が神経学的予後の改善をもたらすとの報告は多い[37～40]。2012年に発表された多施設前向き研究[41]でも，24時間以内に除圧術を行った頸髄損傷患者群では，24時間以降の除圧患者群に比べ，ASIA Impairment Scaleで2段階以上改善した割合が有意に高かった（19.8% vs 8.8%）。また，動物実験では，神経除圧までの時間が短いほど機能回復に優れることが示されており，良好な回復を得るための許容時間は概ね24時間が限界であると推定されている[42,43]。

頸椎・頸髄損傷に対する頭蓋直達牽引は，上位頸椎損傷（環椎破裂骨折，歯突起骨折，Levine Type Ⅲを除く軸椎関節突起間骨折）や頸椎脱臼骨折の初期治療に実施する（図3-3-I-9）。椎間関節脱臼の整復成功率は80%以上であり[3,22]，初診時に完全麻痺を呈していた重症例に対して迅速に整復を行った結果，麻痺が著明に改善した報告も散見されている[44,45]。一方，頸椎脱臼の整復は麻痺増悪の危険も伴うが，意識清明であれば麻痺の変化をリアルタイムにとらえることができ，牽引力や頸部の位置の調整により悪化を防ぐことが可能である。また，椎骨動脈損傷による血栓形成を減らすためにも，迅速な整復には大きな意義がある。これらを考慮すると，頸椎脱臼に対する初期治療は，意識が清明で協力的な患者に対して，意識下での頭蓋直達牽引による非観血的整復を迅速に行うことは，安全でかつ神経学的予後改善の可能性があるといえる[3,22]。MRI検査は，除圧までの時間短縮のため脱臼整復後に実施する。整復後MRI検査は，脊髄や椎間板の評価など手術アプローチの決定に必要な情報をもたらす[3]。

多発外傷を呈しやすい胸・腰椎損傷において，早期脊椎手術は，麻痺改善に加えて急性期からの積極的な体位変換・体位ドレナージや離床を可能とする点に大きなメリットがある。早期手術が呼吸器合併症の減少や入院期間の短縮に寄与することは数多く報告されており[46)47]，後述する褥瘡予防面でも有利となる。

以上から，早期の神経除圧ならびに脊椎固定手術は，神経学的回復と全身・局所合併症減少の両面に大きく貢献することが期待されている。手術適応があれば，全身状態や合併損傷などに配慮しながら，受傷後24時間以内を1つの目標に，できるかぎり早期の実施に努めるべきである。

2）非骨傷性頸髄損傷の除圧

非骨傷性頸髄損傷は麻痺の自然回復がみられることが多いため，手術適応に関し統一見解が得られていない[48)～52]。また，除圧術のタイミングについても，早期手術の検討は十分になされていなかった。しかし，2021年に非骨傷性脊髄損傷不全麻痺患者に対する除圧術のタイミングについて，国内ランダム化臨床試験の結果が示され，24時間以内に除圧術を行った場合は，2週間以降に除圧術を受けた場合と比較し1年後の運動機能回復に有意差はみられなかったものの，初期6カ月は有意に麻痺の改善がみられ，早期除圧術は麻痺の回復を促進することが示された[53]。脱臼・骨折例の至適なタイミングを考えても，非骨傷性頸髄損傷の24時間以内早期除圧は検討する価値があるかもしれない。

小児のSCIWORAに関しても，明確な治療指針は確立されていないが，一般には，麻痺症状や頸椎不安定性の程度に応じて外固定を用いた保存的治療が行われる[1)3)22]。

3）大量ステロイド療法の是非

脊髄二次損傷予防を目的とした薬物療法として，National Acute Spinal Cord Injury Study-2[54]に準じたメチルプレドニゾロン大量投与（初回投与量30mg/kg，その後5.4mg/kg/時を23時間持続投与）がかつて行われた。しかし，その臨床的有効性には否定的な見解が大半を占めており，むしろ呼吸器・消化器合併症が強く危惧されることから，脳神経外科コングレスおよび米国脳神経外科学会は，2013年のガイドラインで，脊髄損傷に対する大量ステロイド療法は推奨しないと明記している（推奨レベルⅠ）[3]。

5. 脊椎固定法

脊椎損傷の部位や形態に応じて，装具や手術を用いた固定を行う。

1）上位頸椎損傷

麻痺を生じることは少なく，外固定による保存的治療の対象となる例が多い。基本的に，転位がほとんどない場合はネックカラー固定やフィラデルフィア装具固定を行い，転位をみる場合はハローベスト（通常8～12週間装着）が適応となる。頭蓋直達牽引による整復が困難な例，ハローベストでは整復保持が困難な例や長期装着が好ましくない患者などは手術の適応となる。

Anderson分類Type Ⅱ歯突起骨折，Levine分類Type Ⅲ軸椎関節突起間骨折は手術が施行されることが多い。またGehweiler分類Type 3B環椎骨折は保存療法では変形や頸部痛を残すといわれており，初期治療から手術を推奨するとの意見もある[55]（図3-3-I-10）。

2）中下位頸椎損傷

一般的に神経損傷がない前方要素（椎体，椎間板，前および後縦靱帯）または後方要素（椎間関節，黄色靱帯，椎弓，棘突起，棘間・棘上靱帯）の単独損傷は，前述の外固定により治療可能である。前方要素，後方要素とも損傷されている脱臼骨折や破裂骨折は手術適応となる。SLIC scoring system（表3-3-I-1）では，①損傷形態，②複合靱帯椎間板損傷，③神経学的な状態を点数化し手術適応を決定している。1～3点は保存，5点以上は手術適応となる（推奨レベルⅠ）[3]。

3）胸・腰椎損傷

新AO分類（表3-3-I-2）では，①骨折形態，②神経学的な状態，③患者の特異的修飾因子の3つのカ

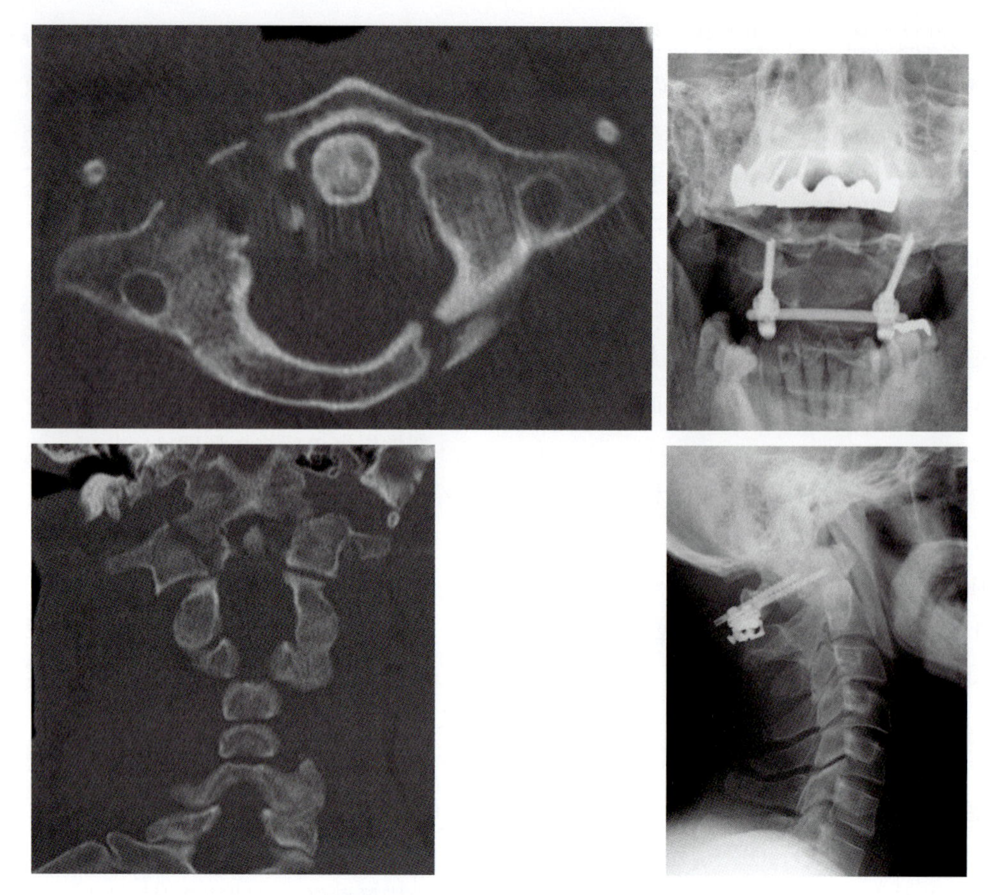

図3-3-I-10　**環椎矢状面分割骨折**

テゴリーの点数の合計で手術適応を決定する。0〜3点は保存，6点以上は手術適応となる。棘突起，関節突起，横突起などの単独骨折例は軟性腰仙椎装具（ダーメンコルセット）を使用し，疼痛が軽減し次第，離床を許可する。硬性・半硬性装具は，急性期を脱した不安定型骨折（保存的治療）に使用し，そのほか，高齢者の骨粗鬆性圧迫骨折の治療に用いることがある。しかし近年，早期歩行，入院日数短縮の観点から，手術加療が増える傾向がある。麻痺のない破裂骨折では手術加療と保存加療に差がないという報告もある[56]が，一方で，保存加療では早期運動療法による痛みのため，手術加療が必要になる患者が多いとの報告もある[57]。低侵襲の脊椎手術手技が進歩してきたため，手術加療のデメリットが低減していることから，今後も手術加療が増えてくるものと予測できる。

近年，びまん性特発性骨増殖症や強直性脊椎炎に合併した脊椎骨折が問題となっている。不安定性の強い強直脊椎内の骨折は受傷時に麻痺がなくとも遅発性麻痺を高頻度に起こすとされており，早期の手術加療を要する骨折である[58]。新AO分類ではType B3に分類され，神経障害の有無にかかわらず手術加療が推奨されている（図3-3-I-11）。

6. 銃　創

脊椎・脊髄損傷のガイドラインは鈍的損傷を対象としており，銃創などの穿通性外傷は病態の特殊性からそのまま当てはめることができない。銃の入手が可能な地域であるか，銃規制に対する法律がどうであるかなど発生には地域間差があり，米国では脊椎外傷の13〜17％を占めるとの報告がある[59)〜64]。一方，わが国での銃創による脊髄馬尾損傷は1.9％以下とまれである[65]。銃創は弾丸が組織を通過する際に弾丸そのもので組織を損傷するだけでなく，衝撃波が高速で伝わることで周囲組織の損傷をきたすため，銃弾が脊柱管を貫通していなくても衝撃波により脊髄や馬尾が損傷することがある[66]。さらに高速度弾丸が通過した際，周囲組織も加速することで弾丸軌道周囲に空洞を形成し，射出口は射入口の何十倍の大きさにもなる[63,64,67)〜70]。

銃創による脊椎・脊髄損傷治療についてはいまだ

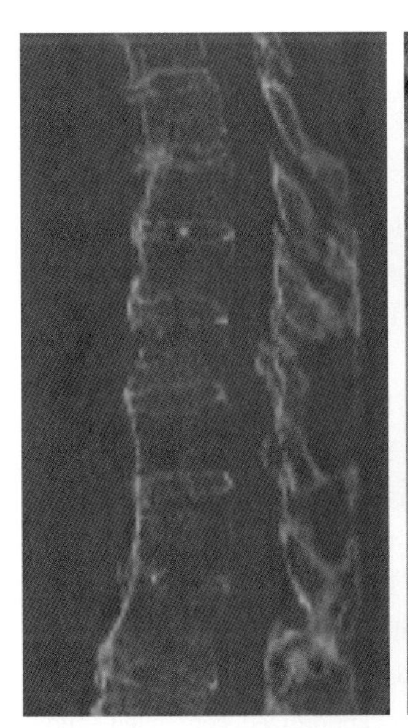
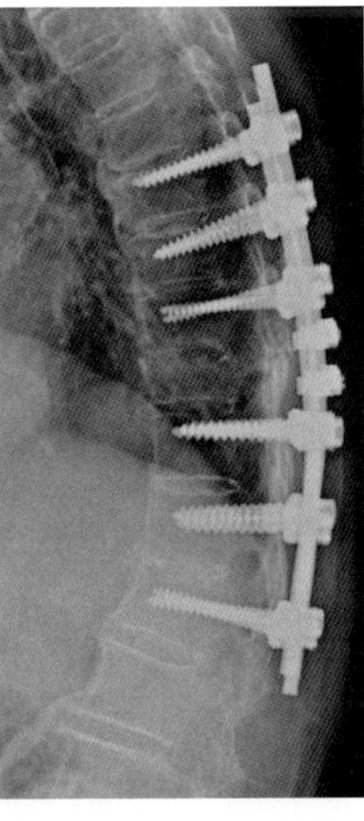

図3-3-I-11　びまん性特発性骨増殖症に合併した強直脊椎内骨折（新AO分類Type B3）

議論がある。椎体の粉砕や椎間関節の損傷，後方靱帯複合体が損傷されれば不安定性が生じるため，脊椎固定術は妥当と思われるが，これらに損傷がなかった場合は保存的に治療することもある。また，脊髄馬尾損傷が生じた場合，外科的除圧や弾丸摘出が有効であるかについても結論が出ていないが，進行性の神経学的悪化や馬尾レベル（T12とL4の間）での不全麻痺，敗血症や鉛中毒の予防といった場合には適応としていることが多いようである[71]。

文　献

1) 芝啓一郎編：脊椎脊髄損傷アドバンス；総合せき損センターの診断と治療の最前線，南江堂，東京，2006.
2) Inagaki T, Kimura A, Makishi G, et al：Development of a new clinical decision rule for cervical CT to detect cervical spine injury in patients with head or neck trauma. Emerg Med J 2018；35：614-618.
3) Resnick DK：Guidelines for the management of acute cervical spine and spinal cord injuries. Neurosurgery 2013；72 (Suppl 2)：1-259.
4) American Spinal Injury Association. https://asia-spinalinjury.org/（Accessed 2022-4-26）
5) Laubach M, Pishnamaz M, Scholz M, et al：Interobserver reliability of the Gehweiler classification and treatment strategies of isolated atlas fractures：An internet-based multicenter survey among spine surgeons. Eur J Trauma Emerg Surg 2022；48：601-611.
6) Anderson LD, D'Alonzo RT：Fractures of the odontoid process of the axis. J Bone Joint Surg Am 1974；56：1663-1674.
7) Levine AM, Edwards CC：The management of traumatic spondylolisthesis of the axis. J Bone Joint Surg Am 1985；67：217-226.
8) Allen BL Jr, Ferguson RL, Lehmann TR, et al：A mechanistic classification of closed, indirect fractures and dislocations of the lower cervical spine. Spine 1982；7：1-27.
9) Vaccaro AR, Hulbert RJ, Patel AA, et al：The subaxial cervical injury classification system：A novel approach to recognize the importance of morphology, neurology, and integrity of the disco-ligamentous complex. Spine 2007；32：2365-2374.
10) Vaccaro AR, Koerner JD, Radcliff KE, et al：AOSpine subaxial cervical spine injury classification system. Eur Spine J 2016；25：2173-2184.
11) Denis F：The three column spine and its significance in the classification of acute thoracolumbar spinal injuries. Spine（Phila Pa 1976）1983；8：817-831.
12) Magerl F, Aebi M, Gertzbein SD, et al：A comprehensive classification of thoracic and lumbar injuries. Eur Spine J 1994；3：184-201.
13) McCormack T, Karaikovic E, Gaines RW：The load sharing classification of spine fractures. Spine（Phila Pa 1976）1994；19：1741-1744.
14) Vaccaro AR, Oner C, Kepler CK, et al：AOSpine thoracolumbar spine injury classification system：Fracture description, neurological status, and key modifiers. Spine（Phila Pa 1976）2013；38：2028-2037.
15) Vaccaro AR, Schroeder GD, Kepler CK, et al：The surgical algorithm for the AOSpine thoracolumbar spine injury classificatioin system. Eur Spine J 2016；25：1087-1094.
16) Berlly M, Shem K：Respiratory management during the first five days after spinal cord injury. J Spinal Cord Med 2007；30：309-318.
17) Macias MY, Maiman DJ：Critical care of acute spinal cord injuries. In：Jallo J, et al eds. Neurotrauma and Critical Care of the Spine. Thieme, New York, 2009, pp171-181.
18) 住田幹男，徳弘昭博，真柄彰，他編：脊髄損傷のoutcome；日米のデータベースより，医歯薬出版，東京，2001.
19) Levi L, Wolf A, Belzberg H：Hemodynamic parameters in patients with acute cervical cord trauma：Description, intervention, and prediction of outcome. Neurosurgery 1993；33：1007-1016；discussion 1016-1017.
20) Vale FL, Burns J, Jackson AB, et al：Combined medical and surgical treatment after acute spinal cord injury：Results of a prospective pilot study to assess the merits of aggressive medical resuscitation and blood

pressure management. J Neruosurg 1997；87：239-246.
21） Bach JR：Noninvasive respiratory management of high level spinal cord injury. J Spinal Cord Med 2012；35：72-80.
22） 脊椎・脊髄損傷治療・管理のガイドライン作成委員会：脊椎脊髄損傷治療・管理のガイドライン．脊髄外科 2005；19（Suppl 1）：1-41.
23） Bilello JF, Davis JW, Cunningham MA, et al：Cervical spinal cord injury and the need for cardiovascular intervention. Arch Surg 2003；138：1127-1129.
24） Cothren CC, Moore EE, Biffl WL, et al：Cervical spine fracture patterns predictive of blunt vertebral artery injury. J Trauma 2003；55：811-813.
25） Cothren CC, Moore EE, Ray CE Jr, et al：Cervical spine fracture patterns mandating screening to rule out blunt cerebrovascular injury. Surgery 2007；141：76-82.
26） Fassett DR, Dailey AT, Vaccaro AR：Vertebral artery injuries associated with cervical spine injuries：A review of the literature. J Spinal Disord Tech 2008；21：252-258.
27） Gupta P, Kumar A, Gamangatti S：Mechanism and patterns of cervical spine fractures-dislocations in vertebral artery injury. J Craniovertebr Junction Spine 2012；3：11-15.
28） Inamasu J, Guiot BH：Vertebral artery injury after blunt cervical trauma：An update. Surg Neurol 2006；65：238-245；discussion 245-246.
29） Biffl WL, Moore EE, Elliott JP, et al：The devastating potential of blunt vertebral arterial injuries. Ann Surg 2000；231：672-681.
30） 原淑恵，山下晴央，富岡正雄，他：頚椎損傷に伴う椎骨動脈損傷の診断と治療；2症例の提示と血管内治療の適応に関する考察．脳神経外科ジャーナル 2009；18：386-390.
31） Kim DY, Biffl W, Bokhari F, et al：Evaluation and management of blunt cerebrovascular injury：A practice management guideline from the Eastern Association for the Surgery of Trauma. J Trauma Acute Care Surg 2020；88：875-887.
32） Sim E, Vaccaro AR, Berzlanovich A, et al：The effects of staged static cervical flexion-distraction deformities on the patency of the vertebral arterial vasculature. Spine 2000；25：2180-2186.
33） Nakao Y, Nitsuhashi , Hayasaki K, et al：Interventional proximal coil occlusion for traumatic vertebral artery injury for the prevention of distal embolic brain infarction：Three cases. Neurosurg Emerg 2014；19：82-87.
34） Nakao Y, Terai H：Embolic brain infarction related to posttraumatic occlusion of vertebral artery resulting from cervical spine injury：A J Med Case Rep 2014；8：344.
35） Scott WW, Sharp S, Figueroa SA, et al：Clinical and radiological outcomes following traumatic grade 3 and 4 vertebral artery injuries：A 10-year retrospective analysis from a level I trauma center. The parkland carotid and vertebral artery injury survey. J Neurosurg 2015；122：1202-1207.
36） Igarashi Y, Kanaya T, Yokobori S, et al：Resolution of traumatic bilateral vertebral artery injury. Eur Spine J 2018；27（Suppl 3）：510-514.
37） Cengiz SL, Kalkan E, Bayir A, et al：Timing of thoracolomber spine stabilization in trauma patients：Impact on neurological outcome and clinical course：A real prospective（rct）randomized controlled study. Arch Orthop Trauma Surg 2008；128：959-966.
38） McKinley W, Meade MA, Kirshblum S, et al：Outcomes of early surgical management versus late or no surgical intervention after acute spinal cord injury. Arch Phys Med Rehabil 2004；85：1818-1825.
39） Mirza SK, Krengel WF 3rd, Chapman JR, et al：Early versus delayed surgery for acute cervical spinal cord injury. Clin Orthop Relat Res 1999；359：104-114.
40） Levi L, Wolf A, Rigamonti D, et al：Anterior decompression in cervical spine trauma：Does the timing of surgery affect the outcome? Neurosurgery 1991；29：216-222.
41） Fehlings MG, Vaccaro A, Wilson JR, et al：Early versus delayed decompression for traumatic cervical spinal cord injury：Results of the Surgical Timing in Acute Spinal Cord Injury Study（STASCIS）. PLoS One 2012；7：e32037.
42） Pointillart V, Petitjean ME, Wiart L, et al：Pharmacological therapy of spinal cord injury during the acute phase. Spinal Cord 2000；38：71-76.
43） Prendergast MR, Saxe JM, Ledgerwood AM, et al：Massive steroids do not reduce the zone of injury after penetrating spinal cord injury. J Trauma 1994；37：576-579；discussion 579-580.
44） Brunette DD, Rockswold GL：Neurologic recovery following rapid spinal realignment for complete cervical spinal cord injury. J Trauma 1987；27：445-447.
45） Cowan JA Jr, McGillicuddy JE：Images in clinical medicine：Reversal of traumatic quadriplegia after closed reduction. N Engl J Med 2008；359：2154.
46） Dimar JR, Carreon LY, Riina J, et al：Early versus late stabilization of the spine in the polytrauma patient. Spine 2010；35（21 Suppl）：S187-S192.
47） Cadotte DW, Fehlings MG：Spinal cord injury：A systematic review of current treatment options. Clin

Orthop Relat Res 2011；469：732-741.
48) 伊藤康夫，馬崎哲朗，越宗幸一郎，他：非骨傷性頚髄損傷治療に関する前向き研究．J Spine Res 2011；2：965-967.
49) 植田尊善：非骨傷性頚髄損傷に対する保存的治療成績．脊椎脊髄ジャーナル 2013；26：96-101.
50) 鈴木晋介，佐々木徹，園田順彦，他：高齢者における非骨傷性頚髄損傷の外科的治療．脊椎脊髄ジャーナル 2013；26：103-110.
51) Yamazaki T, Yanaka K, Fujita K, et al：Traumatic central cord syndrome：Analysis of factors affecting the outcome. Surg Neurol 2005；63：95-99；discussion 99-100.
52) Chikuda H, Seichi A, Takeshita K, et al：Acute cervical spinal cord injury complicated by preexisting ossification of the posterior longitudinal ligament：A multicenter study. Spine（Phila Pa 1976）2011；36：1453-1458.
53) OSCIS investigators；Chikuda H, Koyama Y, Matsubayashi Y, et al：Effect of early vs delayed surgical treatment on motor recovery in incomplete cervical spinal cord injury with preexisting cervical stenosis a randomized clinical trial. JAMA Network Open 2021；4：e2133604.
54) Bracken MB, Shepard MJ, Collins WF, et al：A randomized, control trial of methylprednisolone or naloxone in the treatment of acute spinal cord injury：Results of the Second National Acute Spinal Cord Injury Study. N Engl J Med 1990；322：1405-1411.
55) Bransford R, Falicov A, Nguyen Q, et al：Unilateral C-1 lateral mass sagittal split fracture：An unstable Jefferson fracture variant. J Neurosurg Spine 2009；10：466-473.
56) Gnanenthiran SR, Adie S, Harris IA, et al：Nonoperative versus operative treatment for thoracolumbar burst fractures without neurologic deficit：A meta-analysis. Clin Orthop Relat Res 2012；470：567-577.
57) Hitchon PW, Abode-Iyamah K, Dahdaleh NS, et al：Nonoperative management in neurologically intact thoracolumbar burst fractures：Clinical and radiographic outcomes. Spine（Phila Pa 1976）. 2016；41：483-489.
58) Whang PG, Goldberg G, Lawrence JP, et al：The management of spinal injuries in patients with ankylosing spondylitis or diffuse idiopathic skeletal hyperostosis：A comparison of treatment method and clinical outcomes. J Spinal Disord Tech 2009；22：77-85.
59) Aarabi B, Alibaii E, Taghipur M, et al：Comparative study of functional recovery for surgically explored and conservatively managed spinal cord missile injuries. Neurosurgery 1996；39：1133-1140.
60) Chittiboina P, Banerjee AD, Zhang S, et al：How bullet trajectory affects outcomes of civilian gunshot injury to the spine. J Clin Neurosci 2011；18：1630-1633.
61) Farmer JC, Vaccaro AR, Balderston RA, et al：The changing nature of admissions to a spinal cord injury center：Violence on the rise. J Spinal Disord 1998；11：400-403.
62) Gentleman D, Harrington M：Penetrating injury of the spinal cord. Injury 1984；16：7-8.
63) Lin SS, Vaccaro AR, Reisch S, et al：Lowvelocity gunshot wounds to the spine with an associated transperitoneal injury. J Spinal Disord 1995；8：136-144.
64) Robertson DP, Simpson RK：Penetrating injuries restricted to the cauda equina：A retrospective review. Neurosurgery 1992；31：265-269；discussion 269-270.
65) 新宮彦助：日本における脊髄損傷疫学調査 第3報1990～1992．日パラプレジア医会誌 1995；8：26-27.
66) Waters RL, Sie IH：Spinal cord injuries from gunshot wounds to the spine. Clin Orthop Relat Res 2003；408：120-125.
67) Charters AC 3rd, Charters AC：Wounding mechanism of very high velocity projectiles. J Trauma 1976；16：464-470.
68) DeMuth WE Jr：Bullet velocity and design as determinants of wounding capability：An experimental study. J Trauma 1966；6：222-232.
69) Hopkinson DA, Marshall TK：Firearm injuries. Br J Surg 1967；54：344-353.
70) Russotti GM, Sim FH：Missile wounds of the extremities：A current concepts review. Orthopedics 1985；8：1106-1116.
71) Botha AH, Booysen BC, Dunn RN：Civilian gunshot wounds of the spine：A literature review. SA Orthop J 2016；15：13-19.

J　四肢外傷

要　約

1. 治療は局所および全身所見に基づき，①救命，②患肢温存，③機能温存と修復，④整容の優先順位を常に考慮して決定する。
2. 治療過程における深部感染の発生は，患者の肉体的・精神的・経済的負担がきわめて大きくなることを知るべきである。
3. デグロービング損傷，コンパートメント症候群，開放骨折，四肢主要動脈損傷，圧挫症候群，穿通性外傷などは，初期治療が治療成績に大きく影響を与えるため，迅速かつ的確に診断し専門医と共同で治療を行う。

はじめに

四肢外傷はもっとも頻度の高い損傷ではあるが，切断肢や主動脈損傷による出血性ショック合併例を除き致死的となることはまれである。しかし，不適切な治療による感染，骨癒合の遷延（偽関節），変形癒合，関節可動域制限，感覚運動障害などの後遺障害は日常生活に支障をきたし，社会復帰が遅れ，患者は大きな不利益を被る。とくに深部感染を併発した場合，頻回の手術と年単位の入院を余儀なくされ，患者の肉体的・精神的・経済的負担がきわめて大きくなることに留意して治療を行わなければならない。本項では診断，評価，治療戦略の決定，治療戦術の概要と実際について理解することを目的とする。

I　四肢骨折の治療戦略と戦術

1.　診断と評価

成人骨折の重症度分類法として欧州のAO分類[1]が，米国Orthopaedic Trauma Association（OTA）に採択された後に国際的に使用され，2018年には改訂もされている。本分類は，骨折の解剖学的部位と形態を5つの要素に分け，数字とアルファベットを用いてコード化して表記する系統的な分類法である（図3-3-J-1）。骨折形態の重症度はA～C，1～3の順番に高くなるため重症度がわかりやすく，コード化によりすべての骨折を同一形式で表記でき，コンピュータ入力にも適している。

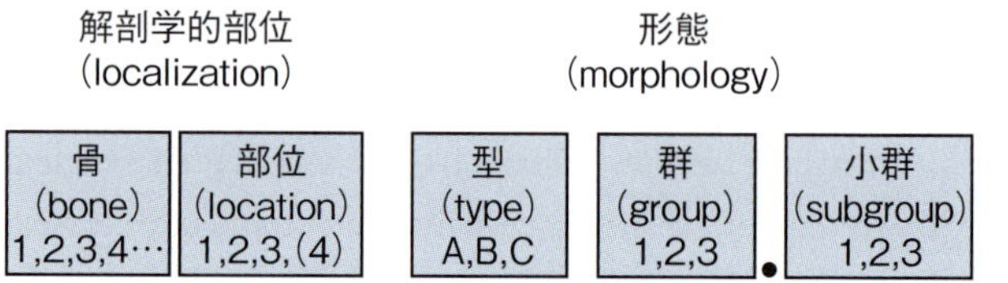

図3-3-J-1　AO骨折分類コード化システム

骨折した骨のコードはAO/OTA分類システム（図3-3-J-2）から選択し数字を記載する。骨折部位のコードは長管骨を3つの部位に分け，近位骨幹端部を1，骨幹部を2，遠位骨幹端部を3の数字で記載し，境界部位の決定は正方形ルールを用いる（図3-3-J-3）。正方形ルールとは，近位・遠位の骨端部の最大横幅と同じ長さの一辺をもつ正方形で囲まれた部位を骨幹部との境界とするものである。ただし，例外として，大腿骨近位では小転子の下縁を境界とし，足関節果部骨折は44，尺骨は2U，橈骨は2R，腓骨は4Fのコードに分類する。

骨折形態は型（type），群（group），小群（subgroup）の3つに分類する。骨折型はアルファベットのA，B，Cで重症度を記載する。いくつかの例外はあるが，基本的には，骨幹端部骨折では骨折が関節面に及ぶか否かでAとB・C，関節部と骨幹端部が完全に分離しているか否かでBとCに分類する（図3-3-J-4）。骨幹部骨折は骨折部の接触程度によりA，B，Cに分類する（図3-3-J-5）。骨折形態については，さらに群（group）と小群（subgroup）

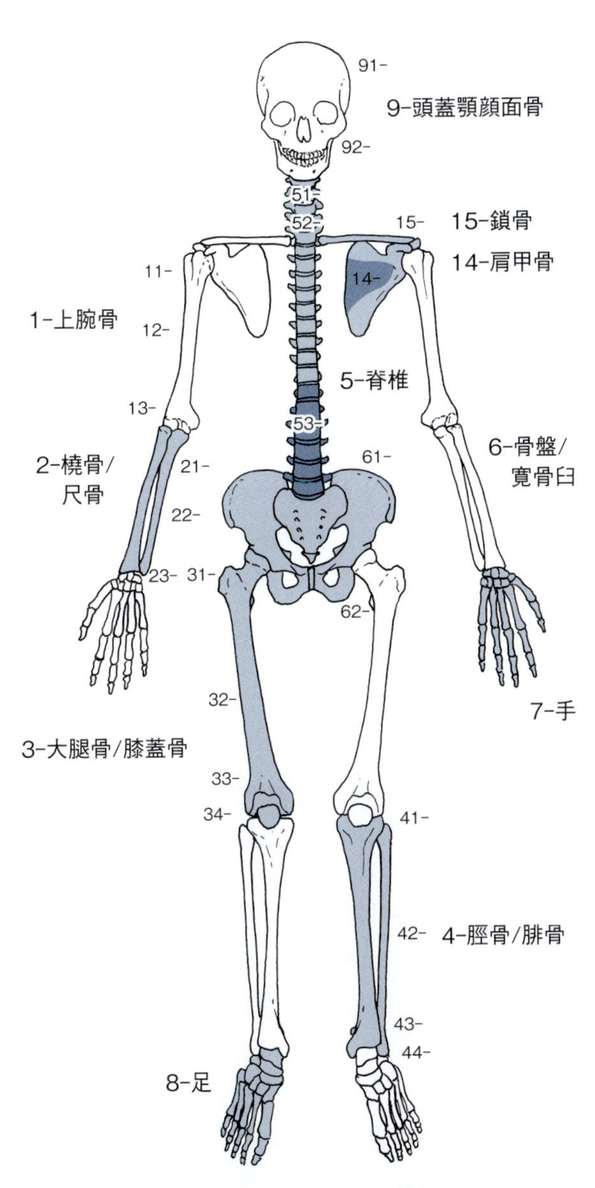

図3-3-J-2　AO/OTA骨折分類（骨のコード化）

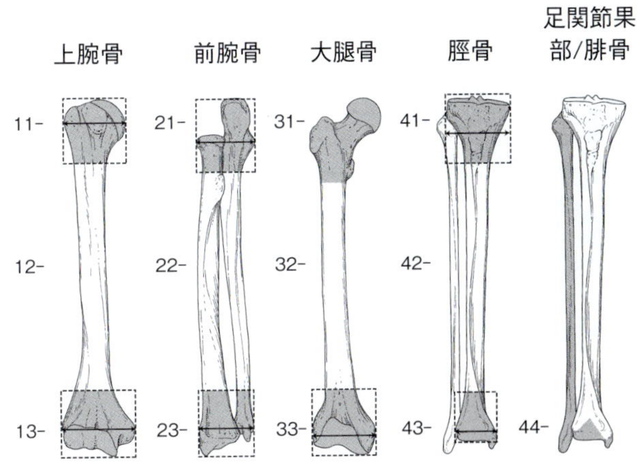

図3-3-J-3　骨折部位の決定（正方形ルール）

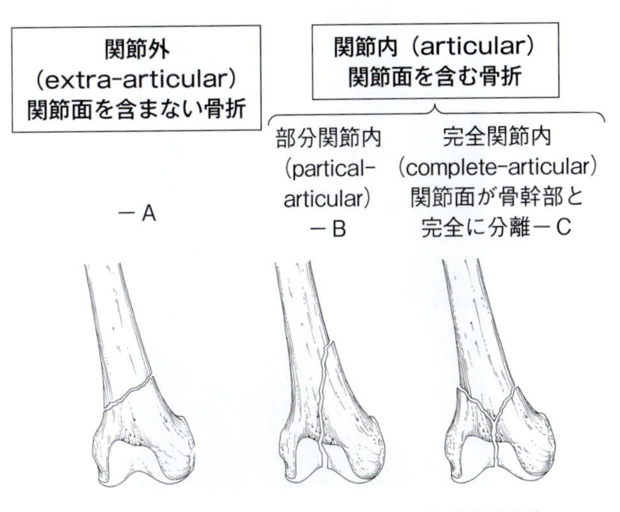

図3-3-J-4　型分類の定義（近位・遠位部骨折）

A
単純
(simple)

整復後の骨片間
は90%以上
接触－A

B
楔状
(wedge)

近位・遠位主
骨片は部分的に
接触－B

C
多骨片型
(multifragmentary)

近位・遠位主
骨片はまったく
接触しない－C

図3-3-J-5　型分類の定義（骨幹部骨折）

に細分類するが，専門的な分類となるため，ここでは述べない。図3-3-J-6にX線単純写真に基づくAO骨折分類の実際例を示す。

2. 治療戦略

全身状態が安定した後，局所の軟部組織状態に問題がなければ，できるかぎり早期に適切な固定を行い，早期のリハビリテーションと社会復帰を目指すべきである。固定法には牽引，キャスト固定，創外固定，内固定があり，局所状態と患者の全身状態，社会的背景に応じて適応を決定する。

転位の大きい骨折や関節内骨折には内固定が行われることが多く，他の固定法は内固定までの待機手段として用いられるのが一般的である。皮下骨折で

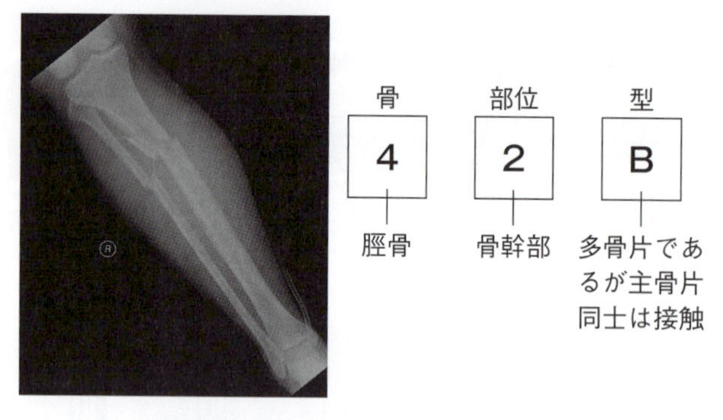

図3-3-J-6　AO骨折分類の実際例

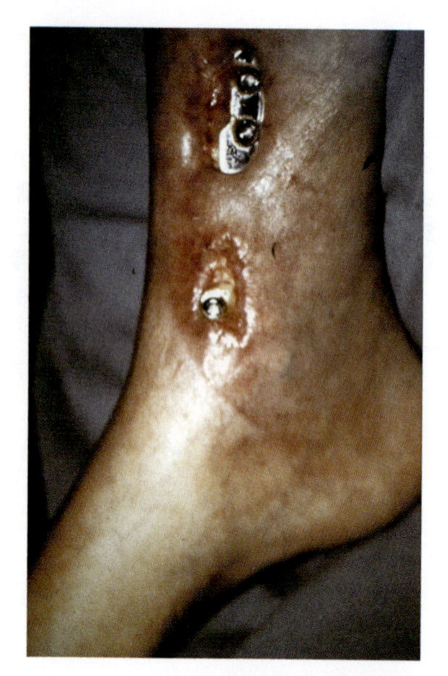

図3-3-J-7　軟部組織の状態を無視した内固定の術後感染

あっても局所の腫脹が著しい場合や，骨折型から軟部組織の損傷が高度と推測される場合，早期内固定は慎重に判断すべきである。例えば，足関節部など皮下組織の乏しい部位では，内固定時の軟部組織への侵襲が原因で術後に皮膚壊死をきたし，深部感染を惹起する危険性がある（図3-3-J-7）。このような状況では，初期治療は創外固定による固定を行い，腫脹軽減後に内固定に変換するほうが安全である。

いったん深部感染が生じたならば，たとえ骨折に対する完璧な固定が行われたとしても，それまでの治療は無意味となる。初期固定に創外固定を選択した場合，ピン刺入部の細菌のコロナイゼーションに起因する感染を考慮し，創外固定ピンは可能なかぎり，内固定変換時の予定術野から離した位置に刺入する（図3-3-J-8）。術野にピンを刺入しなければならない場合，内固定への変換はできるかぎり早期に行うべきである。

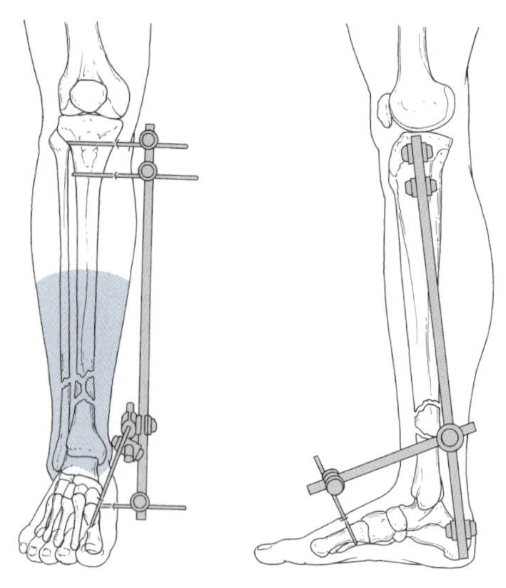

図3-3-J-8　創外固定
青色の範囲までがプレート固定へ変換予定時の術野。創外固定ピンは術野から離した位置に刺入し固定する

3. 骨折治療戦術の概要

骨折の治療戦略は大きく保存的治療と手術治療に分けられる。保存的治療には直達牽引や介達牽引などの牽引療法，キャストや装具による外固定がある（図3-3-J-9）。ベッド上に拘束される患者の精神的苦痛や合併症発生の観点[2)3)]から，長期間の牽引療法は行われなくなってきているが，大腿骨骨折，骨盤骨折，寛骨臼骨折に対する手術待機のために行われることがあり，その際は深部静脈血栓症の発症に十分注意する[4)]。

手術治療には創外固定と内固定があるが，創外固定法は内固定への変換までの一時的固定として使用されることが多い。ただし，軟部組織の挫滅・汚染が高度な開放骨折や関節近傍の粉砕骨折などの内固定が困難と判断された患者，変形癒合に対する矯正術，広範囲の骨欠損に対する骨延長術などの再建術には，骨癒合が得られるまでの治療法として創外固定法が今もなお広く使用されている（図3-3-J-10）。

骨折の内固定に用いられる器具には，鋼線，ワイヤー，プレート，スクリュー，髄内釘などがあり，骨折部位と形態に合わせてさまざまな種類の内固定具が開発されている（図3-3-J-11）。術者はそれぞれの特性をよく理解したうえで使用する。

早期に骨癒合を促し感染の併発を減少させるには，骨折部の安定性を確保するための生体力学と骨形成に重要な要素である血行に配慮した手術を行う

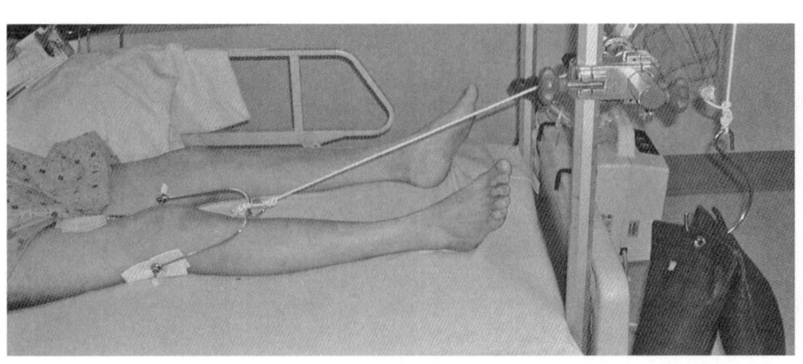

直達牽引

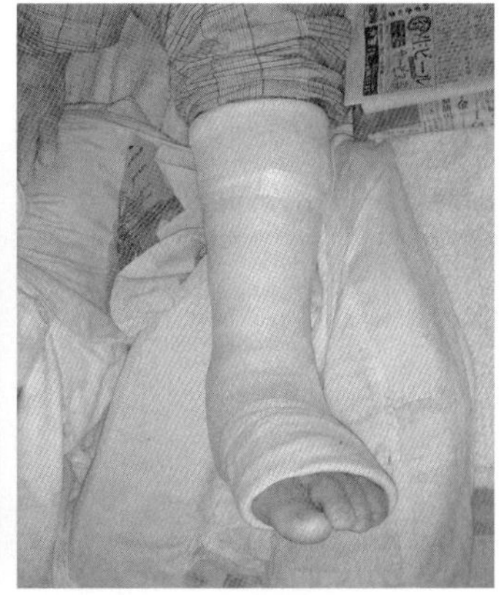

キャスト固定

図3-3-J-9　骨折に対する保存的治療

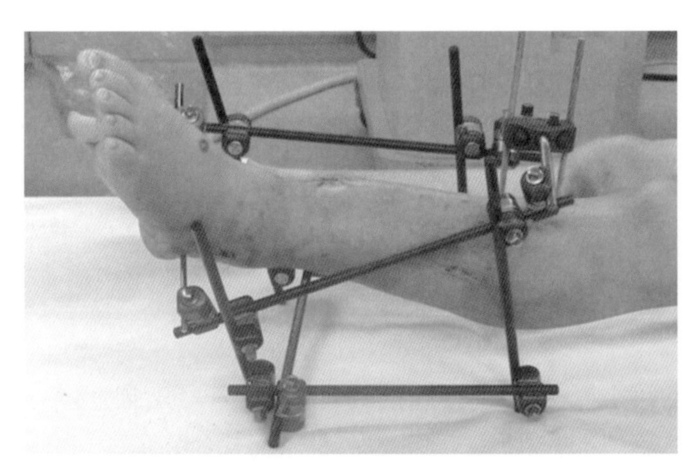

一時的固定としての創外固定

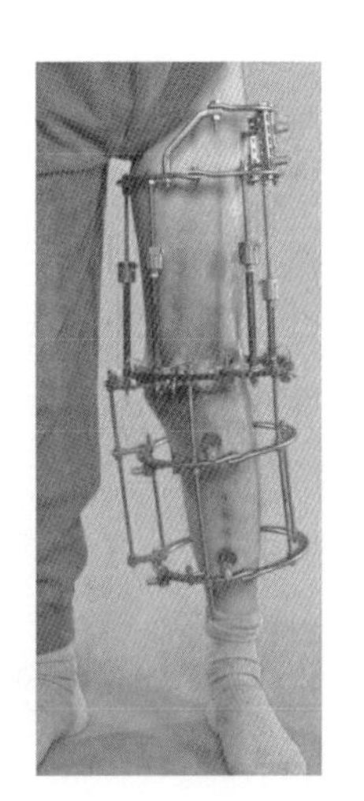

骨延長のための根治的創外固定
（Ilizarov創外固定器）

図3-3-J-10　骨折に対する創外固定法

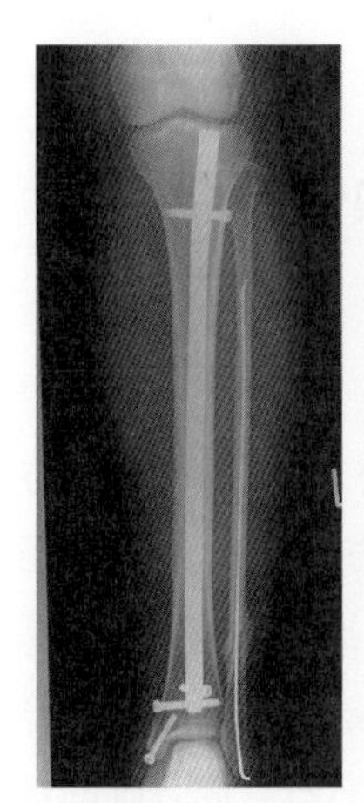

髄内固定

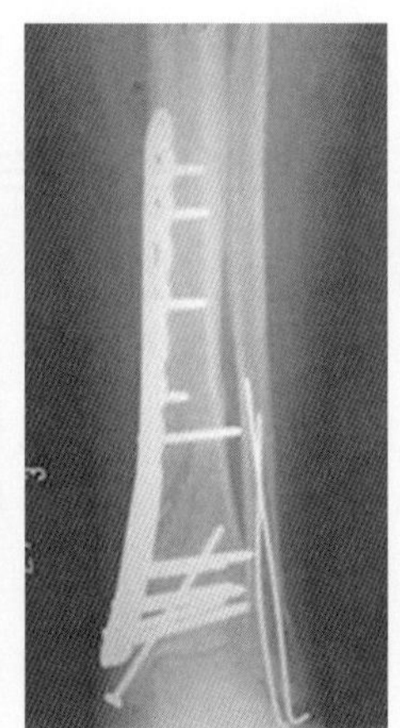

プレート，スクリュー，
鋼線を組み合わせた固定

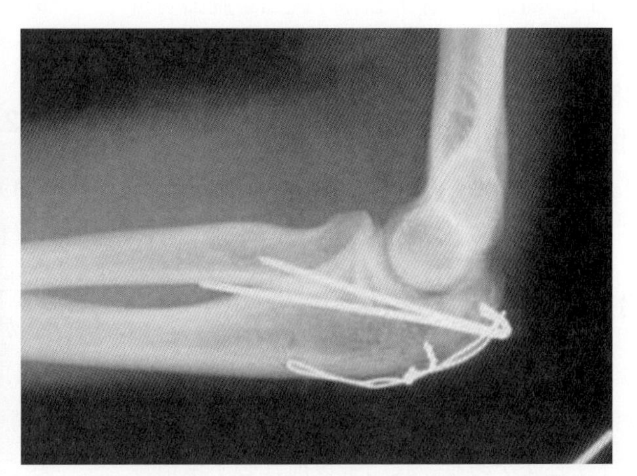

鋼線とワイヤーを組み合わせた固定

図3-3-J-11　さまざまな内固定法

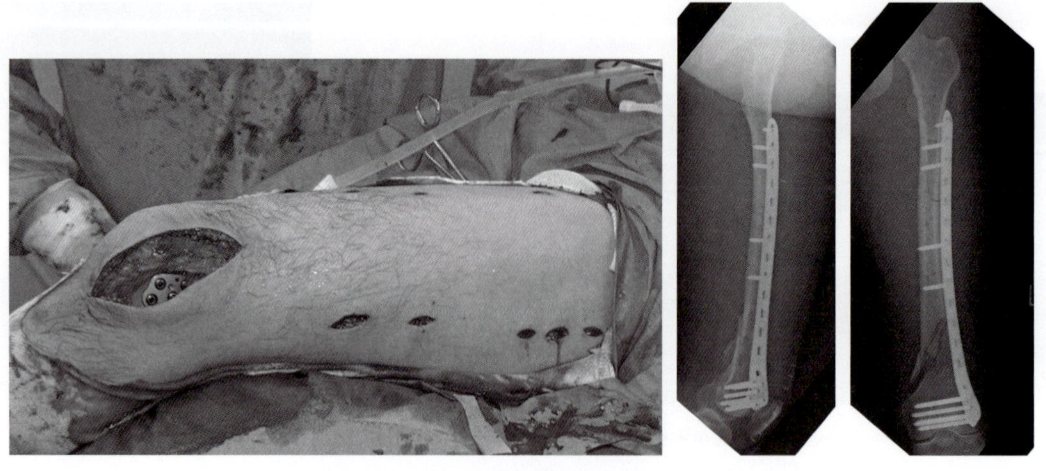

図3-3-J-12　最小侵襲骨接合術（MIO）
小さな皮膚切開部からプレートをすべり込ませて骨折部を固定している

ことが重要である。このため，近年では軟部組織や骨折部に対する侵襲を最小限にとどめる最小侵襲骨接合術（minimally invasive osteosynthesis；MIO）の概念[5]に基づく手術が広く行われるようになっている（図3-3-J-12）。

Ⅱ 脱臼，脱臼骨折の治療戦略と戦術

関節面相互の位置関係が完全に失われ関節包の外に逸脱しているものを脱臼，一部接触を保っているものを亜脱臼，関節面の骨折を伴う脱臼を脱臼骨折と呼ぶ。脱臼の呼称は，骨盤を起点として脱臼関節の遠位関節端の位置によって前方・後方脱臼を決定する。手指や手関節の場合には，わかりやすく掌側・背側脱臼と表現する。

1. 治療戦略

脱臼および脱臼骨折は，患者の疼痛や周囲の神経・血管に対する副損傷の誘因となるため，速やかに整復を行う必要がある。脱臼整復前に必ず末梢神経の評価を行い，受傷時からの末梢神経損傷と脱臼整復操作による二次的な神経損傷を区別できるようにしておく。脱臼整復法は各関節により異なるが，いずれの場合にも適切な麻酔を行い疼痛と筋緊張を十分に取り，1回の徒手整復で完了するように心がける。この際，関節軟骨の損傷や骨折などの合併症を避けるため，決して暴力的な整復操作を行ってはならない（図3-3-J-13）。

徒手整復が困難な場合，むやみに整復操作を繰り返すことなく，CT検査などで整復障害因子の有無を確認し，整形外科専門医へのコンサルトを検討すべきである。また，脱臼骨折の場合は整復後も容易に再脱臼することが多いため，牽引やキャスト固定，創外固定などで一時的に固定を行い，最終的に内固定が必要になる場合が多い。

整復後にはX線単純写真で整復位の確認を行う。関節内骨片の有無，軟骨下損傷の程度などを評価する。さらなる治療戦略を決定するにはCTが有用である[6]。

2. 主な脱臼・脱臼骨折

1）上　肢

(1) 肩関節

上肢の脱臼でもっとも頻度が高い。前方と後方脱臼があるが，95％は前方脱臼である（図3-3-J-14）。前方脱臼の合併症として腕神経叢損傷，腋窩動静脈損傷があり，これらの損傷は脱臼整復時にも起こるため注意が必要である。後方脱臼は，X線単純撮影正面像のみでは判別が難しいため，身体所見から疑うようにする。

(2) 肘関節

上肢の脱臼で2番目に頻度が高く，小児に比較的多い。脱臼は外側，内側，前方にも起こるが，後方脱臼（図3-3-J-15）が約90％である。合併損傷

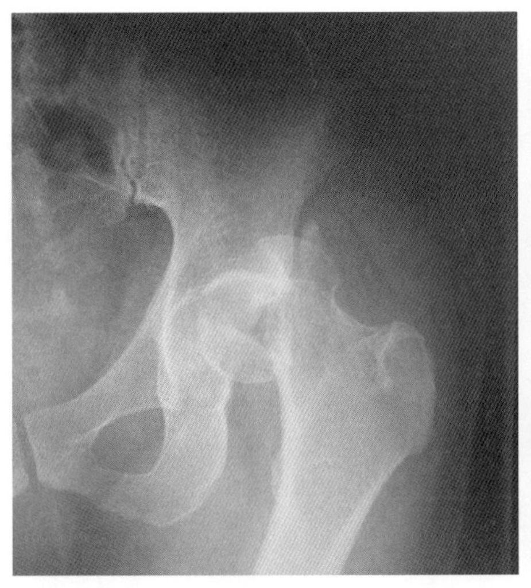

整復前。大腿骨頭骨折を伴った股関節後方脱臼

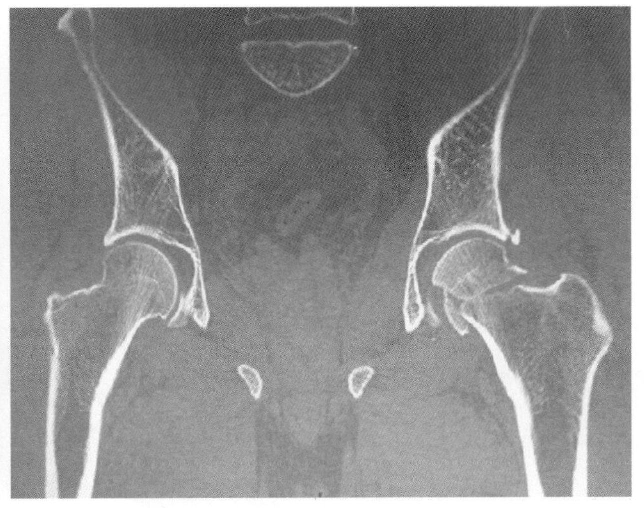

徒手整復後のCT。整復に伴い新たに大腿骨頸部骨折が発生している

図3-3-J-13　**脱臼整復時の骨折**

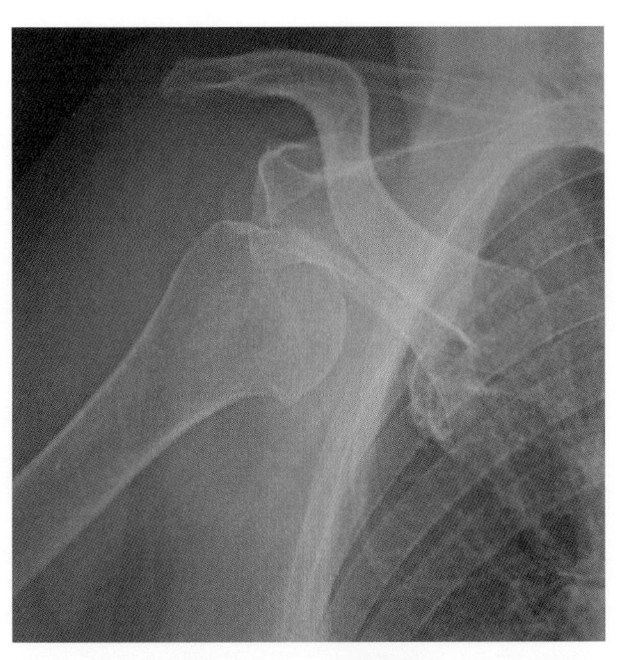

図3-3-J-14　**肩関節脱臼**

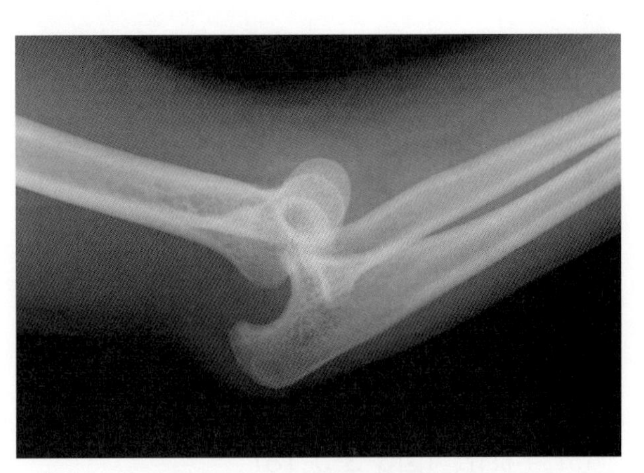

図3-3-J-15　**肘関節後方脱臼**

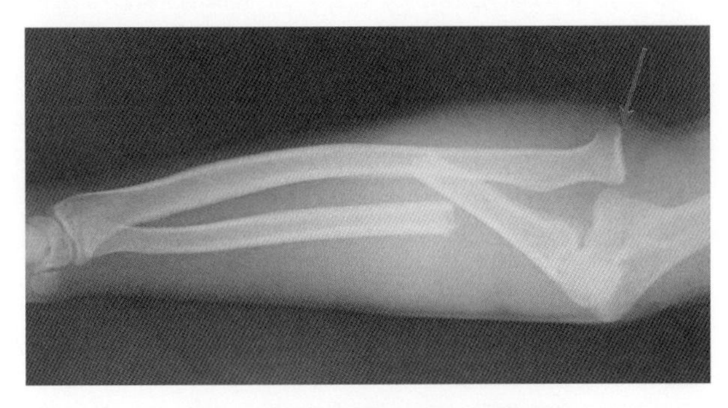

図3-3-J-16　**Monteggia骨折**
脱臼した橈骨頭（矢印）

として尺骨・正中神経損傷，上腕動脈損傷がある。徒手整復は容易であるが，鉤状突起骨折を伴うものは整復後も不安定な場合がある。

(3) Monteggia骨折（図3-3-J-16）

尺骨骨折に橈骨頭脱臼を合併した損傷で，小児で尺骨骨折が不全骨折であったり脱臼の程度が比較的軽度なものは見過ごされやすいので注意が必要である。橈骨頭はいずれの方向にも脱臼するが，前方脱臼が多い。尺骨骨折をみた場合，Monteggia骨折を念頭に置いて注意深い身体所見をとり，必要に応じて肘部のX線単純撮影を追加する。脱臼の整復のためには，尺骨骨折の手術による解剖学的な整復固定が必要である。

(4) Galeazzi骨折（図3-3-J-17）

橈骨骨折に尺骨脱臼を合併した損傷である。脱臼の整復には橈骨骨折部の手術による解剖学的な整復固定が必要である。

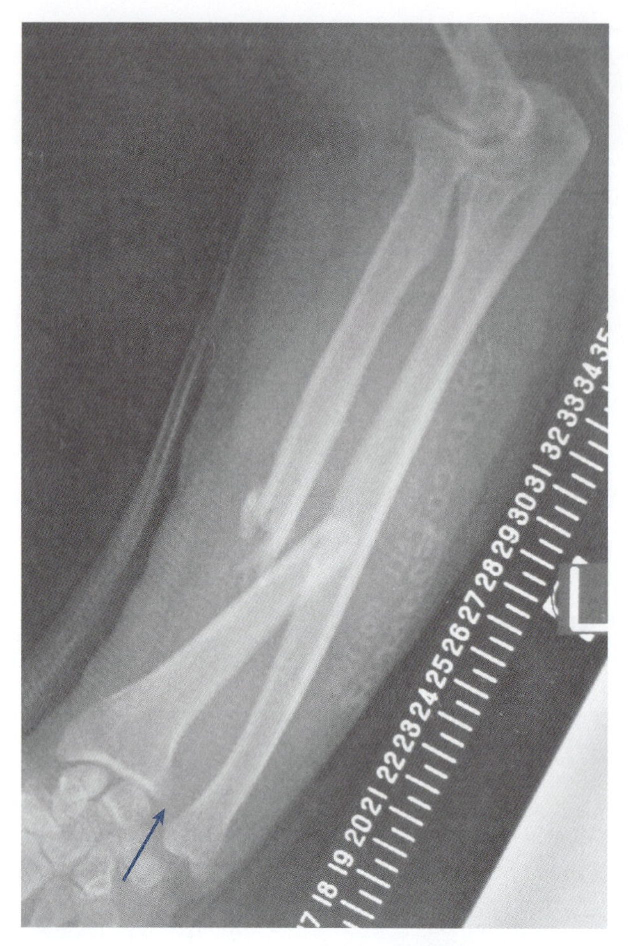

図3-3-J-17　Galeazzi骨折
遠位橈尺関節脱臼（矢印）

(5) 手根骨[7]（図3-3-J-18）

高エネルギー外傷に多く，橈骨遠位端骨折と合併することもあり見逃されやすい。手根骨の配列異常がないかどうかCT検査や単純X線撮影で確認する。月状骨周囲脱臼が多く，正中神経麻痺を合併しやすい。転位がわずかな場合もあるので注意する。早期の脱臼整復と内固定が必要である。

2）下　肢

(1) 股関節脱臼（図3-3-J-19）

下肢の脱臼でもっとも頻度が高い。大きく前方脱臼と後方脱臼に分けられるが，後方脱臼の頻度が高い。寛骨臼骨折や大腿骨骨頭骨折を合併することも少なくない。後方脱臼は股関節が軽度屈曲・内転・内旋位で固定される特徴的な肢位をとる。後方脱臼では坐骨神経損傷の合併（約10%），前方脱臼では大腿動静脈損傷の合併に注意する。12時間以内に整復した群と比較し，12時間以降に整復した群ではオッズ比平均が5.6で大腿骨頭壊死のリスクが上がる[8)9)10)]ため，脱臼整復は緊急で行う必要がある。

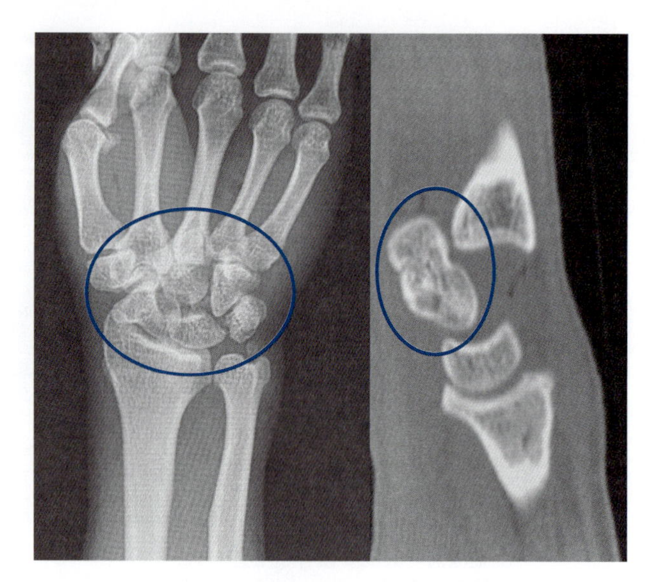

図3-3-J-18　単純X線正面での手根骨の配列異常とCTでの有頭骨掌側脱臼

(2) 膝関節脱臼（図3-3-J-20）

大きく前方，後方，回旋性脱臼に分けられるが，前方脱臼の頻度が高い。膝関節は，半球状の大腿骨顆部と平坦な脛骨プラトーが靱帯で結合され安定性が保たれている。このため，脱臼後に自然整復され，受診時に見逃される場合がある。1.6〜18%に膝窩動脈損傷を伴うと報告されており，注意深く検索する[11)12)]（「四肢主要動脈損傷」（p.346）参照）。

Ⅲ 軟部組織損傷の治療戦略と戦術

開放創の有無にかかわらず，軟部組織損傷の程度は四肢外傷の治療方針に大きな影響を与える。治療方針の決定には，神経・血管損傷，筋腱・靱帯損傷，骨折，挫滅・汚染の程度と範囲を注意深く評価することが大切である。

ここでは，比較的まれではあるが，治療方針決定に難渋することが多い軟部組織損傷について述べる。

1. デグロービング損傷（皮膚剝脱損傷）

デグロービング（degloving）損傷は四肢（主に手）が機械などに巻き込まれ，手袋を脱ぐように皮膚および皮下組織が剝離される損傷である。同様な損傷で，主に交通事故時に四肢がタイヤに轢過されて生

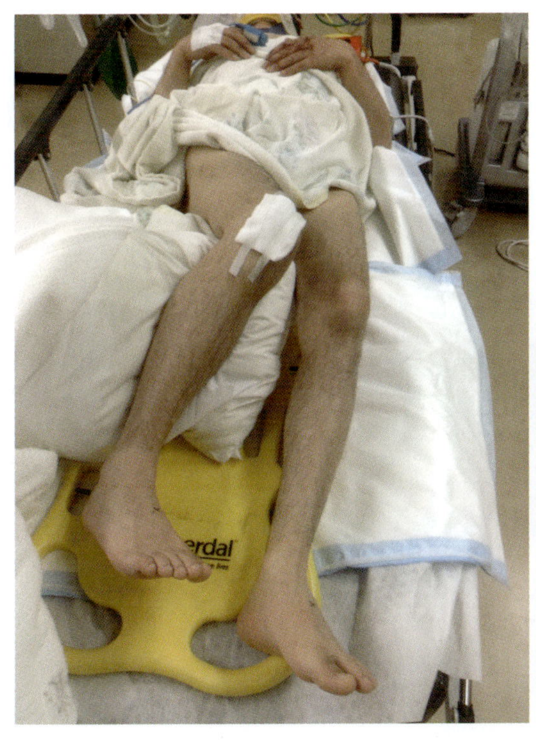

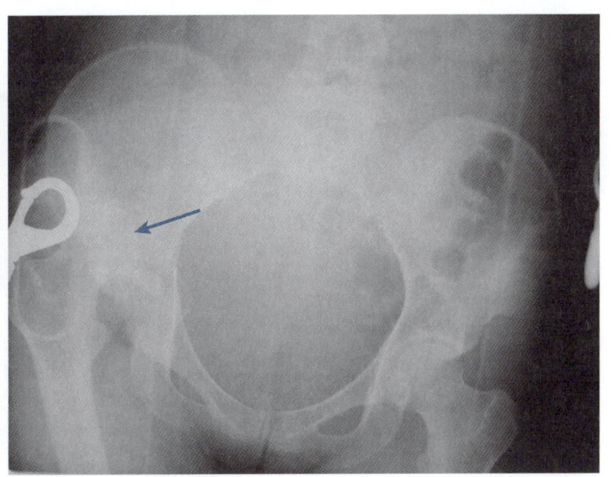

図3-3-J-19　股関節脱臼・脱臼骨折
股関節後方脱臼（矢印）

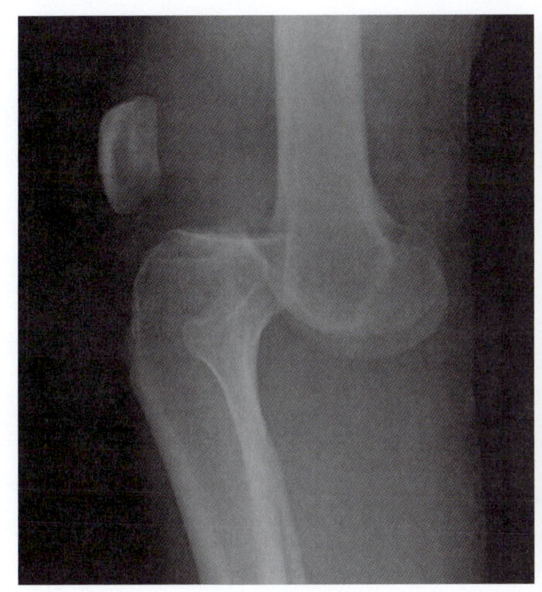

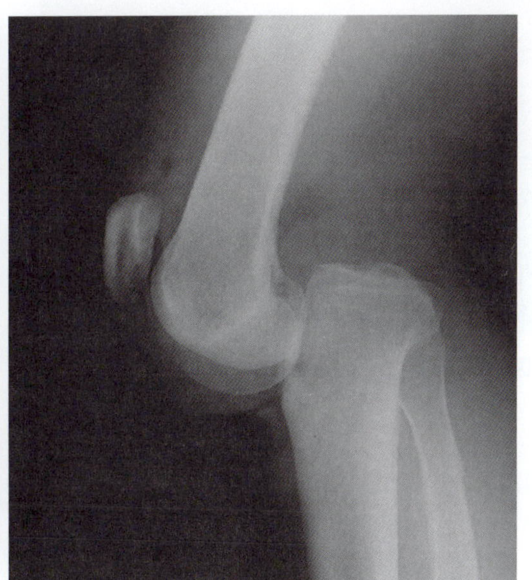

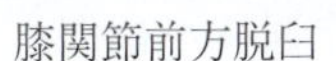

膝関節前方脱臼　　膝関節後方脱臼

図3-3-J-20　膝関節脱臼・脱臼骨折

じたものは，デコルマン（decollement）損傷と呼ばれる。現在ではこれらを総称してデグロービング損傷（図3-3-J-21）と表記されている。

開放創を伴うものがほとんどであるが，開放創のないものをclosed（internal）degloving injuryとして区別する。このうち，大腿骨の大転子部から骨盤にかけての閉鎖性損傷はMorel-Lavallée lesionと呼ばれている（図3-3-J-22）。本損傷は一見，打撲痕のみであるため見逃されやすい。皮膚壊死，感染などを合併しやすく，とくに骨盤・寛骨臼骨折を合併している場合には術後の深部感染率が高くなるため早期発見が大切である。診断は触診による皮膚の異常可動性や皮下の波動などの身体所見で疑い，皮下を穿刺し大量血液が引けた場合には確定診断とな

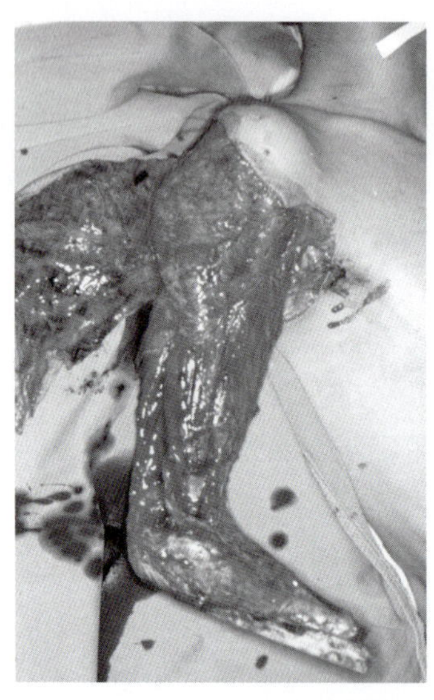
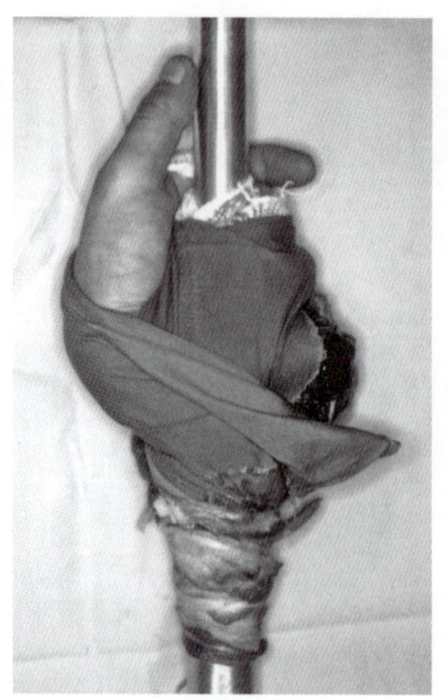

機械に巻き込まれて受傷

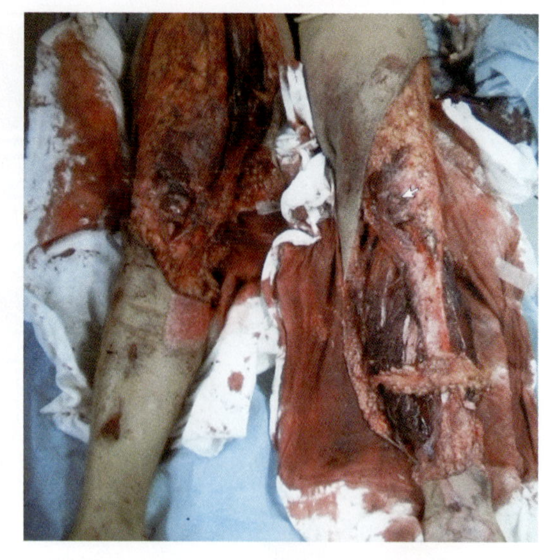

車のタイヤに轢過されて受傷

図3-3-J-21　デグロービング損傷

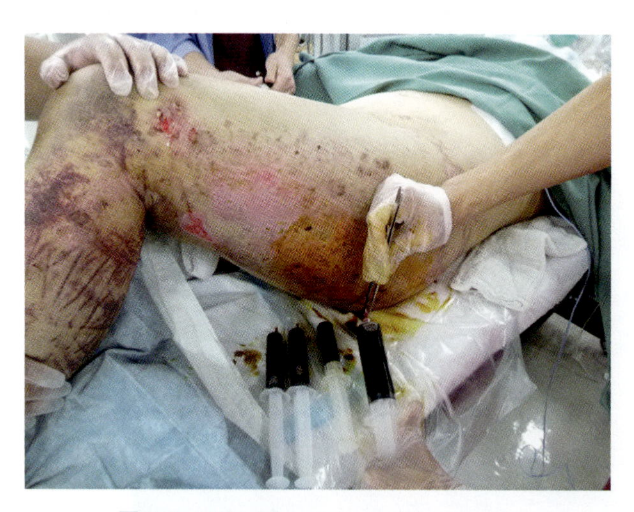

図3-3-J-22　Morel-Lavallée lesion

る[13]。損傷範囲の診断にはCT検査が有用である。

デグロービング損傷による剝脱皮膚は元の位置に戻して縫合しても大部分が壊死に陥ることが多いため，皮膚の活性を評価することが重要である。初期には壊死となる皮膚の判断が困難であるが，辺縁からの出血もしくはピンプリック法による出血が鮮紅色でなければ（無出血や黒い静脈血であれば），その部位は壊死する可能性が高い[14]。

治療法として，壊死範囲を少なくするため，吻合可能な血管があれば顕微鏡下に動脈または静脈の再建を行う方法[15]もあるが，近年とくに下肢の広範囲なデグロービング損傷において，剝脱皮膚を用いて全層もしくは分層植皮を行う方法（図3-3-J-23）による良好な成績が複数報告されている[16)17]。植皮に対する陰圧閉鎖療法（negative pressure wound therapy；NPWT）併用の有用性[17)18]もあり，今後さらに広く行われる治療法であると思われるが，不十分なデブリドマンによる感染の併発には十分注意が必要である。また足底荷重部の損傷に対して，植皮か皮弁形成をするかはいまだ議論の分かれるところであるが[15]，荷重ストレスによる慢性潰瘍を形成する患者も多いため，専門医にコンサルテーションし皮弁手術を考慮する[19]。

closed degloving injuryの治療は，デブリドマンと血腫の除去，持続吸引による死腔の閉鎖が肝要で，血腫の穿刺のみでの予後は不良である。デブリドマンの方法には，大きく開放して行う方法と小切開で行う方法が報告されており，早期であるならば後者も有用である[20)21]。剝奪皮膚下の血腫ドレナージや洗浄は愛護的に行い，残存しているかもしれない皮膚への穿通枝を損傷しないように注意する。

2. コンパートメント症候群

コンパートメント症候群は，外科的緊急度の高い病態であり，診断・治療の遅れや見逃しは，著しい機能障害を生じるおそれがある[22]。筋膜や骨間膜に囲まれた筋区画内圧が何らかの原因で上昇し，血管・神経・筋肉への末梢循環が障害されて生じる（図3-3-J-24）。もっとも頻度の高い原因は骨折であるが，血管損傷，キャスト包帯などによる固定後，

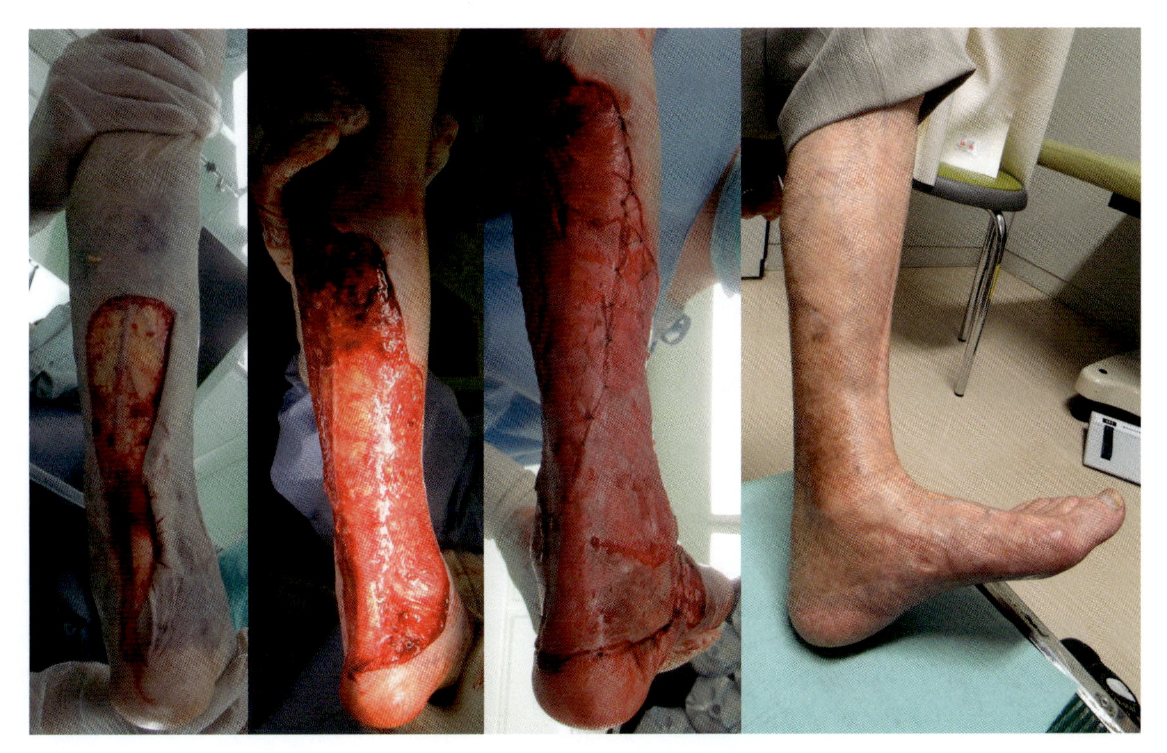

図3-3-J-23　**デグロービング損傷**
剝脱皮膚を除脂肪し，全層植皮した。右は受傷1年後の様子

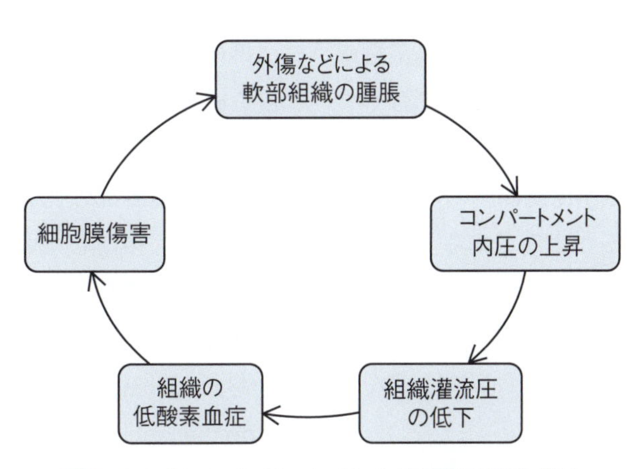

図3-3-J-24　**コンパートメント症候群の発生機序**

手術時の体位（とくに砕石位）などによる長時間の同一肢位，径の大きいカテーテルの動脈内留置後（図3-3-J-25），蛇咬傷，熱傷，圧挫症候群などさまざまな原因で生じる[23]。

どの部位でも発生するが下腿でもっとも多く，その他の部位では前腕，殿部，大腿，足部などで発生する。近年，抗凝固薬や抗血小板薬を服用している高齢者が，比較的軽微な外傷で筋膜内に血腫を生じ発症する例もある。

1）診断と治療戦略

意識清明の患者では，臨床所見をもとに診断するのが原則である。早期に出現し，信頼性が高い症状が疼痛と知覚異常である。損傷の程度に比例しない激痛，対象区画内筋肉の他動的伸長時の疼痛（passive stretch pain）があれば，コンパートメント症候群を疑う[22]。運動麻痺や脈拍の消失が出現するのは末期であるため，これらが出現する前に筋膜切開の適応を判断しなければならない[24][25]。

臨床所見のみでは判断が難しい場合，意識障害，麻酔などの影響で所見が取れない場合には，筋区画内圧測定を行う。内圧測定のための専用機器は国内では入手できないため，動脈圧モニターと18G針を用いた測定が簡便である[26]。筋区画内の組織灌流圧

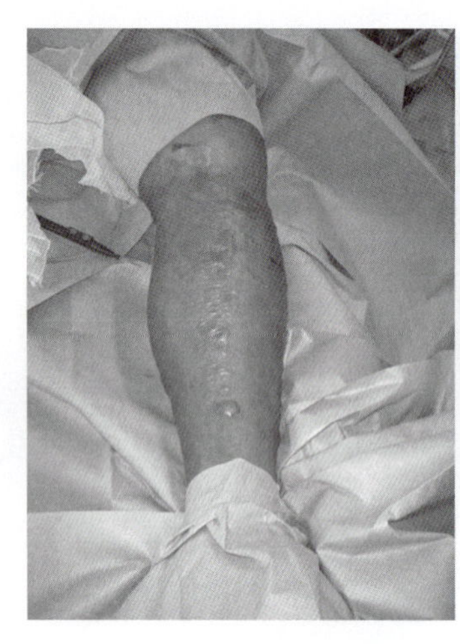
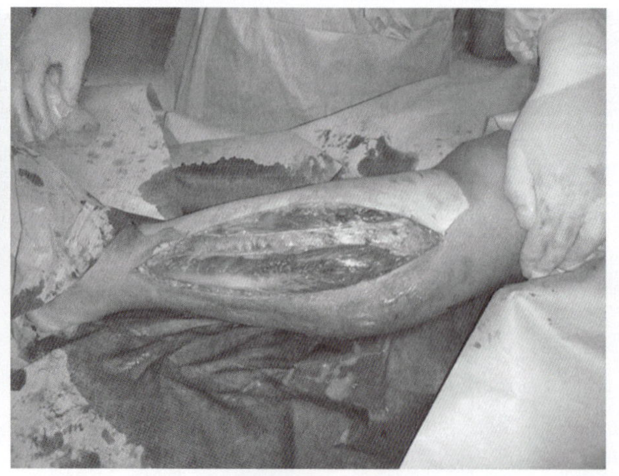

図3-3-J-25　コンパートメント症候群

を表す拡張期血圧と筋区画内圧の差が，30mmHg以下を筋膜切開の適応とするのが一般的である[23)25)27)]。ただし，一度の測定では偽陽性率が高いという報告もあり[28)29)]（推奨レベルⅡ），判断に迷う場合は，筋区画内圧測定を30〜60分ごとの経時的に行うか，持続的内圧測定を行い，筋膜切開を決定することが望ましい[30)]。また，不正確な手技による測定誤差を減らすため，日ごろから器具や手技に精通しておく必要がある[31)32)]。

診断の遅れたコンパートメント症候群への筋膜切開については，議論の分かれるところである[23)33)34)]（推奨レベルⅢ）が，壊死が完成したコンパートメントの開放は感染，切断となる危険が高く，重症感染による死亡例の報告もある[35)]ため，より慎重な判断を要する。

2）治療戦術

(1) 筋膜切開の手順

もっとも頻度の高い下腿コンパートメント症候群に対する筋膜切開の手順と注意点を示す。筋膜切開法には，下腿外内側に縦切開を加えて行うdouble-incision fasciotomyと，外側のみの縦切開で行うsingle-incision fasciotomyがある。いずれの方法でも前方（anterior），側方（lateral），後方（posterior），深後方（deep posterior）の4つの筋区画をすべて開放することができるが，double-incision fasciotomyのほうが手技は容易である。

①皮膚切開

骨折や開放創の有無や部位により適宜調整するが，一般的には内側では脛骨内側縁のやや後方，外側は腓骨のやや前方に十分な長さの縦切開を加える。

②double-incision fasciotomy（図3-3-J-26a）

皮下組織を鈍的に剝離して筋膜に達し，内側皮膚切開から後方筋区画を開放する。続いて，脛骨内側縁に沿って進入し深後方筋区画を開放する。このとき，後脛骨動静脈を損傷しないように十分注意する。

外側皮膚切開からは同様に筋膜に達し，腓骨の位置を確認する。腓骨を覆っているのが側方筋区画であり，前方筋区画はかなり前方に位置する。2つの筋区画の境界部の側方筋区画内に浅腓骨神経が存在するので，損傷しないように注意する。それぞれの筋区画を確認した後，筋膜を切開して開放する（図3-3-J-27）。

③single-incision fasciotomy（図3-3-J-26b）

double-incision fasciotomyの下腿外側皮膚切開のみを使用する。皮下を十分に剝離し，前方，側方，後方の3つの筋区画を開放する（図3-3-J-28）。続いて，腓骨の後縁に沿って鋭的に深後方筋区画に進入し開放する。

(2) 筋膜切開後の創処置

明らかに活性のない壊死組織は除去する。一期的創閉鎖は通常困難であるため，shoelace法（図3-3-J-29）などを用いて徐々に創を縮小し，二期的に縫合もしくは植皮を行う。浮腫管理や感染予防の観点から，NPWTの併用が有用である[36)]（推奨レベルⅢ）。

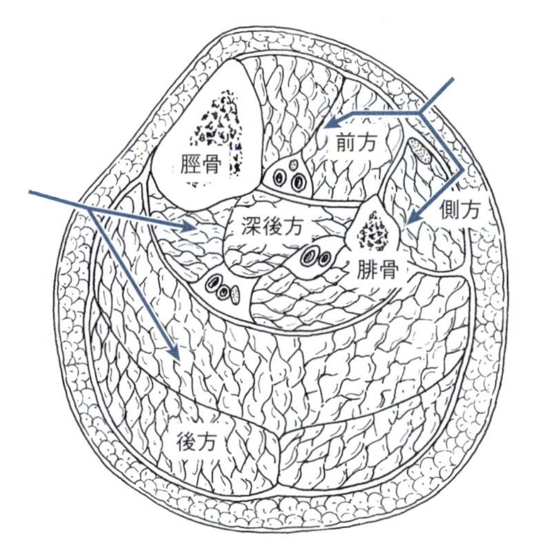

a：double-incision fasciotomy

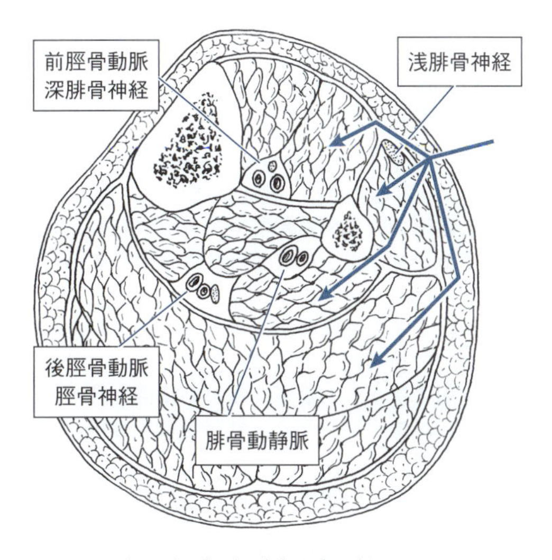

b：single-incision fasciotomy

図3-3-J-26　筋膜切開の進入法

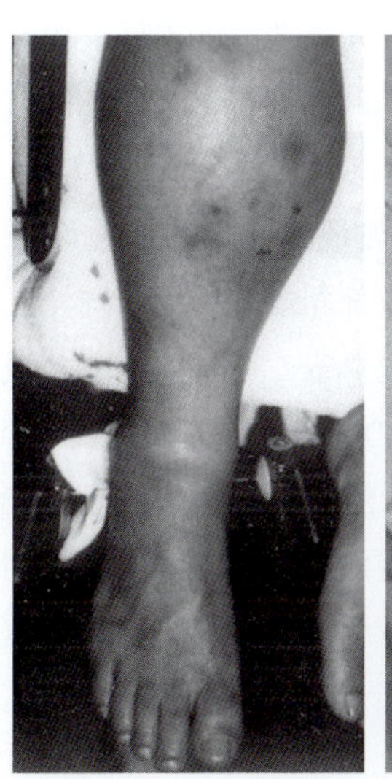
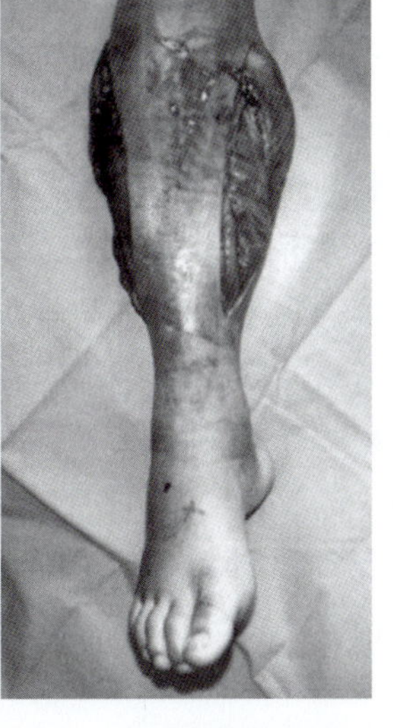
図3-3-J-27　下腿コンパートメント症候群に対する筋膜切開（double-incision fasciotomy）

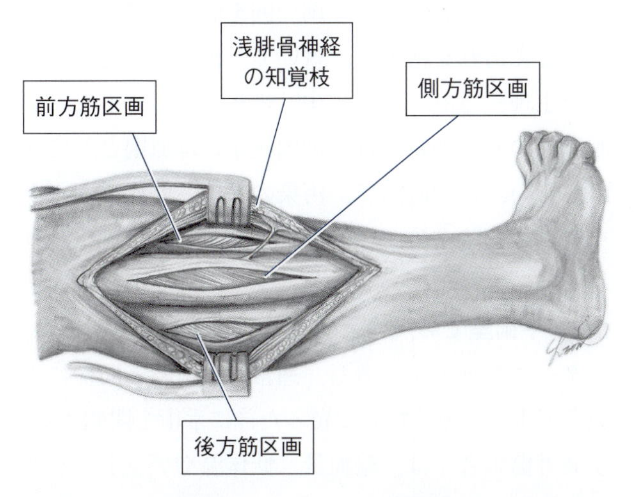

図3-3-J-28　下腿コンパートメント症候群に対する筋膜切開（single-incision fasciotomy）
深後方筋区画以外が開放されている

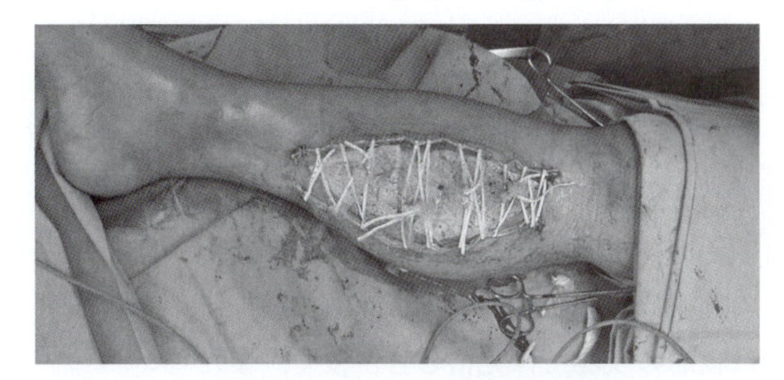
図3-3-J-29　shoelace法

Ⅳ 開放骨折の治療戦略と戦術

四肢開放骨折の治療目標は，感染（骨髄炎）を併発することなく，損傷肢を早期に正常機能に回復させることである。この目標を達成するには，早期の抗菌薬の投与，十分な洗浄と徹底的なデブリドマン，軟部組織損傷の修復または早期再建，適切な骨折固定法の選択が重要であり，重症例では術者の技量が大きく予後に影響する。

開放骨折の分類法として，軟部組織損傷の重症度に重点を置いたGustilo-Anderson分類（表3-3-J-1）が広く用いられている。本分類は，主観的な要素が入りやすいため，検者による一致率が60％程度と低い問題点はあるが[37]，簡便で治療計画を立てるうえで有用な指標となる。

1. 救急室における初期診療

外出血は直接圧迫でコントロールするが，状況に

表3-3-J-1　開放骨折分類（Gustilo-Anderson）

Type Ⅰ	軟部組織損傷程度が低く，汚染のない1cm以内の開放創
Type Ⅱ	TypeⅠに比較して軟部組織損傷程度の強いもの。具体的には，開放創は1cmを超えるが，広範囲の軟部組織損傷やフラップ状または引き抜かれたような軟部の損傷を伴わないもの
Type ⅢA	開放創の大きさに関係なく，高エネルギー事故による軟部組織損傷を伴うもの。一般的には，広範囲の軟部組織損傷，フラップ状または引き抜かれたような軟部の損傷を伴う。しかし，骨折部を十分な軟部組織で被覆が可能なもの
Type ⅢB	軟部組織損傷が強く，通常，重篤な骨膜剝離，骨の露出，高度の汚染を伴うことが多い。骨折部を十分な軟部組織で被覆ができず，何らかの軟部組織再建が必要になる可能性が高いもの
Type ⅢC	修復が必要な血管損傷を伴うもの

分類の最終決定はデブリドマン終了後に行うのが原則である

より空気駆血帯（ターニケット）の使用も考慮する。損傷肢の可及的な整復と外固定を行い，神経と血行の評価は必ずその前後で行う。神経損傷，血管損傷は救急の現場では見落としが多く，またコンパートメント症候群の合併も診断が難しい。3～4時間の温阻血で筋肉の壊死は始まるため，系統的な評価を繰り返すことが重要である[38]。

開放骨折ではできるかぎり早期（1時間以内）に抗菌薬を投与する[39]。また，院内感染のリスクを減らすため手術室以外でむやみに開放創の観察を行わず，撮影した写真を用いて情報を共有する。手術室への入室まで時間があれば，創内の粗大異物の除去と可及的な洗浄を行うが，救急処置室でのデブリドマンはあくまで予備的なものである[39]。治療経験豊富な医師へのコンサルテーションは速やかに行う。

2. 治療戦略

洗浄の意義は，細菌数を減らして感染成立の閾値を下げることを狙いとする。デブリドマンとは，異物や挫滅・汚染された組織，壊死組織を取り除くことであり，細菌感染の温床を排除することを目的とする。適切な麻酔による十分な鎮痛下で，清潔で設備の整っている手術室内で行うのが原則である。

古くから，開放骨折に対するデブリドマンは6時間以内がgolden timeとされてきたが，近年6時間以前と以降のデブリドマンで感染率に差がないという研究結果が複数報告されており[40)～43)]，一律な時間の縛りよりも，デブリドマンの質や開放骨折の重症度が重要視されている。ただし，Type Ⅱ，Ⅲの開放骨折ではデブリドマンが遅れるほど感染率が上昇したという報告[44]もあり，重症開放骨折や汚染の強い場合には可及的早期にデブリドマンが推奨される。高エネルギー外傷による（Type ⅢAもしくはⅢB）は12時間以内，その他の開放骨折は24時間以内にデブリドマンを行う必要があり，経験のある整形もしくは形成外科医によって施行されることが望ましい[45]。

重症であるほどデブリドマンは難しく十分に行えない可能性があるため，2nd lookといわれる再デブリドマンを早期に行う必要がある。2nd lookの時期についての一致した見解はないが，多くは48時間以内に行われている[46]。

軟部組織損傷に対する処置はきわめて重要であり，骨折部を血行豊富な軟部組織で早期（遅くとも受傷後1週間以内）に被覆することが感染率の減少に有用であるとする多くの報告がある[47)～52)]。このため，Type ⅢBでは骨折部を適切な軟部組織で被覆するため，局所または遊離皮弁・筋弁，皮膚筋弁などのflap surgeryを用いた早期再建を常に考慮して治療にあたる。

3. 治療戦術

1）手術室での術前洗浄

スポンジなどを用いて創周囲を広範囲にブラッシングして汚れを落とす。続いて，創内に付着した異物を生理食塩液で洗い流す。ポビドンヨードなど細胞毒性のある消毒薬は，創内洗浄には原則として使用しない。この時点で，汚染の強い，壊死の明らかな組織は切除する。

2）手術室での洗浄とデブリドマン[53) 54)]

ターニケットを装着し，通常の手術時と同様に患肢を消毒し，滅菌敷布で覆った後に手術を開始する。多発外傷患者では，輸血量，低体温やアシドーシスの有無など全身状態を評価しながら，デブリドマンを迅速に行う。出血が全身状態に影響すると判断した場合は止血処置を優先し，デブリドマンは粗大な汚染・壊死組織の除去のみにとどめる。

(1) 開放創内の評価

深部の組織損傷は通常開放創よりも大きいため，zone of injury（損傷の領域）を開放するために切開を追加し創を延長する。皮膚・軟部組織の挫滅や汚染状況，異物の残存，骨折端の汚染や神経・血管損傷の有無を評価する。

(2) 汚染・挫滅組織の除去

開放創の浅層から深層へと向かって（皮膚，脂肪を含む皮下組織，筋体，骨膜，骨へと順に）異物除去と血流のない組織の切除を行う。切除する組織の判断は，肉眼的に挫滅・汚染の強い組織，切除時に出血のない組織，収縮のない筋組織，軟部組織の付着のない骨片などを原則とする。主要な血管・神経，機能的に重要な腱，関節軟骨を含む骨片はできるか

◆Clinical questions◆ CQ 48

開放骨折に対する予防的抗菌薬は何が適切か？

A Gustilo分類TypeⅠ，Ⅱではペニシリン系もしくは第1世代セファロスポリン系抗菌薬を24時間，Gustilo分類TypeⅢではセファロスポリン系＋アミノグリコシド系（もしくは広域セファロスポリン系抗菌薬）を72時間投与することが現在のコンセンサスと考えられる。MRSAカバーを目的とした抗MRSA薬の使用による有効な結果は得られていない。

開放骨折に対する感染予防の抗菌薬選択についてはエビデンスレベルの高い報告は存在しない。受傷後早期（1～3時間以内）に抗菌薬投与を行うべきというコンセンサスは得られているが，抗菌薬の種類や量，投与期間については治療プロトコルの違いなどからコンセンサスが得られていない[1]。

現在ある抗菌薬の種類選択については2011年にEASTのガイドラインで前述の提唱がなされ[2]，米国の整形外傷治療プログラムにおいても同様の提唱がなされている[3]。2016年には英国のNICEガイダンスにおいて早期の抗菌薬投与は推奨されているものの[4]，抗菌薬の種類については言及されておらず，そのほかのガイドラインなどでも示されていない[5]。

グラム陰性菌カバーを目的としたアミノグリコシド系抗菌薬の併用に関して，前述のプロトコルに従うことで従前よりもアミノグリコシドやグリコペプチド系抗菌薬の使用を削減できたと報告されている[6]。また第1世代セファロスポリン系抗菌薬とアミノグリコシド系抗菌薬の併用投与とアンピシリン・スルバクタムやピペラシリン・タゾバクタムの単剤投与を比較した報告でも後者の非劣性が報告されている[7,8]。またすべての開放骨折に対して第1世代セフェム系抗菌薬の投与で十分とするグラム陰性菌カバーに懐疑的な報告もある[9–11]。このようにさまざまな意見があり，抗菌薬投与の選択については前述のEASTガイドラインに沿って使用することがもっともコンセンサスが得られているものと考えられる。

MRSAによる感染率は2000年以前には6～10%[12,13]であったが，2013年には25%[14]と増加傾向にあり，MRSA対策の重要性も検証されている。しかしながら抗MRSA薬によるMRSA感染率の低下はなく，ルーチンでのMRSAカバーは必須ではないと考えられる[6,15]。

文献

1) Chang Y, et al：JBJS Rev 2019；7：e1.
2) Hoff WS, et al：J Trauma 2011；70：751-754.
3) ACS TQIP：Best practices in the management of orthopaedic trauma. American College of Surgeons, Chicago, 2015.
4) National Institute for Health and Care Excellence：NICE guidance；Fractures（complex）：assessment and management. 2016.
5) 日本整形外科学会，日本骨・関節感染症学会監，日本整形外科学会診療ガイドライン委員会，骨・関節術後感染予防ガイドライン策定委員会編：骨・関節術後感染予防ガイドライン2015，改訂第2版，南江堂，東京，2015.
6) Rodriguez L, et al：J Trauma Acute Care Surg 2014；77：400-407；discussion 407-408；quiz 524.
7) Redfern J, et al：J Orthop Trauma 2016；30：415-419.
8) Takahara S, et al：Injury 2022；53：1517-1522.
9) Hauser CJ, et al：Surg Infect（Larchmt）2006；7：379-405.
10) 鈴木卓，他：日本骨・関節感染症学会プログラム・抄録集 2022；45回：132.
11) Patanwala AE, et al：Am J Ther 2019；28：e284-e291.
12) Carsenti-Etesse H, et al：Eur J Clin Microbiol Infect Dis 1999；18：315-323.
13) Johnson KD, et al：Clin Orthop Relat Res 1986：281-288.
14) Chen AF, et al：Clin Orthop Relat Res 2013；471：3135-3140.
15) Saveli CC, et al：J Orthop Trauma 2013；27：552-557.

ぎり温存を図る。

皮膚は，ターニケットを使用せず，確実に辺縁から鮮紅色の出血がみられるところまで切除する。次に，皮下，筋体のデブリドマンであるが，この際出血が多いと神経血管束損傷のリスクがあることと出血により筋体の活性の判断が難しいことから，ターニケットを使用して行う。最後に骨のデブリドマンは，ターニケットを解除後に骨からの出血を評価し，明らかに出血のない骨片や軟部組織の付着していない骨片を除去するが，関節面を含む骨片や力学的安定性に寄与するような大きな骨片を除去するか否かの判断は困難なため，決定は治療経験豊富な医師に委ねる。

(3) 洗　浄

デブリドマンの完了と活動性出血のないことを確認し，創洗浄を行う。石けん水による洗浄は，生理食塩液と比較して再手術率を上げるとされているため，洗浄は大量の生理食塩液を用いて行う[55]。パルス洗浄器は，短時間に大量の洗浄が可能であり有用である。しかし，洗浄圧が高すぎると骨の微細構造や軟部組織の傷害，細菌の深部への拡散などの危険性があるため，低圧での洗浄を心がける[56]。

3）骨折部の固定

患者の全身と局所の状態，そして施設の対応能力，術者の技量などを考慮して，骨折部の固定法を選択する。一般的にはType Ⅱまでが即時内固定の適応となり，Type Ⅲでは創外固定が頻用される。

4）開放創の処置

可能であれば創部の一次閉鎖が望ましいが[57] 無理に縫合した皮膚は壊死の危険性が高くなるため，緊張のない皮膚に限られる。開放創のままとした場合はNPWTを使用するか，非固着性のガーゼや被覆材などで創部を被覆する。NPWTは創部からの滲出液のコントロールや浮腫を軽減させるなどの効果は期待できるが[58]，論文的根拠がまだ十分ではなく使用は必須ではない[59]。出血コントロールができていない創に使用すると出血を助長したり，デブリドマンが完遂していない創部をNPWTで閉鎖したまま放置すると創部感染が増悪する可能性があるので注意が必要である。

表3-3-J-2　hard sign
（血管損傷の可能性が非常に高いことを示唆）

- 拍動性の出血
- 進行性に増大する，あるいは拍動を触れる血腫
- thrillの触知
- 血管雑音の聴取
- 局所的な虚血所見
  蒼白
  異常知覚
  運動麻痺
  疼痛
  脈拍の消失
  皮膚温の低下

〔文献61）より引用・改変〕

5）確定的内固定と軟部組織の被覆

Type ⅢB開放骨折の確定的内固定は，可能であれば軟部組織閉鎖と同時に行う[60]。軟部組織閉鎖時期は1週間以内に達成すべきなので[47)〜52)]，自施設で治療が継続可能かどうかを迅速に判断する必要があり，治療経験の豊富な施設に搬送することを躊躇しないことが重要である。

V 四肢主要動脈損傷の治療戦略と戦術

四肢主要動脈損傷は初診時で明白なものもあれば，疑っていなければ診断が困難で予後不良となってしまう患者もいる。本項では，初期対応と診断，hard sign（表3-3-J-2）[61] の対処法，緊急手術の適応，temporary vascular shunt，血行再建の実際について述べる。

1. 初期対応と診断

四肢主要動脈損傷を疑った患者の初期対応として，まずABC（airway，breathing，circulation）の評価と蘇生を行った後に，四肢外傷の評価を行う。

循環動態が安定せず，四肢主要血管損傷が明白である場合には，出血のコントロールを最優先する。開放創からの活動性外出血が存在する場合，視野が悪いなかでむやみにモスキートペアンやブルドッグ鉗子などを用いた止血方法を行うと，血管そのものを傷つけるほか，血管周囲にある神経なども損傷するおそれがあるのでまずは用手的に，もしくは包帯

による圧迫止血を行う。それでも止血不能であれば出血部の中枢にターニケットを用いて止血し，視野を確保したうえで血管損傷部を同定し処置するのもよい。ターニケットが手元にない場合は，血圧計のマンシェットを中枢側に巻き，加圧した状態でチューブをクランプし代用することもできる。近年，救急隊が初期治療の段階でターニケットを使用することが多くなっているため，駆血時間がすでに長くなっている場合は，開放創から脈管を同定して確保したうえで速やかに駆血を解除し，側副路からの血流だけでも回復させなくてはならない。多発外傷などで患者の状態が不安定な場合には，救肢を断念し駆血を継続せざるを得ない場合もある。出血部位が不明もしくは止血が困難な場合は，自施設の大量輸血プロトコルなどに従った輸血や凝固製剤の投与を速やかに開始する。

四肢主要動脈損傷を伴った患肢はアライメントが不良であることが多く，できるだけ愛護的に（可能であれば鎮静して）整復してからhard sign（表3-3-J-2）[61] の評価を行う。所見が健側と差があり，ドップラー血流計を用いて計測したarterial pressure index：API（損傷肢の収縮期圧／健側上腕の収縮期圧）＜0.90の場合は造影CT検査などによる精査が必要となる[62]。

閉鎖性骨折でも上肢では上腕骨骨折，肘関節脱臼，下肢では膝関節脱臼，脛骨近位端骨折に血管損傷を合併する可能性が高く[63]，単純X線画像上での骨折の転位が通常より大きい骨折は，潜在的に軟部の損傷も著しく神経損傷の可能性も高いと考えたほうがよい。血管損傷のsoft sign（表3-3-J-3）[61] がある場合も注意が必要で，1つのsoft signで10%，2つで25%の血管損傷があったという報告もある[64]。血管損傷を疑った場合は通常，診断において感度も特異度も高いことを示す論文的根拠がある[65] 造影CT検査を行う。定型的血管造影検査は侵襲的で手技に慣れていないと時間もかかるので，一般的には推奨されないが，CT検査ができないような不安定な場合や血行再建手術に施行されるone shot angiography（図3-3-J-30）としてや，造影CT検査でははっきりしない四肢主要血管損傷の評価などには有用である（図3-3-J-31）。四肢主動脈損傷に対する診断と治療のアルゴリズムを図3-3-J-32[66] に記す。

表3-3-J-3　soft sign（血管損傷の可能性を示唆）

• 出血の現病歴
• 損傷形態（骨折，脱臼や穿通性損傷）
• 脈拍の減弱
• 末梢神経の脱落所見

〔文献61）より引用・改変〕

開放損傷など血管損傷部位を明らかに同定できる場合は，これらの画像検査を省くことができる。しかし，複数部位での損傷が疑われる例や鈍的外傷では，画像検査で損傷部位を確定して手術に臨むべきである。その理由は，術中体位や手術アプローチの決定が容易となるだけでなく，必ずしも動脈損傷部位が骨折部と一致しない例があるためである（図3-3-J-33）。

血管損傷のhard signが確認されたら，まず自施設で治療が可能か否かを判断しなければならない（図3-3-J-32）。とくに阻血性外傷の場合，速やかに血流再開ができなければ救肢はできない。もっとも阻血に弱い骨格筋の可逆的阻血時間は4〜6時間といわれているが[67][68]，最近では可及的早期の血行再建が機能温存には必要といわれている[69]。また出血性ショックの状態だと阻血許容時間が1時間短縮する，との報告もあり[70]，足趾，手指を除いた阻血四肢は“まだ4〜6時間は時間が残っている”といった認識ではなく“可能なかぎり迅速な血行再建が必要”と考えたほうがよい。自施設での治療が不可能と判断した場合は，その時点で患者の全身状態が不安定な場合や四肢損傷以外の緊急を要する病態が疑われる場合を除き，以降の検査や処置をキャンセルして転送を急ぐべきである。

2. 緊急手術の適応となる血管損傷

活動性出血が続いている血管損傷は結紮，もしくは修復しなければならない。結紮が禁忌である動脈は，総大腿動脈，浅大腿動脈，膝窩動脈，腋窩動脈，上腕動脈であるが[71]，前腕の2分枝もしくは下腿の3分枝すべてが損傷した場合は，いずれかの動脈を修復しなくてはならない。また阻血にはなっていなくても，遊離皮弁が後に必要になる場合や，開存している血管が1本でその血管の閉塞のリスクがあると判断した場合は，血行再建を考慮する。

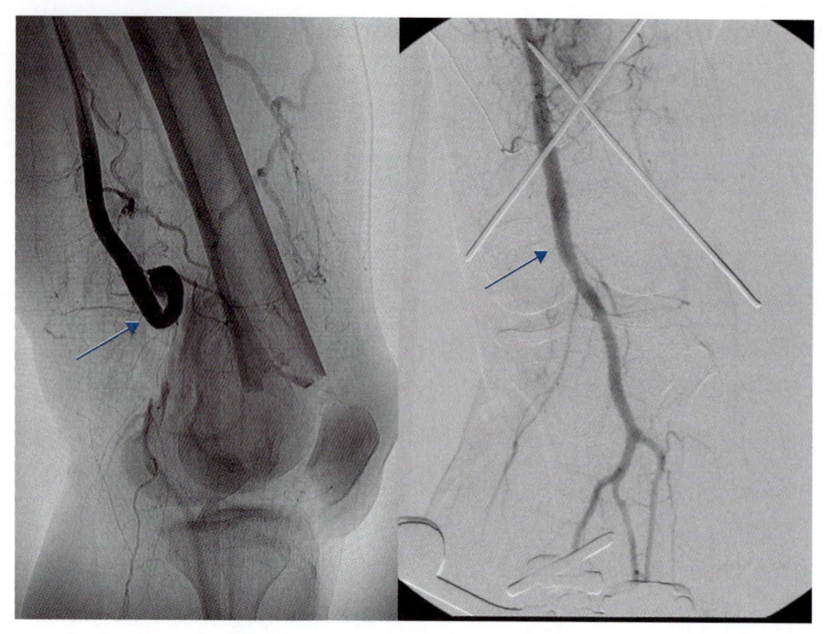

図3-3-J-30　**術中ワンショット血管造影**
大腿骨骨折に合併した膝窩動脈断裂と端々縫合後のフォロー造影

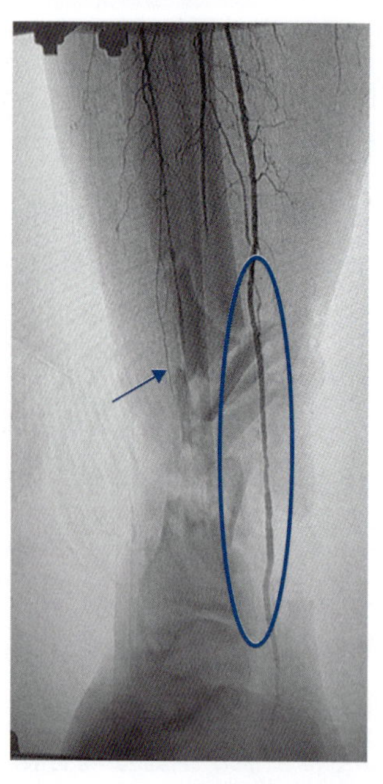

図3-3-J-31　**下腿血管造影写真**
途絶した前脛骨動脈と後脛骨動脈の血管攣縮

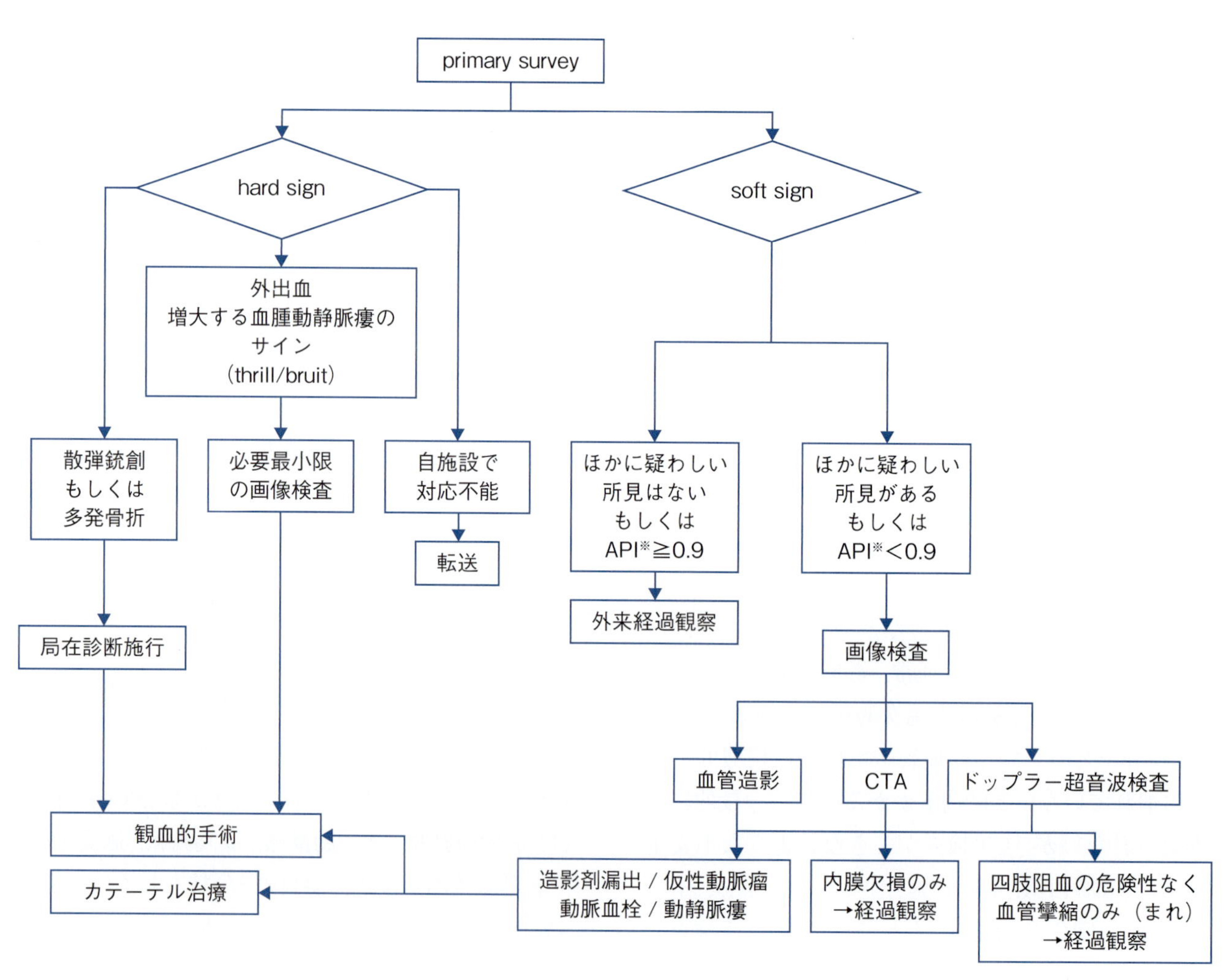

〔文献66）より引用・改変〕

図3-3-J-32　**血管損傷診断・治療アルゴリズム**
※API：doppler arterial pressure index（ドップラーを用いて測定した患肢対健常上肢の収縮期血圧比）

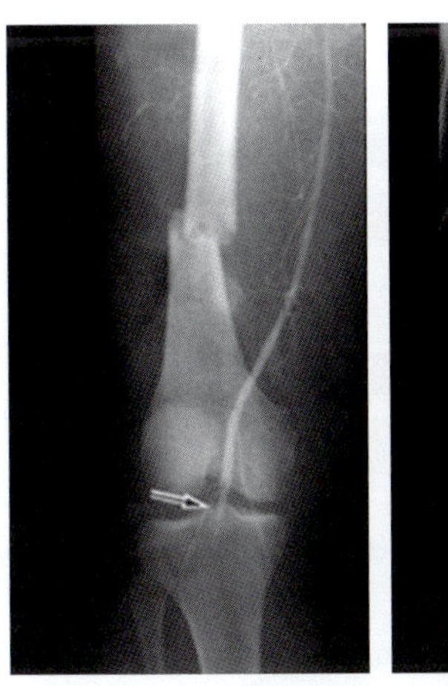
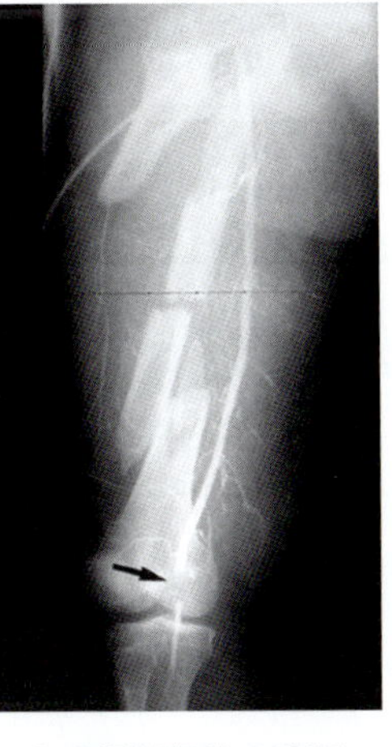

図3-3-J-33 **動脈造影による損傷部位の確認**
骨折部位と損傷部位が一致しない例

3. 一時血管シャント

一時血管シャント（temporary vascular shunt；TVS）は，阻血肢にチューブを用いて一時的に血液を灌流し阻血時間を短縮する方法である。近年阻血性四肢外傷に対してはstandardな治療方法として確立しており，Inabaらは初の多施設研究を行い213肢のTVS例をレビューし，TVSの使用が全身状態に与える影響は許容範囲内であり，治療に有効なオプションであったとしている[72]。またWlodarczykらは骨折外傷を伴った阻血性四肢外傷に対してTVS使用群と非使用群を比較し，コンパートメント症候群の発症と切断率は使用群が有意に低かったことを報告している[73]。TVSには損傷血管を局所でバイパスするtemporary intravascular shunt（TIVS，図3-3-J-34）[74]と損傷部より遠位へ大腿動脈から送血を行うcross limb vascular shunt（CVS，図3-3-J-35）[75]の2種類の方法がある。原則として生理的な血流が得られるTIVSを行う[76]。損傷血管の径に合わせたカテーテル，もしくはチューブを遠位，近位の血管断端内に内膜の解離を作らないように挿入する。挿入したらチューブを血管に絹糸で固定し，三方活栓を介したヘパリン（ポリマー）コーティングチューブ，もしくは通常の点滴チューブをカテーテルにつなげる。遠位側にヘパリン加生理食塩液をボーラス投与して遠位肢の血管内を洗浄した後，エア抜きを行ってから送血を開始する。

再灌流障害（reperfusion injury）や出血の増大によるショックに対応できるようにしてから送血を開始する。循環が不安定になる患者は送血を短時間でとどめるか中止する。創部からの外出血が少ない患者は循環動態をモニタリングしつつ灌流（送血）を持続的に施行することもできる。

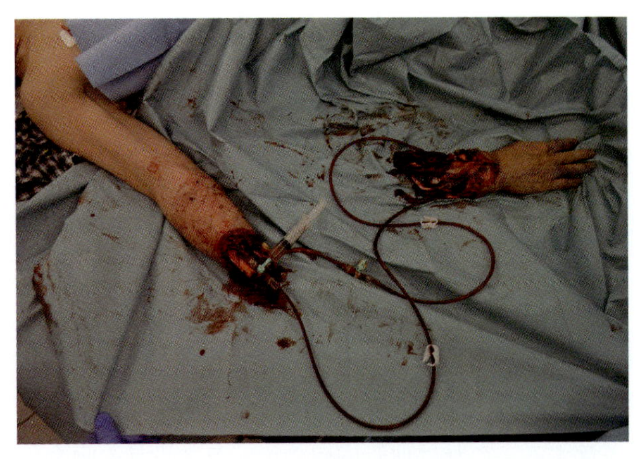

図3-3-J-34 temporary intravascular shunt（TIVS）

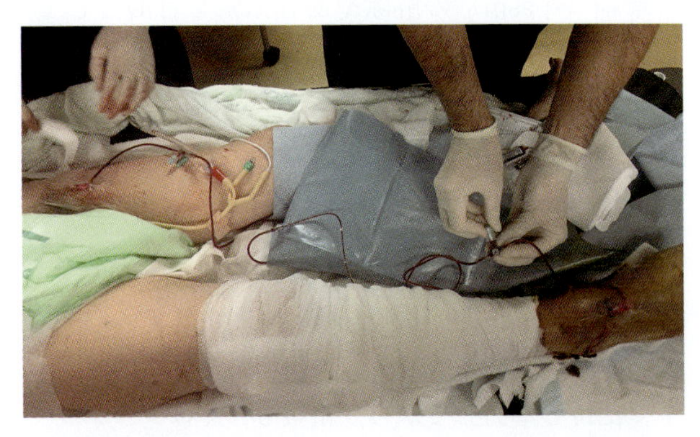

図3-3-J-35 cross limb vascular shunt（CVS）

TVSは比較的長時間を要する転院搬送中の血流維持にも有効な方策であるが，血管の操作による二次的な血管損傷の危険性もある。したがって，血管の操作に自信がない場合は無理をせず，損傷血管が開放創から確認できる場合のみTVSを試みるべきである。また，すでに阻血時間が長くなってしまった（6時間以上）場合には，再灌流障害により全身状態の急激な悪化や，時には心停止も招きかねないことから，TVSは禁忌である。

4. 血行再建の実際[77]

1）清潔野の確保

どの部位の血管損傷でも手術のドレーピングは血管の確保を行う可能性のあるエリアと，大・小伏在静脈を採取する場合は大腿，下腿にも広く行う。

初診時にコンパートメント症候群の所見がすでにあった場合はあらかじめ，もしくは手術と同時に筋膜切開を該当箇所に行う準備をしておく[78]。

2）体　位

大抵の場合は仰臥位で手術が可能であるが，膝窩動脈中部の損傷は腹臥位が適する場合もある。

3）準備する薬剤

ノボヘパリンナトリウム5,000～10,000単位を生理食塩液500mlに溶解したヘパリン加生理食塩液を用意する。これは血管内へのボーラス投与や吻合部の血管内腔や局所の洗浄に用いる。術中には，血管の攣縮（spasm）の解除や血管拡張を目的として，塩酸パパベリン1cc 40mgを10倍希釈して使用する。

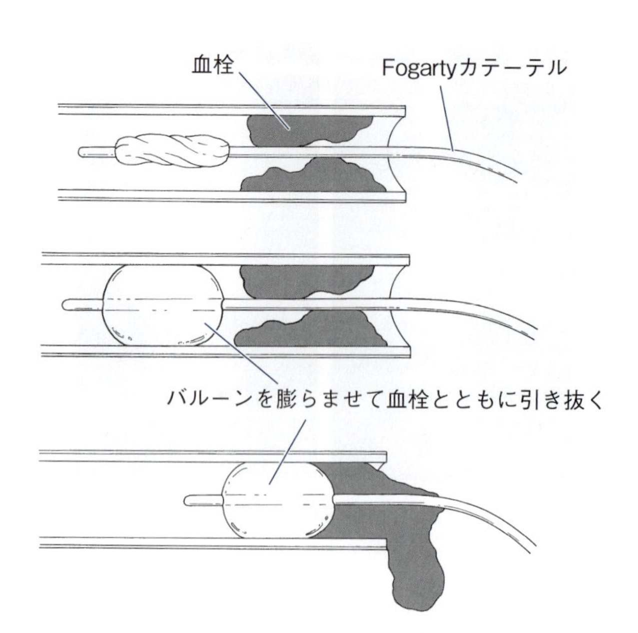

図3-3-J-36　Fogartyカテーテルによる血栓の除去

4）血管の露出と確保

ターニケットを使って止血を行っている場合は，損傷血管の遠位と近位をあらかじめ確保しコントロールすることが適切である。出血が止まらない場合は，サクションによる吸引と出血している血管を鑷子で把持し牽引してから，結紮もしくはクランプで確保し止血する。そのほか，周囲の穿通枝，筋枝を含めて同定する。小さなDebakeyクランプ，ブルドッグクランプ，ヴェッセルループなどで遠位と近位を確保し，損傷部の形態を評価する。治療が遅れた場合はFogartyカテーテルを用いて遠位，近位の血栓除去をする（図3-3-J-36）。総腸骨動脈，外腸骨動脈の場合は6Fr，総大腿動脈は5Frか4Fr，浅大腿動脈は4Fr，膝窩動脈は3Fr，他下肢の動脈は3Frか2Frを使用する。大きいサイズは内膜損傷を惹起するので避ける。近位からのフローが良好で遠位に2回連続でバルーンを通して血栓がないことを確認する。静脈はバルーンで弁を壊すのでFogartyカテーテルを通してはならない。

◆Clinical questions◆　　**CQ 49**

血行再建時の再灌流障害を予見する方法があるか？

A 虚血肢の血液から血清カリウム値や活性酸素を測定して再還流障害を予測する報告は過去には存在したが[1]，いずれも確立した方法には至っていない。現在においてもいまだもっとも有用な四肢再灌流障害の指標は，損傷四肢の阻血時間であろう。従来，虚血肢の不可逆的な細胞障害と組織壊死は虚血後6時間以降に起こるとされてきた。しかし，とくに出血性ショックの場合には，虚血性変化がもっと早くから起こり始めていることを示唆する報告がある[2]ほか，阻血四肢の環境温度が高い状態にあると阻血許容時間はさらに短くなるともいわれている[3]。阻血性四肢外傷の患肢温存のためには可及的早期の血行再開がもっとも重要であり，阻血時間が3～4時間を超える場合は再灌流障害への対策が必要で[4]，患者の状態によっては救肢を断念することも考慮する。

文 献

1） Yokoyama K, et al：J Reconstr Microsurg 1995；11：467-471.
2） Hancock HM, et al：J Vasc Surg 2011；53：1052-1062.
3） Percival TJ, et al：Br J Surg 2012；99（Suppl）：66-74.
4） Eccles S, et al ：Standards for the management of open fractures. Oxford University Press, United Kingdom, 2020；Chapter 10：93-100.
http://www.bapras.org.uk/professionals/clinical-guidance/standards-for-the-management-of-open-fractures（Accessed 2022-5-22）

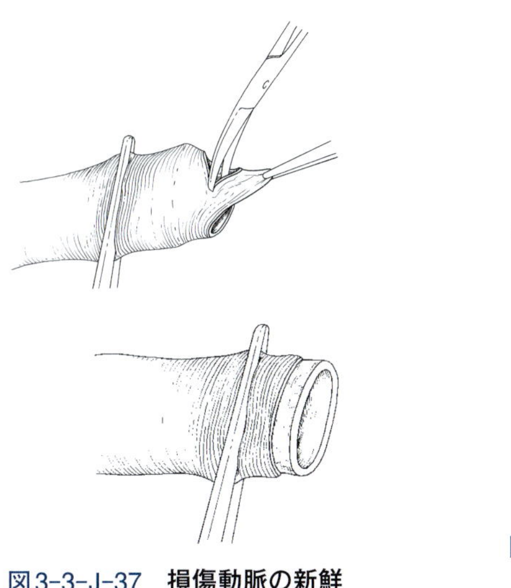

図3-3-J-37　**損傷動脈の新鮮化と外膜の切除**

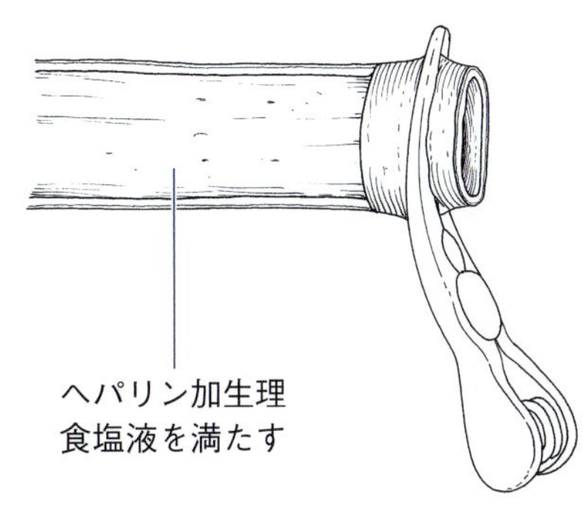

図3-3-J-38　**ヘパリン加生理食塩液を注入後，血管鉗子でクランプ**

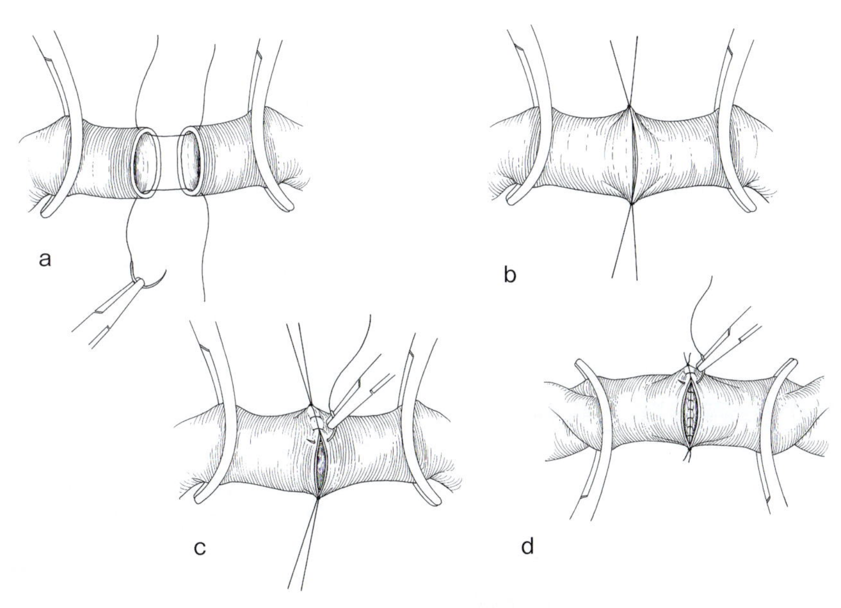

図3-3-J-39　**血管吻合**

5）血管吻合

断端を新鮮化し外膜を除去して膜構造が明瞭な断端をつくり（図3-3-J-37），ヘパリン加生理食塩液を注入後に血管鉗子でクランプする（図3-3-J-38）。血管径が1cm以上は連続縫合，それ以下は結節縫合を行う。1cm以上は6-0か7-0，1cm以下はそれ以下の縫合糸を用いる。顕微鏡下手術を行う場合は9-0を基本糸とする。

通常，2点支持法もしくは3点支持法で行う（図3-3-J-39）。最後の1針の縫合前は遠位，近位の血管内をヘパリン加生理食塩液でフラッシュ洗浄してから行う。近位をクランプして遠位からのバックフローを流しながら縫合することで空気を最後の孔から抜くことができる。連続縫合の場合，最終縫合のノットの閉め過ぎは狭窄を起こすので注意する。

完全断裂の場合は直接縫合可能なら端々縫合を行う。テンションが強い場合は枝を結紮するか周囲を剝離すれば縫合しやすくなるが，分枝が重要な側副路になることもあるので注意する。禁忌がなければ，術前または術中からの全身的ヘパリン投与（100単位/kg静脈内投与）も考慮する。

6）interposition graftの採取

損傷部位が長く端々縫合が難しい場合，reversed vein interposition graftを行う。静脈移植の第一選択は大伏在静脈である。大伏在静脈が何らかの理由で使用できない場合は小伏在静脈か橈側，尺側皮静脈が選択枝となる。人工血管は外傷での使用頻度は

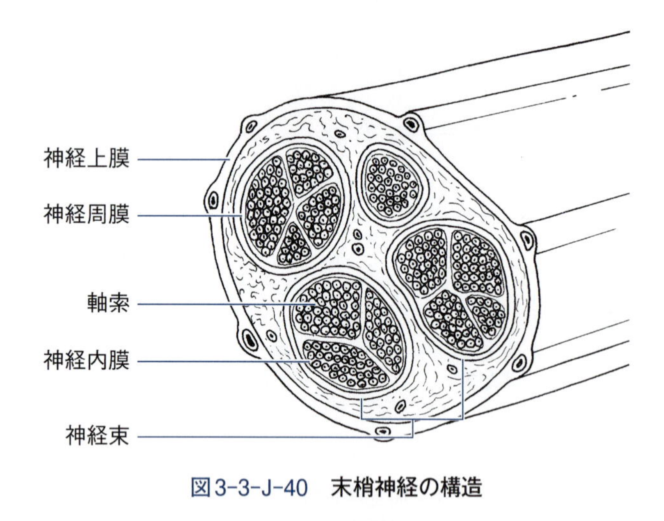

図3-3-J-40　末梢神経の構造

少ないが，総腸骨動脈～膝窩動脈の損傷では，使用報告も散見される[79)80)]。

7）コンパートメント症候群に対する筋膜切開

血行再建が遅れたり，四肢の腫脹が著しい，伴走静脈や静脈損傷などにより静脈うっ滞が考えられる場合は筋内圧を測定し，術後の腫脹増大も考慮し総合的に判断して筋膜切開を行う。

Ⅵ 神経損傷の治療戦略と戦術

1．損傷分類

末梢神経は神経内膜に囲まれた数千本の神経軸索が神経周膜に包まれ，神経束を形成している。そして，1～数本の神経束が神経上膜に包まれて末梢神経を構成している（図3-3-J-40）。

末梢神経損傷は穿通性損傷と鈍的損傷に分けられる。開放創を伴う穿通性損傷に比べ，閉鎖性骨折や脱臼に伴う神経損傷，多発外傷患者の腕神経叢損傷など，鈍的損傷は診断の遅れが多くみられる。

神経損傷分類として，Seddonによるneurapraxia, axonotmesis, neurotmesisの3段階分類と，Sunderlandによるaxonotmesisを細分類した5段階分類が汎用されている（図3-3-J-41）。いずれの分類法も末梢神経構造の軸索，神経内膜，神経周膜，神経上膜の損傷程度によって分類されており，損傷病態の把握，治療方針の決定，予後の推定に有用である。

neurapraxiaとは軸索の断裂を伴わない一過性の伝導障害である。axonotmesisとは軸索は断裂して

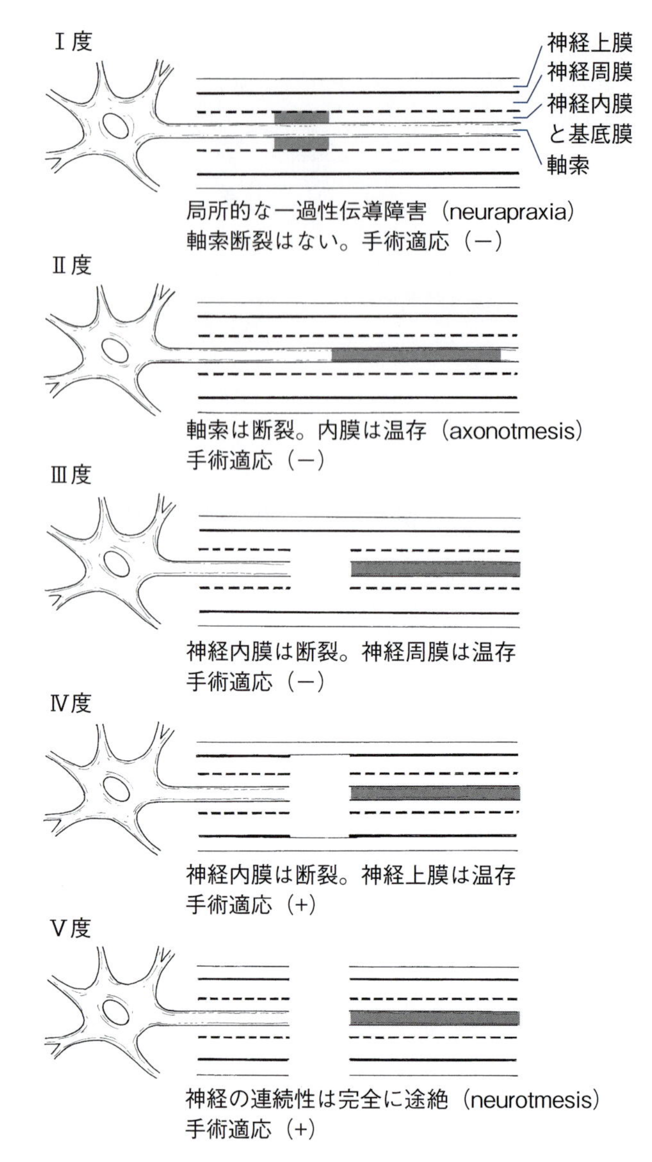

図3-3-J-41　末梢神経損傷の分類（Sunderland）

いるが神経内膜や周膜の連続性は保たれており，軸索の自然回復が1日に1～2mm遠位へ進行する。neurotmesisとは軸索，神経周膜，上膜すべての断裂であり，肉眼的に連続性がないため手術治療を必要とする。

しかし，実際の臨床では肉眼的連続性があるもののなかに，神経回復のよいものと悪いものが存在する。これらを明確に分類することは必ずしも容易ではないが，Sunderlandは連続性のある損傷を3段階に分類した。すなわち，Ⅱ度をSeddon分類のaxonotmesis，Ⅲ度を神経内膜までの損傷で回復は悪いが手術適応のないもの，Ⅳ度を神経上膜の連続性のみが保たれ回復の見込みがなく手術が必要な損傷とした。

腕神経損傷は，主にバイク事故などで牽引によっ

て生じることが多いが，脊髄からの引き抜き損傷や，神経幹から神経束レベルでの軸索断裂や神経断裂など，損傷高位と重症度はさまざまである。損傷の範囲により全型，上位型（上位神経根のみの損傷），全型不完全回復型に分けられる。またしばしば鎖骨下動脈損傷が合併する。

2. 治療戦略

治療方針の決定は，損傷された神経の部位と程度を正確に診断することから始まる。開放性損傷であるならば，局所展開時に神経損傷を肉眼的に確認することで診断可能であるが，閉鎖性損傷では損傷神経支配領域に一致した運動麻痺，知覚障害の程度を徒手筋力検査（manual muscle testing；MMT）や知覚障害のマッピングを行い診断する。四肢の感覚には触覚，圧覚，温覚，痛覚があり，神経断裂ではすべての感覚が消失する。不完全神経損傷では知覚鈍麻，痛覚鈍麻，知覚過敏，痛覚過敏，異常知覚など，種々の知覚障害が認められる。

神経損傷が診断されたら，損傷原因を検索する。骨折や脱臼による圧迫が原因であるならば，速やかに整復し固定を行う。圧迫による一次的麻痺（neurapraxia）は自然治癒可能である。鋭利な刃物やガラスによる切創に伴う完全断裂の場合，一次的縫合が可能であるため，できるかぎり早期に縫合すべきである。Sunderland分類のⅡ，Ⅲ，Ⅳ度の鑑別は困難であるため，数カ月（一般的には3カ月）後に再評価し回復徴候がなければ神経修復（再建）を行う。

3. 治療戦術

1）神経縫合

神経縫合は損傷された神経の太さにより，ルーペ拡大鏡または顕微鏡下に行うが，後者が望ましく，縫合に使用する器具もmicrosurgeryに準じるべきである。神経縫合術には，神経上膜のみを縫合する神経上膜縫合，神経上膜から神経周膜に縫合糸を通して縫合する神経上膜・周膜縫合，神経周膜のみを縫合する神経周膜縫合がある（図3-3-J-42）。神経上膜・周膜縫合が一般的に行われている方法で7-0または8-0ナイロン糸が，神経周膜縫合では

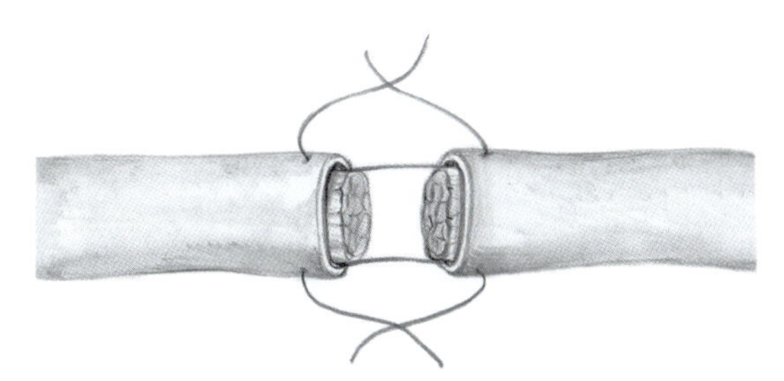

a：神経上膜縫合

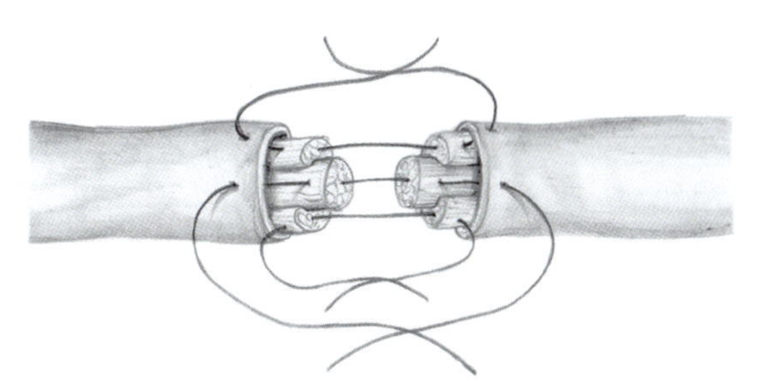

b：神経上膜・周膜縫合

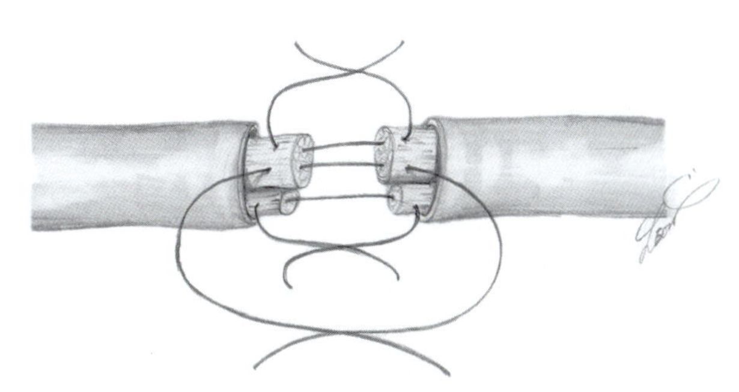

c：神経周膜縫合

図3-3-J-42　神経縫合術の種類

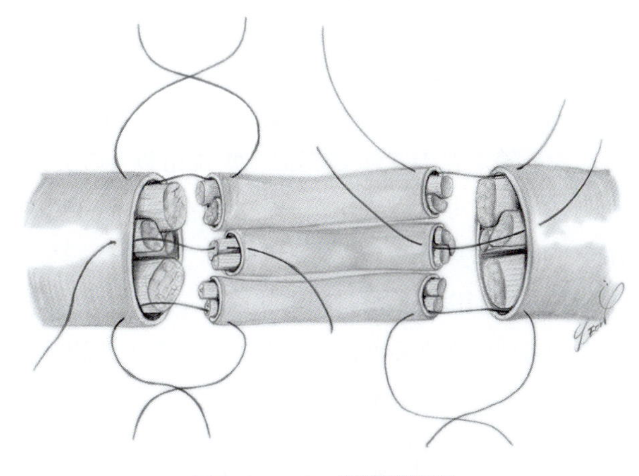

図3-3-J-43　神経移植術
細い神経を数本束にして縫合するケーブル移植

10-0ナイロン糸が縫合に使用されることが多い。欠損部が長く，神経縫合では縫合部に緊張がかかる場合には神経移植が行われる（図3-3-J-43）。神経移植には腓腹神経や前腕皮神経などの自家神経移植が主に用いられるが，2013年よりPGAコラーゲンチューブの人工神経も，わが国で使用可能となっ

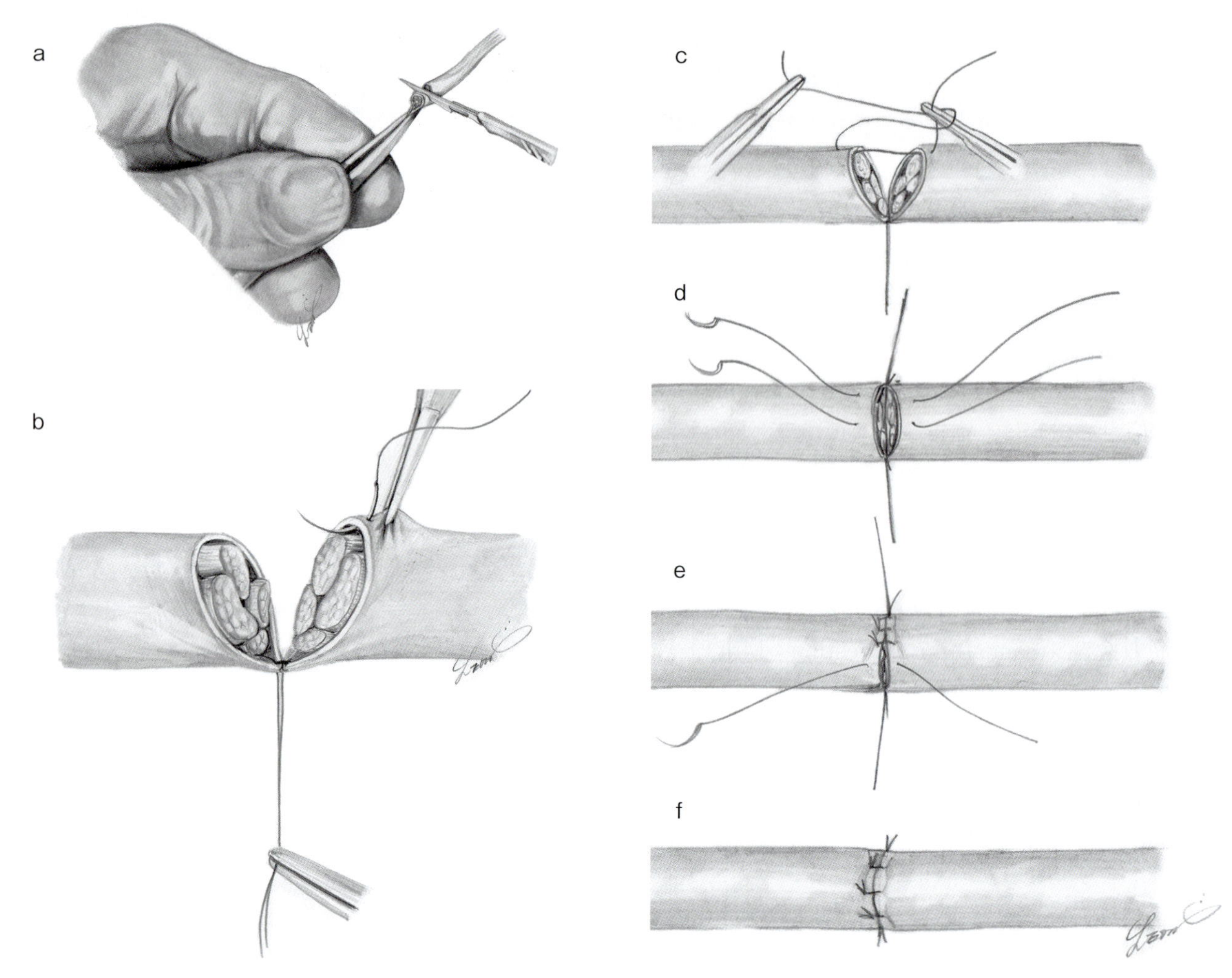

図3-3-J-44　神経縫合
断端を新鮮化（a）した後，一端を縫合し（b），その糸を支持糸として対側を縫合（c）。それらを支持糸として順に縫合していく（d ～ f）

た。人工神経は3cm以下の感覚神経の再建では安定した成績が報告されている[81]が，3cm以上の欠損，運動神経に対しては成績が一定ではなく，慎重な使用を推奨している[82]。

腕神経叢損傷の治療は損傷状態や年齢などにより種々の再建法があるが，いずれも高度な専門的治療となるため，治療経験の豊富な施設への紹介が望ましい。

2）神経縫合の手順

（1）術前準備

顕微鏡およびmicrosurgery用手術器具を用意する。

（2）神経断端の新鮮化

鋭利なメスか，小さな神経の場合microsurgery用の剪刀を用いて断端を新鮮化する（図3-3-J-44a）。

（3）神経縫合

相対する神経束の位置を確認するため，神経の伴走血管の位置などを参考にして神経束の配列を注意深く観察する。鑷子での把持は神経外膜のみとして，まず一端を縫合し（図3-3-J-44b），これを支持糸として相対する反対側を縫合する（図3-3-J-44c）。これらの糸を支持糸として，締めすぎないよう注意しながら結節縫合していく（図3-3-J-44d ～ f）。

Ⅶ 救肢，切断の判断基準

軟部組織，神経，血管，骨の4つの組織のうち3つが損傷された重症四肢外傷はmangled extremityと定義される（図3-3-J-45）が，このような損傷に対して切断または温存手術を行うかの判断は，術者の技量や経験に左右されやすく客観性に乏しい。

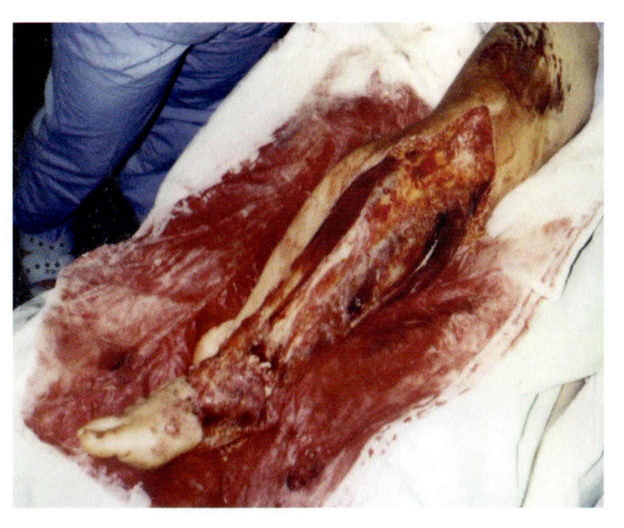

図3-3-J-45　mangled extremity

客観的な切断・温存の決定基準を作成する試みとして，Predictive Salvage Index（PSI）[83]，Limb Salvage Index（LSI）[84]，the Nerve Injury，Ischemia，Soft Tissue Injury，Skeletal Injury，Shock，and Age of Patient Score（NISSSA）[85]，Hannover fracture scale-9[86]，Mangled Extremity Severity Score（MESS）[87] などさまざまなスコアリングシステムが考案された。これらのシステムでは年齢，ショックの有無，虚血時間，骨折型，軟部組織損傷程度，血管・神経損傷の有無，汚染の程度，手術開始までの時間のそれぞれの因子に点数をつけ，総点数によって切断と温存を決定するものである。しかし，いずれのスコアリングシステムも温存予測の特異度は高いものの，切断判断の指標としては不十分で，点数のみで切断決定を行うことの困難性が指摘されている[88]。切断の選択は上肢・下肢にかかわらず，経験のある整形/血管/形成外科医，リハビリテーション医などからなる多職種連携チームと患者・家族間の話し合いによって決定されるべきである[89]。

mangled extremityにおいても，全身状態が安定しているのであれば，初期治療として重要なことは迅速な血行再建と十分なデブリドマンである。その後の再建はきわめて専門的となるので対応が難しい施設では，治療経験が豊富な施設へ早急に転送すべきである。

1. 上肢のmangled extremity

上肢の完全切断は多くが再接着の適応となっており（表3-3-J-4）[90]，手掌，前腕，肘レベルの切断が主たる適応となっている。近年は上腕レベルの完全切断であっても比較的良好な成績が報告されている（図3-3-J-46，47）[91,92]。

表3-3-J-4　上肢の再接着の適応

strong indication
• 損傷部位による適応 母指の切断，多数指切断，手掌/前腕/肘 • 患者要因 小児のあらゆる切断
relative indication
• 損傷部位による適応 基節部の浅指屈筋より遠位の単指切断 • 患者要因 特別な必要性（ミュージシャンなどの職業），既存の手指機能障害

「“bad hand” may be more functional than “good amputation”」と以前から示唆されている[93] ように，上肢は下肢と比べ，救肢が選択される傾向がある。側副血行路が豊富といった解剖学的理由から下肢に比べ救肢が成功しやすいといった特徴がある[94]。

また，機能的義肢である筋電義手の開発も近年進んでいるが，法整備の遅れや価格などの問題からわが国における義手全体に占める割合はわずか1～2%と，諸外国に比べてその普及率はきわめて低い[95]。以上から上肢のmangled extremityは可能であれば救肢を行うべきであるが，高齢者や非常に高度な挫滅肢，循環動態が不安定な患者は切断を選択すべきである[94]。近年，6点以上は切断の適応とするといったmangled upper exremity score（MUES）が報告されており[96]，参考になる可能性がある。

2. 下肢のmangled extremity

下肢の完全切断は，膝下切断再接着の成功例の報告はあるが[97]，上肢より救済が困難であり，成人の膝上切断の場合はとくに，再接着による機能肢としての再建は現段階では現実的ではない。即時切断の適応は，全身状態が不安定な多発外傷患者のダメージコントロール，温阻血時間が4～6時間以上の虚血肢，脛骨と同側足部の広範囲挫滅損傷といわれている[89]。Lange[98] は，下肢切断の絶対適応として上記に加えて脛骨神経の完全断裂を提唱していたが，近年はmicrosurgeryの発達により脛骨神経の完全切

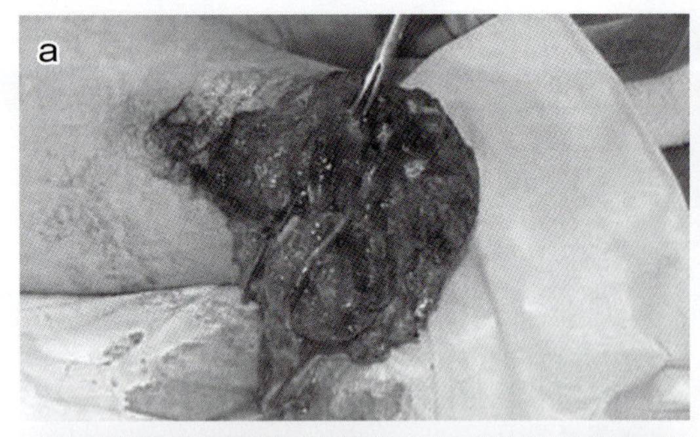

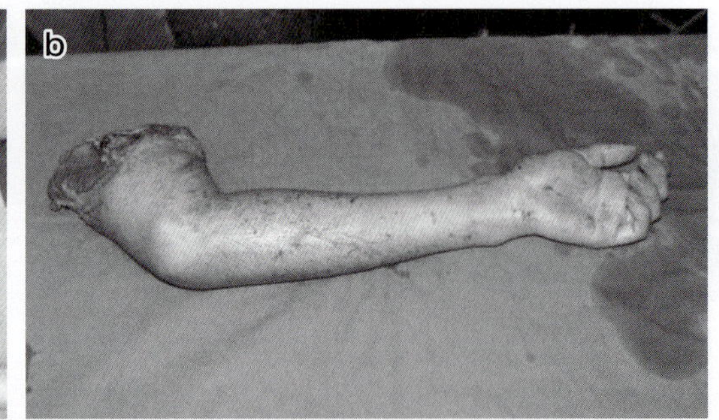

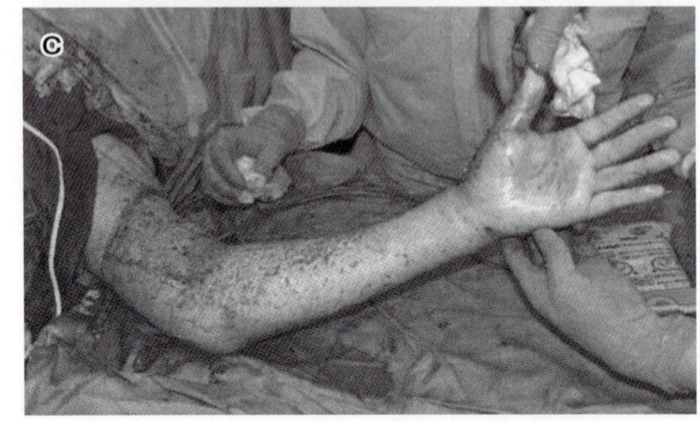

図3-3-J-46　20歳代男性：上腕部完全切断
a，b：搬送時
c：再建術後

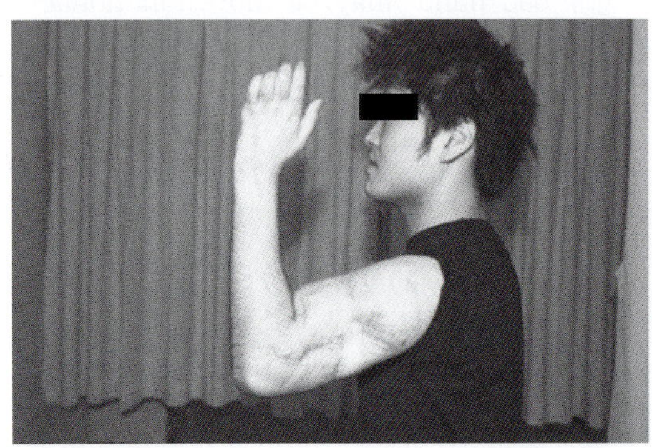

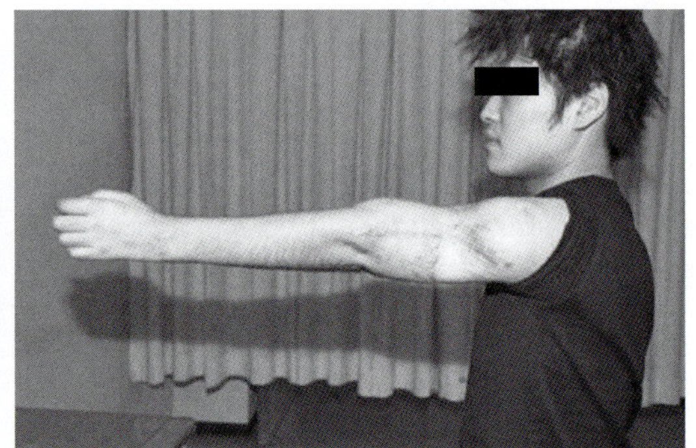

図3-3-J-47　20歳代男性：上腕部完全切断（術後の機能）

断例は機能肢として救肢できるようになってきている[99]。

下肢の早期切断は，手術回数が少なく，加療期間が短く，早期の社会復帰が得られるとされるが，年齢や切断部位，切断端の状態によって機能予後が大きく異なる。近年，温存例との長期予後比較では機能，社会復帰率に差がないとの報告もみられる[100]が，心理的結果においては温存例で有意に高い結果が報告されており[101]，早計な切断の判断は避けるべきである。急性期切断は受傷後72時間以内が推奨されており[89]，その間に家族や本人に時間を与えたり，判断に迷った場合は止血と汚染部のデブリドマンのみ行って治療経験豊富な施設に搬送することも可能である。切断を余儀なくされる場合にも，機能予後のために関節や断端長を確保する目的で，切断肢の骨接合や皮弁術，救済不能な組織を利用するspare parts surgery[102]などを行うこともある。

Ⅷ　圧挫症候群の治療戦略と戦術

地震などの災害時に瓦礫に長時間四肢を圧迫されながら，呼吸・循環動態は安定し意識も清明であった患者が，救出後に急速に進行するショックや高カリウム血症，代謝性アシドーシス，急性腎不全など重篤な症状を呈する病態として注目され，1900年代初頭に最初に報告された[103]。1995年の阪神・淡路大震災時にも多くの圧挫症候群が発生した[104,105]。

地震などの災害時以外は，薬物服用などによる長時間の意識障害のため同一姿勢によって圧迫された結果生じる，体位性圧挫症候群（postural crush syndrome）の発症が多い。

病態は長時間の四肢（まれに体幹部）圧迫による循環障害であり，末梢神経への直接圧迫も相まって損傷肢は感覚・運動麻痺を呈する。局所は圧迫の程

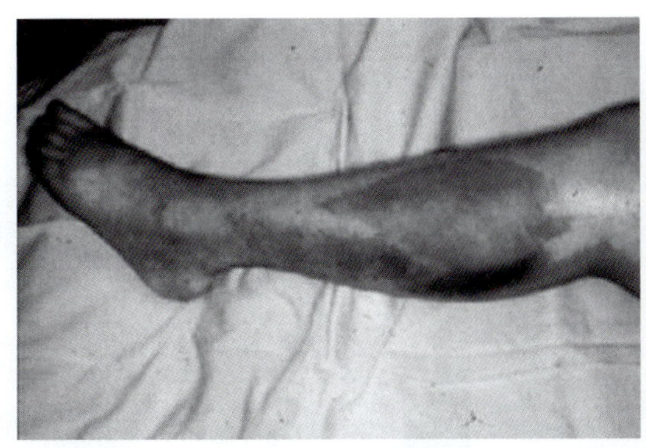
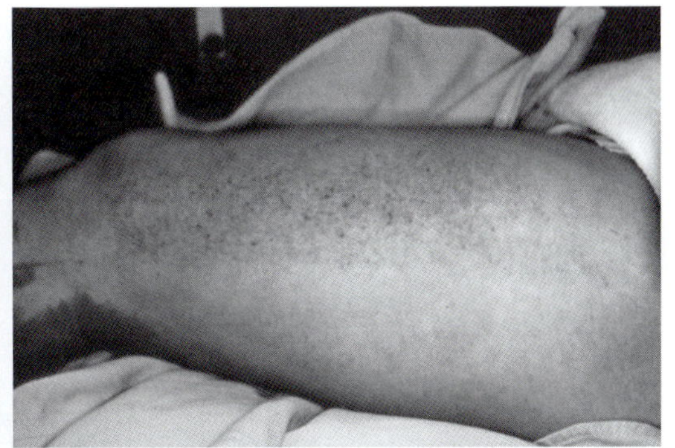

図3-3-J-48　圧挫症候群の局所所見

度にもよるが，挫傷や皮下出血程度と，初期には局所的にも全身的にも重症感がないことが多い（図3-3-J-48）。救出による圧迫解除により虚血再灌流症候群（ischemia-reperfusion syndrome）が生じ，全身状態が急速に悪化する。このうち，高カリウム血症による不整脈は短時間で死に至る。

横紋筋融解症に起因する急性腎不全も致死的な合併症であり，その主な原因は脱水を基盤としたミオグロビンによる腎障害である。その機序はいまだ明らかになっていないが，分子量の小さい（ヘモグロビンの約1/4）ミオグロビンの直接作用よりも，腎血管収縮による腎虚血，尿細管部に存在する特殊蛋白と結合し形成されたミオグロビン円柱による尿細管障害，ミオグロビンから遊離したフリーラジカルによる障害などが示唆されている。

治療は，早期からの大量輸液が必須である。時間尿量200ml/時を目標に300〜500ml/時の輸液が必要となるため，呼吸・循環管理を中心とした集中治療が必要となる。尿のアルカリ化によりミオグロビン円柱形成が抑制されることから，pH 6.5以上を目安に炭酸水素ナトリウムの投与も有用とされている。浸透圧利尿薬のマンニトールは尿量増加の効果に加えて，フリーラジカルスカベンジャーの作用もあるため，腎障害の軽減に有用とされている[106) 107)]。

圧迫されていた四肢は初期には腫脹はみられないが，輸液開始につれて局所の血管透過性亢進により腫脹が明らかとなり，コンパートメント症候群を呈する。しかし，圧迫虚血による神経障害で感覚・運動障害があるため臨床所見からの診断は困難である。内圧測定をもとに筋膜切開の適応をすることは可能であるが，筋膜切開自体の有効性については賛否両論がある[108) 109)]。

Ⅸ 銃創の治療戦略と戦術[110)]

一般に銃創は弾速によって低速度銃創（拳銃など）か高速度銃創（ライフル銃など）に分類されている。目撃者の証言や警察の情報は，使用された凶器の種類や凶器と被害者の距離などの手がかりとなり，これらすべてが高速度・低速度銃創の可能性を判断するのに役立つ。傷口が1つであれば，弾丸が残っている可能性があるが，弾道が変化して出口に傷がないことを確認するために，患者を完全に露出させることが重要である。初期治療では弾丸の通過経路を確認して損傷部を把握，神経血管損傷を含めた重症度の評価を速やかに行うことが必要である（図3-3-J-49）。

1. 診察と診断

銃創患者の初期評価には，徹底的な病歴聴取と身体検査が必要である。衣服をすべて脱いだら，入口と出口の傷の両方を診察する。四肢の腫脹，変形，短縮，斑状出血の有無も確認する。手足の触診により，轢音を確認する。2方向の単純X線写真を撮影し，弾丸の通過経路を確認する。弾道に含まれる場合は，上下の関節を含む標準的な長管骨単純X線撮影を行う。銃創によるもっとも一般的な損傷は，皮膚，皮下脂肪，および骨格筋の軟部組織である。

2. 銃創のパターン

銃創の皮膚には，一般に3つのパターンがある。まず貫通した弾丸と同じ大きさの点状創，第二に皮

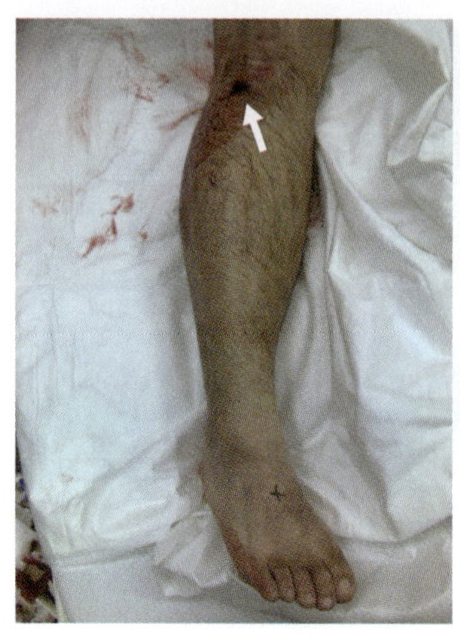
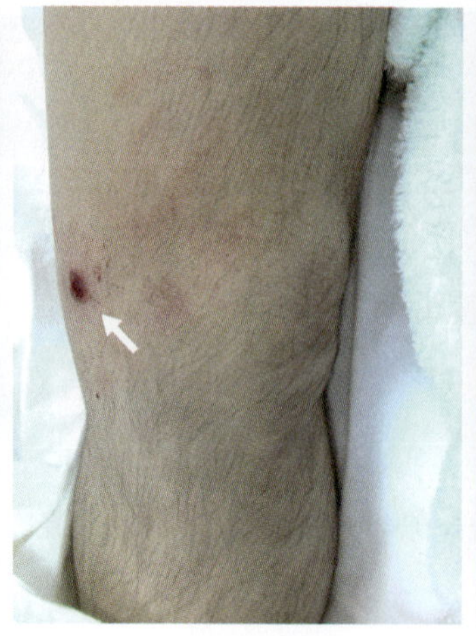
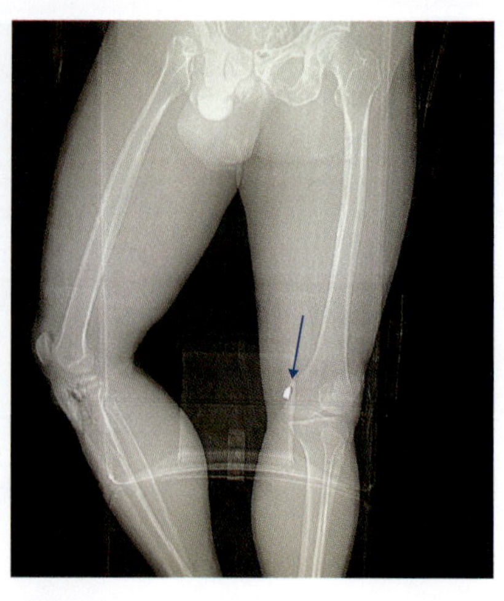

図3-3-J-49　銃創の肉眼所見と単純X線写真
右脛骨外側から銃弾が撃ち込まれ左膝内側に入り，左大腿骨遠位内側に当たって体内に銃弾が残存している

膚の裂創はあるが，皮膚の欠損は軽度で軟部再建が必要ない創，第三に植皮や皮弁が必要な創傷である。骨折や血管損傷がない非関節穿孔創は，外来治療の対象となり得る。単純な創傷は，局所処置で問題なく治癒することが示されている。

植皮や皮弁が必要な創傷は，皮膚の裂創，temporary cavityによる拡張，弾丸の長軸方向の移動，または骨が破片となって飛散し，より広範囲な創傷となることにより生じる。

3. 低速度銃創のマネジメント

低速度銃創では，一般的にデブリドマンは必要ないことが多い。保存的治療が可能な安定した骨折の場合，創傷処置のための開創したギプス固定が適切である。骨折の手術が必要な場合は，閉鎖骨折として治療することができる。しかし，骨片が創部に露出するリスクが高いような骨折は開放骨折と同様に創部の徹底的な切除，デブリドマン，適切な骨折の安定化，必要であれば軟部組織の被覆などの処置を行うべきである。

4. 高速度銃創のマネジメント（抗菌薬投与）

高速度銃創では，軟部組織の損傷量が多いため，感染症の危険性が非常に高くなる。そのため，低速度銃創とは異なり，これらの損傷は常に開放骨折と同様に扱われる。したがって，抗菌薬の投与が遅れると感染症のリスクが高まるため，早期の抗菌薬投与が必要である。具体的な抗菌薬の投与方法は，グラム陰性菌のカバー率を高めずに，セファゾリンのような第1世代セファロスポリンを48～72時間投与することが推奨されている。一般的には，創傷閉鎖後または軟部組織被覆後48～72時間以内に抗菌薬の投与を中止する。重度の軟部組織損傷，肉眼的汚染，または大きな軟部組織欠損の場合，抗菌薬の局所投与も検討すべきである。確実に閉鎖できる創傷では，硫酸カルシウムのような抗菌薬含有の被覆材を使用する。抗菌薬含有ポリメチルメクリレート（PMMA）ビーズやスペーサーを使用することにより，大量の抗菌薬を局所投与することに加え，デッドスペース管理にも役立ち，その後の軟部組織の閉鎖や被覆のために創床を準備するのに役立つ。

5. 遺残した弾丸片

弾丸の破片は一般に良性であり，痛みの原因となる部位（手掌，足底，関節周囲など）にないかぎり，あるいは鉛中毒のおそれのある関節内に遺残していないかぎり，そのままにしておくことができる。しかし，文献上では，良性にみえる弾丸の破片が，鉛中毒の症状を引き起こすという事例が報告されている。一部の著者は，関節外に遺残弾丸がある患者に血中鉛濃度のルーチン・モニタリングを推奨している。しかし，至近距離での散弾銃による負傷では，デブリドマンが必要となるため，一般的に有機物で構成されている異物は，除去する必要がある。

6. 関節内損傷

関節内の高速度銃創は通常デブリドマンを行うべきであるが，低速度銃創は通常，ケースバイケースで治療される。弾丸が関節を通過した後，軟部組織で静止しているような傷害では，関節へのダメージが少ないため，一般的に保存的に管理することができる。しかし，関節内の汚染や破片の懸念がある場合は，敗血症や外傷後関節炎のリスクを最小限に抑えるために，デブリドマンを行うべきである。膝への低速度銃創の関節鏡視下のデブリドマンは，通常のデブリドマンの代わりとして推奨されることもある[111)]。これは，半月板損傷のような軟組織損傷を評価すると同時に，関節内の遊離体や残留弾片を除去することができる。大きな骨軟骨片は可能なかぎり保持し，固定することが重要である。重度の粉砕や再建不能な関節内損傷は，感染の心配がなく，軟部組織が治癒すれば，後日関節固定術や人工関節置換術が必要になる可能性が高い。

7. 経腹的銃創

股関節と骨盤への腹部銃創は特異な損傷であり，内容物が流出すると感染の危険が高まるため，周囲の消化管に損傷があるかどうかを判断するためにさらなる検査が必要である。腸管損傷が既知の場合，経腹的銃創の関節内汚染は，通常のデブリドマンを推奨している。一方骨盤の関節外骨折は，腸の損傷が判明している場合でも一般的にデブリドマンを必要とせず，広域抗菌薬で管理することができる。

8. 血管損傷

四肢の銃創に関しては，血管損傷の疑いがある場合，遠位の損傷にはターニケットを使用し，より近位の病変には腹部や鼠径部での外科的止血を行う。診断については通常の血管損傷と大きな違いはないが，弾丸が主要血管の近くを通過していれば，hard signがなくても可及的にCTAを撮影する。銃創が多発した場合，あるいは大量殺傷事件で多数の死傷者が出た場合，自家静脈グラフトによる確実な血管修復が不可能な場合がある。このような場合，一時血管シャントを行って四肢の灌流を維持し患者の生理的状態が許せば，後日確定的な血管修復を行うこともできる。骨折の安定化を最初に行うべきか，血管修復を最初に行うべきかについては，現在も議論が続いている。血管修復を行う場合は，遠位部の筋膜切開も行うことが多い。

9. 神経損傷

銃創における神経損傷の管理の鍵は，損傷を早期に認識することにある。可能であれば，負傷した手足の神経学的検査を入念に行う必要がある。多発性外傷の場合，これが不可能な場合があり完全な神経学的検査ができるまで数日かかることがあることを認識しておく必要がある。しかし，主要な神経は血管構造に近接しているため，血管損傷があると神経損傷の併発を疑わなければならない。血管構造と同様に神経構造も弾力性があるため，通過する弾丸の経路に直接入らないかぎり，神経の裂傷（neurotmesis）は起こりにくい。受傷後3カ月の時点で臨床的または神経生理学的検査で改善の兆しがみられない患者については，末梢神経損傷の専門医に紹介し，末梢神経の精査を検討してもらう必要がある。

10. 骨折の一時的安定化

初期の骨安定化の選択は，損傷の部位，骨損傷の重症度，および治療施設の利用可能な設備に依存する。高速度銃創では，感染の温床となり得る壊死した非活性組織を除去する。骨に関しては，軟部組織に付着していない骨片は非活性組織であるとみなし，除去する必要がある。このため，鉗子で優しく圧迫して除去できる骨は，非活性とみなす「tug test」が適用される。このルールの例外は，骨片が軟骨に付着している関節周囲損傷で，除去すると重大な関節欠損を引き起こす可能性がある場合である。同様に，皮質骨の表面に点状出血がない場合も非活性組織の徴候であり，出血がみられるまで切除する必要があるかもしれない。

高速度銃創の場合，一般的に創外固定によって初期の骨安定化が行われる。一時的創外固定術の目的は，一般的に長さとアライメントを回復し，最終内固定に移行する前に患者および軟部組織の二次的損傷を予防することである。創外固定は，骨の安定化に加えて必要に応じて血管手術や形成手術のために創の局所治療をすることができる。プレートや髄内釘を使用した最終内固定を行う場合は，感染などの後発症のリスクを最小限に抑えるために，2週間以内に行うことが理想的である。

文献

1） Kellam JF, Meinberg EG, Agel J, et al：Fracture and dislocation classification compendium-2018：International comprehensive classification of fractures and dislocations committee. J Orthop Trauma 2018；32 (Suppl)：S1-S167.
2） Geerts WH, Code KI, Jay RM, et al：A prospective study of venous thromboembolism after major trauma. N Engl J Med 1994；331：1601-1606.
3） Bone LB, Johnson KD, Weigelt J, et al：Early versus delayed stabilization of femoral fractures：A prospective randomized study. J Bone Joint Surg Am 1989；71：336-340.
4） Wang T, Guo J, Long Y, et al：Risk factors for preoperative deep venous thrombosis in the hip fracture patients：A meta-analysis. J Orthop Traumatol 2022；23：19.
5） Farouk O, Kretteck C, Miclau T, et al：Minimally invasive plate osteosynthesis：Dose percutaneous plating disrupt femoral blood supply less than the traditional technique? J Orthop Trauma 1999；13：401-406.
6） Tehranzadeh J, Vanarthos W, Pais MJ：Osteochondral impaction of the femoral head associated with hip dislocation：CT study in 35 patients. AJR Am J Roentgenol 1990；155：1049-1052.
7） 善家雄吉，酒井昭典：手外科領域の外傷；手根骨以遠の骨折・腱損傷．関節外科 2020；39：98-108.
8） Sahin V, Karakaş ES, Aksu S, et al：Traumatic dislocation and fracture-dislocation of the hip：A long term follow-up study. J Trauma 2003；54：520-529.
9） Brav E：Traumatic dislocation of the hip：Army experience and results over a 12 year period. J Bone Joint Surg Am 1962；44：1115-1134.
10） Kellam P, Ostrum RF：Systematic review and meta-analysis of avascular necrosis and posttraumatic arthritis after traumatic hip dislocation. J Orthop Trauma 2016；30：10-16.
11） Sillanpää PJ, Kannus P, Niemi ST, et al：Incidence of knee dislocation and concomitant vascular injury requiring surgery：A nationwide study. J Trauma Acute Care Surg 2014；76：715-719.
12） Medina O, Arom GA, Yeranosian MG, et al：Vascular and nerve injury after knee dislocation：A systematic review. Clin Orthop Relat Res 2014；472：2621-2629.
13） Hak DJ, Olson SA, Matta JM：Diagnosis and management of closed internal degloving injuries associated with pelvic and acetabular fractures：The Morel-Lavallée Lesion. J Trauma 1997；42：1046-1051.
14） 土田芳彦：皮膚剝脱（デグロービング）損傷に対する考え方．重度四肢外傷の標準的治療，南江堂，東京，2017，pp17-19.
15） Kabasaş F, Özçelik İB, Mersa B：Perforator artery repair in revascularization of extremity degloving injuries. Injury 2019；50：s99-s104.
16） Yan H, Liu S, Gao W, et al：Management of degloving injuries of the foot with a defatted full-thickness skin graft. J Bone Joint Surg Am 2013；95：1675-1681.
17） Sakai G, Suzuki T, Hishikawa T, et al：Primary reattachment of avulsed skin flaps with negative pressure wound therapy in degloving injuries of the lower extremity. Injury 2017；48：137-141.
18） Llanos S, Danilla S, Barraza C, et al：Effectiveness of negative pressure closure in the integration of split thickness skin grafts：A randomized, double-masked, controlled trial. Ann Surg 2006；244：700-705.
19） Crowe CS, Cho DY, Kneib CJ, et al：Strategies for reconstruction of the plantar surface of the foot：A systematic review of the literature. Plast Reconstr Surg 2019；143：1223-1244.
20） Shen C, Peng JP, Chen XD：Efficacy of treatment in peri-pelvic Morel-Lavallee lesion：A systematic review of the literature. Arch Orthop Trauma Surg 2013；133：635-640.
21） Tseng S, Tornetta P 3rd：Percutaneous management of Morel-Lavallee lesions. J Bone Joint Surg Am 2006；88：92-96.
22） Dasgupta R, Ekka NMP, Das A et al：Evaluation of clinical and venous blood parameters as surrogate indicators in assessing the need for fasciotomy in lower limb compartment syndrome. Int J Low Extrem Wounds 2021；15347346211059027.
23） Roberts CS, Gorczyca JT, Ring D, et al：Diagnosis and treatment of less common compartment syndromes of the upper and lower extremities：Current evidence and best practices. Instr Course Lect 2011；60：43-50.
24） Eccles S, Handley B, Khan U, et al：Standards for the Management of Open Fractures. Oxford University Press, United Kingdom, 2020；Chapter 11：103-110. http://www.bapras.org.uk/professionals/clinical-guidance/standards-for-the-management-of-open-fractures（Accessed 2022-5-22）
25） Doro C：Acute compartment syndrome. In：O'Toole RV ed. Orthopaedic Knowledge Update：Trauma 5.

AAOS, Rosemont, 2015, pp229-240.
26) Hammerberg EM, Whitesides TE, Seiler JG：The reliability of measurement of tissue pressure in compartment syndrome. J Orthop Trauma 2012；26：24-31.
27) American College of Surgeons Committee on Trauma：Best Practices in the Management of Orthopaedic Trauma. 2015, pp15-18.
https://www.facs.org/media/mkbnhqtw/ortho_guidelines.pdf（Accessed 2022-5-22）
28) Nelson JA：Compartment pressure measurements have poor specificity for compartment syndrome in the traumatized limb. J Emerg Med 2013；44：1039-1044.
29) Whitney A, O'Toole RV, Hui E, et al：Do one-time intracompartmental pressure measurements have a high false-positive rate in diagnosing compartment syndrome? J Trauma Acute Care Surg 2014；76：479-483.
30) McQueen MM, Court-Brown CM：Compartment monitoring in tibial fractures：The pressure threshold for decompression. J Bone Joint Surg Br 1996；78：99-104.
31) Laege TM, Agel J, Holtzman DJ, et al：Interobserver variability in the measurement of lower leg compartment pressures. J Orthop Trauma 2015；29：316-321.
32) Morris MR, Harper BL, Hetzel S, et al：The effect of focused instruction on orthopaedic surgery residents' ability to objectively measure intracompartmental pressures in a compartment syndrome model. J Bone Joint Surg Am 2014；96：e171.
33) Vaillancourt C, Shrier I, Vandal A, et al：Acute compartment syndrome：How long before muscle necrosis occurs? CJEM 2004；6：147-154.
34) Glass GE, Staruch RM, Simmons J, et al：Managing missed lower extremity compartment syndrome in the physiologically stable patient：A systematic review and lessons from a Level I trauma center. J Trauma Acute Care Surg 2016；81：380-387.
35) Finkelstein JA, Hunter GA, Hu RW：Lower limb compartment syndrome：Course after delayed fasciotomy. J Trauma 1996；40：342-344.
36) Harvin WH, Stannard JP：Negative-pressure wound therapy in acute traumatic and surgical wounds in orthopaedics. J Bone Joint Surg Am 2014；2：E4.
37) Brumback RJ, Jones AL：Interobserver agreement in the classification of open fractures of the tibia：The results of a survey of two hundred and forty-five orthopaedic surgeons. J Bone Joint Surg Am 1994；76：1162-1166.
38) Jagdeep N, Selvadurai N, Umraz K, et al：Primary management in the emergency department. In：Hamish L ed. Standards for the Management of Open Fractures of the Lower Limb. Royal Society of Medicine Press, London, 2009, pp5-7.
39) Eccles S, Handley B, Khan U, et.al：Standards for the Management of Open Fractures. Oxford University Press, United Kingdom, 2020；Chapter 1：1-9
http://www.bapras.org.uk/professionals/clinical-guidance/standards-for-the-management-of-open-fractures（Accessed 2022-5-22）
40) Lack WD, Karunakar MA, Angerame MR, et al：Type Ⅲ open tibia fractures：Immediate antibiotic prophylaxis minimizes infection. J Orthop Trauma 2015；29：1-6.
41) Schenker ML, Yannascoli S, Baldwin KD, et al：Does timing to operative debridement affect infectious complications in open long-bone fractures? J Bone Joint Surg Am 2012；94：1057-1064.
42) Prodromidis AD, Charalambous CP：The 6-hour rule for surgical debridement of open tibial fractures：A systematic review and meta-analysis of infection and nonunion rates. J Orthop Trauma 2016；30：397-402.
43) Weber D, Dulai SK, Bergman J, et al：Time to initial operative treatment following open fracture does not impact development of deep infection：Prospective cohort study of 736 subjects. J Orthop Trauma 2014；28：613-619.
44) Hull PD, Johnson SC, Stephen DJ, et al：Delayed debridement of severe open fractures is associated with a higher rate of deep infection. Bone Joint J 2014；96-B：379-384.
45) Eccles S, Handley B, Khan U, et al：Standards for the Management of Open Fractures. Oxford University Press, United Kingdom, 2020；Chapter 2：11-14.
http://www.bapras.org.uk/professionals/clinical-guidance/standards-for-the-management-of-open-fractures（Accessed 2022-5-22）
46) Gümbel D, Matthes G, Napp M, et al：Current management of open fractures：Results from an online survey. Arch Orthop Trauma Surg 2016；136：1663-1672.
47) Gopal S, Majumder S, Batchelor AG, et al：Fix and flap：The radical orthopaedic and plastic treatment of severe open fractures of the tibia. J Bone Joint Surg Br 2000；82：959-966.
48) Cierny G 3rd, Byrd HS, Jones RE：Primary versus delayed soft tissue coverage for severe open tibial fractures：A comparison of results. Clin Orthop Relat Res 1983；178：54-63.
49) Godina M：Early microsurgical reconstruction of complex trauma of the extremities. Plast Reconstr Surg 1986；78：285-292.

50）Fischer MD, Gustilo RB, Varecka TF：The timing of flap coverage, bone-grafting, and intramedullary nailing in patients who have a fracture of the tibial shaft with extensive soft-tissue injury. J Bone Joint Surg Am 1991；73：1316-1322.
51）Tielinen L, Lindahl JE, Tukiainen EJ：Acute unreamed intramedullary nailing and soft tissue reconstruction with muscle flaps for the treatment of severe open tibial shaft fractures. Injury 2007；38：906-912.
52）Melvin JS, Dombroski DG, Torbert JT, et al：Open tibial shaft fractures：I. evaluation and initial wound management. J Am Acad Orthop Surg 2010；18：10-19.
53）土田芳彦：デブリドマンの方法とは？ 重度四肢外傷の標準的治療，南江堂，東京，2017，pp12-16.
54）Eccles S, Handley B, Khan U, et al：Standards for the Management of Open Fractures. Oxford University Press, United Kingdom, 2020；Chapter 3：15-23. http://www.bapras.org.uk/professionals/clinical-guidance/standards-for-the-management-of-open-fractures（Accessed 2022-5-22）
55）FLOW Investigators；Bhandari M, Jeray KJ, Petrisor BA, et al：A trial of wound irrigateon in the initial management of open fracture wounds. N Engl J Med 2015；373：2629-2641.
56）Polzin B, Ellis T, Dirschl DR：Effects of varying pulsatile lavage pressure on cancellous bone structure and fracture healing. J Orthop Trauma 2006；20：261-266.
57）Eccles S, Handley B, Khan U, et al：Standards for the Management of Open Fractures. Oxford University Press, United Kingdom, 2020；Chapter 7：57-62. http://www.bapras.org.uk/professionals/clinical-guidance/standards-for-the-management-of-open-fractures（Accessed 2022-5-22）
58）Stannard JP, Volgas DA, Stewart R, et al：Negative pressure wound therapy after severe open fractures：A prospective randomized study. J Orthop Trauma 2009；23：552-557.
59）Costa ML, Achten J, Bruce J, et al：Effect of negative pressure wound therapy vs standard wound management on 12-month disability among adults with severe open fracture of the lower limb The WOLLF Randomized Clinical Trial. JAMA 2018；22：2280-2288.
60）Eccles S, Handley B, Khan U, et al：Standards for the Management of Open Fractures. Oxford University Press, United Kingdom, 2020；Chapter 7：57. http://www.bapras.org.uk/professionals/clinical-guidance/standards-for-the-management-of-open-fractures（Accessed 2022-5-22）
61）Feliciano DV, Mattox KL, Moore EE：Trauma. 9th ed, McGraw Hill, New York, 2021, p922.
62）Lynch K, Johansen K：Can Doppler pressure measurement replace “exclusion” arteriography in the diagnosis of occult extremity arterial trauma? Ann Surg 1991；214：737-741.
63）Dueck AD, Kucey DS：The management of vascular injuries in extremity trauma. Current Orthop 2003；17：287-291.
64）Feliciano DV：For the patient-Evolution in the management of vascular trauma. J Trauma Acute Care Surg 2017；83：1201-1212.
65）Jens S, Kerstens MK, Legemate DA, et al：Diagnostic performance of computed tomography angiography in peripheral arterial injury due to trauma：A systematic review and meta-analysis. Eur J Vasc Endovasc Surg 2013；46：329-337.
66）Feliciano DV, Moore FA, Moore EE, et al：Evaluation and management of peripheral vascular injury. Part1. Western Trauma Association/critical decisions in trauma. J Trauma 2011；70 :1551-1556.
67）Burkhardt GE, Gifford SM, Propper B, et al：The impact of ischemic intervals on neuromuscular recovery in a porcine (Sus scrofa) survival model of extremity vascular injury. J Vasc Surg 2011；53：165-173.
68）Eckert P, Schnackerz K：Ischemic tolerance of human skeletal muscle. Ann Plast Surg 1991；26：77-84.
69）Polcz JE, White JM, Ronaldi AE, et al：Temporary intravascular shunt use improves early limb salvage following extremity vascular injury. J Vasc Surg 2021；73：1304-1313.
70）Hancock HM, Stannard A, Burkhardt GE, et al：Hemorrhagic shock worsens neuromuscular recovery in a porcine model of hind limb vascular injury and ischemia-reperfusion. J Vasc Surg 2011；53：1052-1062.
71）進藤俊哉：結紮してよい血管，してはいけない血管．宮田哲郎編，一般外科医のための血管外科の要点と盲点 knack and pitfall, 第2版，文光堂，東京，2010，pp172-177.
72）Inaba K, Aksoy H, Seamon MJ, et al：Multicenter evaluation of temporary intravascular shunt use in vascular trauma. J Trauma Acute Care Surg 2016；80：359-365.
73）Wlodarczyk JR, Thomas AS, Schroll R, et al：To shunt or not to shunt in combined orthopedic and vascular extremity trauma. J Trauma Acute Care Surg 2018；85：1038-1042.
74）Hornez E, Boddaert G, Ngabou UD, et al：Temporary vascular shunt for damage control of extremity vascular injury：A toolbox for trauma surgeons. J Visc

Surg 2015；152：363-368.
75) Lee YC, Lee JW：Cross-limb vascular shunting for major limb replantation. Ann Plast Surg 2009；62：139-143.
76) 森井北斗，澤野誠：四肢末梢血管の治療．整形・災害外科 2021；64：1241-1250.
77) Feliciano DV, Moore EE, West MA, et al：Western Trauma Association critical decision in trauma：evaluation and management of peripheral vascular injury, Part Ⅱ. J Trauma Acute Care Surg 2013；75：391-397.
78) Feliciano DV, Maryland E：For the patient -Evolution in the management of vascular trauma. J Trauma Acute Care Surg 2017；83：1205-1212.
79) Asencio JA, Kuncir EJ, García-Núñez LM, et al：Femoral vessel injuries：Analysis of factors predictive of outcome. J Am Coll Surg 2006；203：512-520.
80) Klocker J, Bertoldi A, Benda B, et al：Outcome after interposition of vein grafts for arterial repair pf extremity injuries in civillians. J Vasc Surg 2014；59：1633-1637.
81) Mackinnon SE, Dellon AL：Clinical nerve reconstruction with a bioabsorbable polyglycolic acid tube. Plast Reconstr Surg 1990；85：419-424.
82) Strauch RJ, Strauch B：Nerve conduits：An update on tubular nerve repair and reconstruction. J Hand Surg Am 2013；38：1252-1255.
83) Johansen K, Daines M, Howey T, et al：Objective criteria accurately predict amputation following lower extremity trauma. J Trauma 1990；30：568-572.
84) Howe HR Jr, Poole GV Jr, Hansen KJ, et al：Salvage of lower extremities following combined orthopedic and vascular trauma：A predictive salvage index. Am Surg 1987；53：205-208.
85) Russell WL, Sailors DM, Whittle TB, et al：Limb salvage versus traumatic amputation：A decision based on a seven-part predictive index. Ann Surg 1991；473-480；discussion 480-481.
86) Krettek C, Seekamp A, Köntopp H, et al：Hannover fracture scale'98-re-evaluation and new perspectives of an established extremity salvage score. Injury 2001；32：317-328.
87) Helfet DL, Howey T, Sanders R, et al：Limb salvage versus amputation：Preliminary results of the mangled extremity severity score. Clin Orthop Relat Res 1990；256：80-86.
88) Bosse MJ, MacKenzie EJ, Kellam JF, et al：A prospective evaluation of the clinical utility of the lower-extremity injury-severity scores. J Bone Joint Surg Am 2001；83：3-14.
89) Eccles S, Handley B, Khan U, et al：Standards for the Management of Open Fractures. Oxford University Press, United Kingdom, 2020；Chapter 12：111 http://www.bapras.org.uk/professionals/clinical-guidance/standards-for-the-management-of-open-fractures（Accessed 2022-5-22）
90) Win TS, Henderson J：Management of traumatic amputations of the upper limb. BMJ 2014；348：g255.
91) Wang C, Askari M, Zhang F, et al：Long-Term Outcomes of Arm Replantation. Ann Plast Surg 2020；84（Suppl）：S151-S157.
92) Mattiassich G, Rittenschober F, Dorninger L, et al：Long-term outcome following upper extremity replantation after major traumatic amputation. BMC Musculoskelet Disord 2017；18：77.
93) Bumbasirevic M, Stevanovic M, Lesic A, et al：Current management of the mangled upper extremity. Int Orthop 2012；36：2189-2195.
94) Nayar SK, Alcock HMF, Edwards DS：Primary amputation versus limb major trauma：A systematic review. Eur J Orthop Surg Traumatol 2022；32：395-403.
95) 竹元暁，中島英親，寺本憲市郎，他：上肢外傷性切断および先天性欠損に対する筋電義手の使用経験と今後の展望．日手会誌 2017；33：846-849.
96) Savetsky IL, Aschen SZ, Salibian AA, et al：A novel mangled upper extremity injury assessment score. Plast Reconstr Surg Glob Open 2019；7：e2449.
97) Cavadas PC, Landín L, Ibáñez J, et al：Infrapopliteal Lower Extremity Replantation. Plast Reconstr Surg 2009；124：532-539.
98) Lange RH：Limb reconstruction versus amputation decision making in massive lower extremity trauma. Clin Orthop Relat Res 1989；243：92-99.
99) Momoh AO, Kumaran S, Lyons D, et al：An Argument for salvage in severe lower extremity trauma with posterior tibial nerve injury：the Ganga hospital experience. Plast Reconstr Surg 2015；136：1337-1552.
100) Wolinsky PR, Webb LX, Harvey EJ, et al：The mangled limb：Salvage versus amputation. Instr Course Lect 2011；60：27-34.
101) Akula M, Gella S, Shaw CJ, et al：A meta-analysis of amputation versus limb salvage in mangled lower limb injuries：The patient perspective. Injury 2011；42：1194-1197.
102) Küntscher MV, Erdmann D, Homann HH, et al：The concept of fillet flaps：Classification, indications, and analysis of their clinical value. Plast Reconstr Surg 2001；108：885-896.
103) Bywaters EGL, Beall D：Crush injuries with impairment of renal function. Br Med J 1941；1：427-432.

104) Oda J, Tanaka H, Yoshioka T, et al：Analysis of 372 patients with crush syndrome caused by the Hanshin-Awaji earthquake. J Trauma 1997；42：470-475；discussion 475-476.
105) Shimazu T, Yoshioka T, Nakata Y, et al：Fluid resuscitation and systemic complications in crush syndrome：14 Hanshin-Awaji earthquake patients. J Trauma 197；42：641-646.
106) Brown CV, Rhee P, Chan L, et al：Preventing renal failure in patients with rhabdomyolysis：Do bicarbonate and mannitol make difference? J Trauma 2004；56：1191-1196.
107) Zutt R, van der Kooi AJ, Linthorst GE, et al：Rhabdomyolysis：Review of the literature. Neuromuscul Disord 2014；24：651-659.
108) von Keudell AG, Weaver MJ, Appleton PT, et al：Diagnosis and treatment of acute extremity compartment syndrome. Lancet 2015；386：1299-1310.
109) Matsuoka T, Yoshida T, Tanaka H, et al：Long-term physical outcome of patients who suffered crush syndrome after the 1995 Hanshin-Awaji earthquake：Prognostic indicators in retrospect. J Trauma 2002；52：33-39.
110) Tornetta P 3rd, Ricci W, Court-Brown CM, et al：Rockwood and Green's Fracture in Adults. 9th ed, Wolters Kluwer, Philadelphia, 2019.
111) Torneta P 3rd, Hui RC：Intraarticular findings after gunshot wounds through the knee. J Orthop Trauma 1997；11：422-424.

4 多発外傷

要 約

1. 多発外傷患者に対する初期治療方針は大きく以下の３点である。
   ①生理学的異常の早期認識と蘇生
   ②胸腔内，腹腔内，後腹膜出血の迅速なコントロール
   ③死に至る負のスパイラルからの脱却
2. 頭部外傷を伴う多発外傷患者においては二次性脳損傷を最小限にするため，患者の生理学的許容を考慮し，必要に応じて手術時間短縮や出血量減少に基づいた段階的手術を選択する。
3. 出血性ショックの遷延，低体温，血液凝固障害の状態に対するdamage control orthopaedics（DCO）の適応はコンセンサスが得られている。
4. early total care（ETC）かDCOの選択の際に注意すべき患者（borderline patient）における手術時期の決定にあたっては，総合的に判断して決定する。

はじめに

日本外傷データバンク2021（JTDB 2019～2020）の年次報告書によると，わが国においては鈍的外傷が85％以上を占め，転倒・転落・墜落がもっとも多い（54.4％）[1]。一番多い損傷部位は四肢外傷（24.8％）で，次に頭部外傷（19.2％），胸部外傷（14.9％）と続く[1]。ISS≧16の割合は41.1％を占める[1]。これらのデータから，多発外傷診療は脳神経外科，整形外科，外科といった臓器別の縦割りの診療では対応困難なことがわかる。多発外傷診療には患者の生理学的異常の蘇生を目的とした，横断的で総合的な知識と経験が求められる。常に組織低酸素の予防を念頭に置き，低体温，アシドーシス，凝固障害で示される「外傷死の三徴」に陥らないように診療にあたる姿勢が大切である[2]。

また，多発外傷の診療リーダーとなる外傷専門医は，必要に応じて各診療科と連携をとり，各臓器損傷の緊急度および重症度を判断しながら，総合的にダメージコントロール戦略の必要性や治療の優先順位を決定するdecision makingを的確に実施できなければならない。本項では，多発外傷で施行すべきdecision makingとdamage controlコンセプト，生命予後，機能予後に重大な影響を及ぼす頭部外傷および整形外傷を中心とした多発外傷の治療戦略について述べる。

I 定 義

多発外傷は「polytrauma」または「multiple trauma」の訳語で，古典的には，AIS≧3の場合を重症外傷と呼び[3]，AIS≧3が6身体部位の2カ所以上にある場合（ISS≧18）を多発外傷と呼ぶ[4]。AIS≧4が少なくとも1カ所以上にあるもの（ISS≧16），AIS 3が1カ所でAIS 2が2カ所以上（ISS 17），AIS 3が，6身体部位の2カ所以上に及ぶもの（ISS≧18）を重症多発外傷と定義することもあり，米国のNational Trauma Data Bank（NTDB）とわが国のJTDBではISS≧16を重症多発外傷として階層化している。

2014年，The American Association for the Surgery of Trauma（AAST），European Society for Trauma and Emergency Surgery（ESTES），German Trauma Society（DGU），British Trauma Society（BTS），The Australian and New Zealand Association for the Surgery of Trauma（ANZAST）の集まるinternational consensusにおいて，多発外傷の定義としてnew “Berlin definition” が提唱された。この定義では，今までの解剖学的な基準だけ

表3-4-1　エビデンスに基づいた多発外傷の基準

ISS≧16もしくはAIS≧3が2カ所以上 かつ下記の因子が少なくとも1つ
低血圧（収縮期血圧≦90mmHg）
意識レベル（GCS ≦ 8）
アシドーシス（base excess ≦－6）
凝固障害（PT-INR ≧ 1.4/PT時間 ≧ 40秒）
年齢（≧ 70歳）

〔文献5）より引用・改変〕

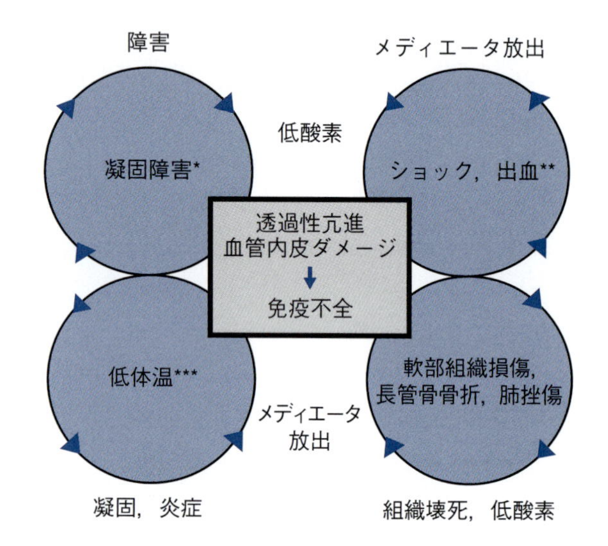

図3-4-1　多発外傷の4つの病態生理学的カスケード
* 血小板＜90,000
** 収縮期血圧＜90mmHg，血管収縮薬が必要
*** 中心部体温＜33℃
〔文献10）より引用・改変〕

でなく生理学的基準が設けられた[5]（表3-4-1）。ISS≧16もしくはAIS≧3が少なくとも2身体部位および以下の5つの生理学的因子のうち少なくとも1つ〔低血圧（収縮期血圧≦90mmHg），意識障害（GCS≦8），アシドーシス（BE≦－6.0），凝固障害（PTT≧40秒またはINR≧1.4），年齢（70歳以上）〕を満たすとき“polytrauma”と定義された[5]。

その後，この基準に基づく多発外傷は，死亡率が高く外傷センターの施設間の評価基準として適正であると報告されている[6)7)]。

多発外傷におけるdecision makingを行うにあたり，「多発外傷の4つの病態生理学的カスケード」を考慮することが提唱されている[5)8)～10)]（図3-4-1）。

Ⅱ　疫　学

JTDB 2021では，ISS 16以上の症例は全体の41.1%を占め，死亡数は全体の約8割を占める。ISS 16～24での死亡率は8.0%，ISS 25～40で32.6%，ISS 41～75で58.5%と報告されている[1]。

Trauma Audit and Research Network（TARN）のデータ（2008～2013年）によると，彼らの定義による多発外傷患者は，このregistryにおいては12%といわれている。多発外傷の平均ISSは29で，受傷原因では，道路での交通外傷が58.2%と高率であった。多発外傷（ISS中央値＝25）の30日死亡率は，全体では13%，0～15歳（10%），16～65歳（10.2%）に対して，65歳以上が24.5%で最多であった[11]。また，多発外傷患者の約半数が外傷性脳損傷を，2/3が胸部外傷を伴っていた。重症胸部外傷は，多発外傷患者の45%に，重症腹部外傷の54%に認めた。多発外傷患者のうち重症腹部外傷は17%のみであった。また，多発外傷患者のうち，鈍的損傷は96.1%，穿通性損傷は3.9%であった[11]。外傷性脳損傷を合併した多発外傷患者は，3つの年齢層でもっとも高い死亡率を認めた（0～15歳：12.5%，16～65歳：16%，65歳以上：29.9%）。小児では，胸部外傷合併多発外傷の死亡率が12.6%と最多で，高齢者では，腹部外傷合併の死亡率が31%と高率であった[11]。1989～2003年と比較して，2008～2013年はあらゆる年齢層の多発外傷患者の死亡率が相対的に大きく減少しており，多発外傷の治療は大きく進歩しているといえる[11]。

Ⅲ　病態の生理学的判断

わが国では鈍的外傷が大半を占め，多発外傷における最優先の治療は呼吸・循環の安定にある。primary surveyにおける生理学的異常に対する初期治療方針は，大きく以下の3点である。

①生理学的異常の早期認識と蘇生
②胸腔内，腹腔内，後腹膜出血の迅速なコントロール
③死に至る負のスパイラル（外傷死の三徴）の回避

Mattoxは「解剖学的な損傷形態や重症度ではな

く病態生理学が手術の仕方を決定する」と述べ，多発外傷の治療が，それぞれ個別の身体部位損傷治療の組み合わせでないことを強調している[12]。

多発外傷では，複数部位に対して同時に止血術を施行しなければならないことがある。2チームが編成可能であれば，胸部および腹部で同時手術も可能であり，止血までの時間短縮につながる。腹腔内および骨盤後腹膜出血の複合損傷の場合には，どちらを優先して止血をするかなどの判断が必要となる。また，体幹部重症外傷に重症頭部外傷が合併した場合，体幹部損傷修復のためだけに時間を割くことはできず，damage control surgeryが必要となる場合がある。

また，以下に示すような生理学的破綻，あるいはそのリスクとして重要な所見を1つでも認める場合には，早期にdamage control surgeryを選択すべきである[13]。

- packed RBC（PRBC）10単位以上を必要とする重大な出血
- pH≦7.2の重篤な代謝性アシドーシス
- 35℃以下の低体温
- 手術時間≧90分
- 検査値として認められる凝固障害もしくは凝固障害を疑うnon-surgical bleeding
- lactate≧5 mmol/L

近年では，複数部位の手術を同時に行ったり，血管内治療を患者の移動をなく行えるハイブリッドERシステム（HERS）が，外傷センターに導入されるようになっている。HERSを使用することにより，重症外傷におけるCT撮影時間の短縮，手術処置までの時間短縮および生存率の改善が報告されている。ただし，導入のためのコストが問題となり，まだ少数の外傷センターへの導入にとどまっている[14)～16]。

Ⅳ 重症頭部外傷を伴う多発外傷

1. 頭部外傷が全身に与える影響

頭部外傷は，まず呼吸器系に，次に心血管系に影響を及ぼす。さらに血液凝固や内分泌機能に影響し，全身性の免疫学的合併症を引き起こす[17]。

急性肺傷害（acute lung injury；ALI）は，外傷性脳損傷患者の約20～30%で認められ[18,19]，肺傷害が悪化すると神経学的予後をさらに悪化させ，死亡率は2倍以上になるといわれている。neurogenic pulmonary edema（NPE）がその要因と報告されている[20]。また，外傷性脳損傷後のNPEの患者は臨床的にsilent myocardial dysfunctionを高頻度に起こしていると報告されており[20]，その要因としては，大量カテコラミンの放出や脳のある特定のトリガー部位の局所的な虚血があげられる[17]。

NPEの病因は2つのメカニズムが考えられている[21]。中枢神経系への外傷に対するアドレナリン反応によって二次性に肺血管が強力に収縮し，肺の静水圧が上昇することで肺血管の透過性が亢進して発症するhemodynamic mechanismと，外傷によるneuroinflammatory response後に肺末梢血管リークが起こり発症する炎症メカニズムが考えられている。また，感染も肺障害の重要な要因である。外傷性脳損傷自体の免疫抑制に加え，ICPコントロールのための低体温，バルビツレート療法なども影響し，外傷性脳損傷患者に起こる肺炎は，ほかのICU患者の肺炎と比べ，早期（3～4病日）に発症する[22)～25]。

2. 凝固と免疫に与える影響

頭部外傷後の凝固障害は転帰に関連している[26,27]。脳組織にはかなり多くのトロンボプラスチンが含まれており，これが血流に入り止血凝固反応を障害する。さらに，損傷を受けた脳血管内皮が血小板と凝固カスケードを活性化し，血管内血栓形成と凝固因子消費を引き起こし，線溶亢進型DICへと進展する[28]。さらに，重篤な頭部外傷後，IL-1，6，8，10，12，TNF-α，TGF-βなどのサイトカイン濃度が変化し，頭部外傷単独でも全身炎症反応を引き起こすことが報告されている。一方で，中枢神経損傷によって血清および髄液中のIL-10濃度が上昇し，単球やマクロファージの機能が抑制されるとの報告もある[13]。

3. 治療アルゴリズム

重症頭部外傷を伴う多発外傷の治療アルゴリズムを図3-4-2[29]に示す。

意識障害のある鈍的外傷患者において出血性

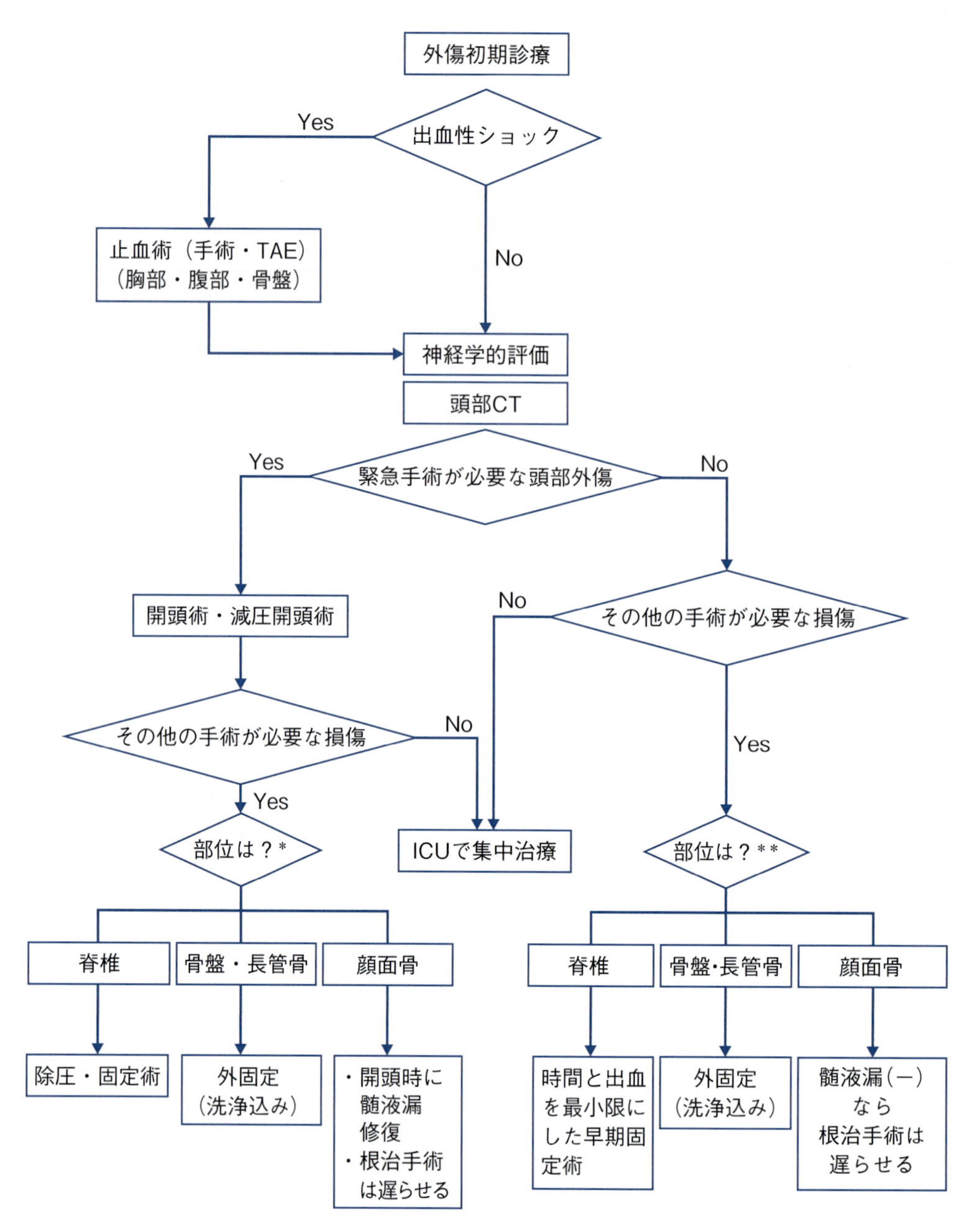

図3-4-2　頭部外傷を伴った多発外傷

* 可能なら同時・連続手術
** 適切な時期を考慮して
〔文献29）より引用・改変〕

ショックの状態では，体幹部損傷がある場合には頭部CT検査よりも止血手術を優先すべきである[30)31)]。

中等症以上の頭部外傷合併例で，頭部以外の部位の手術が施行される場合，ICPモニターが推奨されている[32)]。多発外傷の場合には瞳孔散大の所見は必ずしも頭蓋内占拠性病変を意味するものではなく，低酸素症や低血圧を反映している場合が多い。このため，早期には瞳孔所見をもって頭部外傷を合併する多発外傷の治療戦略を決断すべきではなく[33)]，出血のコントロールに全力を注ぐ。

4. 循環管理

早期の出血コントロールは二次性脳損傷を予防する。ICP亢進を有する外傷患者の低血圧は脳灌流圧（cerebral perfusion pressure；CPP）を急激に低下させ，予後を悪化させる[34)]。ひとたび収縮期血圧が90mmHg以下になった二次性脳損傷症例では，死亡率が50％以上になるといわれている[34)〜39)]。収縮期血圧を100mmHg以上に保てた場合の低血圧容認蘇生は予後を改善するという報告がある[40)]。

重症頭部外傷を伴う患者の一般的な循環管理の目

標は，『頭部外傷治療・管理のガイドライン第4版』によると①収縮期血圧＞110mmHg，②平均動脈圧＞90mmHg，③CPP ＞50mmHg，④ヘモグロビン＞10g/dlである[41]。

2017年のBrain Trauma Foundation's guidelines[42]によると50～69歳では収縮期血圧は100mmHg以上，15～49歳または70歳以上では110mmHg以上とすることを推奨している。さらにEuropean guidelinesでは，平均血圧80mmHg以上を維持することを推奨している。赤血球輸血の基準は，Hb 7～9g/dlとすべきであるが[43]，頭部外傷を伴った多発外傷での目標は明らかではない。高齢者や心疾患のある患者においては基準を上げるべきである[44]。

大量輸血時には，FFP：血小板：赤血球を1：1：1で投与することが推奨されており[45]，頭部外傷を伴った多発外傷では早期にクリオプレシピテートを投与することにより輸血量を減らしたとの報告がある[46]。

5. 顔面損傷との合併

顔面損傷の合併では，気脳症や髄液漏があれば，厳重なモニタリングが必要である。重篤な頭蓋内血腫や挫傷が適切に処理された後，髄液漏を止め，その際に鼻と脳を確実に分離する[47][48]。その治療には脳神経外科，耳鼻咽喉科，口腔外科を含めた複数科が必要であるが，全手術時間が長くなるため根治的手術は遅らせるほうがよい。頭蓋底骨折は内頸動脈の損傷を引き起こし得る。治療は外科的修復術や血管内治療が施行される[49]。

6. 胸部外傷との合併

ドイツの外傷登録では，自動車事故の38%，歩行者事故の47%に頭部外傷を合併し，さらにその52%に胸部外傷を合併している[50]。また，1,000例以上の整形外傷を合併した多発外傷の患者のうち81%に頭部外傷を合併し，そのうち52%に鈍的胸部外傷を合併していた[51]。さらに重症頭部外傷を合併した多発外傷患者の約半数が鈍的胸部外傷を伴っていた。多発外傷死亡のうち重症頭部外傷が原因であった割合は27%でもっとも多く，胸部外傷は20～25%と報告されている[52]。

二次性脳損傷は低酸素血症や低血圧などで引き起こされるが[53][54]，軟部組織損傷と炎症に伴うtissue factor（TF；組織因子）が急性肺障害を引き起こし，二次性脳損傷の悪化因子となることも明らかになった[55][56]。鈍的多発外傷の場合，組織片，微生物，損傷で放出された炎症性メディエータ，塞栓物質（脂肪・骨髄），同種血などが血流内に流出し，フィルターの役目を果たしている肺を通過する。肺は最大の微小血管床をもつ臓器であり，肺の血管内皮細胞から各種のメディエータが放出される。放出されたメディエータは脳損傷をさらに増悪させる[57]。

7. 腹部外傷との合併

Demetriadesら[58]は自施設のAIS≧3の頭部外傷3,664例について報告している。このうち209例にAIS≧3の腹部外傷を，271例に軽症・重症を合わせた実質臓器損傷を認め，そのうち61例に消化管穿孔を認めた。また，前向きにGCS合計点8以下の患者に腹部CT検査を行ったところ，13.4%の頻度で腹腔内損傷を認めた[59]。小児例では腹腔内臓器損傷は成人より頻度が高く，GCS合計点8未満の患者に腹部CT検査を行ったところ27.8%の頻度で，GCS合計点8以上の患者でも17.8%の頻度で腹腔内損傷を認めた[60]。

頭部と腹部の合併損傷では，開頭術と開腹術の両方が施行される場合は少ない。低血圧を伴う鈍的外傷患者734例に対して21%に緊急開腹術が必要であった。一方，40%の患者にAIS≧3の頭部外傷を合併していたにもかかわらず，開頭術が必要になったものは2.5%のみであった[60]。また，Winchellら[61]の報告では一般外科手術が19%，開頭術は8%であった。

Jacobらは，NTDBにおける重症の頭部と腹部外傷を合併した25,585例について報告している。24時間以内の開腹手術は9,138例に行い，そのうち開頭術を行ったのは，わずか394例（4.3%）であった。ショックの患者では頭部CT検査よりも開腹手術を優先すべきとしている[62]。

頭部・腹部外傷合併例において，バイタルサインが安定した腹部臓器損傷に対し非手術療法（NOM）は生命予後を悪化させないとの報告がある[63][64]。腹腔内圧（IAP）の上昇が，ICPを上げることがわかって

3章 外傷治療戦略と戦術 4 多発外傷

おり，頭部外傷を合併した腹部外傷の患者においては，腹部コンパートメント症候群は絶対に避けなければならない。また，頭部外傷合併例でIAP 20cmH₂O以上は，減圧の絶対適応であるとの報告もある[64)]。ISSが25以上の多発外傷例で膵腎損傷を合併している場合は，膵腎摘出を推奨する報告もある[65)66)]。

V 整形外科外傷を伴う多発外傷

1. 早期内固定の有用性

多発外傷患者の多くは整形外科外傷を伴う。整形外科外傷を伴った患者は長期の臥床を余儀なくされ，脂肪塞栓，肺炎，静脈血栓塞栓症，敗血症など多くの合併症の危険にさらされる。骨折部の早期安定化による合併症率の低下が，多くの論文で報告されてきた[67)～70)]。最近では，適切に蘇生された患者に対し早期の内固定を行うことで，肺合併症率の低下，入院期間やICU滞在期間の短縮が報告されており，内固定前の適切な蘇生にも注目が集まっている[71)～75)]。2014年のEASTガイドラインでは，多発外傷患者における大腿骨骨折（開放骨折も含めて）に対する内固定のタイミングに関して，24時間以内の早期内固定は，感染率，死亡率，静脈血栓塞栓症のリスクが低く，エビデンスレベルは低いが条件付きで推奨するとしている[76)]。

2. 早期内固定の危険性

多発外傷における整形外科外傷治療戦略を考えるうえで大切なことは，どの患者が早期内固定手術に耐えられるかを判断することである。骨折部を固定することで骨折部からの出血の制御，痛みの軽減，肺合併症の予防につながるが，手術侵襲と術中出血がsecond hitの原因となり得る。重症多発外傷患者では，second hitが閾値を超えると全身性の炎症反応を惹起し，多臓器傷害（multiple organ dysfunction syndrome；MODS）を併発する[77)]。

1980年代，多発外傷患者の大腿骨骨折に対する早期内固定術（early total care；ETC）の有用性が報告されたが[67)～70)]，1990年代に入り，胸部外傷を伴った重症多発外傷に対して，24時間以内に大腿骨骨折の髄内釘固定を行うと肺合併症と死亡率が増加することが報告された[78)]。そのため，早期内固定手術に耐えられないと判断された患者に対しては，より侵襲の少ない創外固定による固定が行われるようになった。

3. damage control orthopaedics（DCO）

DCOはsecond hitを最小限にしながら，早期に骨折部の安定化を図る方法であり，大腿骨骨折に対する創外固定はその一例である[79)]。しかし，不安定型骨盤輪骨折や寛骨臼骨折，脊椎骨折に対する簡易固定は固定性に限界があり，DCOの適応は限定的である。また，創外固定から髄内釘にconversionする際には，一期的に内固定を行った場合と比較して感染率の増加が報告されており[80)81)]，どのような患者にDCOを適応するかは議論の余地があり，質の高いエビデンスはない[82)]。

Papeらは，患者の状態を4つのGradeに分けた治療戦略を示した（表3-4-2）[83)]。しかし，実際の臨床の現場ではこの4つのGradeに単純に分けられない患者が多いことや，borderline患者の評価と治療方針決定や治療のタイミングは現場の医師の裁量に委ねられることが問題とされた。Vallierらは，PapeらのGrade分類が煩雑すぎることを指摘し，より簡便な“early appropriate care”（EAC）protocolを提唱した[73)74)]。これは受傷後36時間以内に適切な蘇生が達成されたならば，大腿骨骨折だけでなく骨盤輪骨折・寛骨臼骨折・脊椎骨折に対しても内固定手術を推奨するものである。蘇生の評価は，一般的な施設で測定可能な乳酸値，pH，base excessを用いて繰り返し行い，アシドーシスが改善したタイミングで内固定手術を行う（表3-4-3）。その後Papeらも，多発外傷患者は治療過程で臨床経過が急速に変化し得るため，安全に内固定手術を施行するためには，患者の状態を繰り返し評価することが重要であることを強調した“safe definitive surgery”（SDS）conceptを提唱した（図3-4-3）[75)84)]。

4. 胸部外傷との合併

大腿骨骨折に対する早期リーミング髄内固定は，肺合併症のリスクが増加するといわれてきた。種々

表3-4-2　多発外傷患者のGrade分類

		安定（Grade Ⅰ）	ボーダーライン（Grade Ⅱ）	不安定（Grade Ⅲ）	重篤（Grade Ⅳ）
ショック	血圧（mmHg）	≧100	80～100	60～90	≦50～60
	出血（2h）	0～2	2～8	5～15	≧15
	乳酸値	基準内	約2.5	≧2.5	重症アシドーシス
	base deficit（mmol/L）	基準内	no date	no data	≧6～18
	ATLS分類	Ⅰ	Ⅱ～Ⅲ	Ⅲ～Ⅳ	Ⅳ
	尿量（ml/時）	≧150	50～150	≦100	≦50
凝固	血小板（/μl）	≧110,000	90,000～110,000	70,000～90,000	≦70,000
	第Ⅱ，Ⅴ因子（%）	90～100	70～80	50～70	≦50
	フィブリノゲン（g/dl）	≧1	約1	≦1	DIC
	Dダイマー	基準内	基準外	基準外	DIC
体温		≧34℃	33～35℃	30～32℃	≦30℃
軟部組織損傷	PaO_2/FiO_2	≧350	300	200～300	≦200
	胸部外傷（AIS）	AIS 1 or 2	AIS 2以上	AIS 2以上	AIS 3以上
	thoracic trauma score（TTS）	0	Ⅰ～Ⅱ	Ⅱ～Ⅲ	Ⅳ
	腹部外傷（Moore）	≦Ⅱ	≦Ⅲ	Ⅲ	Ⅲ以上
	骨盤外傷（AO）	A type	B or C	C	C
	四肢外傷	AIS 1～2	AIS 2～3	AIS 3～4	挫滅・切断
手術戦略		ETC	安定していればETC	DCO	DCO

〔文献83）より引用・改変〕

表3-4-3　"early appropriate care" protocolにおける評価基準

	low risk	high risk
pH	≧7.25	<7.25
base excess（mmol/L）	≧－5.5	<－5.5
lactate（mmol/L）	<4.0	≧4.0

の炎症促進マーカーの測定から，大腿骨骨折患者に対するリーミング髄内固定後では好中球エラスターゼ，IL-6などの炎症促進マーカーが上昇し[85]，その侵襲が多発外傷患者に対するsecond hitとなる可能性が示唆された。しかし最近の研究では，胸部外傷を伴った患者においても，適切な蘇生が行われた後であれば，大腿骨骨折に対して早期リーミング髄内固定を行っても待機手術例と比較して合併症率を上げないことが示されている[71,86]。以上から，多発外傷患者の大腿骨骨折に対する早期リーミング髄内固定は，分子レベルにおいては全身に悪影響を与える可能性はあるものの，臨床的には悪影響の証明はなされていない。

5. 頭部外傷との合併

頭部外傷と重篤な整形外傷の組み合わせは，自動車事故や墜落外傷で，より頻繁にみられる。とりわけ頭部外傷と脊椎外傷の合併損傷は高いことが知られている[87]。

頭部外傷と整形外傷は，可能なら同時に，評価，治療を行う。もし，手術が必要な頭部外傷で手術室に行く予定なら，DCOで整形外傷も治療すべきである。その際，一時外固定または牽引が施行され，生理学的状態が落ち着いた段階で，二期的に根本治療を行う。多発外傷患者において，DCOは安全かつ効果的であることが示されている[29]。一方，頭部外傷を伴った患者でもCPPが70mmHg以上で全身状態が安定した患者では，早期内固定を進める報告もある[88,89]。

6. 脊椎・脊髄外傷との合併

脊髄損傷を伴った多発外傷においては，二次的な脊髄損傷を防ぐために循環不全，低酸素を避けるべきである。循環管理の目標は，2013年に発表された

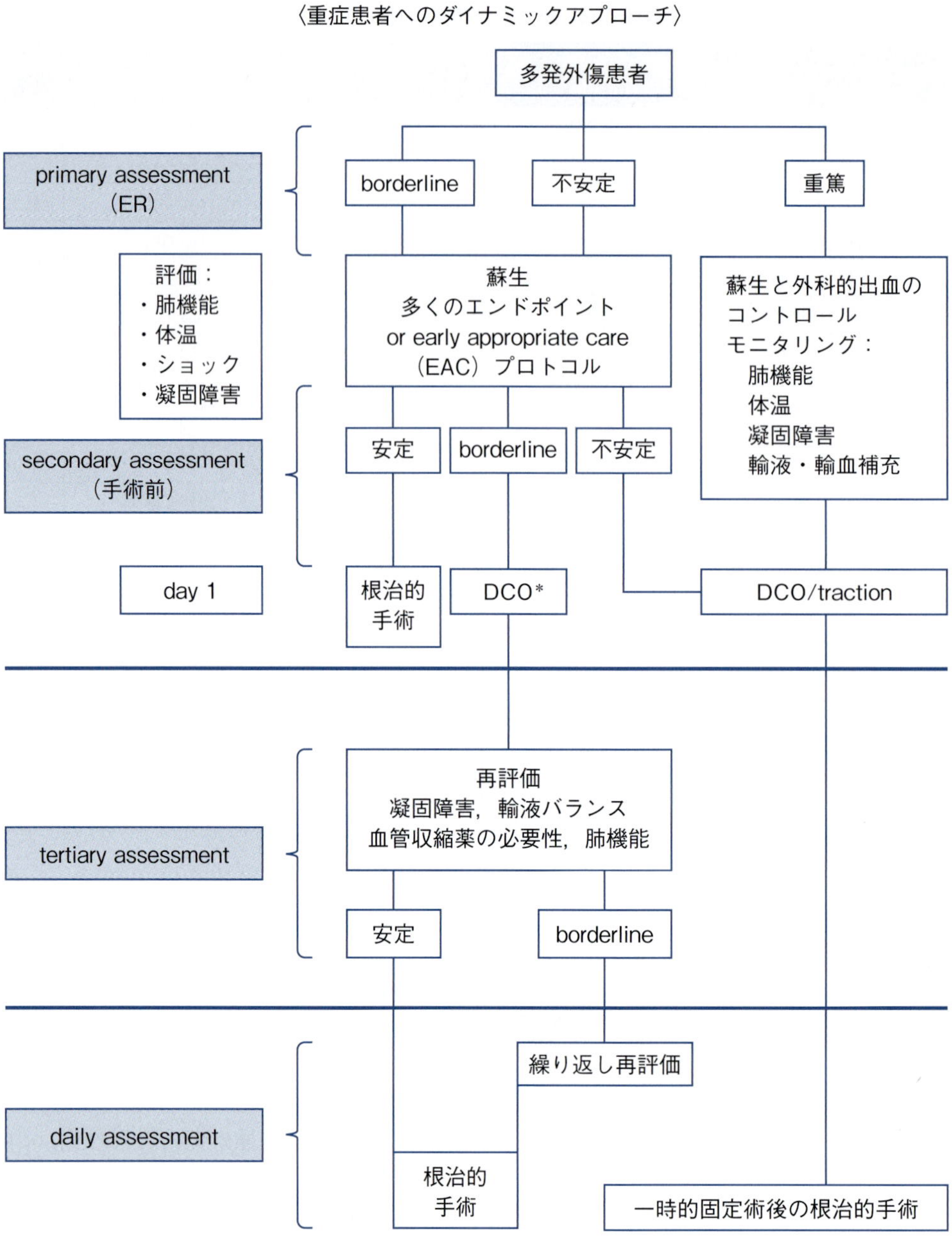

〈重症患者へのダイナミックアプローチ〉

多発外傷患者

primary assessment（ER）

borderline
不安定
重篤

評価：
・肺機能
・体温
・ショック
・凝固障害

蘇生
多くのエンドポイント
or early appropriate care（EAC）プロトコル

蘇生と外科的出血のコントロール
モニタリング：
肺機能
体温
凝固障害
輸液・輸血補充

secondary assessment（手術前）

安定
borderline
不安定

day 1

根治的手術
DCO*
DCO/traction

tertiary assessment

再評価
凝固障害，輸液バランス
血管収縮薬の必要性，肺機能

安定
borderline

daily assessment

繰り返し再評価

根治的手術
一時的固定術後の根治的手術

図3-4-3　safe definitive surgery（SDS）

* DCO：damage control orthopaedics

蘇生を行いながらassessmentを繰り返し，そのつど患者をGrade分類する。全身状態が安定したタイミングで根治的手術を行う

〔文献75）より引用・改変〕

ガイドラインでは，収縮期血圧90～100mmHg，心拍数60～100/分，尿量30ml/時，正常体温を目標とすべきとしていて，受傷から5～7日間は平均血圧＞85mmHg，収縮期血圧を90mmHg未満とならないよう管理することが推奨されている[90)]。

脱臼骨折や破裂骨折のような不安定型脊椎損傷は，早期に除圧と固定が必要である[91)～93)]。

胸部外傷を伴った胸椎腰椎骨折は，神経学的予後が悪く，呼吸障害を合併することが多いため早期の固定が推奨される。2020年のドイツの外傷登録からの1,338例の手術例では，AIS 3以上の胸部外傷を合併した72時間以内の手術は人工呼吸器装着期間の短縮，ICU期間・入院期間の短縮，ARDS・多臓器障害・敗血症などの合併症を減らしたと報告している[94)]。

最近では脊椎・脊髄損傷治療にもspine damage control（SDC）の概念が導入され，欧米では多発外傷患者における安全で有用な治療戦略の一つとして認識されている[95)～98)]。SDCの究極目標は，初期の外科的侵襲に伴う術後の全身合併症や臓器障害を減らして生命予後の改善を図り，同時に脊髄二次損傷を最小限にとどめて機能予後の改善も達成することにある。その基本的な治療手段は，初期の限定的な脊椎固定と二期的な脊椎根治手術の2段階アプローチからなる。第1段階では，受傷後24時間以内に小侵襲手技を用いてできるかぎり神経除圧（脊椎アライメント矯正による脊髄圧迫除去）と脊椎の安定性獲得に焦点を置く。その後，ICU内で呼吸・循環管理，他部位損傷治療，肺理学療法を主体とするリハビリテーションを実施し，全身状態安定後に，受傷後72時間以内に第2段階として待機的に脊椎根治手術（除圧＋固定）を行う[99]。

SDCは，明確な適応基準は確立されていないが，全身状態・神経機能の早期回復が期待されるほかにも，根治的手術をより安全に実施できることや綿密な手術計画を立てる時間的猶予が生まれるなどの利点もある[96)98]。

非観血的に整復が可能な場合は，後方からの低侵襲手術〔minimally invasive spinal surgery（MISS）〕が推奨される。MISSは出血量，手術時間，患者の合併症率，術後疼痛，感染率の減少，転帰の改善など，さまざまな利点をもたらす[100)~106]。

経皮的固定術を従来の術式と比較した研究では，長期間の追跡調査や放射線学的パラメータの分析にて，同様の成績であることが示されている[107)108]。

文　献

1） Japan Trauma Care and Research：Japan Trauma Data Bank Report 2021. https://www.jtcr-jatec.org/traumabank/dataroom/data/JTDB2021.pdf（Accessed 2022-3-8）

2） Boffard KD：Manual of Definitive Surgical Trauma Care. 3rd ed, CRC Press, New York, 2011.

3） Committee on Injury Scaling, Association for the Advancement of Automotive Medicine（AAAM）：The Abbreviated Injury Scale 1990 Revision Update 98, Illinois, 1998.

4） Baker SP, O'Neill B, Haddon W Jr, et al：The injury severity score：A method for describing patients with multiple injuries and evaluating emergency care. J Trauma 1974；14：187-196.

5） Pape HC, Lefering R, Butcher N, et al：The definition of polytrauma revisited：An international consensus process and proposal of the new 'Berlin definition'. J Trauma Acute Care Surg 2014；77：780-786.

6） Rau CS, Wu SC, Kuo PJ, et al：Polytrauma defined by the new Berlin definition：A validation test based on propensity-score matching approach 2017；14：1045.

7） Pothmann CEM, Baumann S, Jensen KO, et al：Assessment of polytraumatized patients according to the Berlin definition：Does the addition of physiological data really improve interobserver reliability? PLoS One 2018；13：e0201818.

8） Keel M, Trentz O：Pathophysiology of polytrauma. Injury 2005；36：691-709.

9） Kaplan LJ, Frangos S：Clinical review：Acid-base abnormalities in the intensive care unit-part Ⅱ. Crit Care 2005；9：198-203.

10） Keel M, Pape HC：Orthopaedic surgery approach to damage control：Decision-making and indication. In：Pape HC, et al eds. Damege Control Management in the Polytrauma Patient. 2nd ed, Springer International Publishing AG, Switzerland, 2017, 10：pp1-12.

11） Lecky FE, Bouamra O, Woodford M, et al：Changing epidemiology of polytrauma. In：Pape HC, et al eds. Damege Control Management in the Polytrauma Patient. 2nd ed, Springer International Publishing AG, Switzerland, 2017, 3：pp1-17.

12） Mattox KL：Introduction, background, and future projections of damage control surgery. Surg Clin North Am 1997；77：753-759.

13） Smith BP, Reilly PM：Abbreviated surgery（general surgery）. In：Pape HC, et al eds. Damege Control Management in the Polytrauma Patient. 2nd ed, Springer International Publishing AG, Switzerland, 2017, 15：pp1-26.

14） Carver D, Kirkpatirick A, D'Amours S, et al：Prospective evaluation of the utility of a hybrid operating suite for severely injured patients：Overstated or underutilized? Ann Surg 2020；271：958-961.

15） Kinoshita T, Yamakawa K, Matsuda H, et al：The survival benefit of a novel trauma workflow that includes immediate whole-body computed tomography, surgery, and interventional radiology, all in one trauma resuscitation room：A retrospective historical control study. Ann Surg 2019；269：370-376.

16） Moore JM, Thomas PA, Gruen RL, et al：Simultaneous multisystem surgery：An important capability for the civilian trauma hospital. Clin Neurol Neurosurg 2016；148：13-16.

17） Trentz O, Lenzlinger PM：Impact of Head and Chest Trauma on General Condition. In：Pape HC, et al eds. Damege Control Management in the Polytrauma Patient. Springer, Pennington County（In South Dakota），2009, pp53-67.

18） Bratton SL, Davis RL：Acute lung injury in isolated traumatic brain injury. Neurosurgery 1997；40：707-

712.
19) Holland MC, Mackersie RC, Morabito D, et al：The development of acute lung injury is associated with worse neurologic outcome in patients with severe traumatic brain injury. J Trauma 2003；55：106-111.
20) Berthiaume L, Zygun D：Non-neurologic organ dysfunction in acute brain injury. Crit Care Clin 2006；22：753-766.
21) Simon RP：Neurogenic pulmonary-edema. Neurol Clin 1993；11：309-323.
22) Cazzadori A, Di Perri G, Vento S, et al：Aetiology of pneumonia following isolated closed head injury. Respir Med 1997；91：193-199.
23) Loop T：The immune system：Basic principles and modulation by anaesthetics. Anasthesiol Intensivmed Notfallmed Schmerzther 2003；44：53-65.
24) Loop T, Humar M, Pischke S, et al：Thiopental inhibits tumor necrosis factor alpha-induced activation of nuclear factor kappa B through suppression of I kappa B kinase activity. Anesthesiology 2003；99：360-367.
25) Harris OA, Colford JM, Good MC, et al：The role of hypothermia in the management of severe brain injury：A meta-analysis. Arch Neurol 2002；59：1077-1083.
26) Stein SC, Smith DH：Coagulopathy in traumatic brain injury. Neurocrit Care 2004；1：479-488.
27) Kearney TJ, Bentt L, Grode M, et al：Coagulopathy and catecholamines in severe head-injury. J Trauma 1992；32：608-612.
28) Gando S, Wada H, Thachil J；Scientific and Standardization Committee on DIC of the International Society on Thrombosis and Haemostasis (ISTH)：Differentiating disseminated intravascular coagulation (DIC) with the fibrinolytic phenotype from coagulopathy of trauma and acute coagulopathy of trauma-shock (COT/ACOTS). J Thromb Haemost 2013；11：826-835.
29) Shuster JM, Stahel PF：Head injury. In：Pape HC, et al eds. Damege Control Management in the Polytrauma Patient. 2nd ed, Springer International Publishing AG, Switzerland, 2017, 7：pp1-24.
30) Jakob DA, Benjamin ER, Cho J, et al：Combined head and abdominal blunt trauma in the hemodynamically unstable patient：What takes priority? J Trauma Acute Care Surg 2021；90：170-176.
31) Picetti E, Rosenstein I, Balogh ZJ, et al：Perioperative management of polytrauma patients with severe traumatic brain injury undergoing emergency extracranial surgery：A narrative review. J Clin Med 2022；11：18.
32) Gracias VH , Leroux P：Head injury. In：Peizman AB, et al eds. The Trauma Manual：Trauma and Acute Care Surgery. 3rd ed, Lippincott Williams & Wilkins, Philadelphia, 2008, pp135-144.
33) Andrews BT, Levy ML, Pitts LH：Implications of systemic hypotension for the neurological examination in patients with severe head injury. Surg Neurol 1987；28：419-422.
34) Chesnut RM, Marshall SB, Piek J, et al：Early and late systemic hypotension as a frequent and fundamental sourse of cerebral ischemia following severe brain injury in the Traumatic Coma Data Bank. Acta Neurochir Suppl (Wien) 1993；59：121-125.
35) Manley G, Knudson MM, Morabito D, et al：Hypotension, hypoxia, and head injury：Frequency, duration, and consequences. Arch Surg 2001；136：1118-1123.
36) Chesnut RM：Secondary brain insults after head injury：Clinical perspectives. New Horiz 1995；3：366-375.
37) Chesnut RM, Marshall LF, Klauber MR, et al：The role of secondary brain injury in determining outcome from severe head injury. J Trauma 1993；34：216-222.
38) Chi JH, Knudson MM, Vassar MJ, et al：Prehospital hypoxia affects outcome in patients with traumatic brain injury：A prospective multicenter study. J Trauma 2006；61：1134-1141.
39) Jeremitsky E, Omert L, Dunham CM, et al：Harbingers of poor outcome the day after severe brain injury：Hypothermia, hypoxia, and hypoperfusion. J Trauma 2003；54：312-319.
40) Dutton RP, Mackenzie CF, Scalea TM：Hypotensive resuscitation during active hemorrhage：Impact on in-hospital mortality. J Trauma 2002；52：1141-1146.
41) 日本脳神経外科学会・日本脳神経外傷学会監，頭部外傷治療・管理のガイドライン作成委員会編：頭部外傷治療・管理のガイドライン，第4版，医学書院，東京，2019.
42) Carney N, Totten AM, O'Reilly C, et al：Guidelines for the management of severe traumatic brain injury, fourth edition. Neurosurgery 2017；80：6-15.
43) Spahn DR, Bouillon B, Cerny V, et al：The european guideline on management of major bleeding and coagulopathy following trauma：fifth edition. Crit Care 2019；23：98.
44) Picetti E, Rossi S, Abu-Zidan FM, et al：WSES consensus conference guidelines：Monitoring and management of severe adult traumatic brain injury patients with polytrauma in the first 24 hours. World J Emerg Surg 2019；14：53.
45) Holcomb JB, Tilley BC, Baraniuk S, et al：Transfusion of plasma, platelets, and red blood cells in a 1：1：1

vs a 1：1：2 ratio and mortality in patients with severe trauma：The PROPPR randomized clinical trial. JAMA 2015；313：471-482.

46) Sugiyama K, Fujita H, Nishimura S：Effects of in-house cryoprecipitate on transfusion usage and mortality in patients with multiple trauma with severe traumatic brain injury：A retrospective cohort study. Blood Transfus 2020；18：6-12.

47) Rocchi G, Caroli E, Belli E, et al：Severe cranial fractures with frontobasal involvement and cerebrospinal fluid fistula：Indications for surgical repair. Surg Neurol 2005；63：559-563；discussion 563-564.

48) Bell RB, Dierks EJ, Homer L, et al：Management of cerebrospinal fluid leak associated with craniomaxillofacial trauma. J Oral Maxillofrac Surg 2004；62：676-684.

49) Larsen DW：Traumatic vascular injuries and their management. Neuroimaging Clin N Am 2002；12：249-269.

50) Bardenheuer M, Obertacke U, Waydhas C, et al：Epidemiology of the severely injured patient：A prospective assessment of preclinical and clinical management：AG Polytrauma of DGU. Unfallchirurg 2000；103：355-363.

51) Taeger G, Ruchholtz S, Waydhas C, et al：Damage control orthopedics in patients with multiple injuries is effective, time saving, and safe. J Trauma 2005；59：409-416；discussion 417.

52) Hildebrand F, Giannoudis PV, Griensven MV, et al：Management of polytraumatized patients with associated blunt chest trauma：A comparison of two European countries. Injury 2005；36：293-302.

53) Stocchetti N, Furlan A, Volta F：Hypoxemia and arterial hypotension at the accident scene in head injury. J Trauma 1996；40：764-767.

54) Cooke RS, McNicholl BP, Byrnes DP：Early management of severe head injury in Northern Ireland. Injury 1995；26：395-397.

55) Bennett WF, Browner B：Tibial plateau fractures：A study of associated soft tissue injuries. J Orthop Trauma 1994；8：183-188.

56) Trentz O, Lenzlinger PM：Impact of head and chest trauma on general condition. In：Pape HC, et al eds. Damage Control Management in the Polytrauma Patient. Springer, New York, 2010, pp53-64.

57) Pape HC, Tzioupis CC, Giannoudis PV：The four pathophysiological cycles of blunt polytrauma. In：Pape HC, et al eds. Damage Control Management in the Polytrauma Patient. Springer, New York, 2010, pp83-94.

58) Demetriades D, Velmahos GC：Indications for and techniques of laparotomy. In：Feliciano DV, et al eds. Trauma. 6th ed, McGraw-Hill, New York, 2008, pp607-622.

59) Taylor GA, Eich MR：Abdominal CT in children with neurologic impairment following blunt trauma：Abdominal CT in comatose children. Ann Surg 1989；210：229-233.

60) Thomason M, Messick J, Rutledge R, et al：Head CT scanning versus urgent exploration in the hypotensive blunt trauma patient. J Trauma 1993；34：40-44；discussion 44-45.

61) Winchell RJ, Hoyt DB, Simons RK：Use of computed tomography of the head in the hypotensive blunt-trauma patient. Ann Emerg Med 1995；25：737-742.

62) Jakob DA, Benjamin ER, Cho J, et al：Combined head and abdominal blunt trauma in the hemodynamically unstable patient：What takes priority? Trauma Acute Care Surg 2021；90：170-176.

63) Keller MS, Sartorelli KH, Vane DW：Associated head injury should not prevent nonoperative management of spleen or liver injury in children. J Trauma 1996；41：471-475.

64) Joseph DK, Dutton RP, Aarabi B, et al：Decompressive laparotomy to treat intractable intracranial hypertension after traumatic brain injury. J Trauma 2004；57：687-693；discussion 693-695.

65) DiGiacomo JC, Rotondo MF, Kauder DR, et al：The role of nephrectomy in the acutely injured. Arch Surg 2001；136：1045-1049.

66) Velmahos GC, Zacharias N, Emhoff TA, et al：Management of the most severely injured spleen：A multicenter study of the Research Consortium of New England Centers for Trauma (ReCONECT). JAMA Surg 2010；145：456-460.

67) Bone LB, Johnson KD, Weigelt J, et al：Early versus delayed stabilization of femoral fractures：A prospective randomized study. J Bone Joint Surg Am 1989；71：336-340.

68) Goris RJ, Gimbrère JS, van Niekerk JL, et al：Early osteosynthesis and prophylactic mechanical ventilation in the multitrauma patient. J Trauma 1982；22：895-903.

69) Johnson KD, Cadambi A, Seibert GB：Incidence of adult respiratory distress syndrome in patients with multiple musculoskeletal injuries：Effect of early operative stabilization of fractures. J Trauma 1985；25：375-384.

70) Seibel R, LaDuca J, Hassett JM, et al：Blunt multiple trauma (ISS 36), femur traction, and the pulmonary failure-septic state. Ann Surg 1985；202：283-295.

71) O'Toole RV, O'Brien M, Scalea TM, et al：Resuscita-

tion before stabilization of femoral fractures limits acute respiratory distress syndrome in patients with multiple traumatic injuries despite low use of damage control orthopedics. J Trauma 2009；67：1013-1021.
72) Pape HC, Rixen D, Morley J, et al；EPOEF Study Group：Impact of the method of initial stabilization for femoral shaft fractures in patients with multiple injuries at risk for complications (borderline patients). Ann Surg 2007；246：491-499, discussion 499-501.
73) Vallier HA, Wang X, Moore TA, et al：Timing of orthopaedic surgery in multiple trauma patients：Development of a protocol for early appropriate care. J Orthop Trauma 2013；27：543-551.
74) Vallier HA, Moore TA, Como JJ, et al：Complications are reduced with a protocol to standardized timing of fixation based on response to resuscitation. J Orthop Surg Res 2015；10：155-164.
75) Pape HC, Pfeifer R：Safe definitive orthopaedic surgery (SDS)：Repeated assessment for tapered application of early definitive care and damage control? An inclusive view of recent advances in polytrauma management. Injury 2015；46：1-3.
76) Gandhi RR, Overton TL, Haut ER, et al：Optimal timing of femur fracture stabilization in polytrauma patients：A practice management guideline from the Eastern Association for the Surgery of Trauma. J Trauma Acute Care Surg 2014；77：787-795.
77) Pape HC, Schmidt RE, Rice J, et al：Biochemical changes after trauma and skeletal surgery of the lower extremity：Quantification of the operative burden. Crit Care Med 2000；28：3441-3448.
78) Pape HC, Auf'm'Kolk M, Paffrath T, et al：Primary intramedullary femur fixation in multiple trauma patients with associated lung contusion：A cause of posttraumatic ARDS? J Trauma 1993；34：540-547；discussion 547-548.
79) Scalea TM, Boswell SA, Scott JD, et al：External fixation as a bridge to intramedullary nailing for patients with multiple injuries and with femur fractures：damage control orthopedics. J Trauma 2000；48：613-621.
80) Mody RM, Zapor M, Hartzwell JD, et al：Infectious complications of damage control orthopedics in war trauma. J Trauma 2009；67：758-761.
81) Nowotarski PJ, Turen CH, Brumback RJ, et al：Conversion of external fixation to intramedullary nailing for fractures of the shaft of the femur in multiply injured patients. J Bone Joint Surg Am 2000；82：781-788.
82) Pfeifer R, Kalbas Y, Coimbra R, et al：Indications and interventions of damage control orthopedic surgeries：An expert opinion survey. Eur J Trauma Emerg Surg 2021；47：2081-2092.
83) Pape HC, Giannoudis PV, Krettek C, et al：Timing of fixation of major fractures in blunt polytrauma：Role of conventional indications in clinical decision making. J Orthop Trauma 2005；19：551-562.
84) Volpin G, Pfeifer R, Saveski J, et al：Damage control orthopaedics in polytraumatized patients- current concepts. J Clin Orthop Trauma 2021 ；12：72-82.
85) Giannoudis PV, Smith RM, Bellamy MC, et al：Stimulation of the inflammatory system by reamed and unreamed nailing of femoral fracture：An analysis of the second hit. J Bone Joint Surg (Br) 1999；81：356-361.
86) Nahm NJ, Vallier HA：Timing of definitive treatment of femoral shaft fractures in patients with multiple injuries：A systematic review of randomized and non-randomized trials. J Trauma Acute Care Surg 2012；73：1046-1063.
87) Holly LT, Kelly DF, Counelis GJ, et al：Cervical spine trauma associated with moderate and severe head injury：Incidence, risk factors, and injury characteristics. J Neurosurg 2002；96：285-291.
88) Flierl MA, Stoneback JW, Beauchamp KM, et al：Femur shaft fracture fixation in head-injured patients：When is the right time? J Orthop Trauma 2010；24：107-114.
89) Wang MC, Temkin NR, Deyo RA, et al：Timing of surgery after multisystem injury with traumatic brain injury：Effect on neuropsychological and functional outcome. J Trauma 2007；62：1250-1258.
90) Walters BC, Hadley MN, Hurlbert RJ, et al：Guidelines for the management of acute cervical spine and spinal cord injuries：2013 update. Neurosurgery 2013：60 (Suppl 1)；82-91.
91) Fehlings MG, Perrin RG：The timing of surgical intervention in the treatment of spinal cord injury：A systematic review of recent clinical evidence. Spine (Phila Pa 1976) 2006；31：S28-S35；discussion S36.
92) Fehlings MG, Perrin RG：The role and timing of early decompression for cervical spinal cord injury：Update with a review of recent clinical evidence. Injury 2005；36：B13-B26.
93) Lee DY, Park YJ, Kim HJ, et al：Early surgical decompression within 8 hours for traumatic spinal cord injury：Is it beneficial? A meta-analysis. Acta Orthop Traumatol Turc 2018；52：101-108.
94) Hager S, Eberbach H, Lefering R, et al：Possible advantages of early stabilization of spinal fractures in multiply injured patients with leading thoracic trauma-analysis based on the TraumaRegister DGU®. Scand J Trauma Resusc Emerg Med 2020；28：42.

95) Flierl MA, Beauchamp KM, Dwyer A, et al：Immunological response to spinal cord injury：Impact on the timing of spine fixation. In：Patel VV, et al eds. Spine Trauma：Surgical Techniques. Springer, New York, 2010, pp73-83.
96) Kossmann T, Trease L, Freedman I, et al：Damage control surgery for spine trauma. Injury 2004；35：661-670.
97) Schmidt OI, Gahr RH, Gosse A, et al：ATLS（R）and damage control in spine trauma. World J Emerg Surg 2009；4：9.
98) Stahel PF, VanderHeiden T, Flierl MA, et al：The impact of a standardized "spine damage-control" protocol for unstable thoracic and lumbar spine fractures in severely injured patients：A prospective cohort study. J Trauma Acute Care Surg 2013；74：590-596.
99) Court C, Vincent C：Percutaneous fixation of thoracolumbar fractures：Current concepts. Orthop Traumatol Surg Res 2012；98：900-909.
100) Tan BB, Chan CY, Saw LB, et al：Percutaneous pedicle screw for unstable spine fractures in polytraumatized patients：A report of two cases. Indian J Orthop 2012；46：710-713.
101) Tannous O, Shiu B, Koh EY, et al：Minimally invasive spine surgery for thoracolumbar fractures：Damage-control spine stabilization. Semin Spine Surg 2013；25：170-175.
102) McAnany SJ, Overley SC, Kim JS, et al：Open versus minimally invasive fixation techniques for thoracolumbar trauma：A meta-analysis. Global Spine J 2016；6：186-194.
103) Sebaaly A, Rizkallah M, Riouallon G, et al：Percutaneous fixation of thoracolumbar vertebral fractures. EFORT Open Rev 2018；3：604-613.
104) Jiang XZ, Tian W, Liu B, et al：Comparison of a paraspinal approach with a percutaneous approach in the treatment of thoracolumbar burst fractures with posterior ligamentous complex injury：A prospective randomized controlled trial. J Int Med Res 2012；40：1343-1356.
105) Lee JK, Jang JW, Kim TW, et al：Percutaneous short-segment pedicle screw placement without fusion in the treatment of thoracolumbar burst fractures：Is it effective? Comparative study with open short-segment pedicle screw fixation with posterolateral fusion. Acta Neurochir（Wien）2013；155：2305-2312；discussion 2312.
106) Walker CT, Xu DS, Godzik J, et al：Minimally invasive surgery for thoracolumbar spinal trauma. Ann Transl Med 2018；6：102.
107) Diniz JM, Botelho RV：Is fusion necessary for thoracolumbar burst fracture treated with spinal fixation? A systematic review and meta-analysis. J Neurosurg Spine 2017；27：584-592.
108) Lan T, Chen Y, Hu SY, et al：Is fusion superior to non-fusion for the treatment of thoracolumbar burst fracture? A systematic review and meta-analysis. J Orthop Sci 2017；22：828-833.

5 爆 傷

要 約

1. 爆傷は受傷機転により一次〜五次に分類される。
2. 臨床的には複合的な外傷といえる。
3. 四肢からの大量出血に対しては最初にターニケットで止血することが肝要である。
4. 四肢外傷，肺損傷，腹腔内損傷，眼外傷，聴覚器損傷，頭部外傷などに特徴がある。

I 特 徴

爆傷とは，意図的な爆発や偶発的な爆発事故によって受ける外傷の総称である。その臨床的特徴は複合的な外傷ということにある。すなわち，爆傷は受傷機転によって一次爆傷から五次爆傷まで5段階に分類され（図3-5-1），一次〜五次までの外傷が複合した損傷形態をとる可能性がある[1)〜4)]。一次爆傷は衝撃波による損傷で，爆発に起因する爆風の速度が音速（340m/秒）を超えるときに発生する外傷である。二次爆傷は爆風によって物体が飛来してきて生じる貫通創，刺創などの穿通性損傷である。三次爆傷は人体が飛ばされて地面などに叩きつけられて発生する鈍的損傷である。さらに四次爆傷として熱傷，五次爆傷として化学損傷，放射線障害，などが含まれる。臨床的にはこれらの受傷機転の爆傷が併存している可能性があり，衝撃波損傷，穿通性損傷，鈍的損傷などが合わさった複合的な外傷として診療する必要がある。

一次爆傷は衝撃波による外傷であり，爆傷に特徴的な損傷といえる[1)2)]。対象臓器は肺，脳，消化管，眼球，鼓膜（聴覚器官）などで，爆傷肺（肺出血など），頭部外傷（軽度頭部爆傷，脳振盪を含む），腸管損傷，眼球破裂，鼓膜損傷などを生じる。二次爆傷の穿通性損傷，三次爆傷の鈍的損傷[2)]は通常の救急医療で遭遇するので，これらの外傷の救急救護・初期診療の手順は，JPTECやJATECの初期診療手順と論理的に大きく変わらない。四次爆傷の熱傷[3)]，あるいは五次爆傷に分類される化学損傷や放射線障害も爆傷に合併する可能性はあるが，本項は「外傷専門診療ガイドライン」であるので，物理的に純粋

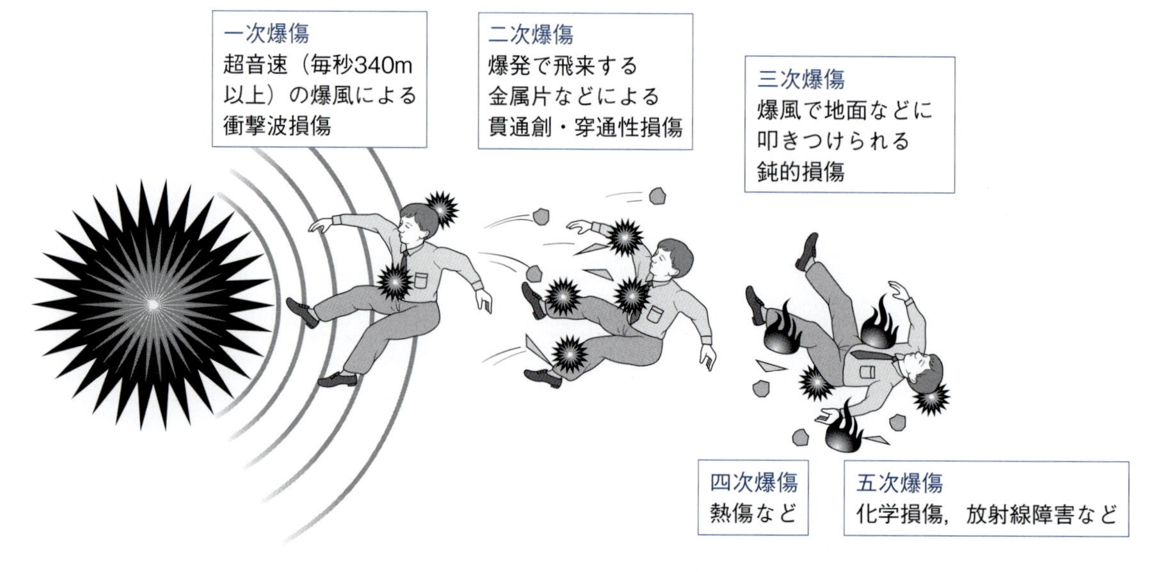

図3-5-1　受傷機転による爆傷分類

な外力によって生じる傷害に焦点を当てて記述する。

Ⅱ 病院前救護

もし日本国内で爆弾テロが発生したら，負傷者に対して現場から病院までどのような救護を行うべきか。米国ではTactical Emergency Medical Services（TEMS）という外傷救護の規範があり[5]，爆発物および銃によるテロリズムなどが発生した際の救急救護・医療システムが整っている。爆傷傷病者に対するわが国のプレホスピタルケアをどのようにすべきかの鍵はこのTEMSのなかにあり，救急救護の骨子となるアルゴリズムはMARCH（massive hemorrhage，airway，respiration，circulation，head injury/hypothermia）（図3-5-2）とするのが世界標準といえる。米国で誕生したTEMSは米軍のTactical Combat Casualty Care（TCCC；戦術的戦傷救護）[6〜8]を基盤にしており，TEMSおよびTCCCの理念は，①負傷者の救護，②さらなる負傷者の発生防止，③任務の完遂に集約される[5〜8]。

TCCCは実証的分析により発展してきた。ベトナム戦争の米軍兵士の死因分析を行った結果，生存した可能性のある死亡原因は四肢外傷からの出血，気道閉塞，緊張性気胸であることがわかった。とくに，四肢外傷からの出血は全体の死因の9％に達し，無視できない病態であることがわかった[9]。このことより，米軍は2001〜2010年のアフガニスタン紛争・イラク戦争において，四肢からの出血に対してcombat application tourniquet（CAT®）という軍用止血帯による止血を全軍に指示した。その結果，四肢からの出血で死亡した患者が全体の3％にまで減少した[10]。さらに，2001〜2010年の間に特殊部隊である第75レンジャー連隊に対しては，CAT®による四肢の止血のみならず，骨髄輸液，胸腔穿刺，外科的気道確保などのTCCCに基づくすべての救命処置を指示した。一方，全軍にはCAT®による止血のみを指示し比較検討したところ，第75レンジャー連隊の死亡率が全軍のそれに対して低率であった[11]。このことから，米軍は2011年以降，全軍にTCCCを導入することを決めた。

TEMSとTCCCでの診療手順は，通常の外傷診療のABCDEアプローチではなく，MARCHである。すなわち，爆傷例に対する処置はまず外出血があるかを確認し，四肢からの大量出血があればCAT®により迅速に止血することから開始する。その後の手順は基本的に同様である。また，TCCCの救護フェーズは砲火下の救護（care under fire），戦術的野外救護（tactical field care），戦術的後送救護（tactical evacuation care）の3フェーズに分けられる[7,8,12,13]。以下はTEMSに準じて，砲火下の救護をホットゾーン，戦術的野外救護をウォームゾーン，戦術的後送救護をウォームゾーンからコールドゾーンとして，各々のフェーズにおける救命処置について概要を記述する。

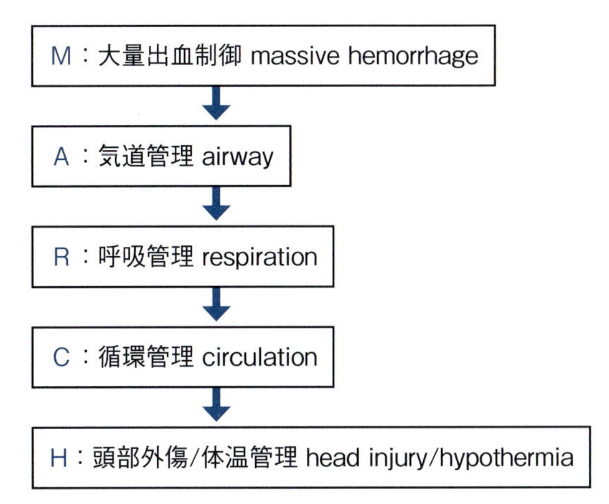

図3-5-2　爆傷救護のアルゴリズム

ホットゾーンでは，脅威の排除がもっとも重要で，救護のためにさらなる負傷者を発生させてはならない。負傷者を現場から脱出させるのが目標であり，負傷者自身もしくは救護者が応急処置を行うのが原則である。すなわち，脅威の排除のもとに，四肢などの外出血を止血する。負傷者本人または仲間による処置が基本で，CAT®などを用いた止血のみを行い，頸椎保護も頸椎損傷を強く疑わせる負傷者を除いて実施しない。

ウォームゾーンでは，もっとも危険な地域からは脱出したものの，依然として危険の残存する地域における救命処置である。前述したとおり，米国のTEMSでは四肢外傷による大量出血，気道閉塞，緊張性気胸に対する迅速な救命処置により受傷者を救っている。そこには，有益な救命処置のみを実施し，迅速に後送救護へとつなぐ“buy time”の概念が根底にある[6,8]。すなわち，現場でタイムリーな救命処置のみを行い，少しでも早く後方の安全な地域へ負傷者を送るというのが原則である。わが国においてはJPTECに基づく処置が標準となるが，より迅速に行うべきであろう。大量負傷者の発生時は時間をかけたトリアージの実施よりも，迅速に後送することを優先すべきである。1カ所の病院に後送するか分散搬送するかは，発生場所にもよるので論議のあるところであるが，TCCCの概念からは1カ所に速やかに送るほうが“buy time”の概念に一致する。

ウォームゾーンからコールドゾーンへは，施行可能な救命処置を継続して迅速に搬送することを心がける。

Ⅲ 初期診療

病院到着後における爆傷患者の初期診療のアルゴリズムも，基本的にはMARCHである。ただし，プレホスピタルで四肢などからの外出血が制御されていれば，あとはJATECにおける外傷初期診療の手順[14]と同様であり，系統立った抜けのない診療を行うことが望ましい。すなわち，爆傷は複合的な外傷であり，衝撃波損傷，穿通性損傷，鈍的損傷などが合併しているので，あらゆる外傷を受傷している可能性があり，primary survey（PS），secondary survey（SS）を行うのが理に適っている。PS，SSの後には根本治療，tertiary surveyを行うのが手順であるが，多くの患者が一病院に集まってきている場合は，この病院から分散搬送を考慮する。

四肢からの出血をCAT®などの止血帯で制御している場合には，虚血している部分と虚血時間を考慮し，高カリウム血症や心室細動が生じた場合に迅速な対応ができる準備をして，止血帯を一度緩めて出血状態を確かめる。医師による止血が即時にできるか否かによって判断し，出血が著しい場合は再度ターニケットを用いて止血して，手術室で対応するのが上策と考える。そのほか，爆傷特有の爆傷肺による呼吸不全，鼓膜損傷，腹腔内出血，四肢外傷，眼損傷，聴覚器損傷，および脳損傷などを念頭に置いて診療すべきであり，各々の特徴と治療については各論に記述する。

Ⅳ 損傷別治療戦略

1. 四肢外傷

爆傷において受傷頻度がもっとも多く[15)～17)]，出血制御が困難な四肢外傷に対する処置と早期の適切な処置が行われない場合は，永続的な機能障害[18)]を残す。初期対応での見落としや不適切な治療により発生した機能障害はpreventable trauma disabilityと呼ばれ，病院内では四肢外傷を注意深く診察することが重要とされ[19)]，大量出血などその場で処置を行わなければ出血死するような状況，圧挫症候群の発生リスク，開放骨折の創感染合併，さらには治癒後の機能低下などを予測して診療を行う。

爆傷の開放骨折に対しては，細菌感染を起こさないように早期に創部の洗浄を行い，デブリドマンを行うことが重要である。最低でも数Lの生理食塩液を使用して十分に洗浄を行い，清潔な環境が担保される病院の手術室などで行うことが望ましい[20)]。しかしながら，開放骨折が疑われるものの止血処置により創部が十分に観察できない場合には，無理に観察を行わず止血を優先する。

主要な動脈を損傷すると，生命を脅かすような大量出血をきたすだけではなく，末梢側が阻血となって患肢の骨格筋や神経に不可逆性変化が起こり，機能予後が著しく低下し患肢を失う場合もある。上記の不可逆性変化は，数時間の阻血があると出現してくるため，可能なかぎり迅速に手術を行って血流を再開させる必要がある。

2. 爆傷肺

1）超急性期の迷走神経反射

爆傷肺の三徴は血圧低下，脈拍数の低下，動脈血酸素飽和度の低下といわれる。すなわち，爆傷肺は爆傷患者の超急性期の主要な死因であり，損傷程度が重症度を決定づけるといわれる。爆傷肺の超急性期では，低血圧と低酸素血症がもっとも重要な死亡要因とされる[21)22)]。とくに低血圧が重要な死亡要因とされ，さまざまな研究がなされているが[23)]，その機序は明らかでなく，治療方法も確立されていない。最近の研究では，低血圧の原因として末梢血管抵抗の低下[24)〜26)]や，心拍出量の低下[26)27)]が示唆されており，衝撃波によって引き起こされたショックの原因は，心筋収縮力の低下[26)]とそれを代償するはずの末梢血管収縮反応の欠如[26)28)]であるとされる。

2）肺出血などによる呼吸不全

衝撃波による超急性期の無呼吸，低血圧，徐脈ののち，現場から生存した患者がのちに死亡する原因の一つとなるのが呼吸不全である。呼吸困難，喀血，咳嗽，胸痛などの症状とともに低酸素血症を生じ，胸部への打撲がなくても衝撃波損傷による肺出血などの症状として呼吸不全が発生する。また，頻呼吸，チアノーゼ，喘鳴，呼吸音減弱の徴候を認め，気管支攣，空気塞栓，血気胸を合併することもある。胸部X線撮影，動脈血ガス分析，CT検査で診断する。

初期治療として高濃度酸素療法と輸液療法を行い，重症例に対しては気管挿管下の呼吸管理，血気胸を合併している場合には胸腔ドレナージを行う。陽圧換気する場合には，緊張性気胸や空気塞栓症状に注意する。爆傷肺に特有な空気塞栓症[29)]が発生した場合は高濃度酸素投与を行い，腹臥位，左側臥位などの体位管理が必要となる。しかしながら，重度の空気塞栓が肺に生じた場合には，全身に空気塞栓症を発生させ（多発性脳梗塞や冠動脈塞栓症を含む），急性期の死亡原因となる[30)31)]。なお，呼吸機能は繰り返し評価し，ICU管理が望ましい。輸液は，少なすぎず多すぎず，がよいといわれている[32)33)]。

3. 腹腔内損傷

超急性期の死亡を脱した症例の主な死亡原因となる。閉鎖空間，水中爆発での曝露では消化器損傷合併の頻度が上昇する[32)33)]。一次爆傷のみならず，三次爆傷による傷害が主因であることも多く，二次爆傷による場合もある。損傷としては，腹腔内出血，腸間膜損傷，消化管穿孔，精巣破裂などを生じる。消化管損傷のなかでは大腸の穿孔や出血などが多いといわれる。また，小児は腸壁が薄く実質臓器である肝や脾の腹腔内占有率が高いので，爆傷による腹腔内損傷が多いといわれる。初期診療としては腹腔内出血による循環の異常に注意し，超音波検査による繰り返し評価する必要がある。可能な場合は，腹部CT検査も有用である。

4. 眼外傷

2013年のボストンマラソンでの爆破では，レベル1の外傷センターに搬送された164人の負傷者のうち22人（13%）が眼科の専門治療を必要とした[34)]。眼球は外力に対して脆弱であり，その機能は容易に障害される。爆発で発生した多くの小さなゴミが角膜異物として角膜上皮障害を起こし，視力障害をきたす原因となる。なお大多数の眼外傷は，防護眼鏡などの使用によって防ぐことができる。

眼球が破裂したときは，後送されるまで眼球内容の脱出を防ぐために，外力から眼球を保護することが重要となる。また，角結膜異物は角膜上皮を損傷して疼痛と開眼障害をきたすが，点眼麻酔を行うと即座に痛みがとれて行動の制約がなくなる。水道水などで洗眼して異物を洗い流すのもよいが，受傷機転から穿通性眼外傷の可能性が疑われるのであれば禁忌である。

穿通性眼外傷において視力を守るうえで重要なのは，角膜や強膜の裂傷の拡大と眼球内容の脱出を防ぐことである。行うべきことは眼球を外力から保護するためのアイシールドを装着させることである[35)]。物を見ようと健眼が動くと，それに伴い受傷眼も動く。眼筋付着部は強膜でもっとも薄く脆弱なので，損傷した眼球の外眼筋が動くと眼球の裂傷が拡大するおそれがある。そのため，受傷眼でないほうの健眼にもアイシールドや紙コップなどで作ったアイカップを装着させる。紙コップには小さな穴を開けておくと，患者は健眼で固視してその穴を通して外界を見ることになり，健眼が固視されると受傷眼も安静が保たれる。

眼内異物も二次爆傷による重要な病態である。小さな爆発物などの破片が高速で眼内に飛び込むことがある。自覚症状に乏しく，受傷後長期間放置され，時間が経って眼内炎を発症して気づかれることがある。患者が「熱い涙が出た」と表現することがあるが，これは角膜全層を穿孔し，前房水が漏出したことを示唆する。創口が小さければ角膜創は自己閉鎖し，自覚症状もほとんどなくなってしまうので，常に角膜穿孔の可能性を念頭に置き，眼科受診の必要性を説明しておく。さらに，眼窩コンパートメント症候群は爆傷による特徴的な眼外傷である。眼球内圧が網膜中心動脈圧を超えると網膜と視神経の虚血が生じ，数時間で網膜が不可逆的な損傷を受ける[36]。緊急処置としては，緊急外嘴切開が有効である[37]。瞼裂の鼻側すなわち内眼角には涙小管や涙嚢があるので，瞼裂の耳側である外眼角の眼瞼皮膚を切開するのがよい[38]。

5. 聴覚器損傷

爆発の衝撃波による鼓膜損傷は典型的であり，内耳も障害を受けやすい。症状としては，耳鳴，耳痛，聴覚障害，眩暈である[32,33]。聴覚器損傷は後遺症として問題となる。飛来物質による二次爆傷として外耳の耳軟骨損傷も生じ得る。また，衝撃波が強い場合は，中耳の耳小骨骨折や脱臼が生じる場合がある。聴覚障害として，鼓膜障害，耳小骨障害，前庭障害，聴覚神経障害などにより，伝音障害および感音障害が生じる可能性がある。内耳は衝撃波により障害が発生し，数日～数週間に及ぶ一過性の聴覚障害を認めることもある。

診療手順としては，生命にかかわる損傷の評価と治療を優先し，そののち鼓膜と聴覚の評価を耳鏡などによって行う。外耳道の異物，凝血塊は丁寧に除去し，軟骨が露出している場合は洗浄後閉鎖する。鼓膜や中耳に損傷があれば，清潔にしたのちに抗菌薬を点耳する。爆傷患者は聴覚障害に気づいていない場合もあるので，必ず聴覚評価を行う必要がある。単純な鼓膜損傷は概ね3カ月以内に自然治癒するが，複雑な鼓膜破裂は外科的な治療が必要なこともあり，自然治癒しない場合には真珠腫の発生率が高まるので，最低2年間は経過観察が必要となる。

6. 頭部外傷

1）重症頭部外傷

爆傷による即死の発生機序について，直後の呼吸停止あるいは心停止は，衝撃波による脳幹部損傷が原因とする論文がある[39]。延髄などの脳幹部を守るための頭頸部防御具の装着が致死的な爆傷を受けないために大切であると示唆される。しかしながら，プレホスピタルでは頭部外傷そのものに対する処置はきわめて限定的で，処置は低血圧，低酸素症の処置にとどまるのが通常である[40,41]。頭部外傷を含む多発外傷の輸液は，収縮期血圧90mmHg以下にならないことを目標にする。傷病者が疼痛を訴える場合，多くの鎮痛薬は血圧低下をきたすので，昇圧作用のあるケタミン20mg（0.3mg/kg）を使用することが望ましい[42,43]。病院到着後の頭蓋内圧亢進に対する緊急処置と手術適応に関しては通常の外傷診療と同様である。

2）軽症頭部爆傷

頭部爆傷（blast-induced traumatic brain injury；bTBI）が近年注目を集めている。アフガニスタン紛争・イラク戦争において，反米武装勢力による爆弾攻撃を受けた米軍兵士が爆発の衝撃波によって脳内に特異な損傷を負い，帰国後に記銘力障害，うつ症状，あるいはPTSD様の症状を呈する患者が多発したためである[44]。受傷時には気づかなかったにもかかわらず，慢性期に上述のような症状を呈するのが軽症頭部爆傷（mild bTBI）の特徴であり，潜在的な患者が多いことから，米国などでは社会的問題となっている。米国をはじめとする世界各国で精力的な研究が行われているが，現状ではその病態解明には至っておらず，有効な予防法，治療法の開発が待たれる。

文　献

1）Cernak I：Blast injuries and blast-induced neurotrauma：Overview of pathophysiology and experimental knowledge models and findings. In：Kobeissy FH, ed. Brain Neurotrauma：Molecular, Neuropsychological, and Rehabilitation Aspects. Boca Raton（FL）：CRC Press/Taylor & Francis, London, 2015.

2）Cernak I, Noble-Haeusslein LJ：Traumatic brain injury：An overview of pathobiology with emphasis on military populations. J Cereb Blood Flow Metab 2010；30：255-266.

3）Richmond DR, Bowen IG, White CS：Tertiary blast effects：Effects of impact on mice, rats, guinea pigs and rabbits. Aerosp Med 1961；32：789-805.

4）Mellor SG：The pathogenesis of blast injury and its management. Br J Hosp Med 1988；39：536-539.

5）Campbell JE：Tactical Medicine Essentials. Jones & Bartlett Pub, Sudbury, 2010.

6）Montgomery HR, Butler FK, Kerr W, et al：TCCC guidelines comprehensive review and update：TCCC guidelines change 16-03. J Spec Oper Med 2017；17：

21-38.

7) NAEMT (Corprate Author): Prehospital Trauma life Support: Military edition. Jones & Bartlett Pub, Sudbury, 2014.

8) Butler FK, Hagmann J, Butler EG: Tactical combat casualty care in special operations. Mil Med 1996; 161: 3-16.

9) Champion HR, Bellamy RF, Roberts CP, et al: A profile of combat injury. J Trauma 2003; 54: S13-19.

10) Eastridge BJ, Mabry RL, Seguin P, et al: Death on the battlefield (2001-2011): Implications for the future of combat casualty care. J Trauma Acute Care Surg 2012; 73: S431-437.

11) Kotwal RS, Montgomery HR, Kotwal BM, et al: Eliminating preventable death on the battlefield. Arch Surg 2011; 146: 1350-1358.

12) Butler FK Jr.: Tactical medicine training for SEAL mission commanders. Mil Med 2001; 166: 625-631.

13) Butler FK, Smith DJ, Carmona RH: Implementing and preserving the advances in combat: Casualty care from Iraq and Afghanistan throughout the US Military. J Trauma Acute Care Surg 2015; 79: 321-326.

14) 日本外傷学会外傷初期診療ガイドライン改訂第6版編集委員会編：初期診療総論．日本外傷学会・日本救急医学会監，外傷初期診療ガイドラインJATEC，改訂第6版，へるす出版，東京，2021，pp1-26.

15) Tang N, Gerold K, Carmona R: Tactical and protective medicine. In: Bledsoe GH, et al eds. Expedition and Wilderness Medicine. Cambridge University Press, Cambridge, 2009, pp165-173.

16) Belmont PJ, Goodman GP, Zacchilli M, et al: Incidence and epidemiology of combat injuries sustained during "the surge" portion of operation Iraqi Freedom by a U.S. army brigade combat team. J Trauma 2010; 68: 204-210.

17) Owens BD, Kragh JF Jr, Wenke JC, et al: Combat wounds in operation Iraqi Freedom and operation enduring freedom. J Trauma 2008; 64: 295-299.

18) Pape HC, Probst C, Lohse R, et al: Predictors of late clinical outcome following orthopedic injuries after multiple trauma. J Trauma 2010; 69: 1243-1251.

19) Bernhard M, Becker TK, Nowe T, et al: Introduction of a treatment algorithm can improve the early management of emergency patients in the resuscitation room. Resuscitation 2007; 73: 362-373.

20) Stockle U: Emergency department management: Manual of Soft-tissue Management in Orthopaedic Trauma, Thieme, New York, 2012, pp79-81.

21) Mayorga MA: The pathology of primary blast overpressure injury. Toxicology 1997; 121: 17-28.

22) Guy RJ, Kirkman E, Watkins PE, et al: Physiologic responses to primary blast. J Trauma 1998; 45: 983-987.

23) Ohnishi M, Kirkman E, Guy RJ, et al: Reflex nature of the cardiorespiratory response to primary thoracic blast injury in the anaesthetised rat. Exp Physiol 2001; 86: 357-364.

24) Dodd KT, Mundie TG, Lagutchik MS, et al: Cardiopulmonary effects of high-impulse noise exposure. J Trauma 1997; 43: 656-666.

25) Irwin RJ, Lerner MR, Bealer JF, et al: Cardiopulmonary physiology of primary blast injury. J Trauma 1997; 43: 650-655.

26) Irwin RJ, Lerner MR, Bealer JF, et al: Shock after blast wave injury is caused by a vagally mediated reflex. J Trauma 1999; 47: 105-110.

27) Harban FMJ, Kenward CE, Watkins PE: Primary thoracic blast injury causes acute reduction in cardiac function in the anesthetized pig. J Physiol-London 2001; 533: 81.

28) Miyawaki H, Saitoh D, Hagisawa K, et al: Noradrenalin effectively rescues mice from blast lung injury caused by laser-induced shock waves. Intensive Care Med Exp 2015; 3: 32.

29) Tsokos M, Paulsen F, Petri S, et al: Histologic, immunohistochemical, and ultrastructural findings in human blast lung injury. Am J Respir Crit Care Med 2003; 168: 549-555.

30) Clemedson CJ, Hultman HI: Air embolism and the cause of death in blast injury. Mil Surg 1954; 114: 424-437.

31) Phillips YY: Primary blast injuries. Ann Emerg Med 1986; 15: 1446-1450.

32) The Centers for Disease Control and Prevention: Blast Injuries: Fact Sheets for Professionals. https://stacks.cdc.gov/view/cdc/21571 (Accessed 2021-12-31)

33) American College of Emergency Physicians: Bombings: Injury Patterns and Care. https://www.acep.org/blastinjury/#sm.00001hlkgl9nydrytc81v5u8a2qz2 (Accessed 2021-12-31)

34) Yonekawa Y, Hacker HD, Lehman RE, et al: Ocular blast injuries in mass-casualty incidents: The marathon bombing in Boston, Massachusetts, and the fertilizer plant explosion in West, Texas. Ophthalmology 2014; 121: 1670-1676.

35) Mazzoli RA, Gross KR, Butler FK: The use of rigid eye shields (Fox shields) at the point of injury for ocular trauma in Afghanistan. J Trauma Acute Care Surg 2014; 77: S156-162.

36) Hayreh SS, Kolder HE, Weingeist TA: Central retinal

artery occlusion and retinal tolerance time. Ophthalmology 1980；87：75-78.
37) Hislop WS, Dutton GN, Douglas PS：Treatment of retrobulbar haemorrhage in accident and emergency departments. Br J Oral Maxillofac Surg 1996；34：289-292.
38) Burkat CN, Lemke BN：Retrobulbar hemorrhage：Inferolateral anterior orbitotomy for emergent management. Arch Ophthalmol 2005；123：1260-1262.
39) Adams A, Condrey JA, Tsai HW, et al：Respiratory responses following blast-induced traumatic brain injury in rats. Respir Physiol Neurobiol. 2014；204：112-119.
40) U.S. Army Medical Department Center and School：Tactical Combat Casuality Care and Wound Treatment. Fort Sam Houston, Texas, 2013.
http://operationalmedicine.org/Army/MD0554_200.pdf（Accessed 2021-12-31）
41) Brain Trauma Foundation：Guidelines for the Management of Severe Traumatic Brain Injury. 4th ed, 2016.
http://www.braintrauma.org（Accessed 2021-12-31）
42) Buckenmaier C, Bleckner L：Military Advanced Regional Anesthesia and Analgesia Handbook. Borden Institute, Washington, 2009.
43) Miller JP, Schauer SG, Ganem VJ, et al：Low-dose ketamine vs morphine for acute pain in the ED：A randomized controlled trial. Am J Emerg Med 2015；33：402-408.
44) Nakagawa A, Manley GT, Gean AD, et al：Mechanisms of primary blast-induced traumatic brain injury：Insights from shock-wave research. J Neurotrauma 2011；28：1101-1119.

6 外傷周術期戦略と集中治療管理

A 周術期戦略

要 約

1. 周術期管理は手術の目的により，①蘇生的手術，②準緊急手術，③予定手術の大きく3つに分けられる。
2. 外傷後の生体反応を考慮して，手術戦略，術式選択および手術の時期を検討する。
3. 術前から重症度を予測し，リスクに応じた術中・術後管理の準備をする。
4. 術後早期に見落とし損傷がないよう全身評価を繰り返す。
5. 外傷特有の合併症への対策を講じるとともに，機能予後の回復を目指す。

はじめに

周術期管理は手術目的により，①蘇生的手術，②準緊急手術，③予定手術の大きく3つに分けられる。

蘇生的手術は，手術そのものがDCRの一環であり，その術前管理はdamage control surgeryそのものである（「蘇生に必要な治療戦略と戦術」，p.35参照）。

準緊急手術とは，呼吸・循環動態が安定しているが，可及的早期に施行されなければならない手術を指し，単独頭部外傷，長管骨骨折，胸郭に対する手術などである。多くの場合，手術に耐える身体の予備能が極端に低く，術前評価も完璧ではない。このため，手術法の戦略（一期的根本手術か計画的分割手術か）と戦術さらに他部位損傷との兼ね合いなどを十分に検討する。この時期の手術が身体に与える影響をsecond hit現象としてとらえ，極力侵襲の少ない方法を選ぶのがよいとされる。second hitの侵襲度合が低い場合には，一気に根本手術にもち込み，早期リハビリテーション，早期離床を行うことで良好な転帰をもたらし得る。

凝固線溶，免疫，栄養などが落ち着いた時期の手術は，予定手術と同様の周術期管理でよい。

I 病態生理

1. 外傷死の三徴“deadly triad”と初期治療指標

外傷死の三徴のうち，どれか1つでも改善しない段階での手術は蘇生的手術ととらえ，周術期管理はその一環として考える。外傷死の三徴については，「damage control resuscitaion」（p.47）に記述しているがもう一度簡単に触れておく。

1）低体温

外傷後の低体温の詳細については「damage control resuscitaion」（p.47）を参照されたい。救急外来到着後は，体表温でなく膀胱温などの持続モニタリング可能な中心部体温を測定し，36℃以上を目標とする[1]。このため①室温を高く保ち肌の露出を避け，②体表面を温風式もしくは対流式加温ブランケットで覆って保温し，③輸液・輸血は必ず加温されているものを用いることが基本となる。さらに，出血性ショックに陥り大量輸血を要する場合は，加温機能の備わった急速輸液装置を用いると効果的である。ただし，その使用に際しては安全面を考慮して，経験のある医療従事者が専属で担当する。輸血の実践は軽んじられやすいが，外傷チームにおいて生死を分ける重要な任務であることを認識する。

2）アシドーシス

出血や外傷が直接原因となって組織低灌流が発生し，それが遷延すると嫌気性代謝が亢進する。これにより乳酸産生が助長され，代謝性アシドーシスへと進展する。また，胸部外傷に伴う肺挫傷や輸血に合併した肺傷害では，換気障害から呼吸性アシドーシスを呈することもある。いずれの場合でもアシドーシスは結果として発生した病態であり，目先のpHを補正するのではなく，原因となる病態を優先して治療する。急性期において，適切な蘇生にもかかわらず進行するアシドーシスでは，腹腔内や後腹膜臓器（十二指腸と膵など）の見落とし損傷や大量輸液・輸血後の腹部コンパートメント症候群の可能性を考慮する。

3）凝固・線溶障害

外傷後の凝固線溶障害のメカニズムについては「外傷後の凝固線溶管理」（p.455）を参照されたい。過度な輸液を回避し早期に大量輸血プロトコルを発動するとともに低体温の回避に努める。補充療法としてFFP投与は必要であり，トラネキサム酸投与も考慮する[2]。

2. 侵襲に対する生体反応

免疫システムは，外傷後の生体防御と修復における中核を担っている。止血している局所組織レベルでは，傷害された組織は破壊片の除去と微生物の侵入を妨げるために白血球を呼び寄せる。さらに，局所の血管収縮反応は出血を減らし，フィブリン網が侵入細胞を捕捉する。全身レベルでは，外傷後に外界からの微生物に対する警戒は高まっている。これは発熱，頻脈，頻呼吸に反映され，いくつかの項目を組み合わせて古典的な全身性炎症反応症候群（systemic inflammatory response syndrome；SIRS）として認識される。外傷後にしばしば経験する高体温がSIRSによるものかどうかの判定はきわめて難しい。その鑑別を表3-6-A-1に示すが，その多くは除外診断とならざるを得ない[3]。

SIRSを呈する時期に，二次的に追加の侵襲（手術や感染）が加わると，さらに炎症反応が亢進する。

表3-6-A-1　ICUにおける感染以外の発熱

- 急性呼吸促迫症候群（ARDS）
- 副腎不全
- 無気肺
- 輸血
- 消化管出血
- 実質臓器の出血や血腫
- 甲状腺機能亢進
- 多発外傷
- 深部静脈血栓症，肺血栓塞栓症

〔文献3）より引用・改変〕

これはsecond hit現象と呼ばれている。この行きすぎた極度の炎症は，抗炎症因子によって中和され，代償性抗炎症反応症候群（compensatory anti-inflammatory response syndrome；CARS）と称されている。過剰な炎症が制御される反面，免疫抑制の側面もあるため，この段階で重篤な院内感染症を合併することがある。この抗炎症反応は，免疫麻痺（immune paresis）とも称され，外傷直後にも発生する致死的な感染症の一因とされる[4]。このような術後経過は，従来はSIRSの後にCARSが発生すると考えられてきたが，最近では外傷後間もなく，時期を重ねて発生していると考えられている（図3-6-A-1）[5]。

術後ではsecond hit現象により容易に多臓器不全へと進展する危険性があり[6,7]，多発外傷患者で追加手術を行わなければならない場合は，その時期を慎重に判断する。外傷周術期では，このような生体反応の時期を見極めて手術（主に整形外科・形成外科）のタイミングをチーム内で検討する必要がある。

II　術前評価

外傷における緊急手術の際は，どこまで損傷の診断が進んでいるかを把握することから始める。蘇生を目的とするdamage control surgeryでは，一次評価の段階で止血術へ移行せざるを得ないため，標的となる損傷部位以外の情報は少ない。この場合は，たとえ術中であっても，蘇生を担当する救急医や麻酔科医は可能なかぎり再評価を行う。

日本麻酔科学会による麻酔関連偶発症例調査では，術中心停止ならびに高度低血圧の最大の原因として，術前合併症としての出血性ショック，術中の

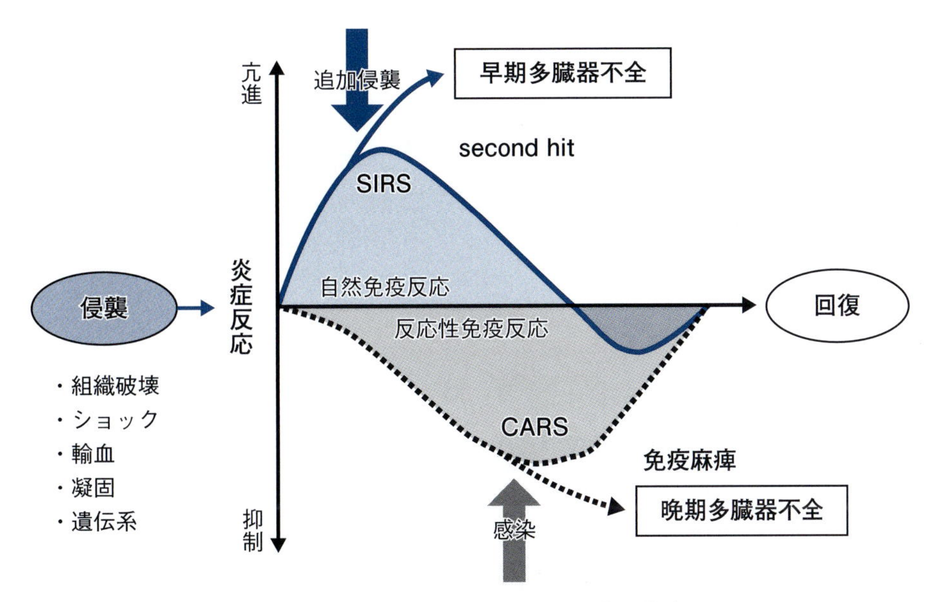

図3-6-A-1　侵襲に対する生体反応の推移
〔文献5)より引用・改変〕

大出血があげられている。潜在的な出血についての評価を行い，十分な輸血準備などを行うことが術中のアクシデントの回避につながる。とくに四肢開放創や肋骨骨折からの出血を低く見積もってはならない（表3-6-A-2）。

表3-6-A-2　外傷部位による出血量の推定

部位	推定出血量
血胸	1,000～3,000 ml
肋骨骨折（1本）	100～ 200 ml
腹腔内出血	1,500～3,000 ml
骨盤骨折	1,000～4,000 ml
大腿骨骨折	1,000～2,000 ml
下腿骨骨折	500～1,000 ml
上腕骨骨折	300～ 500 ml

開放骨折の場合は1.5倍以上となり得る

1. 重症度の予測

一般的な術前検査は，病歴，身体所見，一般検査（血算，血液生化学，凝固検査，尿検査，心電図，胸部X線撮影）である。緊急手術であっても術中リスク判定のため，可能なかぎり上記検査を実施する。とくに止血術における凝固検査は，凝固障害の有無を把握するうえで重要である。また，ショックの重症度を把握するため，動脈血ガス分析によりbase excess（BE）もしくはbase deficitを測定する[8]（表3-6-A-3a）。BEによる分類は複数因子の総合的評価よりも輸血必要量やICU入院，死亡率を予測できると報告されている。さらに，BEに複数の因子を組み合わせたtrauma associated severe hemorrhage score（TASHスコア）によって大量輸血（救急外来からICU入室までに赤血球輸血10単位以上）も予測できることから，外傷緊急手術の前には必ず動脈血ガス分析による評価を行う[9]。また，わが国から報告された大量出血予測スコアのtraumatic bleeding severity score（TBSS）や病院前でも算出可能なassessment of blood consumption（ABC）スコアも予測精度は高いため，活用が推奨される（表3-6-A-3b，c）[10]。

外傷が重度であればあるほど手術の緊急性は高く，待機手術では通常評価されている既往症や内服薬，喫煙などの生活習慣，呼吸機能検査に関する情報などが得られないことが多い。できるかぎり内服薬の情報だけは把握し，抗凝固薬などに起因する予期せぬ出血への対処に努める。

Ⅲ 術中麻酔管理

1. 出血性ショックを呈する外傷患者の緊急手術における麻酔管理の基本

1）麻酔導入

すべての静脈麻酔薬は，内因性カテコラミンを抑

表3-6-A-3　重症度分類スコアリング

a：BEを用いた出血性ショックの重症度評価

	Class Ⅰ	Class Ⅱ	Class Ⅲ	Class Ⅳ
ショックの程度	なし	軽度	中等度	重度
来院時BE mmol/L	<−2	−2〜−6	−6〜−10	<−10
輸血の必要性	必要時	考慮	至急	大量輸血プロトコル

b：assessment of blood consumption score

穿通性外傷	1点
救急外来 収縮期血圧≦90 mmHg	1点
救急外来 心拍数≧120 回/分	1点
FAST陽性	1点

c：traumatic bleeding severity score

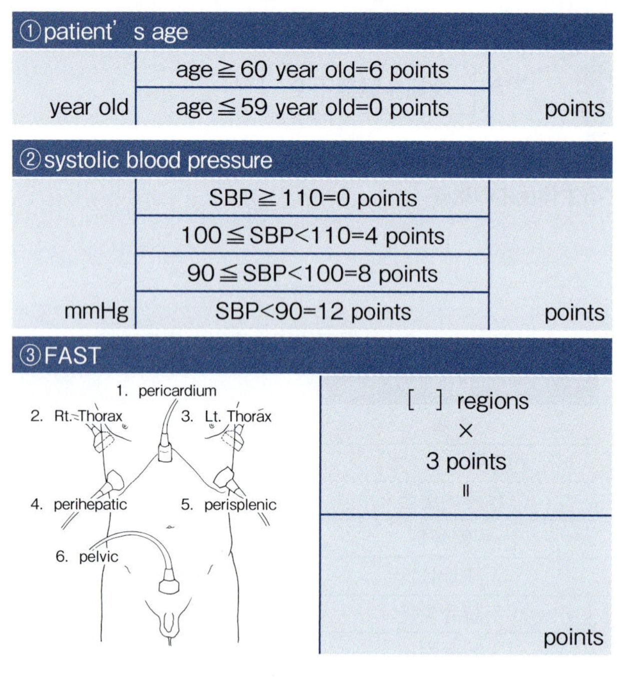

①patient' s age

year old	age≧60 year old=6 points	points
	age≦59 year old=0 points	

②systolic blood pressure

mmHg	SBP≧110=0 points	points
	100≦SBP<110=4 points	
	90≦SBP<100=8 points	
	SBP<90=12 points	

③FAST

[ ] regions × 3 points =

points

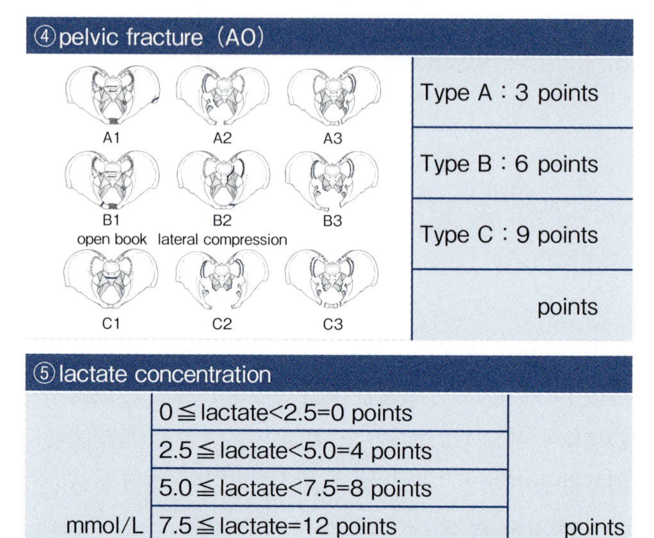

④pelvic fracture（AO）

Type A：3 points
Type B：6 points
Type C：9 points
points

⑤lactate concentration

mmol/L	0≦lactate<2.5=0 points	points
	2.5≦lactate<5.0=4 points	
	5.0≦lactate<7.5=8 points	
	7.5≦lactate=12 points	

traumatic bleeding severity score：TBSS

①+②+③+④+⑤=	points

制し血管拡張作用を有することから，極度の低血圧や心停止を引き起こす可能性がある。麻酔導入および気道確保のための薬剤は，ミダゾラムとプロポフォール，ジアゼパムが用いられる。ケタミンは中枢神経への直接作用によりカテコラミンを放出するため，外傷患者の導入時にはよく用いられるが，頭蓋内圧上昇をきたすため頭蓋内損傷を疑う場合は使用できない。出血性ショックの場合は，年齢などを勘案して麻酔薬の投与量を減らすべきであり，生命が脅かされるほど循環血液量が減少している患者では投与しないこともあり得る。この際，迅速導入時の気管挿管は筋弛緩薬のみで行うが，循環不全の患者では作用発現時間が遅延する。迅速導入時の筋弛緩薬は外傷患者では，脱分極型のロクロニウムやベクロニウムのほうが選択しやすい。とくにロクロニウムは，ベクロニウムよりも短時間に作用が発現されるため迅速導入には向いている。しかし，持続時間が短いため開腹術などで筋弛緩が要求される場合は，ベクロニウムを追加する。両薬剤とも挿管困難時には拮抗薬のスガマデクスによりリバースが可能である。外傷患者における緊急気道確保では，挿管手技以外に頸椎保持と薬剤投与など複数の役割があり，確実に手技を遂行するためには人員の確保も重要である。

2）術中管理

術中は止血が得られるまでは，大量輸血プロトコルに従って輸血を行い，循環動態の適正化（permissive hypotension，「循環管理」，p.411参照）と積極的な体温保持を行う。重症外傷に加えて，手術による侵襲も加わることから，これらの過大な侵襲ストレスを麻酔により軽減しなければならない。しかし，止血が得られない状態での麻酔薬（吸入，静脈）を使用する際は，術野を確認しながら慎重に投与量を調整する必要がある。比較的安定している患者では，手術室で外傷に精通した麻酔科医により術中麻

表3-6-A-4　蘇生前期の目標

- 収縮期血圧：80〜90mmHg（頭蓋内損傷を合併する場合は，平均血圧80mmHg以上）
- 中心部体温：36℃
- 血中ヘモグロビン濃度：7〜9g/dl
- 血小板数：50,000/μl以上（頭蓋内損傷を合併する場合は，100,000/μl以上）
- フィブリノゲン：150〜200mg/dl以上
- イオン化カルシウム：0.9mmol/L以上
- 血漿：赤血球輸血比は少なくとも1：2以上で行う
- 抗線溶薬（トラネキサム酸）の早期投与

酔管理が行われることが望ましいが，心停止が切迫する条件下で移動が困難な場合は，救急蘇生室もしくはそこに近接した手術室で緊急開腹（開胸）手術などの蘇生的止血術が行われる。この際も外傷蘇生チーム内の麻酔科医により術中麻酔管理が行われることが理想的であるが，わが国でこのような体制が整っている施設は限られている。このため，術中管理は本来専門性の異なる外科各科の医師や救急医により実践されることから，外傷専門医は，基本的な麻酔管理法について習熟しておくことが望まれる。術中の蘇生目標を表3-6-A-4に示した。これは止血するまでの蘇生前期の目標値の例であり，各施設の実情に合わせたものに修正しスタッフ間で共有する。

2. 蘇生的開腹術（damage control laparotomy）

前述したとおり救急外来到着時，すでにショックを呈し，腹腔内液体貯留がFASTにより確認された場合に考慮される。急速輸液に反応がなく，心停止が切迫する場合は，即座に開腹止血術が選択されるべきである[11]。開腹決定と同時に迅速導入により気管挿管を行う。ショックによりすでに意識混濁を呈している場合は，薬剤投与により心停止することもあるため意識下気管挿管もやむを得ない。挿管と同時に開腹可能であるが，この時点で新鮮凍結血漿を含む輸血が使用可能となっていなければ生存を勝ち得る可能性はきわめて低い。また，静脈ラインも上肢に2本（18もしくは20G）確保され，観血的動脈圧測定が可能となっていることが望ましい。動脈ラインは，上肢でのカニュレーションが困難であれば，躊躇せずに大腿動脈からシースを挿入する。穿刺による確保が難しければ，外科的留置も積極的に考慮する。この動脈シースは大動脈遮断バルーンにも転用できるため，可能であれば清潔野が広げられる前に確保しておきたい。いったん開腹術が開始されると静脈路などの挿入は難しいため，蘇生の命綱と認識し，事故抜去がないように確実に固定する。静脈ライン，輸血，気道確保が揃った段階で，開腹術を開始する。開腹した段階で腹腔内圧が一気に低下することで心停止をきたさないよう，開腹前に可能なかぎり輸液と輸血による容量負荷を行っておく。ガーゼパッキングなどにより一時的止血がなされている間に循環動態を立て直すが，出血が助長されない程度の血圧目標（概ね収縮期血圧80〜90mmHg程度）が望ましい[12]。

蘇生的開腹術は蘇生的手術として，短時間で仮閉腹となるので，閉腹が開始された段階で，次に行うべき処置や検査の準備を開始する。

3. 開頭血腫除去術

緊急開頭血腫除去術においてもっとも注意すべきは，開頭により頭蓋内圧亢進状態から一気に開放されることで，低血圧に陥る場合がある点である。輸液や麻酔薬の調整などにより対処するが，反応に乏しいことも多く，血管収縮薬の使用も躊躇してはならない。出血部位によっては，術中出血によってショックさらには凝固・線溶障害へ陥るため，輸血準備も欠かしてはならない。低血圧（収縮期血圧90mmHg以下）に一度でも陥ると，外傷性脳損傷後の合併症発症率が上昇し，死亡率は2倍となる[11]。少なくとも低血圧の遷延による二次性脳損傷を長引かせないためにも，速やかな是正が必要となる。頭蓋内圧の管理方針については，「頭蓋内圧管理」（p.425）を参照されたい。

また，頭蓋内出血がコントロールできているにもかかわらず，術中にショックが遷延する場合は，頭蓋内出血以外の原因を検討する。とくに術前評価が確実でない場合は，FASTや採血検査を繰り返し，出血源検索を行う。

4. IVR

緊急塞栓術では，手術室と同等のモニタリングを行うべきである。たとえ人工呼吸管理を行わない場合であっても，蘇生術に変わりはないため緊急手術に準じた術中管理を行う。とくに血管造影時は無防備な環境で低体温へ容易に進行するため，積極的な加温装置を事前に準備しておくことを提案する。

5. 整形外科手術

整形外科領域の緊急手術での麻酔管理は，待機手術と本質的には変わらない。全身麻酔が基本であり，循環動態が安定していれば区域麻酔も併用して行う。長管骨骨折に対する整復手術では，術中の整復操作が誘因となり脂肪塞栓症候群を引き起こすことがある。術中に突然酸素化不良に陥った場合には，必ず鑑別疾患に加える。

6. 計画的再手術（planned reoperation）

蘇生的手術により仮閉腹が行われた場合や，汚染が強かった軟部組織損傷では，受傷後48〜72時間以内に再手術が計画される。腹腔内のガーゼパッキングや汚染組織の除去を行い，引き続く集中治療において生理学的異常が改善される。この手術は前述したsecond hit現象をきたす時期に行わなければならず，術後の状態悪化に十分注意を払う必要がある。

Ⅳ 術後管理

1. 治療目標

重症外傷患者のICUにおける治療目標は，患者の早期回復である。すなわち，組織酸素化の維持に始まり，潜在的損傷の検索と診断・治療，院内感染症や臓器不全の予防と治療である[13]。

外傷患者における急性期の死亡のほとんどは，治療不応性の出血と外傷性脳損傷により発生する。多臓器不全による晩期死亡は，効果的な蘇生処置による組織低灌流の回避と院内感染症の予防と早期発見，治療によりその多くを回避できる。加えて，早期回復のための栄養療法とリハビリテーションを術直後から取り入れていくことも重要である。

ICUにおける適切な外傷患者の“ケア”は，医師，看護師，薬剤師，理学療法士などの専門の異なる職種のプロフェッショナルチームにより提供される。このような多職種の医療従事者の間で情報共有が実践されることにより，患者の安全性は増し各種予防策が成功につながる。

2. ICU入室基準

外傷患者のICU入室基準は，年齢，損傷部位の重症度，併存疾患によって決定される。原則として，継続した呼吸・循環モニタリングが必要な場合はすべてICU適応と考える。ショック状態の患者はもちろん，気道確保を要する可能性のある損傷（例えば，頸髄損傷や顔面骨骨折など）もICUの適応と考える。また，社会的理由（自殺企図患者など）もICU入室の理由となる。

3. 術後管理の実践

ICU入室後は，治療時期に応じて考慮すべき点が異なってくる。適切なタイミングで治療を進めていくためには，厳密な呼吸・循環モニタリングに加えて全身観察を繰り返し行い，異常を早期に発見することが重要である。表3-6-A-5に治療時期による評価のポイントを示した。以下に概要を列挙する。

1）来院〜24時間以内の管理のポイント

ポイントはショックの進行具合と呼吸不全の有無，頭蓋内圧亢進の徴候，潜在的損傷の診断と治療である。外傷患者がICUに入室した際は，再び以下に示したprimary surveyに準じた評価を行う。

（1）Airway

気道確保の必要性を再検討する。気管挿管してあればその位置が適切か判断する。

（2）Breathing

呼吸様式を確認し適切な人工呼吸器設定を行う。

（3）Circulation

治療のための静脈路が適正かを確認する。末梢静脈ラインが確実でなければ，中心静脈ラインを挿入する。また，循環動態が不安定で，基本的な循環モニタリング（心拍数，血圧，尿量など）が適切に測定できなければ，侵襲的循環動態モニタリングも考慮する。

表3-6-A-5　治療時期に応じた評価項目：ICU入室時の観察項目（外傷の再評価）

観察部位	観察項目・指示	各損傷の再評価と鑑別
A　気道	挿管チューブ位置	顎・顔面損傷からの出血，変形，口腔内出血，喉頭損傷
B　呼吸	呼吸器設定，胸腔ドレーン位置	気道出血，気胸の悪化，胸郭動揺性，低酸素血症，横隔膜損傷，腹部コンパートメント症候群，脂肪塞栓，肺血栓塞栓症
C　循環	後出血，ライン確認	再出血，血液凝固障害による出血，輸液・輸血過剰，心タンポナーデ，心筋損傷，腹部コンパートメント症候群
D　中枢神経	鎮静・鎮痛薬使用量	頭部外傷（出血拡大の有無）
E　体表，環境	濡れたシーツや衣服，冷えた輸液	低体温，外出血，挫創
四肢・末梢	弾性ストッキング，間欠的空気圧迫法，低分子ヘパリン	四肢虚血性変化（血管損傷の有無），骨折に伴うコンパートメント症候群
感染	破傷風予防，抗菌薬	汚染創，開放創，管腔臓器損傷による腹腔内汚染

受傷後24～72時間の評価項目
- 酸素化能，換気障害の有無
- 頭蓋内圧・腹腔内圧測定
- 体液バランス（過剰・過少・適正）
- 血液検査（貧血と血液凝固障害）の補正
- 見落とし損傷の検索
  - ー頭蓋内出血
  - ー脊髄損傷
  - ー腹腔内実質臓器損傷
  - ー末梢神経損傷の有無

受傷後72時間以降の評価項目
- 呼吸不全の有無：ARDSへ進展
  →人工呼吸離脱プロセスの検討
- 感染：肺炎，創部感染，尿路感染，
  副鼻腔炎，髄膜炎，カテーテル感染
- 感染以外の発熱：薬剤性，深部静脈血栓，
  肺血栓塞栓症

(4) Disability of CNS

初回のGCS評価により意識状態を来院時と比較する。四肢の変形，異常運動，異常知覚，虚血性変化について再評価する。鎮静薬使用下では評価できないことも多く，繰り返し行うことで見落とし損傷を減らす努力をする。

(5) Environment

中心部体温（膀胱温など）を持続モニタリングし，低体温（<35℃）の是正を行う。

その後secondary surveyやtertiary surveyに準じた評価まで行う。ICU入室時には，採血検査と撮影できていない四肢のポータブルX線検査や超音波検査を行う。加えて，診断的腹腔内洗浄の必要性についても検討する。大量輸液，輸血を行っている場合は，この段階で膀胱内圧を評価し腹部コンパートメント症候群に陥っていないかも確認する。

蘇生後期の治療目標を表3-6-A-6に示した。各種パラメータの適正化を速やかに達成していくことが早期回復につながると考える。

表3-6-A-6　蘇生後期の治療目標

- 収縮期血圧100mmHg以上に維持
- 血液凝固障害の正常化
- 電解質バランスの正常化
- 体温の正常化
- 尿量の維持（1～2ml/kg）
- 侵襲的もしくは非侵襲的測定による心拍出量の最大化
- 代謝性アシドーシスの補正
- 乳酸値が正常範囲となることを確認する

2）経時変化による術後管理のポイント

(1) 受傷後24～72時間

受傷後72時間までにすべての損傷を診断する。また，最初の72時間は，呼吸不全の管理と外傷性脳損傷による頭蓋内圧亢進への対処がもっとも重要である。

(2) 受傷後72時間以降

重症外傷患者の約半数が72時間以上ICUに滞在している。この段階から治療の優先度は損傷箇所に応じて行われていく。また，合併症対策（主に院内感染症と深部静脈血栓症）を本格的に実践する。深部静脈血栓症予防の抗凝固薬は，個々の患者のリスクに応じて開始する。ICU入院が長期に及ぶほど，廃用症候群や院内感染症，褥瘡，臓器不全などのリスクが上昇することから，長期的な機能予後を意識して治療を選択していく。

(3) 回復期

人工呼吸器から離脱し，ICUから移動可能となった段階で，身体的障害の程度がより明らかとなる。それに応じてより長期的なリハビリテーションや精

表3-6-A-7　成人外傷における合併症

呼吸器：	ARDS，誤嚥，急性呼吸不全
心血管：	心停止，出血性ショック，虚血性心疾患
消化器：	腹部コンパートメント症候群，腸閉塞，消化管出血 *Clostridioides difficile*関連下痢症
感染症：	カテーテル関連血流感染， 尿路感染，肺炎，創部感染
泌尿器：	急性腎障害
骨格筋：	褥瘡，骨癒合不全，四肢コンパートメント症候群 骨髄炎
脳神経：	脳卒中，せん妄
凝　固：	深部静脈血栓症

［文献14）より引用・改変］

神的サポートについて検討する。

4. 合併症対策

重症外傷の術後にはさまざまな合併症が待ち受けている（表3-6-A-7）[14]。そのなかでも，もっとも懸念すべき合併症は，院内感染症である。外傷による汚染に起因する創部感染や，医療デバイスに関連した感染症（人工呼吸器関連肺炎やカテーテル関連血流感染など）など対策すべき項目は多い。

院内感染症や敗血症，不穏･せん妄，腹部コンパートメント症候群，静脈血栓塞栓症および脂肪塞栓症候群などに関しては後述の「外傷後の静脈血栓塞栓症の予防と処置」（p.473），「脂肪塞栓症」（p.483）などを参照されたい。それ以外の周術期合併症で，とくに知っておくべき病態を概説する。

1）見落とし損傷（missed injury）

残念ながら忠実に救急外来で初期評価を行ったとしても，検知できなかったmissed injuryが入院後に発見されることがある。これは意識障害やショックのため正確な所見が得られないことにも起因している。四肢骨折（とくに末梢側）は，もっとも起こり得るmissed injuryである。また，重篤化をきたすmissed injuryとしては，椎体骨折や大血管損傷，腸管損傷があげられる。

missed injuryは，防ぎ得る外傷死の原因のもっとも多くを占めるとされているが，真のmissed injuryの発生率を表すことは難しい。最近のシステマティックレビューでは，missed injuryが重症外傷患者の4.3%で発見されていたとしている[15]。CT検査で見落とし回避の検索をすることで，従来ではmissed injuryとなる可能性が高かった損傷が検出されるようになり，見落としも減ることが期待される。

一方，CT撮影実施後に低血圧が出現してくるような患者では，潜在的な出血が疑われる。CT検査に含まれていない部位や静脈からの出血は評価が難しく，見落としやすいので，慎重に読影する。ICU入室後は，それまでの診断を再点検し，見落としがないかをチーム全員で確認していくことも重要な仕事である。

2）急性腎障害・造影剤腎症

ICU入院した外傷患者における急性腎障害（acute kidney injury；AKI）の発症率は，18.1～50.0%であり，直接の腎損傷やショック，腹部コンパートメント症候群，横紋筋融解症，CT撮影の際の造影剤使用が要因と考えられる[16)17]。このうち造影剤腎症は，造影CT検査による評価がほぼ必須である重症外傷では，もっとも重要な要因と考えられる[18]。造影剤の化学毒性は尿細管細胞障害をもたらし，さらに尿細管周囲の血流減少を招くことにより不可逆的障害へと移行する。臨床的にはAKIを発症すると在院日数や院内死亡率を悪化させることから，造影剤を使用する場合は，必要最小限の低浸透圧性もしくは等浸透圧性の造影剤を用いる。

AKIの国際ガイドライン（KDIGO Clinical Practice Guideline for Acute Kidney Injury）では，48時間以内の血清クレアチニン0.3mg/dl以上の上昇もしくはベースラインに対して7日以内の1.5倍以上の上昇，もしくは尿量0.5ml/kg/時未満の6時間持続がAKIと定義されている[19]。外傷急性期におけるAKIは，直接の腎損傷やショック，腹部コンパートメント症候群，横紋筋融解症，CT撮影の際の造影剤使用過多が要因とされている。尿量減少では，機械的閉塞がしばしば経験されることから，正確な評価と対応が求められる（図3-6-A-2）[20]。

AKIが発症した場合の治療の優先度は高い。まず，速やかに使用薬剤量を調整する。漫然と同等量を投与しつづけてはならない。通常，AKI発症後は輸液負荷を行っても乏尿となる。一般的に輸液により循環血液量を増加させ，1回拍出量を最大にすることは妥当であるが，輸液負荷を過剰に継続すると，それ以外の合併症（創傷治癒遅延，肺水腫，心

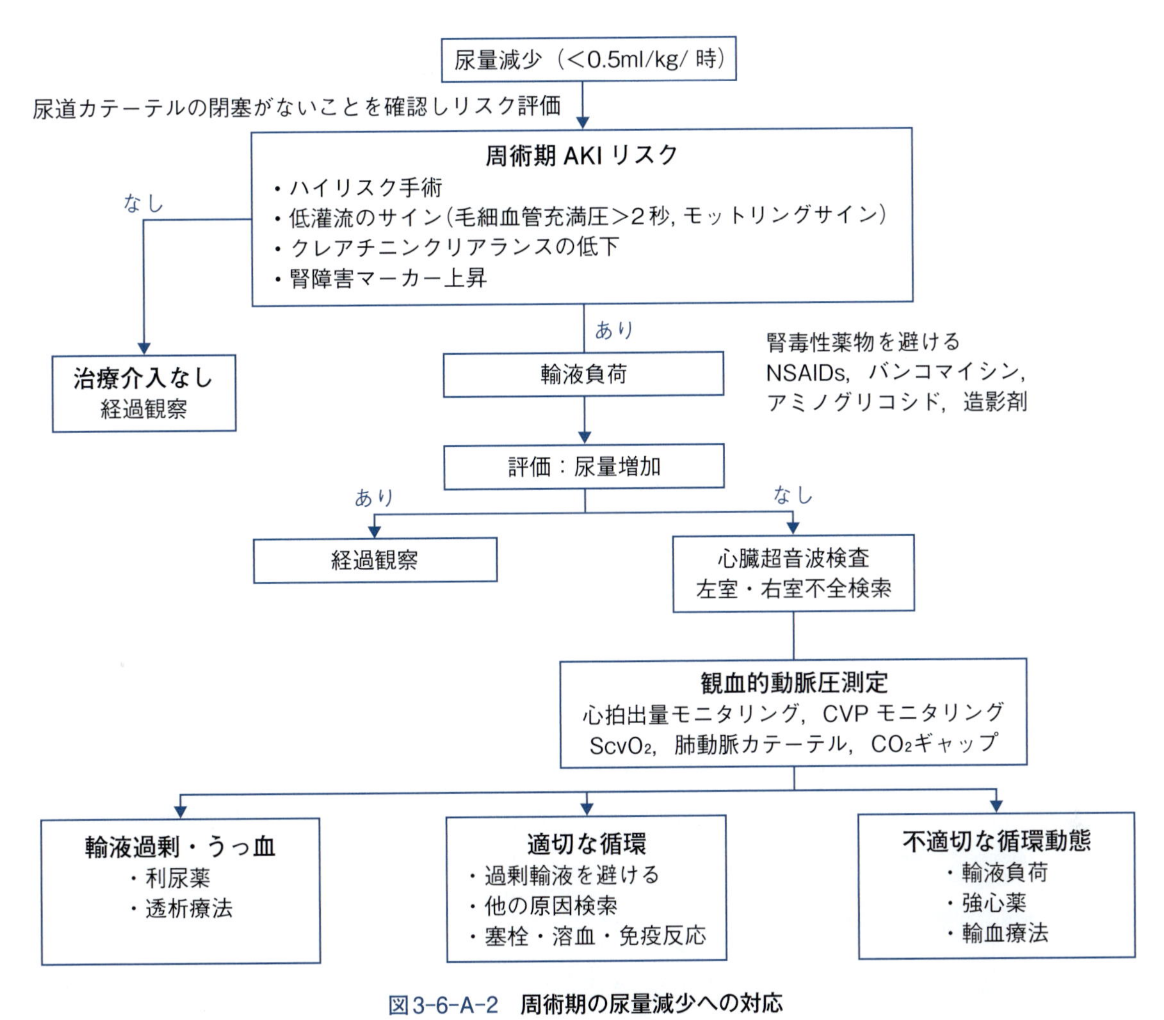

図3-6-A-2　周術期の尿量減少への対応

〔文献20）より引用・改変〕

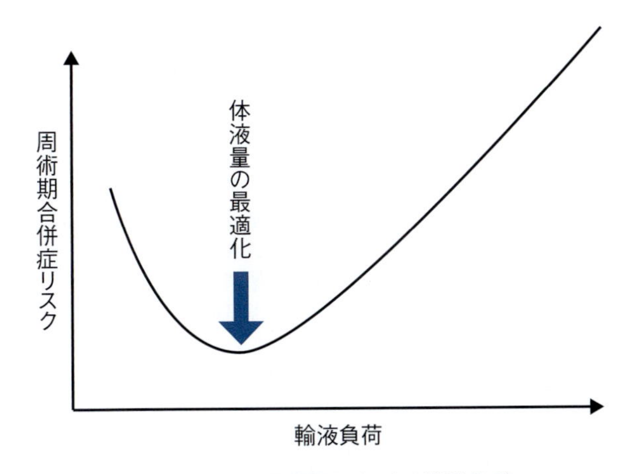

図3-6-A-3　周術期における輸液負荷

輸液負荷は少なすぎても多すぎても，合併症が増加する。理想的な輸液療法は，このカーブの底をみつけることである

〔文献21）より引用・改変〕

不全，不整脈，消化管機能不全）を引き起こし，腎自体にとっても有害となり得る。輸液負荷をいかに最適化していくかは，外傷患者のICU管理において最重要課題といえる（図3-6-A-3）[21]。急性腎障害に対する利尿薬の使用は，体液量過剰の際には考慮される。しかし，周術期患者を含む重症患者を対象とした研究で利尿薬の使用は死亡率や透析導入率を改善させないことが報告されており[22]，使用する場合は最小限にとどめる。AKIによりアシドーシスが進行し，肺水腫などを認めるようになった場合には，腎代替療法を検討するが，止血が優先する急性期では抗凝固薬の使用が問題となる。急性期に腎代替療法を行う場合の抗凝固薬は未分画ヘパリンを避け，出血性合併症が比較的少ないナファモスタットメシル塩酸や低分子ヘパリンを用いる。ただAKIに対する早期の腎代替療法の有効性は確立していない。

3）集中治療後症候群（PICS）

集中治療を受けた重症患者の長期予後は，医療技術の進歩により向上している。しかし，急性期を経て生還した後にも，身体的，認知的，精神的障害が持続することが問題となっている。現在，これらの病態に患者家族の精神的ダメージを加えて，集中治療後症候群（post-intensive care syndrome；PICS）

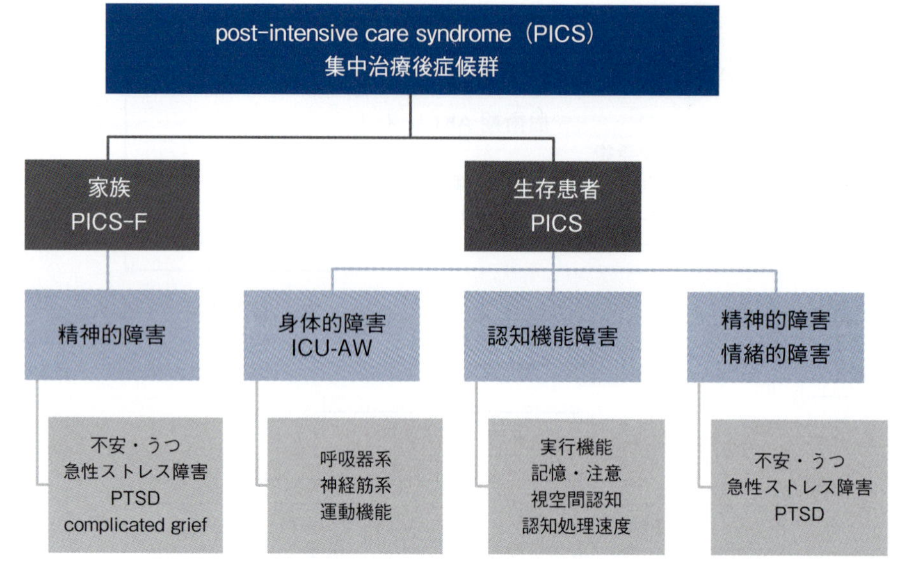

図3-6-A-4　PICSの疾患概念図

ICU-AW：ICU acquired weakness，PTSD：post-traumatic stress disorder

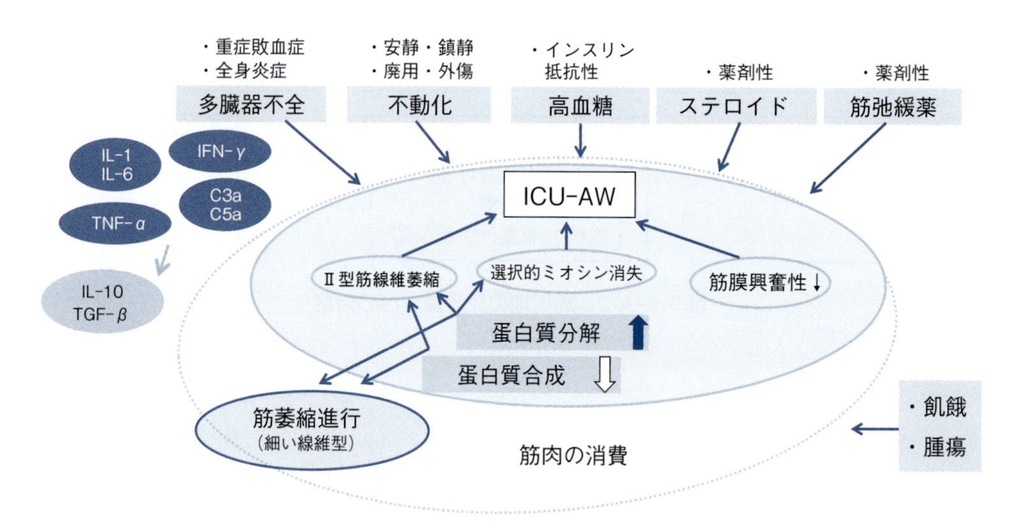

図3-6-A-5　ICU-AWの関連因子

ICU-AWには多くの関連因子が存在するため，可能なかぎりこれらを回避することが予防策の第一歩となる。ステロイド薬や筋弛緩薬は，治療上やむを得ない場合を除いて使用を避けるべきである。せん妄と関連する認知機能障害を予防するためには，せん妄との関連が指摘されているベンゾジアゼピン系鎮静薬を控えるか短時間使用とすることも考慮すべきである。血糖値管理は，著しい高血糖や血糖値変動を是正することを目的に行うことで，結果としてICU-AWの進展予防となり，長期的な身体機能障害の回避へつながる

〔文献23）より引用・改変〕

としてまとめられ，真の長期予後として重要視されるようになった（図3-6-A-4）。

重症外傷患者でも，何らかの身体機能障害が残存しやすいうえ，さらに筋力低下（ICU-acquired weakness；ICU-AW）が加わることで入院が長期化する。ICU-AWには，敗血症，多臓器不全，高血糖，不動化，ステロイド薬，筋弛緩薬など複数の因子が複合的に関連するとされている[23)]（図3-6-A-5）。ICU入院した患者では，身体機能低下のみならず，認知機能低下もきたすことが指摘されている。認知機能障害の危険因子としては，ICU入院中のせん妄が明らかとなっており，せん妄期間が長引くほど認知機能障害も悪くなるため，積極的なせん妄対策がPICS予防として重要である[24)]。せん妄対策として日本集中治療医学会の「日本版・集中治療室における成人重症患者に対する痛み・不穏・せん妄管理のための臨床ガイドライン」を活用する[25)]。

ICU生存者に生じ得る精神障害としては，約30%

にうつ病，70％に不安がみられ，心的外傷後ストレス反応（post-traumatic stress disorder；PTSD）は10〜50％に発生するとされている[26]。既存のうつ病，不安症，PTSD，低学歴，アルコール依存症，女性に精神的障害のリスクがあり，入院中から精神的な評価も考慮する。患者がICUへ入院すると生存した患者だけでなく，その家族にも身体的・心理的負担を強いるため，有害な心理状態に陥るリスクがある。有害な心理反応を緩和するには，家族との密なコミュニュケーション，意思決定を共有するなど，ソーシャルワーカーを含む多職種が協働して支援することが役に立つ。

PICSを回避するためには，早期離床を図ることが重要であり，身体的リハビリテーションや栄養療法は効果的である[27]。

4）高齢者における注意点

外傷患者の治療においても高齢者への対応の重要性は年々増している。

高齢者でAIS 3以上が1カ所以上ある場合は，ICUで呼吸・循環モニタリングを行うことが提案されている[27]。これにより早期に生理学的変化を探知し，追加の損傷や合併症を発見することができる。高齢者では軽微な肋骨骨折であっても，しばしば呼吸不全に陥る。骨折（肋骨以外でも）による疼痛で換気予備能が低下し，さらに喀痰排泄困難が加わることで，呼吸不全となる。このような呼吸不全を回避するためには，積極的な疼痛コントロールと理学療法が重要となる。必要に応じて胸部硬膜外ブロックを行うことが提案されているが，硬膜外穿刺が難しければ麻薬（主にフェンタニル）を用いて鎮痛を行うことも考慮する。胸部外傷に対する胸部硬膜外ブロックの適応について表3-6-A-8に示す。

表3-6-A-8　胸部硬膜外ブロックの適応と除外

適応：片側4肋骨以上の骨折
両側肋骨骨折
高齢者（65歳以上）では2肋骨以上の骨折
胸骨骨折合併の場合
人工呼吸の離脱が困難な場合
疼痛による呼吸抑制が著しい場合
腹部外傷（手術施行例）合併の鈍的胸部外傷

除外：血液凝固障害のある場合（血小板10万/μl以下，PT＜70％，抗血小板薬，抗凝固薬内服中），重症感染例，側彎など穿刺困難な場合
脊椎外傷，骨盤骨折で体位保持が困難な場合
など

PT：プロトロンビン時間

高齢者において，もっとも注意すべきは既往症である。高齢者ではすでに複数の疾患を有し，内服薬も多い。このような病態背景を量的に評価するために既往症と内服薬の数を足したComorbidity-Polypharmacy（CP）スコアが提案されている[28]（表3-6-A-9）。このスコアは4つのGradeに分かれており，スコアが低いほうが90日後の死亡率が低くなっていた。この報告によると，もっとも多く内服されていたのは抗血小板薬/抗凝固薬で（37％），次いで抗不整脈薬やβブロッカーなどの循環器系薬剤であった（35％）。また，合併症でもっとも頻度が高かったのは高血圧（54％）で，2番目は内分泌疾患（42％）であり，虚血性心疾患や心不全は25％であった。CPスコアは，死亡との関連以外にも，自宅退院とも独立して関連しており（オッズ比1.07），入院時にも計算可能であることから転帰予測のために活用することが望まれる。

表3-6-A-9　Comorbidity-Polypharmacy（CP）スコア

Grade	スコア	死亡率	自宅退院の割合
minor	0〜7	5.4%	66.8%
moderate	8〜14	5.0%	58.9%
severe	15〜21	8.0%	57.9%
morbid	≧22	25.3%	33.1%

合併症1つにつき1点，内服薬1つにつき1点として合計する

高齢者の院内感染症は発生頻度が高く，致死的となり得る。一般に感染部位としては尿路と呼吸器が多く，若年者であれば問題とならないものでも，高齢者では瞬く間に重症化する。また，高齢者ではもともと抗菌薬が投与されている頻度が高いため，薬剤耐性菌を保有している可能性もあり，抗菌薬の選択は慎重に行う。

文　献

1）Endo A, Shiraishi A, Otomo Y, et al：Development of novel criteria of the "lethal triad" as an indicator of decision making in current trauma care：A retrospective multicenter observational study in Japan. Crit Care Med 2016；44：e797-803.
2）Cannon JW, Khan MA, Raja AS, et al：Damage control resuscitation in patients with severe traumatic

hemorrhage：A practice management guideline from the Eastern Association for the Surgery of Trauma. J Trauma Acute Care Surg 2017；82：605-617.

3) Peitzman AB, Rhodes M, Schwab CW, et al：The Trauma Manual. 4th ed, Lippincott Williams & Wilkins, Philadelphia, 2012, p461.

4) Peitzman AB, Rhodes M, Schwab CW, et al：The Trauma Manual. 4th ed, Lippincott Williams & Wilkins, Philadelphia, 2012, pp14-15.

5) Moore FA, Moore EE：The evolving rationale for early enteral nutrition based on paradigms of multiple organ failure：A personal journey. Nutr Clin Pract 2009；24：297-304.

6) Sauaia A, Moore FA, Moore EE：Multiple organ failure. In：Mattox KL, et al eds. Trauma. 7th ed, McGraw-Hill, New York, 2012, pp1128-1146.

7) Lasanianos NG, Kanakaris NK, Dimitriou R, et al：Second hit phenomenon：Existing evidence of clinical implications. Injury 2011；42：617-629.

8) Mutschler M, Nienaber U, Brockamp T, et al：Renaissance of base deficit for the initial assessment of trauma patients：A base deficit-based classification for hypovolemic shock developed on data from 16,305 patients derived from the TraumaRegister DGU®. Crit Care 2013；17：R42.

9) Yücel N, Lefering R, Maegele M, et al：Trauma Associated Severe Hemorrhage（TASH）-Score：Probability of mass transfusion as surrogate for life threatening hemorrhage after multiple trauma. J Trauma 2006；60：1228-1236；discussion 1236-1237.

10) Nunez TC, Voskresensky IV, Dossett LA, et al：Early prediction of massive transfusion in trauma：Simple as ABC（assessment of blood consumption）? J Trauma 2009；66：346-352.

11) Matsumoto H, Hara Y, Yagi T, et al：Impact of urgent resuscitative surgery for life-threatening torso trauma. Surg Today 2017；47：827-835.

12) Rossaint R, Bouillon B, Cerny V, et al：The European guideline on management of major bleeding and coagulopathy following trauma：Fourth edition. Crit Care 2016；20：100.

13) Tisherman SA, Barie P, Bokhari F, et al：Clinical practice guideline：Endpoints of resuscitation. J Trauma 2004；57：898-912.

14) Moore L, Lauzier F, Stelfox HT, et al：Complications to evaluate adult trauma care：An expert consensus study. J Trauma Acute Care Surg 2014；77：322-329；discussion 329-330.

15) Shere-Wolfe RF, Galvagno SM Jr, Grissom TE：Critical care considerations in the management of the trauma patient following initial resuscitation. Scand J Trauma Resusc Emerg Med 2012；20：68.

16) Gomes E, Antunes R, Dias C, et al：Acute kidney injury in severe trauma assessed by RIFLE criteria：A common feature without implications on mortality? Scand J Trauma Resusc Emerg Med 2010；18：1.

17) Bagshaw SM, George C, Gibney RT, et al：A multi-center evaluation of early acute kidney injury in critically ill trauma patients. Ren Fail 2008；30：581-589.

18) McGillicuddy EA, Schuster KM, Kaplan LJ, et al：Contrast-induced nephropathy in elderly trauma patients. J Trauma 2010；68：294-297.

19) Kellum JA, Lameire N；KDIGO AKI Guideline Work Group：Diagnosis, evaluation, and management of acute kidney injury：A KDIGO summary（Part 1）. Crit Care 2013；17：204.

20) Legrand M, Payen D：Case scenario：Hemodynamic management of postoperative acute kidney injury. Anesthesiology 2013；118：1446-1454.

21) Bellamy MC：Wet, dry or something else? Br J Anaesth 2006；97：755-757.

22) Mehta RL, Pascual MT, Soroko S, et al：Diuretics, mortality, and nonrecovery of renal function in acute renal failure. JAMA 2002；288：2547-2553.

23) Schweickert WD, Hall J：ICU-acquired weakness. Chest 2007；131：1541-1549.

24) Pandharipande PP, Girard TD, Jackson JC, et al：Long-term cognitive impairment after critical illness. N Engl J Med 2013；369：1306-1316.

25) 布宮伸，西信一，吹田奈津子，他：日本版・集中治療室における成人重症患者に対する痛み・不穏・せん妄管理のための臨床ガイドライン．日集中医会誌 2014；21：539-579.

26) Davidson JE, Jones C, Bienvenu OJ：Family response to critical illness：Postintensive care syndrome-family. Crit Care Med 2012；40：618-624.

27) Schweickert WD, Pohlman MC, Pohlman AS, et al：Early physical and occupational therapy in mechanically ventilated, critically ill patients：A randomised controlled trial. Lancet 2009；373：1874-1882.

28) Evans DC, Cook CH, Christy JM, et al：Comorbidity-polypharmacy scoring facilitates outcome prediction in older trauma patients. J Am Geriatr Soc 2012；60：1465-1470.

Column　凝固機能の評価法

通常，凝固機能を評価する項目は，プロトロンビン時間（PT）や部分トロンボプラスチン時間（PTT）である。これは原因検索のために行う質的検査であり，凝固反応（トロンビン産生）の初期相（約5%）の良否が反映され，トータルの凝固反応の指標としては適していない。さらに，検査結果が出るまでに時間を要することからリアルタイムの治療指標とはならなかった。これに対して2000年代後半から全血viscoelastic hemostatic assayであるROTEM®/TEG®を用いた病態解析が報告されてきた[1)2)]。これらは迅速に測定結果（図a）を把握することが可能なため，point of care（POC）検査として活用できるとされている。さらに線溶系も測定可能なことから（図b），病態把握が治療に直結することも可能である。現在，欧米では測定値による目標指向型治療への応用が進んでいる[3)4)]。

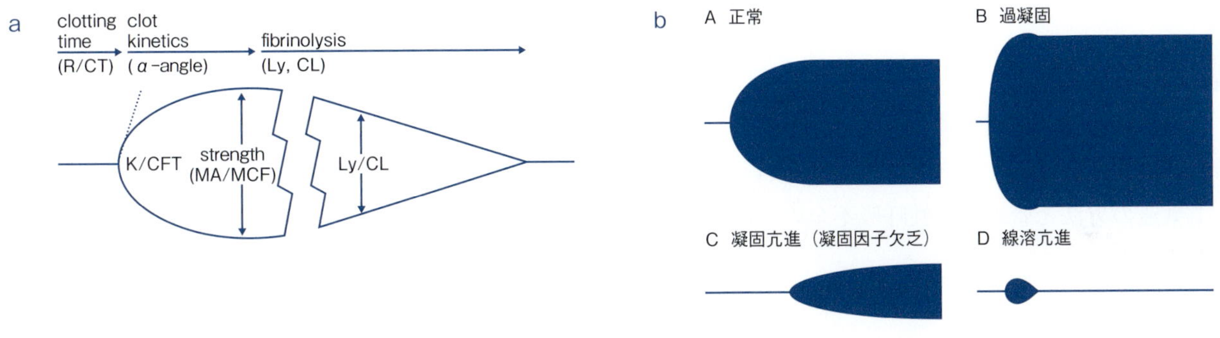

図　ROTEM®/TEG®による測定イメージ

文　献

1) Afshari A, Wikkelso A, Brok J, et al：Thromboelastography（TEG）or thromboelastometry（ROTEM）to monitor haemotherapy versus usual care in patients with massive transfusion. Cochrane Database Syst Rev 2011：CD007871.

2) Wikkelso A, Wetterslev J, Moller AM, et al：Thromboelastography（TEG）or thromboelastometry（ROTEM）to monitor haemostatic treatment versus usual care in adults or children with bleeding. Cochrane Database Syst Rev 2016：CD007871.

3) Bugaev N, Como JJ, Golani G, et al：Thromboelastography and rotational thromboelastometry in bleeding patients with coagulopathy： Practice management guideline from the Eastern Association for the Surgery of Trauma. J Trauma Acute Care Surg 2020；89：999-1017.

4) Brill JB, Brenner M, Duchesne J, et al：The role of TEG and ROTEM in damage control resuscitation. Shock 2021；56：52-61.

B　気道・呼吸管理

要　約

1. 人工気道による確保が長期間必要な患者では気管切開を考慮する。
2. 顔面外傷や頸部外傷などでは，計画される手術を見据えた気道確保法を行う必要がある。
3. 急性期の呼吸不全を治療するうえで，原因を換気障害と酸素化障害に分けて考える。
4. ARDSに対する人工呼吸管理では，肺保護のための換気戦略を行う。
5. 全身状態が安定すれば，鎮静覚醒トライアルや自発呼吸トライアルを行い，人工呼吸器からの早期離脱を目指す。

はじめに

集中治療室での患者管理の目的は，患者の全身状態の安定化を図ることである。気道･呼吸管理では，人工気道の方法と管理，急性呼吸不全の診断と治療が重要である。

I　気道管理

1. 気管挿管

外傷患者の初期診療で，確実な気道確保が必要な患者には気管挿管が多く行われる。これにより，気道は長期の確実な確保が可能となる。気管挿管には，経口気管挿管と経鼻気管挿管があるが，その手技の容易さから，多くは経口挿管が選ばれる。

各々の特徴として，経口挿管は手技が容易で，経鼻挿管よりは太いチューブの選択が可能である。その一方で，経鼻挿管はチューブの固定がよく，患者への違和感も少ない。そのため，鎮痛のみで管理することが可能で，意識や神経レベルの評価が必要な患者で有用である。しかし，経鼻挿管は頭蓋底骨折を合併する患者や，出血傾向を認める患者では行うべきではない。

2. 気管切開

1）特徴と適応

気管切開は，①チューブの固定性がよい，②患者への違和感が少ない，③チューブ交換が容易である，④喀痰吸引が行いやすい，ことから長期の気道確保に適している。一般的な気管切開の適応は，人工気道による確保が長期間（おおよそ2週間以上）必要な患者，またはその可能性がある場合である。その理由として，気管挿管チューブは口腔・咽頭・喉頭などの粘膜と長期間接触することで粘膜障害を起こし，感染の危険性が高くなることがあげられる。皮下気腫や縦隔気腫の存在は，チューブが気管内から逸脱していることも考えられるため，確実に気管内にチューブが挿入されているかを確認しなければならない。

気管切開を行って間もないチューブの逸脱は，瘻孔が形成されていないため，チューブの再挿入が難しい。患者によっては，気管挿管を行ってから気管切開チューブを再挿入するほうが安全である。

2）手　技

気管切開の手技には，外科的切開法と経皮穿刺法がある。出血傾向のある患者では，直視下で止血を確認できる外科的切開法が安全である。一方，気管切開を予定する皮膚の近くに創傷がある場合や，頸髄損傷などで前頸部を展開できない患者では経皮穿刺法が有用である。外科的切開法より経皮穿刺法のほうが，出血や気管切開部の感染などの合併症の頻度は低く，手術施行時間も短いとの報告もある[1)]。経皮的穿刺法では，気管支鏡補助下で行う方法が主流であったが，最近では超音波ガイド下による穿刺も行われており，この両者において合併症の発生頻度に相違はないと報告されている[2)]。

(1) 外科的切開法

前頸部の皮膚切開部を局所麻酔した後に切開する。皮下軟部組織を剝離，甲状腺をよけて気管前面に到達する。第2･3または第3･4気管軟骨を切開し，気管切開チューブ（カニューレ）を挿入し留置する。気管切開で電気メスを使用すると，術野が高濃度酸素に曝露され，電気メスによる発火から気道熱傷を起こす可能性がある。気管を電気メスで切開することは禁忌であり，切開した後も術野で電気メスを使用してはならない[3)]。

(2) 経皮穿刺法

気管前面を穿刺針で刺した後にガイドワイヤーを通して，そのガイド下に気管切開チューブが入る大きさまで拡張器具を用いて切開孔を大きくし，チューブを挿入する方法である。皮膚創が小さくてすむが，合併症として緊張性気胸・食道損傷などが報告されている[4)]。

3）合併症

気管切開後の早期合併症として出血や感染，チューブの逸脱が，後期合併症として腕頭動脈気管支瘻，食道気管支瘻がある。気管切開チューブのカフは低容量で気管との接触面積が小さいため，カフ圧が高いと気管粘膜の損傷から，動脈や食道と瘻孔形成をきたすことがある。とくに腕頭動脈気管支瘻を起こすと，大量出血から心停止に至る。そのため，気管切開チューブのカフ圧は，20cmH_2O以上30 cmH_2O以下で管理する。

3. 顔面外傷・頸部外傷の気道確保

顔面外傷や頸部外傷などでは，計画される手術を見据えた気道確保法を行う必要がある。口腔内から出血が持続する場合，経口気管挿管下では止血操作に難渋することが多い。このような例では，早期の気管切開も考慮すべきである。また，顔面骨骨折があり，顎間固定や骨折に対する整復固定術などが予定される患者では，経鼻気管挿管や気管切開による気道確保を行う。

頸椎の脱臼や骨折があり，前方固定による観血的整復固定術が必要となる患者では，手術創を考えて気管切開は待機的に行う。

頸髄損傷では，1回換気量が減少し咳嗽反射が減弱するため，気管吸引や体位ドレナージなどが，呼吸管理の戦略上でも重要な意味をもつ。また，その神経学的所見を評価するために，浅い鎮静管理が有用である。

4. 加温・加湿

ヒトが自然呼吸をして吸入された空気は，上部気道を通過することで，加温･加湿が行われる。通常，吸入された空気は，気管分岐部付近で相対湿度100％になる。

一方，人工呼吸器に用いられる酸素と圧縮空気には，水分がほとんど含まれていない。このため，気管挿管や気管切開が施行されている患者では，チューブの先端まで乾燥したガスが送気されることになる。乾燥したガスによる呼吸管理を行えば，乾燥による痰の粘稠化，無気肺，肺炎などの障害を起こすため，人工気道による呼吸管理中は必ず加温・加湿が必要となる。加温・加湿の目標値は，自然呼吸と同じで，気管内が37℃，相対湿度100％飽和水蒸気である。

1）加湿器

加湿器は，ガスを水中に通すことで多数の気泡を発生させて加湿するタイプと，水を入れた容器などを加温することで水蒸気を発生させるタイプとに分かれる。最近では，後者の加湿器が広く用いられている。

2）人工鼻フィルター

人工呼吸器の回路中に，人工鼻フィルター（heat and moisture exchanger；HME）を付けることで加湿を行うことができる。ただし，加湿器よりはその効果が低いこと，ネブライザーとの併用はできないことなどの欠点がある。また，喀痰の量が多く粘稠な場合には，喀痰が人工鼻に付着することで気道閉塞を起こすことがあるので注意する。人工呼吸器関連肺炎（ventilator-associated pneumonia；VAP）の発生率は，加湿器より人工鼻フィルターのほうが低いとの報告がある[5)]。

表3-6-B-1　換気障害を起こす原因

障害部位	原因
気道の障害	口腔内出血，気道損傷，喉頭損傷，顔面骨骨折，肺挫傷，気道熱傷
呼吸中枢の障害	脳挫傷，薬物服用，鎮静薬投与
神経・呼吸筋の障害	脊髄損傷，脳挫傷
肺・胸腔の障害	肺挫傷，緊張性気胸，開放性気胸，気胸，血胸
胸郭の障害	フレイルチェスト，横隔膜損傷，肋骨骨折
胸郭コンプライアンスの低下	大量輸液，腹部コンパートメント症候群，胸部広範囲熱傷
代謝性アルカローシスの代償	大量輸液，利尿薬投与

5. 気管吸引

人工気道で管理する場合には，咳嗽反射や線毛運動の低下により，気道分泌物を自力で喀出することが困難となるため，気管吸引が必要となる。

6. 体　位

集中治療における体位変換の目的は，①換気血流不均等の是正と酸素化の改善，②肺容量の確保，③排痰の促進と気道粘膜クリアランスの促進，④安楽の保持と褥瘡予防，などである。外傷患者では四肢の骨折や循環動態が安定しないため体位変換が行えず，無気肺を合併し，早期に呼吸不全が進行することも多い。そのため，早期に体位変換を可能とする治療戦略は，呼吸管理のなかでも重要な意味をもつ。

7. 気道トラブル時の対処方法

人工気道のチューブが痰や血液で閉塞を起こすことがある。吸引チューブが入りづらかったり，人工呼吸器の最高気道内圧の上昇などを認めればチューブの閉塞を疑う。

肺挫傷などにより血性排液が多い場合には，気管支ファイバーによる観察や造影CTなどを撮影し，出血源の精査を行う。片肺からの出血量が多い場合には，分離肺換気やブロックバルーン®を患側気管支へ挿入することで，出血のコントロールと健側肺の気道と換気が確保できる。ただし，左右別肺換気用のチューブは，チューブ内径が細いため，気管支ファイバーによる観察や吸引が十分に行えないことに注意する。

Ⅱ 呼吸管理

急性期の呼吸不全を治療するうえで，その原因を換気障害と酸素化障害に分けて考えると理解しやすい。換気障害の多くは，その原因ごとに治療法が異なるので，その原因検索は迅速に行う。

1. 換気障害

外傷後の換気障害の原因を表3-6-B-1に示した。このなかには原因に対する治療を行わなければ，換気障害の改善が図れないものもある。

横隔神経はC3～C5から出ているため，これより上位の頸髄損傷では横隔膜による呼吸ができないことから，永続的な人工呼吸器による呼吸管理が必要となる。一方，C5以下の頸髄損傷では，胸髄支配の肋間筋の運動麻痺が生じるが，横隔膜の動きが保たれることで腹式呼吸となる。

肋骨骨折に伴う痛みで換気量が低下し，咳嗽が十分に行えずに無気肺が進行する例では，十分な鎮痛を行う。経静脈的な鎮痛薬の投与を第一選択とするが，硬膜外麻酔による除痛や前鋸筋面の表層に薬剤を注入するserratus plane blockが有用なことがある。胸腔内に薬剤を注入する胸膜間ブロック（inter-pleural block）は著効例もあるが，薬剤量を多く必要とし薬剤が早く吸収されることで中毒症状が出現する危険があるので注意する[6]。

その他の換気障害の原因として，大量輸液や腹部コンパートメント症候群などにより，胸郭コンプライアンスが低下する例がある。大量輸液による胸郭コンプライアンスの低下は，血管の透過性亢進により細胞外へ水が移動し，胸郭の軟部組織に浮腫を形

表3-6-B-2　ABCDEFバンドル

A：Assess, prevent and manage pain	疼痛の評価，予防と対策
B：Both spontaneous awakening trials and spontaneous breathing trials	覚醒トライアルと自発呼吸トライアルを行う
C：Choice of analgesia and sedation	鎮静と鎮痛の選択
D：Delirium：assess, prevent and manage	せん妄の評価，予防と対策
E：Early mobility and exercise	早期離床と運動
F：Family engagement and empowerment	家族のかかわりと自己能力の回復

〔文献13）より引用・改変〕

成することで起こる。多くは，ショック離脱期に水が血管内へ移動することで解決する。

腹部コンパートメント症候群に伴う換気障害は，腹腔内圧上昇から横隔膜が挙上することで起こる。診療のなかで，最高気道内圧が上昇し，1回換気量が低下，尿量の減少など臓器障害の出現で認識されることが多い。

2. 酸素化障害

酸素化の障害をきたす原因には，①肺胞低換気，②換気血流不均等，③拡散障害，④肺内シャント，⑤肺外右→左シャント，などがある。実際には，これらの原因が混在していることが多い。治療は酸素投与，人工呼吸管理が主となる。

3. 人工呼吸器合併症

人工呼吸器の陽圧換気による肺合併症は，人工呼吸器関連肺損傷（ventilator-associated lung injury；VALI）または人工呼吸器誘起性肺損傷（ventilator-induced lung injury；VILI）と呼ばれる[7]。このなかには，気道内圧の上昇により，胸腔への肺胞破裂による気胸や緊張性気胸の併発，また，気管支レベルでの拡張などを起こすbarotraumaと呼ばれるものも含まれる[8)9]。そのほかに，1回換気量が多いことで起こる肺損傷であるvolutrauma[10]，肺胞虚脱・再膨張によるずり応力によって起こるatelectraumaなどがある[11]。

4. 人工呼吸器関連肺炎

人工呼吸器関連肺炎（VAP）は「気管挿管による人工呼吸開始48時間以降に発症する肺炎」と定義されていたが，2013年，米国CDC/NHSNは，新しく人工呼吸器関連イベント（ventilator-associated event；VAE）という枠組みを提唱した[12]。

人工呼吸管理による酸素化の改善後に，再びその悪化を認めることがある。新しい定義では，この酸素化の悪化を人工呼吸器関連状態（ventilator-associated condition；VAC）とし，それに加えて体温，白血球数上昇をみれば，感染に関連した人工呼吸器関連合併症（infection-related ventilator-associated complication；IVAC）と定義している。さらに，喀痰培養で感染を起因する細菌の存在などにより，possible VAPと診断する。

VAPの予防は，口腔内ケアと口腔内貯留分泌物の気管への流入防止，人工呼吸器から早期離脱できるかを常に評価することにある。ABCDEFバンドルは，ICU-acquired delirium and weaknessを予防する目的で使用されるが，これによりpost-intensive care syndromeが予防されることで，早期抜管が可能となりVAP予防も期待できる（表3-6-B-2）[13]。

5. 急性呼吸促迫症候群

1）定義・疫学

急性呼吸促迫症候群（acute respiratory distress syndrome；ARDS）は1967年にAshbaughらの報告により認識されるようになった病態で[14]，1994年のAECC（The American-European Consensus Conference）の発表で，ARDSは急性肺傷害（acute lung injury；ALI）の重症化したものと定義された。

2012年にAECCによる定義の見直しがなされ，現在では広くベルリン定義（The Berlin Definition）が用いられている（表3-6-B-3）[15]。この診断基準は，急性発症で$PaO_2/F_IO_2 \leq 300$，胸部画像検査で

表3-6-B-3　ARDS（ベルリン定義）

重症度分類	mild （軽症）	moderate （中等症）	severe （重症）
PaO_2/F_IO_2比	200＜PaO_2/F_IO_2比≦300 （PEEP or CPAP≧5cmH_2O）	100＜PaO_2/F_IO_2比≦200 （PEEP or CPAP≧5cmH_2O）	PaO_2/F_IO_2比≦100 （PEEP or CPAP≧5cmH_2O）
発症の経過	臨床的な生体侵襲や呼吸器症状の出現・増悪から1週間以内		
胸部画像	胸水，無気肺，結節では説明できない両側性浸潤陰影		
肺水腫の原因	心不全や輸液過剰では説明できない呼吸不全 危険因子がないときには，心臓超音波などの客観的方法で静水圧上昇によるものでないことを除外する		

〔文献15）より引用・改変〕

胸水，無気肺，結節などで説明がつかない両側浸潤影を認め，心不全や輸液過多で説明がつかない呼吸不全である。一般に，ARDSは敗血症や誤嚥，肺炎，外傷，大量輸血，脂肪塞栓，膵炎などの危険因子が存在する。

2）病理・病期

ARDSは，急性期（発症から3～7日以内），亜急性期（発症から7～14日以内），慢性期（発症から14～28日以降）の3つの病期に分類される。またこれらは，それぞれ病理的に，浮腫・硝子膜形成を主体とする浸出期，Ⅱ型肺胞上皮細胞が増殖する増殖期（器質化期），間質や肺胞の線維化が進む線維化期と分類されている[16]。急性期・亜急性期の致死的原因は急性呼吸不全による重篤な低酸素血症であり，この時期を初期ARDS（early ARDS）と呼ぶ。急性期は透過性亢進による肺水腫が病態の中心であり，急性期から亜急性期においては肺コンプライアンスの低下を認める。亜急性期から慢性期にかけては肺線維化が起こり，間質線維化・微小循環の閉塞が進み，その後，著明な肺線維症・気腫性変化がみられるようになる。この時期を後期ARDS（late ARDS）と呼ぶ。

3）病態生理・臨床症状

ARDSは低酸素血症をきたすが，その主な原因は，肺水腫に伴う無気肺によってシャント血流が増加することで起こる換気血流不均等である。さらに，ARDSでは，Ⅱ型肺胞上皮細胞の傷害のためサーファクタントの産生が減少しており[17]，肺胞は虚脱しやすくなっている。肺水腫と肺胞虚脱のために肺胞は開きにくくなり（肺コンプライアンスの低下），機能的残気量は減少する。そのため，ARDSの患者は浅くて速い呼吸をし，さらに呼吸筋疲労を招くこととなる。さらに，ARDSは肺実質のみでなく肺血管に影響を及ぼし（微小塞栓形成，低酸素性血管攣縮，間質浮腫による血管圧迫），これによって換気血流不均等が増強しており，これも低酸素血症の原因となる[18]。

4）治　療

ARDSに対する特別な治療法は確立されておらず，肺傷害が改善するまでの間の補助療法が治療の主となる。これらには，原因疾患の治療と，酸素化のための人工呼吸管理，栄養療法，肺以外の臓器の補助療法，循環動態のモニタリングが含まれる。また，院内感染や医原的合併症も避けるように注意を払わなくてはならない。

（1）輸液・全身管理

2006年にARDS NetworkはFluid and Catheters Treatment Trial（FACTT）という臨床研究を行い，最適な輸液量に関しての報告が発表された。これは，患者1,000人を対象にランダム化し，保守的水分管理と積極的水分管理を7日間行ったものである[19]。これによると保守的水分管理群（平均約1L以下の輸液を受けている）で，人工呼吸管理期間が2.5日短縮され，腎不全の合併が増えることなく死亡率も変わらずに，ICU滞在期間の短縮を認めた。この結果から，末梢循環不全を伴わないARDSに対しては，保守的水分管理をすべきである（推奨レベルⅠ）[20,21]。また，低蛋白血症の患者では，利尿薬とともに膠質液を使用することで，後期ALIにおけるガス交換を改善するという研究結果がある[20]。2006年のRCTでは，低蛋白血症をもつ重症患者において，膠質液の投与は臓器不全（SOFAスコア）が少なくなるとも報告された[22]。その一方で，大規模なオーストラリアのSAFE studyでは，慣習的なアルブミンの投与は支持されていない[23]。したがって，極端な低蛋白血症の患者を除いては，膠質液の利益を主張するのは難しい。

ARDSを2つのphenotypeに分けて解析した研究[24]がある。phenotype 1とphenotype 2を比べた結果，後者はサイトカインをはじめとした炎症バイオマーカーが高値であり，昇圧薬の使用頻度が高く，敗血症の発症頻度が高かった。また，病院死亡率も高率で，人工呼吸器の装着期間が長かった。他のRCTでも追試を行ったところ同様の結果が認められた[25]。また，輸液制限を行ったphenotype 2の死亡率が低かったことなどから，今後phenotypeに準じた治療戦略が行われるかもしれない。

(2) 呼吸器管理

人工呼吸器を用いた呼吸管理は，ARDS患者またはそのリスクがある患者における支持療法としての礎である。しかし，人工呼吸器は，肺傷害を改善させず，むしろ悪化させる可能性があること〔縦隔気腫や肺気腫，気胸などの圧損傷（barotrauma）などを引き起こす〕が明らかになってきた。これらの発見により，人工呼吸器における肺保護戦略（lung-protective strategies）の概念が生まれた[26]。

意識が清明でかつ，治療に協力的で，きつく密着させたマスクに耐えられ，合併症（嘔吐や誤嚥など）が避けられる患者であれば非侵襲的陽圧換気（NPPV）が選択されることがあるが，多臓器損傷の患者の場合にはこの方法を選択するのは難しく，mild ～ severe ARDSに対するNPPVは推奨されていない[21]。緊急挿管は高い罹患率と死亡率が関係しており，ガス交換や意識状態が悪くなりつつある患者では，早めに挿管を決定すべきである。

ARDSにおける人工呼吸器設定の目標は，毒性が問題とならないF_IO_2と必要最低限のPEEPを使用することで適正な酸素化を図ることであり，優先事項の第一は，組織への酸素供給を適正にすることよりも，適切に肺を保護することに移行している傾向にある。以下に，人工呼吸器設定に関するポイント別に整理して，その治療の有効性について示す。

①PEEP

適切な呼気終末陽圧（PEEP）の設定については議論が多く，近年は，ARDS Networkが作成した，PEEPをF_IO_2に合わせて設定したアルゴリズムを適用している施設が多い。2004年にARDS Networkより発表されたALVEOLI研究によると，呼気終末の周期的な肺虚脱を防ぐための高いPEEPと低いPEEPとを比較したが，アウトカムに影響を与えなかった[27]。その後，2008年に同様に高PEEPと低PEEPを比較した2つの大規模研究が発表された。1つは，LOV研究[28]でALVEOLI研究と同様にPEEP-F_IO_2表を用いてPEEP値を設定したもので，もう1つは，EXPRESS研究[29]でプラトー値を28～30cmH_2Oに保つようにPEEP値が設定されたが，いずれも死亡率に有意差がなかった。しかし，EXPRESS研究では最初の28日間において呼吸器管理日数と臓器不全日数の中央値が有意に短縮されたと報告している。この結果から，moderate ～ severe ARDSに対しては，低PEEPより高PEEPによる管理を行うことが望ましい（推奨レベルⅡ）[21]。

静的圧容量曲線（図3-6-B-1）から最適な換気の範囲を知ることができる。

PEEPは，患者の肺傷害が改善したら引き下げる必要がある。しかし，これを早まると，逆に肺傷害の改善や呼吸器管理日数が延びてしまう。したがってPEEPは，動脈血ガスやオキシメトリーを用いて動脈血酸素飽和度を厳密にモニターしながら，ゆっくり2～5cmH_2Oずつ下げていく。一般的に，1回換気量は，平均気道内圧を維持し，呼吸数に余裕をもたせ，患者の安楽を反映するよう上げるべきである。PaO_2の著明な低下がみられたらすぐに元の設定に戻さなければならない。いったん肺胞が虚脱し，機能的残気量の低下が起これば，さらに高いPEEP設定が，さらに長い期間必要となる可能性がある。一般的にPEEPは，12時間以内に5cmH_2Oを超えて下げないようにする。

②リクルートメント手技（recruitment maneuver），オープンラング戦略

リクルートメントの方法は施設ごとに異なるが，代表的なものとしてAmatoの推奨する方法（まずPEEPを25cmH_2O，換気圧をPEEP＋15cmH_2Oに設定し4分換気，その後2分ごとに5cmH_2O刻みでPEEPを上昇させては元の設定に戻すことを，PaO_2＋$PaCO_2$＞400または最大換気圧が60cmH_2Oとなるまで続ける）[30]と，40cmH_2OのCPAPを40秒間行う40-40法とがある。

オープンラング戦略（open lung strategy）とは，

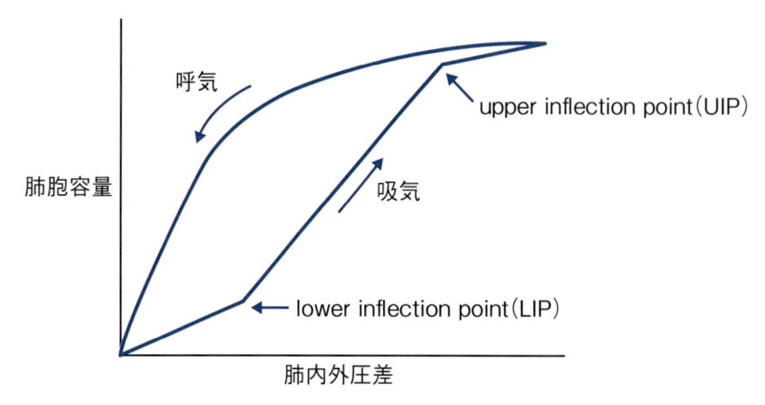

図3-6-B-1　ALI/ARDSにおける静的圧容量曲線

図3-6-B-1において，上部の転機点upper inflection point（UIP）以上の圧，容量では肺胞の過伸展が起こり，下部の転機点lower inflection point（LIP）以下の圧，容量では肺胞の周期的な虚脱が起こる。そのため，PEEPはLIP以上の圧に設定しなければならない

継続して行う人工呼吸管理のなかでより積極的に虚脱した肺をリクルートメントし，さらに再虚脱を防止するための換気設定である。そのなかにAPRV（airway pressure release ventilation）モードがある。自発呼吸に対する圧支持は行わないのでPEEPは30～35cmH_2Oまで設定可能となり，従来型換気モードにおける圧や高圧相時間設定の制限がなく，リクルートメントに有利な換気法である[31)]。リクルートメントは，すべてのARDS患者に行うべきではなく，低酸素血症を伴い高PEEPによる呼吸管理を必要とするsevere ARDSに対して行うことが望ましい（推奨レベルⅡ）[21)]。

③圧制限換気

気道内圧の安全な上限値は正確には知られていないが，35～40cmH_2O以上の圧は動物モデルにおいて肺損傷を起こすことがわかっている。ARDSにおける主なランドマーク的な研究[32)]によって，低容量，圧制限換気がALI/ARDSの現在のスタンダードな呼吸器管理法となっている。これによると，1回換気量を6ml/kg PBWと低く抑えた群と12ml/kg PBWのコントロール群とを比較して，28日後の死亡率が31％となり有意に減少した。この結果から，ARDSに対する1回換気量は6ml/kg PBWとすべきである（推奨レベルⅠ）。また，ARDS患者では，リクルートメントを行わない際には最高気道内圧が30cmH_2Oを超えないように管理すべきである（推奨レベルⅠ）[21)]。

④高二酸化炭素血症の許容

二酸化炭素分圧が上昇すると，心拍出量，心拍数，1回拍出量を増加させ，全身の血管抵抗が低下，カテコラミンが放出される[33)]。肺血管攣縮や肺高血圧を引き起こす場合もある。さらに，酸素ヘモグロビン解離曲線の右方移動を引き起こし，組織への酸素供給が増える。また，高二酸化炭素血症は脳血管の拡張による血管床の増大により，頭蓋内圧の上昇を引き起こすともいわれている。したがって，高二酸化炭素血症許容は，頭蓋内圧上昇を起こし得る頭蓋内損傷には禁忌である。

上記の場合を除くと，いくつかの論文で，ARDSの状況下での高二酸化炭素血症許容は容認され得ると報告されている[34)]。理想的には，この方法は代償機構が働くまで数時間をかけてゆっくりと行うべきである。炭酸水素ナトリウム注射の役割は明確ではなく，多くの施設ではpHが7.0以下で炭酸水素ナトリウムを投与している。

呼吸ドライブを調整し，不快感を予防するために，高二酸化炭素血症許容の場合には鎮静は必ず行う。しかし，深い鎮静をしても，呼吸ドライブは十分には制御できず，結果的に患者と呼吸器の非同調が起こる。その際には必要に応じて筋弛緩薬を使用することとなる。

⑤腹臥位換気療法

Bryanは40年以上前に腹臥位は酸素化改善に効果的であると報告し[35)]，その後腹臥位での酸素化改善のメカニズムが解明されてきた[36)～38)]。

Gattinoniらの研究[39)]は，少なくとも1日6時間腹臥位となる群と，コントロール群を比較し，10日間フォローした。残念ながら，10日間の死亡率は2群間に差を認めず（21.1％ vs 25.0％），統計学的な有意差は証明されなかった。その後の追加研究で，重度の低酸素血症（P/F ratio＜90と定義），APACHEスコア＞49，高容量換気（＞12ml/kg PBW）を受けたことがあるという項目をもつ患者の死亡率は，腹臥位群のほうが，仰臥位群と比較して著明に低いことが示された（20.5％ vs 40.0％）。

最近のRCT[40]では，重症ARDSに対して腹臥位を少なくとも16時間維持することで28日ならびに90日死亡率が有意に低下することが報告されており，メタ解析[41]でもsevere ARDSに対して12時間以上／日以上行ったサブグループにおいて死亡リスクの減少が顕著であったことが示されている。このことから，PaO_2/F_IO_2比が100以下のARDS患者に対しては，腹臥位換気療法を選択すべきである（推奨レベルⅠ）[21]。腹臥位では，不注意な抜管や静脈ラインや胸腔ドレーンの抜去，体位変換時の循環動態の変化，酸素化低下，さらに顔面と眼球の浮腫，末梢神経障害，舌損傷，皮膚壊死などに注意を払う必要がある。また，腹臥位での心肺蘇生処置は難しく，多発外傷患者では創の位置や，ドレナージチューブ，四肢の骨折，頸椎や顔面損傷などの特有な問題点があるため慎重に判断する。

⑥高頻度人工換気法（HFV）

高頻度人工換気法（high-frequency ventilation；HFV）は，非常に少ない1回換気量（1～5ml/kg）を高頻度（60～3,600回転／分）で行うものである。今まで多くの前向き臨床研究が行われているが，ARDS患者においてHFVが従来の陽圧換気法と比較して予後の改善を認めた報告はなく，moderateからsevere ARDSに対してHFVを使用すると，病院内死亡率を増加させるかもしれないとされている[21,42,43]。

⑦頭部挙上

頭部挙上により，VAPの発生率が減少する。また，経腸栄養では誤嚥による肺炎合併のリスクがあるが，頭部挙上により軽減できるため，人工呼吸管理を要する患者では頭部を30～45°に挙上すべきである（推奨レベルⅠ）。外傷患者で脊髄損傷を伴う例では，脊髄の安定性などを確認してから行う[21]。

(3) 体外式循環補助（extracorporeal life support；ECLS）

2001年に英国の70施設が加わってCESAR trial（trial of conventional ventilator support versus extracorporeal membrane oxygenation for severe adult respiratory failure）という大規模無作為比較試験（RCT）が開始された[44]。この研究では適応を，重症ARDSであるが高濃度酸素・高圧換気に曝露された期間が7日以内で回復の可能性のある患者に限定した。適応基準は，18～65歳の成人患者で，重症であるが回復の可能性のある呼吸不全，Murray急性肺損傷スコア≧3.0または$pH<7.2$の非代償性の高二酸化炭素血症である。一方除外条件は，ピーク圧≧30cmH_2O以上かつ／またはF_IO_2≧80％で7日を超えて人工呼吸管理を受けた患者，頭蓋内出血，その他ヘパリンが禁忌となる病態，積極的治療の有効性が期待できない不可逆的病態，とした。その結果，体外式膜型人工肺（ECMO）は通常治療に比べて6カ月の生存率を改善させなかったが（63％ vs 54％，$p=0.07$），一次評価項目である6カ月後の重篤な機能低下（ベッド上生活で自分で服の着脱が不能）のない生存患者の割合を有意に上昇させた（63％ vs 47％，RR 0.69，95％ CI 0.05～0.97，$p=0.03$）。人工呼吸管理では，十分な酸素化や換気の改善が見込めない患者や，低容量や低圧（肺保護戦略）を必要とする患者では，ECMOの導入を考えてもよい。

(4) 薬物療法

①吸入一酸化窒素（NO）

吸入NOは，全身の副作用がなく，換気されている肺胞のみに選択的に血管拡張作用を発揮し，肺内の血流再分布を促進し，換気血流不均等と低酸素血症を改善させ，さらに肺動脈圧を低下させることで，肺水腫の静水圧を低下させる[45]。吸入NOに対する大きな研究の1つに，多施設研究で二重盲検にてプラセボと比較したものがある[46]。その結果は，敗血症以外が原因のARDS患者にNOの濃度を調整（0，1.25，5，20，40ppm）して与えると，5ppmのみが（統計学的有意差はないが）P/F ratioの改善，人工呼吸管理期間を減少したという結果が得られた。しかし，その後の研究で吸入NOの有効性が示せた報告はなく，ARDSに対するNO吸入療法は推奨されていない[21,47]。

②ステロイド治療

大きな前向き臨床試験では，急性期ARDS（発症から48時間以内）に高用量ステロイドを使用しても生存率には影響がなかった[48]。その後，ARDSの発生機序が，急性期とそれに続く期間では異なることがわかってきたため，NIH ARDS Clinical Trial Networkが，持続するARDS患者にステロイド薬を投与する多施設RCTを行い，その結果を報告した[49]。108人ずつのARDS患者が，少なくとも7日間以上のメチルプレドニゾロン投与群とプラセボ群に割り当てられた。一次評価項目は60日以内の死亡率で，二次評価項目は人工呼吸器離脱期間と，臓器障害，多種のバイオマーカーであった。ARDS発症14日後にメチルプレドニゾロンを投与された患者を除くと，60日以内の死亡率には差がなかった。一方，発症14日後に投与された患者の死亡率は非常に高かった。メチルプレドニゾロン投与により，人工呼吸器離脱期間が増え，酸素化と呼吸器合併症を改善し，昇圧薬投与も少なくした。感染性合併症は2群間で差がなかったが，メチルプレドニゾロン

◆Clinical questions◆　CQ 50

Q 外傷に起因する呼吸不全に対するECMOの導入は妥当か？

A 外傷専門医25名によるコンセンサス会議の投票の結果，ECMOの導入は「妥当である」との意見が72%を占め，28%は「わからない」と回答した。導入が「妥当である」との回答には，「AASTのコンセンサス[1]が発表されており，すでに受け入れられた治療であると考えるべきである」，「ECMOで救命できる症例は少なからずあり妥当といえるが，今後どのような症例が適応となるかの検討が必要である」，「ECMO導入や管理が実施できる施設であれば，適応と考えられる患者に行うべきであるが，外傷性凝固障害を熟知しECMOトラブルに対応できる体制が必要である」，「気管損傷や重症肺挫傷などに導入して良好な成果を上げている」，「ECMO導入がなければ根本的治療ができなかった症例を経験している」との意見がみられた。一方，「わからない」とした回答者からは，「出血性ショックでは導入することができないのではないか」との意見がみられた。

以上より，外傷に起因する呼吸不全に対するECMOの導入は安全性が確保されれば妥当である可能性がある，とした。

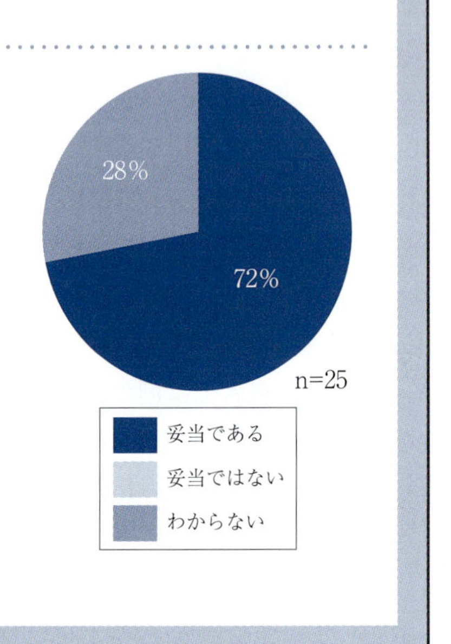

文献

1) Zonies D, et al：Trauma Surg Acute Care Open 2019；4：e000304.

◆Clinical questions◆　CQ 51

Q 体幹部の出血性ショックにおいて，ECMOの導入は有用か？

A 外傷専門医25名によるコンセンサス会議の投票の結果，出血性ショックへのECMO導入について52%が「有用ではない」と回答した。「有用である」との回答は12%であった。

「有用ではない」と回答したものから，「ECMO導入よりも止血術が優先である」，「出血性ショックのため血管内容量が維持できず脱血不良でECMOを回すことができない」，「ECMO使用には原則抗凝固薬の併用が必要であり，出血を伴う外傷患者には適さない」などの意見があげられた。一方，「有用である」との回答には，「止血に要する時間が短いと考えられる場合には有用ではないか」，「心破裂症例では有効なことがある」などの意見がみられた。また「わからない」との回答も36%あり，コンセンサスが得られているとはいいがたい状況にある。

以上より，体幹部の出血性ショックでは，出血により血管内容量が保てない場合には脱血不良でECMOを導入することができないケースは少なくない。出血性ショックの治療の基本は止血術であり，ECMO導入は，一般的にはコンセンサスが得られていない，とした。

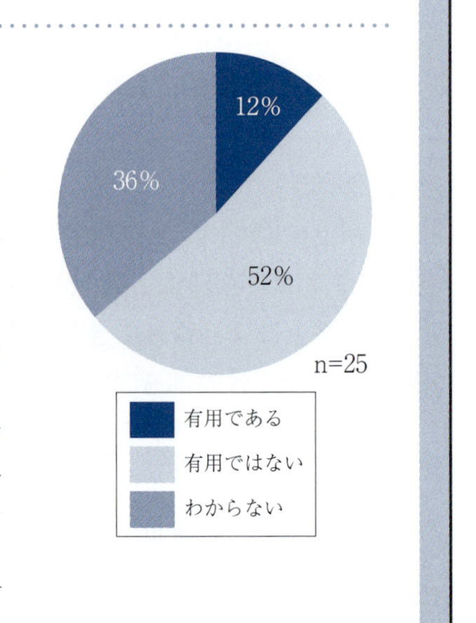

文献

・Zonies D, et al：Trauma Surg Acute Care Open 2019；4：e000304.

投与群では神経筋脱力の発生率が高かった。この結果を踏まえ，ステロイド薬の使用を試みる場合は，ARDS発症から14日以内に投与するのが望ましい。

また，少量ステロイド持続投与についてのメタ解析で，発症早期の少量投与により人工呼吸器装着期間とICU滞在期間の短縮ならびにICUでの致死率を改善した報告がある[50]。これらの報告から，成人ARDSに対しては，発症14日以内にメチルプレドニゾロン1〜2 mg/kg/日を使用することが望ましい（推奨グレードⅠB）[47]。

③その他

「ARDS診療ガイドライン2021」では，ARDS患者に対するトロンボモジュリン製剤の投与について推奨を提示することはできないとしており，シベレスタットは使用しないことを条件付きで推奨するとしている（推奨グレード2D）[47]。

（5）栄養療法

呼吸不全の患者では間接熱量計を使用して，投与される全カロリーのなかの脂肪の割合を適切に調整することで，呼吸商を0.9以下となるように維持する。非蛋白カロリーが21〜25kcal/kg/日として，窒素を0.25〜0.30g/kg/日投与するように調整する。炭水化物[51]の投与目標は，5mg/kg/分以下となるようにする。

投与方法では，腸管を利用できる患者に対しては，早期の経腸栄養が提案されている（推奨レベルⅡ）[21]。1999年にGadekらは，EPA/GLAに抗酸化薬を加えた経腸栄養は，肺の微小血管からの滲出を減少させ，酸素化および心肺機能を改善し，肺の炎症を抑制することを発見した[52]。さらに，Pontes-Arrudaらは重症敗血症もしくは敗血症性ショックのARDS患者において，EPA/GLAに抗酸化薬を加えた経腸栄養と従来の経腸栄養を比較したところ，前者が死亡率を19.4％も減少させることを示し，人工呼吸器使用期間およびICU滞在日数も短縮することがわかった[53]。EPA/GLAに抗酸化薬を加えた経腸栄養は上記のようにARDS（とくに敗血症性ショックが原因のもの）に対して期待のもてる治療法であるが，今のところ単施設もしくは少数施設のRCTの結果のみの検証である。

6. 人工呼吸器からの離脱と鎮静・鎮痛管理

人工呼吸器による陽圧換気は，肺胞への傷害をきたす。また，呼吸器管理中の鎮静管理により，早期のリハビリテーションが行えず，筋力の低下や痛みなどの身体的な問題に加え，精神的な問題も存在する[54]。これらの問題を回避し，適正な呼吸器管理を行うためのガイドライン（ABCDEFバンドル）が発表されている（表3-6-B-2）[13]。

鎮静を毎日中止し，患者の覚醒を行うとともに，常に人工呼吸器から離脱できるかの自発呼吸トライアルを行うことで，人工呼吸器装着期間が短縮して転帰が改善する[55]。また，人工呼吸器離脱プロトコルの使用で，ICU滞在期間の短縮を認め，呼吸器離脱期間の短縮を認めた[21]。

外傷患者においても例外ではなく人工呼吸器からの早期離脱を目指すため，全身状態が安定すれば自発呼吸トライアルを含む人工呼吸器離脱プロトコルを使用すべきである（推奨レベルⅠ）[47]。

7. 抜　管

1）基　準

抜管の基準は，ショックから離脱した状態で，酸素化や換気能，意識レベルなどで評価し決定する。一般的に，PEEP 5〜8cmH2O以下でP/F ratio 200以上の酸素化の条件を満たし，安定した自発呼吸で，意識清明で咳嗽反射を認める場合に抜管を考慮する。蘇生のための大量輸液が行われ，浮腫が著明で体重増加が著しい患者では，利尿が図られてから抜管するほうが安全な場合が多い。

2）リークテスト

喉頭損傷や頸部外傷などで，喉頭の浮腫が疑われる場合には，リークテストにより抜管が可能か否かを評価する。挿管チューブのカフの空気を抜いて，20〜25 cmH2Oの気道内圧をかけてチューブ近くで呼気を感じる方法，カフの空気を抜く前後で1回換気量を記録し，その差をみて判断する方法などがある。

3）ステロイド投与

François ら[56]が抜管予定の12時間前よりステロ

イド（メチルプレドニゾロン20mg静注，4回）投与を行ったところ，非投与群と比較して有意に抜管後の喉頭浮腫が減少し，再挿管の頻度も有意に減少した。また，McCaffreyらは2009年にシステマティックレビューならびにメタ解析を行い，新生児，小児，成人患者すべてにおいて喉頭浮腫に対して抜管12時間以上前での投与により，喉頭浮腫の抑制と再挿管のリスクが減少することを報告[57]している。以上から，喉頭浮腫の危険性が高い患者（小児例，複数回の挿管手技，上気道や頸部の手術，上気道外傷や熱傷，気道熱傷，輸液過剰，長期の気管挿管患者）では，投与を考慮する。

8. 頭部外傷の呼吸管理

頭部外傷患者が低酸素血症になれば，脳組織の二次損傷を起こすため，常に十分な酸素化を行うことが大切である。過換気療法は頭蓋内圧を低下させるが，脳血流の減少を引き起こし脳虚血を助長するため，過度な過換気は避ける。具体的には，頭蓋内圧（ICP）が正常時の動脈血二酸化炭素分圧は35〜45mmHg，ICP亢進時には30〜35mmHgを目標とする（「頭部外傷」p.104，表3-3-A-1参照）。また，脳浮腫が著明な患者に対してPEEP値を上げると，静脈還流障害から脳浮腫を増悪させる危険があるので，ICPをモニタリングしながら呼吸管理を行うほうが安全である。

9. 頸髄損傷の呼吸管理

横隔神経はC3〜C5から出るため，C5以下の損傷であれば，横隔膜の動きは保つことができるが，胸髄支配の肋間筋が動かなくなって腹式呼吸となり，1回換気量や肺活量が減少する。また，脊髄ショックにおける自律神経機能障害により，呼吸機能も障害される。中枢からの調節機構を欠くため気管支が拡張し，分泌抑制機能が低下し，腹筋が利かないため咳嗽が弱く，喀痰の排出も困難な状態となる。これらの要因から，人工呼吸管理を必要とする患者は，呼吸器からの離脱が困難になり，長期的な気道確保を必要とする患者が多くなる。

頸髄損傷では，咳嗽反射が減弱して深呼吸ができないことから無気肺や肺炎の合併率が高く，早期の呼吸リハビリテーションも重要である。リハビリテーションを早期に始めるポイントは，脱臼・骨折に対する早期の固定と，コミュニケーションが可能な浅い鎮静管理を行うことである。

抜管後に咳嗽反射が弱く，喀痰排出が十分できない患者では，気道粘膜液除去装置（Cough Assist®）などの咳嗽の補助装置も有効である。

文 献

1) Putensen C, Theuerkauf N, Guenther U, et al : Percutaneous and surgical tracheostomy in critically ill adult patients : A meta-analysis. Crit Care 2014 ; 186 : 544.
2) Gobatto ALN, Besen BAMP, Tierno PFGMM, et al : Ultrasound-guided percutaneous dilational tracheostomy versus bronchoscopy-guided percutaneous dilational tracheostomy in critically ill patients (TRACHUS) : A randomized noninferiority controlled trial. Intensive Care Med 2016 ; 42 : 342-351.
3) 医薬品医療機器総合機構PMDA医療安全情報：電気メスの取扱い時の注意について（その1）. 2010. http://www.info.pmda.go.jp/anzen_pmda/file/iryo_anzen14.pdf.（Accessed 2022-2-28）
4) Marx WH, Ciaglia P, Graniero KD : Some important details in the technique of percutaneous dilatational tracheostomy via the modified Seldinger technique. Chest 1996 ; 110 : 762-766.
5) Lorente L, Lecuona M, Jiménez A, et al : Ventilator-associated pneumonia using a heated humidifier or a heat and moisture exchanger : A randomized controlled trial [ISRCTN88724583]. Crit Care 2006 ; 10 : R116.
6) May L, Hillermann C, Patil S : Rib fracture management. BJA Education 2016 ; 16 : 26-32.
7) Pinhu L, Whitehead T, Evans T, et al : Ventilator-associated lung injury. Lancet 2003 ; 361 : 332-340.
8) Slavin G, Nunn JF, Crow J, et al : Bronchiolectasis : A complication of artificial ventilation. Br Med J (Clin Res Ed) 1982 ; 285 : 931-934.
9) Kumar A, Pontoppidan H, Falke KJ, et al : Pulmonary barotrauma during mechanical ventilation. Crit Care Med 1973 ; 1 : 181-186.
10) Dreyfuss D, Soler P, Basset G, et al : High inflation pressure pulmonary edema : Respective effects of high airway pressure, high tidal volume, and positive end-expiratory pressure. Am Rev Respir Dis 1988 ; 137 : 1159-1164.
11) Muscedere JG, Mullen JB, Gan K, et al : Tidal ventilation at low airway pressures can augment lung injury.

Am J Respir Crit Care Med 1994；149：1327-1334.
12) National Healthcare Safety Network：Device-associated module：Ventilator-associated event (VAE). http://www.cdc.gov/nhsn/pdfs/pscManual/10-VAE_FINAL.pdf (Accessed 2022-2-28)
13) ICU ABCDEF Bundle Chart. https://www.sccm.org/Clinical-Resources/ICULiberation-Home/ABCDEF-Bundles. (Accessed 2022-2-28)
14) Ashbaugh DG, Bigelow DB, Petty TL, et al：Acute respiratory distress in adults. Lancet 1967；290：319-323.
15) ARDS Definition Task Force：Acute respiratory distress syndrome：The Berlin Definition. JAMA 2012；307：2526-2533.
16) Tomashefski JF：Pulmonary pathology of acute respiratory syndrome：Diffuse alveolar damage. In：Matthay MA eds. Acute Respiratory Distress Syndrome. Marcel Dekker, New York, 2003, p76.
17) Seeger W, Günther A, Walmrath HD, et al：Alveolar surfactant and adult respiratory distress syndrome. Pathogenetic role and therapeutic prospects. Clin Investig 1993；71：177-190.
18) 田中竜馬：ARDS総論；ALI/ARDSとは一体何かを俯瞰する．INTENSIVIST 2009；1：6.
19) National Heart, Lung, and Blood Institute Acute Respiratory Distress Syndrome (ARDS) Clinical Trials Network；Wiedemann HP, Wheeler AP, Bernard GR：Comparison of two fluid-management strategies in acute lung injury. N Engl J Med 2006；354：2564-2575.
20) Martin GS, Moss M, Wheeler AP, et al：A randomized controlled trial of furosemide with or without albumin in hypoproteinemic patients with acute lung injury. Crit Care Med 2005；33：1681-1687.
21) Rhodes A, Evans LE, Alhazzani W, et al：Surviving Sepsis Campaign：International Guidelines for Management of Sepsis and Septic Shock：2016. Crit Care Med 2017；45：486-552.
22) Dubois MJ, Orellana-Jimenez C, Melot C, et al：Albumin administration improves organ function in critically ill hypoalbminemic patients：A prospective, randomized, controlled pilot study. Crit Care Med 2006；34：2536-2540.
23) Finfer S, Bellomo R, Boyce N, et al：A comparison of albumin and saline for fluid resuscitation in the intensive care unit. N Engl J Med 2004；350：2247-2256.
24) Calfee CS, Delucchi K, Parsons PE, et al：Subphenotypes in acute respiratory distress syndrome：Latent class analysis of data from two randomised controlled trials. Lancet Respir Med 2014；2：611-620.
25) Famous KR, Delucchi K, Ware LB, et al：Acute respiratory distress syndrome subphenotypes respond differently to randomized fluid management strategy. Am J Respir Crit Care Med 2017；195：331-338.
26) Marini JJ：New options for the ventilatory management of acute lung injury. New Horiz 1993；1：489-503.
27) Brower RG, Lanken PN, MacIntyre N, et al：Higher versus lower positive end-expiratory pressures in patients with the acute respiratory distress syndrome. N Engl J Med 2004；351：327-336.
28) Meade MO, Cook DJ, Guyatt GH, et al：Ventilation strategy using low tidal volumes, recruitment manuvers, and high positive end-expiratory pressure for acute lung injury and acute respiratory distress syndrome：A randomized controlled trial. JAMA 2008；299：637-645.
29) Mercat A, Richard JC, Vielle B, et al：Positive end-expiratory pressure setting in adults with acute lung injury and acute respiratory distress syndrome：A randomized controlled trial. JAMA 2008；299：646-655.
30) Borges JB, Okamoto VN, Matos GF, et al：Reversibility of lung collapse and hypoxemia in early acute respiratory distress syndrome. Am J Respir Crit Care Med 2006；174：268-278.
31) Habashi NM：Other approaches to open-lung ventilation：Airway pressure release ventilation. Crit Care Med 2005；33：S228-240.
32) Acute Respiratory Distress Syndrome Network；Brower RG, Matthay MA, Morris A, et al：Ventilation with lower tidal volumes as compared with traditional tidal volumes for acute lung injury and the acute respiratory distress syndrome. N Engl J Med 2000；342：1301-1308.
33) Orchard CH, Kentish JC：Effects of changes of pH on the contractile function of cardiac muscle. Am J Physiol 1990；258：C967-981.
34) McIntyre RC Jr, Haenel JB, Moore FA, et al：Cardiopulmonary effects of permissive hypercapnia in the management of adult respiratory distress syndrome. J Trauma 1994；37：433-438.
35) Bryan AC：Conference on the scientific basis of respiratory therapy：Pulmonary physiotherapy in the pediatric age group：Comments of a devil's advocate. Am Rev Respir Dis 1974；110：143-144.
36) Pappert D, Rossaint R, Slama K, et al：Influence of positioning on ventilation-perfusion relationships in severe adult respiratory distress syndrome. Chest 1994；106：1511-1516.
37) Wiener CM, Kirt W, Albert RK：Prone position reverses gravitational distribution of perfusion in dog

lungs with oleic acid-induced injury. J Appl Physiol 1990；68：1386-1392.

38）Lamm WJ, Graham MM, Albert RK：Mechanism by which the prone position improves oxygenation in acute lung injury. Am J Respir Crit Care Med 1994；150：184-193.

39）Gattinoni L, Tognoni G, Pesenti A, et al：Effect of prone positioning on the survival of patients with acute respiratory failure. N Engl J Med 2001；345：568-573.

40）Guérin C, Reignier J, Richard JC, et al：Prone positioning in severe acute respiratory distress syndrome. N Engl J Med 2013；368：2159-2168.

41）Munshi L, Del Sorbo L, Adhikari NKJ, et al：Prone Position for Acute Respiratory Distress Syndrome. A Systematic Review and Meta-Analysis. Ann Am Thorac Soc. 2017；14：S280-S288.

42）Young D, Lamb SE, Shah S, et al：High-frequency oscillation for acute respiratory distress syndrome. N Engl J Med 2013；368：806-813.

43）Ferguson ND, Cook DJ, Guyatt GH, et al：High-frequency oscillation in early acute respiratory distress syndrome. N Engl J Med 2013；368：795-805.

44）Peek GJ, Clemens F, Elbourne D, et al：CESAR：Conventional ventilatory support vs extracorporeal membrane oxygenation for severe adult respiratory failure. BMC Health Serv Res 2006；6：163.

45）Benzing A, Bräutigam P, Geiger K, et al：Inhaled nitric oxide reduces pulmonary transvascular albumin flux in patients with acute lung injury. Anesthesiology 1995；83：1153-1161.

46）Taylor RW, Zimmerman JL, Dellinger RP, et al：Low-dose inhaled nitric oxide in patients with acute lung injury：A randomized controlled trial. JAMA 2004；291：1603-1609.

47）一般社団法人日本集中治療医学会／一般社団法人日本呼吸器学会／一般社団法人日本呼吸療法医学会 ARDS診療ガイドライン作成委員会：ARDS診療ガイドライン2021．日集中医会誌 2022：29：295-332.

48）Bernald GR, Luce JM, Sprung CL, et al：High-dose corticosteroids in patients with the adult respiratory distress syndrome. N Engl J Med 1987；317：1565-1570.

49）Steinberg KP, Hudson LD, Goodman RB, et al：Efficacy and safety of corticosteroids for persistent acute respiratory distress syndrome. N Engl J Med 2006；354：1671-1684.

50）Meduri GU, Golden E, Freire AX, et al：Methylprednisolone infusion in early severe ARDS：Results of a randomized controlled trial. Chest 2007；131：954-963.

51）Rosmarin DK, Wardlaw GM, Mirtallo J：Hyperglycemia associated with high, continuous infusion rates of total parenteral nutrition dextrose. Nutr Clin Pract 1996；11：151-156.

52）Gadek JE, DeMichele SJ, Karlstad MD, et al：Effect of enteral feeding with eicosapentaenoic acid, gamma-linolenic acid, and antioxidants in patients with acute respiratory distress syndrome. Crit Care Med 1999；27：1409-1420.

53）Pontes-Arruda A, Aragão AM, Albuquerque JD：Effects of enteral feeding with eicosapentaenoic acid, gamma-linolenic acid, and antioxidants in mechanilcally ventilated patients with severe sepsis and septic shock. Crit Care Med 2006；34：2325-2333.

54）Herridge MS, Tansey CM, Matté A, et al：Functional disability 5 years after acute respiratory distress syndrome. N Engl J Med 2011；364：1293-1304.

55）Girard TD, Kress JP, Fuchs BD, et al：Efficacy and safety of a paired sedation and ventilator weaning protocol for mechanically ventilated patients in intensive care（Awakening and Breathing Controlled trial）：A randomised controlled trial. Lancet 2008；371：126-134.

56）François B, Bellissant E, Gissot V, et al：12h pretreatment with methylprednisolone versus placebo for prevention of postextubation laryngeal oedema：A randomised double-blind trial. Lancet 2007；369：1083-1089.

57）McCaffrey J, Farrell C, Whiting P, et al：Corticosteroids to prevent extubation failure：A systematic review and meta-analysis. Intensive Care Med 2009；35：977-986.

C 循環管理

要 約

1. 組織灌流を維持することにより，組織酸素代謝失調を回避・低減することが目標である。
2. 血圧や心拍数，尿量に加え，循環血液量，心拍出量，末梢血管抵抗や乳酸，base deficit などの指標を組み合わせた循環動態評価を行う。
3. ショックの原因を鑑別する。
4. 外傷急性期の循環管理に目標指向型治療を採用することで，合併症回避と長期予後改善に努める。

はじめに

循環不全（ショック）とは全身の末梢組織で酸素代謝に異常をきたした状態であり，酸素需要に対する供給が追いつかずに，酸素負債（oxygen debt）が生じている状態と考えることができる[1)]（図3-6-C-1）[2)]。周術期において「循環を維持する」ことは，組織灌流を維持することであり組織酸素代謝失調（dysoxia）に陥らせないように管理することである。

外傷患者におけるショックの原因の多くは，出血による循環血液量減少性ショックであるが，それ以外の心原性，血液分布異常性，閉塞性ショックの可能性も考慮する必要がある。このため，外傷の周術期における循環管理ではショックの早期認知とともにその鑑別を行うべきである。さらに，複数の循環パラメータを指標として組織灌流を維持することにより，早期に組織酸素代謝失調から回復できる。

I 評 価

循環管理を行ううえで，血圧，脈拍数，時間尿量は基本的かつ必須の指標である。しかし，これら基礎生体情報は，組織酸素代謝を直接評価できるものではない。そのため，循環作動薬や利尿薬を用いて“みかけ上”の正常値に近づけようとすることは，

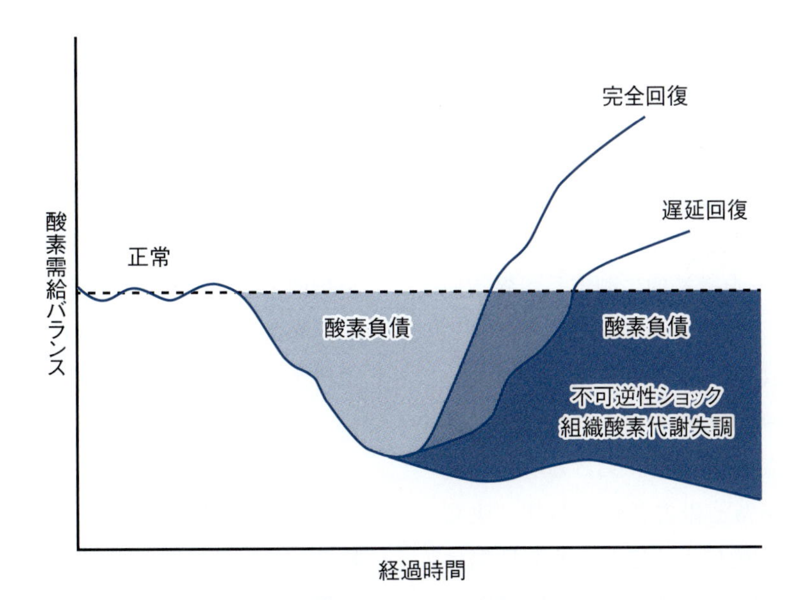

図3-6-C-1 酸素需給バランスと酸素負債の関連性
組織低灌流が遷延すると酸素負債が積み重なり，これはショックからの回復の負荷となる。酸素負債は，組織低灌流の程度と持続時間に関連している
〔文献2）より引用・改変〕

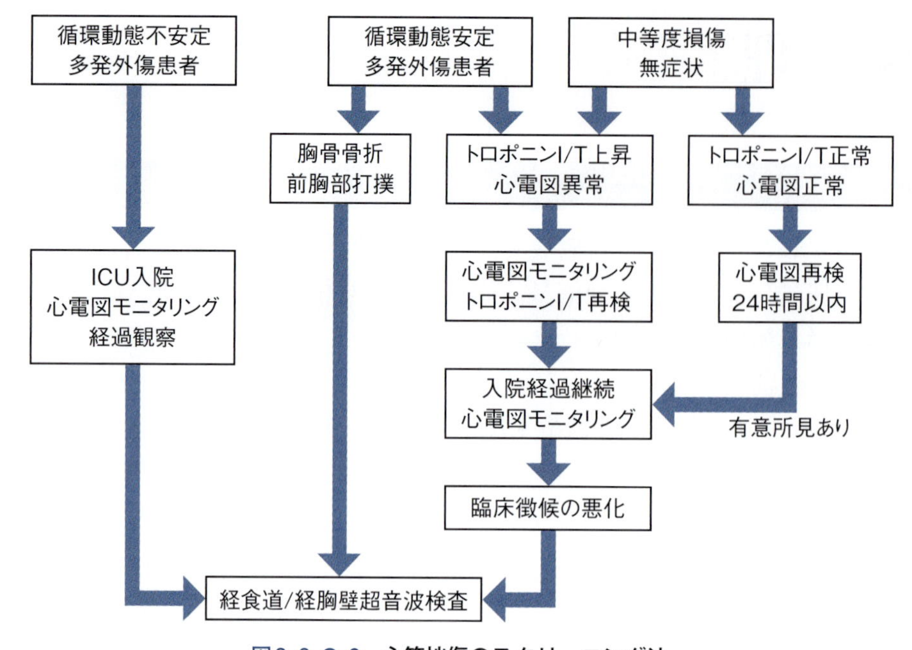

図3-6-C-2　心筋挫傷のスクリーニング法
〔文献4)より引用・改変〕

組織酸素代謝を増悪させる危険性がある。組織酸素代謝を真に改善させるためには，基礎的バイタルサインとともに，1回拍出量の3要素である循環血液量（ボリューム），心拍出量，末梢血管抵抗のうち，いずれの要素が異常であるかを把握し，目標を定めて治療を行うことが重要である[3]。単に輸液負荷や循環作動薬を用いるだけではなく，客観的な循環の評価を行うことが，外傷での循環管理にも大切である。

1. 基礎的生体情報

1）心電図モニター

外傷の周術期において，心電図，心拍数，血圧，体温，経皮的動脈血酸素飽和度といった基礎的生体情報（バイタルサイン）を継続的に測定し，異常値の早期発見に努めることは病態の把握や治療効果の判定，患者の安全確保に大きな役割を果たす。鈍的胸部外傷では，少なからず心筋挫傷を合併している患者が含まれている。この患者群における心電図異常の発生頻度は29～56％と報告されており，決して少なくない[4]。循環虚脱に至るほどの心筋挫傷はまれではあるものの，早期発見のために受傷後24～48時間の心電図モニタリングが提唱されている。心筋挫傷であれば治療介入は不要であるが，受傷を契機に心血管疾患を発症することもあるため，スクリーニングとしてトロポニンT・Iなどの血清学的マーカーを測定することも提案されている（図3-6-C-2）[4]。

2）血圧（非観血的動脈圧・観血的動脈圧）

血圧をモニタリングする意義は，主に臓器血流の評価である。測定された血圧は収縮期，拡張期，平均血圧があり，このうち臓器血流の指標になるのは平均血圧である。

外傷患者の循環管理において，permissive hypotensionは，最初に取り組むべきことではあるものの，本質的には臓器血流を保証していないことから，同時に平均血圧を意識しておくことも重要である[5]。とくに頭部外傷を合併する場合は，ICU入室後は脳灌流圧（cerebral perfusion pressure；CPP）を指標として循環管理を行うことから，初期蘇生中から平均血圧をCPPが50～70mmHgとなるように維持する（「頭蓋内圧管理」p.429参照）。

3）尿　量

尿量は臓器灌流や循環血液量の指標として0.5ml/時以上の尿量維持が従来より広く使用される。ただ鎮静・鎮痛薬や侵襲（外傷重症度），陽圧呼吸などにより影響を受ける。また，尿量のみを指標にして，輸液負荷を繰り返すことは過剰輸液につながるため他のモニタリング指標とともに総合的に判断する

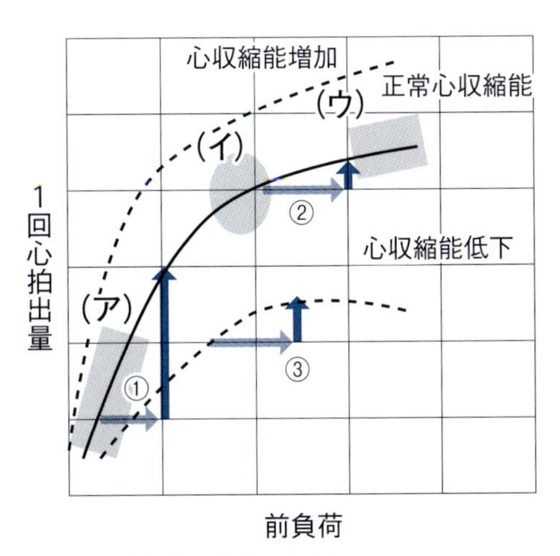

a：前負荷と輸液反応性
（ア）前負荷不足：循環不全の危険性
（イ）最適な前負荷
（ウ）前負荷過剰：心不全や肺水腫の危険性

b：後負荷と収縮性

図3-6-C-3　Frank-Starling曲線

（図3-6-A-2，p.393参照）[6)7)]。

2. 循環血液量

1）静的指標：中心静脈圧・肺動脈楔入圧

循環血液量の指標として，従来，中心静脈圧（central venous pressure；CVP）や肺動脈カテーテル（pulmonary artery catheter；PAC）で測定する肺動脈楔入圧（pulmonary artery occlusion pressure；PAOP）の静的指標が用いられてきた。とくにCVPは，中心静脈路が確保されていれば測定できるため，周術期管理において基本となるモニタリングであった。しかし，CVPやPAOPなどの圧モニタリングは，胸腔内圧や心筋コンプライアンスなどに大きく影響されるため，近年では循環血液量の指標としては限界があると考えられている[8)9)]。とくにPACについてはカテーテル挿入に伴う合併症もあるため，ルーチンの使用は控える方向性にある[10)11)]。外傷患者では，人工呼吸器設定として肺保護戦略が採用されることもある。高いPEEP設定やAPRV（airway pressure release ventilation）といった呼吸管理では胸腔内圧を上昇させるため[12)]，CVPの絶対値は循環血液量を反映するとはいえない。

2）輸液反応性

輸液反応性とは，前負荷に対して心拍出量もしくは1回拍出量が10～15％増加することと定義され，増加すれば輸液反応性ありと判断する。輸液反応性は，Frank-Starling曲線を用いて理解することができる（図3-6-C-3）。前負荷が不足している状態では，前負荷の増加によって心拍出量が大きく増大する（図3-6-C-3a①）。しかし，前負荷が十分に得られている状態では，この増加はわずかとなる（図3-6-C-3a②）。したがって，輸液反応性があると判断された場合は，輸液・輸血による治療効果が大きいと考えることができる。また，輸液による反応性も乏しく，心拍出量も不足している状態では，循環作動薬の補助によって心拍出量を増加させることができる（図3-6-C-3a③）。一方，1回拍出量が増加することで血圧が上昇するので，後負荷（収縮時の壁応力）も増加する。後負荷とFrank-Starlingの法則には直接関連性はないが，一般に後負荷が増加すると1回拍出量は減少し，左室収縮期末期容量が増加するため，拡張末期容量も増加して前負荷が増えることになる（図3-6-C-3b）。これにより，収縮力が増加して，心拍出量も増加する。結果的に，収縮性の変化，後負荷の変化も前負荷に影響し，この3つの因子が相互に作用し循環動態が形づくられている。

実際の輸液反応性は，輸液負荷（fluid challenge）として晶質液250mlを5～10分で投与することにより判断される。ただし，その評価には後述する動的指標を用いることが標準的である[13)]。

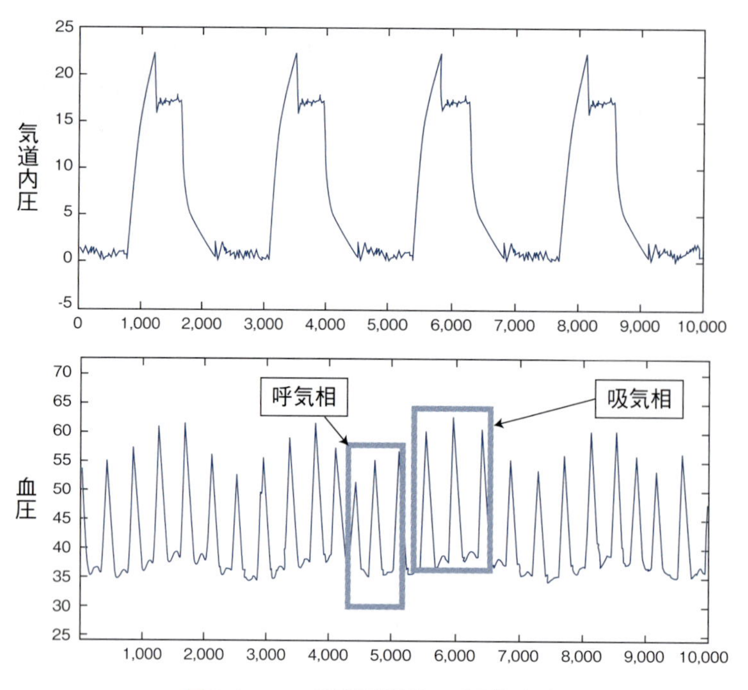

図3-6-C-4　動脈圧波形の呼吸性変動

人工呼吸器の陽圧換気下では，吸気時の胸腔内圧の上昇により肺血管，左心系および大静脈が圧迫される。肺血管，左心系の圧迫によって肺血管から左室，左室から末梢への血流が増加し，ほとんど同時に1回拍出量および収縮期血圧，脈圧が増加する。一方，大静脈の圧迫による静脈還流の減少が左室の前負荷の変化として反映されるまでには数秒を要するため，呼気相で1回拍出量，収縮期血圧，脈圧が低下する。この呼吸性変動は，輸液反応性が大きい状態で著明となり，輸液反応性が小さい場合には減少する

3）動的指標

動的指標には，収縮期圧変動（systolic pressure variation；SPV）や脈圧変動（pulse pressure variation；PPV），1回拍出量変動（stroke volume variation；SVV），脈波変動指標（pleth variability index；PVI）があり，呼吸性変動から輸液反応性を予測することができる（図3-6-C-4）。通常，輸液反応性はICUや麻酔中の調節呼吸下で，輸液負荷もしくは下肢挙上に対してPPVとSVVの反応性を評価するものもある[14)15)]。したがって，正確に評価できる場面は，安定した調節呼吸かつ不整脈がない状況に限られている。PPVは腹腔内圧上昇の影響を強く受けるため，患者の損傷状況に応じた解釈が求められる[16)]。ゆえに一般的なICUでのショックの評価が，外傷術後で大量輸液・輸血によって，循環血液量の推定が困難となっている場合の評価を同様に行えるかは不明である。1つの指標だけで循環血液量を推定するのは難しいことを理解し，常に複数の指標を組み合わせて，治療時期に応じた輸液バランスを目指すことが大切である。

4）下大静脈（IVC）径

超音波診断装置により非侵襲的にベッドサイドで循環系の評価を繰り返し実施することができる。超音波診断装置で測定する下大静脈（inferior vena cava；IVC）径は，外傷初期治療における循環血液量の指標として有用性が報告されている[17)18)]。実際の測定では，患者を仰臥位とした状態で，エコープローブを心窩部もしくは右下位肋間背側に当て，長軸方向にIVCを描出する。IVC径は，肝静脈の流入部，あるいは右房入口部から2cm足側で，吸気時と呼気時で測定することが提案されている（図3-6-C-5）。IVC径の測定は，循環血液量の低下に対して血圧よりも感度が高いとの報告もあるが[15)]，カットオフ値をどの値に設定するかで予測は大きく異なってくる。わが国の報告では，IVC径9mmが提案されているが[17)]，米国の報告では20mmがカットオフ値となっている[18)]。また，外傷を対象とした研究ではないが，IVC径を用いた輸液反応性の可能性を示唆した報告もある[19)]。実際には，初療において超音波検査でIVC径を測定しておき，その後の推

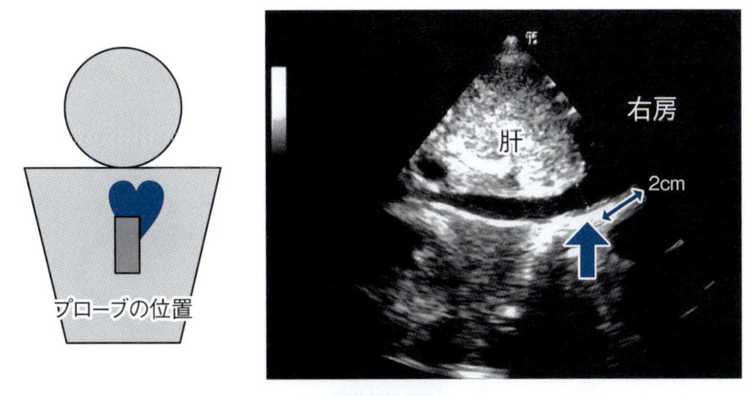

図3-6-C-5　下大静脈径の測定ポイント
IVC径は，肝静脈の流入部，あるいは右房入口部から2cm足側（矢印）で吸気時と呼気時で測定する

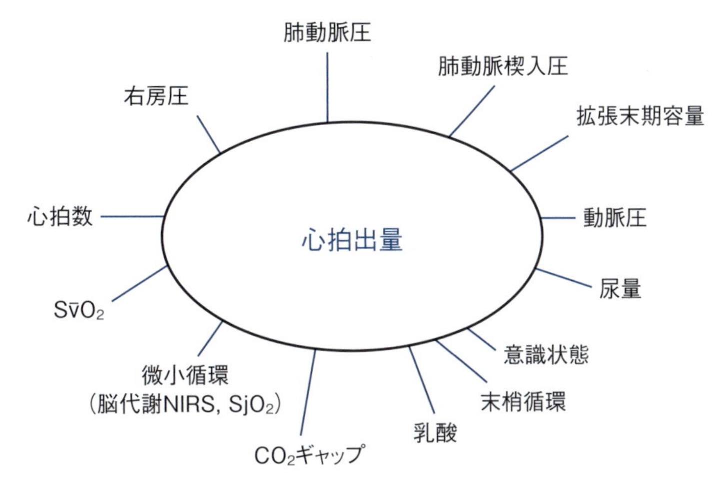

図3-6-C-6　心拍出量の解釈に影響する因子
〔文献4)より引用・改変〕

移を経時的に相対評価することが有用であろう。

一方，IVC径は，循環血液量以外にIVCの内圧（右房圧），IVCへの外圧（腹腔内圧，内臓脂肪量，臓器重量，ガーゼパッキングなど），IVCの硬さなど，さまざまな因子に影響を受けるため，外傷患者では慎重に解釈する[13)18)]。心臓超音波検査が可能な状況ではIVC径の測定と同時に，左室拡張末期径（left ventricular end-diastolic diameter；LVEDd）も循環血液量の評価に役立つ。LVEDdの正常値は40〜55mmであり，40mm未満であれば循環血液量減少を疑う[20)]。

ただし，これらの超音波検査による循環血液量の評価は，術者の技量や患者の体位，手術創や皮下気腫の存在にも影響を受けることに留意する。

3. 心拍出量・心収縮力

心拍出量の測定方法として，PACを用いた間欠的もしくは持続的測定が広く行われていた。しかし，前述したようにPACを用いた循環管理を行っても死亡率の改善が得られないことが明らかにされたため[9)]，近年は侵襲度合いの低い心拍出量測定法が普及している。心拍出量を測定することで明らかとなる病態はあるものの，正しい解釈をするためにはトレーニングが必要となる（図3-6-C-6）[4)]。

1）動脈圧波形解析（pulse contour法）

動脈圧波形解析は，動脈圧波形の収縮期曲線下面積（area under the curve）が1回心拍出量に比例するという原理に基づいた測定法である。国内では複数のメーカーがこの測定機器を販売しているが，機器により動脈圧波形から1回心拍出量を算出する

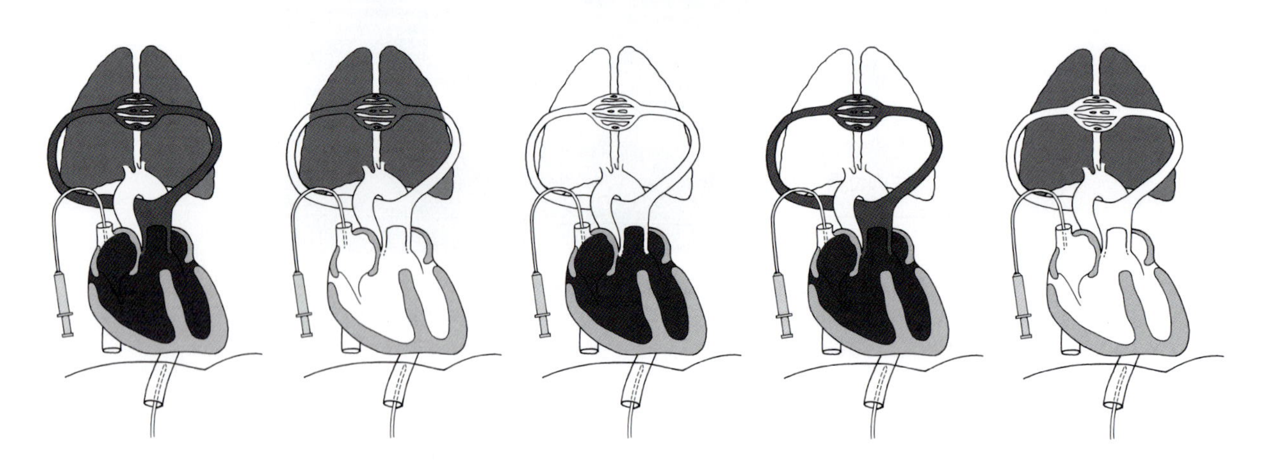

図3-6-C-7　経肺熱希釈法によるパラメータ計測

肺血管外水分量に胸水は含まれない。無気肺を伴う胸水があっても肺血管外水分量は上昇しない。持続血液濾過透析などの循環に影響を及ぼす機器との併用や，心房細動などの不整脈がある場合，心シャントや僧帽弁閉鎖不全，大動脈閉鎖不全がある場合は誤差が生じることがある

ための換算処理方法は異なっている。本測定法の長所は，簡便であること，連続測定が可能であること，追従性が高いこと[10]などである。さらに動脈圧波形の呼吸性変動を評価することにより，同時に輸液反応性を評価することも可能である。本計測法の機器には，温度センサー内蔵の動脈カテーテルを用いて熱希釈法で測定した心拍出量で較正を行うシステムや，外部較正を必要としないシステムなどがある[21,22]。後者は，セットアップの容易さ，測定開始までの早さ，大腿動脈へのカテーテル留置を必要とせず低侵襲であるといった利点から，外傷患者で利用しやすい。ただし，心不全や敗血症性ショックなどの複雑な病態では精度が不十分になるとの意見[10]もある。

2）経肺熱希釈法

中心静脈カテーテル（内頸静脈）と大腿動脈に留置した温度センサー付きの専用カテーテル（EV1000®，PiCCO$_2$™）を用いて測定する。中心静脈カテーテルから指示液（冷生理食塩液）を急速注入すると，指示液は混合しながら右心，肺，左心，大腿動脈を経由して大腿動脈に至る。血液温度の経時変化が測定され，熱希釈曲線をもとにStewart-Hamiltonの式により心拍出量が求められる。測定された心拍出量と熱希釈曲線から図3-6-C-7に示したパラメータを算出し，最終的に肺血管外水分量係数（extra vascular lung water index；EVLWI）と肺血管透過性係数（pulmonary vascular permeability index；PVPI）が得られる[23]。EVLWIは肺水腫の診断指標にもなり，10ml/kgを超えると肺水腫が示唆される。さらに，PVPIを組み合わせることにより，炎症性肺水腫であるARDSと静水圧上昇によるうっ血性心不全を鑑別することも可能である[24]。

3）心臓超音波検査

心臓超音波検査では，循環血液量の評価のみでなく，同時に心収縮力を評価することも可能である。エコーを用いたドップラー法によって，左室流出路，右室流出路，下行大動脈における血流速度を測定して血液流量を算出するとともに，これに実測または推定した血管断面積を乗じることによって1回拍出量を算出する[25]。血圧変動の影響を受けずリアルタイムに測定できるという利点がある一方で，超音波ビームの方向性や測定者の技量に左右されやすいといった欠点がある。経胸壁心臓超音波検査，経食道心臓超音波検査のどちらを用いても測定できる。ただし，外傷患者では食道損傷や脊髄損傷を合併している可能性があることに留意して，経食道プ

表3-6-C-1　各循環動態モニターの特徴

測定能	動脈圧波形解析 フロートラック	経肺熱希釈法 EV1000, PiCCO	心臓超音波検査	肺動脈 カテーテル
心拍出量	○	○	○	○
心収縮能	△	△	◎	×
心筋虚血	×	×	◎	×
前負荷	△	○	○	△
輸液反応性	○	○	○	×
肺動脈圧	×	×	×	◎
肺血管外水分量	×	◎	×	×
心臓形態	×	×	◎	×
低侵襲性	○	△	○	×
技術不要	○	○	×	△

ローブ挿入の是非を検討する。

表3-6-C-1に各循環動態モニターの比較を示した。それぞれの利点を理解し，治療時期に合わせて活用する。

4. 末梢血管抵抗

循環の3要素の1つである末梢血管抵抗の評価と対応は，循環血液量や心拍出量と同様に重要である。しかし，ベッドサイドでその値を直接的に測定することはできない。このため，全身の体血管抵抗は，平均血圧と右房圧（中心静脈圧で代用可能），心係数を用いて以下の式により算出する。また，前述した心拍出モニターでは自動計算され表示される。

SVR =［(MAP − CVP）/CO］× 80（正常は800～1,200dynes・秒/cm^5）

MAP：mean arterial pressure（平均血圧：mmHg）

CVP：central venous pressure（中心静脈圧：mmHg）

CO：cardiac output（心拍出量：L/分）

SVR（systemic vascular resistance）は，大動脈弁狭窄などがなければ，左室の後負荷と置き換えることができる。後負荷は心臓が収縮し血液を拍出する際にかかる心臓への負担と定義される。後負荷は高すぎても低すぎても，循環動態に大きな影響を与える。過度に増大すると心筋の仕事量が増大し，酸素消費量も増える。これにより予備力の少ない高齢者などでは，虚血性心疾患を誘発する可能性がある。一方，後負荷の著しい減少は，血圧を低下させ，脳血流・臓器灌流圧の低下を引き起こす。脊髄損傷は，後負荷減少によるショックにより，組織酸素代謝失調を引き起こす。

5. 酸素運搬・酸素消費

循環管理を組織酸素代謝の観点から行うためには，酸素運搬，酸素消費に関連する指標が必要で，それぞれの指標は以下の式により算出される。

$\dot{D}O_2 = CO \times CaO_2 \times 10$

$CaO_2 = 1.34 \times Hb \times SaO_2 + 0.031 \times PaO_2$

$\dot{V}O_2 = CO \times (CaO_2 - C\bar{v}O_2)$

$CaO_2 \fallingdotseq 1.34 \times Hb \times SaO_2$

$C\bar{v}O_2 \fallingdotseq 1.34 \times Hb \times S\bar{v}O_2$

DO_2：oxygen delivery index（酸素運搬係数：ml/分/m^2）

CO：cardiac output（心拍出量：L/分）

CaO_2：arterial oxygen content（動脈血酸素含量：ml/dl）

SaO_2：arterial oxygen saturation（動脈血酸素飽和度：%）

PaO_2：arterial oxygen pressure（動脈血酸素分圧：mmHg）

$\dot{V}O_2$：oxygen consumption（酸素消費量：ml/分/m^2）

$C\bar{v}O_2$：mixed venous oxygen content（混合静脈血酸素含量：ml/dl）

$S\bar{v}O_2$：mixed venous oxygen saturation（混合静脈血酸素飽和度：%）

表3-6-C-2 乳酸アシドーシスの原因

病態	原因
心原性ショック，重症心不全 循環血液量減少性ショック	組織酸素供給不足 アドレナリンによるβ_2刺激も関与
敗血症	アドレナリンによるβ_2刺激 組織酸素供給不足 乳酸クリアランスの低下
重症低酸素血症	組織酸素供給不足 $PaO_2 < 30mmHg$で認める
重症貧血	組織酸素供給不足 Hb＜5g/dlで認める
腸管虚血	組織酸素供給不足
激しい運動，シバリング，痙攣	酸素需要増加 安静により改善する一過性高乳酸血症
糖尿病	糖尿病ケトアシドーシスに合併
肝不全	乳酸クリアランスの低下
CO中毒	組織酸素供給不足，酸化的リン酸化の障害
褐色細胞腫	組織酸素供給不足，アドレナリンによるβ_2刺激
メトホルミン	酸化的リン酸化の障害と肝糖新生抑制
サリチル酸	酸化的リン酸化の障害
β_2刺激薬	喘息の急性期のβ_2刺激薬で生じ得る
プロポフォール注入症候群	長期大量のプロポフォール注入で生じ得る

〔文献27）より引用・改変〕

混合静脈血酸素飽和度（$S\bar{v}O_2$）は，上記式から求められ，

$$S\bar{v}O_2 = SaO_2 - \dot{V}O_2/1.34 \times Hb \times CO$$

となり，動脈血酸素飽和度（SaO_2），酸素消費量（$\dot{V}O_2$），ヘモグロビン濃度（Hb），心拍出量（CO）の4つの因子が値を規定している。混合静脈血は上大静脈（酸素飽和度72％），下大静脈（80％），冠静脈（37％）が混合したもので，$S\bar{v}O_2$の正常値は75％程度になる[26]。通常，60％程度までの低下であれば，臨床上問題となることは少ない。しかし，50％を下回るようになると，組織酸素不足は顕著となり，嫌気性代謝が進んでしまい不可逆的変化となり得る。$S\bar{v}O_2$を改善させるためには，酸素化に問題があるのか，貧血（出血または輸血不足）が問題なのか，それとも心拍出量が低いのかなど対処できる部分を1つずつ解決する。

また，$S\bar{v}O_2$は末梢組織の酸素需給を保証するものではない。値が高くても酸素利用障害のため，細胞内では低酸素をきたしていることもあり，実際のバランスを知るためには血清乳酸値を測定することが推奨されている[2]。酸素需給バランスが崩れていれば，乳酸値は上昇している。

6. 組織酸素代謝

乳酸は糖を利用する過程で産生されるエネルギー源である。糖の分解によりピルビン酸が産生され，酸素があればミトコンドリアで完全に酸化され十分なエネルギーが供給される。一方，低酸素下ではピルビン酸は乳酸へと代謝されることから，高乳酸血症は組織低酸素による嫌気性解糖反応を表していると考えられる。ただし，表3-6-C-2に示されるような病態では乳酸アシドーシスを生じるため，注意が必要である[27]。血清乳酸値の基準値は，2mmol/L（18mg/dl）未満である。乳酸の評価法としては，血清値そのものと，その変化率（乳酸クリアランス）の2つがある。血清乳酸値そのものとしては，敗血症性ショックの基準の1つである2mmol/Lが妥当である。絶対値自体の精度は高くないものの潜在性の組織低灌流も十分にあり得るため，蘇生モードへの切り替えを判断する一助となる。乳酸クリアランスは，

（初回乳酸値－次回測定乳酸値）/初回乳酸値×100（％）

で算出される。有用性に関する報告は敗血症のみならず，外傷においても6時間クリアランス値は死

亡率と有意に関連しているとの報告がある[28]。乳酸値を経時的に測定し，組織酸素代謝を評価することで，より詳細な病態把握が可能となる。この観察研究の結果[28]からは，乳酸値を正常化もしくは6時間後の乳酸クリアランス50％以上を目指すことが推奨されている。

また，乳酸とともにbase deficit（BD）は組織酸素代謝の有用な指標である[29]。酸素代謝失調の状態では乳酸とともにBDも上昇し，その程度は生命予後とも関連している。damage control surgeryの適応には，しばしば来院時のBDが用いられることから，止血が得られるまでは経時的に測定して循環不全の程度を評価する。ICU管理中に乳酸値の上昇や代謝性アシドーシスの進行を認める場合は，潜在性の出血（後腹膜や長管骨骨折など）や管腔臓器損傷などを疑って精査を行う。

乳酸値，BDともにこれらのみをターゲットとした目標指向型治療の有効性は証明されていないことから[30]，複数の指標を組み合わせて臨床判断するのが一般的である。

Ⅱ 蘇生戦略

1. ショックの鑑別

周術期であってもショックを呈する患者へのアプローチは，外傷初期診療と大きくは変わらない。周術期管理ではバイタルサインの悪化がなくても，血清乳酸値やBDを定期的に測定し，組織酸素代謝失調がないかを積極的に確認する。組織低灌流の徴候を認めた場合，外傷急性期にまず想定するのは出血による循環血液量減少性ショックである。しかし，それ以外の閉塞性ショック，心原性ショック，神経原性ショック，敗血症性ショックの可能性を常に念頭に置いて対応することが重要である。

2. 循環血液量減少性ショック（出血性ショック）

1）病態生理

正常ではヒトの体液のうち体重の40％は細胞内に，20％は細胞外に分布しており，細胞外液の3/4は組織間液として，1/4が血漿として血管内に分布する。出血をきたすと循環血液量が減少する。治療として輸液が投与され，代償機転として細胞外液が血管内にシフトすることで，循環血液量不足は補われる。これらが開始されるまでの受傷早期には，出血性ショックを呈していても循環血液量が減少するのみでヘモグロビン濃度は変化しない。組織間液の血管床への移動や輸液が開始されることにより，初めてヘモグロビン濃度は低下する。さらに，出血に限らずさまざまな生体侵襲時には，正常に拡散する機能的細胞外液（functional extracellular fluid；f-ECF）とは異なり，入れ替わりの遅い非機能的細胞外液（non-functional ECF；non f-ECF）が形成される。出血が持続している場合には，出血による循環血液量減少に加え，大量のnon f-ECFが形成され，血管内容量を維持するため追加の輸液投与が必要となる。non f-ECFは間質の浮腫を増大させ，間質内の毛細血管を圧迫する。このため，組織灌流圧が保たれていても損傷組織の回復が妨げられる血流非灌流現象（no-reflow phenomenon）が引き起こされる。虚血に陥った細胞では乳酸とフリーラジカルが産生されるとともに，末梢組織灌流が低下し排泄が障害されることから，これらが循環血液中に大量に蓄積することとなる。近年，non f-ECF形成の主座である血管内皮細胞障害は，血管内皮細胞の表層に存在するグリコカリックスの構造変化であることが指摘され，病態解明が進んでいる[31]。

上記の病態生理から，循環管理の中心は輸液療法である。しかしながら，止血が得られる前に過剰に輸液のみを行うことはむしろ病態悪化を招きかねない（図3-6-C-8）[2]。迅速な止血術に加え，早期から新鮮凍結血漿を用いた大量輸血プロトコル（MTP）を実践することが過剰な輸液による二次的臓器不全を回避するための第一の手段であると考えられる。

2）目標指向型治療（GDT）

従来，外傷による出血性ショックに対する蘇生法の中心は組織灌流の維持と十分な酸素運搬を目的とした晶質液輸液と赤血球輸血であった。結果として，出血量を補う以上の輸液となることがあり，間質浮腫によるさまざまな合併症（ARDS，肺水腫，腹部コンパートメント症候群，縫合不全など）が発

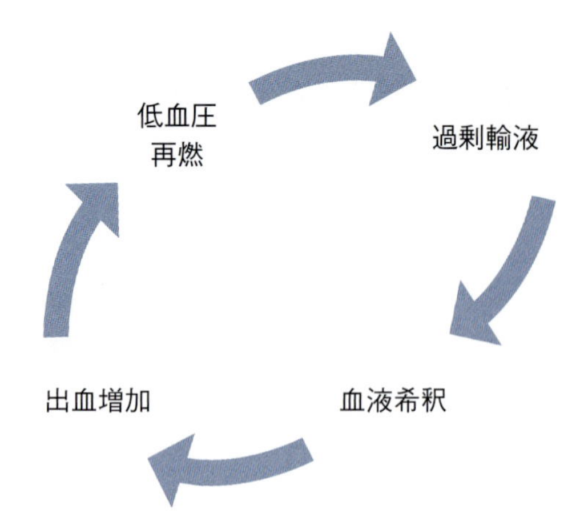

図3-6-C-8　過剰輸液による弊害（fluid creep）
〔文献2）より引用・改変〕

表3-6-C-3　循環管理の目標（例）

循環管理の目標
1. 平均血圧65mmHg以上に維持
2. 適正尿量の維持（0.5ml/kg/時以上）
3. 心拍出量の最大化（CI＞2.5ml/分/m^2）
4. 凝固機能の正常化（フィブリノゲン値＞150mg/dl）
5. 体温の正常化（36℃以上）
6. base deficitの正常化
7. 乳酸値の正常化（＜2.0mmol/L）
8. ヘモグロビン値＞7g/dlもしくはHt>20%

生していた。周術期において心拍出量を指標とした目標指向型治療（goal directed therapy；GDT）の有効性が報告され[32]，現在では一定の指標をもとに治療を構築することが主流となっている。因果関係を証明する研究報告はないものの，観察研究のメタ解析ではDCRもしくはMTPによって生命転帰が改善することが示されている[33]。

循環管理としてもっとも推奨されることは，“輸液の最適化”である。初期蘇生における組織低灌流の程度とその持続時間は，外傷患者における臓器不全の発生と強く相関しているため，止血が得られ循環動態が安定するまでの輸液は妥当である。循環動態が安定しはじめた段階で，晶質液が過剰とならないよう迅速に調節するためには，前述したようなモニタリングが必要である。いまだ外傷領域では循環管理のための具体的な数値目標＝goalとして確立したものはないものの，次の3つを最適化することが重要である[2,34]。

①心拍出量
②酸素供給指標
③呼吸性変動に基づく輸液反応性指標

さらに外傷におけるGDTでは，循環動態パラメータに加えて凝固線溶系検査でもgoalを設定することが報告されており，複数の因子を治療時期ごとに組み合わせることが求められている[35]。周術期管理における目標値の具体例を表3-6-C-3に示した。

3）間質浮腫と利尿期への対応

大量輸液となった外傷患者において，組織低灌流とともに重要なことは，“利尿期”を把握することである。典型的な利尿期とは上述したnon f-ECFが末梢組織から血管床へ戻ってくる時期（re-filling期）のことであり，循環血液量の増加としてとらえることができる。単一箇所の損傷であれば蘇生後数日以内に心拍出量が増加し利尿が促されるが，外傷重症度や損傷部位によりこの時期は先延ばしされ不明瞭となる。蘇生に要した輸液・輸血が多ければ多いほど，この変化は過大であり，時に肺水腫や腹部コンパートメント症候群へ陥ることもある。さらに胸部外傷を伴う場合では，急性肺障害が進行する要因ともなる。また，高齢者における心機能は，80歳では20歳台の50％にまで低下しており，同時にカテコラミンへの反応性も低くなるため[36]，心不全に陥りやすく治療に抵抗性である。変化をいち早く察知するためにも，積極的な循環動態モニタリングを行うことが重要である。

4）輸液製剤：晶質液と膠質液

現在まで外傷初期の輸液製剤に関しては，晶質液と膠質液のどちらがよいかといった議論が繰り返されてきた。結論としては，晶質液（生理食塩液および乳酸リンゲル液，酢酸リンゲル液）よりも臨床的有効性があると証明された膠質液〔アルブミン，デキストラン，HES（hydroxyethyl starch），高張食塩液〕はなく，晶質液が第一選択である[35]。ただし，一般に晶質液による蘇生では，膠質液の3倍程度の量が必要である[37]とされる。晶質液の利点は安価，入手が容易，非アレルギー性，非感染性などであり，欠点は酸素運搬能と凝固能の欠如，血管内半減期が短いことである。

5）血管収縮薬

外傷初期診療においてはカテコラミンの使用は推

表3-6-C-4　輸血による合併症

急性期合併症	晩期合併症
急性溶血反応 輸血反応性発熱 輸血関連肺傷害 心不全，肺うっ血 アレルギー反応 低カルシウム・低/高カリウム アシドーシス 低体温 希釈性凝固異常 希釈性血小板減少	遅発性溶血反応 輸血関連免疫調整 Microchimerism（微小キメラ化） 輸血由来感染症 輸血後移植片対宿主病（GVHD*） 輸血後紫斑

*GVHD：graft versus host disease
〔文献39）より引用・改変〕

奨されておらず，むしろ禁忌として認識されている[35]。これは安易なカテコラミン投与による輸液開始の遅れや，輸液過少となることを抑制するための重要なメッセージである。また，出血によりショックへ進行した場合には，内因性カテコラミンの放出により末梢血管は収縮するため，追加の血管収縮薬投与はさらに血管収縮を促すこととなり，組織低灌流を助長する。しかしながら，実際の臨床場面で急速輸液や輸血を行っても，なお循環動態が不安定であれば，出血性ショックであっても血管収縮薬は投与せざるを得ない状況も存在する。時期を逸して心停止してしまうことのない循環管理が必要である。とくに，輸血が不足したり，止血術に難渋したりする場合では，輸液のみでは循環動態を維持することは不可能である。つまり，ショックが遷延し輸液・輸血では対処しきれない状況でのカテコラミンの使用はすべて否定されるものではない。動物実験ではあるものの，ノルアドレナリン早期投与は心停止を遅らせる可能性があることも報告されており[38]，出血性ショックにより心停止が切迫する状況下におけるカテコラミンの使用は容認される[38]。

6）輸血療法

循環動態が安定した後の輸血は，ヘモグロビン濃度7g/dl以下の場合にのみ行われることが推奨されている[35]。この数値以上での輸血は，合併症や死亡率が増加する。ヘモグロビン濃度は輸液などにより左右されやすいため，ヘマトクリットを20～25％に維持することを指標としてもよい。ただし，虚血性心疾患や外傷性脳損傷がある外傷患者では，ヘモグロビン濃度10g/dl以下での赤血球輸血を実施することとされている[35]。

大量輸血に伴う合併症について表3-6-C-4[39]に示した。大量輸血では，血液製剤中の抗凝固薬であるクエン酸により遊離カルシウムが消費され，イオン化カルシウムが低下するため，イオン化カルシウムは0.9mmol/L以上を目標として管理する。さらに，血清カリウム値が上昇する危険性もあるため，経時的に動脈血ガス分析で確認することが必要である。

3. 閉塞性ショック

ICUで管理されている外傷患者であっても，ショックの鑑別として閉塞性ショックは必ず念頭に置く。閉塞性ショックの原因としては緊張性気胸と心タンポナーデが重要であるが，まれに横隔膜ヘルニアや心外膜損傷なども原因となる。周術期に新たに合併した気胸が緊張性気胸へと増悪するのみならず，すでに胸腔ドレーンが留置されている場合にもチューブの閉塞などによりドレナージが不良になると，陽圧換気下では容易に緊張性気胸にまで至る。また，胸部外傷では来院時に心嚢液貯留を認めないかわずかであっても，経過中に心嚢液の量が増加し，心タンポナーデに陥ることは想定しておく。

閉塞性ショックは発症から致死的になるまでに短時間しかない。迅速な診断と対処が転帰を決定するのは初療時と同じであり，再評価に手間取ってはならない。

4. 心原性ショック

心原性ショックでは，十分な循環血液量があるにもかかわらず心臓のポンプ機能の低下により組織低灌流が生じる[40]。外傷患者の心原性ショックは，鈍的胸部外傷などで，心筋損傷や不整脈[4]，心筋梗塞を合併した場合に認められることがある。また，まれではあるものの心臓の弁への直接損傷が原因となることもある。近年，高齢者が増加していることから，心臓疾患を既往にもつ外傷患者が増加しているため，受傷後に急性心筋梗塞や重篤な不整脈を合併することもあり得る。通常，心筋挫傷で心臓のポンプ不全にまで至ることは少ないが[4]，胸部外傷患者がショックを呈した場合には，心原性をも疑い検索する。

胸骨骨折や多発肋骨骨折，胸壁や胸骨前の圧痛や血腫を形成している患者では，心筋挫傷を念頭に置いて心電図モニタリングや心臓超音波検査などの循環管理を行う（図3-6-C-2）。

5. 血液分布異常性ショック

1）神経原性ショック

神経原性ショックは主に脊髄損傷に合併し，損傷した脊髄支配レベル以下の末梢動脈床での血管収縮が障害されるとともに，心臓への交感神経刺激が低下することにより生じる。血管拡張により心臓へ還流する血液量が減少することに加え，頻脈反射が生じないことが心拍出量をいっそう低下させる。重度のショックに陥る多くは頸椎あるいは高位の胸椎骨折を伴う場合である。脊髄損傷の程度は循環異常の程度と相関しており，完全麻痺を呈する患者では不完全麻痺の患者に比較して，5倍の頻度で循環作動薬が必要となる[41]。また，脊髄の硬膜外血腫例など脊椎損傷を認めない外傷においても合併することがある。低血圧にもかかわらず徐脈であること，四肢末梢が温かく皮膚が乾燥していること，四肢の麻痺，画像検査での脊椎損傷などから診断は比較的容易である。神経原性ショックが疑われる場合であっても，出血による循環血液量減少がないかは繰り返し確認することが大切である。

神経原性ショックの多くは，輸液負荷により血圧が上昇し組織灌流も改善する。輸液に反応が乏しい場合は，血管収縮薬を用いて末梢血管を収縮させ心臓への血液還流を増加させる。脊髄損傷の急性期循環管理では，二次的損傷の回避のため平均血圧を85mmHg以上に維持することがいくつかのガイドラインで推奨されている（「脊椎・脊髄外傷」，p.325参照）[42]が，根拠は十分とはいいがたい。原則として前述した複数のパラメータを組み合わせて評価する。また，薬剤投与に反応のない高度徐脈もまれに合併することがあり，その場合はペーシングを考慮する。さらに脊髄損傷では，徐脈以外にもさまざまな不整脈を起こしやすく，食事や吸引などの刺激によって迷走神経反射による高度な徐脈から心停止を起こすことがあるため注意を怠らないようにする[42]。

2）敗血症性ショック

外傷の初期にはまれであり，その対処法については「外傷後の感染対策」（p.449）を参照されたい。

文　献

1）Barbee RW, Reynolds PS, Ward KR：Assessing shock resuscitation strategies by oxygen debt repayment. Shock 2010；33：113-122.
2）Shere-Wolfe RF, Galvagno SM Jr, Grissom TE：Critical care considerations in the management of the trauma patient following initial resuscitation. Scand J Trauma Resusc Emerg Med 2012；20：68.
3）Vincent JL：Understanding cardiac output. Crit Care 2008；12：174.
4）Sybrandy KC, Cramer MJ, Burgersdijk C：Diagnosing cardiac contusion：Old wisdom and new insights. Heart 2003；89：485-489.
5）Augusto JF, Teboul JL, Radermacher P, et al：Interpretation of blood pressure signal：Physiological bases, clinical relevance, and objectives during shock states. Intensive Care Med 2011；37：411-419.
6）Kellum JA, Lameire N；KDIGO AKI Guideline Work Group：Diagnosis, evaluation, and management of acute kidney injury：A KDIGO summary（Part 1）. Crit Care 2013；17：204.
7）Legrand M, Payen D：Case scenario：Hemodynamic management of postoperative acute kidney injury. Anesthesiology 2013；118：1446-1454.
8）Marik PE, Baram M, Vahid B：Does central venous pressure predict fluid responsiveness? A systematic review of the literature and the tale of seven mares. Chest 2008；34：172-178.
9）Shah MR, Hasselblad V, Stevenson LW, et al：Impact of the pulmonary artery catheter in critically ill patients：Meta-analysis of randomized clinical trials. JAMA 2005；294：1664-1670.
10）Vincent JL, Rhodes A, Perel A, et al：Clinical re-

view：Update on hemodynamic monitoring：A consensus of 16. Crit Care 2011；15：229.
11) Sandham JD, Hull RD, Brant RF, et al：A randomized, controlled trial of the use of pulmonary-artery catheters in high-risk surgical patients. N Engl J Med 2003；348：5-14.
12) Andrews PL, Shiber JR, Jaruga-Killeen E, et al：Early application of airway pressure release ventilation may reduce mortality in high-risk trauma patients：A systematic review of observational trauma ARDS literature. J Trauma Acute Care Surg 2013；75：635-641.
13) Plurad DS, Chiu W, Raja AS, et al：Monitoring modalities and assessment of fluid status：A practice management Guideline from the Eastern Association for the Surgery of Trauma. J Trauma Acute Care Surg 2018；84：37-49.
14) Michard F, Descorps-Declere A, Lopes MR：Using pulse pressure variation in patients with acute respiratory distress syndrome. Crit Care Med 2008；36：2946-2948.
15) Michard F, Teboul JL：Using heart-lung interactions to assess fluid responsiveness during mechanical ventilation. Crit Care 2000；4：282-289.
16) Royer P, Bendjelid K, Valentino R, et al：Influence of intra-abdominal pressure on the specificity of pulse pressure variations to predict fluid responsiveness. J Trauma Acute Care Surg 2015；78：994-999.
17) Yanagawa Y, Nishi K, Sakamoto T, et al：Early diagnosis of hypovolemic shock by sonographic measurement of inferior vena cava in trauma patients. J Trauma 2005；58：825-829.
18) Ferrada P, Evans D, Wolfe L, et al：Findings of a randomized controlled trial using limited transthoracic echocardiogram（LTTE）as a hemodynamic monitoring tool in the trauma bay. J Trauma Acute Care Surg 2014；76：31-37；discussion 37-38.
19) Barbier C, Loubières Y, Schmit C, et al：Respiratory changes in inferior vena cava diameter are helpful in predicting fluid responsiveness in ventilated septic patients. Intensive Care Med 2004；30：1740-1746.
20) Bhatt DR, Isabel-Jones JB, Villoria GJ, et al：Accuracy of echocardiography in assessing left ventricular dimensions and volume. Circulation 1978；57：699-707.
21) Reuter DA, Huang C, Edrich T, et al：Cardiac output monitoring using indicator-dilution techniques：Basics, limits, and perspectives. Anesth Analg 2010；110：799-811.
22) 小竹良文：動脈圧心拍出量測定法. 臨床麻酔 2006；30：1165-1169.
23) Isakow W, Schuster DP：Extravascular lung water measurements and hemodynamic monitoring in the critically ill：Bedside alternatives to the pulmonary artery catheter. Am J Physiol Lung Cell Mol Physiol 2006；291：L1118-1131.
24) Kushimoto S, Taira Y, Kitazawa Y, et al：The clinical usefulness of extravascular lung water and pulmonary vascular permeability index to diagnose and characterize pulmonary edema：A prospective multicenter study on the quantitative differential diagnostic definition for acute lung injury/acute respiratory distress syndrome. Crit Care 2012；16：R232.
25) Schober P, Loer SA, Schwarte LA：Perioperative hemodynamic monitoring with transesophageal Doppler technology. Anesth Analg 2009；109：340-353.
26) Marx G, Reinhart K：Venous oximetry. Curr Opin Crit Care 2006；12：263-268.
27) Kraut JA, Madias NE：Lactic acidosis. N Engl J Med 2014；371：2309-2319.
28) Odom SR, Howell MD, Silva GS, et al：Lactate clearance as a predictor of mortality in trauma patients. J Trauma Acute Care Surg 2013；74：999-1004.
29) Martin MJ, FitzSullivan E, Salim A, et al：Discordance between lactate and base deficit in the surgical intensive care unit：Which one do you trust? Am J Surg 2006；191：625-630.
30) Jones AE, Shapiro NI, Trzeciak S, et al：Lactate clearance vs central venous oxygen saturation as goals of early sepsis therapy：A randomized clinical trial. JAMA 2010；303：739-746.
31) Ushiyama A, Kataoka H, Iijima T：Glycocalyx and its involvement in clinical pathophysiologies. J Intensive Care 2016；4：59.
32) Pearse RM, Harrison DA, MacDonald N, et al：Effect of a perioperative, cardiac output-guided hemodynamic therapy algorithm on outcomes following major gastrointestinal surgery：A randomized clinical trial and systematic review. JAMA 2014；311：2181-2190.
33) Cannon JW, Khan MA, Raja AS, et al：Damage control resuscitation in patients with severe traumatic hemorrhage：A practice management guideline from the Eastern Association for the Surgery of Trauma. J Trauma Acute Care Surg 2017；82：605-617.
34) Hamilton MA, Cecconi M, Rhodes A：A systematic review and meta-analysis on the use of preemptive hemodynamic intervention to improve postoperative outcomes in moderate and high-risk surgical patients. Anesth Analg 2011；112：1392-1402.
35) Rossaint R, Bouillon B, Cerny V, et al：The European guideline on management of major bleeding and coagulopathy following trauma：Fourth edition. Crit Care

2016；20：100.
36) Lewis MC, Abouelenin K, Paniagua M：Geriatric trauma：Special considerations in the anesthetic management of the injured elderly patient. Anesthesiol Clin 2007；25：75-90.
37) Guyana JC：Resuscitation of hypovolemic shock. In：Fink M, et al eds. Textbook of Critical Care. 5th ed, ELSEVIER, Amsterdam, 2005, pp1939-1940.
38) Lee JH, Kim K, Jo YH, et al：Early norepinephrine infusion delays cardiac arrest after hemorrhagic shock in rats. J Emerg Med 2009；37：376-382.
39) Sihler KC, Napolitano LM：Complications of massive transfusion. Chest 2010；137：209-220.
40) Moskovitz JB, Levy ZD, Slesinger TL：Cardiogenic shock. Emerg Med Clin North Am 2015；33：645-652.
41) Levi L, Wolf A, Belzberg H：Hemodynamic parameters in patients with acute cervical cord trauma：Description, intervention, and prediction of outcome. Neurosurgery 1993；33：1007-1016；discussion 1016-1017.
42) Ball PA：Critical care of spinal cord injury. Spine(Phila Pa 1976) 2001；26：S27-30.

D 頭蓋内圧管理

要 約

1. 頭蓋内圧（ICP）は，占拠性病変や脳実質の浮腫，脳血液量の増加，脳脊髄液の異常な貯留などにより上昇する。
2. 頭部外傷患者ではGCS合計点8以下，低血圧（収縮期血圧＜90mmHg），CTで正中偏位・脳槽消失などの所見を認めた場合，ICPモニタリングの適応となる。
3. ICP 20mmHg以上が5分以上遷延する場合，ICP亢進と定義し，治療の介入を決定する。
4. ICP亢進に対する治療は，侵襲が低く一般的に介入が可能な治療よりstepwiseに行う。

はじめに

重症頭部外傷の治療において，頭蓋内圧（intracranial pressure；ICP）亢進はもっとも困難な病態である。脳内血腫や脳腫瘍のような占拠性病変や脳実質の異常な浮腫，また脳血液量の増加，脳脊髄液の貯留などでICPは上昇する。ICP亢進が続くと脳ヘルニアが完成する。このため，重症頭部外傷の集中治療は，ICPの制御を基本とし，神経保護を目的とした治療戦略が立てられる[1]。本項では，日本脳神経外科学会・日本脳神経外傷学会の監修による『頭部外傷治療・管理のガイドライン第4版』[2]や，Brain Trauma Foundationの『Guidelines for the Management of Severe Traumatic Brain Injury 4th Edition』（以下，BTFガイドライン）[3]で言及されたICP管理のコンセンサスに基づいて記載する。

I 病態生理

重症頭部外傷の集中治療においてICP亢進と死亡率は明らかに相関しているため，ICPは治療戦略上基本的なターゲットである。ICPモニタリング自体の有用性に関する議論は，「ICP高値を予後絶対不良因子」とする，多くの観察研究に裏づけられてきた。ICPモニタリング群と臨床・画像所見による観察群を比較した前向きRCTでは，両群の治療成績に統計学的有意差は認められず，ICPモニタリングの推奨に疑義が呈された。ただし，ICP亢進は重症頭部外傷後もっとも注意すべき病態であり，ICPモニタリングを含めた入念な患者ケアが良好な転帰をもたらすとも述べられている[4]。現在も多くの国で，ICPモニタリングは重症頭部外傷治療ガイドラインに明記されており，重要性が失われることはない。平均動脈圧（mean arterial pressure；MAP）とICPとの差から脳灌流圧（cerebral perfusion pressure；CPP）が算出されるため，CPPを治療ターゲットとして管理することも可能となる。

ICPは，容積が一定不変である頭蓋内腔において，脳実質，脳血液，脳脊髄液のコンパートメントの圧の総量によって決定される（Monro-Kellieの法則）。したがって，何らかの病変による容積が増加するとそのコンパートメント圧は上昇し，脳血液や脳脊髄液の容積が減少して減圧されることによりICPが一定に維持される（図3-6-D-1）。病変容積の拡大が進行すれば，最終的には圧の代償機構が破綻してICPは急激に上昇，脳ヘルニアが完成する（図3-6-D-2）[5]。ICP亢進の主因の一つである脳浮腫は，vasogenic edema（血管原性浮腫）とcytotoxic edema（細胞毒性浮腫）に分類される。vasogenic edemaは細胞外液の増加による病態であり，cytotoxic edemaは神経細胞自体の代謝機能不全により細胞質の膨化をきたす病態である。これらの病態は混在していることも多いが，いずれの病態が主であるかを想定し，治療を考える必要がある（表3-6-D-1）。

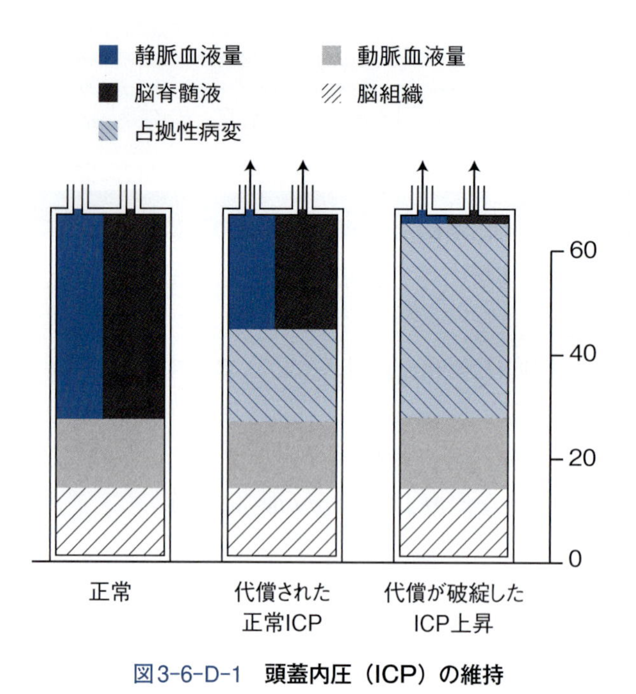

図3-6-D-1　**頭蓋内圧（ICP）の維持**

図3-6-D-2　**頭蓋内圧-容量曲線**

頭蓋内圧が低い際には，増加した占拠性病変に対する頭蓋内圧の上昇度は低いが（Ⓐ），頭蓋内圧が高い際には，上昇の度合いは高い（Ⓑ）

〔文献5）より引用・改変〕

表3-6-D-1　**血管原性浮腫と細胞毒性浮腫との違い**

種別	場所	部位	血液脳関門結合性	機序	例
血管原性	細胞外	白質	破綻	血管透過性亢進	腫瘍 外傷 髄膜炎 脳膿瘍 脳内出血
細胞毒性	細胞内	灰白質に優位	正常	ナトリウム/カリウムポンプ不全	低酸素 脳虚血
間質性	細胞外	白質	正常	傍脳室水分漏出	水頭症

Ⅱ　頭蓋内圧モニタリング

1. 頭蓋内圧モニタリングの適応

BTFガイドラインでは，①Glasgow Coma Scale（GCS）合計点8以下，②低血圧（収縮期血圧＜90mmHg），③正中偏位・脳槽消失などのCT所見などを認めた場合，ICPモニタリングの適応となる。またわが国のガイドラインでは，GCS合計点8以下でCT異常所見を認める場合，GCS合計点8以下でCTに異常は認められないが，皮質または除脳硬直，90mmHg以下の低血圧のいずれかが認められる場合はICPモニタリングが推奨されている。また，バルビツレート療法や体温管理療法を行う場合も，ICPモニタリングが望ましい。さらに多部位の損傷により移動が困難で頭部CTが撮影できない患者や，鎮静により意識レベルの確認が困難な患者でもICPモニタリングにより病態の把握が可能となる。

ICP亢進の病態には通常，意識障害や瞳孔異常，神経学的異常などを伴うが，臨床症状のみから頭蓋内環境を推測することはきわめて困難である[4]。

測定法には脳実質圧測定と脳室内圧測定がある。脳実質圧測定は，ICPセンサー（図3-6-D-3）を脳実質に留置して，脳実質圧を持続的に計測する方法である。脳室内圧測定モニターは，脳室内にカテーテルを留置し髄液圧を測定し，ICPの代用とする方法である。脳脊髄液を排出することができるため，ICP亢進の治療としても利用できる。

2. 術　式

脳室内にカテーテルを挿入する場合は，脳室穿刺により神経脱落症状を生じにくく，脳表の脈管が少

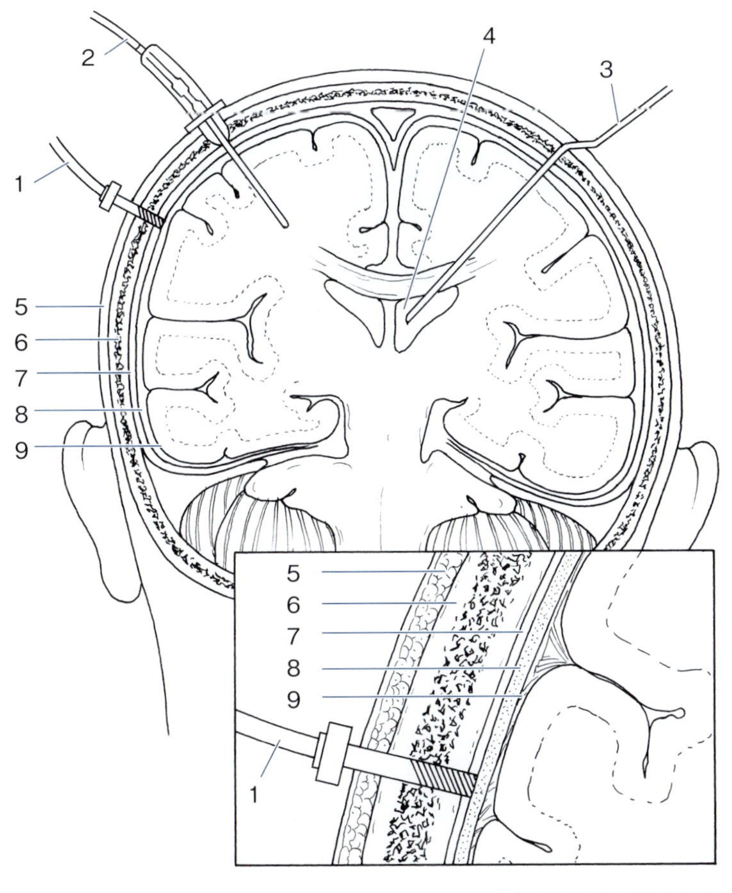

1. 硬膜下ボルト
2. 脳実質モニター
3. 脳室ドレーン
4. 側脳室
5. 皮膚
6. 頭蓋骨
7. 硬膜
8. 硬膜下腔
(this is a potential space)
9. くも膜層

図3-6-D-3　ICPセンサー

◆Clinical questions◆　CQ 52

ICP センサーの挿入，ICP を指標とした治療は転帰を改善するか？

A 重症頭部外傷におけるICP測定の有効性については，RCTにて否定的な見解がなされている。2012年にChesnutらによりBEST TRIP trial[1]が報告され，重症頭部外傷患者をICPモニタリングを用い治療を行う群と，CTと神経学的所見を指標に治療を行う群に無作為割り付けしたところ，受傷後6カ月後の転帰良好率（44% vs 39%），死亡率（39% vs 41%）に有意差は認めず，ICP測定の有効性を示すことができなかった。しかし，この研究は医療水準に問題が想定されるボリビアとエクアドルで行われたこと，ICP測定が有効と考えられるevacuated/non-evacuated massの割合が低かったことなどが，結果に影響を及ぼした可能性が示唆されており，解釈には注意を要する。一方，わが国における頭部外傷データバンクの解析によると，ICP測定の施行率は28%と低いものの，ICP測定群にて有意な死亡率の低下（32.5% vs 45.0%）が報告された[2]。

ICPモニタリングは治療ではなくベッドサイドモニタリングである。ICPが亢進した場合，脳灌流圧が低下し脳虚血（二次性脳損傷）が進行し，転帰が悪化するのは事実である。近年の前向き観察研究[3]においては，ICPモニタリングは重症患者における6カ月死亡率の低下と関連している可能性が示唆された。エキスパートコンセンサス[4]でも示されているように，鎮静が必要で神経学的所見が確認できない患者や，血腫除去術・外減圧術を施行した患者に対しては，ICPモニタリングを行うべきであろう。

文 献

1） Chesnut RM, et al : N Engl J Med 2012 ; 367 : 2471-2481.
2） Suehiro E, et al : J Neurotrauma 2017 ; 34 : 2230-2234.
3） Robba C, et al : Lancet Neurol 2021 ; 20 : 548-558.
4） Stocchetti N, et al : Acta Neurochir（Wien）2014 ; 156 : 1615-1622.

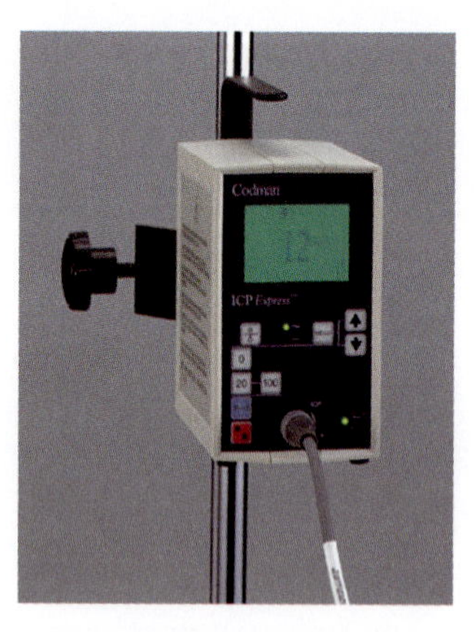

a：コッドマンICPエクスプレス
Permission granted by Integra LifeSciences Corporation, Princeton, New Jersey, USA.
〔画像提供：Integra Japan株式会社〕

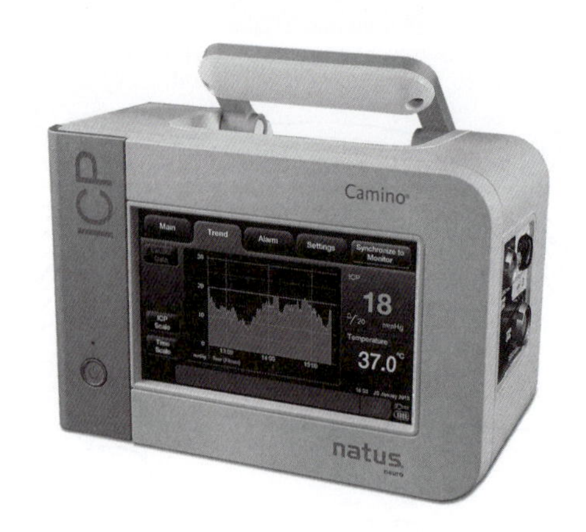

b：カミノ®アドバンストモニタ2

図3-6-D-4　ICPモニタリングシステム
脳実質センサーには，圧測定のみを行うもの，脳実質温度が同時に測定できるもの，また脳脊髄液の排出が可能なものなど，複数の種類がある。術者の選択によるが，脳実質への侵襲が少なく，測定誤差が生じにくいものが好まれる。また，挿入後の0点補正が可能なもの，脳室ドレナージによる治療効果が期待できるものが理想的である。感染率はいずれのセンサーも5％以下である
a：コッドマン製センサーは0ドリフトがなく，形状変化による測定値誤差が小さいことが利点である。またセンサーカテーテル径が1mm以下であり留置による脳実質への影響が小さくてすむ
b：Caminoセンサーは温度測定が利点であるが，やや径が太いこと，またセンサーを頭皮に対して垂直に固定する必要があり保守に時間を要しやすい

ない場所を選択する。通常，右前頭部に穿頭することが多い。穿頭部の皮下に局所麻酔を行い，2～3cmの皮膚切開を置き，直下の骨膜を剥離し，槍型の第一錐を用いて硬膜が直径1cmほど露出されるように穿頭を行う。その後，鉾型の第二錐を用いて穿頭部を拡大する。最近では安全面からストッパー機能が付随したパーフォレーターが使用されることもある。板間からの出血は骨蠟にて止血し，硬膜はバイポーラーで凝固する。硬膜表面を十字切開するが，その際，脳表を損傷しないように注意する。頭蓋内にドレーンを留置する場合には数cmの皮下トンネルを用いることにより，髄液漏や感染を予防することができる（図3-6-D-4）。

3. 頭蓋内圧の波形

正常ICP波形はP1，P2，P3の3要素で構成されており，この順で振幅が小さくなる（図3-6-D-5）。P1は動脈圧，P2はその反動，P3は静脈還流を示す。

ICP波形から頭蓋内腔のコンプライアンスを推測することができる。とくにP2の上昇は頭蓋内コンプライアンスの低下を示す。コンプライアンスは排出された一定の脳脊髄液容量とその排出により低下した圧変化の比率で求められる（変化容量/変化圧）。頭蓋内コンプライアンスが著しく低下するとLundberg波を呈するようになる（図3-6-D-6，7）。

Lundberg A波（プラトー波）は急速に20～100mmHgまで上昇し，数分～数時間持続するICPトレンドをいう（図3-6-D-6）。この間のICP亢進により，脳血流量およびCPPが低下し脳虚血を生じる。Lundberg B波は通常5～20mmHgと軽微な上昇が1～5分間持続するトレンドをいい，呼吸性変動を伴うこともある（図3-6-D-7）。これらのLundberg波は，急激に上昇し持続することが特徴であり，著しく低い頭蓋内コンプライアンスを示している。Lundberg A波に対し，昇圧薬により積極的にCPPを維持し，浸透圧利尿薬や過換気によりICPを低下させることが重要となる。

4. 神経集中治療における指標

神経集中治療のアルゴリズム[2]では，治療介入を開始するタイミングとして，ICP 20～25mmHgをカットオフ値とし，5分以上連続する場合をICP亢

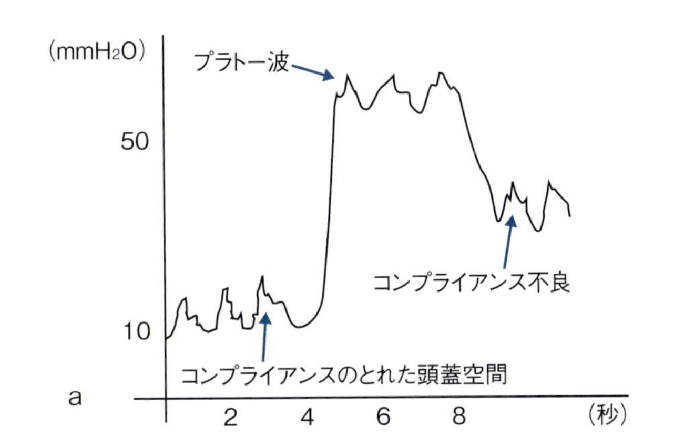

図3-6-D-5　ICP波形

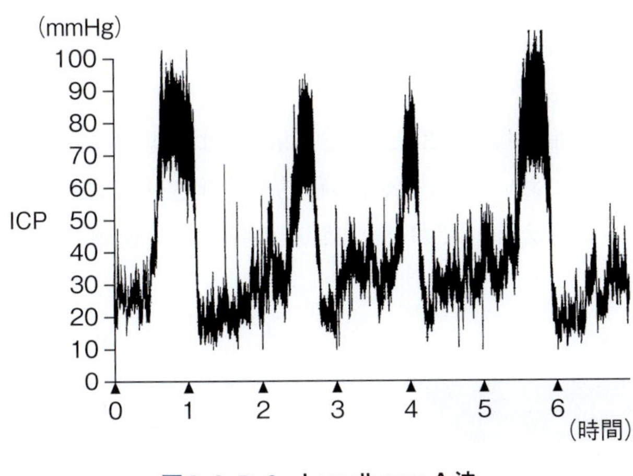

図3-6-D-6　Lundberg A波

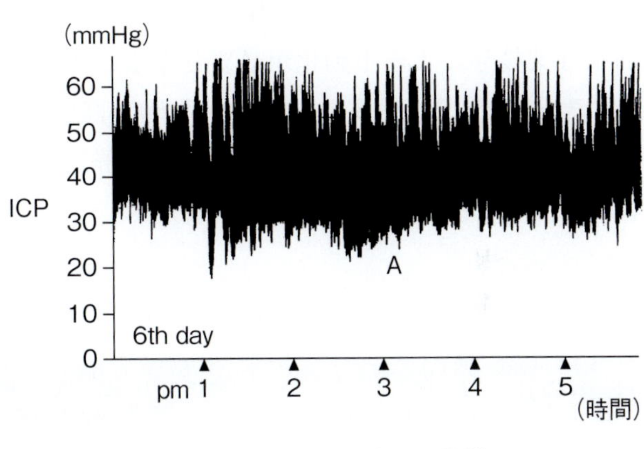

図3-6-D-7　Lundberg B波

進と定義する。小児の正常ICP値は年齢により異なり，若年ほど低い。小児ICP正常値の基準として，1～4歳：6mmHg，5～6歳：7mmHg，7～8歳：8mmHg，9～15歳まで：年齢と同じ9～15mmHgという基準が参考になる[6]。さらに，ICPのみでなく，CPPも管理の指標とする。健常人は，CPPの変化に対する脳血流量（CBF）の自動調節能があり，脳血管平滑筋の収縮や拡張でCBFを一定に維持している。重症頭部外傷ではこの自動調節能が障害され，CBFがCPPに依存するようになるので，適切なCBFを保つためCPP 50～70mmHgを維持するようにする[2]。CPPが40mmHg以下となった場合，死亡率が高い[7]。また，CPP 70mmHg以上の維持は，ARDSの合併率が増加するため，推奨されない[3)8]。その他の神経集中治療の指標として多くのパラメータが用いられているが[9)10]，1つの指標のみでは限界があるため，複数の指標を組み合わせて個々の病態に応じた治療法の選択が必要となる[3]。

Ⅲ　頭蓋内圧亢進に対する対応

ICP亢進に対するstepwise protocolは，図3-6-D-8のように段階的な治療概念である。より低侵襲な治療から侵襲度の高い治療に移行していくが，実際の治療では複数の治療が同時に選択される場合もある。

外科的治療としては，①脳室ドレナージ，②減圧開頭術の選択がある。BTFガイドライン[3]では，まず脳室ドレナージを行うことを原則とし，迅速なICP降下を推奨している。

1. 頭部挙上・頭位正中維持

頭部挙上により頸静脈圧が低下し，ICPが降下する。30°挙上がもっとも有効である[11]。30°を超える頭部挙上ではCPPが低下するため，注意を要する[12]。頸部の回旋により頸静脈の還流が阻害されるので，頭位は正中に維持する。

2. 鎮静・鎮痛・不動化

鎮静・鎮痛薬で不穏，興奮を抑えることによりICPは降下できる。また気道確保や呼吸管理目的で，筋弛緩薬投与による不動化が必要となることもある。表3-6-D-2に示すような各種薬剤の呼吸・循環への影響，持続時間，ICPへの影響を理解したうえで使用する[2]。

3. 脳室ドレナージ

脳室穿刺によるドレナージ（図3-6-D-9）は，信頼度の高い脳室内圧（intraventricular pressure）を測定する場合や，脳脊髄液を排出することによりICPを降下させる際に行われる手技である[13]。脳脊髄液の持続的排出はICP調節上有用である[3]。

4. 高浸透圧利尿薬，高張食塩液投与

マンニトール，濃グリセリン注射液（グリセオール®）など高浸透圧利尿薬は，ICP亢進時によく使用される。マンニトールの有効投与量は0.25～1.0g/kgであるが，収縮期血圧90mmHg未満の低血圧時には使用しない[14]。

グリセオール®はグリセリンと果糖の配合製剤である。反跳現象がマンニトールに比べて少ない。欧米ではほとんど使用されず，有効性に強い根拠をもつ報告は少ない。小児への投与は，低血糖などの重篤な合併症を誘発することもあり慎重な判断が必要である。

高張食塩液（3～23.4% NaCl）は，正常な血液脳関門において脳内水分の移動を促進させる効果があると考えられており，血管腔の拡張，赤血球の変形

◆Clinical questions◆　CQ 53

重症頭部外傷患者に対する鎮静薬・鎮痛薬は何を用いるか？

A 重傷頭部外傷において，ICP管理のために十分な鎮静・鎮痛・不動化を行うことは重要であるが，各薬剤使用の具体的なガイドラインは存在しない[1]。鎮静薬ではプロポフォール，ミダゾラムのICPに対する効果は同等である[2][3]が，前者ではプロポフォール注入症候群（PRIS）[4]，後者では覚醒遅延や耐性に注意が必要である[5]。デクスメデトミジンは使用を考慮してもよいが，単独での深鎮静は困難である[1]。BTFガイドラインではプロポフォールはICP管理においては推奨されるが，6カ月予後を改善するという疫学的根拠はないことが明記されている[6]。鎮痛薬としてはフェンタニル，モルヒネが広く用いられるが，頭部外傷患者ではICP亢進作用があるとの報告もある[1]。レミフェンタニルはわが国においても集中治療中の人工呼吸中の鎮痛に使用されるようになった。バルビツレートは，脳波でのburst suppressionを指標としたICP亢進の予防的投与は推奨されないが，標準的な外科的，内科的治療を可及的に行っても制御不可能なICP亢進に対しては，高用量のバルビツレート投与が奨められる[6]。

文献

1) Oddo M, et al：Crit Care 2016；20：128.
2) Sanchez-Izquierdo-Riera JA, et al：Anesth Analg 1998；86：1219-1224.
3) Gu JW, et al：J Crit Care 2014；29：287-290.
4) Kam PC, et al：Anaesthesia 2007；62：690-701.
5) Bauer TM, et al：Lancet 1995；346：145-147.
6) Carney N, et al：Neurosurgery 2017；80：6-15.

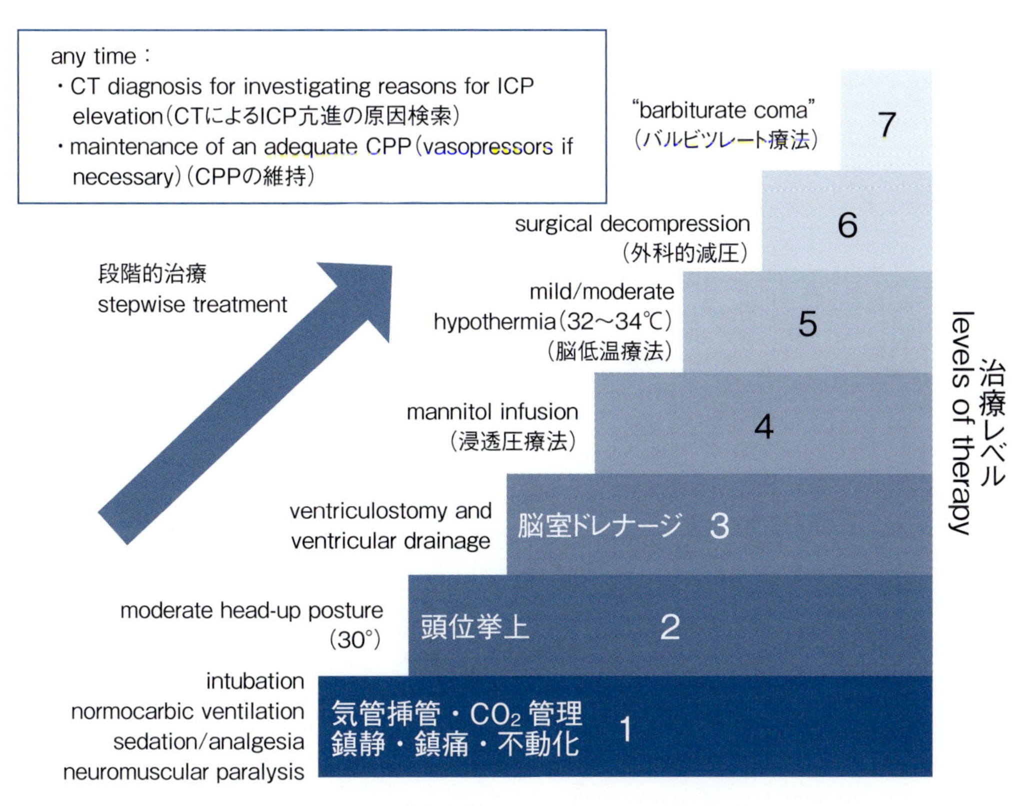

図3-6-D-8　ICP 亢進に対するstepwise protocol

表3-6-D-2　鎮静・鎮痛・不動化のための代表的薬剤

鎮静薬
• ジアゼパム • ミダゾラム • バルビツレート • プロポフォール • デクスメデトミジン
鎮痛薬
• フェンタニル • ペンタゾシン • ブプレノルフィン • レミフェンタニル
不動化（筋弛緩薬）
• ベクロニウム • ロクロニウム • スキサメトニウム

能上昇，血漿成分の増量，微小循環の改善などの効果があるといわれる[15]。高張食塩液は，マンニトールのように反跳現象の報告はないが，低ナトリウム患者に対してcentral pontine myelinolysis（中枢性橋脱髄症候群）を生じる可能性がある[15]。また心不全患者の症状増悪も危惧される。マンニトールと高張食塩液で転帰に差はみられないが[16]，血漿浸透圧は320mOsm/L以上となった場合，腎不全に移行する可能性があるので注意を要する。

5. 過換気療法

頭部外傷に対して盲目的な過換気療法は行わず，とくに受傷後24時間以内は$PaCO_2$ 35mmHg以下の過換気を避ける[17]。ICP亢進に対して過換気療法を行う場合には，ICPモニタリング下で動脈血ガス分析または呼気終末二酸化炭素分圧（$PETCO_2$値）を指標にして$PaCO_2$ 30〜35mmHgで実施する。過換気療法は，鎮静薬・筋弛緩薬・脳脊髄液ドレナージ・高張溶液投与でICP＜20mmHgにコントロールできないときに考慮し，ICP＜20mmHgに至った場合中止する。治療不応性のICP亢進には$PaCO_2$を25〜30mmHgまで下げてもよいが短時間とし，$PaCO_2$ 25mmHg以下にはしない[3]。

6. バルビツレート療法

バルビツレートは脳代謝抑制と脳血液量低下によりICPを低下させるため，他の内科的・外科的治療でICPの制御が不可能な場合に投与を考慮してもよい[3]。バルビツレートは循環抑制をきたし，低血圧

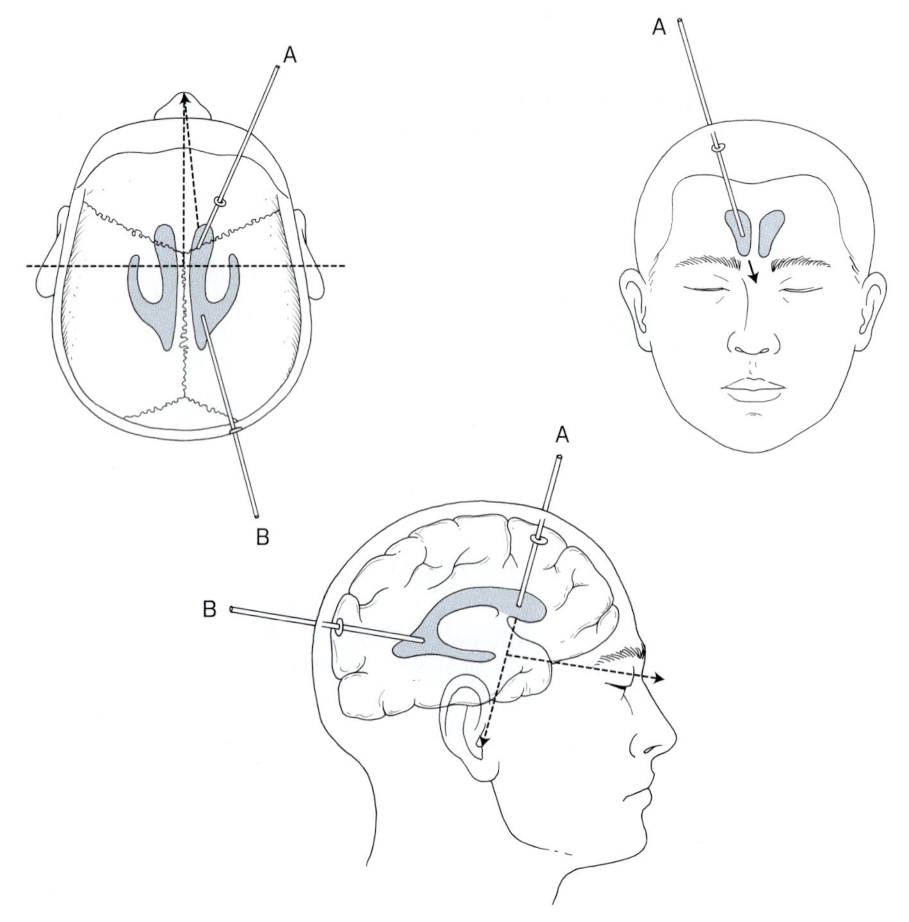

図3-6-D-9　脳室穿刺による脳室ドレナージ

A：前角穿刺法

鼻根部（nasion）から12cm頭頂，正中から側方2横指に穿頭を行い，側面では外耳孔，正面では鼻根に向かってドレーンを挿入する。通常，脳表から4〜5cmで脳室上衣が穿破し，脳室内の脳脊髄液が排出されるようになる

B：三角部穿刺法

外後頭隆起（inion）から外側3〜4cm，上方6〜7cmの部に穿頭し，鼻根を目標にドレーンを挿入する。急性水頭症により拡張した側脳室を穿刺することは比較的容易であるが，脳腫脹や脳浮腫により偏位した側脳室の穿刺は容易ではなく慎重を要する

によりCPPが低下するので，循環動態が不安定な患者に対しては投与に注意を要する[18]。バルビツレートを予防的に投与するRCTでは1年後死亡率に差はなく[19]，予防的バルビツレート療法は推奨されない[3]。初回ペントバルビタール2〜5mg/kg，チオペンタール2〜10mg/kgを静脈内投与し，その後の維持量はペントバルビタールで0.5〜3mg/kg/時，チオペンタール1〜6mg/kg/時を目安に，ICPもしくは脳波上のburst suppressionを指標とする。バルビツレート療法は線毛運動の低下による無気肺，肺炎などの肺合併症，高ナトリウム血症などの電解質異常，肝機能障害などの合併症を生じる。

7. 低体温療法（体温管理療法）

低体温療法は，多岐にわたる神経保護効果や頭蓋内圧降下の作用などの利益が期待されたにもかかわらず，その利益は低体温に伴う合併症（凝固異常，免疫抑制，不整脈，肺炎など）による不利益を超えることができないようである。重症頭部外傷の管理における体温調節として，どのような患者に体温管理を行うべきか，どのくらい長く体温管理を維持すべきかなど明確な指標はない[20]。

重症頭部外傷に対する低体温療法はICP制御のために用いられることも多く[21,22]，低体温療法の使用目的は心停止後の脳障害に対する体温管理とは異なる。

重症頭部外傷に対する体温管理では，目標体温を

32〜34℃とし，ICP値に応じた体温調節期間をとることがある。また復温時にICPの再上昇を認めることがあり，その場合には復温をいったん中止して観察する[22]。

合併症として，感染症，不整脈，低カリウム血症，血小板減少，血液凝固障害，高血糖などが指摘されており[23]，復温の完了と同時に正常化する場合が多い。また，概して高齢者には効果が認められていない[24)25]。ICP亢進に対する低体温管理の有効性を否定するものもあり[22]，重症頭部外傷に対する体温管理療法については，さらなる研究が必要である。

8. 減圧開頭術

さまざまな内科的治療にもかかわらず，ICP値が20mmHgを5分以上遅延する場合には，減圧開頭術に踏み切ることを考慮する。詳細は「頭部外傷」の「開頭術」(p.110) を参照されたい。

文 献

1) Seder D, Mayer SA, Frontera JA, et al : Management of elevated intracranial pressure. In : Frontera JA ed. Decision Making in Neurocritical Care. Thieme, New York, 2009, pp 195-218.
2) 日本脳神経外科学会・日本脳神経外傷学会監，頭部外傷治療・管理のガイドライン作成委員会編：頭部外傷治療・管理のガイドライン，第4版，医学書院，東京，2019.
3) Carney N, Totten AM, O'Reilly C, et al : Guidelines for the management of severe traumatic brain injury, fourth edition. Neurosurgery 2017 ; 80 : 6-15.
4) Chesnut RM, Temkin N, Carney N, et al : A trial of intracranial-pressure monitoring in traumatic brain injury. N Engl J Med 2012 ; 367 : 2471-2481.
5) Langfitt TW : Increased intracranial pressure. Clin Neurosurg 1969 ; 16 : 436-471.
6) Kochanek PM, Carney N, Adelson PD, et al : Guidelines for the acute medical management of severe traumatic brain injury in infants, children, and adolescents : Second edition. Pediatr Crit Care Med 2012 ; 13 : S1-82.
7) Allen BB, Chiu YL, Gerber LM, et al : Age-specific cerebral perfusion pressure thresholds and survival in children and adolescents with severe traumatic brain injury. Pediatr Crit Care Med 2014 ; 15 : 62-70.
8) Contant CF, Valadka AB, Gopinath SP, et al : Adult respiratory distress syndrome : A complication of induced hypertension after severe head injury. J Neurosurg 2001 ; 95 : 560-568.
9) Figaji AA, Zwane E, Thompson C, et al : Brain tissue oxygen tension monitoring in pediatric severe traumatic brain injury. Part1 : Relationship with outcome. Childs Nerv Syst 2009 ; 25 : 1325-1333.
10) Figaji AA, Zwane E, Thompson C, et al : Brain tissue oxygen tension monitoring in pediatric severe traumatic brain injury. Part2 : Relationship with clinical, physiological, and treatment factors. Childs Nerv Syst 2009 ; 25 : 1335-1343.
11) Feldman Z, Kanter MJ, Robertson CS, et al : Effect of head elevation on intracranial pressure, cerebral perfusion pressure, and cerebral blood flow in head-injured patients. J Neurosurg 1992 ; 76 : 207-211.
12) Rosner MJ, Coley IB : Cerebral perfusion pressure, intracranial pressure, and head elevation. J Neurosurg 1986 ; 65 : 636-641.
13) Kinoshita K, Sakurai A, Utagawa A, et al : Importance of cerebral perfusion pressure management using cerebrospinal drainage in severe traumatic brain injury. Acta Neurochir Suppl 2006 ; 96 : 37-39.
14) Oddo M, Levine JM, Frangos S, et al : Effect of mannitol and hypertonic saline on cerebral oxygenation in patients with severe traumatic brain injury and refractory intracranial hypertension. J Neurol Neurosurg Psychiatry 2009 ; 80 : 916-920.
15) Brophy GM, Human T, Shutter L : Emergency neurological life support : Pharmacotherapy. Neurocrit Care 2015 ; 23 : S48-68.
16) Mangat HS, Chiu YL, Gerber LM, et al : Hypertonic saline reduces cumulative and daily intracranial pressure burdens after severe traumatic brain injury. J Neurosurg 2015 ; 122 : 202-210.
17) Diringer MN, Yundt K, Videen TO, et al : No reduction in cerebral metabolism as a result of early moderate hyperventilation following severe traumatic brain injury. J Neurosurg 2000 ; 92 : 7-13.
18) Thorat JD, Wang EC, Lee KK, et al : Barbiturate therapy for patients with refractory intracranial hypertension following severe traumatic brain injury : Its effects on tissue oxygenation, brain temperature and autoregulation. J Clin Neurosci 2008 ; 15 : 143-148.
19) Ward JD, Becker DP, Miller JD, et al : Failure of prophylactic barbiturate coma in the treatment of severe head injury. J Neurosurg 1985 ; 62 : 383-388.
20) Yokobori S, Yokota H : Targeted temperature management in traumatic brain injury. J Intensive Care 2016 ; 4 : 28.
21) Shiozaki T, Nakajima Y, Taneda M, et al : Efficacy of

moderate hypothermia in patients with severe head injury and intracranial hypertension refractory to mild hypothermia. J Neurosurg 2003；99：47–51.
22) Andrews PJ, Sinclair HL, Rodriguez A, et al：Eurotherm3235 Trial Collaborators：Hypothermia for intracranial hypertension after traumatic brain injury. N Engl J Med 2015；373：2403–2412.
23) Badjatia N：Hypothermia in neurocritical care. Neurosurg Clin N Am 2013；24：457–467.
24) Clifton GL, Miller ER, Choi SC, et al：Lack of effect of induction of hypothermia after acute brain injury. N Engl J Med 2001；344：556–563.
25) Hutchison JS, Ward RE, Lacroix J, et al：Hypothermia therapy after traumatic brain injury in children. N Engl J Med 2008；358：2447–2456.

E 痛み・不穏・せん妄の管理

要 約

1. 妥当性の検証されたスケールまたはツールを用いて，痛み，不穏または鎮静レベル，せん妄をルーチンに評価する。
2. 痛みと不穏に対しては，目標を定めて鎮痛薬または鎮静薬で治療を開始する。
3. せん妄が出現した場合，その原因として，鎮痛･鎮静薬の影響，低酸素血症，感染症，代謝性因子（肝腎機能障害，血糖・電解質異常）などを鑑別にあげる。
4. 重症頭部外傷を合併する患者など一部の患者を除いては，可能なかぎり浅い鎮静とし，ベッド上で可能なリハビリテーションを早期から開始する。
5. 多職種スタッフによるチーム医療の構築が必要である。

はじめに

重症外傷患者に出現する痛み，不穏，せん妄は密接に関連し，お互いに影響を及ぼしている。解決されない痛みは不穏状態や不眠と関連し，せん妄リスクを高めるといわれている。鎮痛・鎮静薬の種類によっては，せん妄を助長するとの報告がある。痛み，不穏，せん妄のそれぞれへの対処法を誤ると他の2つの症状に影響を及ぼす。妥当性が検証されたスケールやツールを用いて痛み，不穏，せん妄を評価するとともに，この3つにバランスよく対処する能力が問われている（図3-6-E-1）[1]。

I 概 要

米国集中治療医学会（SCCM）の鎮静・鎮痛のガイドラインは，鎮静，鎮痛，せん妄の3つに分けてそれぞれ適切な評価ツールを用い，目標値を定め薬理学的・非薬理学的治療を行うシステムを示し，その後の世界中の重症患者の鎮静・鎮痛・せん妄ガイドラインの規範となった[2]。外傷に関しては，2007年に「人工呼吸中の鎮静・鎮痛のガイドライン」が発表され，痛み，不安，せん妄に対してプロトコルを作成し，患者の変化に素早く反応し，過鎮静に陥らないよう適切な薬物療法を行うことを推奨した[3]。2013年の「痛み・不穏・せん妄pain-agitation-delirium（PAD）」の管理ガイドラインでは，「鎮静・鎮痛」が「痛み・不穏」と順序が入れ替わり，用語が医療行為から評価されるべき症候・症状に置き換わった[4]。すなわち，評価もせず漠然と「鎮静･鎮痛」を開始した行為を改め，「痛み・不穏」の評価から入り，場合によっては鎮痛のみ（無鎮静）あるいは鎮痛に加えて可能なかぎり浅い鎮静を心がけることに重きを置いている。そして，せん妄評価のルーチン化を求めている。さらにその翌年，2013年PADガイドライン以降の文献も検討し，日本のICUの運営形態や看護体制，使用可能な薬物の実情を考慮に入れ，日本版のPAD（J-PAD）ガイドラインが発表された[5]。2018年には，「痛み，不穏/鎮静，せん妄，不動，睡眠障害の予防および管理のための臨床ガイドライン（PADISガイドライン）」が発表された[6]。リハビリテーション医療と睡眠障害の章が新たに加わったが，基本的にはJ-PADガイドラインの内容と大きな違いはない。ここでは，J-PADガイドラインとPADISガイドラインを踏まえ，痛みの評価とその対処，不穏･鎮静の評価とその対処，せん妄の評価とその対処の順に解説する。

II 痛みの評価と対処

1. 痛みの評価スケール

患者とコミュニケーションがとれる場合の痛みの評価スケールには，視覚アナログ尺度（visual ana-

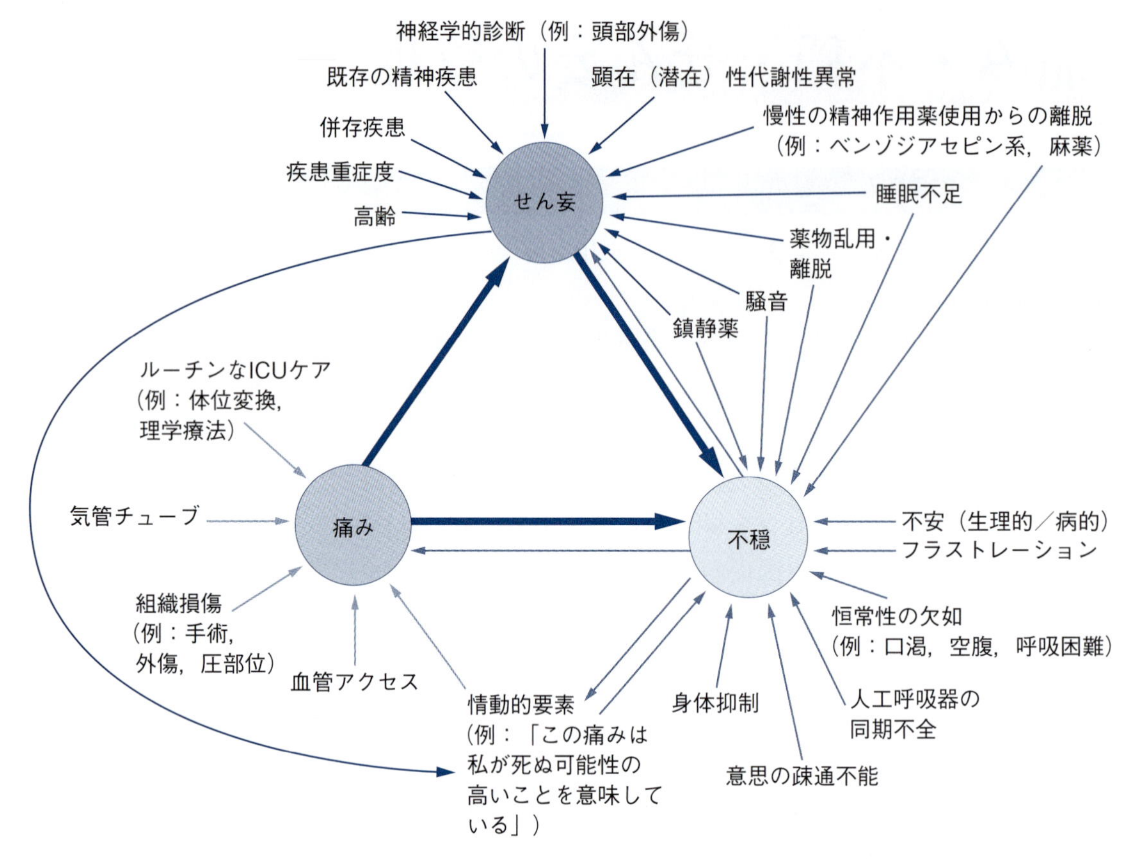

図3-6-E-1　痛み，不穏，せん妄の原因と相互作用

〔文献1)より引用・改変〕

logue scale；VAS），数値評価スケール（numeric rating scale；NRS）がある。VASは10cmの水平線の両端に「痛みなし」と「激しい痛み（今までに経験のない強い痛み）」と書き，患者に今の痛みがどこに位置するかを指し示してもらうことで判定する。NRSは0（痛みなし）～10（最強の痛み）の数字のうち，患者に今の痛みがどの数に値するかを指し示してもらって判定する。VASで3cm，NRSで3を患者が受け入れられる最大の痛みレベルとし，VAS＜3cm，NRS＜3を痛み対策の目標としている[7)8)]。

ICUの重症患者，とくに人工呼吸患者では，患者とコミュニケーションがとれないため痛み評価は困難である。心拍数，血圧，呼吸数などの生理学的パラメータのみで痛みの評価を行わないよう提案されている（推奨レベル-2C）[5)]。体動，表情，姿勢などの患者の行動と人工呼吸器との同調性をスケール化したのが，behavioral pain scale（BPS）（表3-6-E-1）であり[9)]，15歳以上の人工呼吸患者に対し，妥当性と信頼性が検証されている。しかめ面などの表情，上肢の屈曲状態，人工呼吸器との同調性をスコア化し，点数は3～12の範囲で，点数が大きいほど痛みが大きいことになる。BPS＞5を痛みに対する介入基準にしている[7)]。

表3-6-E-1　behavioral pain scale（BPS）

項目	説明	スコア
表情	穏やかな	1
	一部硬い（例えば，まゆが下がっている）	2
	まったく硬い(例えば，まぶたを閉じている)	3
	しかめ面	4
上肢	まったく動かない	1
	一部曲げている	2
	指を曲げて完全に曲げている	3
	ずっと引っ込めている	4
呼吸器との同調性	同調している	1
	時に咳嗽，大部分は呼吸器に同調している	2
	呼吸器とファイティング	3
	呼吸器の調節が効かない	4

スコア範囲は3～12
〔文献9)より引用〕

表3-6-E-2　鎮痛薬（オピオイドとケタミン）の薬理学的比較

		フェンタニル		モルヒネ	レミフェンタニル	ケタミン（静注）
等価鎮痛必要量（mg）	静注	0.1		10	適用不可	
	経口	N/A		30	適用不可	
効果発現時間（iv）		1～2分		5～10分	1～3分	30～40秒
排泄相半減期		2～4時間		3～4時間	3～10分	2～3時間
context-sensitive half-life		200分（6時間持続静注後）	300分（12時間持続静注後）	適用不可	3～4分	
代謝経路		CYP3A4/5によるN-脱アルキル化		グルクロン酸抱合	血漿中エステラーゼによる加水分解	N-脱メチル化
活性代謝産物		なし		6-, 3-グルクロン酸抱合物	なし	ノルケタミン
間欠的静注投与量		0.5～1時間ごと0.35～0.5 μg/kg		1～2時間ごと 0.2～0.6mg	適用不可	
持続静注投与量		0.7～10 μg/kg/時		2～30mg/時	初期負荷量：1.5 μg/kg 維持投与量：0.5～15 μg/kg/時	初期投与量：0.1～0.5mg/kg その後 0.05～0.4mg/kg/時
副作用など		•モルヒネより血圧降下作用が少ない •肝不全で蓄積する		•肝/腎不全で蓄積する •ヒスタミン遊離作用	•肝/腎不全で蓄積しない •投与量計算で体重が理想体重の130%を超えるときには理想体重を用いる •適用は全身麻酔時の鎮痛のみ	•オピオイドに対する急性耐性の発生を抑制 •幻覚やその他の心理的障害を引き起こす可能性

＊ケタミンは分類上麻薬ではないが，臨床使用上は麻薬扱いなのでこの表に入れた
〔文献5）より引用〕

2. 鎮痛薬の種類と使用の実際

胸腔ドレーンの抜去や創処置のような痛みを伴う処置の前には鎮痛を考えるべきである（推奨レベルB）[5]。重症外傷患者の処置における痛みの調査研究の結果，処置時の最大の痛みを示した上位5つの手技［NRS中央値（四分位値）］は，胸腔ドレーン抜去［5（3～7）］，創ドレーン抜去［4.5（2～7）］，動脈ライン挿入［4（2～6）］，気管挿管チューブ吸引［4（1～6）］，気管切開口吸引［4（1～6）］であった[10]。胸腔ドレーン抜去時の痛みを軽減するために，先行性鎮痛や非薬理学的介入（リラクゼーションなど）を施行することを推奨している（推奨レベル＋1C）[5]。とくに重要なことは鎮痛処置の前後で痛みを評価することである[10]。

鎮痛薬としてフェンタニル，モルヒネの静注オピオイドが推奨されている（推奨レベル＋1C）[5]。フェンタニルには速効性があり，ICUでの鎮痛に最適である。鎮痛効果はモルヒネの50～100倍で，持続時間が短いため持続静脈内投与を行う（1～2 μg/kg/時）（表3-6-E-2）[5]。心筋収縮力抑制作用や血管拡張作用が少ないため，循環動態が不安定な場合にはモルヒネよりフェンタニルが好まれる。

局所麻酔，ケタミン（静脈内投与），イブプロフェン（わが国では経口投与のみ），アセトアミノフェン（わが国では2013年11月，注射薬使用可）にはオピオイドの必要量を減らす鎮痛補助薬としての効果があると報告されている[4]。

VAS，NRS，BPSなどの痛みの評価スケールで基準を設け，基準値を超えた場合に鎮痛薬を開始・増量する。成人ICU患者の痛み管理はルーチンの痛み評価の下に行われるべきで，鎮静薬が考慮される以前に痛みの治療が行われるべきである（Good Practice Statement）[6]。具体的には，ICU専属の医師の指示により行う場合と，あらかじめICUでプロトコルを作成しておいて医師の指示を簡略化する方法がある（図3-6-E-2）[11]。

多発肋骨骨折患者に対する硬膜外鎮痛（局所麻酔）と麻薬の全身投与の比較試験では，前者において肺炎の合併の減少，人工呼吸日数の短縮の報告がある

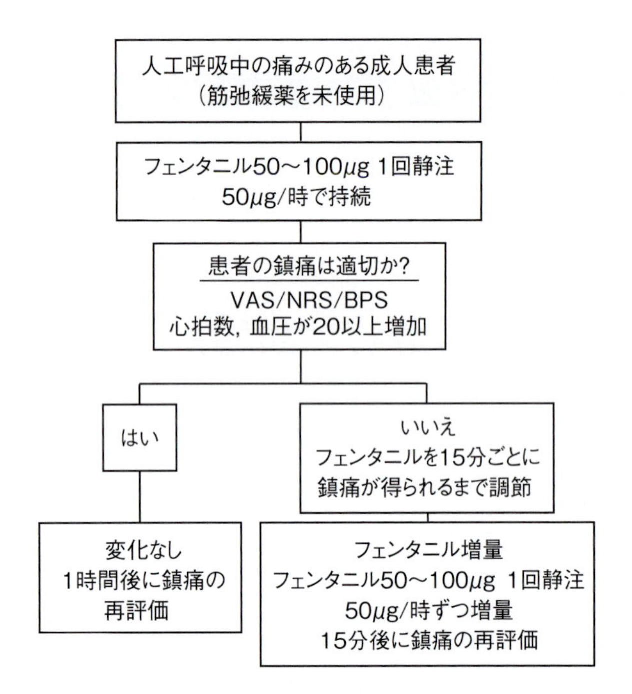

図3-6-E-2　人工呼吸患者の鎮痛プロトコル（例）
VAS：visual analogue scale，NRS：numeric rating scale
BPS：behavioral pain scale
〔文献11）より引用・改変〕

が[12]，メタ解析では，低血圧の合併が指摘され，硬膜外鎮痛の有用性は確立されていない[13]。J-PADガイドラインは外傷性肋骨骨折患者では，胸部硬膜外鎮痛を考慮することを提案している（推奨レベル＋2B）[5]。

なお，EASTガイドラインは鈍的胸部外傷患者への鎮痛管理に関して，オピオイド単独より硬膜外鎮痛または鎮痛補助薬の併用が優れている場合があると提案している（推奨レベルの記載なし）[14]。

Ⅲ　不穏・鎮静の評価と対処

1. 不穏・鎮静の評価スケール

不穏とは，過剰な精神運動興奮によって引き起こされる非合理的な動作のことで，せん妄の一症状ではあるが，せん妄に必ず認められるものではない。不穏の原因には，痛み，せん妄，強度の不安，低酸素血症，低血糖，低血圧などがあげられ，その鑑別と原因に対する治療が重要である。しかし，これらの対応を行ってもなお解決できない不穏に対しては鎮静薬を使用することになる。その際，鎮静薬の必要量を最小限にする鎮静管理が推奨されている[4)5]。

そのよりどころとなるのが主観的鎮静スケールである。Richmond Agitation-Sedation Scale（RASS）（表3-6-E-3）[15] は有用性の検証がもっとも進んでおり，せん妄評価にも利用でき，わが国のICUでもっとも普及している[16]。

RASSは鎮静中の患者はもちろんのこと，鎮静薬を使用していない患者に対しても使用できる。RASSを使った鎮静（意識）レベルの評価法は2段階からなり，まず患者を刺激することなく，そっと観察する。このとき，0～＋4の範疇にあればこれで評価は終了する。＋1～＋4の状態を不穏（agitation）という。次に，患者を音声で刺激する。10秒以上のアイ・コンタクトの有無がスコアを分ける鍵になる。最後に，患者の身体を刺激する。−4～−5の状態を昏睡（coma）という。

目標とする鎮静レベルは患者背景（年齢，既往症）や病態（外傷，ショック，術後など）により異なり，医師と看護師，時に患者や家族も加わり，協議して決定する。至適（目標）鎮静レベルと考えられているのは，RASS 0～−2である。

2. 鎮静薬の種類と使用の実際

わが国で頻用される鎮静薬はミダゾラム，プロポフォール，デクスメデトミジンである（表3-6-E-4）[5]。

長期鎮静または深い鎮静（RASS −3～−5）の場合，ミダゾラムが適している。短期鎮静（48時間未満），浅い鎮静（RASS 0～−2），頻回の神経学的評価を要する場合は，プロポフォールまたはデクスメデトミジン，または両者の併用が適している。デクスメデトミジンはより生理的な睡眠を誘導し，呼吸抑制が少なく，抗コリン活性がなく，せん妄の出現しにくい鎮静薬であるが，血圧低下，徐脈の出現に注意が必要である。プロポフォール投与に関連して生じる，心不全，不整脈，横紋筋融解，代謝性アシドーシス，高トリグリセリド血症，腎不全，高カリウム血症，カテコラミン抵抗性の低血圧を特徴とする致死的症候群をプロポフォールインフュージョン症候群（propofol infusion syndrome；PRIS）と呼ぶ[5]。

より深い鎮静を行うとともに毎日一時的に鎮静を中断して患者を覚醒させる「毎日の鎮静中断」も，

表3-6-E-3　Richmond Agitation-Sedation Scale (RASS)

スコア	用語	説明	
+4	好戦的な	明らかに好戦的な，暴力的な，スタッフに対する差し迫った危険	
+3	非常に興奮した	チューブ類またはカテーテル類を自己抜去；攻撃的な	
+2	興奮した	頻繁な非意図的な運動，人工呼吸器ファイティング	
+1	落ち着きのない	不安で絶えずそわそわしている，しかし動きは攻撃的でも活発でもない	
0	意識清明な 落ち着いている		
−1	傾眠状態	完全に清明ではないが，呼びかけに10秒以上の開眼およびアイ・コンタクトで応答する	呼びかけ刺激
−2	軽い鎮静状態	呼びかけに10秒未満のアイ・コンタクトで応答	呼びかけ刺激
−3	中等度鎮静状態	呼びかけに動きまたは開眼で応答するがアイ・コンタクトなし	呼びかけ刺激
−4	深い鎮静状態	呼びかけに無反応，しかし，身体刺激で動きまたは開眼	身体刺激
−5	昏睡	呼びかけにも身体刺激にも無反応	身体刺激

ステップ1：30秒間患者観察　(0～+4)

ステップ2：

1) 大声で名前を呼ぶか，開眼するように言う
2) 10秒以上アイ・コンタクトができなければ繰り返す
3) 動きがみられなければ，肩を揺するか，胸骨を摩擦する

〔文献15)より引用・改変〕

表3-6-E-4　鎮静薬の薬理学的比較

	ミダゾラム	プロポフォール	デクスメデトミジン
初回投与後の発現	2～5分	1～2分	5～10分
活性化代謝産物	あり[a]	なし	なし
初回投与量	0.01～0.06mg/kgを1分以上かけて静注し，必要に応じて0.03mg/kgを少なくとも5分以上の間隔を空けて追加投与 初回および追加投与の総量は0.3mg/kgまで	0.3mg/kg/時[b]を5分間	初期負荷投与により血圧上昇または低血圧，徐脈をきたすことがあるため，初期負荷投与を行わず維持量の範囲で開始することが望ましい
維持用量	0.02～0.18mg/kg/時[c]	0.3～3mg/kg/時（全身状態を観察しながら適宜増減）	0.2～0.7 μg/kg/時[d]
肝機能障害患者への対応	肝硬変患者ではクリアランスの低下による消失半減期延長のため50%減量	肝機能正常者と同じ	肝機能障害の程度が重度になるにしたがって消失半減期が延長するため，投与速度の減速を考慮。重度の肝機能障害患者に対しては，患者の全身状態を慎重に観察しながら投与速度を調節
腎機能障害患者への対応	Ccr<10ml/分，または透析患者：活性代謝物の蓄積により鎮静作用が増強することがあるため常用量の50%に減量	腎機能正常者と同じ	鎮静作用の増強や副作用が生じやすくなるおそれがあるので，投与速度の減速を考慮し，患者の全身状態を観察しながら慎重に投与
副作用	呼吸抑制，低血圧	注射時疼痛[e]，低血圧，呼吸抑制，高トリグリセリド血症，膵炎，アレルギー反応，プロポフォールインフュージョン症候群，プロポフォールによる深い鎮静では，浅い鎮静の場合に比べて覚醒が著明に遅延する	徐脈，低血圧，初回投与量による高血圧，気道反射消失

a) とくに腎不全患者では，活性代謝物により鎮静作用が延長する

b) プロポフォールの静脈内投与は，低血圧が発生する可能性が低い患者で行うことが望ましい

c) 可能なかぎり少ない維持用量で浅い鎮静を行う

d) 海外文献では，1.5 μg/kg/時まで増量されている場合があるが，徐脈などの副作用に注意する

e) 注射部位の疼痛は，一般的にプロポフォールを末梢静脈投与した場合に生じる

〔文献5)より引用〕

RASS 0～－2を目標とする「浅い鎮静」も，ともに人工呼吸期間やICU入室日数を短縮させる[5]。ここでの覚醒状態とは，開眼，追視，握手，舌出しなどの簡単な従命動作ができることを指す。人工呼吸管理中は「毎日鎮静を中断する」あるいは「浅い鎮静深度を目標とする」プロトコルのいずれかをルーチンに用いることを推奨している（推奨レベル＋1B）[5]。人工呼吸された外傷患者に1日1回覚醒と自発呼吸トライアルを行えるか否かの実行可能性研究が行われ，外傷患者（頭部外傷を除く）では安全に施行できることが実証された[17]。一方，頭部外傷患者におけるwakeup testについては，ICPやCPPを上昇させるものの脳代謝を変化させなかったという報告がある一方で[18]，正中偏位5mm以上やGCS合計点4以下はリスクとなる報告もある[19]。頭部外傷患者においてwakeup testを行う際は，十分な病態評価と注意が必要である。

Ⅳ　せん妄の評価と対処

1. せん妄評価ツール

せん妄評価は主観的評価や経験に頼ると過小評価してしまうことが報告されてきたが，痛み，不穏・鎮静の評価に比べ，いまだ十分に普及していない[16]。

せん妄とは，diagnostic and statistical manual of mental disorders-Ⅳ（DSM-Ⅳ）によると，①注意を集中し，維持し，他に転じる能力の低下を伴う意識の障害，②認知の変化，またはすでに先行し，確定され，または進行中の認知症ではうまく説明されない知覚障害の出現，③その障害は短期間のうちに出現し，1日のうちで変動する傾向がある，と定義される[20]。気管挿管された病態の不安定な重症外傷患者では，従来，せん妄の評価は困難であった。そこで，このような患者に対し，精神科医が診断したのと同等な判別能力を有するツールが2001年に米国とカナダからそれぞれ発表された。前者がConfusion Assessment Method for the Intensive Care Unit（CAM-ICU）[21,22]，後者がIntensive Care Delirium Screening Checklist（ICDSC）であり，DSM-Ⅳに準拠した8つの項目（意識レベルの変化，不注意，失見当識，幻覚・妄想，精神的興奮・抑制，不適当な気分・会話，睡眠/覚醒のサイクルの障害，1日のうちの症状の変動）のうち4項目以上陽性の場合をせん妄と診断する[23]。

CAM-ICUではDSM-Ⅲ-Rに準拠した，次に示す所見1～4のうち3つが陽性の場合（1＋2＋3 or 4），せん妄と診断する。精神状態変化の急性発症または変動性の経過（所見1），注意力欠如（所見2），意識レベルの変化（所見3），無秩序な思考（所見4）の4つの所見の有無を確認するが，所見1で基準線である普段の状態，術前状態，前日の状態からまったく変化がなければ所見1は陰性となり，せん妄なしと診断する（図3-6-E-3）[22]。RASS（表3-6-E-3）が0以外であれば自動的に所見3は陽性である。したがって，所見1と所見3が陽性なら実際に患者に接して所見をとるのは所見2だけでよいことになる。所見4の確認の必要はあまりない。ISS中央値17の外傷患者のうち，35％の患者に頭部外傷ありでもCAM-ICUを使ってせん妄の評価が行えることは実証されている[24]。また，神経集中治療（うち17％が頭部外傷患者）の現場でも，ICDSCでせん妄の評価を行うことは可能であり，ICDSCの点数の高さ，すなわちせん妄の陽性項目数は，ICU滞在日数と有意に関連していた[25]。

CAM-ICUで評価する前にRASSで鎮静（意識）レベルを評価することが必須であるが，RASSで－4より上（－3～＋4）の場合，せん妄評価に進む。RASSが－4または－5の場合，評価をいったん中止し，のちに再評価する。所見1～4のうち3つが陽性でRASSが0～－3であれば，低活動型せん妄（hypoactive delirium），RASSが＋1～＋4であれば過活動型せん妄（hyperactive delirium）という。Pandharipandeら[26]の報告によれば，人工呼吸された外傷患者の67％にせん妄を認め，そのうち低活動型が60％に対し，過活動型は1％，残りは混合型であった。

成人重症患者は妥当性のあるツールを用いて定期的にせん妄の評価が行われるべきである（Good Practice Statement）[6]。

2. せん妄の予防と治療の実際

一般病棟では患者支援策をはじめとする非薬物的予防策が検討されてきたが，ICUにおいては予防と

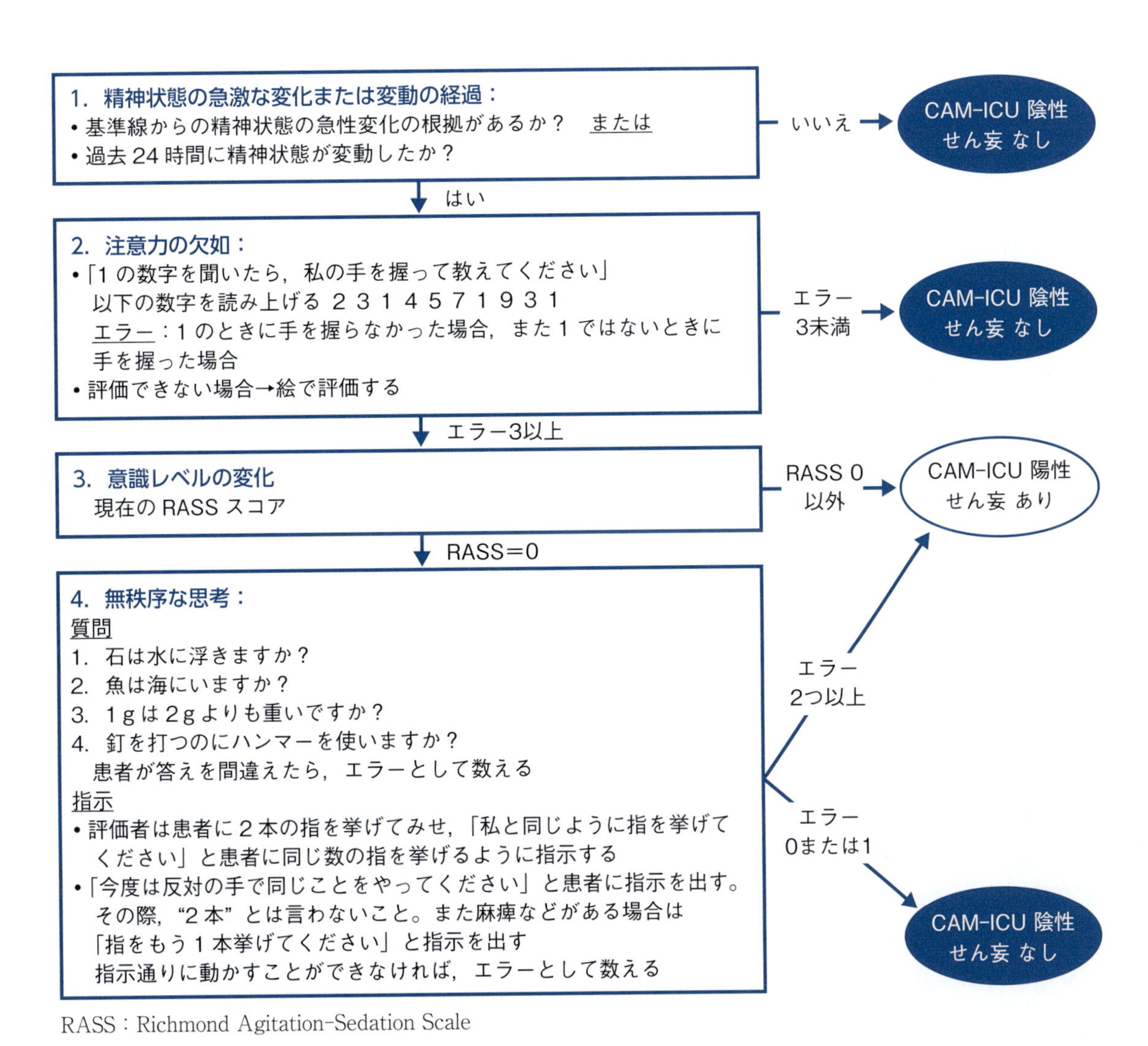

RASS：Richmond Agitation-Sedation Scale

図3-6-E-3 日本語版CAM-ICUのフローチャート

治療に関する報告が薬物治療・非薬物治療ともに少ない。

鎮静薬の種類の違いによるICUせん妄の予防効果を比較検討した多施設二重盲検RCTが2つある。1つはベンゾジアゼピン系ロラゼパム（わが国では注射薬未発売）とデクスメデトミジンを比較したもの[27]，もう1つはミダゾラムとデクスメデトミジンを比較したものである[28]。α_2受容体作動薬のデクスメデトミジンは，従来の鎮静薬（GABA受容体作動薬）と異なる利点を有していることからせん妄予防効果が期待された。結果，デクスメデトミジンはロラゼパムと比較して急性脳機能不全（昏睡またはせん妄）または昏睡のないICU日数が有意に長かったが，せん妄のない日数については有意差が得られなかった[27]。一方，後者では，せん妄の発症率がデクスメデトミジンで54%，ミダゾラムで77%とデクスメデトミジンで有意に少なかった[28]。ただし，デクスメデトミジン投与量が1.4μg/kg/時と日本では未承認の高用量まで使用されていることから，わが国承認の範囲内でデクスメデトミジンが他の鎮静薬に優る効果があるかは不明である（推奨レベル0, C）[5]。しかし，これらの研究結果からプロポフォールやデクスメデトミジンのような非ベンゾジアゼピン系鎮静薬が，ミダゾラムのようなベンゾジアゼピン系鎮静薬より患者アウトカムを改善させる可能性が示され，ベンゾジアゼピン系を第一選択とすることは避け，投与する場合も可能なかぎり投与量を減らす必要があろう（推奨レベル＋2C）[5]。

後方視的研究ではあるが，外傷患者に使用可能な鎮痛・鎮静・せん妄のプロトコルを多職種で作成し，その前後で転帰を比較した報告がある[29]。患者の快適さを重視し，強制的な1日1回の鎮静中断をしないプロトコルを遂行した結果，人工呼吸日数と入院日数が有意に短縮した。また，24時間以上人工呼吸された外傷患者の前向き観察研究の結果，せん妄移行への独立危険因子はミダゾラムの使用であった[30]。

ICUせん妄の治療に関する報告は少なく，まだパイロット研究の段階である。ハロペリドールと非定型抗精神病薬オランザピンの1施設でのRCTが行われ，両者は同等に改善を認めた[31]。その後，多施設パイロット研究が2つ発表された。ハロペリドールが必要なICUせん妄患者にプラセボまたはクエチアピンを計画投与した結果，クエチアピンは最初のせん妄の消失までの時間，せん妄の持続時間，不穏の時間がプラセボより有意に短かった[32]。一方，人工呼吸患者を無作為にハロペリドール，ジプラシドン，プラセボに割り付け，6時間ごとに14日間投与した[33]。3群とも急性脳機能不全なしの生存日数は同様であった。人工呼吸離脱日数，入院日数，死亡率などの副次的評価項目も3群間で違いはなかった。以上のことから重症外傷患者のせん妄期間を短縮する有効な薬物治療を支持するデータは少なく，結論に至っていない（推奨レベル0, C）[5]。

現在のわが国での対処法としては，せん妄の診断後，非薬物治療（支援策）を行うと同時に，せん妄をきたす直接原因を念頭に置いた全身検索を行う。これらで解決しない場合，可能であれば精神科医への相談を早期に行い，軽度の過活動型せん妄ではチアプリド，ハロペリドール，あるいはリスペリドンをはじめとする非定型抗精神病薬を内服投与し，夜間の睡眠を確保するよう努める。重度の過活動型せん妄では，保険適用外使用になるが，ハロペリドールの静脈内投与，あるいはリスペリドンの内服液剤の頓用を考慮する。ただし，これらの治療に関する根拠は薄い。

まとめ

「鎮静・鎮痛管理」から「痛み・不穏・せん妄評価とその対処」に移行してきた。

鎮痛薬の使用を第一に考え，目標とする鎮静レベルは可能なかぎり浅く，軽度鎮静（RASS 0～－2）とし，軽度鎮静でなければ1日1回鎮静を中断ないし減量し，日中はなるべく患者を覚醒させる。鎮静薬としてミダゾラムを使用することは可能であれば避けたほうがよい。

覚醒している時間帯に，人工呼吸器からのウィニングまたはリハビリテーションを実施する。看護師はRASSによる鎮静（意識）レベルの評価に加えてせん妄評価も行う。鎮静薬を減量・中断してもICUせん妄を継続して認める場合，鎮静・鎮痛薬以外の原因，すなわち，低酸素血症，感染症，代謝性因子（肝腎機能障害，血糖・電解質異常など）を鑑別する。

文　献

1) Reade MC, Finfer S：Sedation and delirium in the intensive care unit. N Engl J Med 2014；370：444-454.
2) Jacobi J, Fraser GL, Coursin DB, et al：Clinical practice guidelines for the sustained use of sedatives and analgesics in the critically ill adult. Crit Care Med 2002；30：119-141.
3) Shapiro MB, West MA, Nathens AB, et al：V. Guidelines for sedation and analgesia during mechanical ventilation general overview. J Trauma 2007；63：945-950.
4) Barr J, Fraser GL, Puntillo K, et al：Clinical practice guidelines for the management of pain, agitation, and delirium in adult patients in the intensive care unit. Crit Care Med 2013；41：263-306.
5) 日本集中治療医学会J-PADガイドライン作成委員会：日本版・集中治療室における成人重症患者に対する痛み・不穏・せん妄管理のための臨床ガイドライン．日集中医誌 2014；21：539-579.
6) Devlin JW, Skrobik Y, Gélinas C et al：Clinical practice guidelines for the prevention and management of pain, agitation/sedation, delirium, immobility, and sleep disruption in adult patients in the ICU. Crit Care Med 2018；46：e825-e873
7) Payen JF, Chanques G, Mantz J, et al：Current practices in sedation and analgesia for mechanically ventilated critically ill patients：A prospective multicenter patient-based study. Anesthesiology 2007；106：687-695.
8) Ahlers SJ, van Gulik L, van der Veen AM, et al：Comparison of different pain scoring systems in critically ill patients in a general ICU. Crit Care 2008；12：R15.
9) Payen JF, Bru O, Bosson JL, et al：Assessing pain in critically ill sedated patients by using a behavioral pain scale. Crit Care Med 2001；29：2258-2263.
10) Puntillo KA, Max A, Timsit JF, et al：Determinants of procedural pain ontensity in the intensive care unit：The Europain® study. Am J Respir Crit Care Med 2014；189：39-47.
11) Fry C, Edelman LS, Cochran A：Response to a nursing-driven protocol for sedation and analgesia in a burn-trauma ICU. J Burn Care Res 2009；30：112-118.

12) Bulger EM, Edwards T, Klotz P, et al：Epidural analgesia improves outcome after multiple rib fractures. Surgery 2004；136：426-430.

13) Carrier FM, Turgeon AF, Nicole PC, et al：Effect of epidural analgesia in patients with traumatic rib fractures：A systematic review and meta-analysis of randomized controlled trials. Can J Anaesth 2009；56：230-242.

14) Galvagno SM, Smith CE, Varon AJ, et al：Pain management for blunt thoracic trauma：A joint practice management guideline from the Eastern Association for the Surgery of Trauma and Trauma Anesthesiology Society. J Trauma Acute Care Surg 2016；81：936-951.

15) Sessler CN, Gosnell MS, Grap MJ, et al：The Richmond Agitation-Sedation Scale：Validity and reliability in adult intensive care unit patients. Am J Respir Crit Care Med 2002；166：1338-1344.

16) 日本集中治療医学会J-PADガイドライン検討委員会：集中治療領域における痛み・不穏・せん妄管理の現状調査（2019年）．日集中医誌 2020；27：150-158.

17) Figueroa-Ramos MI, Arroyo-Novoa CM, Padilla G, et al：Feasibility of a sedation wake-up trial and spontaneous breathing trial in critically ill trauma patients：A secondary analysis. Intensive Crit Care Nurs 2013；29：20-27.

18) Skoglund K, Hillered L, Purins K, et al：The neurological wake-up test does not alter cerebral energy metabolism and oxygenation in patients with severe traumatic brain injury. Neurocrit Care 2014；20：413-426.

19) Figueroa-Ramos MI, Arroyo-Novoa CM, Padilla G, et al：Feasibility of a sedation wake-up trial and spontaneous breathing trial in critically ill trauma patients：A secondary analysis. Intensive Crit Care Nurs 2013；29：20-27.

20) 高橋三郎，大野裕，染矢俊幸訳：せん妄，痴呆，健忘性障害，および他の認知障害．DSM-Ⅵ-TR精神疾患の診断・統計マニュアル，医学書院，東京，2004，pp142-152.

21) Ely EW, Margolin R, Francis J, et al：Evaluation of delirium in critically ill patients：Validation of the Confusion Assessment Method for the Intensive Care Unit（CAM-ICU）. Crit Care Med 2001；29：1370-1379.

22) ICUにおけるせん妄評価法（CAM-ICU）トレーニング・マニュアル．
https://uploads-ssl.webflow.com/5b0849daec50243a0a1e5e0c/5bb419cbf487b4d2af99b162_CAM_ICU2014-training_Japanese_version.pdf（Accessed 2022-2-28）

23) Bergeron N, Dubois MJ, Dumont M, et al：Intensive Care Delirium Screening Checklist：Evaluation of a new screening tool. Intensive Care Med 2001；27：859-864.

24) Soja SL, Pandharipande PP, Fleming SB, et al：Implementation, reliability testing, and compliance monitoring of the Confusion Assessment Method for the Intensive Care Unit in trauma patients. Intensive Care Med 2008；34：1263-1268.

25) Yu A, Teitelbaum J, Scott J, et al：Evaluating pain, sedation, and delirium in the neurologically critically ill-feasibility and reliability of standardized tools：A multi-institutional study. Crit Care Med 2013；41：2002-2007.

26) Pandharipande P, Cotton BA, Shintani A, et al：Motoric subtypes of delirium in mechanically ventilated surgical and trauma intensive care unit patients. Intensive Care Med 2007；33：1726-1731.

27) Pandharipande PP, Pun BT, Herr DL, et al：Effect of sedation with dexmedetomidine vs lorazepam on acute brain dysfunction in mechanically ventilated patients：The MENDS randomized controlled trial. JAMA 2007；298：2644-2653.

28) Riker RR, Shehabi Y, Bokesch PM, et al：Dexmedetomidine vs midazolam for sedation of critically ill patients：A randomized trial. JAMA 2009；301：489-499.

29) Robinson BR, Mueller EW, Henson K, et al：An analgesia-delirium-sedation protocol for critically ill trauma patients reduces ventilator days and hospital length of stay. J Trauma 2008；65：517-526.

30) Pandharipande P, Cotton BA, Shintani A, et al：Prevalence and risk factors for development of delirium in surgical and trauma intensive care unit patients. J Trauma 2008；65：34-41.

31) Skrobik YK, Bergeron N, Dumont M, et al：Olanzapine vs haloperidol：Treating delirium in a critical care setting. Intensive Care Med 2004；30：444-449.

32) Devlin JW, Roberts RJ, Fong JJ, et al：Efficacy and safety of quetiapine in critically ill patients with delirium：A prospective, multicenter, randomized, double-blind, placebo-controlled pilot study. Crit Care Med 2010；38：419-427.

33) Girard TD, Pandharipande PP, Carson SS, et al：Feasibility, efficacy, and safety of antipsychotics for intensive care unit delirium：The MIND randomized, placebo-controlled trial. Crit Care Med 2010；38：428-437.

F 外傷後の感染対策

要 約

1. 穿通性頭部外傷では，できるかぎり早期に抗菌薬を投与する。
2. 胸部外傷後の胸腔ドレーン挿入時は第1世代セフェム系抗菌薬を投与する。
3. 管腔臓器損傷を伴う腹部外傷では，術前1時間以内から術後24時間まで重症度や耐性菌リスクに応じた予防的抗菌薬を投与する。
4. 開放骨折では受傷後できるだけ早期に抗菌薬を投与することを推奨する。Gustilo-Anderson分類Type Ⅲではグラム陰性桿菌もカバーする薬剤を用い，通常72時間後まで投与を継続することが一般的である。
5. 外傷後の敗血症発症例は，非発症例に比べ有意に死亡率が高く，入院日数や医療費も3倍近く増加する。
6. 敗血症に陥った場合の臨床上重要な事項に対しては，「日本版敗血症診療ガイドライン」や「Surviving sepsis campaign guideline」が参考となる。

はじめに

外傷によるバリアの破綻や汚染，手術，治療に伴う異物の留置などにより，外傷患者では感染症のリスクが増加する。本項では，①受傷時から周術期にかけての受傷部位別の感染予防策，②外傷と敗血症について述べる。

なお，外傷に限らず手術については術前の予防的抗菌薬投与が手術部位感染（surgical site infection；SSI）予防に有効であることが示されており[1)2)]，術前投与に関する抗菌薬の使用に関しては該当するガイドラインを参照されたい[3)]。

Ⅰ 受傷部位別の感染予防策

1. 頭部外傷

1）穿通性頭部外傷における感染予防

抗菌薬が投与されていなかった第一次世界大戦中における穿通性頭部外傷の感染症合併率は60％近くに達していたが，第二次世界大戦以降，穿通性頭部外傷患者にルーチンに予防的抗菌薬が投与されるようになって以来，髄膜炎，脳室炎，脳膿瘍といった頭蓋内感染症発症率は1～5％まで劇的に減少した[4)]。

現在，穿通性頭部外傷に対する予防的抗菌薬投与は経験的に行われている。現在も介入試験や前向き観察研究は存在せず，後ろ向き観察研究や症例報告，エキスパートオピニオンをもとに予防的抗菌薬投与が推奨されている[5)6)]。

穿通性頭部外傷による頭蓋内感染症の原因菌は黄色ブドウ球菌が多いが，グラム陰性菌もみられる。また頭蓋内感染症の合併は致死的になりやすいため，広域スペクトラムの抗菌薬を投与することが推奨されている。“Infection in Neurosurgery” Working Party of British Society for Antimicrobial Chemotherapy[7)]はアモキシシリン・クラブラン酸，またはセフロキシムとメトロニダゾールの併用静脈内投与を推奨している[5)]。ただし，これらの推奨の根拠となっている海外での報告の多くが銃創による頭部外傷患者を対象としているため[4)7)]，わが国で遭遇する穿通性頭部外傷とは受傷機転や原因菌が異なる可能性がある。現実的にはよほど汚染の強い創や易感染性基礎疾患をもつ患者以外はセファロスポリン系抗菌薬，またはβラクタマーゼ阻害薬配合抗菌薬を第一選択としてよいと考える。米国では実際には第1世代セフェム系抗菌薬や第3世代セフェム系抗菌薬が使用されることが多い[8)]。

予防抗菌薬の投与期間は5日間が推奨されているが，これより短い報告[8)]もあるため，確立された見解は現状ではない。

2）頭蓋底骨折における感染予防

鈍的頭部外傷の7.0～15.8％に頭蓋底骨折が合併し，髄液漏は2.0～20.8％にみられる[9]。頭蓋底骨折により副鼻腔や鼻咽頭，中耳と頭蓋内との交通が生じることから感染の危険性が高まる。とくに髄液漏のある患者，副鼻腔損傷のある患者では頭蓋内感染症発症のリスクが高いと報告されてきた[4]。しかし髄液漏の有無にかかわらず，頭蓋底骨折の患者に対する予防的抗菌薬投与の感染予防効果の根拠は確立していない[10]。米国感染症学会（Infectious Disease Society of America；IDSA）のガイドラインでは外傷による頭蓋底骨折に起因する髄液漏患者に対する予防的抗菌薬投与は行うべきでない（強い推奨）としている[11]。

1990年代に報告された，髄液漏患者への予防的抗菌薬投与の有効性を検討した2つのメタ解析[12) 13]は，抗菌薬投与の推奨，非推奨に結論が分かれ，さらに対象となった個々の研究も観察研究や後ろ向き研究であったことから，2006年に5つのRCTをもとに再度メタ解析が行われた[14]。すべての頭蓋底骨折患者を対象として検討した場合，一次評価である髄膜炎の発症は，抗菌薬投与による予防効果はなかった（オッズ比0.69；95％CI 0.29～1.61）。サブグループ解析として，髄液漏がある場合，髄液漏がない場合に分けて検討されたが，いずれもオッズ比0.44（95％CI 0.09～2.15），0.77（95％CI 0.25～2.41）であり，抗菌薬投与により髄膜炎を減らす結果とはならなかった。17の非RCTの検討でも同様の結果であった。2011年に，同じグループにより新しいRCTの検索が試みられているが[9]，2006年版でも含まれていた2004年のEftekharら[15]によるRCT以降，新しい良質な研究は行われていなかったため，2006年版と同じ結論に至っている。2015年のCochrane reviewでも同様の検討結果であった[10]。これらの結論から頭蓋底骨折患者での抗菌薬のルーチン投与は推奨されていない。

ほとんどの患者で髄液漏は7日間以内に自然に消失するが，7日以上続いた場合には髄膜炎発症のリスクが高まるため[16]，髄液漏が1週間を超えて持続する場合には抗菌薬投与を考慮する必要があるかもしれない。その場合の抗菌薬の種類や投与期間についても決まったものはない。前述の2006年，2011年のメタ解析の対象となった5つのRCTでは，セフトリアキソン，またはアンピシリンとスルファジアジン（サルファ剤）併用3日間投与[17]，セフトリアキソンの5日間投与[15]，ベンジルペニシリンの3日間投与[18]，アンピシリンまたはセファロチンの10日間投与[19]，ペニシリンの4～13日間投与[20]となっている。市中感染髄膜炎の経験的な治療プロトコルに従えば，MRSAのリスクが少ない場合はセフトリアキソン，MRSA感染のリスクが高い患者ではバンコマイシンを選択するのが適当であろう。また，持続する髄液漏患者では，肺炎球菌が予防すべき病原体となることから，肺炎球菌ワクチンの接種が推奨されている[11]。

2. 胸部外傷

1）胸腔ドレーン留置中の感染予防

胸腔ドレーン留置中の膿胸の合併頻度は0～18％[21]，肺炎の合併頻度は2.5～35.0％[22]と報告されている。胸部外傷に続発する膿胸や肺炎の原因菌としては，黄色ブドウ球菌，表皮ブドウ球菌が代表的であり，次いでグラム陰性桿菌，真菌も原因菌になり得る。MRSAが原因菌の場合，治療に失敗するリスクが高いと報告されている[23]。このため胸腔ドレーン挿入前，挿入中の抗菌薬投与が感染予防に有効ではないかという仮説が数々の研究で検証されてきた。

(1) 基本的感染対策

血胸では，胸腔ドレーン留置により十分にドレナージすること自体が膿胸発症予防にもっとも重要である[23]。また，異物である胸腔ドレーンを不要に長期間留置すること自体も膿胸発症のリスクとなるため[22]，胸腔ドレーン挿入の必要性，留置期間については適切に判断する必要がある。胸腔ドレーン留置期間が6日間を超えると感染合併症が増加するとの報告[24]があることから，この時期より抜去や入れ替えのタイミングを日々検討することになる。胸腔ドレーン挿入時には，ポピドンヨードまたはクロルヘキシジンで皮膚をよく消毒し，無菌的操作で挿入することで感染合併症を高率に予防できる[25]。

(2) 予防的抗菌薬の有効性

1970年代からRCTがたびたび行われてきており，2012年に報告されたメタ解析[26]では2010年までの

11件のRCTを対象に検討し，抗菌薬投与が膿胸，肺炎などの感染合併症予防に有効である（オッズ比0.24；95%CI 0.12〜0.49）としている。これに対して，1997〜2011年の比較的新しい研究をもとに発表された2012年改訂版のEASTガイドライン[27]では，胸部外傷後の胸腔ドレーン留置時の抗菌薬投与による膿胸，肺炎発症予防効果の有効性，非有効性を結論づける十分な文献的根拠はないというものであった。抗菌薬が有効性を示せない理由として，術前の抗菌薬投与と異なり，外傷により組織の損傷が起こった後に抗菌薬を投与することになるため，汚染前に創部へ薬剤を到達させることが不可能であるという推測をあげている。また，膿胸・肺炎の診断基準や抗菌薬の種類，投与量，投与期間が各研究で異なり，エビデンスの信頼性が低いためと考えられる。

その後，2014年に1件のRCTが追加[28]され，2019年にこれを加えた12件のRCTでメタ解析を実施したシステマティックレビュー[29]では，予防的抗菌薬は膿胸（リスク比0.25；95%CI 0.13〜0.49）および肺炎（リスク比0.41；95%CI 0.24〜0.71）発症リスクの低下と関連したと結論づけた。さらに，2019年の米国23施設の外傷センターによる前向き観察研究[30]では，予防的抗菌薬は膿胸や肺炎発生率と関連している可能性が示唆された。

これらを総合し，現時点では予防的抗菌薬の投与を弱く推奨するが，結論は出されていないと考える。膿胸，肺炎の発症を疑った時点で直ちに原因菌診断に有用な検体を採取し，通常は第1世代セファロスポリン，MRSA感染のリスクの高い患者では抗MRSA薬で治療を開始することは妥当であろう。

2）その他の胸部外傷に対する感染予防

チェストチューブを留置する必要がないと判断された胸部外傷の胸腔内感染症発症率は報告されていない。このような患者への抗菌薬予防投与効果を検討したRCTもこれまでのところ存在しないため，ルーチンでの抗菌薬投与は不要と考える。しかし疼痛による胸郭運動制限により無気肺や誤嚥，肺炎が生じるリスクは高いため，十分な鎮痛が必要である。開胸術を必要とする胸部外傷については，前述のとおりSSI予防に準じた抗菌薬投与が適切である[1][3]。

3. 腹部外傷

1）穿通性腹部外傷における感染予防

1970年代以降の穿通性腹部外傷に対する術前の予防的抗菌薬投与の有効性を示した研究をもとに[31][32]，2000年の穿通性腹部外傷についてのEASTガイドライン[33]では術前1回の広域抗菌薬の予防的投与が必要という指針を出し，2012年の改訂版でも引き継がれた[34]。穿通性腹部外傷において感染予防目的で術前，とくに可能なかぎり開腹1時間以内に抗菌薬を投与する有効性はほぼ確立されている[35]が，現在までRCTは存在しておらず，穿通性腹部外傷に対する予防的抗菌薬は，主に専門家の意見を根拠に使用されている[36]。

一方で，予防的抗菌薬の投与期間，種類についての比較介入研究は存在しており，その概要を下記に紹介する。

(1) 投与期間

2000年のEASTガイドラインでは推奨レベルⅠの高い推奨として，管腔臓器損傷を伴う場合は術後24時間まで抗菌薬を継続するが，24時間を超えての抗菌薬継続は不要であるとし，2012年に改訂されたEASTガイドラインでもその指針に変更はなかった[34]。

2019年に発表されたCochrane reviewでは，単回投与と24時間，24時間と24時間超に分けてメタ解析を実施しているが，いずれも投与期間を延長することの利益は確認されなかった[37]。ただし，これらのメタ解析に含まれる研究はすべて2000年までに実施された古いもので，エビデンスの確実性の質は非常に低いと判定されていることに注意を要する。

重症例では感染率は増加する事実はあるが，抗菌薬投与期間を24時間以上に延ばすことにより感染率が改善することを支持する根拠は乏しい。IDSAによる腹腔内感染に関するガイドラインでも，腸管損傷を伴う穿通性・鈍的腹部外傷で12時間以内に修復手術が施行できた場合は，抗菌薬投与は24時間以内にとどめることを強く推奨している（推奨レベルA-Ⅰ）[38]。

なお，管腔臓器損傷がないことが判明した場合は術後の抗菌薬投与は不要である[34]。減圧開腹後open abdomen managementで一定期間経過する場合の抗菌薬投与の必要性について検討した研究は存在せず，患者背景や受傷機転などを考慮に入れ患者ごとに判断する必要がある。

(2) 抗菌薬の種類

外傷に関連する感染症としてのSSIの原因菌には，当然のことながら大腸菌をはじめとする腸内細菌群，バクテロイデス（属），そして*Enterococcus*が多い。これらをカバーする抗菌薬の検討が必要である。Jonesらは穿通性腹部外傷患者257人に対する予防的抗菌薬をクリンダマイシンとトブラマイシン併用，セファマンドール（第2世代セファロスポリン系），セフォキシチン（第2世代セファロスポリン系）の3群に分け術前から48時間後まで投与した[39]。すべての感染症の発症率はそれぞれ20％，29％，13％で，セファマンドールに比較しセフォキシチンでの感染症発症率は有意に低かった。手術関連感染症や菌血症など重症の感染症発症率はそれぞれ8％，15％，7％で，有意差はないもののセフォキシチンで低い傾向にあった。セフォキシチンはわが国では発売中止となっており，第2世代セファロスポリンであり，セファマンドールとの最大の違いはバクテロイデス（属）の嫌気性菌に感受性をもつという点である。本研究ではセファマンドール群でバクテロイデス（属）への感染が多い（セファマンドール群4例，セフォキシチン群1例，クリンダマイシン＋トブラマイシン群0例）という結果であり，嫌気性菌をカバーできる抗菌薬の必要性を示している。

一方，耐性の強いグラム陰性菌・グラム陽性菌については，ルーチンでカバーする必要はないかもしれない。2019年のCochrane reviewで実施されたメタ解析では，嫌気性菌カバーの抗菌薬と，グラム陰性菌・グラム陽性菌を含むカバーでは感染率に差がなかった[37]。ただし，アンピシリン・スルバクタムとセフォキシチンの比較では*Enterococcus*をカバーできるアンピシリン・スルバクタム投与群で感染率が有意に低かったという報告[40]もある。わが国ではセフォキシチンの代替として，スペクトラムの似たセフメタゾールを使用できる可能性がある。

2）出血性ショックの場合の抗菌薬投与量

外傷患者では出血性ショックや敗血症性ショックの治療として，大量の輸液や輸血を行う場合がある。このような場合に抗菌薬投与量を増やすべきかどうかという議論がある。Ericssonらは，病初期の外傷患者では抗菌薬の血中濃度が上がりにくいため，投与量を増やして血中濃度を保つことにより感染合併症を減らしたと報告した[41]。また，Reedら[42]は外傷治療急性期と維持期では輸液量の変化により体液量も変動するため，抗菌薬の血中濃度モニタリングによる適切な投与プラン設計が必要であることを示した。EASTガイドラインでは，出血性ショックの患者では血管収縮により期待するような組織濃度が得られない可能性があるため，止血されるまで通常の2～3倍の量の抗菌薬を10単位輸血ごとに投与することも提案している。しかし，2012年の段階でも推奨レベルⅢの弱い推奨にとどまっており[34]，この妥当性については今後の研究を待つ必要がある。

3）その他の場合

手術を行わない穿通性腹部外傷の場合は，局所の感染所見を伴わないかぎり必ずしも抗菌薬を投与する必要はない。

鈍的腹部外傷に管腔臓器損傷を伴う場合（1％の割合[43]），術前および24時間後までの抗菌薬投与を行う（推奨レベルⅠ）[38]。

4. 四肢外傷

1）開放骨折

開放骨折後の感染症として問題になるのは骨髄炎，軟部組織感染症であり，骨折の重症度，軟部組織損傷の程度，細菌による汚染の程度，糖尿病や末梢血管障害などの基礎疾患の有無などによって感染のリスクが左右される。感染率はGustilo-Anderson分類（p.344）Type Ⅰで0～2％，Type Ⅱで2～10％，Type Ⅲで10～50％と報告されている[44]。受傷早期の十分な洗浄，デブリドマンが感染防止の基本であることはいうまでもない。さらに再接着のタイミングや術式も重要となってくるが，これらについては他書に譲ることとし，本項では開放骨折に対する予防的抗菌薬投与について述べる。

(1) 予防的抗菌薬の必要性と投与開始のタイミング

受傷後，可能なかぎり早期の抗菌薬投与が強く推奨される[45][46]。Gosselinらは，開放骨折における予防的抗菌薬投与についての8つのRCTを検討したメタ解析[47]で，抗菌薬使用の感染症発症に対するリスク比は0.48，絶対危険減少（absolute risk reduction；ARR）0.07，治療必要数（number needed to treat；

NNT）13との結果を示し，開放骨折での予防的抗菌薬投与の必要性を示した。開放骨折ではとくに受傷後3時間を超えると感染率が上がるため，できるだけ早く，遅くとも3時間以内に抗菌薬投与を開始することが骨髄炎，軟部組織感染症発症予防に重要といわれている[44)48)～50)]。また，指の末節骨開放骨折に限定するが，フルクロキサシリンの予防的投与は感染症の発症に差を認めなかった[51)]との報告もある。

なお，洗浄の際の洗浄液への抗菌薬添加については，開放骨折458例を対象としたRCTにおいて石鹸による洗浄と比較したところ，感染症発症率に差はなく，抗菌薬添加洗浄群でむしろ創傷治癒が遅れたとの報告があり[52)]，推奨されていない。一方で，感染のリスクが高い場合の脛骨骨折手術時に，バンコマイシン粉末を創内に投与することによって，グラム陽性菌による深在性SSIの発症リスクを低減させるとの報告もある[53)]。

(2) 抗菌薬の種類

開放骨折関連の感染症の原因菌の多くはグラム陽性球菌またはグラム陰性桿菌である。Gustilo-Anderson分類TypeⅠ，Ⅱではグラム陽性球菌に感受性のあるペニシリン系，第1世代セファロスポリン系抗菌薬を用いる。Gustilo-Anderson分類TypeⅢではグラム陰性桿菌もカバーする必要があるため第1世代セファロスポリン系とアミノグリコシド系抗菌薬の併用が従来より推奨されていたが[44)]，第3世代セファロスポリン[54)]やピペラシリンタゾバクタム[55)]でも転帰に統計学的な有意差は認めなかったとする報告もある。実際の臨床では，さまざまな種類の抗菌薬が使用されており[56)]，Gustilo-Anderson分類TypeⅢにおけるガイドライン遵守率が低いことが報告されている[57)]。

土や動物の糞便などで汚染された創の場合は，*Clostridioides*属のカバーのため，高用量のペニシリン追加も考慮する[45)58)]。MRSA感染の既往や医療施設/介護施設への長期滞在歴のある患者の場合には，抗MRSA薬の追加を考慮する[59)]。2013年に報告された開放骨折患者への通常の抗菌薬治療（セファゾリン投与）と，抗MRSA薬の追加（セファゾリン＋バンコマイシン）投与を比較したRCTでは，MRSA保菌率は3%で，SSIは有意にMRSA保菌者で多かったにもかかわらず，通常治療群とバンコマイシン追加群を比較すると感染合併率には有意差を認めなかったと報告している[60)]。現段階では，すべての患者へのルーチンの抗MRSA薬投与が必要とはいえない。今後の大規模試験の結果が待たれる。

(3) 投与期間

Dellingerらは，開放骨折に対しセフォニシド（第2世代セファロスポリン系）1日間，5日間投与，セファマンドール5日間投与の3群を比較した[61)]。感染率はそれぞれ13%，12%，13%と有意差はなく，長期間の抗菌薬投与は不要と結論づけた。3件のRCTを含むメタ解析では，24時間以上を超える予防的投与の優位性は示されなかった[46)]。一方で，より長い抗菌薬投与を奨めているものもある[58)]。Stennettらは大規模RCTの二次解析で，汚染の強い創では72時間を超える予防的抗菌薬が，深在性SSIの発症が有意に少なかったと報告している[62)]。

EASTガイドラインではTypeⅠ，Ⅱでは24時間，TypeⅢでは72時間までの抗菌薬投与を推奨しており（推奨レベルⅡ）[45)]，現段階ではこの推奨に従うのが妥当と考える。しかし，2019年に報告された実際の臨床現場における国際調査では，半数以上の外傷整形外科医がTypeⅢの開放骨折に対しては5日間以上抗菌薬を投与していると回答している[56)]。投与期間についても今後の研究結果を待って判断したい。

2）非開放骨折

1973～2000年に報告されたRCT，準RCTを検討して作られた非開放骨折手術時の予防的抗菌薬投与に関するガイドライン[63)]では，術前1回の抗菌薬投与を推奨している。24時間を超えての長期抗菌薬投与を推奨する根拠はない。したがってSSI予防の一般的な抗菌薬投与に準じ[1)]，MRSA感染のリスクが高い患者を除き第1世代セファロスポリン系抗菌薬の術前1時間以内の1回投与が適切と考える。

5. 皮膚損傷

創傷処置でもっとも重要な感染予防策は洗浄である。汚染の少ない顔面と頭皮の創傷以外は高圧洗浄（シリンジに18Gより小さい留置針外筒を付けて洗浄）がよい[64)]。洗浄に清潔な生理食塩液を用いることは必ずしも必要ではない[65)]。抗菌薬含有軟膏は感染率を減らすという報告もある[66)]。創部に異物を認めれば除去して，必要に応じて外科的デブリドマンを行う。

動物やヒトによる咬傷以外の通常の創傷に対する予防的抗菌薬の効果は立証されていない[67]。咬傷以外の創傷への抗菌薬投与と非投与を比較した7件のRCTを検討したメタ解析では，抗菌薬投与のほうがむしろ感染合併症が増加する傾向があるという結果であった（オッズ比1.16；95%CI 0.77〜1.78）[67]。

ネコ，イヌをはじめとする動物咬傷の原因菌は*Pasteurella*属，ヒトの咬傷ではブドウ球菌や連鎖球菌が原因菌となることが多い。加えて嫌気性菌もカバーする必要があり，とくに免疫不全状態，脾摘出術後，重度の肝疾患をもつ患者，受傷部位に浮腫を伴う場合，手や顔を咬まれた場合，骨や関節に達する咬傷の場合はpreemptive therapyとしてアモキシシリン・クラブラン酸などの抗菌薬投与を3〜5日間推奨されている[68]。軟部組織感染症を発症した場合の投与期間は少なくとも5日間とされているが，臨床経過による[68]。

足底の穿通創は緑膿菌による骨髄炎や蜂窩織炎の合併率が高いが，予防的抗菌薬投与の必要性は確立されていない。感染が疑われた場合には外科的処置に加えて，7〜14日間のフルオロキノロン単独あるいは抗緑膿菌作用をもつβラクタム系抗菌薬の併用を推奨する文献もある[69]。

II 外傷と敗血症

1. 外傷後敗血症に関する疫学

外傷患者における敗血症発生状況を調査した大規模疫学調査結果がいくつか報告されている。米国ペンシルベニア州の全28外傷センターにおいて実施された前向きコホート研究[70]では，全外傷患者30,303症例のうち2%（606症例）で敗血症が発症し，敗血症患者は非患者に比べ有意に死亡率が高かった（23.1% vs 7.6%，$p < 0.001$）。多変量解析により敗血症を発症するリスク因子を検索したところ，ISS・Revised Trauma Score（RTS）・意識障害・免疫抑制の既往が独立したリスク因子として抽出され，女性は男性に比較して敗血症発症のリスクが有意に低かった。なお，JTDBに登録された患者においても，敗血症と診断された外傷患者のうち，女性は有意に男性より死亡リスクが低かったことが報告されている[71]。一方で，女性，重症，併存症の有無が外傷患者における感染症発症リスクであったとの報告もあり[72]，必ずしも女性のほうが一概にリスクが低いとはいえない。また，いったん敗血症を発症した場合，敗血症発症が死亡に寄与する影響度は，重症・中等症患者に比較して軽症外傷患者で大きい。すなわち，軽症外傷患者では敗血症発症のリスクは高くないが，いったん敗血症を発症すると想定外の死亡を招く可能性があり注意を要する。

米国ではNTDBを用いた研究も行われており，2007〜2008年にかけて収集された373,370人のデータでは，ISS≧9点の外傷患者の1.4%が敗血症を発症し，18.9%が死亡したと報告されている[73]。この研究では，高齢，男性，アフリカ系アメリカ人，生理学的異常，バイク事故，大手術，ICU入室が外傷後敗血症の独立したリスク因子であった。

ドイツ166施設の外傷センターで実施された16年間29,829患者の外傷レジストリーでは，10.2%（3,042症例）が入院経過中に敗血症を発症した[74]。調査期間（16年）を4期に分けて検討した結果，外傷後敗血症発症率は経年的に減少する傾向があったが，敗血症発症例の死亡率には全体的な低下傾向はみられなかった。興味深いことに2004年を境にその前後2期では死亡率の低下があり，同時期に開始されたSurviving Sepsis Campaign guidelines（SSCG）の普及が一因となった可能性が考えられる。

一方で，最近行われた米国のデータベース研究では，2012〜2016年にかけて敗血症を伴う外傷患者の死亡率は低下していなかったと報告している。また，この研究は敗血症を発症した外傷患者は発症しなかった外傷患者と比較して死亡率が高く（2.2% vs 9.5%），入院日数や医療費は3倍近く増加することも示しており，外傷患者における敗血症の重要性を示している[75]。

2. 外傷後敗血症の迅速診断

敗血症を適切に治療するためには，正確な早期認識が必要になる。例えば発熱やCRPの上昇は非感染性の病態でもみられるため，バイオマーカーによって敗血症かどうかを識別できるのかどうかは重要な課題である。

外傷患者を対象にしたシステマティックレビューでは，プロカルシトニンは外傷後敗血症発症の早期診断におけるバイオマーカーとして期待できると述べている[76)]。また、プロカルシトニンのカットオフ値について定まった見解はないものの，Sakranらは血中プロカルシトニン値≥5ng/mlの場合に死亡率が有意に増加した（オッズ比 3.65）と述べている[77)]。ただし，血液浄化療法や赤血球輸血などの施行によって，感染に関係なく上昇する可能性も指摘[78)79)]されており注意が必要である。

また，「日本版敗血症ガイドライン2020」（以下，J-SSCG2020）では[80)]，プロカルシトニンのようなバイオマーカーの敗血症に対する感度，特異度は十分ではないため，全身観察などの補助的な位置づけとしており，外傷後に発症する敗血症の早期診断においても多角的な評価が必須である。

3. 敗血症の初期蘇生・循環管理

敗血症患者の初期蘇生においては，ショック認知から時間を意識した積極的な輸液療法ならびに適切な心血管作動薬の投与がもっとも重要である。その中心をなす概念は，2001年にRiversらが提唱したearly goal-directed therapy（EGDT）に始まる[81)]。できるだけ早期に初期蘇生治療を開始し，中心静脈圧，平均動脈圧，時間尿量，中心静脈血酸素飽和度などを指標として規定時間内のショック離脱を図る治療プロトコルである。近年，複数の大規模臨床試験によりEGDTの有用性を否定する結果[82)～84)]が報告されたが，このことはEGDT初報以降，適切な蘇生的輸液が標準治療として広く浸透したことによると考えられている。現在でも輸液は敗血症の初期蘇生の鍵と位置づけられており，「Surviving Sepsis Campaign Guideline 2021」（以下，SSCG2021）では[85)]，循環不全徴候（低血圧または高乳酸血症）のある敗血症患者に対して，認識から時間以内に30ml/kg以上の晶質液を投与することを推奨している。近年の観察研究では，30ml/kgの輸液は心不全既往など輸液に対して高リスクの患者に対してもよい転帰と関連していることが示唆されている[86)]。一方で近年は過剰輸液の弊害も強調されており，J-SSCG2020では30ml/kg以上という数値目標に固執せず，循環動態の評価を行いながら初期輸液を行うことが推奨されている。輸液反応性の評価としては受動的下肢挙上や1回拍出量変動，脈圧変動などの動的指標が参考になるとされている。しかし受動的下肢挙上は体位変換を必要とし，1回拍出量変動や脈圧変動は自発呼吸，不整脈，腹腔内圧上昇などの影響も受ける。このため，これらの指標を十分に信頼できる状況にある外傷患者は限られていると考えられる。心臓超音波検査などを用いながら，輸液に対するバイタルサインや尿量の反応を慎重にモニタリングすることが肝要である。

輸液に反応しない低血圧に対しては，心血管作動薬が使用される。敗血症患者の心血管作動薬の第一選択薬はノルアドレナリンである。また，ノルアドレナリンへの反応が不良な場合の第二選択薬としてはバソプレシンが推奨されている。ただしバソプレシンは四肢虚血など虚血性合併症が増加する可能性が指摘されており，2単位/時以内の用量での使用が望ましい。さらに，心機能が低下している患者で十分な輸液と血管収縮薬の投与を行っても循環動態が安定しない場合には，アドレナリンやドブタミンの併用を検討してもよい。初期輸液と心血管作動薬に反応しない成人の敗血症性ショック患者に対して，ショックの離脱を目的とした低用量ステロイド（ヒドロコルチゾン200mg/日など）を早期に投与することも弱く推奨されている。

4. 抗菌薬，感染巣コントロール

敗血症と認識した場合には，可及的速やかに広域抗菌薬を投与することが望ましい。一方で，SSCG2021，J-SSCG2020ともに以前のガイドラインでは敗血症の認識から1時間以内に抗菌薬を投与することを推奨していたが，SSCG 2021では「“理想的には”1時間以内」，J-SSCG2020では「必ずしも1時間以内という目標は用いないことを弱く推奨する」と変更された。これは，1時間以内の投与にこだわることで，感染巣や原因病原体の検索が不十分なまま抗菌薬が投与されてしまうリスクが反映されたものである。画像評価や培養検査などの検索を行い，非感染性の病態であった場合や狭域スペクトラムの抗菌薬への感受性が良好なことが明らかになった場合には速やかに抗菌薬の変更や中止を行うことも必要である。

もう一つ重要なことは，感染巣コントロール（source

control）として経皮的・外科的ドレナージや異物の除去が必要か判断することである。外傷患者では皮膚バリアが破綻し体表や管腔臓器が深部と交通している患者や，さまざまなドレーンが挿入されている患者が多い。感染症を疑う経過では安易に抗菌薬の投与のみで終わらせず，外科的除去を積極的に考慮することが望ましい。J-SSCG2020では感染源不明な敗血症患者に対しては可及的速やかに全身造影CTを行うことを弱く推奨しており，感染源が不明な場合や状態が不良な場合には広範囲の画像検索も考慮すべきである。

文 献

1）Anderson DJ, Podgorny K, Berríos-Torres SI, et al：Strategies to prevent surgical site infections in acute care hospitals：2014 update. Infect Control Hosp Epidemiol 2014；35：605-627.

2）Bowater RJ, Stirling SA, Lilford RJ：Is antibiotic prophylaxis in surgery a generally effective intervention? Testing a generic hypothesis over a set of meta-analyses. Ann Surg 2009；249：551-556.

3）Bratzler DW, Dellinger EP, Olsen KM, et al：Clinical practice guidelines for antimicrobial prophylaxis in surgery. Am J Health Syst Pharm 2013；70：195-283.

4）Antibiotic prophylaxis for penetrating brain injury. J Trauma 2001；51：S34-S40.

5）Bayston R, Louvois JD, Brown EM, et al：Use of antibiotics in penetrating craniocerebral injuries. "Infection in Neurosurgery" Working Party of British Society for Antimicrobial Chemotherapy. Lancet 2000；355：1813-1837.

6）Loggini A, Vasenina VI, Mansour A, et al：Management of civilians with penetrating brain injury：A systematic review. J Crit Care 2020；56：159-166.

7）Bayston R, de Louvois J, Brown EM, et al：Use of antibiotics in penetrating craniocerebral injuries. "Infection in Neurosurgery" Working Party of British Society for Antimicrobial Chemotherapy. Lancet 2000 20；355：1813-1817.

8）Marut D, Shammassian B, McKenzie C, et al：Evaluation of prophylactic antibiotics in penetrating brain injuries at an academic level 1 trauma center. Clin Neurol Neurosurg 2020；193：105777.

9）Kazim SF, Shamim MS, Tahir MZ, et al：Management of penetrating brain injury. J Emerg Trauma Shock 2011；4：395-402.

10）Ratilal BO, Costa J, Pappamikail L, et al：Antibiotic prophylaxis for preventing meningitis in patients with basilar skull fractures. Cochrane Database Syst Rev 2015；(4)：CD004884.

11）Tunkel AR, Hasbun R, Bhimraj A, el al：2017 Infectious Diseases Society of America's Clinical Practice Guidelines for Healthcare-Associated Ventriculitis and Meningitis. Clin Infect Dis 2017；64：e34-e65.

12）Brodie HA：Prophylactic antibiotics for posttraumatic cerebrospinal fluid fistulae. A meta-analysis. Arch Otolaryngol Head Neck Surg 1997；123：749-752.

13）Villalobos T, Arango C, Kubilis P, et al：Antibiotic prophylaxis after basilar skull fractures：A meta-analysis. Clin Infect Dis 1998；27：364-369.

14）Ratilal B, Costa J, Sampaio C：Antibiotic prophylaxis for preventing meningitis in patients with basilar skull fractures. Cochrane Database Syst Rev 2006；(1)：CD004884.

15）Eftekhar B, Ghodsi M, Nejat F, et al：Prophylactic administration of ceftriaxone for the prevention of meningitis after traumatic pneumocephalus：Results of a clinical trial. J Neurosurg 2004；101：757-761.

16）Brodie HA, Thompson TC：Management of complications from 820 temporal bone fractures. Am J Otol 1997；18：188-197.

17）Demetriades D, Charalambides D, Lakhoo M, et al：Role of prophylactic antibiotics in open and basilar fractures of the skull：A randomized study. Injury 1992；23：377-380.

18）Hoff JT, Brewin A, U HS：Letter：Antibiotics for basilar skull fracture. J Neurosurg 1976；44：649.

19）Ignelzi RJ, VanderArk GD：Analysis of the treatment of basilar skull fractures with and without antibiotics. J Neurosurg 1975；43：721-726.

20）Klastersky J, Sadeghi M, Brihaye J：Antimicrobial prophylaxis in patients with rhinorrhea or otorrhea：A double-blind study. Surg Neurol 1976；6：111-114.

21）Luchette FA, Barrie PS, Oswanski MF, et al：Practice Management Guidelines for Prophylactic Antibiotic Use in Tube Thoracostomy for Traumatic Hemopneumothorax：The EAST Practice Management Guidelines Work Group. Eastern Association for Trauma. J Trauma 2000；48：753-757.

22）Maxwell RA, Campbell DJ, Fabian TC, et al：Use of presumptive antibiotics following tube thoracostomy for traumatic hemopneumothorax in the prevention of empyema and pneumonia：A multi-center trial. J Trauma 2004；57：742-748；discussion 748-749.

23）Mandal AK, Thadepalli H, Mandal AK, et al：Posttraumatic empyema thoracis：A 24-year experience at a major trauma center. J Trauma 1997；43：764-771.

24）Eren S, Esme H, Sehitogullari A, et al：The risk fac-

tors and management of posttraumatic empyema in trauma patients. Injury 2008；39：44-49.
25) Laws D, Neville E, Duffy J：BTS guidelines for the insertion of a chest drain. Thorax 2003；58：53-59.
26) Bosman A, de Jong MB, Debeij J, et al：Systematic review and meta-analysis of antibiotic prophylaxis to prevent infections from chest drains in blunt and penetrating thoracic injuries. Br J Surg 2012；99：506-513.
27) Moore FO, Duane TM, Hu CK, et al：Presumptive antibiotic use in tube thoracostomy for traumatic hemopneumothorax：An Eastern Association for the Surgery of Trauma practice management guideline. J Trauma Acute Care Surg 2012；73（Suppl）：S341-S344.
28) Heydari MB, Hessami MA, Setayeshi K, et al：Use of prophylactic antibiotics following tube thoracostomy for blunt chest trauma in the prevention of empyema and pneumonia. J Inj Violence Res 2014；6：91-92.
29) Ayoub F, Quirke M, Frith D：Use of prophylactic antibiotic in preventing complications for blunt and penetrating chest trauma requiring chest drain insertion：A systematic review and meta-analysis. Trauma Surg Acute Care Open 2019；4：e000246.
30) Cook A, Hu C, Ward J, et al：Presumptive antibiotics in tube thoracostomy for traumatic hemopneumothorax：A prospective, Multicenter American Association for the Surgery of Trauma Study. Trauma Surg Acute Care Open 2019；4：e000356.
31) Fullen WD, Hunt J, Altemeier WA：Prophylactic antibiotics in penetrating wounds of the abdomen. J Trauma 1972；12：282-289.
32) Thadepalli H, Gorbach SL, Broido PW, et al：Abdominal trauma, anaerobes, and antibiotics. Surg Gynecol Obstet 1973；137：270-276.
33) Luchette FA, Borzotta AP, Croce MA, et al：Practice management guidelines for prophylactic antibiotic use in penetrating abdominal trauma：The EAST Practice Management Guidelines Work Group. J Trauma 2000；48：508-518.
34) Goldberg SR, Anand RJ, Como JJ, et al：Prophylactic antibiotic use in penetrating abdominal trauma：An Eastern Association for the Surgery of Trauma practice management guideline. J Trauma Acute Care Surg 2012；73：S321-S325.
35) Smith BP, Fox N, Fakhro A, et al："SCIP" ping antibiotic prophylaxis guidelines in trauma：The consequences of noncompliance. J Trauma Acute Care Surg 2012；73：452-426； discussion 456.
36) Brand M, Grieve A：Prophylactic antibiotics for penetrating abdominal trauma. Cochrane Database Syst Rev 2019；12：CD007370.
37) Herrod PJ, Boyd-Carson H, Doleman B, et al：Prophylactic antibiotics for penetrating abdominal trauma：Duration of use and antibiotic choice. Cochrane Database Syst Rev 2019；12：CD010808.
38) Solomkin JS, Mazuski JE, Bradley JS, et al：Diagnosis and management of complicated intra-abdominal infection in adults and children：Guidelines by the Surgical Infection Society and the Infectious Diseases Society of America. Clin Infect Dis 2010；50：133-164.
39) Jones RC, Thal ER, Johnson NA, et al：Evaluation of antibiotic therapy following penetrating abdominal trauma. Ann Surg 1985；201：576-585.
40) Weigelt JA, Easley SM, Thal ER, et al：Abdominal surgical wound infection is lowered with improved perioperative enterococcus and bacteroides therapy. J Trauma 1993；34：579-584；discussion 584-585.
41) Ericsson CD, Fischer RP, Rowlands BJ, et al：Prophylactic antibiotics in trauma：The hazards of underdosing. J Trauma 1989；29：1356-1361.
42) Reed RL 2nd, Ericsson CD, Wu A, et al：The pharmacokinetics of prophylactic antibiotics in trauma. J Trauma 1992；32：21-27.
43) McStay C, Ringwelski A, Levy P, et al：Hollow viscus injury. J Emerg Med 2009；37：293-299.
44) Zalavras CG, Marcus RE, Levin LS, et al：Management of open fractures and subsequent complications. Instr Course Lect 2008；57：51-63.
45) Hoff WS, Bonadies JA, Cachecho R, et al：East Practice Management Guidelines Work Group：Update to practice management guidelines for prophylactic antibiotic use in open fractures. J Trauma 2011；70：751-754.
46) Chang Y, Bhandari M, Zhu KL, et al：Antibiotic prophylaxis in the management of open fractures：A Systematic survey of current practice and recommendations. JBJS Rev 2019；7：e1.
47) Gosselin RA, Heitto M, Zirkle L：Cost-effectiveness of replacing skeletal traction by interlocked intramedullary nailing for femoral shaft fractures in a provincial trauma hospital in Cambodia. Int Orthop 2009；33：1445-1448.
48) Patzakis MJ, Bains RS, Lee J, et al：Prospective, randomized, double-blind study comparing single-agent antibiotic therapy, ciprofloxacin, to combination antibiotic therapy in open fracture wounds. J Orthop Trauma 2000；14：529-533.
49) Hauser CJ, Adams CA Jr, Eachempati SR：Surgical Infection Society guideline：Prophylactic antibiotic use in open fractures：An evidence-based guideline. Surg Infect（Larchmt）2006；7：379-405.

50) Patzakis MJ, Wilkins J : Factors influencing infection rate in open fracture wounds. Clin Orthop Relat Res 1989 ; 243 : 36-40.
51) Stevenson J, McNaughton G, Riley J : The use of prophylactic flucloxacillin in treatment of open fractures of the distal phalanx within an accident and emergency department : A double-blind randomized placebo-controlled trial. J Hand Surg Br 2003 ; 28 : 388-394.
52) Anglen JO : Comparison of soap and antibiotic solutions for irrigation of lower-limb open fracture wounds. A prospective, randomized study. J Bone Joint Surg Am 2005 ; 87 : 1415-1422.
53) O'Toole RV, Joshi M, Carlini AR, et al : Effect of intrawound vancomycin powder in operatively treated high-risk tibia fractures : A randomized clinical trial. JAMA Surg 2021 ; 156 : e207259.
54) Rodriguez L, Jung HS, Goulet JA, at al : Evidence-based protocol for prophylactic antibiotics in open fractures : Improved antibiotic stewardship with no increase in infection rates. J Trauma Acute Care Surg 2014 ; 77 : 400-407 ; discussion 407-408.
55) Redfern J, Wasilko SM, Groth ME, et al : Surgical site infections in patients with type 3 open fractures : Comparing antibiotic prophylaxis with cefazolin plus gentamicin versus piperacillin/tazobactam. J Orthop Trauma 2016 ; 30 : 415-419.
56) Puetzler J, Zalavras C, Moriarty TF, et al : Clinical practice in prevention of fracture-related infection : An international survey among 1197 orthopaedic trauma surgeons. Injury 2019 ; 50 : 1208-1215.
57) Lin CA, O'Hara NN, Sprague S, et al : Low adherence to recommended guidelines for open fracture antibiotic prophylaxis. J Bone Joint Surg Am 2021 ; 103 : 609-617.
58) Holtom PD : Antibiotic prophylaxis : Current recommendations. J Am Acad Orthop Surg 2006 ; 14 : S98-S100.
59) Cranny G, Elliott R, Weatherly H, et al : A systematic review and economic model of switching from non-glycopeptide to glycopeptide antibiotic prophylaxis for surgery. Health Technol Assess 2008 ; 12 : iii-iv, xi-xii, 1-147.
60) Saveli CC, Morgan SJ, Belknap RW, et al : Prophylactic antibiotics in open fractures : A pilot randomized clinical safety study. J Orthop Trauma 2013 ; 27 : 552-557.
61) Dellinger EP, Caplan ES, Weaver LD, et al : Duration of preventive antibiotic administration for open extremity fractures. Arch Surg 1988 ; 123 : 333-339.
62) Stennett CA, O'Hara NN, Sprague S, et al : Effect of extended prophylactic antibiotic duration in the treatment of open fracture wounds differs by level of contamination. J Orthop Trauma 2020 ; 34 : 113-120.
63) Gillespie WJ, Walenkamp GH : Antibiotic prophylaxis for surgery for proximal femoral and other closed long bone fractures. Cochrane Database Syst Rev 2010 ; 2010 : CD000244.
64) Hollander JE, Richman PB, Werblud M, et al : Irrigation in facial and scalp lacerations : Does it alter outcome? Ann Emerg Med 1998 ; 31 : 73-77.
65) Whaley S : Tap water or normal saline for cleansing traumatic wounds? Br J Community Nurs 2004 ; 9 : 471-478.
66) Dire DJ, Coppola M, Dwyer DA, et al : Prospective evaluation of topical antibiotics for preventing infections in uncomplicated soft-tissue wounds repaired in the ED. Acad Emerg Med 1995 ; 2 : 4-10.
67) Cummings P, Del Beccaro MA : Antibiotics to prevent infection of simple wounds : A meta-analysis of randomized studies. Am J Emerg Med 1995 ; 13 : 396-400.
68) Stevens DL, Bisno AL, Chambers HF, et al : Practice guidelines for the diagnosis and management of skin and soft tissue infections : 2014 update by the Infectious Diseases Society of America. Clin Infect Dis 2014 ; 59 : e10-e52.
69) Jacobs RF, McCarthy RE, Elser JM : Pseudomonas osteochondritis complicating puncture wounds of the foot in children : A 10-year evaluation. J Infect Dis 1989 ; 160 : 657-661.
70) Osborn TM, Tracy JK, Dunne JR, et al : Epidemiology of sepsis in patients with traumatic injury. Crit Care Med 2004 ; 32 : 2234-2240.
71) Kondo Y, Miyazato A, Okamoto K, et al : Impact of sex differences on mortality in patients with sepsis after trauma : A nationwide cohort study. Front Immunol 2021 ; 12 : 678156.
72) Eguia E, Cobb AN, Baker MS, et al : Risk factors for infection and evaluation of Sepsis-3 in patients with trauma. Am J Surg 2019 ; 218 : 851-857.
73) Kisat M, Villegas CV, Onguti S, et al : Predictors of sepsis in moderately severely injured patients : An analysis of the National Trauma Data Bank. Surg Infect (Larchmt) 2013 ; 14 : 62-68.
74) Wafaisade A, Lefering R, Bouillon B, et al : Epidemiology and risk factors of sepsis after multiple trauma : An analysis of 29,829 patients from the Trauma Registry of the German Society for Trauma Surgery. Crit Care Med 2011 ; 39 : 621-628.
75) Eguia E, Bunn C, Kulshrestha S, et al : Trends, cost, and mortality from sepsis after trauma in the United

States：An evaluation of the national inpatient sample of hospitalizations, 2012-2016. Crit Care Med 2020；48：1296-1303.
76) AlRawahi AN, AlHinai FA, Doig CJ, et al：The prognostic value of serum procalcitonin measurements in critically injured patients：A systematic review. Crit Care 2019；23：390.
77) Sakran JV, Michetti CP, Sheridan MJ, et al：The utility of procalcitonin in critically ill trauma patients. J Trauma Acute Care Surg 2012；73(2)：413-418.
78) Honore PM, David C, Attou A, et al：Procalcitonin to allow early detection of sepsis and multiple organ failure in severe multiple trauma：Beware of some confounders. Crit Care 2020；24：9.
79) Hoshino K, Irie Y, Mizunuma M, et al：Incidence of elevated procalcitonin and presepsin levels after severe trauma：A pilot cohort study. Anaesth Intensive Care 2017；45：600-604.
80) Egi M, Ogura H, Yatabe T, et al：The Japanese Clinical Practice Guidelines for Management of Sepsis and Septic Shock 2020 (J-SSCG 2020). Acute Med Surg 2021；8：e659.
81) Rivers E, Nguyen B, Havstad S, et al：Early goal-directed therapy in the treatment of severe sepsis and septic shock. N Engl J Med 2001；345：1368-1377.
82) Mouncey PR, Osborn TM, Power GS, et al：Trial of early, goal-directed resuscitation for septic shock. N Engl J Med 2015；372：1301-1311.
83) ProCESS Investigators；Yealy DM, Kellum JA, Huang DT, et al：A randomized trial of protocol-based care for early septic shock. N Engl J Med 2014；370：1683-1693.
84) ARISE Investigators；ANZICS Clinical Trials Group；Peake SL, Delaney A, Bailey M, et al：Goal-directed resuscitation for patients with early septic shock. N Engl J Med 2014；371：1496-1506.
85) Evans L, Rhodes A, Alhazzani W, et al：Surviving sepsis campaign：International guidelines for management of sepsis and septic shock 2021. Intensive Care Med 2021；47：1181-1247.
86) Kuttab HI, Lykins JD, Hughes MD, et al：Evaluation and predictors of fluid resuscitation in patients with severe sepsis and septic shock. Crit Care Med 2019；47：1582-1590.

G 外傷後の凝固線溶管理

要 約

1. 損傷局所に限局する生理的止血創傷治癒過程と全身性反応である外傷性凝固障害の相違を理解し，大量出血と外傷性凝固障害が同義ではないことを理解する。
2. 外傷性凝固障害の本態は外傷・出血性ショックに起因する線溶亢進型DICであり，希釈・低体温・アシドーシス・貧血がその病態を修飾する。
3. 外傷性凝固障害管理・治療の基本はDCRに準じた外科的止血・損傷修復と出血性ショック対応であり，同時に線溶亢進型DICの病態を念頭に置いたhemostatic resuscitationを施行する。
4. 線溶亢進型DICから線溶抑制型DICへの病態変化に留意する。

はじめに

生体侵襲が引き起こす細胞・組織損傷を制限し修復する過程が生体反応であり，すべての生体侵襲に対して非特異的生体反応が惹起され，これを自然免疫炎症反応と呼ぶ。抗原特異的獲得免疫が発動するまでの数日間は自然免疫による炎症反応が生体防御の最前線を形成し，炎症反応は神経内分泌および凝固線溶反応と協働して生体恒常性を維持している[1]。外傷後の生理的止血・創傷治癒過程は自然免疫炎症反応の一部ととらえるべきであり，組織損傷・出血に対する凝固線溶系の賦活が生体防御機構として重要な役割を担う。しかし，重症外傷では凝固線溶反応が損傷局所から逸脱し，外傷性凝固障害を引き起こし患者の予後を大きく左右する。本項では，外傷後の生理的局所・全身反応を概観した後に外傷性凝固障害の考え方を述べ，外傷性凝固障害管理の考え方について概説する[2]。

I 病 態

1. 局所反応

1）侵襲の感知と情報伝達

自然免疫炎症反応を起こす生体侵襲刺激は，微生物構成分子であるpathogen-associated molecular patterns（PAMPs）と，細胞・組織損傷産物などからなるdamage-associated molecular patterns（DAMPs）で構成される。PAMPsが感染性生体侵襲，DAMPsが非感染性生体侵襲（外傷・虚血）のリガンドとして作用するが，外傷では損傷細胞ミトコンドリアから放出される非メチル化CpGDNAリピートを含むミトコンドリアDNA，核内ヒストン，DNA・RNAなどがDAMPsとして作用する[3]。PAMPs/DAMPsはtoll-like receptor（TLR）などのpattern recognition receptors（PRRs）で認識され，その情報はTLRではアダプター分子を介してMyD88およびTRIF依存性経路へ伝達され，最終的に転写制御因子〔nuclear factor κB（NF κB），activator protein-1（AP-1）〕などが核内移行して炎症性サイトカイン・ケモカインの発現を誘導する[1]。

2）炎症反応

生体侵襲（創傷）局所では，①炎症性サイトカインが血管内皮細胞に発現誘導するNOS2（inducible NO synthase；iNOS）が産生する一酸化窒素（NO）依存性に血管拡張と血流増加が起こる，②補体経路が活性化し，アナフィラトキシン（C3a・C5a）が肥満細胞，好塩基球などからヒスタミン，キニンなどを放出し内皮細胞間間隙が形成され，血管透過性亢進が起こる。同時に発痛物質（ブラジキニン，セロトニンなど）による疼痛が局所侵襲の存在を生体に自覚させる，③炎症性サイトカインは白血球・血管内皮細胞を活性化し，白血球が内皮細胞上を回転・膠着・接着し，その後血管外遊出する。これらの局所炎症反応は「発赤・腫脹・疼痛・熱感」として認識される。

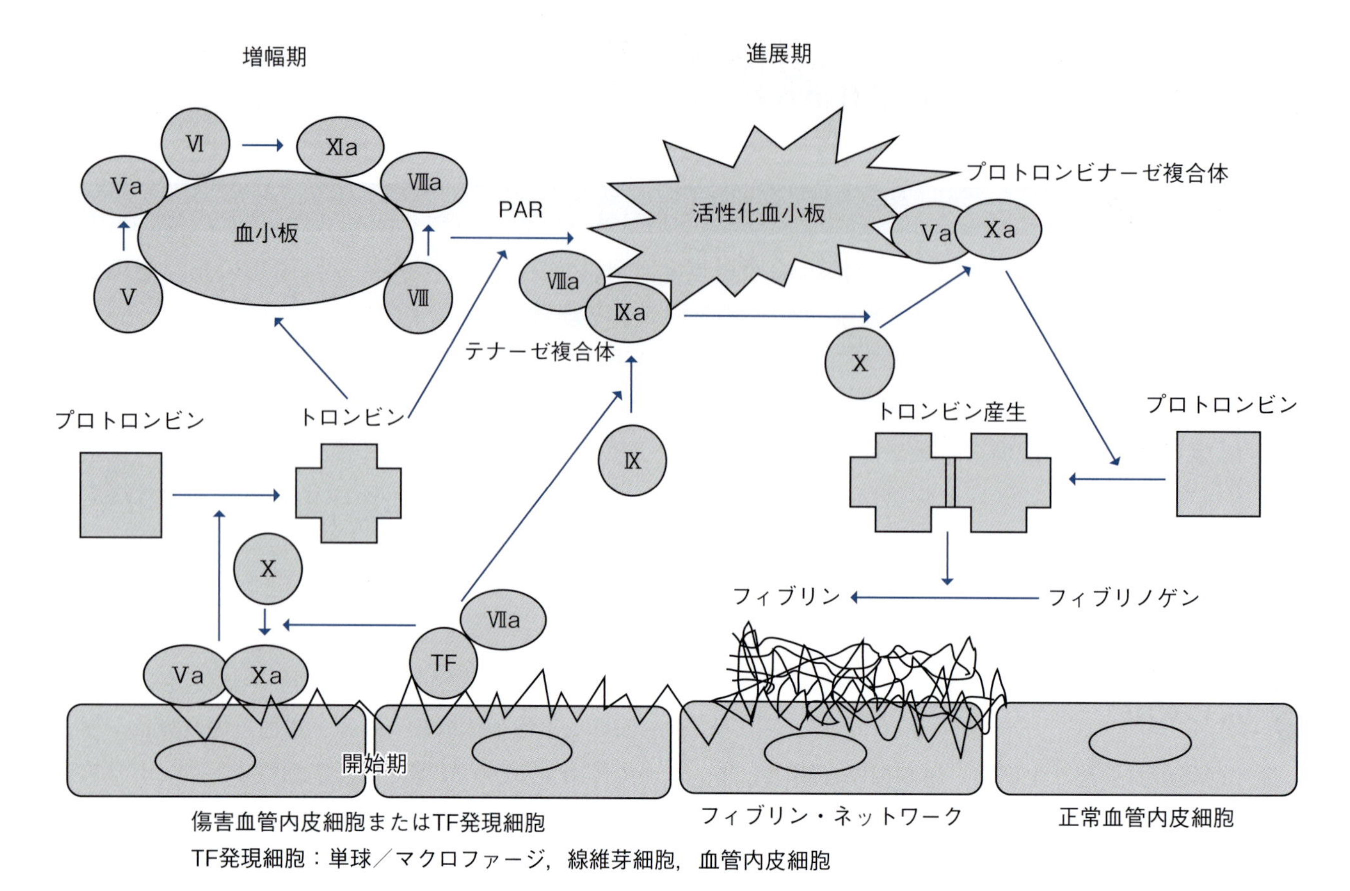

図3-6-G-1　cell-basedモデルによる損傷局所に限局した生理的止血・創傷治癒反応

止血創傷治癒過程はTF発現細胞上，すなわち損傷でTFが露呈した血管壁（傷害内皮細胞）局所のみで完結する。止血のために大量のトロンビン産生（thrombin burst）が起こるが，組織因子経路インヒビター（TFPI），アンチトロンビン，トロンボモジュリン/プロテインCで制御され全身循環へ逸脱しない

PAR：プロテアーゼ活性化型受容体（protease-activated receptor）

〔文献4)5)より引用・改変〕

3）止血血栓形成反応

損傷血管平滑筋はノルアドレナリンにより直ちに収縮して，最初の止血反応が起こる。損傷血管内皮下から露呈したコラーゲンに血小板が粘着し，同時に露呈した組織因子（tissue factor；TF）がFⅦaと結合して（TF/FⅦa）止血血栓形成が開始される。粘着後活性化した血小板は偽足形成による形態変化と細胞内顆粒放出反応により凝集し，血小板血栓が形成されるが，確実な止血のためにはフィブリン血栓形成が必要である。

フィブリン血栓形成のための凝固反応は開始（initiation），増幅（amplification），進展（propagation）の3段階から成立し，凝集した血小板や傷害血管内皮細胞などの細胞膜リン脂質上で進行する（図3-6-G-1）[4)5)]。TF/FⅦaがFⅨとFⅩを活性化しFⅤa/FⅩaが凝集血小板・傷害内皮細胞上に形成されて少量のトロンビン形成が起こる（開始期）。少量のトロンビンは傷害局所に粘着した血小板を活性化・凝集させると同時に，血小板α顆粒からFⅤを血小板表面上に遊離する。次いで活性化血小板上に循環血液中のFⅤ（α顆粒からの遊離型に加えて），FⅧ，FⅨが結合し，これらの凝固因子活性化が進行する（増幅期）。血小板上に形成されたFⅧa/FⅨa（テナーゼ）およびFⅤa/FⅩa(プロトロンビナーゼ)がプロトロンビンに作用して大量のトロンビンが産生される（thrombin burst）（進展期）。トロンビンはフィブリノゲンから可溶性フィブリン（フィブリンモノマー）を形成し，同時にFⅩⅢを活性化してFⅩⅢaを生じる。フィブリンモノマーは重合してフィブリンポリマーとなり，FⅩⅢaによるフィブリン分子間架橋結合により安定化フィブリンが形成される。FⅩⅢaはフィブリンにα_2プラスミンインヒビターを架橋してプラスミンによる線溶から保護し，さらにフィブロネクチンを架橋して組織修復・創傷治癒反応を促進する。

これらの生理的止血血栓形成反応は，組織・血管損傷局所（TF発現細胞上）でのみ起こることを認識することが肝要である（cell-based model）[5]。

4）組織修復・創傷治癒反応

損傷局所に凝集した血小板は，α顆粒から血小板由来増殖因子（platelet derived growth factor；PDGF）などの増殖因子を放出する。増殖因子や，マクロファージ遊走阻止因子（macrophage migration inhibitory factor；MIF）などの刺激により損傷局所に浸潤した単球はマクロファージに分化し，損傷細胞断片などの異物を貪食・除去し，自身も増殖因子を放出する。増殖因子が関与する血管新生，上皮再生，肉芽組織形成などの損傷組織増殖（proliferation）の時期を経て組織再構築（remodeling）が起こり，創傷治癒が完成する。

2. 全身反応

重症外傷では広範な組織損傷と出血性ショック（虚血/再灌流障害）が，通常autocrine，paracrineとして局所作用する炎症性サイトカインの過剰発現を誘導する。全身循環に漏れ出た（spill over）炎症性サイトカインはendocrineとして作用して，「発熱，頻呼吸，頻脈，白血球増多（または減少）」として認識される全身性炎症反応（systemic inflammatory response syndrome；SIRS）を引き起こす。SIRSは生理的生体反応の全身性発現であり病的反応ではない。しかし，重症外傷（生体侵襲）の程度が生理的閾値を超える場合にはSIRSが持続し（sustained SIRS），炎症性サイトカインが，単球・血管内皮細胞，好中球にTF発現を誘導し，凝固炎症反応連関により局所止血血栓形成反応を逸脱した全身性の病的血栓形成〔播種性血管内凝固症候群（disseminated intravascular coagulation；DIC）〕が起こる。

Ⅱ 外傷性凝固障害

外傷性凝固障害とは，生理的局所止血血栓形成と創傷治癒反応を逸脱した全身性の血小板・凝固線溶障害の総称であり，その発症にはDICに加えて種々の病態が関与している[6)7)]。表3-6-G-1[7)]に示すように，外傷自体あるいは外傷性ショックによる内因性病因（すなわちDIC），およびそれを修飾する外因性病因に分けて理解する。大量出血に伴う出血性ショックは外傷性凝固障害発症の主因であるが，大量出血と外傷性凝固障害は同義ではない。外傷性凝固障害は出血量の多寡ではなく，打撲皮下・創傷面，粘膜・上皮，静脈路確保部位などに発現する止血困難なoozing型の出血で発症を疑うが，結果として大量出血を助長する。

表3-6-G-1　外傷性凝固障害の病態

生理的変化
- 止血および創傷治癒

病的変化
1. 一次性内因性病因
   播種性血管内凝固症候群（DIC）
   - 凝固活性化
   - 凝固制御機構機能不全
   - 線溶亢進（初期）
   - 線溶抑制（後期）
   - 消費性凝固障害
2. 二次性外因性病因
   - 貧血に伴う凝固障害
   - 低体温に伴う凝固障害
   - アシドーシスに伴う凝固障害
   - 希釈性凝固障害
   - その他

〔文献7）より引用・改変〕

1. 希釈，低体温，アシドーシス，貧血

従来，欧米を中心に外傷性凝固障害の本態は希釈性凝固障害であるという主張があった[4)6)8)]。しかし，現在は外傷自体が外傷性凝固障害の主因であり，希釈・低体温などはその修飾因子であると世界的に共通認識されてきている。

出血に対し新鮮凍結血漿（FFP）を使用せず，晶質・膠質液，濃厚赤血球液（packed red blood cell；PRBC）のみで補正すると希釈性凝固障害が生じる。体温（33℃）とpH（7.1）が重要であり，これらの閾値を超えて低体温とアシドーシスが進行すると，血小板粘着・凝集能と酵素反応である凝固反応機能の低下が進行し出血傾向を増強する[6)]。貧血に伴い軸流（赤血球は細動脈中心を，血小板は血管壁近辺を流れる）が減少し，血小板・内皮細胞交互作用（粘着・凝集）が困難になる。赤血球はその膜上の向凝固性リン脂質発現，ADP放出による血小板トロンボキサンA_2産生増加，トロンビン産生，活性化血

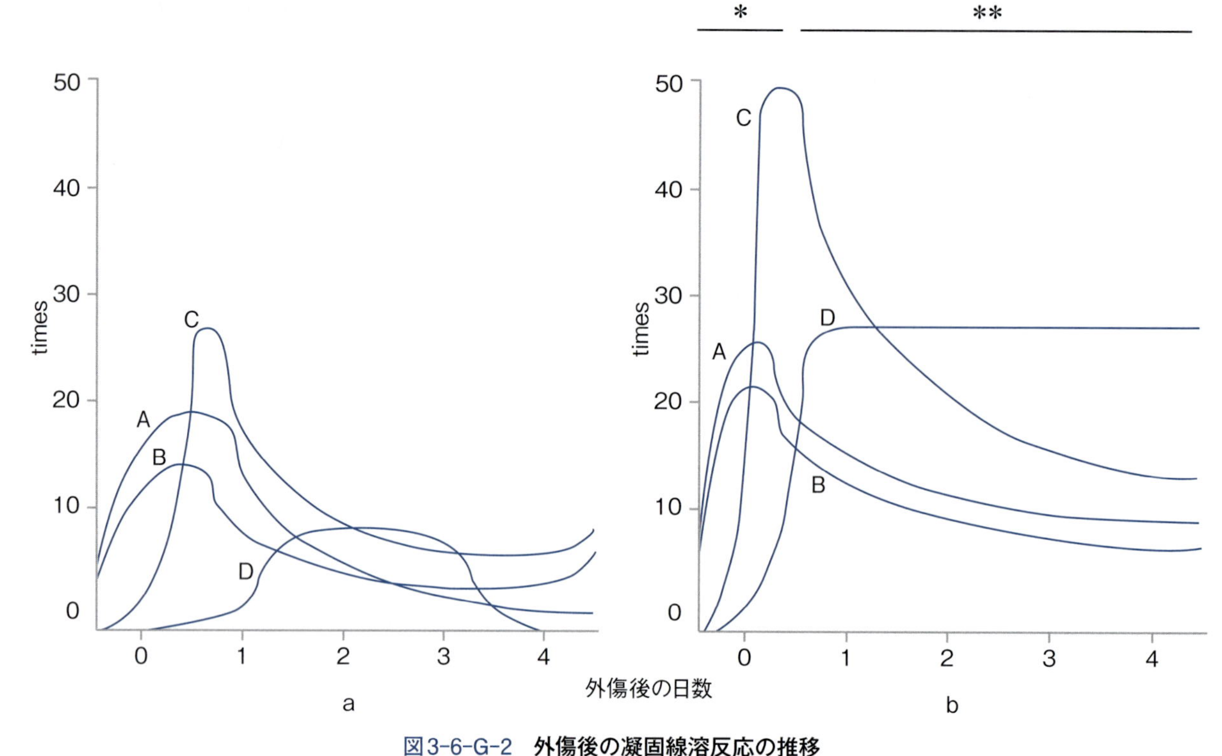

図3-6-G-2　外傷後の凝固線溶反応の推移

A：FPA（トロンビン産生），B：FPB $_{\beta 15\text{-}42}$（プラスミン産生），C：Dダイマー（フィブリン分解・二次線溶），D：PAI-1（線溶抑制）

a：生理的止血創傷治癒反応，①トロンビン産生とフィブリン血栓形成，②過剰血栓形成制御のためのプラスミン産生と二次線溶，③線溶による再出血制御のためのPAI-1発現と線溶遮断，④止血創傷治癒後のフィブリン除去のためのPAI-1消失とプラスミンによる線溶再活性化

b：＊線溶亢進型DIC，＊＊線溶抑制型DIC。特徴は，①虚血刺激によるt-PA放出とプラスミン産生（一次線溶）と α_2 プラスミンインヒビター減少によるプラスミン産生増加（過剰二次線溶）による線溶亢進，②トロンビン産生の持続高値，③PAI-1による線溶抑制の持続であり，原因除去（止血・ショック離脱）ができないと線溶亢進型DICは線溶抑制型DICへ連続的に移行する

〔文献4)6)より引用・改変〕

小板上でのFⅨ活性化による凝固亢進作用をもつが，貧血（Ht＝35%）に伴いこれらが減弱して出血傾向が増強する[8)～10)]。

2. DIC

DICは線溶亢進型と線溶抑制型に分類されるが，外傷性凝固障害は外傷初期の線溶亢進型，そして受傷数日後に生じる線溶抑制型DICと理解する。（図3-6-G-2）[4)6)]。

重症（多発）外傷では，①血管周囲組織，皮膚，肺胞上皮，脳組織などに大量に発現しているTFの循環血液中への露呈と遊離，②炎症性サイトカインによる単球・血管内皮細胞，好中球のTF発現，③損傷組織細胞核内から遊離したヒストン，ミトコンドリアDNA，high mobility group box 1（HMGB-1），DNA・RNA（DAMPs）が血小板活性化と外因系・内因系凝固反応亢進をきたし，大量のトロンビンが産生される[11)12)]。とくに，ヒストン，およびヒストンをその主要構成成分とするneutrophil extracellular traps（NETs）による双方向性相互作用として生じる病的自然免疫凝固炎症反応がDICおよびDIC関連臓器機能障害の病態として認識されている（図3-6-G-3）[2)13)～15)]。通常は組織因子経路インヒビター（tissue factor pathway inhibitor；TFPI），アンチトロンビン/グリコサミノグリカン，トロンボモジュリン/プロテインCなどの凝固制御機構がトロンビンの全身循環血液中への移行を阻止している。しかし，重症外傷では，①TFPI・アンチトロンビン・プロテインCの消費性減少，②内皮細胞傷害によるグリコサミノグリカン・トロンボモジュリンの脱落減少，③炎症性サイトカインによるトロンボモジュリンのダウンレギュレーション・不活化，④好中球エラスターゼによるTFPI・アンチトロンビン・プロテインC分解，⑤アンチトロンビンの血管外漏出などが起こるために凝固制御機能が低下す

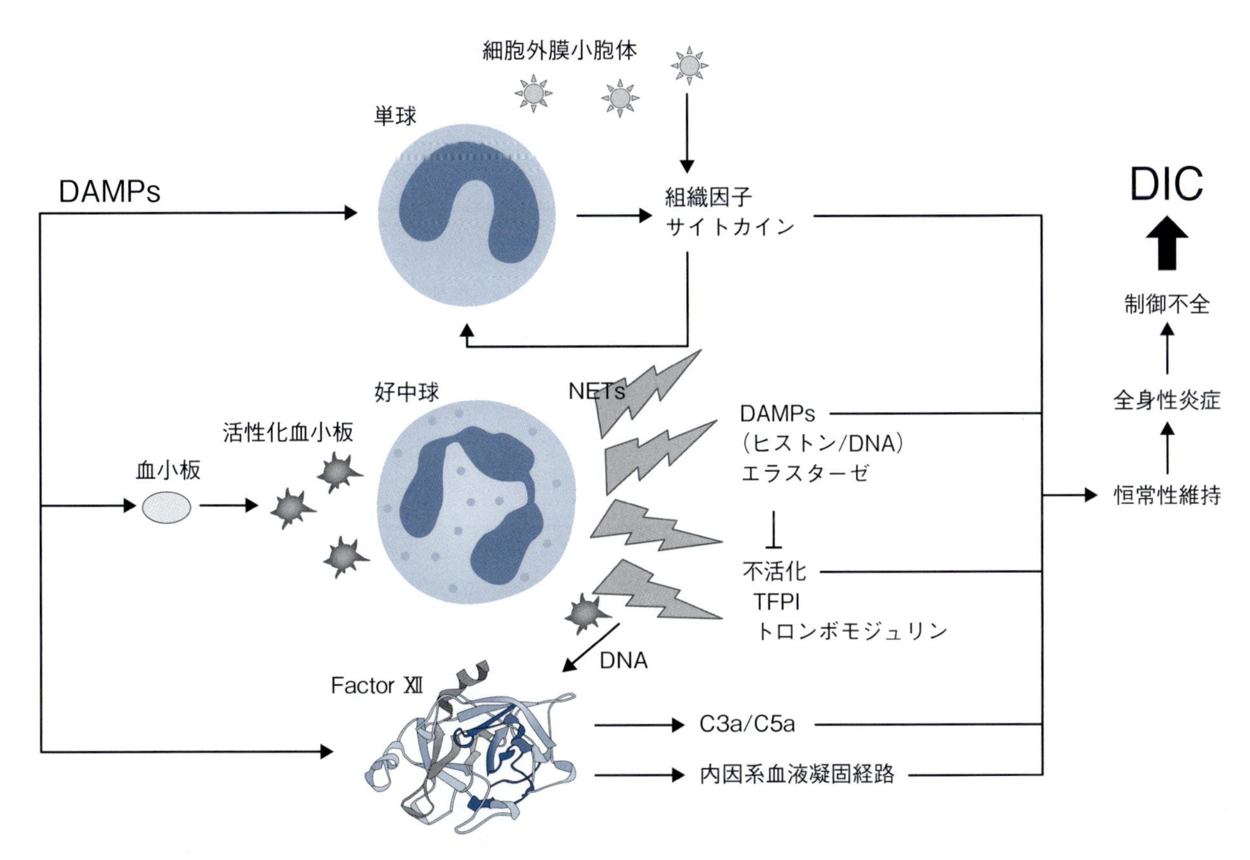

図3-6-G-3　自然免疫凝固炎症反応が担う組織修復，止血のための生理的反応から全身性の病的反応としてのDIC

組織損傷は局所での止血，および創傷治癒を促すと同時に，損傷細胞由来のDAMPsを局所にとどめるために生理的な血栓が形成される。過大な外傷侵襲により局所の生理的反応から逸脱し，全身性炎症を伴い播種した病的自然免疫凝固炎症反応がDICである

DAMPs：damage-associated molecular patterns，DIC：disseminated intravascular coagulation，NETs：neutrophil extracellular traps，TFPI：tissue factor pathway inhibitor

〔文献15）より引用・改変〕

る。この結果トロンビンが産生局所にとどまらず全身循環血液中へ逸脱し，循環血液中の血小板を活性化して傷害局所を逸脱した凝固反応亢進が起こる。これを生理的止血ではなく病的凝固亢進・血栓形成と称し，播種性に起こる場合をDICと定義する。

線溶亢進はプラスミン阻止因子であるα_2プラスミンインヒビターが消費性に枯渇して発現するか(過剰二次線溶)，何らかの原因により組織型プラスミノゲン活性化因子（tissue-type plasminogen activator；t-PA）が循環血液中に放出されて発現する（一次線溶亢進）[16]。前者ではフィブリン分解とフィブリノゲン分解が，後者ではフィブリン血栓が存在しないためにフィブリノゲン分解が起こり出血傾向を呈する。DICの基礎疾患が一次性にt-PA産生・放出を起こす場合は，DICによる二次線溶と基礎疾患による一次線溶が相乗的にフィブリン・フィブリノゲン分解を増強し出血が起こる。これが線溶亢進型DICの本態である[16]。重症外傷では，①播種性フィブリン血栓形成による消費性α_2プラスミンインヒビター減少による過剰二次線溶，②播種性フィブリン血栓による血管内皮細胞虚血，出血性ショックに伴う組織低灌流に起因する低酸素刺激が血管内皮細胞からt-PA遊離促進，③好中球エラスターゼによるフィブリン分解亢進，④t-PAとプラスミノゲン活性化抑制因子（plasminogen activator inhibitor-1；PAI-1）発現時間の相違（t-PAは即時に内皮細胞Weibel Palade小体が放出，PAI-1 mRNA発現には数時間）などが線溶亢進を起こす（図3-6-G-4）[2]。

3. 欧米諸外国の外傷性凝固障害のとらえ方とDIC

2019年，公表された総説では，これまで同様DICを完全否定し，活性化プロテインC依存性の凝固抑制および抗線溶抑制による線溶亢進を外傷性凝固障

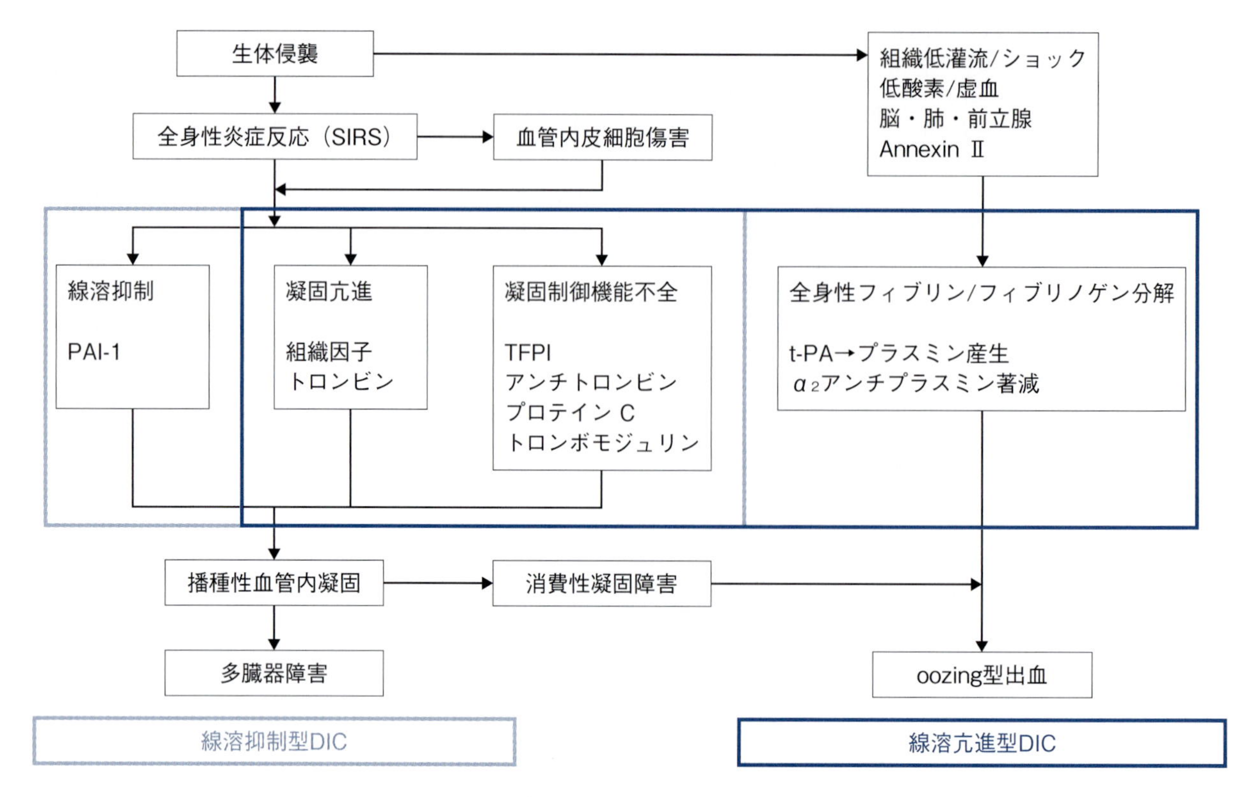

図3-6-G-4　線溶亢進型DICと線溶抑制型DIC

組織因子依存性の凝固亢進および凝固制御機構の破綻は共通であるが，線溶の程度により2つのフェノタイプに分けられる。外傷における線溶亢進型DICでは，ショックによる組織低灌流，低酸素/虚血による血管内皮細胞からの，あるいは損傷を受けた脳や肺組織からのt-PA放出により病的な線溶亢進状態が併存する

DIC：disseminated intravascular coagulation，PAI-1：plasminogen activator inhibitor-1，TFPI：tissue factor pathway inhibitor，t-PA：tissue-type plasminogen activator.

〔文献2）より引用・改変〕

害病態の中心と考えるacute traumatic coagulopathy（ATC）の主張がなされた[17]。

しかし，2020年，国際血栓止血学会のDIC，Fibrinolysis，Perioperative and Critical Care Thrombosis and Hemostasisの3つの学術標準化委員会部会合同で公表した外傷性凝固障害の定義に関するconsensus statementのなかで，「敗血症同様，外傷でも制御不能な炎症および凝固線溶反応により外傷性凝固障害はDICに進展する」と明示され[18]，外傷性凝固障害病態の議論においてDICの地位が確立された。このなかで，活性化プロテインCによるFVaおよびFXaの不活化というこれまでと同様の説が論じられているが，「外傷性凝固障害の病態を構成する要素の一つであると」いうように，活性化プロテインC一辺倒の主張から論調に変化がみられた。

2021年，これまでATCを主張してきた研究グループが公表した総説では，国際血栓止血学会のstatement同様，外傷性凝固障害では複数の病態が混在するとした。その病態の一つとして組織損傷に伴う組織因子起因性トロンビン産生亢進と消費性凝固障害などDICの病態そのものに言及しているが，外傷性凝固障害とDICに関する研究論文は一切引用されておらず，「外傷性凝固障害の病態はDICとは異なるものである」としており，DICを排他的に扱う姿勢に変わりはなかった[19]。

4. 診　断

外傷性凝固障害の主体は線溶亢進型DICであり，急性期DIC診断基準がInternational Society on Thrombosis and Haemostasis（ISTH）DIC診断基準より感度よくDICを早期診断し，DIC症例の予後予測に関連がある[20]。近年の報告では，外傷急性期の急性期DICスコアが大量輸血，多臓器機能障害および病院内死亡を高い精度で予測可能であることが示された[21]。また同診断基準は単独頭部外傷患者の院内死亡予測にも有用であることも報告された[22]。しかし，急性期DIC診断基準を使用したhemostatic resuscitation（HR）が大量出血を伴う外傷性凝固障害患者の予後に与える影響は検証されていない。欧米で外傷性凝固障害診断に多用されてきたPTは測定結果の確認に時間を要しトロンビン産生前段階の血液凝固能のみを反映する検査であり，Prothrombin time（PT），activated partial thromboplastin time（APTT）の古典的凝固検査に加え，近年重要性が強調されているフィブリノゲン，血小板数を早期にかつ繰り返し評価すべきとの注意喚起がなされている[23]。

thromboelastography（TEG®），thromboelastometry（ROTEM®）などのいわゆる「viscoelastic method（VEM）」の有用性を主張する報告が多く，急速にその使用が広まっている。ヨーロッパのガイドラインではPT，血小板，フィブリノゲンをはじめとする一般凝固検査に加えVEMの使用を推奨（推奨グレード1C）しているが[23]，PTとVEMを対象としたランダム化比較試験において，VEMの有用性が否定されるなど[24]，その検証は限定的であることに留意したい。

外傷性凝固障害の発症予測，診断，治療の指針としての応用，予後改善効果が診断検査と診断基準に求められるが，現在すべてを満たす診断検査・基準はない。今後の科学的検証が必要である。

5. 管理の考え方

外傷性凝固障害の背景には，①外傷自体による大量出血，②線溶亢進による出血増強，③希釈などの修飾病態の共存，④消費性凝固障害を増強する失血による凝固因子欠乏などが共存するため，通常のDICとは視点を変えた治療戦略が必要になる。したがって，外科的止血・損傷組織修復，出血性ショックへの輸液・輸血療法が外傷性凝固障害・DIC管理の基本となる。外傷初期DICの多くはこれらの基礎疾患治療・原因除去により速やかに回復する制御型DIC（controlled DIC）であるが，外傷治療に難渋しショックが遷延すると予後不良の不全型DIC（uncontrolled DIC）となり，多くは線溶抑制型DICへ移行する（図3-6-G-4）。DICでは外傷直後の循環血液中の大量トロンビン産生・活性化と向凝固活性をもつTFあるいはmicroparticlesの存在が証明されているが[6][25]，低体温・アシドーシス，貧血などの凝固抑制病態が併存し顕性出血が持続する線溶亢進型DICでは抗凝固療法は禁忌である[26]。

輸血・補充療法は，DCRの一翼を担うhemostatic resuscitationとして行われるが[27][28]，線溶亢進型DICの病態を念頭に置きながらの実施が重要である。とくに，フィブリノゲン低値と止血不能はほぼ同義という観点から，フィブリノゲン値維持を意識したFFP投与およびフィブリノゲン製剤（わが国ではoff-label使用であることに注意）の投与も視野に入れる必要がある[29)~31]。また，凝固制御因子の減少が損傷局所を逸脱して起こるDICの主因であり，なかでもアンチトロンビン減少が重要である[25]。アンチトロンビンの正常値維持が目標であるがその妥当性は検証されていない。

線溶亢進型DICにはトラネキサム酸などの抗線溶薬の適応がある[32]。トラネキサム酸が血栓性副作用を増加させることなく外傷性出血死を有意に減少させること（CRASH-2）[33]，またGCS合計点9以上の軽症・中等症症例，両側対光反射が残存している症例では，トラネキサム酸投与が有意に頭部外傷関連死の減少に寄与することが示された（CRASH-3）[34]。そして，それらの効果は受傷後早期に投与した場合により顕著であることが報告され[34][35]，Cochrane reviewやヨーロッパガイドラインでも推奨治療としている[23][36]。一方，血管閉塞や痙攣など副作用増加の可能性が指摘されているが，外傷症例には安全に使用できるというメタ解析結果が公表されている[37]。また，TEG®，ROTEM®などのVEMで線溶亢進を認めた患者に投与を限定すべきとの報告があるが[38]，線溶亢進に対する診断精度の低さなどを根拠に[39][40]，ヨーロッパガイドラインではVEMの結果を待たずにトラネキサム酸を投与することを推奨している[23]。

文　献

1）Gando S：Role of fibrinolysis in sepsis. Semin Thromb Hemost 2013；39：392-399.

2）Gando S, Otomo Y：Local hemostasis, immunothrombosis, and systemic disseminated intravascular coagulation in trauma and traumatic shock. Crit Care 2015；19：72.

3）Zhang Q, Raoof M, Chen Y, et al：Circulating mitochondrial DAMPs cause inflammatory responses to injury. Nature 2010；464：104-107.

4）丸藤哲，澤村淳，早川峰司，他：外傷急性期の血液凝

固線溶系：現在の世界的論点を整理する．日救急医会誌 2010；21：765-778.
5) Hoffman M, Monroe DM 3rd：A cell-based model of hemostasis. Thromb Haemost 2001；85：958-965.
6) Gando S, Sawamura A, Hayakawa M：Trauma, shock, and disseminated intravascular coagulation：Lessons from the classical literature. Ann Surg 2011；254：10-19.
7) Gando S, Hayakawa M：Pathophysiology of trauma-induced coagulopathy and management of critical bleeding requiring massive transfusion. Semin Thromb Hemost 2016；42：155-165.
8) Peyrou V, Lormeau JC, Hérault JP, et al：Contribution of erythrocytes to thrombin generation in whole blood. Thromb Haemost 1999；81：400-406.
9) Valeri CR, Cassidy G, Pivacek LE, et al：Anemia-induced increase in the bleeding time：Implications for treatment of nonsurgical blood loss. Transfusion 2001；41：977-983.
10) Kaibara M, Iwata H, Ujiie H, et al：Rheological analyses of coagulation of blood from different individuals with special reference to procoagulant activity of erythrocytes. Blood Coagl Fibrinolysis 2005；16：355-363.
11) Kannemeier C, Shibamiya A, Nakazawa F, et al：Extracellular RNA constitutes a natural procoagulant cofactor in blood coagulation. Proc Natl Acad Sci USA 2007；104：6388-6393.
12) Semeraro F, Ammollo CT, Morrissey JH, et al：Extracellular histones promote thrombin generation through platelet-dependent mechanisms：Involvement of platelet TLR2 and TLR4. Blood 2011；118：1952-1961.
13) Abrams ST, Zhang N, Manson J, et al：Circulating histones are mediators of trauma-associated lung injury. Am J Respir Crit Care Med 2013；187：160-169.
14) Alhamdi Y, Toh CH：Recent advances in pathophysiology of disseminated intravascular coagulation：The role of circulating histones and neutrophil extracellular traps. F1000Res 2017；6：2143.
15) 和田剛志：外傷性凝固障害はDICなのか，それとも活性化プロテインC仮説なのか；過去の病態論争と現在のコンセンサス，そして未来の方向性．日外傷会誌；35：209-218.
16) Marder VJ, Feinstein DI, Colman RW, et al：Consumptive thrombohemorrhagic disorders. In：Colman RW, Marder VJ, Clowes AW, et al eds. Hemostasis and Thrombosis：Basic Principles and Clinical Practice. 5th ed, Lippincott Williams & Wilkins, Philadelphia, 2006, pp1571-1600.
17) Kornblith LZ, Moore HB, Cohen MJ：Trauma-induced coagulopathy：The past, present, and future. J Thromb Haemost 2019；17：852-862.
18) Moore HB, Gando S, Iba T：Defining trauma-induced coagulopathy with respect to future implications for patient management：Communication from the SSC of the ISTH. J Thromb Haemost 2020；18：740-747.
19) Moore EE, Moore HB, Kornblith LZ：Trauma-induced coagulopathy. Nat Rev Dis Primers 2021；7：30.
20) Sawamura A, Hayakawa M, Gando S, et al：Application of the Japanese Association for Acute Medicine disseminated intravascular coagulation diagnostic criteria for patients at an early phase of trauma. Thromb Res 2009；124：706-710.
21) Wada T, Shiraishi S, Gando S, et al：Disseminated intravascular coagulation immediately after trauma predicts a poor prognosis in severely injured patients. Sci Rep 2021；11：11031.
22) Wada T, Shiraishi S, Gando S, et al：Pathophysiology of coagulopathy induced by traumatic brain injury is identical to that of disseminated intravascular coagulation with hyperfibrinolytis. Front Med（Lausanne）2021；8：767637.
23) Spahn DR, Bouillon B, Cerny V, et al：The European guideline on management of major bleeding and coagulopathy following trauma：Fifth edition. Crit Care 2019；23：98.
24) Baksaas-Aasen K, Gall LA, Stensballe J et al：Viscoelastic hemostatic assay augmented protocols for major trauma haemorrhage（ITACTIC）：A randomized, controlled trial. Intensive Care Med 2021；47：49-59.
25) Dunbar NM, Chandler WL：Thrombin generation in trauma patients. Transfusion 2009；49：2652-2660.
26) Gando S, Wada H, Kim HK, et al：Comparison of disseminated intravascular coagulation in trauma with coagulopathy of trauma/acute coagulopathy of trauma-shock. J Thromb Haemost 2012；10：2593-2595.
27) Jansen JO, Thomas R, Loudon MA, et al：Damage control resuscitation for patients with major trauma. BMJ 2009；338：b1778.
28) Duchesne JC, McSwain NE, Cotton BA, et al：Damage control resuscitation：The new face of damage control. J Trauma 2010；69：976-990.
29) Innerhofer P, Fries D, Mittermayr M, et al：Reversal of trauma-induced coagulopathy using first-line coagulation factor concentrates or fresh frozen plasma（RETIC）：A single-center, parallel-group, open-label, randomized trial. Lancet Haematol 2017；4：e258-e271.
30) Itagaki Y, Hayakawa M, Maekawa K, et al：Early administration of fibrinogen concentrate is associates with improved survival among severe trauma pa-

tients : A single-center propensity score-matched analysis. World J Emerg Surg 2020 ; 15 : 7.
31) Ziegler B, Bachler M, Haberfellner H, et al : Efficacy of prehospital administration of fibrinogen concentrate in trauma patients bleeding or presumed to bleed (FlinTIC) : A multicenter, double-blind, placebo-controlled, randomised pilot study. Eur J Anaesthesiol 2021 ; 38 : 348-357.
32) Levi M, Toh CH, Thachil J, et al : Guidelines for the diagnosis and management of disseminated intravascular coagulation : British Committee for Standards in Haematology. Br J Haematol 2009 ; 145 : 24-33.
33) CRASH-2 trial collaborators ; Shakur H, Roberts I, Bautista R, et al : Effects of tranexamic acid on death, vascular occlusive events, and blood transfusion in trauma patients with significant haemorrhage (CRASH-2) : A randomised, placebo-controlled trial. Lancet 2010 ; 376 : 23-32.
34) The CRASH-3 trial collaborators : Effects of tranexamic acid on death, disability, vascular occlusive events and other morbidities in patients with acute traumatic brain injury (CRASH-3) : A randomised, placebo-controlled trial. Lancet 2019 ; 394 : 1713-1723.
35) CRASH-2 collaborators ; Roberts I, Shakur H, Afolabi A, et al : The importance of early treatment with tranexamic acid in bleeding trauma patients : An exploratory analysis of the CRASH-2 randomised controlled trial. Lancet 2011 ; 377 : 1096-1101.
36) Kre K, Roberts I, Shakur H, et al : Antifibrinolytic drugs for acute traumatic injury. Cochrane Database Syst Rev 2015 ; 5 : CD004896.
37) Murao S, Nakata H, Roberts I, et al : Effect of tranexamic acid on thrombotic events and seizures in bleeding patients : A systematic review and meta-analysis. Crit Care 2021 ; 25 : 380.
38) Moore HB, Moore EE, Liras IN, et al : Acute fibrinolysis shutdown after injury occurs frequently and increases mortality : A multicenter evaluation of 2,540 severely injured patients. J Am Coll Surg 2016 ; 222 : 347-355.
39) Gall LS, Vulliamy P, Gillespie S, et al : The S100A10 pathway mediates an occult hyperfibrinolytic subtype in traumatic patients. Ann Surg 2019 ; 269 : 1184-1191.
40) Raza I, Davenport R, Rourke C, et al : The incidence and magnitude of fibrinolytic activation in trauma patients. J Thromb Haemost 2013 ; 11 : 307-314.

H　外傷後の腹腔内圧管理

要　約

1. 腹腔内圧 12mmHg 以上を腹腔内圧上昇（IAH），腹腔内圧 20mmHg 以上かつ新しい臓器障害の出現を腹部コンパートメント症候群（ACS）と定義し，腹腔内圧マネジメント（内科的・外科的）に関するアルゴリズム型の国際ガイドラインが報告されている。
2. 腹腔内の大量出血や外傷，腹部大動脈瘤破裂，イレウスなどにより IAH をきたす。
3. 比較的軽度の圧上昇であっても臓器障害が進行したり，さらに圧上昇をきたすリスクがあるため，モニタリングが必要である。
4. 大量輸液，熱傷や敗血症などによる secondary ACS に注意する。
5. damage control surgery の導入，damage control resuscitation，open abdomen management のための医療材料の開発などの努力により ACS の合併率は減少している。

はじめに

腹部コンパートメント症候群（abdominal compartment syndrome；ACS）は，腹腔内圧上昇（intra-abdominal hypertension；IAH）に起因する循環障害により腹腔内外臓器障害の増悪を特徴とする。外傷ショックに対する，過剰な晶質液輸液による蘇生が行われなくなるにつれ，外傷後のACS合併は減少し転帰は大幅に改善した[1]ものの，ACSは合併すると致死的な症候群である[2]。腹腔内圧（intra-abdominal pressure；IAP）の上昇が有害であることは古くから知られていたが，腹腔内の大量出血や外傷，腹部大動脈瘤破裂などの典型例以外にも，重症膵炎，大手術後，イレウス，熱傷や敗血症などさまざまな状況で発生し，これらがリスク因子として知られるようになり，また比較的軽度の圧上昇であっても有害あるいはさらなる圧上昇をきたすリスクを増すことがわかってきた。

IAHが進行してACSの病態となると致死的であるため，重症化する前の早期段階でとらえ対策を講じることで救命率が向上してきた。世界ACS学会（World Society of ACS；WSACS）がIAH/ACSに対する診療アルゴリズム[2]を策定し，推奨される診療を公開したことと，各種のIAP測定デバイスが普及してきたこともあり，IAP管理はより一般的となった。本項ではIAHやACSの定義と病態生理，リスク因子，予防と管理について述べる。

I　腹腔内圧上昇と腹部コンパートメント症候群の定義と病態

1. 腹腔内圧上昇と腹部コンパートメント症候群

IAPは，健常成人で概ね0～5mmHgである。IAHはWSACSの国際会議では，仰臥位安静時でIAP≧12mmHgと定義した[2]。さらに，腹部コンパートメント症候群は，腹腔内圧20mmHg以上かつ新しい臓器障害の出現と定義した[2]。妊娠後期や病的肥満ではベースラインIAPの上昇をきたしていることがあり，IAHあるいはACSに進行するリスクが高い。

コンパートメント症候群は四肢に発生するものがよく知られている。骨折，出血，腫脹などにより，循環不全（阻血）をきたす病態である。ギプスや弾性包帯などの除去，筋膜切開などによる減張切開により減圧を図ることにより血流障害を改善させる治療を要する（図3-6-H-1a）。一方，ACSでは，病態の中心は動脈血流障害のみではない。出血，外傷その他の原因でIAHをきたすと，横隔膜で隔てられている胸腔の内圧も上昇する。胸腔内圧上昇は静脈還流を低下させる。これにより，心拍出量低下，うっ血の増悪が進行する。臓器血流は，心拍出量低下と灌流圧減少の両方の影響を受ける（図3-6-H-1b）。

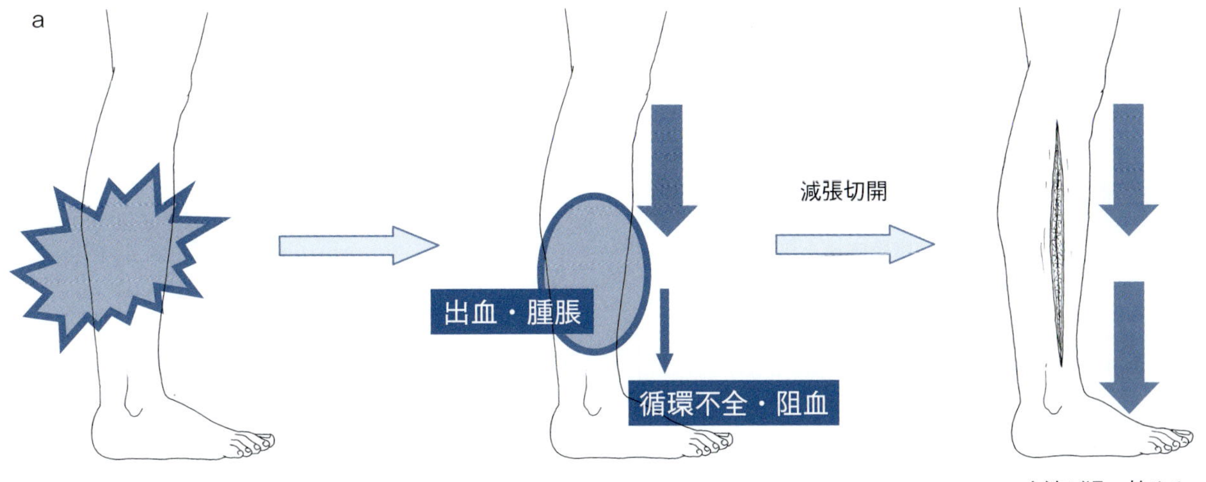

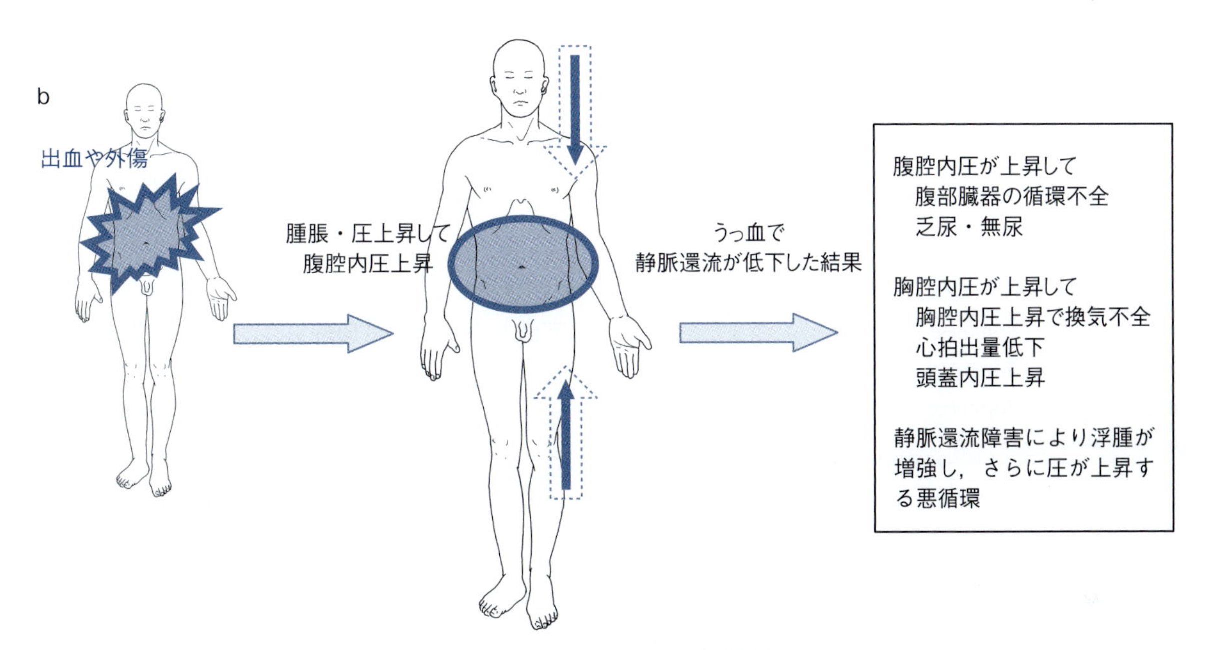

図3-6-H-1　コンパートメント症候群の病態
a：四肢コンパートメント症候群
b：腹部コンパートメント症候群

2. poly-compartment syndrome

IAPが上昇すると，IAH，胸腔内圧上昇をきたす。静脈還流障害により四肢，頭頸部の各コンパートメントの圧も上昇する[3]。腹腔内臓器（とくに腸管）の浮腫が進行すると，さらに圧上昇をきたす悪循環となる（図3-6-H-2）。

WSACSによって，IAHのGrade分類が定められた[2]（表3-6-H-1）。IAPが12mmHgに達すると，IAH Grade Ⅰになる。12mmHgが臨床的異常徴候を直ちに呈するわけではないが，上記の病態に照らすと，12mmHgは還流静脈圧に十分拮抗する圧であるので，ACS進行のリスク因子になり得る。臨床上，Grade Ⅰ以上であれば，気道内圧上昇（換気障害）や尿量減少など他臓器への影響が出た時点でACSを合併しているととらえたほうがよい。なおACSをきたすIAP値には個人差，状況差がある[4]。

3. 腹部灌流圧（APP）

腹腔内臓器血流の指標として，腹部灌流圧（abdominal perfusion pressure；APP）も有用とされている[5]。APPは灌流圧として，〔平均動脈圧（MAP）－腹腔内圧（IAP）〕で算出する。これは，頭蓋内圧上昇時の頭蓋内血流の指標の一つとして使用される脳灌流圧（cerebral perfusion pressure；CPP）と同様の考え方である。APPは予後の予測因子としてより高い有効性を示したと報告されている[5]一

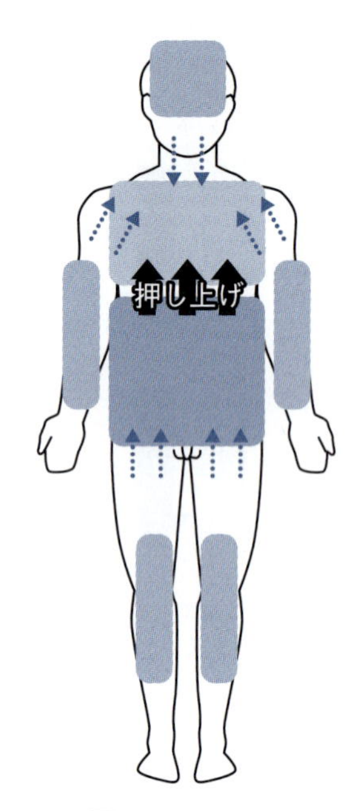

腹腔内圧が上昇
↓
横隔膜を押し上げ，胸腔内圧を上昇させる
↓
胸腔内圧上昇・腹腔内圧上昇により静脈還流障害が生じる
↓
静脈還流障害により四肢，頭頸部の各コンパートメントの圧も上昇する
↓
浮腫が増強し，さらに圧が上昇する悪循環

図3-6-H-2　poly-compartment　syndrome
IAPが上昇すると，各コンパートメント圧が上昇する。圧上昇は循環不全を起こす悪循環となる

表3-6-H-1　IAHの重症度分類

Grade Ⅰ	IAP 12～15mmHg
Grade Ⅱ	IAP 16～20mmHg
Grade Ⅲ	IAP 21～25mmHg
Grade Ⅳ	IAP ＞25mmHg

IAP：intra-abdominal pressure

方で，WSACSのガイドラインではAPPのみを指標に蘇生あるいはマネジメントを行うことは推奨していない[2)]。

4. 腹壁コンプライアンス

IAPを考えるうえで，腹壁コンプライアンスは重要である。腹腔内容物の量が増加しても，初期のころはIAPの上昇は緩やかである。ところが，腹壁が張りつめる状態まで増加すると，腹腔内容の増加に対する圧上昇は急激になる。つまり腹壁コンプライアンスはこの限界値（critical point）ともいうべき点を超えると急激に低下する。これは腹腔内容の量とIAPの関係を図示するとわかりやすい（図3-6-H-3）。腹腔内ボリュームが増加するとグラフ上の点のX座標は右に移動していくが，critical pointを超えると圧の上昇が急激になる。腹壁の状況によりコンプライアンス曲線自体も移動する。例えば体幹のⅢ度熱傷により弾性が低下した場合や，筋緊張が

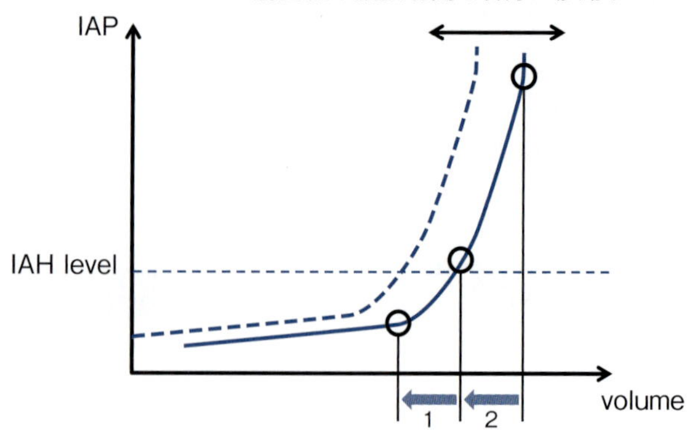

図3-6-H-3　腹腔内容物の量と圧の関係曲線
腹腔内容物の量が増加するにつれてIAPは上昇するが，限界値を超えると圧上昇は急激になる。曲線の位置は腹壁コンプライアンスを表す。熱傷による弾性低下，筋緊張の亢進により曲線は左方に移動し，その結果critical pointは小さくなる。矢印1・2は腹水のドレナージを行った例。IAPの軽度上昇に対してはtemporaryに効果を現す（矢印1）が，critical pointを大幅に超えている際には同じ量をドレナージしても効果は異なる（矢印2）

亢進した場合には曲線自体が左方に移動し，その結果critical pointは小さくなる。腹腔内容量が増加するとX座標が右に移動するのと逆に，腹腔内容物を除去するとX座標は左に移動する。図3-6-H-3の矢印1，2はそれぞれ同量の腹腔内の液体のドレナージを行ったことを表すが，IAPの上昇が軽度なうちにはcritical pointを下回るところまでtemporaryには効果を現すものの，critical pointを大幅に超えてしまってからでは同じ量をドレナージしても効果は小さい。

5. primary（原発性）ACSとsecondary（二次性）ACS，recurrent ACS

primary ACSは，腹部～骨盤領域の障害や疾患が原因となるもので，腹部外傷，肝移植後，急性膵炎，腹部大動脈瘤破裂，腹腔内巨大腫瘍病変など腹腔内容量の増加による。これらに対しては早期の外科的介入が必要となる。secondary ACSは上記以外の原因によるもので，血管透過性亢進に対する大量輸液を必要とする敗血症や出血性ショック，広範囲熱傷が相当する。いずれも重症患者ほどfluid shiftが浮腫や腹水を形成し，IAPを上昇させる[6)]。IAPをコントロールする一方で循環血液量を十分に保つ必要があり，適正な輸液・輸血管理に難渋する。過

剰輸液に注意する。primary ACSまたはsecondary ACSに対して治療を行った後にまた再びACSを発症することがしばしば経験されるが，これをrecurrent ACSと称する[2)]。

Ⅱ 腹腔内圧上昇時の臓器障害

1. 腎

IAHは腎にはとくに悪影響を及ぼす。腹部灌流圧低下・心拍出量減少に加えて，レニン-アンギオテンシン-アルドステロン系が亢進して血管収縮をきたす。さらに圧上昇は腎そのものに対して腎コンパートメントをきたす[7)]。糸球体濾過圧は腎灌流圧を反映してMAP−IAPとなるためIAP上昇の影響を他の腹部臓器同様に受けるが，腎においては腎濾過勾配（filtration gradient；FG）を考慮しなければならない。これは糸球体における圧で糸球体濾過圧と近位尿細管圧の差となる。近位尿細管圧にはIAPが反映されるため，FG＝（MAP−IAP）−IAPで算出され，結果としてIAPの影響を2倍受けることになる。IAHに対して尿量減少が敏感に反応するゆえんである。

2. 肝

IAHにより肝静脈，門脈血流は減少する。肝動脈血流は心拍出量減少の影響を受ける。肝におけるミトコンドリア作用やエネルギー代謝の低下が指摘されている[8)]。

3. 腸　管

IAHにより腸管粘膜，腸間膜血流とも減少し，さらに腸間膜静脈圧迫による静脈還流障害により腸管浮腫が増強する[9)]。浮腫により腹腔内容量が増加してさらに圧上昇をきたす悪循環となる。腸管粘膜の循環障害によりbacterial translocationをきたす可能性が高まる。

4. 中枢神経系

poly-compartment syndromeの項で述べたとおり，コンパートメント圧上昇をきたすため，頭蓋内圧が上昇し，CPPは低下する[10)]。

5. 循環器系

IAPの上昇を介して右心系への静脈還流障害を生じ，心拍出量が減少する。血管の圧迫により後負荷が上昇する。肺実質も圧迫されるため肺血管抵抗も増加する。前負荷が減少しているにもかかわらず，みかけ上，血圧が維持されているようにみえる。ただし，IAHが進行するとむしろ病態は緊張性気胸に近似してきて循環は破綻する。肺動脈楔入圧（pulmonary artery occlusion pressure；PAOP）や中心静脈圧（central venous pressure；CVP）は胸腔内圧分が加算されて高値を示すため，循環の指標としては役に立たなくなる[11)]。下大静脈圧上昇はうっ血を生じ，深部静脈血栓症リスクを増大させる。

6. 肺

横隔膜挙上，IAHにより，換気不全を生じる。無気肺，間質性浮腫，シャント増加，死腔換気増加をきたす[12)]。高二酸化炭素血症と気道内圧上昇を生じ，進行すると低酸素血症を呈する。なお，IAPが上昇した状態では，適正PEEPは肺内外圧差を考慮して設定する必要がある。

Ⅲ 腹部コンパートメント症候群の予防

1. open abdomen management（OAM）/temporary abdominal closure（TAC）

大量出血を伴う重症外傷手術に対するabbreviated surgeryや，腹腔・後腹膜内容の浮腫の遷延が見込まれる場合には無理な閉腹はIAHをきたすため，手術創の開放管理が適用される。

表3-6-H-2　IAH/ACSのリスク因子

腹壁コンプライアンスの低下	腹部手術
	重症外傷
	重症熱傷
	腹臥位
消化管内容物の増加	胃の蠕動低下 / 拡張
	イレウス
	偽性腸閉塞症
	腸の軸捻転
腹腔内容物の増加	急性膵炎
	腹部膨満
	腹腔内出血 / 気腹 / 腹腔内体液貯留
	腹腔内感染 / 腹腔内の膿瘍
	腹腔内または後腹膜の腫瘍
	過度の送気圧による腹腔鏡検査
	肝機能障害 / 腹水を伴う肝硬変
	腹膜透析
血管透過性亢進／輸液蘇生	アシドーシス
	damage control surgery
	低体温
	APACHE-ⅡまたはSOFAスコアの増加
	大量輸液を要する蘇生または体液のプラスバランス
	大量輸血
その他	年齢
	菌血症
	凝固障害
	頭部挙上
	大切開によるヘルニア修復術
	人工呼吸
	肥満またはBMI高値
	PEEP＞10cmH₂O
	腹膜炎
	肺炎
	敗血症
	ショックまたは低血圧

〔文献2)より引用・改変〕

- ICU に入室し，進行性の臓器障害がある場合，IAH/ACS のリスク因子をスクリーニングする
- 2つ以上のリスク因子がある場合，ベースラインのIAP の測定を行う
- IAH の状態であれば，患者の状態が回復するまで定期的に IAP の測定を行う

ICUに入室した，もしくは新規の進行性の臓器障害が発現した患者で，2つ以上のリスク因子がある

ベースライン時のIAP測定を行う

IAPの測定は以下のように行う（bladder technique の場合）
1. 単位はmmHgとする（1mmHg=1.36cmH_2O）
2. 呼気終末時に測定する
3. 仰臥位で行う
4. 中腋窩線の高さをゼロ点とする
5. 生理食塩液の膀胱内注入は最大で25mlとする〔20kgまでの小児の場合は1ml/kg〕
6. 注入直後は膀胱排尿筋が収縮するため，注入後30～60秒経ってから測定する
7. 腹壁が弛緩した状態で測定する

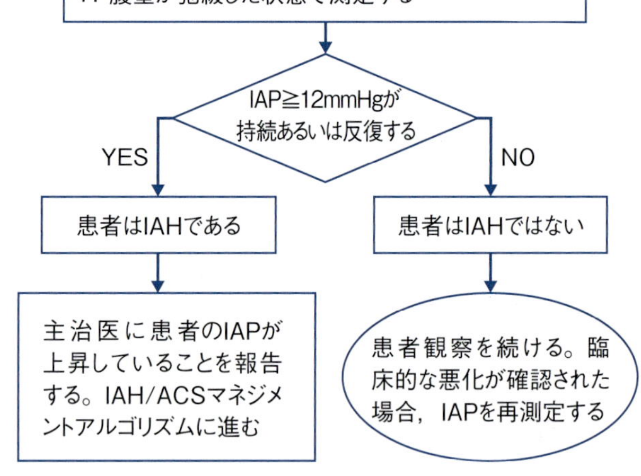

図3-6-H-4　腹腔内圧上昇（IAH）アセスメントアルゴリズム
〔文献2)より引用・改変〕

2. 腹腔内圧上昇/腹部コンパートメント症候群のリスク因子

開腹術施行患者で，腹腔・後腹膜内容の浮腫の遷延が見込まれる場合には，前述のように無理な創閉鎖をしないことがもっとも重要である。一方，開腹術例以外の患者ではIAHをいち早くとらえることが重要である。ACSすなわちIAHと臓器障害が顕在化するころには，相当の圧上昇をきたしている。その段階までに静脈還流障害と浮腫は増強しており，さらに圧上昇をきたす悪循環は灌流圧低下と相まって臓器障害を進行させる。予後改善のためには悪循環に入る前に対策を行うことである。ACSを初期段階で早期発見し解決するにはIAPを積極的に測定する。そのためには，IAP測定を行うべきIAHリスクの高い患者を把握することが重要である。

WSACSは，表3-6-H-2に示すリスク因子を評価することを推奨している[2)]。2つ以上のリスク因子があれば，ベースライン時のIAP測定を行い，さらにIAP≧12mmHgであれば患者はIAHであるため，IAH/ACSマネジメントアルゴリズム（図3-6-H-4，5）[2)13)]に進む。

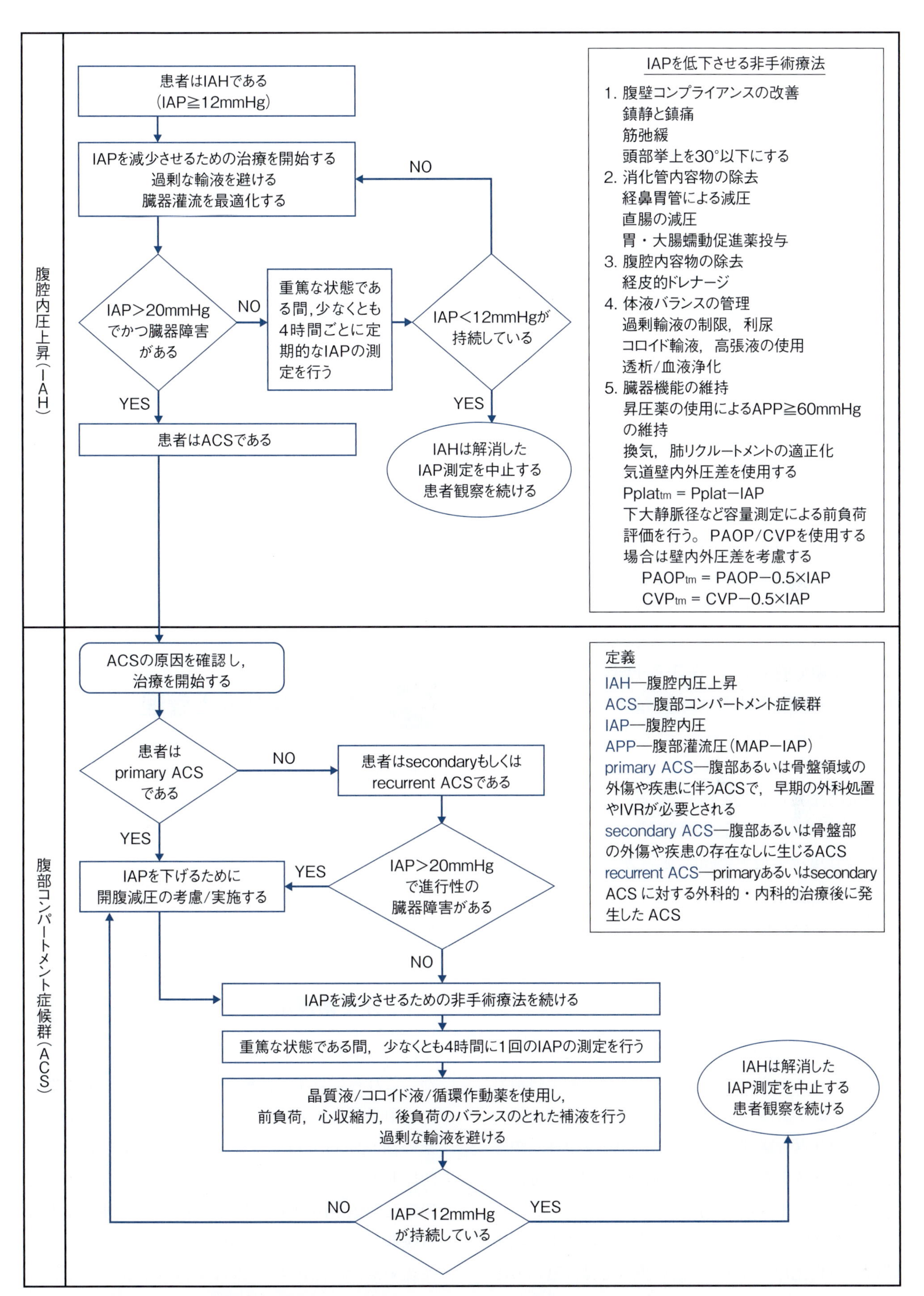

図3-6-H-5 腹腔内圧上昇(IAH)/腹部コンパートメント症候群(ACS)マネジメントアルゴリズム

$Pplat_{tm}$：plateau pressure (transmural pressure), $PAOP_{tm}$：pulmonary artery occlusion pressure (transmural pressure), CVP_{tm}：central venous pressure (transmural pressure)

〔文献2)13)より引用・改変〕

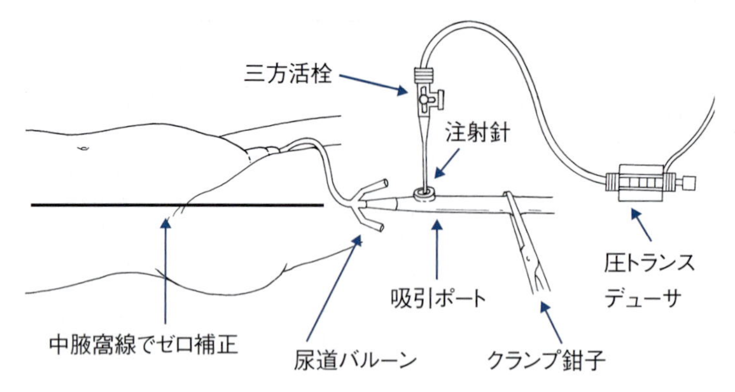

図3-6-H-6　膀胱内圧測定法の原理

Ⅳ 腹腔内圧測定法

IAPの測定には，経鼻胃管を通した胃内圧測定や，下大静脈圧を利用したもの，直腸圧，腹腔内直接穿刺による観血的測定，ベッドサイドにおける超音波を使用した下大静脈径および呼吸性変動の測定といった，さまざまな方法がある。このうち膀胱内圧測定がもっともよく用いられている。膀胱内圧は以下の手順で測定する（図3-6-H-6）。

①単位はmmHgとする（1mmHg = 1.36 cmH₂O）。
②呼気終末時に測定する。
③体位は水平仰臥位とする。
④中腋窩線上でゼロ点を設定する。
⑤尿道カテーテルの尿流出側をクランプし，滅菌の生理食塩液を最大25ml，尿道カテーテルのサンプルポートから膀胱内へ注入する（20kgまでの小児では最大1ml/kg）。
⑥注入直後は膀胱排尿筋が収縮するため，注入後30～60秒経ってから測定する。
⑦腹壁が弛緩した状態で測定する。

測定器具は，18G針と三方活栓，点滴延長チューブ，圧イントロデューサなどを組み合わせて自前で作成が可能であるが，手技による測定誤差が大きいこと，繰り返し穿刺を要することから安全性，煩雑さ，感染リスクを考えると簡易に反復測定が可能な測定キットなどの利用が推奨される。

本法では呼気終末に測定を行うが，治療上，測定時に高いPEEPを下げられない患者では，真のIAPの値より高値になることがあり，注意を要する。また膀胱内圧で代用するため膀胱損傷，骨盤内骨折や血腫などの外傷，神経因性膀胱，腹膜癒着のある患者ではIAPを反映しない可能性があることにも留意する。点滴用のエクステンションチューブを用いてcmH₂Oを読み取る方法で行う場合にはmmHg換算（1.36で割る）を忘れないようにする。なお腹囲測定や腹部の触診による診断は否定はしないものの，圧上昇に関して感度が悪いことが判明している。また腹部緊満などの徴候が顕在化したころにはすでに相当の圧上昇が進行していると考えられる。

Ⅴ アルゴリズムと管理

前述のとおり，IAP≧12mmHgであれば，IAH/ACSマネジメントアルゴリズム（図3-6-H-5）に沿った管理が推奨される。IAHの減圧と臓器灌流改善のための非手術療法を開始する。この場合少なくとも4～6時間ごとにIAPを測定し，IAP＜12mmHgを目標に管理する。

1. 非手術療法

IAH/ACSの非手術療法を図3-6-H-5右上に示した。これらには集中治療中の患者ではよく行われている項目が含まれる。適正な鎮静・鎮痛は患者の安楽の観点からも重要である。筋弛緩薬はIAPを劇的に低下させる[14]が，フェンタニル投与では時に体幹の筋緊張が出現することがあり，この場合，むしろ腹壁コンプライアンスが低下してIAHに傾く点に注意する。体位がIAPに及ぼす影響は意外に大きい。過剰な輸液は可能なかぎり避ける必要がある。しかし，循環血液量不足により末梢循環や酸素供給が不十分とならないように注意する。循環管理がもっとも重要である。

IAH時には基本的な循環のパラメータによる循環評価はきわめて困難になる。例えばIAHにより腎灌流量が低下すると尿量が減少する。つまり，尿量は循環血液量を反映しなくなる。逆に尿量減少を輸液不足と誤認してさらに輸液を追加すると，浮腫が増強する，あるいは肺水腫をきたす可能性があり，IAPはさらに上昇する。IAPが上昇した状態での中心静脈圧，あるいは肺動脈楔入圧は真の値より高値を示す。例えば肺経由動脈熱希釈法（PiCCO）を用いた侵襲的な循環動態モニタリングなど，心拍出量や混合静脈血を継続的に観察して循環動態をモニタリングする必要がある。穿刺可能な量の腹腔内貯留液がある場合には，エコーガイド下での腹腔ドレナージは効果的であるが，根本治療ではないため外科的減圧術などを早急に検討する[15]。ただし，ドレナージにより腹腔内容量がcritical pointを下回った場合にはIAP上昇の悪循環を断ち切る効果が期待できる。

2. 外科的減圧術

IAPが20mmHgを超え，かつ進行性の臓器障害がある場合には，開腹減圧術が考慮される。術後患者の再開腹であれば，ICUのベッドサイドでも施行可能と思われる。とくに循環動態が不安定になっている場合には減圧に急を要する[16]。

開腹中の管理には陰圧閉鎖療法（negative pressure wound therapy；NPWT）が併用される機会が増えているが，この間のIAP管理については，NPWT自体がIAPを変動させることは少なく[17]，またNPWT管理中もIAPモニタリングを続けるべきとする報告[18]もある。

過去数十年にわたってのdamage control surgeryの導入，damage control resuscitation，NPWTなど腹腔の一時的腹部閉鎖材料の開発などの努力により重症患者の予後が改善した[1]。

文献

1) Balogh ZJ, Lumsdaine W, Moore EE, Moore FA：Postinjury abdominal compartment syndrome：From recognition to prevention. Lancet 2014；384：1466-1475.

2) Kirkpatrick AW, Roberts DJ, De Waele J, et al：Intra-abdominal hypertension and the abdominal compartment syndrome：Updated consensus definitions and clinical practice guidelines from the World Society of the Abdominal Compartment Syndrome. Intensive Care Med 2013；39：1190-1206.

3) Malbrain ML, Wilmer A：The polycompartment syndrome：Towards an understanding of the interactions between different compartments! Intensive Care Med 2007；33：1869-1872.

4) Sugrue M：Abdominal compartment syndrome. Curr Opin Crit Care 2005；11：333-338.

5) Cheatham ML, White MW, Sagraves SG, et al：Abdominal perfusion pressure：A superior parameter in the assessment of intra-abdominal hypertension. J Trauma 2000；49：621-626；discussion 626-627.

6) Oda J, Yamashita K, Inoue T, et al：Resuscitation fluid volume and abdominal compartment syndrome in patients with major burns. Burns 2006；32：151-154.

7) Doty JM, Saggi BH, Blocher CR, et al：Effects of increased renal parenchymal pressure on renal function. J Trauma 2000；48：874-877.

8) Nakatani T, Sakamoto Y, Kaneko I, et al：Effects of intra-abdominal hypertension on hepatic energy metabolism in a rabbit model. J Trauma 1998；44：446-453.

9) Diebel LN, Dulchavsky SA, Wilson RF：Effect of increased intra-abdominal pressure on mesenteric arterial and intestinal mucosal blood flow. J Trauma 1992；33：45-48；discussion 48-49.

10) Bloomfield GL, Blocher CR, Fakhry IF, et al：Elevated intra-abdominal pressure increases plasma renin activity and aldosterone levels. J Trauma 1997；42：997-1004；discussion 1004-1005.

11) Oda J, Ueyama M, Yamashita K, et al：Effects of escharotomy as abdominal decompression on cardiopulmonary function and visceral perfusion in abdominal compartment syndrome with burn patients. J Trauma 2005；59：369-374.

12) Obeid F, Saba A, Fath J, et al：Increases in intra-abdominal pressure affect pulmonary compliance. Arch Surg 1995；130：544-547；discussion 547-548.

13) The World Society of the Abdominal Compartment Syndrome.
https://www.wsacs.org/education/679/wsacs-iah-acs-self-learning-packet/（Accessed 2023-5-02）

14) Cheatham ML, Malbrain ML, Kirkpatrick A, et al：Results from the International Conference of Experts on intra-abdominal hypertension and abdominal compartment syndrome. Ⅱ. Recommendations. Intensive Care Med 2007；33：951-962.

15）Latenser BA, Kowal-Vern A, Kimball D, et al：A pilot study comparing percutaneous decompression with decompressive laparotomy for acute abdominal compartment syndrome in thermal injury. J Burn Care Rehabil 2002；23：190-195.
16）Cheatham ML, Safcsak K：Is the evolving management of intra-abdominal hypertension and abdominal compartment syndrome improving survival? Crit Care Med 2010；38：402-407.
17）Taryn ET, Nicholas JP, Jeffrey WS, et al：Intra-abdominal pressure monitoring during negative pressure wound therapy in the open abdomen. J Surg Res 2022；278：100-110.
18）García AF, Sánchez ÁI, Gutiérrez ÁJ, et al：Effect of abdominal negative-pressure wound therapy on the measurement of intra-abdominal pressure. J Surg Res 2018；277：112-118.

I 外傷後の静脈血栓塞栓症の予防と処置 ………

要 約

1. 静脈血栓塞栓症（VTE）の予防戦略の目標は，重症肺血栓塞栓症による死亡を回避することであり，無症候性深部静脈血栓症（DVT）の予防が必要である。
2. VTEのリスク評価法としてRAPスコアを用いる。
3. VTEに対しては，RAPスコアや抗凝固薬の禁忌を考慮し，薬物的予防，機械的予防を選択，併用する。
4. 小児ならびに脳や実質臓器の損傷を伴う患者については，薬物的予防，機械的予防の選択や開始時期は，個々の外傷患者における出血リスクとVTEリスクのバランスの上に決定する。

I 概 念

下肢や骨盤の静脈系は，表在静脈系，深部静脈系ならびに交通枝に分類される。このうち深部静脈系に血栓を生じる病態を深部静脈血栓症（deep vein thrombosis；DVT）という。DVTはさらに，血栓が膝窩静脈およびその末梢に限局する遠位型（distal type）と，大腿静脈，腸骨静脈さらには下大静脈にまで及ぶ近位型（proximal type）とに分類される。

下肢や骨盤の静脈，下大静脈，右心房および右心室に生じた血栓が遊離し，血流に乗り肺動脈に流入し塞栓する病態を肺血栓塞栓症（pulmonary thromboembolism；PTE）という。発症の形式より，肺高血圧および低酸素血症が急速に出現する急性肺血栓塞栓症（acute pulmonary thromboembolism；APTE）と，6カ月間以上肺血流分布の異常や肺高血圧が持続する慢性肺血栓塞栓症（chronic pulmonary thromboembolism；CPTE）に分類される。

APTEの重症度による分類としては，従来は肺血流分布および循環動態の異常（右心負荷）の程度に基づいて，非広範型（non massive），亜広範型（submassive），広範型（massive），心停止・循環虚脱（cardiac arrest/collapse）の4段階に分類する臨床重症度分類[1]が広く用いられてきた。しかし近年では，死亡の危険性を重視する観点から，循環動態の異常，右心機能不全および心筋損傷の程度により早期に死亡に至る危険率（リスク）を低，中，高の3段階に分類する早期死亡リスク分類[2]が用いられる傾向にある。CPTEは，慢性血栓塞栓性肺高血圧症（chronic thromboembolic pulmonary hypertension；CTEPH）とも呼ばれ，肺高血圧症がその本態であると考えられているが，病態や成因についてはいまだ明らかになっていない点も多く，分類法も確立していない。

近年では，DVTとPTEは不可分な一連の病態ととらえるべきであるとの考え方から，静脈血栓塞栓症（venous thromboembolism；VTE）という用語に統一されている。VTEにかかわる予防戦略の最終的な目標は，重症（致死的）PTEによる患者死亡を回避することである。そのためには，PTEによる突然死が突発的な病態ではなく，無症候性DVTから発症し，時間とともに進行し，重症PTEによる循環虚脱や心停止に至る一連の病態であることを理解することが重要である。そのうえで，多職種を対象とした予防マニュアルの整備や講習会の開催などにてDVTの予防を組織的に徹底すること，無症候性DVTの段階で早期発見し適切な対処をすることが求められる。VTEの病態を巨大なピラミッドにたとえるならば，その頂点は早期死亡高リスク群のPTEであり，その下に中リスク群，低リスク群のPTEの層と続き，さらに下には巨大なDVTの層がある（図3-6-I-1）。1例のPTE死亡例の背景には，数千例から数万例のDVTが存在することを示している。言い換えれば，VTEによる死亡を1例減少させるためには，数千～数万例においてDVTを予防する必要がある[2,3]。

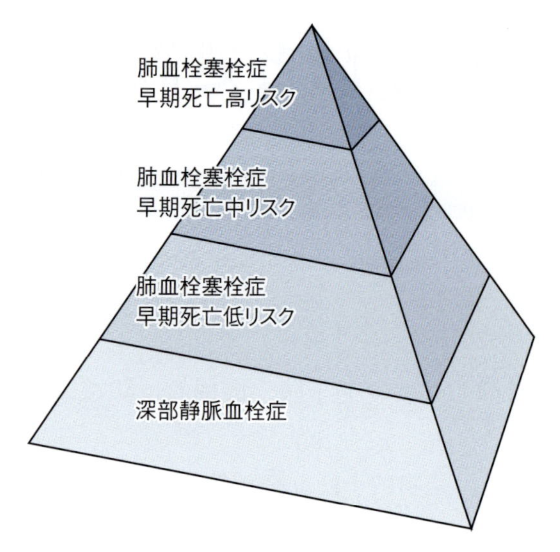

図3-6-I-1　**静脈血栓塞栓症のピラミッド**

II　予　防

1. 予防に関する疫学的根拠

外傷患者におけるVTE予防戦略の最終的な目標は，VTEに起因する「防ぎ得る外傷死」を減少させることである。重症外傷の急性期・周術期においては，VTE予防の有用性と出血性合併症の危険性とのバランスを厳密に考慮しなければならない点に最大の困難性がある。このようなバランスは，医師や施設の経験に基づいて判断されるべきものではなく，客観的根拠に基づいて判断されるべきであるが，外傷患者におけるVTE予防方策（modality）の有用性とリスクにかかわる質の高いエビデンスは存在しないといっても過言ではない。これは，以下の理由によるものであろう。

①対象（target population）とする外傷患者の病態はきわめて多様である。実際に，このpopulationにおけるDVTの有病率は5～63％まで幅広い報告がある[4)5)]。したがって，何らかの意味のある臨床試験を施行するためにはtarget populationを細分化せざるを得ないが，その結果，sample sizeは小さくなり，一般化可能性も低下する。

②VTE予防の有用性の評価における真の評価項目（true end point）は，重症PTEによる死亡の有無である。しかし，前述のように，VTE罹患例のうち致死的PTEに進展する例は数千～数万例に1例にすぎず，試験の規模の小ささと相まって統計学的に有意な結果を得ることは困難である。したがって，多くの試験はDVTの検出を代替的な評価項目（surrogate endpoint）とした有効性の評価にとどまっている。

③重症外傷に伴うVTEの発症および死亡には，受傷直後より顕在化する血液凝固障害が大きく関与している[6)7)]。したがって，入院中の周術期患者を対象とする試験と比較して有用性の検証は曖昧となる。

外傷患者におけるVTE予防に関しては，American College of Chest Physiciansによる「Prevention of venous thromboembolism：American College of Chest Physicians Evidence-Based Clinical Practice Guidelines」（ACCP ガイドライン）がエビデンスに基づいたガイドラインとして，本稿を執筆している2022年現在もなお事実上の世界標準となっている。ACCPガイドラインは，外傷に限らず疾患（病態）網羅的なガイドラインで，最新の研究成果を取り入れて概ね4年ごとに改訂されている。2008年に第8版[8)]が，2012年に第9版[9)]が公表されている。第8版では，外傷に関する記述が単独の章にまとめられているが，第9版ではnon-orthopedic surgical patientsという章の一部とSupplement（補遺）に収載され相対的に少なく，分散的になった感は否めない。しかし，major traumaに対するrecommendationsに関しては第8版から第9版の間で実質的な変更はない。

2020年には，Western Trauma Association Algorithm Committeeより「Updated Guidelines to Reduce Venous Thromboembolism in Trauma Patients：A Western Trauma Association critical decisions algorithm」（WTAガイドライン）が公表された。WTAガイドラインは，Greenfield Risk Assessment Profile（RAPスコア）[10)]あるいはTrauma Embolic Scoring System（TESS）[11)]を用いて外傷患者のVTEリスクを評価し，中～高リスクの場合に個別の背景因子や外傷の状態に応じた薬物的予防法を推奨している。

2021年には，American Association for the Surgery of Trauma Critical Care Committeeによる「Venous thromboembolism prophylaxis in the trauma intensive care unit」と題した「Clinical Consensus Document」（AASTガイドライン）が

公表された[12]。このAASTガイドラインは，題名が示すように米国などのTrauma Center（外傷センター）の集中治療室（Trauma ICU）に入室中の重症外傷患者を対象としたものであり，出血性合併症の危険性が高い頭部外傷をはじめとする個々の外傷の病態や，鎮痛のための硬膜外カテーテル留置中におけるVTEの予防など重症外傷の臨床に直結したclinical questionsとそれに対するrecommendationsが示されていることが特筆される。小児の外傷患者におけるVTE予防に関するガイドラインとしては，米国Eastern Association for the Surgery of Traumaとthe Pediatric Trauma Societyによるガイドライン（以下，EAST小児ガイドライン）が2017年に公表された[13]。一方，臨床支援ソフトウェアの導入により，VTE予防ガイドラインの遵守率が67％から84％に増加した結果，VTEに関連した有害事象の発生率が1.0％から0.17％に低下したとの報告[14]もあり，今後は臨床現場におけるガイドラインの周知と遵守が望まれる。

わが国においては，2009年改訂版から8年ぶりに10学会合同研究班による「肺血栓塞栓症および深部静脈血栓症の診断，治療，予防に関するガイドライン（2017年改訂版）」（日本版ガイドライン）が公表された。外傷患者におけるVTE予防にかかわる今回の主な改訂としては，経口Xa阻害薬の承認や周術期のVTE予防に使用可能な抗凝固薬が増えたことに伴う加筆や，下大静脈フィルターの適応の変化やフィルター回収の重要性についての加筆などがあげられる。しかし，VTE予防法については，依然としてわが国における出血性合併症発症率の論文的根拠が乏しいことを理由に，抗凝固療法による薬物的予防法よりは理学的予防法の比重が高い推奨となっている。

以上のように，米国においては外傷患者のVTE予防にかかわる数多くの疫学的エビデンスが蓄積され，それらに基づいたガイドラインも近年急速に整備されつつある。他方，わが国では外傷患者に特化したガイドラインはなく，日本版ガイドラインにおける外傷患者にかかわる項目も大腿骨遠位部以下の単独外傷，脊髄損傷，その他（骨盤骨折や多発外傷，頭蓋内出血）の3項目のみで記述もわずかにとどまっている。

2. リスク評価

外傷患者におけるいくつかの前向き研究において高齢・手術・下肢骨折・脊髄損傷・輸血の有無が独立したVTEのリスク因子として関連が指摘されている[15)16)]。輸血に関しては，後ろ向きのコホート研究ではあるが，採血から輸血までの期間が長い赤血球製剤を輸血された群においては，短い群と比較してVTEの発症率と関連し，院内死亡率が有意に高いという最近の報告があり興味深い[17]。外傷患者におけるVTEのリスク因子を評価した大規模な臨床研究としては，American College of Surgeons（ACS）National Trauma Data Bankに登録された450,375例の外傷症例を対象とした後ろ向きデータベース研究が報告されている。この報告では，年齢≧40，AIS≧3の下肢骨折，3日を超える人工呼吸，AIS≧3の頭部外傷，大きな静脈（major vein）の損傷，大手術（major operation）が独立したリスク因子として指摘されている[18]。また，麻痺を伴う脊髄損傷がリスク因子であるとする複数の報告がある[19)～21)]。

以上のような多岐にわたる報告を評価・統合する形で，外傷患者におけるVTEのリスク評価プロフィール（risk assessment profile；RAP）スコアが提唱された（表3-6-I-1）[22]。RAPスコアは，外傷患者におけるVTEの発症に寄与する因子を，背景因子，外傷にかかわる因子，医原性の因子，年齢にかかわる因子に4分類し，それぞれの因子の寄与率に従って2～4点のスコアを配分し，合計スコアが5点以上を高リスク群，5点未満を低リスク群とするものである。

RAPスコアは，1997年に公表された外傷患者におけるVTEリスク予測スコアの古典ともいえる臨床支援ツールであるが，実症例におけるVTE発生頻度との強い相関を示し，その有用性を支持する報告が現在に至るまで相次いでいる[23)～26)]。ほかにも外傷患者に特化したVTEリスク予測スコアとしてTrauma Embolic Scoring System（TESS）[27]が2012年に公表されたが，実際にVTEを認めた患者のうち低リスクに分類された割合はTESSの51％に対してRAPスコアでは17％とRAPスコアの優位性を示した報告もある[28]。さらに，RAPスコアは直近10年間に公表された外傷患者におけるVTEに関する臨床研究にて頻繁にVTEリスクの指標として用い

表3-6-I-1　RAPスコア

因子	スコア
背景因子	
肥満	2
悪性疾患	2
血液凝固障害	2
静脈血栓塞栓症の既往	2
外傷にかかわる因子	
AIS>2の胸部外傷	2
AIS>2の腹部外傷	2
AIS>2の頭部外傷	2
脊椎骨折	3
GCS合計点<8の意識障害	3
重症下肢骨折	4
骨盤骨折	4
脊髄損傷	4
医原性の因子	
大腿動静脈の血管確保	2
4単位を超える輸血	2
2時間を超える手術	2
大きな静脈の修復手術	2
年齢にかかわる因子	
40歳以上60歳未満	2
60歳以上75歳未満	3
75歳以上	4

該当する因子のスコアをすべて加算し，RAPスコアを算出する

られており[29)~37)]，外傷患者に特化したVTEリスク予測スコアとして現在の事実上の標準（de facto standard）といえる[38)]。一方，RAP scoreは変数の数が17と多く臨床の場で使用するには複雑であることから，変数の数を6まで減らしつつもほぼ同等のVTEリスク予測精度を維持したquick RAP（qRAP）スコアも提唱されている[39)]。

3. 予防法

VTEの予防法とは，下肢への機械的な圧迫により深部静脈の静脈還流を促進する機械的予防法，各種抗凝固薬の投与による薬物的予防法，さらには下大静脈フィルター留置術に大別される。以下にその概要とACCPガイドラインの推奨を中心に解説する。

1）薬物的予防法

(1) 未分画ヘパリン（unfractionated heparin；UFH）

8時間もしくは12時間ごとに未分画ヘパリン・カルシウム5,000単位を皮下注射する低用量未分画ヘパリン法（low-dose unfractionated heparin；LDUH）と，活性化部分トロンボプラスチン時間（activated partial thromboplastin time；APTT）を指標に調節してより効果を確実にする用量調節未分画ヘパリン法（dose controlled unfractionated heparin；DCUH）がある。DCUHでは，APTT基準値上限（約40秒）を目標として8時間ごとに皮下注射量，あるいは持続静脈注射速度を調節する。VTE予防を目的としたDCUHは米国ではほとんど施行されていない。したがって，研究成果もなく，ACCPガイドラインではDCUHについての言及はない。

LDUHについては，重症例（ISS＞10）やVTEリスクの高い例において出血性合併症のリスクが高く[18)40)41)]，低分子ヘパリン（low molecular weight heparin；LMWH）と比較してVTE予防における有用性が低いことが報告されている[42)]。しかし，LDUH（1回5,000単位・1日3回）とLMWH（エノキサパリン1回30mg・1日2回または40mg・1日1回）との比較では有用性（VTE関連死亡の有無），有効性（近位型DVT検出の有無）ならびに出血性合併症のリスクに有意差はないとする2010年の報告もあり[43)]，ACCPガイドラインにおいては，薬物的予防法として，LDUHはLMWHと同程度（推奨グレード2C）に推奨されている。ただし，その根拠となった報告はRCTではなく，単施設で対象期間の中途でプロトコルを変更してhistorical controlと比較したものであり，質の高いエビデンスとは言い難い。それでも，ACCPガイドラインにおいてLDUHの推奨度がやや上がった背景として，プロタミン硫酸塩（protamine sulfate）投与にてLDUHの抗凝固作用は拮抗可能であるが，LMWHは部分的にしか拮抗できないこと[44)]を重視した，とする意見もある。これに加えLDUHがLMWHと比較して非常に安価であることから費用対効果も考慮したものと推察する。

(2) 低分子ヘパリン（LMWH）

わが国では，エノキサパリン（クレキサン®）が「下肢整形外科手術（股関節全置換術，膝関節全置換術，股関節骨折手術）施行患者およびVTEの発症リス

クの高い腹部手術施行患者における静脈血栓塞栓症の発症抑制」に限定し保険適用されている。12時間おきに20mg（2,000単位）を皮下注射する。

薬物的予防法のなかで，LMWHが他の薬剤と比較して有用性ならびに出血性合併症のリスクの点で優位であるとする数多くのRCT[42)45)～47)]やメタ解析[48)49)]が存在する。しかし，その投与量については，一律の標準用量（40～60mg/日）と体重やDダイマー値などを指標とした調節用量のいずれが有益であるか一定の結論に達していない[50)51)]。他方，高エネルギー受傷機転による脊椎損傷，とくに胸椎損傷術後においてはLMWHによる薬物的予防法が行われていてもDVT発症頻度は26.8％と決して低くないとする報告がある[52)]。しかし，この報告においてもPTEに直結する近位型DVTの頻度は0.56％と低く，致死的PTEの発症リスクを低下させるというVTE予防の目的に鑑みてLMWHの有用性を否定するものではない。

ACCPガイドラインでは，脊髄損傷を含む重症外傷患者において薬物的治療法に対する重大な禁忌がないかぎり，できるだけ早くLMWHを開始する（推奨グレード1A）。重大な禁忌とは，活動性の出血あるいは消化管出血など重篤な出血の危険性が高いことを指す。また，LMWHとともに最善の機械的予防法を併用する（推奨グレード1B）。重大な禁忌のため薬物的予防法が施行できない場合には，出血のリスクが許容できる程度に低下ししだい，LMWHを開始する（推奨グレード1C）。画像上脊髄血腫の確認された不全脊髄損傷患者では，受傷後数日間はLMWHを含む薬物的予防法をすべきでないとしている（推奨グレード1C）。

(3) Xa因子阻害薬および直接作用型経口抗凝固薬

わが国では，Xa因子阻害薬としてフォンダパリヌクス（アリクストラ®）が「静脈血栓塞栓症の発現リスクの高い下肢整形外科手術および腹部手術施行患者における静脈血栓塞栓症の発症抑制」に限定し保険適用されている。24時間おきに2.5mgを皮下注射する。整形外科手術後のVTE予防におけるXa因子阻害薬にかかわる報告は数多いが，外傷患者を対象とした研究は，無作為化されていないpilot studyのみである[53)]。一方，直接作用型経口抗凝固薬（direct oral anticoagulants；DOAC）については，2021年に大腿骨近位部骨折（hip fracture）の術後VTE予防においてDOACがLMWHと同等の有効性と安全性を有することを示唆するメタ解析にとどまった[54)]。このように文献的根拠が比較的乏しいことから，ACCPガイドラインにてXa因子阻害薬およびDOACへの言及はない。

(4) 用量調節ビタミンK拮抗薬（VKA）

試薬のばらつきを補正したプロトロンビン時間であるPT-INR（プロトロンビン時間国際標準比）が目標値となるようにワルファリン〔ビタミンK拮抗薬（vitamin K antagonist；VKA）〕の内服量を調節する方法である。内服開始から効果の発現までに3～5日間を要するため，投与開始初期には他の予防法を併用する必要がある。目標値として，欧米ではPT-INR 2.0～3.0が推奨されているが，わが国ではPT-INR 1.5～2.5で十分な予防効果が得られるとする報告が多い。

ACCPガイドラインでは，運動障害があり入院リハビリテーションを施行している外傷患者においてLMWHまたはVKA（PT-INR目標域2.0～3.0）を推奨している（推奨グレード2C）。

2）機械的予防法

(1) 弾性ストッキング
(gradient compression stocking；GCD)

弾性ストッキングとは下肢の先端ほど圧迫力が大きい医療用ストッキングである。静脈の総断面積を末梢ほど減少させることにより，深部静脈の血流速度を増加させ，うっ滞による血栓形成を予防する機序である。その簡便さから多くの施設において用いられる方法であるが，外傷患者における有用性を示す文献的根拠はなく[55)]，ACCPガイドラインでは言及されていない。

(2) 空気圧迫装置（PCD）

下腿に巻いたカフにポンプを用いて空気を間欠的に送入し，遠位部から近位部に順次圧迫を加える機器であり，calf-pump，sequential compression deviceあるいは間欠的空気圧迫法（intermittent pneumatic compression）とも呼ばれる。能動的に深部静脈の静脈還流を促進し，静脈血のうっ滞による血栓形成を予防する機序である。

骨盤・股関節骨折患者や集中治療室入室患者において空気圧迫装置（pneumatic compression device；PCD）の装着がVTE予防を行わない場合と比較し

てVTE発症率を低下させるとするRCT[56]やメタ解析[57]がある。また，頭部・脊椎外傷患者においてPCDとLMWH投与の間にVTE 予防効果に差はないとするRCT[58]が報告されている。一方，集中治療室入室患者において薬物的予防法にPCDを併用しても，薬物療法単独と比較してVTEの発生率を低下させないとする大規模RCT[59]やメタ解析[60]の報告も近年相次いでいる。

ACCPガイドラインでは，脊髄損傷を含む重症外傷患者において薬物的予防法との併用（推奨グレード 1A）あるいは，薬物的予防法に対する重大な禁忌がある場合の次善の予防法として推奨されている（推奨グレード1B）。PCDの亜型として，足部にのみ装着するA-Vフットポンプがあるが，ACCPガイドラインでは言及がない。

(3) 下大静脈フィルター（VCF）

通常は右腎静脈分岐直下の下大静脈に経カテーテル的にフィルターを留置し，深部静脈血栓が右心系・肺動脈に流入しPTEに進展することを予防する機器である。近位型のDVTのPTEへの進展を予防する目的での下大静脈フィルター（vena cava filter；VCF）の有効性は確立している。外傷患者においても，薬物的予防法および機械的予防法のいずれも施行できない場合には，VCFはVTEによる死亡を減少させる有用な方法となり得る。コホート研究やメタ解析がVCFがPTEおよび関連死亡を有意に減少させることを示している[20,61,62]。一方，VCFは長期的にはDVTの発生リスクを増加させるという観察研究の報告も相次いでいる[63〜66]。この点，近年実用化された回収可能な（retrievable）VCFは，短期的な有効性と長期的な安全性の両面での良好な成績が報告されている[67,68]。

以上のように，VTEの一次予防としてのVCFの有用性や安全性を示す十分なエビデンスはいまだ蓄積されていない。そのような状況に鑑み，ACCPガイドラインでは脊髄損傷を含む重症外傷患者において，VTE予防を目的としたVCFは推奨していない。一方，AASTガイドラインでは出血リスクが高いために薬物的予防法を長期間行えないVTEリスクの高い患者においてはVCFを検討すべきとしている。

3）脳や実質臓器の損傷を伴う外傷患者における薬物的予防の開始時期

AASTガイドラインでは，脳や実質臓器の損傷による出血性外傷患者における薬物的VTE予防の開始時期について以下を推奨している[12]。

①脳損傷を伴う外傷患者において，頭蓋内出血の状態が安定しており，脳外科医による診察が継続的に可能な場合には入院後24〜72時間以内に薬物的予防を開始すること。

②鈍的外傷による実質臓器損傷患者において保存的治療（non-operative management）を行う患者において，出血が継続している場合や他の禁忌がない場合は，受傷から48時間以内にLMWHによる薬物的予防を開始すること。

ただし，薬物的VTE予防の開始時期については，あくまでも個々の外傷患者における出血リスクとVTEリスクのバランスの上に決定されるべきである。さらに，薬物的予防法を開始する場合には，出血性合併症の発生を早期に発見し，外科的止血や拮抗薬の投与など対処ができる体制を確保することが必要である。

4）小児外傷患者におけるVTE予防

EAST小児ガイドラインでは，出血のリスクが低い小児外傷患者におけるVTE予防に関して以下を推奨している[13]。

①15歳以上の小児とInjury Severity Score（ISS）が25以上の思春期以降の小児には薬物的予防を考慮すること。

②思春期前の小児では，ISSが25以上の場合でもルーチンの薬物的予防は行わないこと。

③ISSが25以上の15歳以上の子どもと思春期前の子どもには機械的予防の単独または併用を考慮すること。

ただし，EAST小児ガイドラインには推奨レベルは明記されていない。その理由として，小児のデータが限られており，質の高いエビデンスが少ないことがあげられている。

Ⅲ　予防・治療戦略

2016年にACCPガイドライン第9版の「update

とtopicの追加」[69] さらに2021年には「Second Update」[70] が公表されたが，“Antithrombotic Therapy for VTE Disease”というタイトルが示すとおり，VTEと診断されたのちの治療（処置）についての推奨が中心となっている。それまでと大きく変更された点は，抗凝固治療に使用する薬剤として従来のVKAよりも，近年のエビデンスの蓄積に伴い直接トロンビン阻害薬（ダビガトラン）やXa因子阻害薬（アピキサバン，リバーロキサバン，エドキサバン）といった直接経口抗凝固薬（DOAC）が強く推奨されていることであろう。以下に，「Second Update」[70] の外傷患者にかかわる推奨のうち「強く推奨する」，あるいは「推奨しない」，とした項目を列記する。

- すべての急性VTE患者において，禁忌がないかぎり3カ月間の抗凝固治療を強く推奨する。
- 抗凝固治療に用いる薬剤としては，VKAよりもダビガトラン（プラザキサ®：わが国では，現時点ではVTE治療には保険適用外），リバーロキサバン（イグザレルト®：成人に3週間は15mgを1日2回，その後15mgを1日1回経口投与，腎障害にて慎重投与），アピキサバン（エリキュース®：成人に1回10mgを1日2回7日間，その後1回5mgを1日2回経口投与，腎・肝障害にて慎重投与），またはエドキサバン（リクシアナ®：体重60kg以下に30mgを1日1回経口投与，体重60kg超に60mgを1日1回経口投与，腎機能・併用薬に応じて30mgに減量）を強く推奨する。
- VTEリスクが一過性でない場合には，アスピリンよりも減量したDOAC（アピキサバン2.5mg 1日2回投与，リバーロキサバン10mg 1日1回投与）により抗凝固治療を延長することを強く推奨する。
- 急性PTE患者において，循環動態が安定（収縮期血圧90mmHg以上）している場合には，全身投与による血栓溶解療法を推奨しない。
- すべての急性DVT患者において，抗凝固治療が可能な場合，下大静脈フィルターの併用を推奨しない。
- 急性近位型DVT患者において，抗凝固治療が禁忌の場合，下大静脈フィルターを使用することを強く推奨する。

ACCPガイドラインの推奨に基づくVTE予防戦略のフローチャートを図3-6-I-2に示す。このフローチャートを外傷診療で実践するにあたって最大の問題は，低分子ヘパリン製剤が保険適用となる手術術式や投与期間（14日間）が限定されていることであろう。わが国の保険医療の状況を勘案し，このフローチャートでは，図中カッコに次善の方法を記載した。

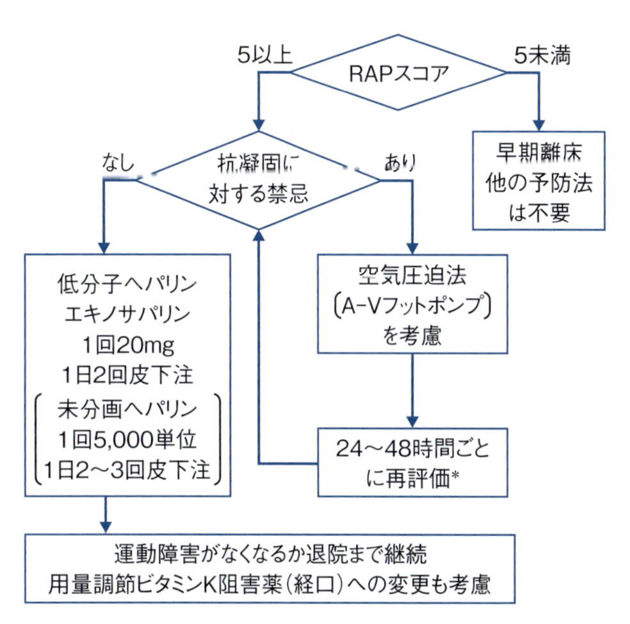

図3-6-I-2 外傷患者における静脈血栓塞栓症の予防戦略（フローチャート）

カッコ内は，上に記載された予防法が施行できない場合の次善の方法

* 抗凝固に対する禁忌が長期間遷延する場合には，下大静脈フィルター留置を考慮

ACCPガイドラインにおいて，「第9版のupdateとtopicの追加」のなかでVTEの治療に用いられる薬剤が従来のVKAからDOACへと変更されたことは注目すべきである。今後外傷後VTEの予防においても，治療同様にDOACに関する文献的根拠やそれに基づいた推奨が位置づけられるものと期待される。

文　献

1) Guidelines on diagnosis and management of acute pulmonary embolism : Task Force on Pulmonary Embolism, European Society of Cardiology. Eur Heart J 2000 ; 21 : 1301-1336.

2) Torbicki A, Perrier A, Konstantinides S, et al : Guidelines on the diagnosis and management of acute pulmonary embolism : The Task Force for the Diagnosis and Management of Acute Pulmonary Embolism of the European Society of Cardiology (ESC). Eur Heart J 2008 ; 29 : 2276-2315.

3) Nakamura M, Fujioka H, Yamada N, et al：Clinical characteristics of acute pulmonary thromboembolism in Japan：Results of a multicenter registry in the Japanese Society of Pulmonary Embolism Research. Clin Cardiol 2001；24：132-138.
4) Bendinelli C, Balogh Z：Postinjury thromboprophylaxis. Curr Opin Crit Care 2008；14：673-678.
5) Dunbar NM, Chandler WL：Thrombin generation in trauma patients. Transfusion 2009；49：2652-2660.
6) Selby R, Geerts W, Ofosu FA, et al：Hypercoagulability after trauma：Hemostatic changes and relationship to venous thromboembolism. Thromb Res 2009；124：281-287.
7) Brohi K, Cohen MJ, Ganter MT, et al：Acute coagulopathy of trauma：Hypoperfusion induces systemic anticoagulation and hyperfibrinolysis. J Trauma 2008；64：1211-1217；discussion 1217.
8) Geerts WH, Bergqvist D, Pineo GF, et al：Prevention of venous thromboembolism：American College of Chest Physicians Evidence-Based Clinical Practice Guidelines（8th edition）. Chest 2008；133（6 Suppl）：S381-S453.
9) Gould MK, Garcia DA, Wren SM, et al：American College of Chest Physicians. Prevention of VTE in nonorthopedic surgical patients：Antithrombotic Therapy and Prevention of Thrombosis, 9th ed：American College of Chest Physicians Evidence-Based Clinical Practice Guidelines. Chest 2012；141（2 Suppl）：e227S-e277S.
10) Greenfield LJ, Proctor MC, Rodriguez JL, et al：Post-trauma thromboembolism prophylaxis. J Trauma 1997；42：100-103.
11) Rogers FB, Shackford SR, Horst MA, et al：Determining venous thromboembolic risk assessment for patients with trauma：The Trauma Embolic Scoring System. J Trauma Acute Care Surg 2012；73：511-515.
12) Rappold JF, Sheppard FR, Carmichael Ii SP, et al：Venous thromboembolism prophylaxis in the trauma intensive care unit：An American Association for the Surgery of Trauma Critical Care Committee Clinical Consensus Document. Trauma Surg Acute Care Open 2021；6：e000643.
13) Mahajerin A, Petty JK, Hanson SJ, et al：Prophylaxis against venous thromboembolism in pediatric trauma：A practice management guideline from the Eastern Association for the Surgery of Trauma and the Pediatric Trauma Society. J Trauma Acute Care Surg 2017；82：627-636.
14) Haut ER, Lau BD, Kraenzlin FS, et al：Improved prophylaxis and decreased rates of preventable harm with the use of a mandatory computerized clinical decision support tool for prophylaxis for venous thromboembolism in trauma. Arch Surg 2012；147：901-907.
15) Toker S, Hak DJ, Morgan SJ：Deep vein thrombosis prophylaxis in trauma patients. Thrombosis 2011；2011：505373.
16) Geerts WH, Code KI, Jay RM, et al：A prospective study of venous thromboembolism after major trauma. N Engl J Med 1994；331：1601-1606.
17) Spinella PC, Carroll CL, Staff I, et al：Duration of red blood cell storage is associated with increased incidence of deep vein thrombosis and in hospital mortality in patients with traumatic injuries. Crit Care 2009；13：R151.
18) Knudson MM, Ikossi DG, Khaw L, et al：Thromboembolism after trauma：An analysis of 1602 episodes from the American College of Surgeons National Trauma Data Bank. Ann Surg 2004；240：490-496；discussion 496-498.
19) Fujii Y, Mammen EF, Farag A, et al：Thrombosis in spinal cord injury. Thromb Res 1992；68：357-368.
20) Velmahos GC, Kern J, Chan LS, et al：Prevention of venous thromboembolism after injury：An evidence-based report：part Ⅱ：Analysis of risk factors and evaluation of the role of vena caval filters. J Trauma 2000；49：140-144.
21) Myllynen P, Kammonen M, Rokkanen P, et al：Deep venous thrombosis and pulmonary embolism in patients with acute spinal cord injury：A comparison with nonparalyzed patients immobilized due to spinal fractures. J Trauma 1985；25：541-543.
22) Greenfield LJ, Proctor MC, Rodriguez JL, et al：Post-trauma thromboembolism prophylaxis. J Trauma 1997；42：100-103.
23) Gearhart MM, Luchette FA, Proctor MC, et al：The risk assessment profile score identifies trauma patients at risk for deep vein thrombosis. Surgery 2000；128：631-640.
24) Hegsted D, Gritsiouk Y, Schlesinger P, et al：Utility of the risk assessment profile for risk stratification of venous thrombotic events for trauma patients. Am J Surg 2013；205：517-520；discussion 520.
25) Hayes HV, Droege ME, Furnish CJ, et al：Admission thrombelastography does not guide dose adjustment of enoxaparin in trauma patients. Surg Open Sci 2020；2：41-44.
26) Teichman AL, Walls D, Choron RL, et al：The utility of lower extremity screening duplex for the detection of deep vein thrombosis in Trauma. J Surg Res 2022；269：151-157.

27) Rogers FB, Shackford SR, Horst MA, et al : Determining venous thromboembolic risk assessment for patients with trauma : The Trauma Embolic Scoring System. J Trauma Acute Care Surg 2012 ; 73 : 511-515.
28) Zander AL, Van Gent JM, Olson EJ, et al : Venous thromboembolic risk assessment models should not solely guide prophylaxis and surveillance in trauma patients. J Trauma Acute Care Surg 2015 ; 79 : 194-198.
29) Singer GA, Riggi G, Karcutskie CA, et al : Anti-Xa-guided enoxaparin thromboprophylaxis reduces rate of deep venous thromboembolism in high-risk trauma patients. J Trauma Acute Care Surg 2016 ; 81 : 1101-1108.
30) Iyama K, Ikeda S, Inokuma T, et al : How to safely prevent venous thromboembolism in severe trauma patients. Int Heart J 2020 ; 61 : 993-998.
31) Kopelman TR, Walters JW, Bogert JN, et al : Goal directed enoxaparin dosing provides superior chemoprophylaxis against deep vein thrombosis. Injury 2017 ; 48 : 1088-1092.
32) Valle EJ, Van Haren RM, Allen CJ, et al : Does traumatic brain injury increase the risk for venous thromboembolism in polytrauma patients? J Trauma Acute Care Surg 2014 ; 77 : 243-250.
33) Kay AB, Morris DS, Woller SC, et al : Trauma patients at risk for venous thromboembolism who undergo routine duplex ultrasound screening experience fewer pulmonary emboli : A prospective randomized trial. J Trauma Acute Care Surg 2021 ; 90 : 787-796.
34) Baker JE, Skinner M, Heh V, et al : Readmission rates and associated factors following rib cage injury. J Trauma Acute Care Surg 2019 ; 87 : 1269-1276.
35) Karcutskie CA, Dharmaraja A, Patel J, et al : Relation of antifactor-Xa peak levels and venous thromboembolism after trauma. J Trauma Acute Care Surg 2017 ; 83 : 1102-1107.
36) Allen CJ, Murray CR, Meizoso JP, et al : Coagulation profile changes due to thromboprophylaxis and platelets in trauma patients at high-risk for venous thromboembolism. Am Surg 2015 ; 81 : 663-668.
37) Thorson CM, Ryan ML, Van Haren RM, et al : Venous thromboembolism after trauma : A never event? Crit Care Med 2012 ; 40 : 2967-2973.
38) Tachino J, Yamamoto K, Shimizu K, et al : Quick risk assessment profile (qRAP) is a prediction model for post-traumatic venous thromboembolism. Injury 2019 ; 50 : 1540-1544.
39) Tachino J, Yamamoto K, Shimizu K, et al : Quick risk assessment profile (qRAP) is a prediction model for post-traumatic venous thromboembolism. Injury 2019 ; 50 : 1540-1544.
40) Ruiz AJ, Hill SL, Berry RE : Heparin, deep venous thrombosis, and trauma patients. Am J Surg 1991 ; 162 : 159-162.
41) Ganzer D, Gutezeit A, Mayer G : Potentials risks in drug prevention of thrombosis-low-molecular-weight heparin versus standard heparin. Z Orthop Ihre Grenzgeb 1999 ; 137 : 457-461.
42) Geerts WH, Jay RM, Code KI, et al : A comparison of low-dose heparin with low-molecular-weight heparin as prophylaxis against venous thromboembolism after major trauma. N Engl J Med 1996 ; 335 : 701-707.
43) Arnold JD, Dart BW, Barker DE, et al : Gold Medal Forum Winner : Unfractionated heparin three times a day versus enoxaparin in the prevention of deep vein thrombosis in trauma patients. Am Surg 2010 ; 76 : 563-570.
44) Lin F, Yu SB, Liu YY, et al : Porous polymers as universal reversal agents for heparin anticoagulants through an inclusion-sequestration mechanism. Adv Mater 2022 ; 34 : e2200549.
45) Cothren CC, Smith WR, Moore EE, et al : Utility of once-daily dose of low-molecular-weight heparin to prevent venous thromboembolism in multisystem trauma patients. World J Surg 2007 ; 31 : 98-104.
46) Schwarcz TH, Quick RC, Minion DJ, et al : Enoxaparin treatment in high-risk trauma patients limits the utility of surveillance venous duplex scanning. J Vasc Surg 2001 ; 34 : 447-452.
47) Green D, Lee MY, Lim AC, et al : Prevention of thromboembolism after spinal cord injury using low-molecular-weight heparin. Ann Intern Med 1990 ; 113 : 571-574.
48) Hill AB, Garber B, Dervin G, et al : Heparin prophylaxis for deep venous thrombosis in a patient with multiple injuries : An evidence-based approach to a clinical problem. Can J Surg 2002 ; 45 : 282-287.
49) Tran A, Fernando SM, Carrier M, et al : Efficacy and safety of low molecular weight heparin versus unfractionated heparin for prevention of venous thromboembolism in trauma patients : A systematic review and meta-analysis. Ann Surg 2022 ; 275 : 19-28.
50) Peetz D, Hafner G, Hansen M, et al : Dose-adjusted thrombosis prophylaxis in trauma surgery according to levels of D-dimer. Thromb Res 2000 ; 98 : 473-483.
51) Haentjens P : Thromboembolic prophylaxis in orthopaedic trauma patients : A comparison between a fixed dose and an individually adjusted dose of a low molecular weight heparin (nadroparin calcium) . Injury 1996 ; 27 : 385-390.

52） Wang H, Pei H, Ding W, et al：Risk factors of postoperative deep vein thrombosis（DVT） under low molecular weight heparin（LMWH） prophylaxis in patients with thoracolumbar fractures caused by high-energy injuries. J Thromb Thrombolysis 2021；51：397-404.
53） Lu JP, Knudson MM, Bir N, et al：Fondaparinux for prevention of venous thromboembolism in high-risk trauma patients：A pilot study. J Am Coll Surg 2009；209：589-594.
54） Nederpelt CJ, Bijman Q, Krijnen P, et al：Equivalence of DOACS and LMWH for thromboprophylaxis after hip fracture surgery：Systematic review and meta-analysis. Injury 2022；53：1169-1176.
55） Datta I, Ball CG, Rudmik L, et al：Complications related to deep venous thrombosis prophylaxis in trauma：A systematic review of the literature. J Traumaa Manag Outcomes 2010；4：1.
56） Fisher CG, Blachut PA, Salvian AJ, et al：Effectiveness of pneumatic leg compression devices for the prevention of thromboembolic disease in orthopaedic trauma patients：A prospective, randomized study of compression alone versus no prophylaxis. J Orthop Trauma 1995；9：1-7.
57） Haykal T, Zayed Y, Dhillon H, et al：Meta-analysis of the role of intermittent pneumatic compression of the lower limbs to prevent venous thromboembolism in critically ill patients. Int J Low Extrem Wounds 2022；21：31-40.
58） Kurtoglu M, Yanar H, Bilsel Y, et al：Venous thromboembolism prophylaxis after head and spinal trauma：Intermittent pneumatic compression devices versus low molecular weight heparin. World J Surg 2004；28：807-811.
59） Arabi YM, Al-Hameed F, Burns KEA, et al：Adjunctive intermittent pneumatic compression for venous thromboprophylaxis. N Engl J Med 2019；380：1305-1315.
60） Haykal T, Zayed Y, Dhillon H, et al：Meta-analysis of the role of intermittent pneumatic compression of the lower limbs to prevent venous thromboembolism in critically ill patients. Int J Low Extrem Wounds 2022；21；31-40.
61） Khansarinia S, Dennis JW, Veldenz HC, et al：Prophylactic Greenfield filter placement in selected high-risk trauma patients. J Vasc Surg 1995；22：231-235；discussion 235-236.
62） Toro JB, Gardner MJ, Hierholzer C, et al：Long-term consequences of pelvic trauma patients with thromboembolic disease treated with inferior vena caval filters. J Trauma 2008；65：25-29.
63） Helling TS, Kaswan S, Miller SL, et al：Practice patterns in the use of retrievable inferior vena cava filters in a trauma population：A single-center experience. J Trauma 2009；67：1293-1296.
64） McKenzie S, Gibbs H, Leggett D, et al：An Australian experience of retrievable inferior vena cava filters in patients with increased risk of thromboembolic disease. Int Angiol 2010；29：53-57.
65） Gorman PH, Qadri SF, Rao-Patel A：Prophylactic inferior vena cava（IVC） filter placement may increase the relative risk of deep venous thrombosis after acute spinal cord injury. J Trauma 2009；66：707-712.
66） Phelan HA, Gonzalez RP, Scott WC, et al：Long-term follow-up of trauma patients with permanent prophylactic vena cava filters. J Trauma 2009；67：485-489.
67） Rosenthal D, Kochupura PV, Wellons ED, et al：Günther Tulip and Celect IVC filters in multiple-trauma patients. J Endovasc Ther 2009；16：494-499.
68） Cherry RA, Nichols PA, Snavely TM, et al：Prophylactic inferior vena cava filters：Do they make a difference in trauma patients? J Trauma 2008；65：544-548.
69） Kearon C, Akl EA, Comerota AJ, et al：Antithrombotic therapy for VTE disease：Antithrombotic Therapy and Prevention of Thrombosis, 9th ed：American College of Chest Physicians Evidence-Based Clinical Practice Guidelines. Chest 2012；141（2 Suppl）：e419S-e496S.
70） Stevens SM, Woller SC, Baumann Kreuziger L, et al：Executive summary：Antithrombotic therapy for VTE disease：Second update of the CHEST guideline and expert panel report. Chest 2021；160：2247-2259.

J 脂肪塞栓症

要　約

1. 外傷後に新たに出現した意識障害や呼吸不全の原因疾患として，脂肪塞栓症候群を念頭に置くべきである。
2. 臨床症状は多彩であり，診断のスクリーニングには鶴田らの基準が，確定診断には頭部MRI検査が有用である。
3. 脂肪塞栓症候群に対する特異的な治療はなく，早期の骨折部の安定化と全身状態の安定化が重要である。

はじめに

脂肪塞栓症（fat embolism；FE）は1873年にvon Bergmannにより初めて臨床報告された[1]。FEにより症状を呈したものが脂肪塞栓症候群（fat embolism syndrome；FES）である。そのなかで脳脂肪塞栓症（cerebral fat embolism；CFE）はFEによる中枢神経障害であり，鈍的頸動脈・椎骨動脈損傷とともに，外傷後早期の非頭部外傷による意識障害の代表的な原因の一つである[2]。また急性呼吸不全を呈するFESは，パンデミックとなった新型コロナウイルス感染症（COVID-19）との鑑別も必要となった。

I 疫　学

骨折により骨髄から遊離した脂肪滴が全身の臓器に塞栓を引き起こす病態がFEであり，臨床症状を呈するものがFESである。

FEは長管骨骨折患者の90％近くに潜在的に生じている[3)～5)]。また病理解剖において，外傷患者の82％の肺組織にFEを認めたと報告されている[6]。さまざまな文献によると，FES発生率は1％未満～29％の範囲と報告されている[5)7)]。Bulgerらによる後ろ向き研究では1％未満の発生率が報告され[5]，Fabianらによる前向き研究では11～29％の高い発生率が報告されている[7]。また全米退院調査（National Hospital Discharge Survey；NHDS）では0.004％と報告され[8]，インドのレベルⅠ外傷センターでは後ろ向き診療録調査から0.7％と報告されている[9]。2004～2017年までの日本外傷データバンクによる症例対照研究では0.1％と報告されている[10]。

FES発生率は，後ろ向き研究では1％未満であると報告されているが，前向き研究では後ろ向き研究の報告より高い。このような発生率のばらつきが生じる理由は明らかではないが，使用される診断基準の相違を反映している可能性がある。いずれにしても骨折内固定法の技術進歩はFES発生率の減少に寄与している。

II リスク因子

骨盤外傷に合併したFESは10～40歳に多く，女性よりも男性に多くみられる[8]。また骨盤骨折，開放骨折よりも非開放骨折，単独の長管骨骨折よりも両側の長管骨骨折や長管骨骨折を含む多発骨折にFESが多くみられる[8)11)～13)]。

一般的にFESは，外傷による大腿骨・脛骨骨折や骨盤骨折，髄内釘術および骨盤や膝関節形成術の術後に発症する。また広範囲の軟部組織損傷，重度の熱傷，骨髄生検，骨髄移植，心肺蘇生術，脂肪吸引術，および胸骨切開術に生じる。非常にまれではあるが，急性膵炎，脂肪肝，ステロイド療法，リンパ造影，脂肪乳剤注入および血球増加症の非外傷疾患に生じる[14)15)]。

また1979～2005年のNHDSによると，単独骨折のあるFES発生率は0.12％であり，単独の大腿骨骨折では0.54％に増加し，大腿骨を含む複数の骨折が存在する場合には1.29％に増加したと報告されている[8]。さらにFESに起因した急性呼吸不全を予測する独立因子として，ISS 16以上，大腿骨骨折の存在，腹部と四肢の合併損傷，来院時のバイタルサイン異常が報告されている[16)17)]。

Ⅲ 発生機序

脂肪塞栓の発症機序は依然明確ではないが，mechanical theoryとbiochemical theoryの2つの機序によって引き起こされると考えられている[5)18)~24)]。

mechanical theoryは骨髄からの脂肪滴が障害された組織から静脈系に入り，肺毛細血管床に沈着し，動静脈シャントを通して脳や皮膚，網膜などにも沈着することで微小血管の塞栓が生じて直接的に細胞を障害するというものである。また，biochemical theoryはmechanical theoryによって惹起された炎症性メディエータが関与して二次的に細胞を障害するというものである[18)~24)]。

Ⅳ 診　断

1. 診断基準

前向きに検証され標準化された診断基準はないが，Gurd & Wilson基準（表3-6-J-1）がもっとも一般的な診断基準として文献に引用され，そのほかにはわが国では鶴田らの基準（表3-6-J-2）が汎用されている（推奨レベルⅡ）[25)26)]。

FESは，典型的には受傷12〜72時間後に出現する多臓器障害が特徴的である。FESの古典的な三徴は，急性呼吸不全，頭部外傷によらない中枢神経障害，点状出血である[27)]。

急性呼吸不全は，頻呼吸，呼吸困難，およびチアノーゼとして生じるもっとも早い徴候であり，その頻度は75％である。頭痛，注視障害，せん妄，痙攣，昏睡などの中枢神経障害は最高で86％にみられ，そのほとんどは可逆的である。点状出血は50〜60％にみられ，前胸部，頸部，腋窩，口腔粘膜，および結膜に多く認められ，通常は1週間以内に消失する（図3-6-J-1）[4)28)]。その他の非特異的所見として，発熱および網膜症がある。

表3-6-J-1　Gurd & Wilson基準

大病像	呼吸不全
	脳症状
	点状出血
小病像	発熱（39.4℃以上）
	頻脈（120回/分以上）
	網膜病変
	黄疸
	腎変化
検査病像	貧血（20％以上の低下）
	血小板減少（50％以上の低下）
	血沈の亢進
	脂肪滴血症
	血中遊離脂肪滴

• 少なくとも大病像1つ，小病像・検査病像4つおよび脂肪滴血症

〔文献25）より引用・改変〕

表3-6-J-2　鶴田らの基準

大基準	点状出血
	呼吸器症状を伴う胸部X線病変
	頭部外傷と関連しない脳・神経症状
中基準	低酸素血症（PaO_2＜70mmHg）
	ヘモグロビン値低下（＜10g/dl）
	頻脈
	発熱
小基準	尿中脂肪滴
	血小板減少
	血沈の亢進
	血清リパーゼ値上昇
	血中遊離脂肪滴

• 大基準2項目以上もしくは，大基準1，かつ中・小基準4以上→臨床診断
• 大基準0，中基準1，小基準4→疑症

〔文献26）より引用〕

血小板減少症および原因不明の貧血は，それぞれ37％および67％の頻度で認められる。

しかし，これらの診断基準項目や古典的三徴の多くは非特異的な症状や検査結果としてとらえられてしまう可能性が高いため，鑑別疾患としてFESを常に念頭に置くことが早期診断のために重要である。

2. 補助的診断法

FESは血液中に放出された脂肪滴から生じた血栓形成と炎症反応による多臓器障害であり，臨床検査や画像検査などの所見は非特異的である。

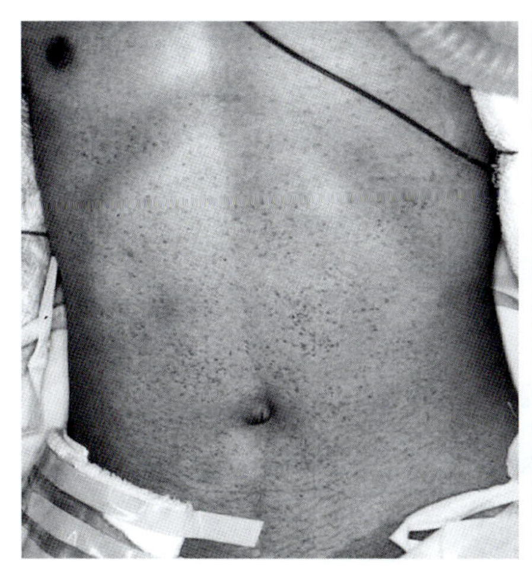
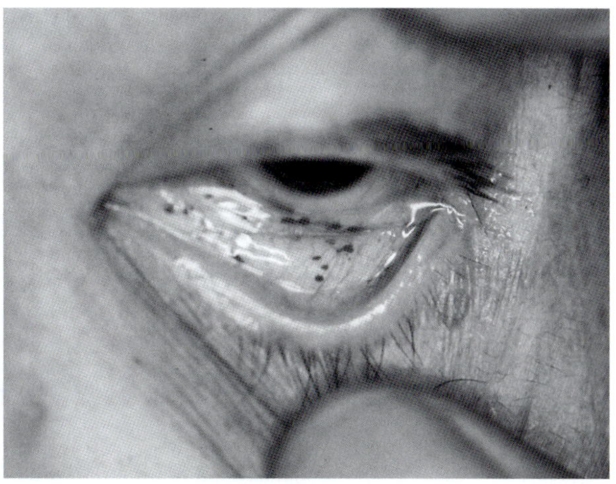

図3-6-J-1　皮膚および眼瞼結膜の点状出血

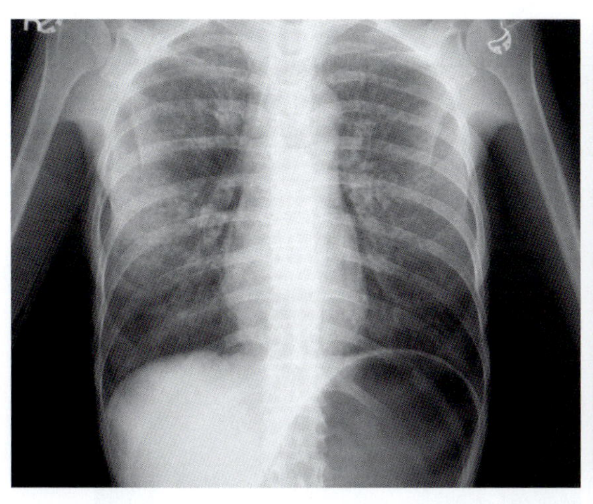
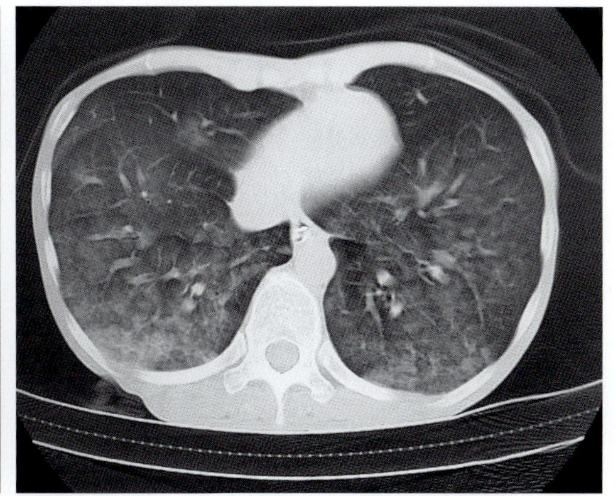

図3-6-J-2　急性呼吸不全

血液学的検査所見は，貧血，血沈亢進，血小板減少，フィブリノゲン低下，プロトロンビン時間延長がみられる[5)29)]。

胸部単純X線写真では両側びまん性浸潤影がみられるが，ARDSや肺水腫，肺挫傷などの所見と同様であるため鑑別する必要がある。また胸部CT検査では両側小葉性のすりガラス陰影と小葉間隔壁の肥厚がみられ（図3-6-J-2），肺実質75％以上のすりガラス陰影や浸潤影はFESの重症度と関連性があるという報告もある[30)31)]。

頭部CT検査では正常であるか，軽度脳腫脹やびまん性点状出血を認める程度であるので，中枢神経障害の主たる原因がFES以外にあることを除外する必要がある[13)32)]。

そのため近年は頭部MRI検査によって，FEが診断されることが多い。T2強調像やFLAIR像，拡散強調像における両側大脳半球白質の穿通枝領域や主要動脈支配境界領域（分水嶺領域）の点状に散在する“Starfield Pattern”と呼ばれる高信号域が特徴である[33)～36)]（図3-6-J-3，4）。

また気管支肺胞洗浄液や肺動脈楔入による採血検体中の脂肪滴の存在は，FESの臨床診断と関連性が高いという報告があるが，感度や特異度が明らかではなく一般的な検査ではないため，現時点では推奨はされない[37)]。

V 治　療

FESに対する特異的な治療はなく，集学的治療による全身管理が重要である（推奨レベルⅠ）[38)39)]。

FESの治療の基本は早期発見・早期診断の下での，早期の骨折部の安定化と対症療法である。骨折部の安定化は放出される脂肪滴の抑制や合併症（感染や

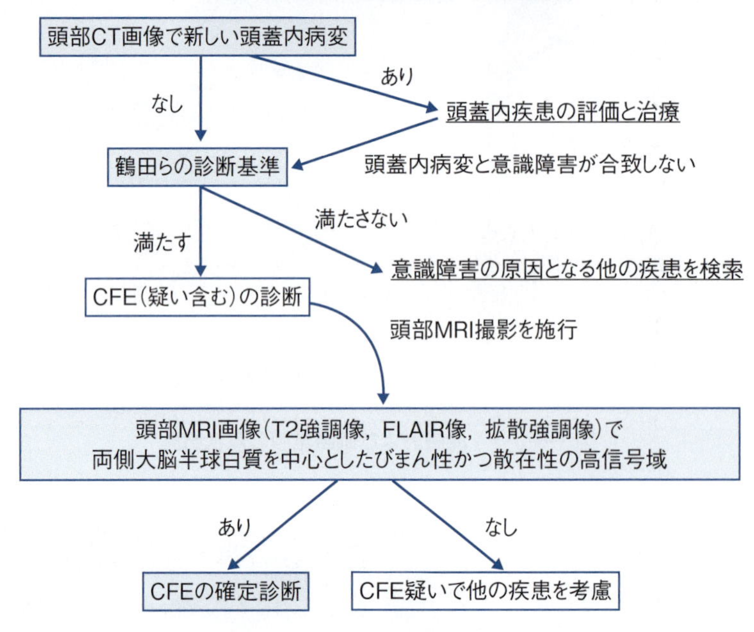

図3-6-J-3　脳脂肪塞栓（CFE）診断のためのフローチャート

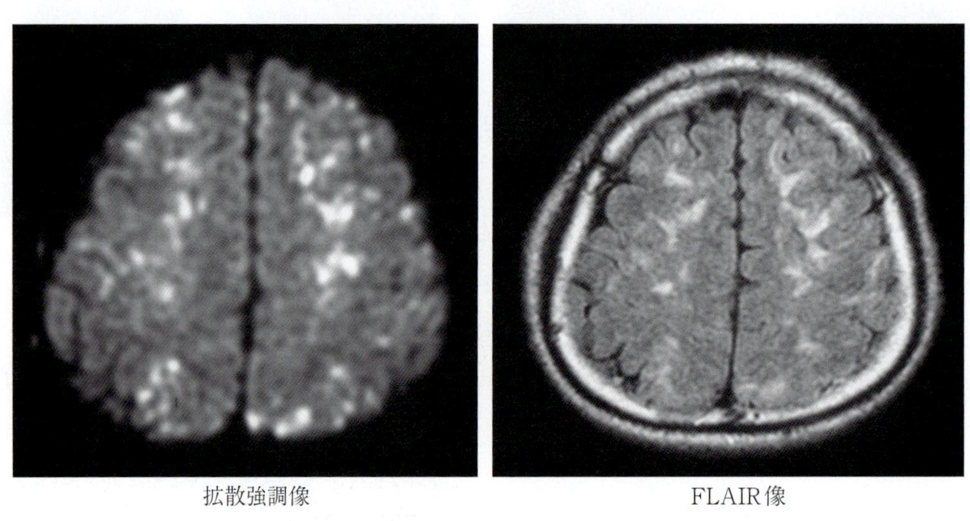

図3-6-J-4　意識障害発生後48時間のMRI画像

深部静脈血栓など）の予防につながるので，24時間以内に行うことが望ましい（推奨レベルⅡ）[39)〜41)]。

対症療法は呼吸・循環の安定化，すなわち全身管理であり，組織や臓器の十分な酸素供給と血流維持が目標である。

骨折部を早期に安定化させることは遊離脂肪酸の放出を抑制して脂肪塞栓の再発を抑えるとともに，ADL拡大にもつながり，合併症の発生を抑制させることにつながる。骨折部の安定化の方法については創外固定と内固定（髄内釘を含む）があるが，その固定法によるFESの予防や再燃の差異を示す文献的根拠は乏しい[39)〜41)]。受傷10時間以上経過した孤立性大腿骨骨折の患者に根治的髄内固定を行った場合FES発生率が高いことが報告された。また，胸部損傷（AIS≧2）を合併した大腿骨骨折の患者に対する24時間以内の骨折固定がARDS発生率の上昇につながったという後ろ向き研究もあり，個々の患者の病状により選択される必要がある[42)〜44)]。

また他のFESの薬物療法として，エタノール[4)45)]，ヘパリン[36)]，ステロイド薬[46)47)]などが報告されている。しかし質の高い研究に乏しく，現時点ではこれらの薬剤は推奨されない。

重症の呼吸・循環不全を呈したFESをECMOで救命できたという報告は散見される[48)49)]。

Ⅵ 予　防

骨折部の固定はFES発症のリスクを減少させるため，24時間以内に固定を行うことが望ましい（推奨レベルⅡ）[41)50)51)]。また長管骨骨折がある外傷患者において，ステロイド薬投与はFES発症のリスクを軽減させるとの意見もある（推奨レベルの記載なし）[52)53)]。

FESの治療と同様に，骨折部の24時間以内の固定はFES発症の予防につながる[41)50)51)]。

ステロイド予防投与については，7件の小規模無作為比較試験のメタ解析においてFES発症のリスクを78％減少させたという報告がある[52)]。また来院時と24時間後のステロイド吸入がFES発症を安全かつ効果的に予防したという１つの前向き研究がある[54)]。

Ⅶ 転　帰

FESの転帰は良好で後遺症も少なく，適切な集学的治療が行われれば死亡率は10％未満である[5)55)56)]。

ただし，死亡率は報告によりさまざまである。FESの臨床症状が軽微であった場合や，他の疾患や外傷を合併していたためFESと認識できなかったことに影響を受けている可能性がある。同様の理由でFESの有症期間も判断しにくい[36)55)56)]。

FESによる神経学的障害は数日～数週間続くことがあり，急性肺障害による呼吸機能障害は1年以内にほぼ回復するとされる。点状出血は1週間以内にほとんどが消失する[4)]。しかし受傷後数時間で発症するFESは致死的な呼吸不全を呈することがあり，高齢者，重篤な基礎疾患の存在やADL不良患者の場合は転帰不良となり得る[57)]。

文　献

1） von Bergmann E：Ein fall todlicher fettenbolic. Berl Klin Wochenscher 1873；10：385.
2） Cheatham ML, Block EF, Nelson LD：Evaluation of acute mental status change in the nonhead injured trauma patient. Am Surg 1998；64：900-905.
3） Fabian TC：Unravelling the fat embolism syndrome. N Engl J Med 1993；329：961-963.
4） Johnson MJ, Lucas GL：Fat embolism syndrome. Orthopedics 1996；19：41-48；discussion 48-49.
5） Bulger EM, Smith DG, Maier RV, et al：Fat embolism syndrome：A 10-year review. Arch Surg 1997；132：435-439.
6） Eriksson EA, Pellegrini DC, Vanderkolk WE, et al：Incidence of pulmonary fat embolism at autopsy：An undiagnosed epidemic. J Trauma 2011；71：312-315.
7） Fabian TC, Hoots AV, Stanford DS, et al：Fat embolism syndrome, prospective evaluation of 92 fracture patients. Crit Care Med 1990；18：42-46.
8） Stein PD, Yaekoub AY, Matta F, et al：Fat embolism syndrome. Am J Med Sci 2008；336：472-477.
9） Gupta B, D'souza N, Sawhney C, et al：Analyzing fat embolism syndrome in trauma patients at AIIMS Apex Trauma Center, New Delhi, India. J Emerg Trauma Shock 2011；4：337-341.
10） Kainoh T, Iriyama H, Komori A, et al：Risk factors of fat embolism syndrome after trauma：A nested case-control study with the use of a nationwide trauma registry in Japan. Chest 2021；159：1064-1071.
11） Akhtar S：Fat embolism. Anesthesiol Clin 2009；27：533-550.
12） Dillerud E：Abdominoplasty combined with suction lipoplasty：A study of complications, revisions and risk factors in 487 cases. Ann Plast Surg 1990；25：333-338.
13） Shier MR, Wilson RF：Fat embolism syndrome：Traumatic coagulopathy with respiratory distress. Surg Annu 1980；12：139-168.
14） Capan LM, Miller SM, Patel KP：Fat embolism. Anesthesiol Clin North Am 1993；11：25-54.
15） Shapiro MP, Hayes JA：Fat embolism in sickle cell disease：Report of a case with brief review of literature. Arch Intern Med 1984；144：181-182.
16） White T, Petrisor BA, Bhandari M：Prevention of fat embolism syndrome. Injury 2006；37：S59-S67.
17） White TO, Jenkins PJ, Smith RD, et al：The epidemiology of post traumatic adult respiratory distress syndrome. J Bone Joint Surg Am 2004；86：2366-2376.
18） Hulman G：The pathogenesis of fat embolism. J Pathol 1995；176：3-9.
19） Levy D：The fat embolism syndrome：A review. Clin Orthop Relat Res 1990；261：281-286.
20） Müller C, Rahn BA, Pfister U, et al：The incidence, pathogenesis, diagnosis, and treatment of fat embolism. Orthop Rev 1994；23：107-117.

21) Pell AC, Hughes D, Keating J, et al：Brief report：Fulminating fat embolism syndrome caused by paradoxical embolism through a patent foramen ovale. N Engl J Med 1993；329：926-929.
22) Gossling HR, Pellegrini VD：Fat embolism syndrome：A review of the pathophysiology and physiological basis of treatment. Clin Orthop Relat Res 1982；165：68-82.
23) Baker PL, Pazell JA, Peltier LF：Free fatty acids, catecholamines, and arterial hypoxia in patients with fat embolism. J Trauma 1971；11：1026-1030.
24) Fabian TC：Unraveling the fat embolism syndrome. N Engl J Med 1993；329：961-963.
25) Gurd AR, Wilson RI：The fat embolism syndrome. J Bone Joint Surg Br 1974；56B：408-416.
26) 鶴田登代志：脂肪塞栓症候群．別冊整形外科 1982；1：44-51.
27) Tsai IT, Hsu CJ, Chen YH, et al：Fat embolism syndrome in long bone fracture：Clinical experience in a tertiary referral center in Taiwan. J Chin Med Assoc 2010；73：407-410.
28) Georgopoulos D, Bouros D：Fat embolism syndrome：Clinical examination is still the preferable diagnostic method. Chest 2003；123：982-983.
29) Saigal R, Mittal M, Kansal A, et al：Fat embolism syndrome. J Assoc Physicians India 2008；56：245-249.
30) Malagari K, Economopoulos N, Stoupis C, et al：High-resolution CT findings in mild pulmonary fat embolism. Chest 2003；123：1196-1201.
31) Newbigin K, Souza CA, Armstrong M, et al：Fat embolism syndrome：Do the CT findings correlate with clinical course and severity of symptoms? A clinical-radiological study. Eur J Radiol 2016；85：422-427.
32) Mellor A, Soni N：Fat embolism. Anaesthesia 2001；56：145-154.
33) Zaitsu Y, Terae S, Kudo K, et al：Susceptibility-weighted imaging of cerebral fat embolism. J Comput Assist Tomogr 2010；34：107-112.
34) You JS, Kim SW, Lee HS, et al：Use of diffusion-weighted MRI in the emergency department for unconscious trauma patients with negative brain CT. Emerg Med J 2010；27：131-132.
35) Metting Z, Rödiger LA, Regtien JG, et al：Delayed coma in head injury：Consider cerebral fat embolism. Clin Neurol Neurosurg 2009；111：597-600.
36) Ryu CW, Lee DH, Kim TK, et al：Cerebral fat embolism：Diffusion-weighted magnetic resonance imaging findings. Acta Radiol 2005；46：528-533.
37) Mimoz O, Edouard A, Beydon L, et al：Contribution of bronchoalveolar lavage to the diagnosis of posttraumatic pulmonary fat embolism. Intensive Care Med 1995；21：973-980.
38) Shaikh N：Emergency management of fat embolism syndrome. J Emerg Trauma Shock 2009；2：29-33.
39) Richards RR：Fat embolism syndrome. Can J Surg 1997；40：334-339.
40) Giannoudis PV, Tzioupis C, Pape HC：Fat embolism：The reaming controversy. Injury 2006；37：S50-S58.
41) Gandhi RR, Overton TL, Haut ER, et al：Optimal timing of femur fracture stabilization in polytrauma patients：A practice management guideline from the Eastern Association for the Surgery of Trauma. J Trauma 2014；77：787-795.
42) Pinney SJ, Keating JF, Meek RN：Fat embolism syndrome in isolated femoral fractures：Does timing of nailing influence incidence? Injury 1998；29：131-133.
43) Pape HC, Auf'm'Kolk M, Paffrath T, et al：Primary intramedullary femur fixation in multiple trauma patients with associated lung contusion：A cause of posttraumatic ARDS? J Trauma 1993；34：540-548.
44) Blokhuis TJ, Pape HC, Frölke JP：Timing of definitive fixation of major long bone fractures：Can fat embolism syndrome be prevented? Injury 2017；48（Suppl）：S3-S6.
45) Myers R, Taljaard JJ：Blood alcohol and fat embolism syndrome. J Bone Joint Surg Am 1977；59：878-880.
46) Lindeque BG, Schoeman HS, Dommisse GF, et al：Fat embolism and the fat embolism syndrome：A double-blind therapeutic study. J Bone Joint Surg Br 1987；69：128-131.
47) Gupta A, Reilly CS：Fat embolism. Cont Edu Anaesth Crit Care Pain 2007；7：148-151.
48) Sarkar S, Mandal K, Bhattacharya P：Successful management of massive intraoperative pulmonary fat embolism with percutaneous cardiopulmonary support. Indian J Crit Care Med 2008；12：136-139.
49) Webb DP, McKamie WA, Pietsch JB：Resuscitation of fat embolism syndrome with extracorporeal membrane oxygenation. J Extra Corpor Technol 2004；36：368-370.
50) Bone LB, Johnson KD, Weigelt J, et al：Early versus delayed stabilization of femoral fractures：A prospective randomized study. J Bone Joint Surg Am 1989；71：336-340.
51) Pape HC：Effects of changing strategies of fracture fixation on immunologic changes and systemic complications after multiple trauma：Damage control orthopedic surgery. J Orthop Res 2008；26：1478-1484.
52) Bederman SS, Bhandari M, McKee MD, et al：Do corticosteroids reduce the risk of fat embolism syndrome

in patients with long-bone fractures? A meta-analysis. Can J Surg 2009；52：386-393.

53) Silva DF, Carmona CV, Calderan TR, et al：The use of corticosteroid for the prophylaxis of fat embolism syndrome in patients with long bone fracture. Rev Col Bras Cir 2013；40：423-426.

54) Sen RK, Prakash S, Tripathy SK, et al：Inhalational ciclesonide found beneficial in prevention of fat embolism syndrome and improvement of hypoxia in isolated skeletal trauma victims. Eur J Trauma Emerg Surg 2017；43：313-318.

55) Talbot M, Schemitsch EH：Fat embolism syndrome：History, definition, epidemiology. Injury 2006；37：S3-S7.

56) Habashi NM, Andrews PL, Scalea TM：Therapeutic aspects of fat embolism syndrome. Injury 2006；37：S68-S73.

57) Nikolić S, Micić J, Savić S, et al：Factors which could affect the severity of post-traumatic pulmonary fat embolism：A prospective histological study. Srp Arch Celok Lek 2003；131：244-248.

K　栄養管理

要　約

1. 外傷後のエネルギー消費量は，間接熱量計，なければHarris-Benedictなどの推定式を用いて推定する。
2. 蘇生が完了し，消化管が使用できれば，経腸栄養をできるかぎり早期（目標24～48時間以内）に開始する。投与量は，急性期（1週間）ではエネルギー消費量を満たさなくてよいが，エネルギー負債が大きく（約10,000kcal）ならないように努力する。
3. 蘇生中など循環動態が不安定な状況では経腸栄養は控える。蘇生が終了し循環動態が安定すればカテコラミン投与中であっても経腸栄養は可能であるが，虚血性腸炎などの合併症発症に注意する。
4. open abdomen management中でも，腸管損傷がなければ経腸栄養が可能である。
5. 血糖値の目標は180mg/dl以下とし，これを超えれば血糖値を低下させるために経静脈的インスリン持続投与を行う。

はじめに

外傷のみを対象にした栄養管理に関するRCTやコホート研究は少なく，サンプルサイズが大きい大規模試験はない。しかし，重症患者に対する正しい栄養管理が創傷治癒や感染症発生率，死亡率の低下に結びつく論文は蓄積されている。本項では，外傷を含む重症患者の栄養管理に関する文献をまとめつつ，外傷治療における標準的な栄養管理を概説する。

I　エネルギー代謝変動

生体は外傷などの侵襲後，神経内分泌系，炎症性サイトカインなどの反応によりエネルギー代謝が変動する（図3-6-K-1）。代謝量は侵襲後数時間低下し（干潮期：ebb phase），その後，急速に増加したのち数日後に徐々に低下してくる（満潮期：flow phase）。代謝量の増加は，侵襲程度により通常の1.2～2.0倍程度となる。満潮期は異化期（catabolic phase）とそれに続く同化期（anabolic phase）に分けられる。

II　エネルギー消費量の推定

1. 間接熱量計

リアルタイムの消費エネルギー量，呼吸商と尿中窒素排泄量から個々の栄養素の燃焼量を計測できる。鎮静下に人工呼吸管理が行われていればより安定した測定値が得られるが，投与酸素濃度が高いと不正確となる（$F_IO_2 \leqq 0.4$では安定している）。

2. 予測計算式

間接熱量計がない場合は予測消費カロリーを推測する計算式を用いることができる。計算式は200以上あるが，わが国ではHarris-Benedictの式（表3-6-K-1）により基礎代謝エネルギー量を予測し，活動係数と患者の病態を反映するストレス係数を乗じた値を推定値とするのが一般的である。日本人の安静時消費エネルギーは本式で求めた基礎代謝量の95％程度であり，日本人には評価が過大となる[1]。また，ストレス係数は明確な科学的根拠に基づいて設定されたものではない。

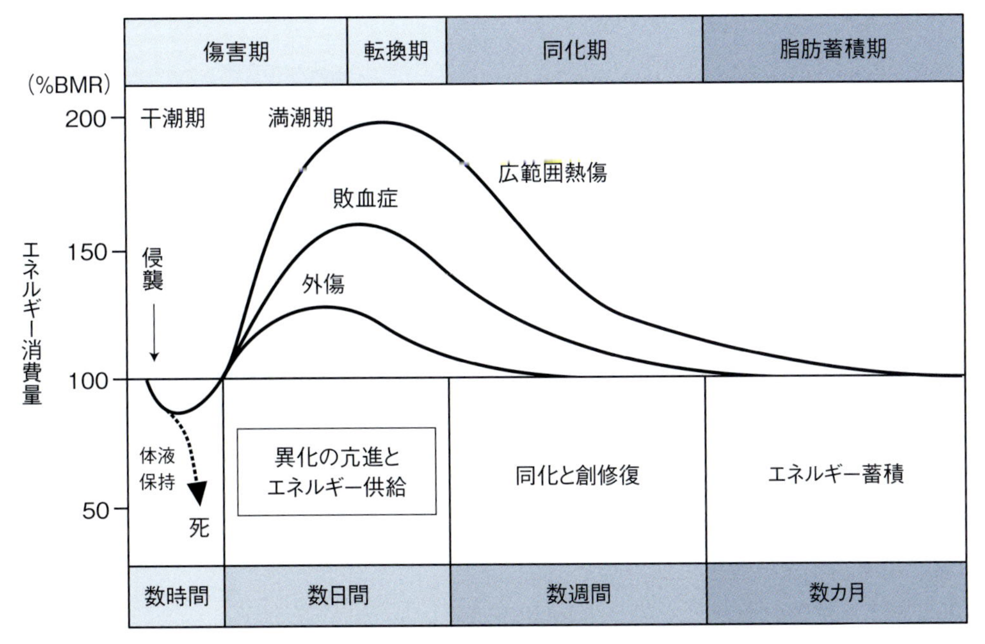

図3-6-K-1 侵襲後のエネルギー代謝変動

表3-6-K-1 必要エネルギー量の算出法

【Harris-Benedictの式】
～基礎エネルギー消費量（kcal/日）
男性［66.47＋13.75W＋5.0H－6.76A］
女性［655.1＋9.56W＋1.85H－4.68A］
W：体重（kg），H：身長（cm），A：年齢（年）

【活動係数】
寝たきり：1.0，歩行可：1.2，労働：1.4～1.8

【ストレス係数】
- 外傷
  - 重度外傷：1.2～1.4
  - 熱傷：1.2～2.0
    熱傷範囲10％ごとに0.2ずつ加算（最大値は2.0）という方法もある
- 敗血症：1.1～1.3
- 術後3日間
  - 軽　度：1.2→胆嚢・総胆管切除，乳房切除
  - 中等度：1.4→胃亜全摘，大腸切除
  - 高　度：1.6→胃全摘，胆管切除
  - 超高度：1.8→膵頭十二指腸切除，肝切除，食道切除
- 多臓器不全：1.2～2.0
  1.2＋1臓器につき0.2ずつ加算（4臓器以上は2.0）という方法もある
- 発熱：1.0℃上昇→0.2ずつ加算（37℃～1.2として40℃以上～1.8とする）

全エネルギー消費量＝基礎エネルギー消費量×活動係数×ストレス係数

Ⅲ 目標投与カロリー

エネルギー負債と合併症数を検討した前向き観察研究によれば，ICU入室後1週間の負債が10,000kcal以上で感染性合併症が発症し[2]，総エネルギー負債が全合併症の数と相関する[3]。したがって，エネルギー負債の合計がある一定以上にならないように，積極的に栄養を投与しなければならないが，実際には，至適投与量の最適な計算法は未解決の問題である。2019年のESPENガイドライン[4]では，発症後7日までのcatabolism期をacute phase，それ以降をanabolism期としてlate phaseと定義し，acute phaseをearly period（1～2日）とlate period（3～7日）に分け，そのうえでearly period（1～2日）では間接熱量計で測定した消費エネルギー量の70％を超えないhypocaloric nutritionを，3日目以降〔すなわちlate period（3～7日）以降〕に80～100％を目指して増量していくことを推奨している。一方，2022年のASPENガイドライン[5]では，初期の7～10日間は12～25kcal/kg/日の投与を推奨している。なお，入院前に栄養失調状態のあった患者では容易に栄養欠乏に陥ること，肥満患者では脂肪組織がエネルギー代謝を行っていないことを考え，できるかぎり間接熱量計による消費エネルギー量の測定，あるいは理想体重を利用した計算を行う。しかし，これ

も強いエビデンスに基づく推奨ではない。なお，各栄養素の燃焼カロリーは，概ね糖と蛋白が4kcal/g，脂肪が9kcal/g（中鎖脂肪酸は8kcal/g）である。

Ⅳ 各栄要素の投与量

1. 蛋白質必要量の算出

侵襲下では骨格筋を中心に体蛋白の崩壊が起こり，アラニンやグルタミンなどの糖原性アミノ酸は肝に運ばれ，糖新生，蛋白合成（急性相蛋白の合成や創傷治癒），またはエネルギー産生に使われる（図3-6-K-2）。グルタミンは腸および腎でアラニンに変換されるほか，リンパ球，線維芽細胞，胃腸管粘膜細胞の主たるエネルギー源となる。体蛋白由来の分岐鎖アミノ酸（BCAA）は肝外でエネルギー源として酸化利用される。蛋白異化の亢進が続き，窒素バランスのマイナスが蓄積すれば，創傷治癒の遅延，免疫細胞の再生機能の低下による感染症の続発，凝固機能の低下による出血傾向の増悪など，危機的な状況となる。体蛋白の25〜30％程度を失うと生命の維持も困難となり，最終的に死に至ることを「窒素死（nitrogen death）」と呼ぶ。

外傷急性期には蛋白異化は亢進し，数日間は適切なエネルギー補給によっても異化を抑制することはできないが，蛋白・アミノ酸の投与により体蛋白合成を促進し，差し引きの窒素バランスを改善することができる。外傷のみを対象として至適な蛋白投与量を検討した研究はないが，重症患者を対象とした研究はある。これらを評価して，2019年のESPENガイドラインでは1.3g/kg/日，2022年のASPENガイドラインでは十分なデータが存在しないことを理由に2016年の同ガイドラインを継承して1.2〜2.0g/kg/日，日本版重症患者の栄養療法ガイドライン[6]でも1.2〜2.0g/kg/日の投与を推奨している。しかし，最近の研究では1日目から蛋白投与を増やすとオートファジーが抑制されること[7]，観察研究で3日目まで蛋白投与を制限し（<0.8g/kg/日），4日目から増量すると（>0.8g/kg/日）最初から投与量を増やすよりも半年後の生存率がよいことが示されている[8]。Wischmeyerたちのグループは最初の4日は蛋白投与量を控えめにし，その後1.3g/kg/日，ICU退室後に1.5〜2.0g/kg/日，退院後には2.0〜2.5g/kg/日に増量することを提案している[9]。

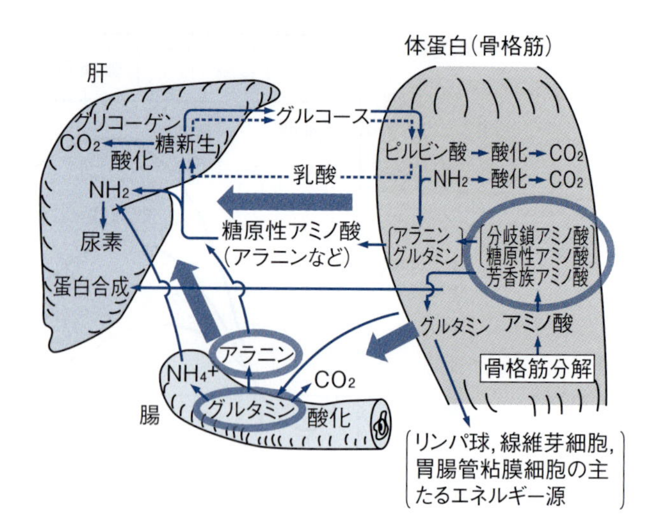

図3-6-K-2　侵襲時にみられる体蛋白の分解とアミノ酸の流れ

実臨床では，通常は蛋白強化型の経腸栄養剤を10〜20ml/時から開始し，数日かけて徐々に目標量に向けて上げていき，目標量に近づいた時期に通常蛋白量の経腸栄養剤に切り替えれば，概ね上記のような蛋白投与量になる。しかし，日々の蛋白投与量は計算して意識しておくべきである。腎機能の低下があれば，透析を導入してでも必要な蛋白量を投与するというのが原則である。しかし，何らかの事情で透析導入できない場合もあり，そのような場合は蛋白投与量を制限せざるを得ない。BUNの上昇は生体にほぼ影響はないのでBUN高値を指標として蛋白投与量を制限するべきではないとされる。

2. 脂肪必要量の算出

侵襲下では内因性の脂肪利用は亢進する[1]。脂肪は1gで9kcal（中鎖脂肪酸は8kcal）と燃焼効率がよく，薬剤投与枠確保のための水分制限が必要なときには有効な栄養素である。外投与栄養基質としての脂肪は血糖の上昇をきたさないこと，リノール酸，α-リノレン酸，アラキドン酸などの必須脂肪酸供給の意味でも有用である（補給がなければ7〜14日で欠乏する）。経腸栄養では，ω-3系脂肪酸（抗炎症作用を期待できる），中鎖脂肪酸（ミトコンドリアへの輸送にカルニチンを必要としないために速やかにエネルギー源となる）などを含む多彩な製剤が使用できるので，病態に合わせて使い分ける。ただし，膵炎や膵損傷などで膵外分泌を抑制したい場合は，経腸栄養チューブの先端をTreitz靱帯より肛門側に留置する。

脂肪の静脈投与には以下のような問題がある。すなわち，①脂肪乳剤による塞栓，②脂肪粒子による網内系ブロックと免疫抑制，③大豆油由来の脂肪乳剤（現在，わが国で使われている脂肪乳剤は大豆油製剤でω-6が主体）に含まれるリノール酸の代謝産物であるプロスタグランジンE_2などによる免疫能の低下などが指摘されており，臨床的にも免疫を抑制し[10]，感染症発生率，ICU・病院滞在日数，人工呼吸器装着期間の有意な増加をきたしたことが報告されている[11]。

ASPENガイドライン2022[5]では，ICU滞在1週間における脂肪乳剤の静脈投与を推奨している（2016年のASPENガイドラインでは，大豆油由来の脂肪乳剤の静脈投与は急性期の最初の1週間程度は行わないことを推奨していた）。ESPENガイドライン[4]でも，1.5g lipids/kg/日を超えない程度での投与を推奨している。外傷においても同様に考え，急性期には必須脂肪酸供給の目的で20％脂肪乳剤100mlを週2本程度投与し，急性期が過ぎればエネルギー源としてエネルギー必要量の25～30％程度を脂肪で補うのがよい。静脈脂肪製剤の至適投与速度は0.08～0.15g/kg/時程度（体重60kgでは20％脂肪乳剤が最大45ml/時）で，この速度以上では脂肪粒子が燃焼されず網内系に取り込まれ，免疫抑制の原因となるとされる。10％でも20％でも乳化剤のレシチンの量は同じである。レシチンはリン脂質を含有するので，低リン血症の危険性は低下するが，血中リン濃度の上昇を抑えたい場合は，高濃度の製剤（10％よりも20％）を投与するほうがよい。

3. 炭水化物（糖質）必要量の算出

エネルギー投与量から蛋白質と脂質のエネルギーを差し引いたものを炭水化物で投与する。通常は50～60％となり，最大のエネルギー源となる。血糖管理については後述する。糖尿病（血糖上昇）やCOPD（二酸化炭素排出量の増加）など，炭水化物の摂取が好ましくない病態もある。

V 栄養投与経路

出血性ショックなどを伴う重症外傷の初期治療は，循環動態の安定化が最優先課題となるので，栄養投与よりも，経静脈的な厳密な水分や電解質投与を優先する。

栄養投与経路は，静脈栄養より経腸栄養を優先する。経腸栄養は静脈栄養よりも生理的，安全，安価であるが，ほかに経腸栄養が推奨される理由として，以下の理論的根拠がある。

長期の絶食は腸管の絨毛上皮の萎縮，腸管関連免疫能の低下，腸管内細菌叢の乱れと増加から腸管のバリア機構が破綻し，腸管内の細菌や菌体成分が主にリンパ流に侵入して全身に播種する（bacterial translocation；BT）[12]。栄養素の経腸投与により腸管の形態や機能が維持され，BTが予防されるので，蘇生に成功したらできるかぎり早期からの経腸栄養の導入が望ましい。

外傷，熱傷，外科手術，急性膵炎などさまざまな疾患を対象に経腸栄養と静脈栄養を比較した多くの研究や，これらをまとめたメタ解析で，経腸栄養により感染性合併症，ICU滞在日数，入院日数，医療費が改善するものの[5]，死亡率の低下が認められたものは頭部外傷の古い研究の一つのみであった[13]。すなわち，経腸栄養を行うだけではアウトカムの改善までは望めないが，次に示す“早期”の経腸栄養開始が生命予後の改善につながる。

しかし，最近のRCTでは，静脈栄養と経腸栄養の投与エネルギー量と蛋白量をほぼ同等にした場合，生存率や感染性合併症発生率など主要なアウトカムに差がみられなかったことが報告され[14]，これを評価対象に入れた2022年のASPENガイドラインでは栄養投与経路としてどちらを用いてもいいという推奨を行っている。今後静脈栄養の評価は変わっていくかもしれない。

VI 経腸栄養の投与方法

1. 経腸栄養の開始時期

外傷患者は感染性合併症を併発しやすいが，外傷後24時間以内の早期経腸栄養開始が感染性合併症の発生率を減じ[15)16)]，臓器不全発症率を減じることを示す規模の小さなRCTがある[17)]。

一方で，重症患者を対象にした大規模前向き観察研究では早期の経腸栄養開始により，死亡率の低下[18)]，感染性合併症の減少[19)~21)]，人工呼吸器装着日数の短縮[19)22)]，ICU滞在日数の短縮[19)22)]が示されている。

また，重症患者が対象のメタ解析では，24時間以内の経腸栄養開始により有意な生存率の改善[23)24)]，または改善傾向[25)]，感染性合併症の有意な減少[23)24)]，または減少傾向[25)]，入院日数の短縮[26)]が示されている。外傷患者を対象として静脈栄養と経腸栄養を比較したRCTのメタ解析では，死亡率，ICU滞在日数，入院日数に有意差はないが，経腸栄養群で感染症発生率が有意に低く，人工呼吸器装着日数も有意に短かった[27)]。

外傷では，初期の蘇生や止血のための手術に時間がかかるが，これらの治療が成功したら，できるかぎり早期に経腸栄養を開始することが望ましい。

2. 経腸栄養の初期投与量

前述のように早期の経腸栄養開始が転帰を改善するが，その至適投与量についてRiceらは，ICU患者を対象に2つの研究結果を発表している。すなわち，単施設検討で，第1病日から必要カロリー量の15%を投与した群と75%を投与した群を比較し[28)]，また多施設検討で同様に25%と85%を比較し[29)]，ともに両群の生存死亡率に差がなく，後者で下痢の発生率の増加傾向がみられ，胃残存量が有意に増加することを示した。ただし，対象患者の大半が白人で平均年齢が54歳と若く，BMIが約30と肥満であることには注意が必要である。また，第1病日から消費量に見合う量を投与すると感染症が増加する報告がある[30)31)]。したがって，経腸栄養開始時の投与量設定は，エネルギー消費量と同等な量を目指すことは推奨されない。なお，病前から栄養障害がある患者を対象としたRCTはない。異栄養状態の是正のために栄養状態良好な患者よりも早い時期に投与エネルギー量を増加させるべきとも考えられるが，一方で栄養投与によるrefeeding syndrome，とくに低リン血症のリスクもあり，厳密なモニタリングの下に患者ごとに対応する必要がある。

3. 循環動態が不安定なときの経腸栄養

循環作動薬投与中の患者を対象とした観察研究で，人工呼吸器装着後48時間以内の経腸栄養開始が生存率改善と関連することが示されており[32)]，循環作動薬を使用していても経腸栄養を開始できるといえる。しかし，平均動脈圧が60mmHg以下や循環作動薬の増量が必要な状況では，経腸栄養が虚血性腸炎の誘因となることがまれにある[33)]。昇圧薬投与中に経腸栄養投与を受ける患者では，腸管虚血の早期徴候の可能性としてどのような不耐性の徴候〔腹部膨満，経鼻胃管排液や胃内残留物の増加，便やガスの通過の減少，腸音の活発度低下，代謝性アシドーシスおよび/または塩基欠乏の増加〕があるかを慎重に調べ，症状と処置後の状態が安定化するまでは，経腸栄養を控える[5)]。

4. 経静脈栄養を行うべき病態（経腸栄養を控えるべき病態）

急性期を乗り切った後にも後腹膜血腫やショック後の腸管浮腫，腸管損傷，腹腔内出血，腹膜炎など，消化管を使用できない状況も多くあり，これらの場合は静脈経路の栄養投与が基本となる。

最近のRCTでは，経腸栄養が禁忌となる病態においては早期（24時間以内）の静脈栄養の開始がQOLを有意に改善し，ICU滞在日数が短縮する傾向が報告されている[34)]。

5. 腹腔内圧上昇とopen abdomen managementにおける経腸栄養

出血性ショックでは血管透過性が亢進し，蘇生時に大量の輸液が血管外へ漏出することにより間質の浮腫が生じ，とくにclosed cavityである腹腔では内圧（intra-abdominal pressure；IAP）が高くなり，腸管を含む臓器血流が低下し，臓器障害の一因となる[35)]。

一方，減圧以前のIAPが32mmHgでも減圧後に経腸栄養が可能となった患者が約1/3あったとの報告はあるが，リアルタイムのIAP値と経腸栄養施行の可能性の関連を明確に示した研究はない。ブタの実験ではIAP 15mmHgでBTが発症し始め，IAP 30mmHgでは明らかにBTが発症することが示されていることから[36]，BT抑制効果のある経腸栄養を投与できる可能性を常に探っておくべきである。

IAP上昇への対処として，open abdomen management（OAM）が選択される。従来，OAM時には栄養投与はしないと考えられていたが，最近ではできるかぎり経腸栄養を考慮するようになり，その利点が報告されている。受傷後4日以内にOAM患者に経腸栄養を開始した群と，4日以降に結腸栄養を開始した群で比較した場合，4日以内に開始した群に早期の閉腹，腸の瘻孔合併率の減少などが認められた[37]。受傷後36時間以内にOAM患者に栄養を開始した32人とそれ以降に栄養を開始した68人を比較した研究では，閉腹への影響はなく，肺炎の合併が減少した[38]。消化管損傷のない外傷後OAM患者では経腸栄養が合併症を低下させ，生存率を改善した。しかし，消化管損傷のある患者ではそのような結果は得られなかったことから，少なくとも消化管損傷のないOAM患者には積極的に経腸栄養を推奨すべきとしている[39]。

OAM中は胃の蠕動が弱くなることが多く，その場合は胃ドレナージ用の胃管の留置をする。腸蠕動の確認，IAPのモニタリングを適宜行い，IAP 15mmHg以下を目安に早期の閉腹が可能か評価するのがよい。なお，陰圧吸引閉鎖に高圧持続吸引を行うと，腹腔内で吸引部位に近い箇所の腸管の末梢循環血流が低下することや[40]，滲出液中の蛋白喪失が12～25g/日に達するとの報告があり[41]，注意が必要である。

6. 補足的静脈栄養の是非

経腸栄養投与開始時にはエネルギー消費量に見合う量の投与を目指すべきではないが，それではエネルギー負債が生じる。そこで，経腸栄養の不足分を静脈栄養で補う方法が考えられる。しかし，補足的静脈栄養（経腸栄養が目標エネルギー量に到達しない場合に，補足的な静脈栄養を行う方法）と経腸栄養単独で栄養する方法を比較したシステマティックレビューでは，対象研究5つのすべてで死亡率，感染症発生率，入院日数，人工呼吸器装着期間に差がなかった[42]。

2011年に，補正理想体重当たりの投与目標カロリーの予測式を用いて投与量を設定し（60歳以下の男性36kcal/kg/日，女性30kcal/kg/日，61歳以上の男性30kcal/kg/日，女性24kcal/kg/日），可能なかぎり経腸栄養を行った場合，目標エネルギー量との不足分を補う経静脈栄養を48時間以内に開始する群と初期7日間はビタミン・微量元素の投与のみとし，8日目以降に開始する群を比較する大規模な前向きRCTが報告された（EPaNIC trial）[43]。同研究では，後者で有意なICU・病院生存率の改善，感染症発生率の低下，2日以上の人工呼吸器装着患者数の減少，腎代替療法期間の短縮，医療費の減少がみられた（経腸栄養投与量は20～25kcal/kg/日）。一方，2013年に，3日目でエネルギー量が目標値の60%以下であった場合に補足的静脈栄養投与を開始した場合，新しい感染症発生率，抗菌薬投与日数，人工呼吸器装着日数，病院滞在日数が改善したと報告された[44]。以上より，2022年のASPENガイドラインでは，最初の7日までは補足的な静脈栄養の投与による益が明確ではないためにこれを控えることが推奨されている[5]。2019年のESPENガイドラインでは，補足的な静脈栄養の安全性と益を個々の患者ごとに評価して実施を検討することが推奨されている[4]。このように補足的静脈栄養の是非は相反する主張があり，未解決であるが，累積エネルギー不足量が合併症発症と有意に相関することを勘案すれば，十分な経腸栄養投与量が確保できない場合の補足的静脈栄養は，1週間程度の急性期は控えても，急性期を脱した後には必要であろう。なお，経腸栄養の投与がまったくできない患者では，早期からの静脈栄養が合併症を減じ，ICU滞在時間を若干ながら（1日未満）短縮することが報告された[34]。

Ⅶ 経腸栄養剤

1. 経腸栄養剤の分類

経腸栄養剤は天然濃厚流動食と人工濃厚流動食に大別され，後者はさらに含有する窒素源の違いにより，半消化態栄養剤（加工蛋白質），消化態栄養剤（ペプチド），成分栄養剤（アミノ酸）に分類される。

周術期（とくに腹部疾患）の患者では消化器機能

が低下している場合が多く，吸収効率は窒素源がアミノ酸（成分栄養剤），ペプチド（消化態栄養剤），加工蛋白（半消化態栄養剤）の順でよい。なかでもアミノ酸は，消化機能低下時でも吸収効率は高くほぼ残渣は生じない。ただし，脂質含有量が少ないため長期投与では脂質欠乏を招き，高浸透圧のため下痢が引き起こされる可能性がある。また，障害された腸管ではアミノ酸よりペプチドのほうが吸収率がよいという報告もある[45][46]。

2. 免疫調整栄養素（IMD）

わが国では免疫調整栄養素（immune modulating diet；IMD）は経腸栄養剤としてのみ市販されている。生体侵襲下では免疫機能が低下し，免疫機能を賦活する目的でアルギニン，グルタミン，n-3系脂肪酸，核酸などの成分を強化した栄養剤が開発されている。多くの臨床試験において熱傷，外傷（腹部重症外傷），待機的消化管手術，重症熱傷，頭頸部癌や人工呼吸管理患者への投与が感染合併率を低下させ，在院期間を短縮し，治療費を低減することが示されている[47]。しかし，最終的な死亡率の低下への効果は示されていない。また栄養剤はこれらの栄養素が混合配合されているために，個々の栄養素の効果や有効投与量に関する研究はほとんどない。

2022年のASPENガイドラインではIMDの是非については今後検討していくこととして推奨を見送っている。一方，2019年のESPENガイドラインでは，熱傷と外傷に経腸的なグルタミンの投与を推奨している（20％以上の熱傷，0.3～0.5g/kg/日；重症の外傷，0.2～0.3g/kg/日を最初の5日間；複雑な創傷を伴う外傷，同量を15日まで）。また，アルギニンには注意が必要である。重症敗血症を対象にしたRCTでアルギニン強化経腸栄養剤が静脈栄養に比べて死亡率を悪化させた報告がある[48]一方で，より軽症の敗血症では標準的経腸栄養剤に比べて死亡率を低下させたとする報告もある[49]。ASPEN/SCCMガイドライン2016では，敗血症への使用は安全であるが，重症敗血症（臓器障害を伴う，またはショック）への使用には注意が必要としている[50]（2022年のガイドラインには言及がない）。外傷患者にアルギニンを投与していても，重症敗血症を併発した場合には注意が必要である。

Ⅷ 経鼻栄養チューブの留置位置

外傷患者が自分で食事がとれない場合は，できるかぎり早期の経腸栄養を開始するために経鼻栄養チューブを留置する（feeding tube）。チューブ先端の留置位置については，ESPENガイドライン2019[4]で，胃内留置で胃残渣物の誤嚥の危険性が高くなる場合には小腸留置に切り替えることを推奨している。膵炎など，膵外分泌を刺激したくない場合も小腸留置が望ましい。また，重症病態では胃の蠕動が低下している場合でも空腸以遠の腸管蠕動は比較的良好である場合が多く，このような場合は空腸留置に切り替える。

Ⅸ 経腸栄養のモニタリング

1. 消化管機能評価；経腸栄養の開始基準

外傷患者に限らず，重症患者において信頼性の高いエビデンスはない。腸蠕動音，排便，放屁を経腸栄養開始基準の指標として用いてはならないことがASPEN/SCCMガイドライン2016[50]や日本版重症患者の栄養療法ガイドライン[6]で強調されている。これらの指標は腸の収縮能力を反映するのみで，重症患者での腸管不全の原因となる腸粘膜バリア，粘膜萎縮，腸管付属リンパ組織の萎縮を反映しない。腸管蠕動の評価法のエキスパートオピニオンとして，経腸栄養チューブからヨード系造影剤（ガストログラフィン）を注入して，透視下または数時間単位で腹部X線写真で流れを確認する方法がある。直腸まで造影剤が流れれば，少なくとも少量の経腸栄養を開始できる（図3-6-K-3）。なお，消化管の吸収能力の評価のためには，下痢や便の性状を確認する。

2. 忍容性の評価

ASPEN/SCCMガイドライン2016[50]では，以下のことが推奨されている。

(1) 経腸栄養に耐えているかどうかに常に注意しなければならない。具体的には，患者の腹痛や腹部

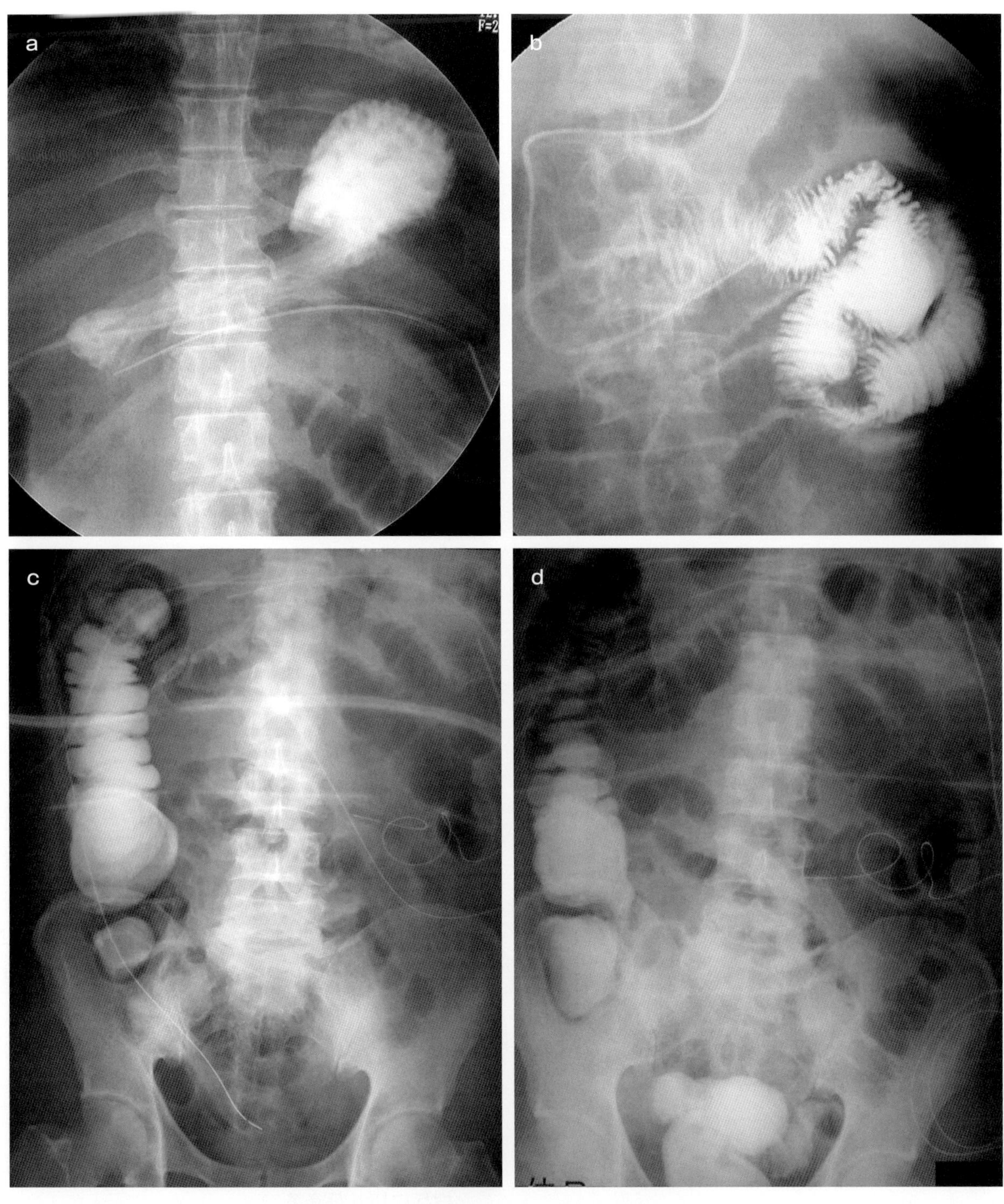

図3-6-K-3　消化管機能評価；経腸栄養の開始基準

a：胃内の造影剤は停滞することが多い
b：Treitz靱帯以遠に留置したチューブから造影剤を流すと，この部以遠の小腸の蠕動が認められることがしばしばある
c：半日～1日後に腹部X線撮影を行う。後腹膜に炎症があるとしばしば横行結腸以前で停滞する
d：直腸に造影剤が確認されれば経腸栄養剤の投与を少量から開始する。なお，この検査は腸管蠕動の評価のみで消化管の吸収能力は評価できないので，経腸栄養開始後に便の状態，すなわち下痢や便の性状を確認することが重要である

膨満感，身体所見，ガスや糞便の通過，腹部X線などで判断する。

(2) そのうえで，経腸栄養の不適切な中断は避けなければならない。不耐性の徴候がなければ，胃内残渣量を500ml未満にする目的で経腸栄養投与を中断しないよう提案している。経腸栄養の投与が可能と判断したら，絶食はイレウスを増悪させる可能性があるので，できるかぎり絶食期間を短縮する。

3. 下痢対策

外傷患者を含めて経腸栄養管理における下痢対策に関する信頼性の高いエビデンスはない。ASPEN/SCCMガイドライン2016[50]では，急性下痢の原因として，栄養剤中の食物繊維の種類と量，製剤の浸透圧，投与法，経腸栄養の汚染，薬剤（なかでも抗菌薬，プロトンポンプ阻害薬，腸管運動促進薬，血糖降下薬，非ステロイド性抗炎症薬，選択的セロトニン再取り込み阻害薬，緩下薬，およびソルビトール含有製剤），ならびに*Clostridioides difficile*などの感染性病因をあげている。*Clostridioides difficile*の感染を除外したうえで，可溶性食物繊維（サンファイバー®：グアガム）とペプチド製剤の使用を示唆している。以下に，ICUでよくみられる経腸栄養投与中の下痢の原因・対策をまとめた。

1）感染性下痢

*Clostridioides difficile*感染を疑えば，細菌培養検査とトキシンAとBの検出キットで確認する。

2）浸透圧性下痢

浸透圧が原因と推察されれば，以下の処置を考慮する。

(1) 浸透圧の低い栄養剤に変更する（一般的に脂肪が多くなる）。
(2) 投与スピードを落とす（ポンプを用いて20ml/時程度から開始する。24時間の持続投与でもよい）。
(3) 経腸栄養投与量を減量する（投与量の不足は静脈栄養を併用して補う）。

3）脂肪性下痢

重症病態では膵外分泌機能の低下が時にみられる。便のズダン染色による脂肪便の確認を行う方法もある。対応策としては，脂肪含有量の少ない経腸栄養剤に変更するか経腸栄養を減量する。ただし，経験的にICU患者でズダン染色が陽性に出ることは滅多にない。

4）その他

以下の項目を検討する。

(1) 経腸栄養剤に菌が繁殖していないかを調べる。
(2) 乳糖不耐症では乳糖の入っていないものに替える。
(3) 蛋白源がペプチド製剤である経腸栄養剤を試みる。
(4) 可溶性食物繊維（サンファイバー®：グアガム，腸細胞のエネルギー源である短鎖脂肪酸になる）を投与する。

4. 便秘対策

経腸栄養管理中の便秘に関する文献的根拠は外傷に限らず信頼性の高いものはない。しかし，以下の点に注意が必要である。

(1) 腸閉塞や腸管麻痺がないかに注意する。
(2) とくに重症患者や意識障害患者では腹痛の訴えがないので腹部所見に注意する。
(3) 酸化マグネシウムはチューブ変性をきたす。

X 逆流・誤嚥

注入した栄養剤の口腔・咽頭への逆流は重篤な誤嚥性肺炎を引き起こす。栄養チューブの胃内留置ではしばしば逆流し，意識障害や消化管蠕動不全がある場合には誤嚥性肺炎を起こしやすい。ASPEN/SCCMガイドライン2016[50]や日本版重症患者の栄養療法ガイドライン[6]では以下のことが推奨されている。

(1) 注入中と注入後1時間は，30°または45°のギャッジアップを行う。
(2) 胃内への間欠的投与に耐えられない場合，持続投与に切り替える。
(3) 経腸栄養チューブを十二指腸幽門側以遠（できるかぎりTreitz靱帯を越えた空腸）に留置する。
(4) 消化管機能改善薬（わが国ではガスモチン®など）の投与を行う。
(5) 1日2回のクロルヘキシジン口内洗浄剤の使用は行わない（わが国で入手可能なクロルヘキシジンの濃度では口腔内細菌に対する有効性はない）。

XI 栄養状態の評価とモニタリング

1. 主観的・客観的評価

(1) 重症病態では血管透過性亢進により血管内水分がthird spaceに移動して全身が浮腫になることが多いため，一般に使われる主観的評価〔subjective global assessment；SGA/皮下脂肪の減少(三角筋，胸郭)，筋肉萎縮(四頭筋，三角筋)，浮腫(下腿，仙骨部)，濁音界による腹水有無の検索〕などは現実的ではない。

(2) 客観的栄養評価(objective data assessment；ODA)に分類される身体アセスメントデータ(%理想体重，%健常時体重，体重減少率，BMI，上腕三頭筋皮下脂肪厚，上腕周囲長，上腕筋囲)なども同じく全身浮腫の有無に左右されるため信頼性は低い。

2. 蛋白代謝指標の評価

(1) アルブミンは半減期が約3週間あり，病態変動の激しい重症患者の蛋白合成指標としては使えない。また，重症病態では肝は急性相蛋白の合成に傾き，アルブミンの産生は低下する。

(2) 一般的に蛋白合成の指標として使われている急性相蛋白〔アルブミン，トランスサイレチン(プレアルブミン)，トランスフェリン，レチノール結合蛋白など〕は，血管透過性亢進や肝での蛋白合成の変化により，信頼性が低下する[51)]。

(3) 窒素バランス(nitrogen balance；N-balance)：簡略化した方法では投与されたアミノ酸窒素量と尿中窒素排泄量の差で求める。蛋白合成と蛋白分解の総計を表す。術後や熱傷患者ではドレーンなど数々の体外への排泄経路からの窒素排泄量を，経腸栄養下の患者では経腸栄養剤中窒素を考慮に入れ排便中の窒素を測定するが，臨床現場では現実的ではない。

(4) 高窒素血症：腎機能障害で発症しやすい。とくに重症感染症などで蛋白強化型の経腸栄養剤を用いたときには注意する。この場合は，原則としては蛋白投与量を減じるのではなく，できるかぎり透析を導入して蛋白投与量の維持に努める。

以上より，重症病態における蛋白代謝指標で絶対的評価に値するものはなく，患者の病態(とくに血管透過性)を念頭に置きながらこれらの数値の変動を参考にするしかない。

XII 血糖管理

外傷患者のみを対象にした至適な血糖値を検討した研究は存在しない。心臓外科患者が主であるICUでの単独施設RCTは，目標血糖値を80～110mg/dlとする強化インスリン療法を行うことで，ICUでの死亡率が低下することを報告した[52)]。引き続いて，内科系ICUでICU滞在期間が3日以上と見積もられた患者を対象としたRCTが行われたが，強化インスリン療法の使用で，全患者群の死亡率は低下しなかった[53)]。その後，強化インスリン療法に関するいくつかのRCT[54)～56)]とメタ解析[55)57)]が報告された。これらの研究で強化インスリン療法は，重症低血糖(血糖値40mg/dl)の発症頻度を有意に上昇させたが[54)～58)]，死亡率は低下させなかった[54)56)]。また，NICE-SUGAR trialにおいて，強化インスリン療法は90日死亡率を上昇させた[57)]。NICE-SUGAR trialは，ICU患者における血糖管理の目標値を検証したRCTのうち最大規模の研究である。国際的な敗血症診療ガイドラインであるSurviving Sepsis Campaign guidelines 2016 (SSCG 2016)[59)]でも，NICE-SUGAR trialのコントロール群の設定血糖値を根拠として“血糖値180mg/dl以上でインスリン投与プロトコルを開始する”としている。外傷患者でも同様に考えるのが妥当であろう。

なお，NICE-SUGAR trialのサブグループ解析では，強化インスリン療法が死亡率に与える影響は，非糖尿病患者と糖尿病患者の間で有意差はなかった[57)]。したがって，糖尿病患者であっても強化インスリン療法の使用は推奨できず，血糖値180mg/dl以下を目指すのがよいであろう。

血糖値180mg/dlを超えたらインスリン持続投与を行うことが2019年のESPENガイドライン[4)]や日本版重症患者の栄養療法ガイドライン[6)]で推奨されている。

文 献

1) Kotani G, Usami M, Kasahara H, et al：The relationship of IL-6 to hormonal mediators, fuel utilization, and systemic hypermetabolism after surgical trauma. Kobe J Med Sci 1996；42：187-205.
2) Villet S, Chiolero RL, Bollmann MD, et al：Negative impact of hypocaloric feeding and energy balance on clinical outcome in ICU patients. Clin Nutr 2005；24：502-509.
3) Dvir D, Cohen J, Singer P：Computerized energy balance and complications in critically ill patients：An observational study. Clin Nutr 2006；25：37-44.
4) Singer P, Blaser AR, Berger MM, et al：ESPEN guideline on clinical nutrition in the intensive care unit. Clin Nutr 2019；38：48-79.
5) Compher C, Bingham AL, McCall M, et al：Guidelines for the provision of nutrition support therapy in the adult critically ill patient：The American Society for Parenteral and Enteral Nutrition. JPEN J Parenter Enteral Nutr 2022；46：12-41.
6) 日本集中治療医学会重症患者の栄養管理ガイドライン作成委員会：日本版重症患者の栄養療法ガイドライン. 日集中医誌 2016；23：185-281.
7) Hermans G, Casaer MP, Clerckx B, et al：Effect of tolerating macronutrient deficit on the development of intensive-care unit acquired weakness：A subanalysis of the EPaNIC trial. Lancet Respir Med 2013；1：621-629.
8) Koekkoek W, van Setten CHC, Olthof LE, et al：Timing of PROTein INtake and clinical outcomes of adult critically ill patients on prolonged mechanical VENTilation：The PROTINVENT retrospective study. Clin Nutr 2019；38：883-890.
9) van Zanten ARH, De Waele E, Wischmeyer PE：Nutrition therapy and critical illness: practical guidance for the ICU, post-ICU, and long-term convalescence phases. Crit Care 2019；23：368.
10) Garrel DR, Razi M, Larivière F, et al：Improved clinical status and length of care with low-fat nutrition support in burn patients. JPEN J Parenter Enteral Nutr 1995；19：482-491.
11) Battistella FD, Widergren JT, Anderson JT, et al：A prospective, randomized trial of intravenous fat emulsion administration in trauma victims requiring total parenteral nutrition. J Trauma 1997；43：52-58；discussion 58-60.
12) Kotani J, Usami M, Nomura H, et al：Enteral nutrition prevents bacterial translocation but does not improve survival during acute pancreatitis. Arch Surg 1999；134：287-292.
13) Rapp RP, Young B, Twyman D, et al：The favorable effect of early parenteral feeding on survival in head-injured patients. J Neurosurg 1983；58：906-912.
14) Harvey SE, Parrott F, Harrison DA, et al: Trial of the route of early nutritional support in critically ill adults. N Engl J Med 2014；371：1673-1684.
15) Kudsk KA, Croce MA, Fabian TC, et al：Enteral versus parenteral feeding：Effects on septic morbidity after blunt and penetrating abdominal trauma. Ann Surg 1992；215：503-511；discussion 511-513.
16) Takagi K, Yamamori H, Toyoda Y, et al：Modulating effects of the feeding route on stress response and endotoxin translocation in severely stressed patients receiving thoracic esophagectomy. Nutrition 2000；16：355-360.
17) Moore FA, Moore EE, Jones TN, et al：TEN versus TPN following major abdominal trauma：Reduced septic morbidity. J Trauma 1989；29：916-922；discussion 922-923.
18) Pupelis G, Selga G, Austrums E, et al：Jejunal feeding, even when instituted late, improves outcomes in patients with severe pancreatitis and peritonitis. Nutrition 2001；17：91-94.
19) Chuntrasakul C, Siltharm S, Chinswangwatanakul V, et al：Early nutritional support in severe traumatic patients. J Med Assoc Thai 1996；79：21-26.
20) Singh G, Ram RP, Khanna SK：Early postoperative enteral feeding in patients with nontraumatic intestinal perforation and peritonitis. J Am Coll Surg 1998；187：142-146.
21) Kompan L, Vidmar G, Spindler-Vesel A, et al：Is early enteral nutrition a risk factor for gastric intolerance and pneumonia? Clin Nutr 2004；23：527-532.
22) Nguyen NQ, Fraser RJ, Bryant LK, et al：The impact of delaying enteral feeding on gastric emptying, plasma cholecystokinin, and peptide YY concentrations in critically ill patients. Crit Care Med 2008；36：1469-1474.
23) Doig GS, Heighes PT, Simpson F, et al：Early enteral nutrition, provided within 24h of injury or intensive care unit admission, significantly reduces mortality in critically ill patients：A meta-analysis of randomised controlled trials. Intensive Care Med 2009；35：2018-2027.
24) Doig GS, Heighes PT, Simpson F, et al：Early enteral nutrition reduces mortality in trauma patients requiring intensive care：A meta-analysis of randomised controlled trials. Injury 2011；42：50-56.
25) Heyland DK, Dhaliwal R, Drover JW, et al：Canadian clinical practice guidelines for nutrition support in mechanically ventilated, critically ill adult patients. JPEN

J Parenter Enteral Nutr 2003；27：355-373.
26) Marik PE, Zaloga GP：Early enteral nutrition in acutely ill patients：A systematic review. Crit Care Med 2001；29：2264-2270.
27) 小谷穣治，東別府直紀，白井邦博，他：Acute care surgery（ACS）における栄養管理. Jpn J Acute Care Surg 2016；6：37-48.
28) Rice TW, Mogan S, Hays MA, et al：Randomized trial of initial trophic versus full-energy enteral nutrition in mechanically ventilated patients with acute respiratory failure. Crit Care Med 2011；39：967-974.
29) National Heart, Lung, and Blood Institute Acute Respiratory Distress Syndrome（ARDS）Clinical Trials Network；Rice TW, Wheeler AP, Thompson BT, et al：Initial trophic vs full enteral feeding in patients with acute lung injury：The EDEN randomized trial. JAMA 2012；307：795-803.
30) Taylor SJ, Fettes SB, Jewkes C, et al：Prospective, randomized, controlled trial to determine the effect of early enhanced enteral nutrition on clinical outcome in mechanically ventilated patients suffering head injury. Crit Care Med 1999；27：2525-2531.
31) Ibrahim EH, Mehringer L, Prentice D, et al：Early versus late enteral feeding of mechanically ventilated patients：Results of a clinical trial. JPEN J Parenter Enteral Nutr 2002；26：174-181.
32) Khalid I, Doshi P, DiGiovine B：Early enteral nutrition and outcomes of critically ill patients treated with vasopressors and mechanical ventilation. Am J Crit Care 2010；19：261-268.
33) Zaloga GP, Roberts PR, Marik P：Feeding the hemodynamically unstable patient：A critical evaluation of the evidence. Nutr Clin Pract 2003；18：285-293.
34) Doig GS, Simpson F, Sweetman EA, et al：Early parenteral nutrition in critically ill patients with short-term relative contraindications to early enteral nutrition：A randomized controlled trial. JAMA 2013；309：2130-2138.
35) Olofsson PH, Berg S, Ahn HC, et al：Gastrointestinal microcirculation and cardiopulmonary function during experimentally increased intra-abdominal pressure. Crit Care Med 2009；37：230-239.
36) Kaussen T, Srinivasan PK, Afify M, et al：Influence of two different levels of intra-abdominal hypertension on bacterial translocation in a porcine model. Ann Intensive Care 2012；2（Suppl 1）：S17.
37) Collier B, Guillamondegui O, Cotton B, et al：Feeding the open abdomen. JPEN J Parenter Enteral Nutr 2007；31：410-415.
38) Dissanaike S, Pham T, Shalhub S, et al：Effect of immediate enteral feeding on trauma patients with an open abdomen：Protection from nosocomial infections. J Am Coll Surg 2008；207：690-697.
39) Burlew CC, Moore EE, Cuschieri J, et al：Who should we feed? Western Trauma Association multi-institutional study of enteral nutrition in the open abdomen after injury. J Trauma Acute Care Surg 2012；73：1380-1387；discussion 1387-1388.
40) Lindstedt S, Malmsjö M, Hansson J, et al：Microvascular blood flow changes in the small intestinal wall during conventional negative pressure wound therapy and negative pressure wound therapy using a protective disc over the intestines in laparostomy. Ann Surg 2012；255：171-175.
41) Hourigan LA, Linfoot JA, Chung KK, et al：Loss of protein, immunoglobulins, and electrolytes in exudates from negative pressure wound therapy. Nutr Clin Pract 2010；25：510-516.
42) Dhaliwal R, Jurewitsch B, Harrietha D, et al：Combination enteral and parenteral nutrition in critically ill patients：Harmful or beneficial? A systematic review of the evidence. Intensive Care Med 2004；30：1666-1671.
43) Casaer MP, Mesotten D, Hermans G, et al：Early versus late parenteral nutrition in critically ill adults. N Engl J Med 2011；365：506-517.
44) Heidegger CP, Berger MM, Graf S, et al：Optimisation of energy provision with supplemental parenteral nutrition in critically ill patients：A randomised controlled clinical trial. Lancet 2013；381：385-393.
45) Gardner ML：Absorption of amino acids and peptides from a complex mixture in the isolated small intestine of the rat. J Physiol 1975；253：233-256.
46) Frenhani PB, Burini RC：Mechanisms of absorption of amino acids and oligopeptides：Control and implications in human diet therapy. Arq Gastroenterol 1999；36：227-237.
47) McClave SA, Martindale RG, Vanek VW, et al：Guidelines for the provision and assessment of nutrition support therapy in the adult critically ill patient：Society of Critical Care Medicine（SCCM）and American Society for Parenteral and Enteral Nutrition（A.S.P.E.N.）. JPEN J Parenter Enteral Nutr 2009；33：277-316.
48) Bertolini G, Iapichino G, Radrizzani D, et al：Early enteral immunonutrition in patients with severe sepsis：Results of an interim analysis of a randomized multicentre clinical trial. Intensive Care Med 2003；29：834-840.
49) Galbán C, Montejo JC, Mesejo A, et al：An immune-enhancing enteral diet reduces mortality rate and episodes of bacteremia in septic intensive care

unit patients. Crit Care Med 2000；28：643-648.
50) McClave SA, Taylor BE, Martindale RG, et al：Guidelines for the Provision and Assessment of Nutrition Support Therapy in the Adult Critically Ill Patient：Society of Critical Care Medicine (SCCM) and American Society for Parenteral and Enteral Nutrition (A.S.P.E.N.). JPEN J Parenter Enteral Nutr 2016；40：159-211.
51) 小谷穣治，切田学，大家宗彦，他：栄養管理の評価方法．救急医学 2003；27：179-187.
52) Van den Berghe G, Wouters P, Weekers F, et al：Intensive insulin therapy in the critically ill patients. N Engl J Med 2001；345：1359-1367.
53) Van den Berghe G, Wilmer A, Hermans G, et al：Intensive insulin therapy in the medical ICU. N Engl J Med 2006；354：449-461.
54) Brunkhorst FM, Engel C, Bloos F, et al：Intensive insulin therapy and pentastarch resuscitation in severe sepsis. N Engl J Med 2008；358：125-139.
55) NICE-SUGAR Study Investigators；Finfer S, Chittock DR, Su SY, et al：Intensive versus conventional glucose control in critically ill patients. N Engl J Med 2009；360：1283-1297.
56) COIITSS Study Investigators；Annane D, Cariou A, Maxime V, et al：Corticosteroid treatment and intensive insulin therapy for septic shock in adults：A randomized controlled trial. JAMA 2010；303：341-348.
57) Griesdale DE, de Souza RJ, van Dam RM, et al：Intensive insulin therapy and mortality among critically ill patients：A meta-analysis including NICE-SUGAR study data. CMAJ 2009；180：821-827.
58) Friedrich JO, Chant C, Adhikari NK：Does intensive insulin therapy really reduce mortality in critically ill surgical patients? A reanalysis of meta-analytic data. Crit Care 2010；14：324.
59) Rhodes A, Evans LE, Alhazzani W, et al：Surviving Sepsis Campaign：International Guidelines for Management of Sepsis and Septic Shock：2016. Crit Care Med 2017；45：486-552.

4章

外傷急性期リハビリテーション・社会復帰戦略

要　約

1. 生命予後のみならず機能予後を見据えた治療戦略の構築が必要である。
2. 四肢外傷に対する急性期リハビリテーションの基本は，筋力低下や関節拘縮の予防である。
3. 四肢外傷に対するリハビリテーションの理念や手法は，全外傷患者の廃用症候群予防にも応用可能である。
4. 脊髄損傷患者は，損傷の程度により最終ゴールが異なり，さまざまな合併症のリスクがあることから，多職種が連携してリハビリテーションプログラムを作成し，訓練を進めていく必要がある。
5. 重症外傷患者に対する急性期リハビリテーションの有用性を証明する臨床研究の蓄積が求められている。

はじめに

重症外傷患者に対し，ICUからリハビリテーションを導入することの有効性の報告は少なく，十分に証明されていないのが現状である。その理由として，外傷患者では損傷部位が多岐にわたり，それぞれに対するアプローチが異なることや，複数部位が同時に損傷を受ける場合も多いことなどがあげられる。また重症外傷患者では，損傷臓器，損傷器官の障害以外にも，人工呼吸管理を含む長期間の集中治療により，ICU-acquired weakness（ICU-AW）を生じることで病態はさらに複雑になる。搬送された重症外傷患者が，ショックや意識障害の状態から回復し社会復帰していく過程において，リハビリテーションが必要であることに疑う余地はないが，誰が，いつから，どのようにして介入していくことが有効であるのかは明確にしていく必要がある。

本章では，文献的根拠が示されている重症病態に対する急性期リハビリテーションを紹介し，さらに頭部外傷，脊髄損傷，四肢外傷などに対する急性期リハビリテーションについて解説する。

I　重症外傷に対する急性期リハビリテーション

重症外傷患者においては，急性期に坐位や離床を妨げるさまざまな要因が存在する。頭蓋内圧管理を必要とする頭部外傷，多くのチューブが挿入された胸部外傷，重力により損傷が悪化する可能性がある肝損傷や脾損傷，不安定な脊椎や骨盤外傷などである。外傷領域では止血や臓器・骨の安定化を最優先に治療戦略を構築してきたが，脳卒中や重症呼吸不全患者を対象とした早期離床の取り組みを参考にすると，外傷患者でもより早期の離床を念頭に置いた治療戦略が人工呼吸管理期間の短縮，合併症発生率の低下，機能予後の改善，さらには救命割合の向上につながる可能性がある。

Londonら[1]は，非手術療法を行った肝・脾・腎損傷患者らにおいて，72時間以内の離床は遅発性出血の頻度を上げなかったと報告している。Toddら[2]は多発肋骨骨折患者を対象に，早期から理学療法士を含む多職種が介入することで，合併症率，死亡率が低下したと報告し，この報告を根拠に2012年版の「EASTガイドライン」では，肺挫傷，フレイルチェスト患者に対して疼痛コントロール下に積極的な呼吸理学療法を行うことを推奨している[3]。2013年にEngelsら[4]は，外傷患者に対する急性期リハビリテーションに関する文献をレビューし，有効性を支持する質の高いエビデンスはないものの，個々の外傷に対する急性期リハビリテーションの有効性や内科系集中治療領域で示された文献から判断し，集中治療を要する多発外傷に対しても急性期リハビリテーションの導入を推奨した。2016年にSchallerら[5]は，外傷患者を含む外科系集中治療領域で，目標を設定した急性期リハビリテーションを行うことでICU滞在期間の短縮，退院時の機能予後の改善が得られると報告した。しかし，積極的リハビリテーション群で有意差こそないものの院内死亡率と3カ月死亡率が高い傾向がみられていた[5]。2019年Higginsら[6]のメタアナリシスでは，ICUの外傷患者に対する通常のリハビリテーションと早期リハビリテーション（early mobilization）の比較において，早期リハビリテーションは人工呼吸器装着期間の減少を認めたが，死亡率，ICU入室期間，入院期間には有意差を認めなかった。2020年Colesら[7]の後ろ向き研究では，early mobilization protocolの導入前と後を比較し，導入群では死亡率（ICU入室中，入院中）が有意に低下していたが，ICU入室期間，入院期間，人工呼吸器装着期間に差はなかったと報告している。日本においては，2017年に日本集中治療医学会から「集中治療における早期リハビリテーション；根拠に基づくエキスパートコンセンサス」[8]が公表されている。重症外傷においてもICU-AWの予防が重要であり，早期リハビリテーションの実施においては，このコンセンサスの訓練開始基準，中止基準が参考となる。イギリスでは，National Institute for Health and Care Excellence（NICE）[9]のガイドラインにrehabilitation after traumatic injuryの項目があり，外傷患者の早期からのリハビリテーションについて多くの推奨事項が述べられている。ただし，Naessら[10]やHannaら[11]もシステマティックレビューで報告しているように，外傷患者の早期リハビリテーションにおける十分なエビデンスをもった研究は少なく，その有効性については今後の研究課題である。

Ⅱ 集中治療中リハビリテーション開始の意義

70年以上も前からベッド上安静臥床の障害は認識されている。安静臥床は筋骨格系・循環器系・呼吸器系・神経精神系など，人体の局所～全身に悪影響な生理学的変化を引き起こすことがわかっており，これらは総称的に廃用症候群と呼ばれている。不動による弊害は多彩で臥床による身体の変化が時間軸で生じる（表4-1）[12]。Saltinらは20代の若年健常者を対象に不動（immobility）による心肺機能の低下について調査したところ，3週間の臥床により最大酸素摂取量は平均28%，最大で48%低下することが判明した（図4-1）[13]。なお，本研究対象者は30年後の最大酸素摂取量について再度調査され，先の3週間の臥床による低下は30年間の加齢変化よりも大きいことが示された（図4-2）[14]。

1. 早期離床の必要性

ICUに入院している患者は全身状態が不良であり，とくに人工呼吸管理下ではベッド上における不動による合併症が生じやすい。とくに液性調節系への関与は重要であり，24時間の臥床で循環血液量は減り，血漿量は5～10%減り，4～7日間の臥床で起立性低血圧が起こる。心肺機能低下も起こり得る。筋力は1週間の不動で10～15%低下し，骨密度も2週間の臥床で低下が起こる。不動による弊害は1日の臥床でも起こり得る。不動による弊害を起こさないためには，重篤状態であっても可能なかぎり急性期（遅くても3日以内）から離床し，運動を負荷しなければならないとする見解もある。

2000年，Kressらは人工呼吸管理下の患者に対し，日中の鎮静薬を中断することで，人工呼吸期間の短縮，ICU滞在期間の短縮が得られることを報告した[15]。集中治療中は安静を保つといった常識を覆し，日中は覚醒させてリハビリテーション治療を行うという近年の流れを築いた論文の一つである。2008年に

表4-1　臥床に伴う身体変化

0〜3日	4〜7日	8〜14日	15日以上
増加： 尿量 尿中Na^+，Cl^-，Ca^{2+}，浸透圧活性物質排泄量 血漿浸透圧 ヘマトクリット 静脈コンプライアンス **減少：** 水分摂取量 細胞外（血漿，間質）および細胞内容量 下腿血流 安静時心拍数 胃液分泌 耐糖能 血液下肢移動	**増加：** 尿中クレアチニン，ヒドロキシプロリン，リン酸塩，窒素，カリウム排泄量 血漿グロブリン，リン酸塩，グルコース濃度 血中フィブリノゲン 線維素溶解活性，凝固時間，結膜充血，網膜動静脈拡張，聴覚閾値 **減少：** 視力 起立耐性 窒素バランス	**増加：** 尿中ピロリン酸塩 発汗閾値 運動時高体温 運動時最大心拍数 **減少：** 赤血球細胞容量 白血球貪食能 組織熱伝導 除脂肪体重 体脂肪容量	**増加：** 尿中カルシウム排泄能力 熱刺激感受性 聴覚閾値（二次性） **減少：** 骨密度

- 24時間の臥床で血漿量5〜10%が減少する
- 4〜7日間の臥床で起立性低血圧が起こる
- 1週間の不動で10〜15%の筋力低下が起こる
- 2週間の臥床で骨密度の低下が起こる

〔文献12)より引用・改変〕

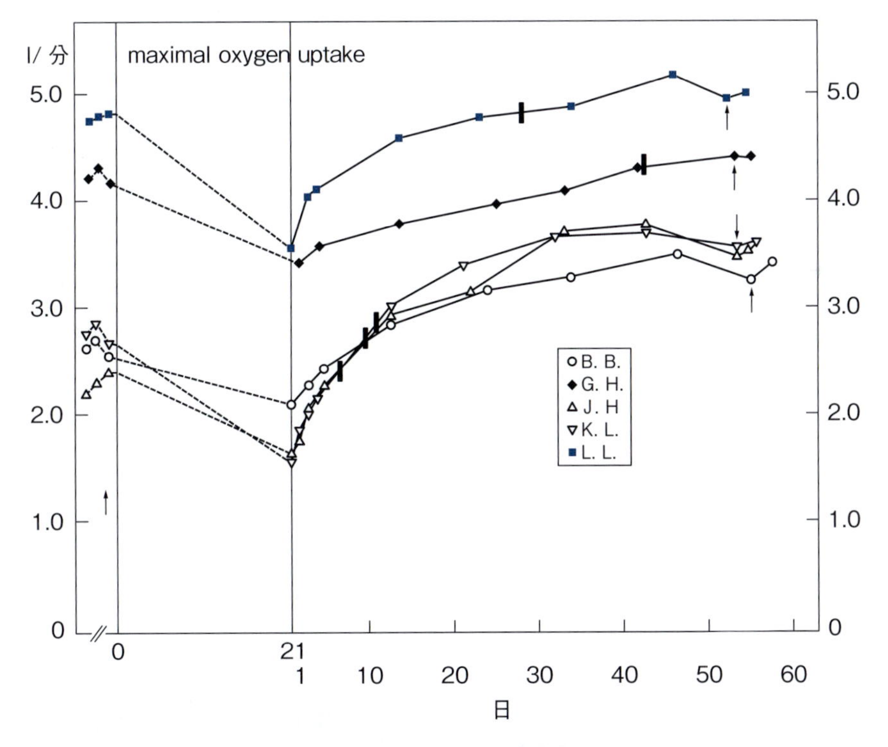

図4-1　不動による心肺機能の低下

最大酸素摂取量は平均28%の低下を認め，もっとも低下した者は48%もの低下を認めた
〔文献13)より引用・改変〕

はMorrisらが，人工呼吸管理下の患者に対してヘッドアップ，ベッド上安楽坐位，端坐位，椅子坐位，立位保持という段階的な離床プロトコルを適用し，ICU滞在期間や離床までの期間の短縮を得た[16)]。またSchweickertらの行った人工呼吸管理下の患者対象の早期リハビリテーション治療の有効性を調べたRCTでは，早期介入群においてICUせん妄の期間や人工呼吸管理期間の短縮，退院時の自立度や指標の向上が認められた[17)]。

近年，集中治療領域では人工呼吸器装着後早期に

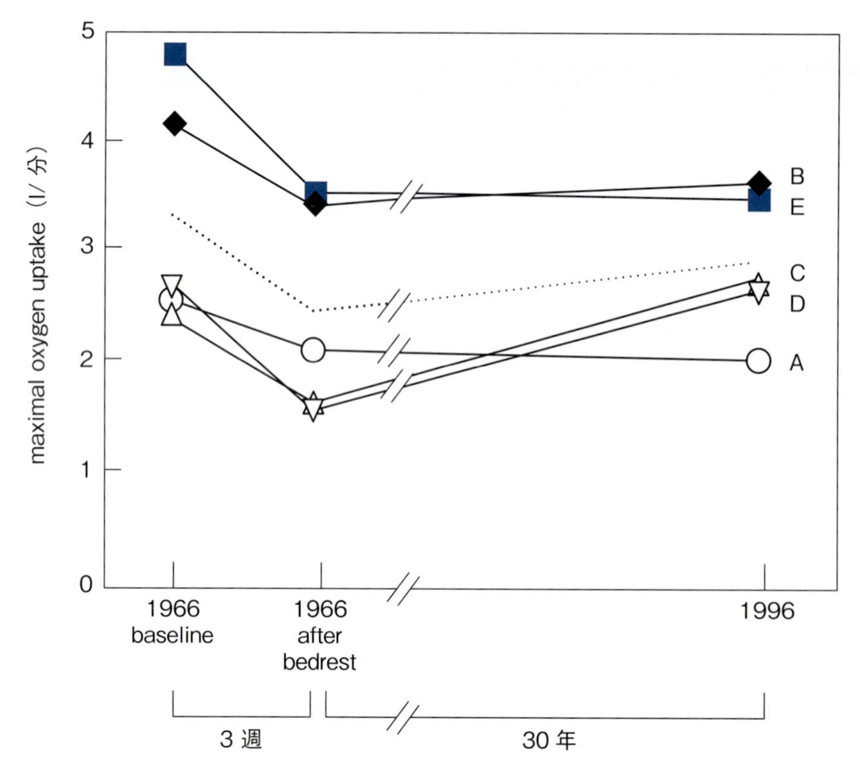

図4-2　A 30-year follow-up of the dallas bed rest and training study
30年の加齢より3週間の臥床のほうが体力が落ちる
〔文献14）より引用・改変〕

実施されるearly mobilization（EM）が推奨されているが，この「早期」の定義は一定しているとはいえない。欧米では，EMは2～5日以内に行われる身体活動とされているが，6日以上経過していてもEMとして報告しているものもある。branch atheromatous disease（BAD）や非痙攣性てんかん重積（non-convulsive status epilepticus；NCSE）の存在もあり，早ければ早いほどよいとはいいきれない。人工呼吸管理開始後の離床時期ごとに転帰を比較した研究では，24時間以内のEMよりも48～72時間後のEMのほうが予後良好であった。

脳卒中の際のリハビリテーション介入については，2018年のAVERT関連臨床研究のメタ解析をみると，「24時間以内がよいという積極的なデータはない」となっている[18]。そのため，動かす前に，リハビリテーション科医が診察，検査，診断することが大切であり，脳卒中をすべて同列に扱うことはできない。

また，頭部外傷となるといっそう病態が複雑になる。頭蓋内圧亢進が起きているなら，起立により椎骨静脈のサイフォンの原理が働き，脳静脈血液をドレーンする（「キリンの首の法則」と呼ばれる）[19][20]。頭蓋内圧が低下し，意識が改善する。そのようなことを考慮してリハビリテーション科医が診察して適応を決めて抗重力位，起立，歩行訓練へともっていくべきと考える。

不動の影響で注意すべきは褥瘡である。成因として末梢循環圧より高い外圧が加わり，毛細血管の血流が途絶え，組織に酸素と栄養が行き渡らず壊死することが考えられている。褥瘡および疼痛はリハビリテーション治療への阻害因子となりやすい。褥瘡を起こさせないように局所組織圧迫を回避しEMを促したり，疼痛緩和することでリハビリテーション治療が進むことを忘れてはならない。

2. ICU-AWについて

わが国では重症患者の痛み，不穏，せん妄を総合的に管理するための「J-PADガイドライン」が作成された。痛みの管理を行いながらできるだけ浅い鎮静効果や日中の覚醒を促すことに加え，早期リハビリテーション治療の実施をすべてのICU患者（とくに人工呼吸器の長期化が予測される患者）に推奨している（推奨レベルⅡ）[21]。ICUに入室する重症患者において，入室から数日以内の比較的早期に急

表4-2　ICU-AWの診断基準

下記1，2，3もしくは4，5の計4つを満たす。
1. 重症疾患罹患後に全身の筋力低下が進展。
2. 筋力低下はびまん性，左右対称性，弛緩性であり，脳神経支配筋は障害されない。
3. 24時間以上空けて2回行ったMRC（Medical Research Council）scaleの合計が48点未満，または検査可能な筋の平均MRC scale*が4点未満。
4. 人工呼吸器に依存している。
5. ほかに筋力低下をきたす原因がない。

* MRC scale：両側上下肢（肩関節外転，肘関節屈曲，手関節伸展，股関節屈曲，膝関節伸展，足関節背屈）計12部位の筋力を0～5点の徒手筋力テストで評価するもの（計60点）
〔日本リハビリテーション医学会監，久保俊一総編集：リハビリテーション医学・医療コアテキスト，医学書院，東京，2018，p236.／日本リハビリテーション医学会監，久保俊一総編集：［リハビリテーション医学・医療コアテキスト準拠］リハビリテーション医学・医療Q&A，医学書院，東京，2019，p192.より転載〕

性のびまん性筋力低下，筋量低下，四肢麻痺が高率に発症することが知られており，ICU-AWと呼ばれている[22]。ICU-AWの診断基準を表4-2に示す[23)24]。病態として重症疾患多発性ニューロパチー（critical illness polyneuropathy；CIP），ミオパチー（critical illness myopaty；CIM）とそれが混在するcritical illness neuromyopaty（CINM）がある。いずれの病態でも主要要因の1つに安静臥床があることからリハビリテーション治療で予防できる治療対象となる。具体的には早期からの抗重力位と運動が効果的である[25]。

これらのICU管理に伴う合併症の発症により，ICU退室後の障害である集中治療後症候群（post intensive care syndrome；PICS）につながる。PICSは集中治療を受けた重症患者でICU退出後も持続する呼吸機能低下，神経筋の低下，記憶，注意力，認知機能低下，心的外傷後ストレス障害，うつ症状などを複合的に生じる症候群である。PICSの予防にも早期からの抗重力位と運動が重要である[26]。

Morrisらの報告[16]では，ICUで人工呼吸管理中の患者に早期から理学療法（PT）や作業療法（OT）を行うことで，調節換気を休止している時間が長くなり，せん妄が減少しICU入室が短縮した。さらに退院時の身体機能，ADLの改善が認められた。人工呼吸器装着での離床は危険な印象があるが人工呼吸器装着患者に対して離床を行った際，有害事象の発生率は1％未満であった。

その後も多くの内科系集中治療領域でRCTが行われ，システマティックレビューでも急性期リハビリテーションの有効性が示された[27)28]。内科系集中治療領域では人工呼吸管理中からのリハビリテーション開始が定着しつつあるなか，積極的急性期リハビリテーションは，ICU退室時の筋力，退院時の歩行能力を改善するものの，ICU死亡率，院内死亡率，6カ月死亡率，人工呼吸管理期間，ICU滞在期間，QOLには影響しないとするシステマティックレビューが報告された[29]。これには近年報告された比較的規模が大きい前向き試験の結果[30)～32]が強く影響しているものと思われる。数編の前向き試験の結果をもって，内科系集中治療領域の急性期リハビリテーションの重要性が否定されるものではないが，後続の研究結果には注目していく必要がある。また2017年に日本集中治療医学会が公開した集中治療における早期リハビリテーションのエキスパートコンセンサスでは，この領域の過去の論文が網羅的にレビューされており参考にされたい[33]。

ICU関連筋力低下が注目される背景に重症患者の救命率向上や高齢化がある。ICU治療のゴールは救命だけではなく，生存後のADL，QOL，長期予後の改善へと変化しつつある。

集中治療における早期リハビリテーション治療について，近年わが国のエキスパートコンセンサスでは「疾患発症から48時間以内のリハビリテーション治療の開始」と定義される[34]。ICU-AWに対する早期リハビリテーション治療は電気刺激療法，鎮静を中断して介入するリハビリテーション訓練，ベッドサイドのエルゴメーター駆動，専門の調整役による目標設定などさまざまな介入法で有用性が報告されている。

表4-3　集中治療領域における急性期リハビリテーション中止基準のまとめ

項目	内容
臨床症状	コントロール不良な消化管出血[17]，コントロール不良な心筋虚血[17]，心筋虚血関連症状[17)36]，苦痛[17]，心呼吸器苦痛症状[36]，強い呼吸苦[36]，発汗[37]
血圧	収縮期血圧＞200mmHg[17)39]，収縮期血圧＞180mmHg[36)37]，収縮期血圧＜90mmHg[37)〜39]，MAP＜65mmHg[17]，＞60mmHg[17]，収縮期あるいは拡張期血圧の20％以上の低下[36]，昇圧剤の新規投与[39]
心拍数・心電図所見	年齢予測最大心拍数の70％以上の心拍数[36]，20％以上の心拍数減少[36]，20％以上の心拍数増加[37]，安静時心拍数＜40回／分[17]，＞80回／分[17)37]，＞100回／分[39]，心筋梗塞を示唆する心電図波形の出現[39]，抗不整脈薬の投与を要する不整脈の出現[39]，有害な不整脈の出現[36]，新規不整脈出現[37]
呼吸	呼吸回数＜5回／分[17]，＞40回／分[17]，＞35回／分[37)38]，20％以上の呼吸回数増加[37]，酸素飽和度＜80％[38]，＜85％[39]，酸素飽和度＜88％[17)37]，＜90％[36)38]，分時換気量＞10L/min[39]，呼吸サポート増加[39]，人工呼吸器との同調性不良[17]，気道が不安定[17]
神経	頭蓋内圧亢進状態[17]，鎮静薬を要す興奮[17]，暴力的[17]，興奮[37]，不安[37]
その他	チューブ抜去[38]，間欠的血液透析施行中[17]

MAP：mean arterial pressure
〔文献17)35)〜39)より転載〕

国外において救急領域や集中治療領域で急性期リハビリテーション治療の中止基準としてこれまで報告されているものを表4-3[17)35)〜39)]に示す。また，わが国でも独自の基準が『リハビリテーション医療における安全管理・推進のためのガイドライン』（第2版）[40)]で更新されているので参照されたい。報告により多少のばらつきはあるものの，臨床症状以外の項目としては，循環，呼吸，神経，に関する内容が中心である。とくに血圧に関して臓器血流に規定する平均動脈圧（mean arterial pressure；MAP）に関する記述がなされることが多い。表の内容は患者に対して急性期からリハビリテーション治療を進めていくうえでの一定の目安になる。過度な運動負荷は過用症候群（overwork weakness）を引き起こし，症状を悪化させる[41)〜46)]。

1993年，Aitkensらはslowly progressive neuromuscular diseaseの患者には12週の中等度の運動療法が効果的だと報告した[47)]。

集中治療後の身体機能，認知機能の低下は，患者の退院後の社会復帰を妨げる大きな問題として認識されてきた。Herridgeら[48)]は，集中治療を要したARDS患者を5年間追跡し，呼吸機能は正常化したものの，健康関連のQOLの尺度であるMedical Outcomes Study 36-Item Short-Form Healthy Survey（SF-36）や，持久力の評価法である6 Minutes Walk Test（6MWT）は，依然として予想値を下回っていると報告した。Ehlenbachら[49)]は，集中治療を受けた高齢者の6年後の認知機能をCognitive Abilities Screening Instrument（CASI）を用いて評価し，集中治療を受けなかった群に比較して有意に認知機能障害を認めたと報告した。このような集中治療後の身体機能，認知機能の障害を軽減するために，急性期リハビリテーションが有用であるという報告が散見されるようになった。

集中治療中からリハビリテーションを開始することの意義に関しては，まさにclinical questionとして日本集中治療医学会からもあげられている。疫学上，有効の根拠は低いが，リスクは上がらないため，全体的には弱い推奨ということになっている。

Ⅲ　中枢神経障害に対するリハビリテーション

リハビリテーション治療は個々の患者の呈すさまざまな症状に対して行われるため，疾患に特異的な治療方針が定まっているものではない。表4-4[50)]，表4-5[51)]，図4-3[52)]，図4-4[53)]に示すようなさまざまな治療がオーダーメイドに組み合わせて行われる。中枢神経にも可塑性は確認されているものの，その程度は高くないため，脳卒中や外傷性脳損傷では永続する障害を後遺することも少なくない。脳損傷部位とその程度に応じて，どのような脳局所機能

表4-5　リハビリテーション診療

リハビリテーション診断 （活動の現状と問題点の把握，活動の予後予測）	リハビリテーション治療 （活動を最良にする）	リハビリテーション支援 （活動を社会的に支援する）
• 問診 病歴，家族歴，生活歴，社会歴など • 身体所見の診察 • 各種心身機能の評価・検査 • ADL・QOLの評価 FIM（機能的自立度評価法），Barthel指数，SF-36など • 栄養評価（栄養管理） • 高次脳機能評価（検査） 改訂長谷川式簡易知能評価スケール（HDS-R），MMSE（mini mental state examination），FAB（frontal assessment battery）など • 画像検査 単純X線，CT，MRI，エコー，シンチグラフィーなど • 血液・生化学検査 • 電気生理学的検査 筋電図，神経伝導検査，脳波，体性感覚誘発電位（SEP），心電図など • 生理学的検査 呼吸機能検査，心肺機能検査など • 摂食嚥下の機能検査 反復唾液嚥下テスト，改訂水飲みテスト，嚥下内視鏡検査（VE），嚥下造影検査（VF） • 排尿機能検査 残尿測定，ウロダイナミクス検査など • 病理学的検査 筋・神経生検など	• 理学療法 運動療法，物理療法 • 作業療法 • 言語聴覚療法 • 摂食機能療法 • 義肢装具療法 • 認知療法・心理療法 • 電気刺激療法 • 磁気刺激療法 rTMS（repetitive transcranial magnetic stimulation）など • ブロック療法 • 薬物療法（漢方を含む） 疼痛，痙縮，排尿・排便，精神・神経，循環・代謝，異所性骨化など • 生活指導 • 排尿・排便管理 • 栄養療法（栄養管理） • 手術療法 腱延長術，腱切離術など • 新しい治療 ロボット，BMI（brain machine interface），再生医療，AI（artificial intelligence）の利用など	• 家屋評価・住宅（家屋）改修 • 福祉用具 • 支援施設〔介護老人保健施設（老健），介護老人福祉施設（特別養護老人ホーム，特養）〕 • 経時的支援 • 就学・復学支援 • 就労・復職支援 （職業リハビリテーション） • 自動車運転の再開支援 • 法的支援 介護保険法，障害者総合支援法，身体障害者福祉法など • パラスポーツ（障がい者スポーツ）の支援 • 災害支援

〔久保俊一：リハビリテーション医学・医療総論．日本リハビリテーション医学会監，リハビリテーション医学・医療コアテキスト，第2版，医学書院，東京，2022，p5.より転載〕

表4-4　対象となる疾患・障害・病態

- 脳血管障害・頭部外傷
- 運動器の疾患・外傷
- 脊髄損傷
- 神経・筋疾患
- 切断（外傷・血行障害・腫瘍）
- 小児疾患
- リウマチ性疾患
- 循環器疾患・呼吸器疾患・腎疾患・糖尿病・肥満
- 周術期の身体機能障害の予防・回復
- 癌（悪性腫瘍）
- 摂食嚥下障害
- 聴覚・前庭・顔面神経・嗅覚・音声障害
- スポーツ外傷・障害
- 骨粗鬆症
- 熱傷
- サルコペニア・ロコモティブシンドローム・フレイル

〔久保俊一：リハビリテーション医学・医療総論．日本リハビリテーション医学会監，リハビリテーション医学・医療コアテキスト，第2版，医学書院，東京，2022，p4.より作成〕

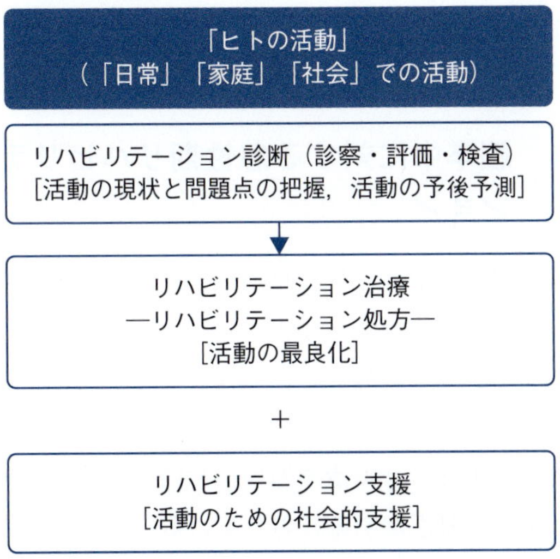

「ヒトの活動」
（「日常」「家庭」「社会」での活動）

リハビリテーション診断（診察・評価・検査）
[活動の現状と問題点の把握，活動の予後予測]

↓

リハビリテーション治療
―リハビリテーション処方―
[活動の最良化]

＋

リハビリテーション支援
[活動のための社会的支援]

図4-3　リハビリテーション診療
〔角田亘，久保俊一：リハビリテーション診療の概要．日本リハビリテーション医学会監，リハビリテーション医学・医療コアテキスト，第2版，医学書院，東京，2022，p66.より転載〕

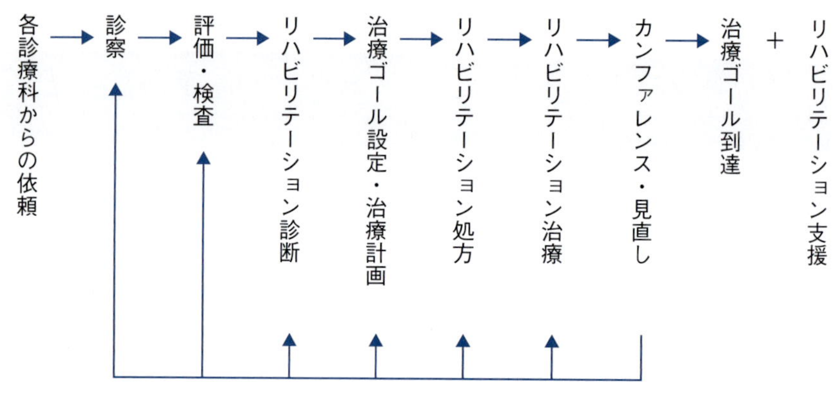

図4-4　リハビリテーション診療のポイント
〔角田亘，久保俊一：リハビリテーション診療の概要．日本リハビリテーション医学会監，リハビリテーション医学・医療コアテキスト，第2版，医学書院，東京，2022，p67.より転載〕

や神経連絡が阻害されるかといった視点から，その障害自体の改善もしくは機能代償に向けたリハビリテーション治療が計画される。この脳損傷部位や程度の把握においては，一般的な脳画像検査で確認できる病巣のみならず，浮腫や圧排，血流低下，低酸素などの影響も検討すべきである。外傷性脳損傷においては受傷機転から脳にどのような外力が加わったか（回転性など）を推察したうえで，びまん性軸索損傷のような微細な病巣の存在についても検討する必要がある。なお，中枢神経の神経連絡や脳局所機能の活動性の変化は慢性期になってからも得られることが機能的脳画像検査などで明らかになっている。リハビリテーション治療の計画に際しては，このような病期に応じた視点も重要である。

1. 脳卒中に対する急性期リハビリテーション

脳卒中症例の多くは，重症外傷症例と同様にICUにおける救命治療から始まり，一般病棟，回復期リハビリテーション病棟を経て社会復帰を迎える。多数の文献的根拠をもとにした脳卒中治療ガイドラインが存在する。その治療過程におけるリハビリテーションの重要性が明確にされている。その概要に触れることで，重症外傷に対するヒントが見つけ出せるのではないかと考える。

2004年にわが国で初めて，関連5学会（日本脳卒中学会，日本脳神経外科学会，日本神経学会，日本神経治療学会，日本リハビリテーション医学会）と厚生労働省の脳梗塞・脳出血・くも膜下出血の研究班からなる合同委員会により，301件の採用論文をもとに『脳卒中治療ガイドライン2004』[54] が作成された。「廃用症候群を予防し，早期のADL向上と社会復帰を図るために，十分なリスク管理のもとに急性期からの積極的なリハビリテーションを行うことが強く勧められる」と明記されたことを契機に，急性期からのリハビリテーションが徐々に浸透していき，現在ではクリニカルパスにおいても急性期からリハビリテーションが組み込まれるようになっている。その後も改訂を重ね『脳卒中治療ガイドライン2009』[55]，『脳卒中治療ガイドライン2015』[56]，『脳卒中治療ガイドライン2021』[57] が公開され，文献的根拠に基づいた具体的なリハビリテーションの戦略が明記されるようになった。

脳卒中患者に対しては，廃用性筋萎縮，関節拘縮，深部静脈血栓症，褥瘡，肺炎など安静による合併症を防ぐため，できるだけ早期からリハビリテーションを開始すべきである[58]。急性期には血圧の変化に注意し，心電図をモニターするなど医師の監視下でリスク管理をしながらリハビリテーションを行うことが望ましい。意識障害が軽度でバイタルサインが安定していれば発症後数日で坐位訓練を開始し，ベッドからの起立，車椅子への移乗，車椅子駆動へと進めていく。さらにADL訓練とともに早期から装具を用いて歩行訓練を行う。早期から1日当たりの訓練をより多く行うと早期離床につながり，機能障害やADLを改善させる。全身状態不良で，坐位が開始できない患者にも，関節可動域訓練，良肢位保持，体位変換など他動的運動を行う。また医師，看護師，理学療法士，作業療法士，言語聴覚士，ソーシャルワーカーなどで構成されるチームで治療を行う脳卒中ケアユニット（stroke care unit；SCU）で早期より集学的リハビリテーションを受けた脳卒中患者は，従来型病棟の入院患者より退院時の機能が良好で，自宅復帰率が高いと報告されている。病状が安定した後は，速やかに回復期リハビリテーションへ移行し，より集中的なリハビリテーションを継続することでさらなる機能回復が期待できる。超早期介入の効果については文献的根拠が乏しいとされているが[59]，“できるだけ早期からリハビリテーションを開始する”ことが奨められている。

その介入方法をまとめると以下の3点である。

(1) 廃用症候群などの合併症を予防するため，集中治療中から他動的運動を開始し，損傷臓器の安静度が許す範囲で，坐位，立位訓練へと進めていく。

(2) ICUにも多職種の療法士を配置し，集学的リハビリテーションを行う。

(3) 全身状態が安定した後は，速やかに回復期リハビリテーションへ移行する。

早期介入については早く離床しすぎてもいけないかもしれないという報告もあり，48～72時間での開始が優勢である[60]。

リハビリテーションとして関節拘縮，筋力低下などの不動による合併症の予防に努め，部分的な機能回復がみられれば認知運動療法を開始する。意識障害の改善に伴い，せん妄，攻撃性，脱抑制，興奮状態が出現することがある。

2. 頭部外傷に対するリハビリテーション

頭部外傷に対するリハビリテーションの有用性を証明することは容易ではない。障害の種類や程度，その組み合わせは無数に存在し，単一のモデルを対象とした介入試験が困難なことが原因である。

1）昏睡患者への介入

脳損傷後の昏睡状態から覚醒を促すさまざまな取り組みがなされてきた。薬剤では，アマンタジン，ゾルピデム，レボドパ・カルビドパ合剤などの効果が検証され，アマンタジンに関しては，昏睡状態の頭部外傷患者の覚醒促進に効果があるというRCTが存在する[61]。しかし，疫学的エビデンスのある薬剤は見出されていない[62]。リハビリテーション的アプローチでは音楽療法[63]，正中神経電気刺激[64]，チルトテーブルを用いた立位訓練[65]，家族の声で思い出のエピソードを聞かせる[66]など，さまざまな刺激が意識回復につながる可能性があるとの報告があるが，エビデンスレベルが高いものは存在しない。

2）頭部外傷の急性期リハビリテーション

頭部外傷後のリハビリテーションは，ICUでの急性期，回復期リハビリテーション施設での亜急性期，退院後の慢性期リハビリテーションに分類される。2015年に改訂された脳損傷患者に対するリハビリテーションに関するCochrane reviewでは，急性期リハビリテーションに関する2編の論文を取り上げて，文献的根拠は限定的ながら重症脳損傷に対する急性期リハビリテーションが機能予後の改善をもたらすとしている[67]。1編は内因性頭蓋内出血に関する論文であるが，Andelicら[68]の報告は重症頭部外傷患者が対象であり，急性期リハビリテーション群（平均12日後より開始）と亜急性期リハビリテーション群で，quasi-experimental studyを行った。急性期リハビリテーション群では，集中治療中から合併症の予防，機能回復を目標に，多職種リハビリテーションチームが，種々の感覚刺激を行った結果，12カ月後のGlasgow Outcome Scale Extended（GOSE）とDisability Rating Scale（DRS）は，対照群に比し有意に良好な結果であったとしている[68]。このように頭部外傷急性期のリハビリテーションに関する報告は少ないのが現状であるが，具体的なリハビリテーションの手法に関して参考になる論文を2編紹介する。

2013年にSeelら[69]は，後方視的研究ではあるが，頭部外傷後昏睡状態の患者を対象に急性期リハビリテーションの有効性を報告している。視覚・聴覚からの刺激，アマンタジンの投与，早期離床，家族教育など多方面のアプローチ法を紹介している。2015年にイタリアで頭部外傷を含む重症脳損傷のリハビリテーションに関する提言が発表された。早期から専門施設で密度の濃いリハビリテーションを開始すべきこと，認知行動障害や健忘症を早期に適切なツールを用いて診断すべきこと，家族への情報提供や教育の重要性などを科学的根拠をもとに推奨している[70]。

頭部外傷に対する急性期リハビリテーションの重要性は認識されつつあるものの，十分な文献的根拠に基づいた指針は存在しない。したがって広く普及しているとはいい難い現状であり，今後の臨床研究の蓄積が期待される[71]。

3）頭部外傷の回復期リハビリテーション

脳損傷患者に対するリハビリテーションに関するCochrane reviewにおいて，以下の項目には，エビデンスがあるとしている[67]。

(1) 軽症頭部外傷に関しては，機能予後は良好であり，特別なリハビリテーションの必要はないが，定期的にフォローアップを行い，情報やアドバイスの提供を行うことが重要である。
(2) 中等症から重症頭部外傷に関しては，適切なリハビリテーションを行うことで認知行動障害や運動感覚障害の回復が期待できる。入院中は，リハビリテーションのメニューを強化することで，より早期の機能回復が期待できる。また退院後もリハビリテーションを継続することで，機能回復が維持できる。

Cochrane review 2015年の改訂版からmilieu-based rehabilitationの有効性が加えられた。これは環境療法と訳され，多職種による包括的かつ全人的な神経心理学的リハビリテーションをグループで行うものである。

回復期リハビリテーションのプログラムとしては，理学療法士，作業療法士，言語聴覚士，心理士など多職種が行う集学的リハビリテーション（multi-disciplinary rehabilitation）といった表現にとどまる文献が大半で，具体的な推奨プログラムがないのが現状である。高次脳機能障害に対する認知リハビリテーションに関しても，多くの取り組みが行われている。

4）急性期リハビリテーションの実際

頭蓋内圧管理を要する集中治療中から理学療法士による可動域訓練を開始し，覚醒前より坐位保持や立位保持による刺激を行っている施設もある。覚醒後は，多職種によるリハビリテーションを開始する。その際にはDRS，MMSE（Mini-Mental State Examination）（図4-5）などベッドサイドで行えるテストで患者の状態を評価し，介入前後の比較検討に生かせるようにする。そしてより早期に回復期リハビリテーションへ移行し，より集中的なリハビリテーションが受けられる環境を提供するよう心がける。退院までにはWAIS-Ⅲ（Wechsler Adult Intelligence Scale），WMS-R（Wechsler Memory Scale）などの神経心理テストを行い，現状評価，後遺症評価を行うことも重要である。一方，救命救急センターから直接退院するような中等症や軽症頭部外傷患者にも注意が必要である。入院中に高次脳機能障害の評価ができておらず，自宅に帰ってからその存在に気づくこともある。定期的な外来フォローを行い，頭部外傷後遺症に関する情報提供やアドバイスができる環境を維持することが重要である[67]。急性期を担当する外傷専門医も，こうした流れを理解したうえで急性期医療を行うことが重要である。

5）嚥下リハビリテーション

摂食嚥下障害に対して意識障害がなければ（少なくともJapan Coma Scaleで1桁レベル）改定水飲みテストや反復性唾液嚥下テストで嚥下機能をスクリーニングする。嚥下障害の可能性が示唆された場合，嚥下内視鏡検査（videoendoscopic examination of swallowing；VE）もしくは嚥下造影検査（videofluoroscopic examination of swallowing；VF）を行う。

意識は清明であっても嚥下障害がある場合は段階的摂食嚥下療法（直接訓練）を開始する。摂食速度や介助量，食事中のむせや咳こみ，喀痰の量などに留意しながら食事内容を徐々に変更していく。摂食嚥下障害が重度の場合もしくは覚醒度が改善しない場合は，経鼻胃管による経管栄養を行ったうえで関節訓練（アイスマッサージ，息こらえ嚥下，メンデルスゾーン手技など）を開始する。

(1) 急性期嚥下リハビリテーション

集中治療領域では，人工呼吸管理を要した患者の15～51％が嚥下機能障害をきたすとの報告がある[72]。その原因は，①気管チューブや気管切開カニューレの物理的作用による潰瘍形成，炎症反応，肉芽形成，反回神経麻痺，②舌・咽頭・喉頭の筋力低下，③咽頭・喉頭の感覚障害，④鎮静薬による意識障害，ICUせん妄などとされている[73]。頭部外傷後の嚥下障害に関して，イタリアの頭部外傷リハビリテーションガイドラインでは，以下の7項目を推奨して

得点：30点満点

検査日：　　年　　月　　日　　曜日　　施設名：

被験者：　　　　　　　　男・女　　生年月日：明・大・昭・平　　年　　月　　日　　歳

プロフィールは事前または事後に記入します。　検査者：

	質問と注意点	回　答	得　点
1（5点） 時間の 見当識	「今日は何日ですか」 「今年は何年ですか」 「今の季節は何ですか」 「今日は何曜日ですか」 「今月は何月ですか」 ＊最初の質問で，被験者の回答に複数の項目が含まれていてもよい。その場合，該当する項目の質問は省く	日	0　1
		年	0　1
			0　1
		曜日	0　1
		月	0　1
2（5点） 場所の 見当識	「ここは都道府県でいうと何ですか」 「ここは何市（＊町・村・区など）ですか」 「ここはどこですか」 （＊回答が地名の場合，この施設の名前は何ですか，と質問を変える。正答は建物名のみ） 「ここは何階ですか」 「ここは何地方ですか」		0　1
			0　1
			0　1
		階	0　1
			0　1
3（3点） 即時想起	「今から私がいう言葉を覚えて繰り返しいって下さい。 『さくら，ねこ，電車』はい，どうぞ」 ＊テスターは3つの言葉を１秒に１つずついう。その後，被験者に繰り返させ，この時点でいくつ言えたかで得点を与える ＊正答１つにつき1点。合計３点満点 「今の言葉は，後で聞くので覚えておいて下さい」 ＊この3つの言葉は，質問5で再び復唱させるので3つ全部答えられなかった被験者については，全部答えられるようになるまで繰り返す（ただし6回まで）		0　1 2　3
4（5点） 計算	「100から順番に7を繰り返し引いて下さい」 ＊5回繰り返し７を引かせ，正答１つにつき１点。合計５点満点 正答例：93　86　79　72　65 ＊答えが止まってしまった場合は「それから」と促す		0　1　2 3　4　5
5（3点） 遅延再生	「さっき私がいった3つの言葉は何でしたか」 ＊質問３で提示した言葉を再度復唱させる		0 1 2 3
6（2点） 物品呼称	時計（または鍵）をみせながら「これは何ですか？」 鉛筆をみせながら「これは何ですか？」 ＊正答１つにつき1点。合計2点満点		0　1　2
7（1点） 文の復唱	「今から私がいう文を覚えて繰り返しいって下さい。 『みんなで力を合わせて網を引きます』」 ＊口頭でゆっくり，はっきりといい，繰り返させる。1回で正確に答えられた場合1点を与える		0　1
8（3点） 口頭指示	＊紙を机に置いた状態で教示を始める 「今から私がいうとおりにして下さい。 右手にこの紙を持って下さい。それを半分に折りたたんで下さい。 そして私に下さい」 ＊各段階毎に正しく作業した場合に１点ずつ与える。合計３点満点		0 1 2 3
9（1点） 書字指示	「この文を読んで，このとおりにして下さい」 ＊被験者は音読でも黙読でも構わない。実際に目を閉じれば1点を与える	裏面に質問有	0　1
10（1点） 自発書字	「この部分に何か文章を書いて下さい。どんな文章でも構いません」 ＊テスターが例文を与えてはならない。意味のある文章ならば正答とする （＊名詞のみは誤答，状態などを示す四字熟語は正答）	裏面に質問有	0　1
11（1点） 図形模写	「この図形を正確にそのまま書き写して下さい」 ＊模写は角が10個あり，2つの五角形が交差していることが正答の条件。手指のふるえなどは構わない	裏面に質問有	0　1

図4-5(1)　Mini-Mental State Examination（MMSE）

9.「この文を読んで，このとおりにして下さい」

「目（め）を閉（と）じて下さい」

10.「この部分に何か文章を書いて下さい。どんな文章でも構いません」

11.「この図形を正確にそのまま書き写して下さい」

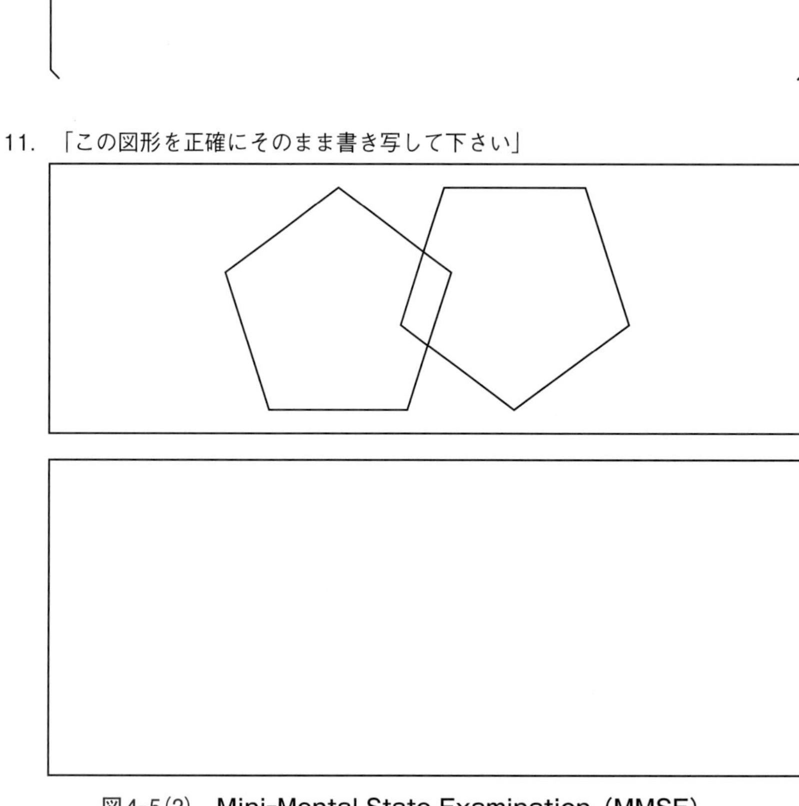

図4-5(2)　Mini-Mental State Examination（MMSE）

いる[70)]。①覚醒が得られていない頭部外傷全例に嚥下評価を行う（Level of Cognitive Function scale；LCF＜4），②ベッドサイドで医師か看護師が色素を用い嚥下評価を行う，③不顕性誤嚥が疑われる症例には嚥下造影検査か嚥下内視鏡検査を行う，④嚥下訓練は十分覚醒した症例に行う（LCF≧4），⑤嚥下障害への介入は経験のある言語聴覚士が行う，⑥気管切開患者の嚥下訓練では可能なかぎりスピーチバルブを使用する，⑦家族に誤嚥のリスクを軽減する方法を教育する。

(2) 嚥下機能の評価方法

頭部外傷に伴う意識障害後や鎮静解除後の経口摂取は慎重に開始する。言語聴覚士の介入を依頼することも多く，嚥下機能評価法を理解しておく。

①嚥下造影検査（VF）

摂食嚥下機能の評価を行うために，造影剤添加検査食を摂食した患者のX線透視画像を評価する。嚥下造影検査では，嚥下に関する一連の運動の観察が可能であり，重要な検査として位置づけられている。

②嚥下内視鏡検査（VE）

鼻腔に挿入可能な軟性内視鏡装置により咽頭を直接観察する摂食嚥下機能検査法である。特別な検査室が不要で，ベッドサイドでも評価が可能である。また，造影剤の必要がなく，日常摂取している食物をそのまま検査食として使用できる。検査目的は，咽頭の機能的異常の評価に限らず，器質的異常の評価，代償的方法の検討，リハビリテーション手技の効果確認，患者・家族・スタッフへの教育指導など多岐にわたる。

③フードテスト（food test）

フードテストは，食物を用いて摂食嚥下機能を評価する方法の総称であり，食物テストとも呼ばれる。食品としては，プリンやゼリー，ピューレ状の食品などが用いられる[74]。舌機能低下を含めた摂食嚥下機能を簡便に評価できるスクリーニングテストとして，摂食嚥下リハビリテーションにおいて広く用いられている[75]。

＜評価基準＞

1点：嚥下なし，むせる，呼吸切迫

2点：嚥下あり，呼吸切迫

3点：嚥下あり，呼吸良好，むせる，湿性嗄声，口腔内残留中等度

4点：嚥下あり，呼吸良好，むせない，口腔内残留ほぼなし

5点：4点の症状に加え，反復嚥下が30秒以内に2回可能

その他の検査法として，超音波画像診断装置を用いた舌運動の評価方法や，咀嚼・嚥下時舌圧測定法などがある。

(3) 外傷症例の嚥下リハビリテーションの実際

一般的にJCSの点数が1桁であることが，経口摂取開始の前提条件とされている[76]。意識レベルを含めた前提条件が整ってから，難易度の低い食品から摂取を開始し，段階的に難易度の高い食品へ進めていき，最終的に常食の摂取を目指す段階的摂取訓練を行うことになる。この際，言語聴覚士と相談しながら進めていく。中枢神経系に作用する抗精神病薬，抗うつ薬や気分安定薬は急性期外傷治療においても多用される薬剤であるが，これらは覚醒レベルの低下につながるだけでなく，摂食嚥下をつかさどる脳幹部機能に対して抑制的に作用する。さらには口腔・咽頭の感覚障害にもつながるとされる。これらの薬剤に対する専門知識を身につけ，適切な投薬管理を行うことが必要である。

気管挿管による反回神経麻痺や咽頭・喉頭の損傷に伴う浮腫が嚥下障害を引き起こす。これらの問題は「頸部前屈による代償」や「とろみの付加」といった工夫をすることで，摂食嚥下訓練が可能になる場合が多い。

咽頭・喉頭の損傷に伴う浮腫については，回復するまで十分に待機することも重要である。気管切開カニューレのトラブルとして，喉頭挙上不全，カフによる食道通過障害，声帯閉鎖機能の低下，喉頭感覚や咳嗽力の低下が指摘されている。カフなしカニューレへの早期移行についての検討や，カフ内圧の厳重管理が必要である。重症外傷になるほど，これらの原因が複合的に長期間作用し，重度の摂食・嚥下障害を呈する。これらの原因を最小限にとどめ，摂食・嚥下訓練を進めていくことが重要である。

意識障害からの回復が不十分な時期においては，覚醒に努めることと並行して口腔ケアを徹底し，適切な体位で管理を行うことで誤嚥性肺炎を最小限に抑える[77][78]。

6）外傷で生じる高次脳機能障害

高次脳機能障害では，主として大脳半球の障害による言語，認知，行為，記憶，注意，遂行機能障害などの症状が出現する。神経心理学的な障害は，外傷以外にも，脳血管障害，脳腫瘍，低酸素脳症，さらに代謝異常などで生じる。

頭部外傷の重症度を予測するためには交通事故か，転倒・転落かなどの受傷機転の情報が必要である。頭部外傷の年齢層は20歳と50歳に2相性のピークを有し，前者では交通事故が，後者では転落・転倒事故が主な原因である[79]。

高次脳機能障害の診断のためには疾患の病態や画像検査所見が必要であるが，画像検査所見だけでは，高次脳機能障害を診断することはできない。高次脳機能障害の診断基準を表4-6[80]に示す。

高次脳機能障害という言葉自体定義が変動的で，診断の時期・タイミングも不定ではあるが，厚生労働省『高次脳機能障害支援の手引き』では，脳の器質的病変の原因となった外傷や疾病の急性期症状を脱した後において高次脳機能障害の診断を行うとしている[80]。

一般に脳損傷は，受傷機転より前頭葉および側頭葉に損傷をきたしやすい。したがって，障害像は，身体障害としては，失調症状は多いが運動麻痺は少なく，重症例でもADLは自立する例が多い。しかし，高次脳機能障害としては，前頭葉損傷として注意障害，遂行機能障害，社会的行動障害（自発性の低下，易怒性，病識の低下など）が，側頭葉損傷として記憶障害がみられやすい。いずれの障害も，意識障害，せん妄などとの鑑別が難しく，例えば注意障害の有

表4-6　「高次脳機能障害」診断基準

Ⅰ．主要症状など 1．脳の器質的病変の原因となる事故による受傷や疾病の発症の事実が確認されている 2．現在，日常生活または社会生活に制約があり，その主たる原因が記憶障害，注意障害，遂行機能障害，社会的行動障害などの認知障害である
Ⅱ．検査所見 MRI，CT，脳波などにより認知障害の原因と考えられる脳の器質的病変の存在が確認されているか，あるいは診断書により脳の器質的病変が存在したと確認できる
Ⅲ．除外項目 1．脳の器質的病変に基づく認知障害のうち，身体障害として認定可能である症状を有するが上記主要症状（Ⅰ-2）を欠く者は除外する 2．診断にあたり，受傷または発症以前から有する症状と検査所見は除外する 3．先天性疾患，周産期における脳損傷，発達障害，進行性疾患を原因とする者は除外する
Ⅳ．診断 1．Ⅰ～Ⅲをすべて満たした場合に高次脳機能障害と診断する 2．高次脳機能障害の診断は脳の器質的病変の原因となった外傷や疾病の急性期症状を脱した後において行う 3．神経心理学的検査の所見を参考にすることができる

なお，診断基準のⅠとⅢを満たす一方で，Ⅱの検査所見で脳の器質的病変の存在を明らかにできない症例については，慎重な評価により高次脳機能障害として診断されることがあり得る
〔文献80)より転載〕

表4-7　記憶の種類

分類	種類		概略	評価の方法
時間	即自記憶（短期記憶）		数秒～数十秒の記憶	復唱，数唱
	近時・遠隔記憶（長期記憶）		数分から年単位の記憶	問診
内容	陳述記憶	エピソード記憶	個人的体験の記憶。言語性・視覚性記憶	問診，S-PA*
		意味記憶	知識全般。言語性・視覚性にとらわれない	WMS-R*など
	手続き記憶（潜在記憶）		技術・習慣など	行動観察
その他	展望記憶		未来の予定を果たすための記憶	RBMT*
	ワーキングメモリ（作動記憶，作業記憶）		処理途中の情報や長期記憶から取り出した情報を一時的に蓄えておく記憶	暗算，逆唱

*S-PA：標準言語性対連合学習検査，WMS-R：ウェクスラー記憶検査，RBMT：リバーミード行動記憶検査
〔文献より81)より転載〕

無を正確に判断できない場合もある。また，時間経過で整理されていくことも多い。薬物によっては意識の変容をもたらすため，処方内容のチェックは欠かせない。

外傷性脳損傷では記憶障害（表4-7[81]），注意障害，左半側空間無視が存在する場合，急性期にはこれを矯正するよりも患者の右側から話しかけるなど円滑にコミュニケーションがとれるように工夫する。

脳血管障害では失語が多いが[82]，頭部外傷でも遭遇する。コミュニケーション障害として失語があれば，それぞれの言語障害（自発言語，聴覚理解など）について障害の有無をスクリーニングする。覚醒度が上がれば標準失語症検査（standard language test of aphasia；SLTA）による評価を行う。また失行，失認への専門的評価も必要である。頭部外傷後の認知障害および社会的行動障害は，症状の回復状況が時間的に変化したり，プラトーになったりすることから，長期的なリハビリテーションと支援体制の構築が必要である。

Ⅳ 脊髄損傷に対する急性期リハビリテーション

わが国では，年間約5,000人の新規脊髄損傷患者の発生があるとされている。これらのほぼ全例が，受傷直後から病院に収容されリハビリテーションが実施されているにもかかわらず，早期リハビリテー

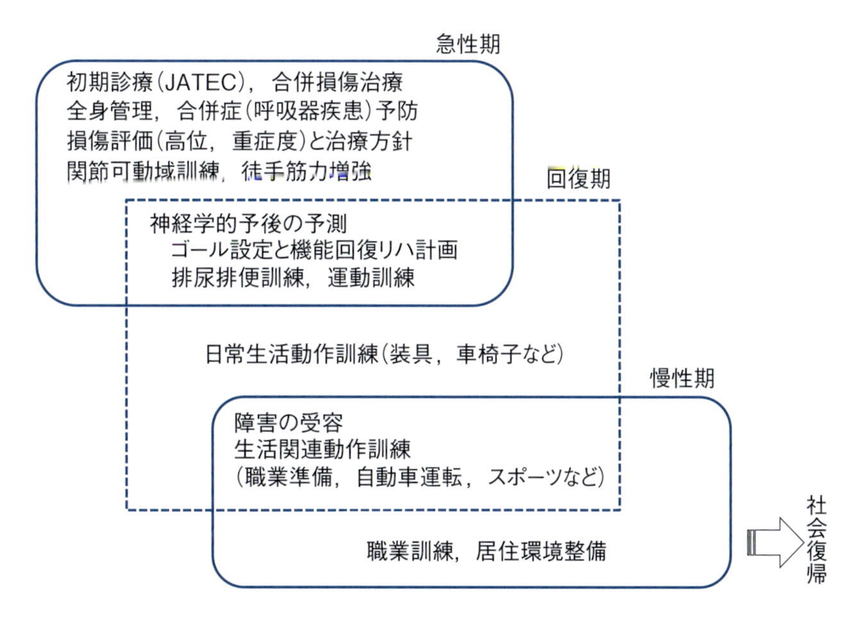

図4-6　脊椎・脊髄損傷の治療・訓練過程

ションの効果について十分な文献的考察がなされていない。頸椎・頸髄損傷に対する急性期治療のガイドラインとしては，米国脳神経外科学会・米国脳神経外科コングレス編集のGuidelines for the Management of Acute Cervical Spine and Spinal Cord Injuries[83]がある。しかしこのガイドラインにおいても急性期リハビリテーションに対する言及はない。

脊髄損傷患者の受傷時から社会復帰に至るまでの治療・訓練過程を概説する（図4-6）。急性期（受傷直後～14日前後）においては，まず脊椎・脊髄損傷の障害高位と重症度を評価し，手術を含む治療方針を決定する。同時に，初期診療に続くICUでの全身管理と呼吸器疾患などの合併症予防が主体となる。リハビリテーションの視点においては，急性期から全身状態が落ち着く回復期にかけて，廃用予防に加え大まかな最終ゴールを設定して機能回復リハビリテーションプログラムを作成し，排尿排便，運動，日常生活動作へと訓練を進めていく。これらの訓練期間を全うし，全身の自己管理が可能になると，残存機能に応じた生活関連動作訓練を開始する。この慢性期では，患者の多くが障害を認知，受容するようになり，職業訓練や居住環境整備を含めた退院や社会復帰への方向づけを行う。以上が標準的な流れであり，社会復帰までに，胸腰髄損傷で約6カ月，頸髄損傷で約1年の期間を要する。

脊髄損傷患者の急性期には，残存機能の評価，機能回復の予測，合併症の発生予防と治療に重点を置いた加療が行われる。残存機能の評価や機能回復の予測には神経学的評価スケールとしてAmerican Spinal Injury Association（ASIA）impairment scale，機能回復的評価スケールとしてはFunctional Independence Measures（FIM），The Spinal Cord Independence Measure（SCIM Ⅲ）が有用とされている[83]。早期リハビリテーションを行うためには，脊椎・脊髄外科医が受傷後早期に脊椎の安定性を担保し，脊髄を保護しかつ受傷以上の損傷を加えないような整復除圧固定が必要となる[84]。受傷部位の安定化と全身状態の安定化が確保されれば，早急にリハビリテーションの介入をベッドサイドより始め，続発する合併症を予防する。急性期に多い合併症としては肺炎，起立性低血圧，自律神経過反射，尿路感染，褥瘡，下肢静脈血栓症，拘縮がある。

回復期から慢性期にかけては呼吸・循環管理などのほかに，消化管管理，神経障害性疼痛の管理，心理的サポートが重要な要素となる（図3-3-I-7, p.324）。

1. 呼吸管理

呼吸器合併症は急性期に多く出現するため，早期から肺理学療法が開始される。高位頸髄レベルの損傷の場合，人工呼吸器に依存することも少なくないが，受傷～6週間までの集中的な呼吸管理が気管切開の割合を有意に減らし，人工呼吸器装着期間やICU入室期間を短縮するといわれている[85]。

損傷レベル，損傷程度によって呼吸筋（吸気筋，呼気筋）麻痺が起こる。吸気筋は横隔膜，外肋間筋，内肋間筋の一部であり，その神経支配は第3～5頸髄節，胸髄節にあるため，第5頸髄節以上の脊髄損傷では吸気筋の麻痺が引き起こされる。呼気は通常，横隔膜の弛緩によって起こる。強い咳をするときには，腹筋群，内肋間筋が働くが，これらは胸髄節の神経支配を受けている。したがって，頸髄損傷では吸気筋，呼気筋の両方に，胸髄損傷では呼気筋に麻痺が起こり，吸気筋力低下，呼気筋力低下によってさまざまな事象が起こる[86]。

受傷後数日以内の急性期には，呼吸筋の筋力低下，呼吸努力の増大，無気肺，胸郭のコンプライアンスの低下による吸気能力の低下に加え，自律神経障害による気道内分泌物増加，気管支痙攣，血管透過性亢進による肺水腫が起こり，咳能力の低下により気道分泌物の貯留，無気肺が起こる[87]。高位頸髄損傷では徐々に呼吸障害を呈し，気管挿管，気管切開，人工呼吸管理が必要となることもある。高位の頸髄損傷完全麻痺，とくにC5以上の損傷レベルの場合，早期の気管挿管，気管切開が奨められる（推奨レベルⅢ）[88]。また，高位頸髄損傷では長期の挿管や気管切開による人工呼吸管理よりも，急性期の抜管後に人工換気を行うことのできる非侵襲的陽圧換気療法（NPPV）のほうが長期的に安全である可能性がある[89]。

急性期において呼吸介助，呼吸訓練，体位ドレナージ，排痰などの呼吸理学療法は重要である。無気肺や肺炎などの呼吸器合併症を起こさず，肺の状態を良好に保つことが生活の向上と生命の維持につながる。ただ，脊髄損傷の呼吸リハビリテーションは，多くの技術を必要とし，十分な対応ができる医療機関は実際には少ないのが現状である。

2. 循環管理

神経保護のため，脊髄損傷急性期は平均動脈圧を85mmHg以上に維持することが推奨されている（推奨レベルⅢ）[83,90]。脳幹由来の副交感神経系は，脊柱管外を走行するため損傷を免れ，交感神経が損傷されることで相対的に副交感神経優位となる。Th5以上の損傷によりTh5～12由来の内臓神経が障害される。この内臓神経は大量の血液がプールされている腹部内臓器の血管運動を支配している。内臓神経が障害を受けた場合，腹部内臓器の血管運動の調節機能が障害され起立性低血圧や自律神経過反射が生じる。

1）起立性低血圧

交感神経遮断，副交感神経優位となり徐脈となる。Th5以上の損傷では麻痺域の交感神経活動の障害のため末梢血管収縮反応が不十分となり，麻痺域以下に血液が過剰に貯留されやすくなる。その結果，心臓に還流されてくる血液量が減少し，循環血液量，心拍出量が低下し低血圧をきたす。起立性低血圧はしばしば訓練の妨げとなる。ミドドリン塩酸塩などの薬物療法や腹帯，弾性ストッキングなどで圧迫することは静脈還流量を増加させる。チルトテーブルや起立台を用いて安静臥床を減らし，抗重力位に慣れさせていくことが重要である。

2）自律神経過反射

膀胱内圧の上昇や肛門部への刺激などの麻痺領域への侵害刺激により，脊髄を介して脳へ情報を送ろうとするが，損傷レベルで情報が遮断されているため，脳からの抑制を受けることなく，脊髄を上昇する間に各髄節に支配されている血管が次々と収縮し，腹部内臓器から大量の血液が駆出され高血圧発作をきたす。収縮期血圧が200mmHgを超えることもしばしばあり，脳出血障害のリスクにもなるため至急な対応が求められる。血圧上昇により副交感神経が賦活され，非麻痺域の血管拡張に伴う皮膚の紅潮，頭痛，発汗，散瞳，徐脈などを起こす。自律神経過反射による血圧上昇を疑った場合は，まず原因を速やかに取り除くことが重要である。

3. 尿路管理

尿路感染の予防には，膀胱留置カテーテルの清潔管理とともに残存している上肢機能ならびに排尿機能から適切な排尿手段を選択することが重要である。膀胱留置カテーテルはできるかぎり速やかに抜去することが望ましい。

脊髄損傷の下部尿路機能障害に対する排尿管理のポイントは，低圧排尿・低圧蓄尿を保ち上部尿路障害を予防することと，尿路感染を防ぐことにある。

脊髄損傷高位が仙髄排尿中枢（S2〜S4）より上位にある核上型障害の場合，脊髄ショック（spinal shock）の時期は，膀胱は弛緩し，排尿反射も消失（排尿筋無収縮）して通常尿閉となる。受傷後急性期は，膀胱留置カテーテルを留置するが，長期間使用すると，尿路感染や膀胱結石などの合併症が増える。感染防止目的の抗菌薬投与や膀胱洗浄は推奨されておらず，早期に一定時間ごとの間欠導尿に切り替えるのが原則である[91)〜94)]。その際は，清潔間欠導尿法を行い（必ずしも滅菌導尿法でなくてよい），1回の導尿量が400mlを超えない（通常300ml程度）ように導尿回数を設定するが，この段階で泌尿器科医にコンサルテーションを行うとよい。

排尿反射が回復した後（通常受傷6〜12週間後）は，上部・下部尿路機能の評価を行う。脊髄損傷の機能的下部通過障害の主因である排尿筋括約筋協調不全は，膀胱尿管逆流症から上部尿路障害（水腎水尿管症，上部尿路感染症，上部尿路結石，腎機能障害）に進展するおそれがある。そのため，尿流動態検査や膀胱造影による下部尿路機能検査は重要であり，これらの評価をもとに，その後の排尿手段（下腹部タッピングなど反射性排尿による自排尿，間欠導尿法，恥骨上膀胱瘻などの留置カテーテル法），薬物療法（抗コリン薬など）や手術治療（外尿道括約筋切開術など）の適用を検討する[94) 95)]。上部尿路機能検査には，排泄性尿路造影や腎シンチグラムなどがあるが，定期的なスクリーニングには超音波検査がもっとも適している[94)]。

仙髄中枢以下が障害された核・核下型損傷の場合は，末梢神経型の下部尿路機能障害を呈し，排尿反射は低下（消失）し，排尿筋は低活動（無収縮）の状態が持続する。薬物療法や腹圧・手圧排尿により自排尿が可能となる場合もあるが，困難であれば間欠導尿法や留置カテーテル法が必要となる。膀胱瘻は，上肢機能障害のため自己導尿ができない場合や介助者による間欠導尿が継続困難な場合に行われることがあり，膀胱留置カテーテルと比べて尿路感染の発生頻度が低いとされている[94)]。

また，脊髄損傷による神経因性排尿筋過活動に対する経尿道的ボツリヌス毒素膀胱壁内注入療法が2020年より新しい選択肢として加わり（推奨レベルⅠ）[95)] 今後，実臨床での普及が期待される。

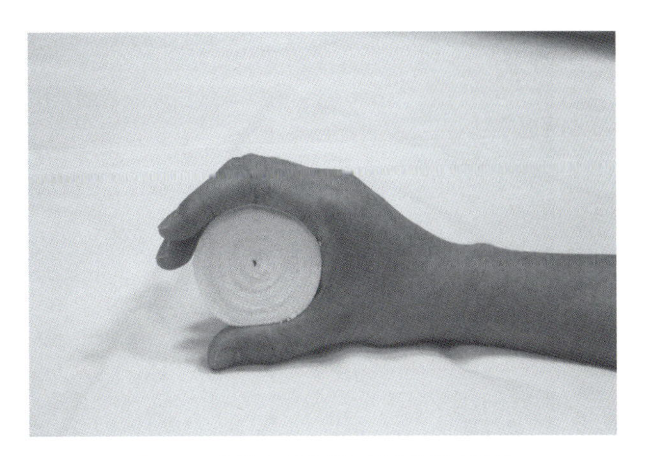

図4-7　上肢麻痺患者に対する固定肢位

4. 消化管管理

頸髄損傷や高位胸髄損傷の急性期は，腸管蠕動が減退し，便秘となる。仙髄神経が関与する横行結腸から直腸，肛門括約筋の運動低下が主であり，各種下剤，浣腸，摘便などで適宜対処する。麻痺性イレウスを呈すれば，胃管挿入による減圧と経静脈的な水分・栄養補給を行い，蠕動促進薬の投与を考慮する。栄養管理面では，できるだけ早期に経口摂取または経腸栄養に切り替える[91) 96) 97)]。経口摂取開始前には，誤嚥防止のために嚥下機能評価を行って安全性を確認しておくことが望ましい。

消化性潰瘍は時期を問わず発症するが，受傷後4週以内（とくに1週間前後）に多く，入院時からの予防が必要となる[98)]。抗潰瘍薬を投与し，消化管出血や穿孔の合併にも十分注意する。吐血や下血などの消化管出血を疑う所見を認めれば，内視鏡検査を行い，必要に応じて止血術を行う。

5. 関節拘縮予防

下肢だけでなく四肢の関節可動域訓練は，関節拘縮の予防につながる。麻痺肢の関節は拘縮を生じやすいため，早期からリハビリテーションを行うことで不良肢位を防ぎ，また軟部組織の血行を促進する効果が期待できる。頸髄損傷患者などの上肢麻痺患者では，わずかな動きでつまみ・把持動作を可能とするために図4-7のような固定を選択すべきである。C6頸髄損傷患者では手関節背屈機能のみ残されているため，MP関節を含む手指関節に拘縮を生じるとdynamic tenodesis効果（図4-8）による把

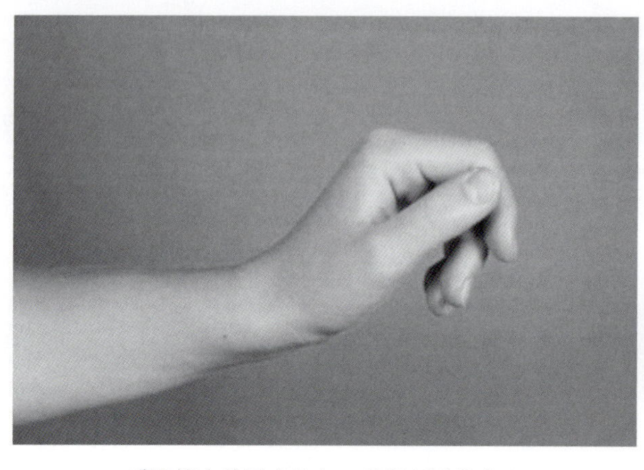
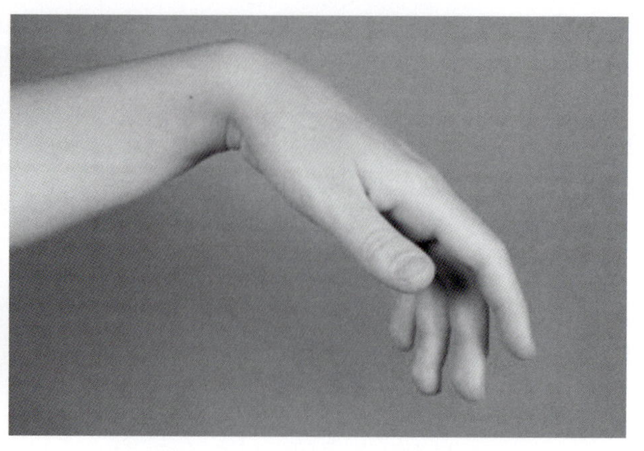

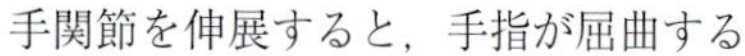
手関節を伸展すると，手指が屈曲する　　手関節を屈曲させると，手指が伸展する

図4-8　dynamic tenodesis効果

持やつまみ動作が有効に行えない状態となる。肩甲帯や肩の拘縮は慢性期の肩痛につながり，とくに頸髄損傷患者で上肢筋力強化訓練の大きな障害となる。温熱療法やNSAIDs投与に加え，局所麻酔薬やステロイド，ヒアルロン酸などの関節腔内注射を要することもある。胸腰髄損傷（対麻痺）患者では車椅子での社会復帰が目標となるが，下肢の関節拘縮があると，移乗や更衣などに支障をきたす。早期からの関節可動域訓練は，拘縮を確実に防ぐのみならず褥瘡や静脈血栓塞栓症の発生予防にもつながる。四肢を良肢位に保ち，入院時から毎日ベッドサイドで関節可動域訓練と残存筋の筋力強化を行うことで，残存機能を最大限に活用できるように努める。尖足予防装具を併用することもある[99]。また異所性骨化の発生予防のため，愛護的に可動域訓練を行う配慮も必要である。麻痺を免れた領域の関節拘縮や筋力低下は，その後のリハビリテーションを著しく阻害する。そうした観点からも，早期にリハビリテーションを導入し，関節可動域訓練を積極的に行うことが重要である。

6. 褥瘡予防

褥瘡は，麻痺を伴う脊髄損傷の急性期から慢性期にかけて，患者の生涯にわたり発生のリスクの高い合併症であり，敗血症での死亡に進展する可能性のある病態である。

安静臥床の時間が長い急性期に，仙骨部と踵部に好発する。いったん生じると，その後のリハビリテーションに大きな支障をきたし，社会復帰が遅滞する。難治性となると，骨髄炎や敗血症を引き起こすおそれもある。全国労災病院関連施設の脊髄損傷データベース[100]では，脊髄損傷患者の死因の第3位（10％）は敗血症であり，その内訳は褥瘡によるものがほとんどであった。そのため，急性期から積極的に対策を施すことが重要である。

褥瘡管理のポイントは，①Braden Scale[101]などを用いて発生リスクを定期的に評価すること，②体位変換（基本は2～3時間ごと）や体圧分散マットレス使用により骨突出部に加わる圧力を低く保つこと，③皮膚の摩擦やずれを防止し，毎日丁寧に清拭を行って清潔を保つこと，④栄養状態（低アルブミン血症，貧血）を改善すること，である[91][92][97][102]。

褥瘡が発生した場合，急性期は創の保護と適度な湿潤環境の保持が基本となり，病態に応じてドレッシング材や外用薬を用いる。深い褥瘡で壊死組織があればデブリドマンを行い，肉芽形成と上皮化を図る。難治性褥瘡には，各種皮弁を用いた再建手術も検討する。慢性期脊髄損傷患者の褥瘡発生に関する関連因子としては，高位損傷，深部静脈血栓症，肺炎，機能的自立度，移動形態があげられている[103]。

7. 静脈血栓塞栓症の予防

脊髄損傷による重篤な下肢運動障害を要する患者は，静脈血栓塞栓症の高リスク患者に分類され，血栓予防が重要である。脊髄損傷における静脈血栓塞栓症の頻度はすべての疾患のなかでもっとも高いレベルに位置し，無治療では50～100％と報告されている[104]。低分子量ヘパリンや弾性ストッキングの使用，また間欠的空気圧迫法と低用量ヘパリンの組み合わせなどが報告されている（推奨レベルⅠ）[105]。急性期を過ぎて出血リスクが低減したと判断される場合に，薬物的予防を考慮するとの意見もある[106]。詳細は「外傷後の静脈血栓塞栓症の予防と処置」（p.473）を参照されたい。

8. 神経障害性疼痛の管理

疼痛は，生活の質やリハビリテーションに大きな影響を与える。「灼けるような」「切り裂かれるような」「突き通すような」と表現される疼痛，しびれ，アロデニアがみられる。疼痛管理には薬物療法（三環系抗うつ薬，Caチャネルα2δリガンドなど）が用いられているが[107]，鎮痛治療には難渋することが多い。脊髄損傷患者への痛み調査では，65～85%の患者が痛みを経験し，急性期に神経障害性疼痛があると，痛みは3～5年続くと報告されている[108]。神経障害性疼痛は遷延化することが特徴である。薬物治療だけでなく神経刺激療法，心理療法（認知行動療法やピアサポート），環境整備からのアプローチも大切である。

9. 心理的サポート

脊髄損傷患者は，不眠，せん妄，パニック反応，抑うつ状態などの症状をきたすことが多い。そのため，薬物療法による鎮痛，鎮静，催眠が必要となる場合もあり，専門医による精神医学的アプローチが望まれる。

急性期における患者や家族への病状説明は，診断された損傷に関して，わかりやすい用語を使って，受傷早期にできるだけ正確に行う。そして，今後どのような処置や治療が必要になるかを中心に説明する。これは，患者の不安をできるだけ抑えて，治療への積極的な姿勢を得るためにも重要である[109]。不十分な絶望させるだけの説明は，医療スタッフへの反発を生み，その後のリハビリテーション進行や社会復帰の妨げになる[91]。機能予後に関する告知は，画一的に行えるものではない。障害の高位，重症度，年齢，性格，社会的背景などを考慮して，患者ごとに判断するが，障害の受容を進めていくうえで一番重要なことは，良好な信頼関係を築くことである[91]。患者の気持ちを理解することに努め，心理状態を把握しながら時間をかけて説明することが大切であり，告知後の心理面への支援体制も必要となる[91,109]。また，社会復帰した後も家族のサポートによって生活を維持しており，家族の協力体制やそのあり方が後の人生を左右するといっても過言ではない。医療従事者が家族の協力を求める際に大切なことは，その立場で考え，家族のストレスが極力少なくなるように配慮することである[110]。

近年，脊髄神経そのものに治療を行い，神経回路を再構築する脊髄再生の研究が行われている[111,112]。脊髄再生医療により予後を改善させる可能性はあるが，麻痺に対する直接的な治療はまだ確立されていない。そのため，リハビリテーションの原則に変わりはない。

Ⅴ 四肢外傷に対する急性期リハビリテーション

重度四肢外傷患者の診療を行う施設においては，外傷治療にかかわる全スタッフが外傷後の機能障害軽減を意識し，「防ぎ得る外傷後遺障害（preventable trauma disability）」対策の一翼を担う急性期リハビリテーションについて理解する必要がある。重症四肢外傷や脊髄損傷患者では合併損傷も多く，長期間のICU管理を要することも多い。長期間のICU管理は四肢運動機能の予後不良因子であるが[113]，早期からリハビリテーションを開始することにより，四肢外傷患者ではICU滞在期間の短縮や機能的予後の改善が見込める[16,17,114]。さらに整形外科疾患においては早期14日以内に回復期病棟への転棟が可能となった患者が，もっとも機能回復がよかったと報告されている[115]。また，回復期病棟における訓練の障害は，長期臥床や不動化に起因する筋力低下と関節可動域制限が1位と2位を占めた[116]。以上のことから，四肢外傷患者に対しては，受傷後早期に関節可動域運動や荷重訓練が開始できる内固定を行い，それに引き続く早期からの適切なリハビリテーションを開始することが四肢運動機能障害を最小限にすることにつながる。

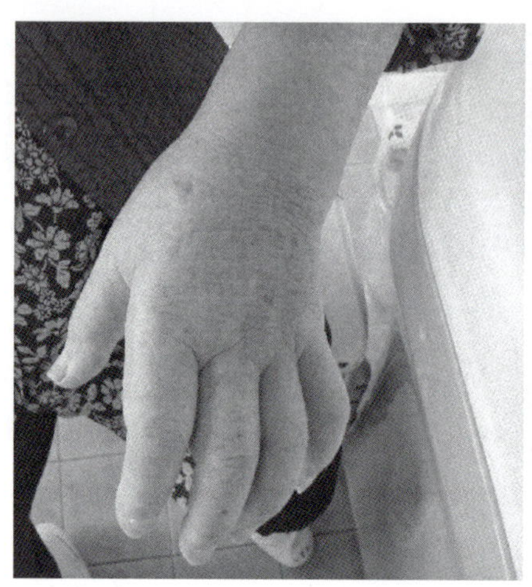
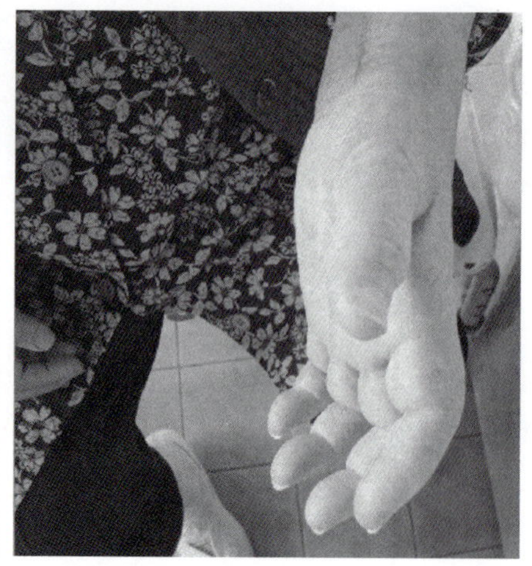

図4-9　浮腫を生じた手指

1. 関節可動域制限とリハビリテーション

皮膚，骨格筋，腱，靱帯，関節包などの関節周囲軟部組織の器質的変化に起因する関節可動域制限を拘縮（contracture）と呼ぶ。関節の長期間の固定（不動化）は拘縮を発生させ，その程度は固定肢位や期間に影響される。拘縮の責任病巣は骨格筋43％，関節包30％，皮膚19％，靱帯8％と，骨格筋と関節包の関与が主体である[117]。実験的には関節固定後3日目には顕微鏡レベルで拘縮が生じ，7日目には臨床的に拘縮を生じる[118]。そして固定後4週間がもっとも拘縮の進行が著しいといわれる[119)～122]。

関節拘縮に対する対策としては，以下のようなものがあげられる。

1）浮腫対策

外傷後の炎症により発生した浮腫は軟部組織の器質的変化を生じるうえに，炎症期の疼痛が関節の不動化を招き，関節可動域制限をさらに悪化させる[122]。

浮腫はとくに末梢関節の拘縮発生に大きな影響を与える。浮腫を生じた手指では，MP関節は過伸展し側副靱帯は弛緩した状態となる（図4-9）。この状態が長期間持続するとMP関節の側副靱帯は短縮し，屈曲する際に伸張できず伸展拘縮の原因となる。また，足関節部での浮腫は尖足位での不動化を助長し，遠位脛腓関節の狭小化やアキレス腱などの短縮が生じ高度な尖足拘縮の原因となる（図4-10）。

浮腫対策としては，①挙上，②圧迫，③自動運動または自動介助運動があげられる。

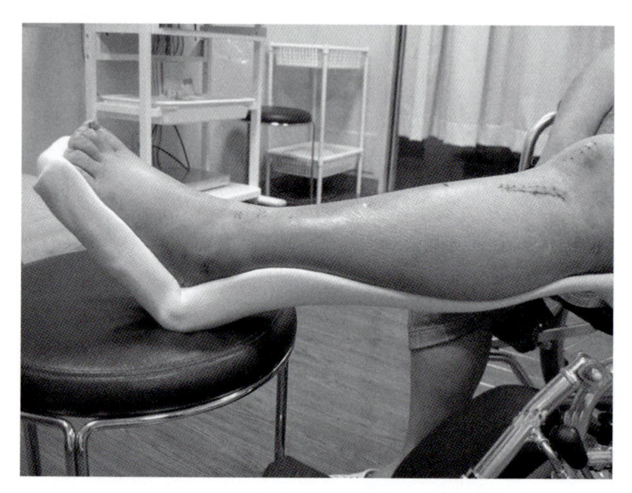

図4-10　不適切な固定による尖足拘縮

(1) 患肢挙上

ベッド上では，手部が肘部より高位となるように，下肢では足部が心臓より高位となるように挙上する。この際の注意点として，上肢の挙上は肘関節屈曲拘縮，下肢の挙上位は股関節・膝関節の屈曲拘縮を発生する肢位でもあるため，間欠的に実施するなどの対処が必要である。

(2) 圧　迫

弾力包帯や弾性ストッキング，装置を用いた圧迫法（図4-11）がある。血行障害や意識障害患者では，圧迫による皮膚障害に十分な注意が必要である。

(3) 自動運動または自動介助運動

筋肉の収縮と弛緩によるポンピング作用により浮腫を軽減させる効果がある（図4-12）。

2）良肢位の保持

良肢位の保持が関節の不良肢位拘縮予防に重要で

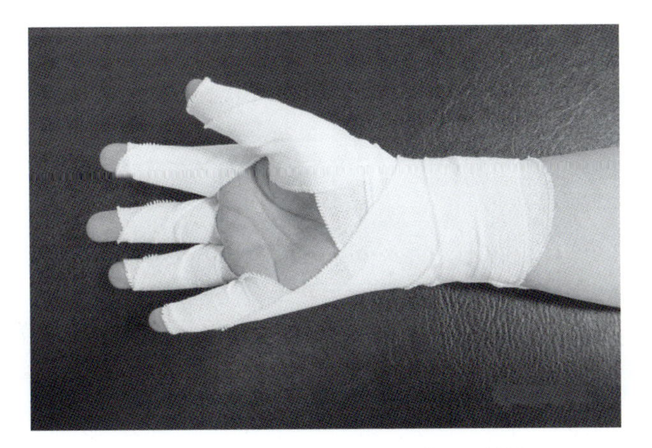

図4-11　弾力包帯を用いた手指の圧迫法

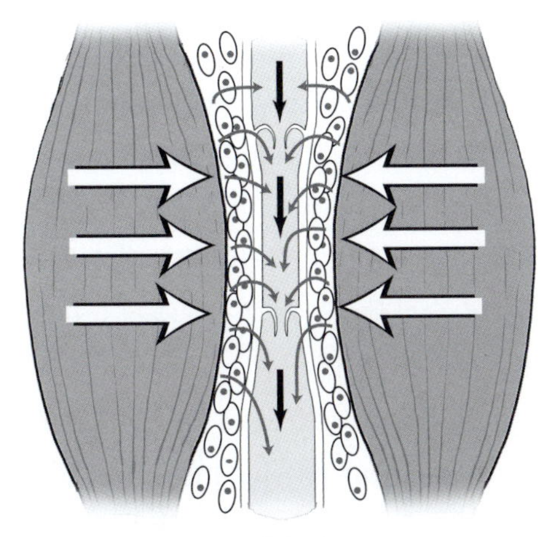

a：筋収縮

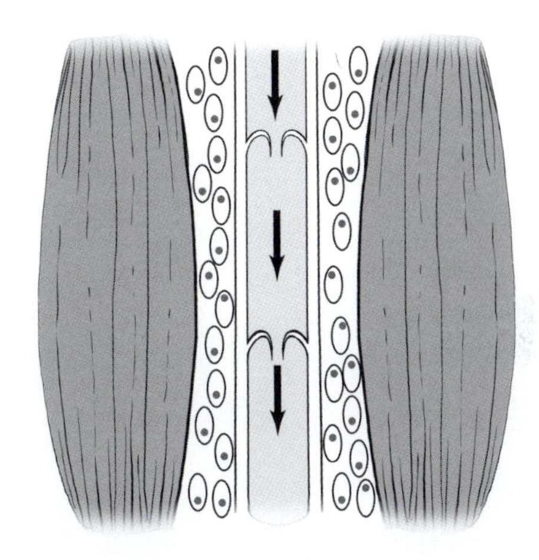

b：筋弛緩

図4-12　筋肉のポンピング作用

ある。とくに頸部屈筋，肩関節内転筋，前腕回内筋，肘関節屈筋，股関節屈筋，膝関節伸展筋，膝関節屈筋，足関節底屈筋に拘縮が起こりやすい[123]。足関節では，布団や毛布の重みだけでも尖足拘縮をきたしてしまう。このため，下肢の外旋や足関節の底屈予防のため，必要に応じて装具（図4-13）を利用して不良肢位を防ぐ。

車椅子坐位となるときには，フットレストに前足部を設置することで足関節の尖足拘縮予防となる（図4-14）。

意識障害や自力での体位変換が不可能な患者では，クッションなどを用いて神経麻痺や褥瘡発生予防を目的に肢位調整が行われるが，長時間の同一肢位は拘縮を発生させるリスクとなるため，計画的な肢位調整を実施する。

骨折部の固定や関節の良肢位保持のために一時的にギプス副子などを用いることがあるが，固定力に乏しい場合，不良肢位での固定となるため注意を要する。

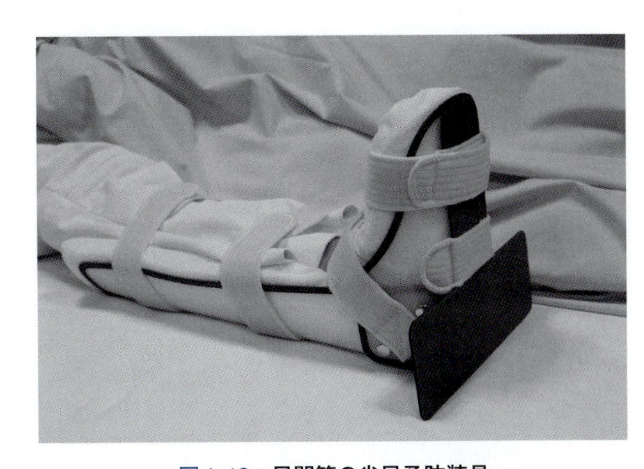

図4-13　足関節の尖足予防装具

手部の外傷における固定においては，MP関節屈曲位，IP関節伸展位の “intrinsic plus” position（図4-15）で固定することが奨められている。いったん生じた手指の拘縮の治療には難渋するため，外傷の状況に応じて固定方法を変える必要があり，外傷

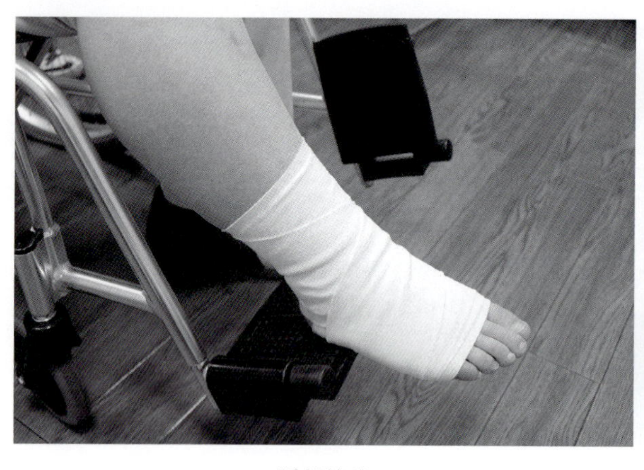

踵部接地

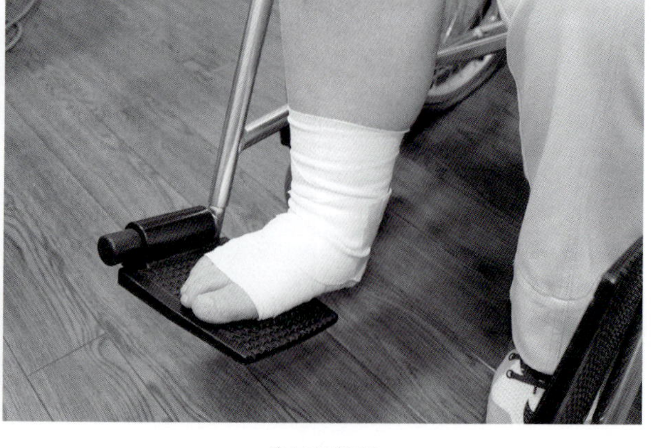

前足部接地

図4-14　車椅子坐位での注意点

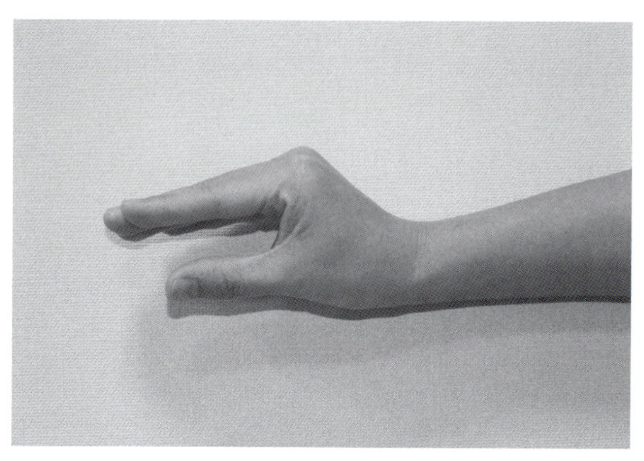

図4-15　手の外傷時の一般的な固定肢位
"intrinsic plus" position

患者における手部の管理は早期から開始する[124]。

3）関節可動域訓練

関節可動域訓練には自動運動，自動介助運動，他動運動のほかストレッチがある。一般的には，関節の固定を必要とせず筋力が保たれている場合には自動運動を中心とし，筋力の低下や麻痺が存在している場合には自動介助運動や他動運動，関節拘縮の治療には他動運動やストレッチが適応される。

(1) 自動運動（active motion）

自動運動は可動域訓練を行いながら，筋の収縮による筋力の維持や浮腫を軽減させる作用がある。指導にあたっては，全可動方向の関節運動を励行する。

(2) 自動介助運動（active assist motion）

ある程度の筋力が維持されているが十分な自動運動が困難な状況において，他者が介助して自動運動を行うものである。

(3) 他動運動（passive motion）

意識障害や四肢外傷のため自動運動が困難な場合に行われる。拘縮を予防するためには，朝夕2回，一度に最低3回ずつの関節運動を行う必要がある。関節の全可動域にわたってゆっくりと防御性収縮を生じない程度に行う[99]。

他動運動の一つとして持続的他動的関節可動域訓練（continuous passive motion；CPM）がある。電気駆動する装置を用いて，徒手では不可能な低速で他動的関節可動域訓練を繰り返し行うものである。緩徐に行うことで疼痛による筋の防御性収縮を引き起こしにくく，とくに外傷後や術後早期の訓練に有用である。上肢用，下肢用があり，ベッドサイドでの実施が可能である（図4-16）。

他動運動による訓練を行う場合，暴力的な矯正は筋の防御性収縮によりさらなる筋損傷を生じる可能性があるため禁忌である。

(4) ストレッチ

皮膚・筋腱・関節包に持続伸張を加える方法で，distraction tissue neogenesis（組織が伸展するような緊張力を加えつづけると軟部組織の増殖・新生が起こり，皮膚・筋腱・関節包が伸びていくことが期待できる）の概念に基づくものである。矯正の維持のために必ずしも療法士の介入を必要としないため，場所や患者の状態を問わず実施可能である。

2. 筋力低下とリハビリテーション

安静臥床により，筋力は1日当たり1～3%，1週間当たり10～15%減少し，3～5週の安静でほぼ半

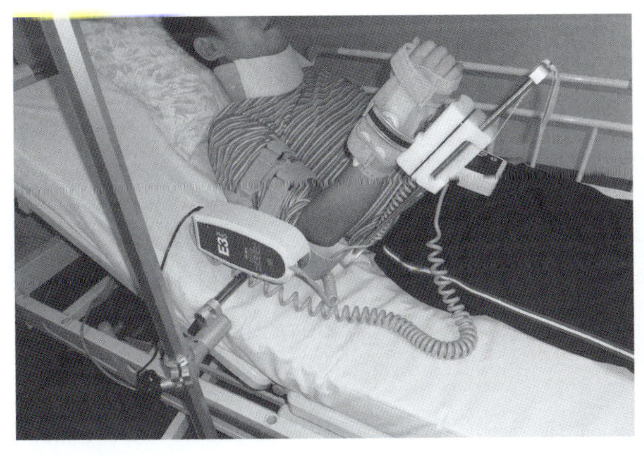

上肢用CPM

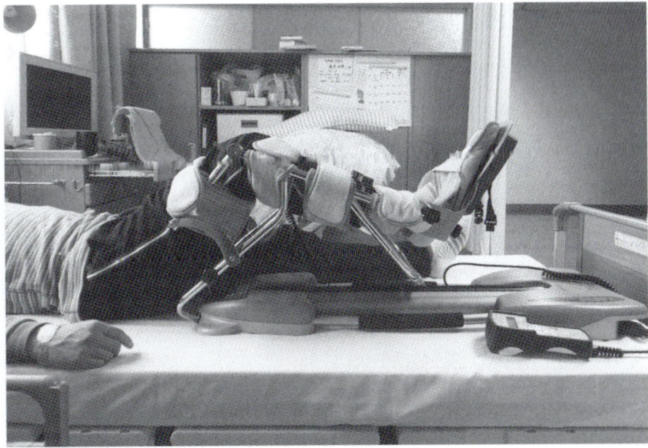

下肢用CPM

図4-16　持続的他動的関節可動域訓練（CPM）

減してプラトーに達し，筋力低下とともに筋萎縮も進行する[125]。また，30日間の前腕ギプス固定で握力は44％減少し[126]，8週間の短下肢ギプス固定で足関節底屈筋力は49％減少することも示されている[127]。いったん筋力低下や筋萎縮が生じると，数カ月～5年経過後も筋力の完全な回復は得られず，その回復にはきわめて長期間を要するため，早期からの対応が必要である。

筋力を維持あるいは増強するためには，以下のような運動があげられる。

1）等尺性運動（isometric exercise）

関節の動きを伴わない静止的筋収縮の運動である。代表的なものとして大腿四頭筋セッティングがあり，ギプス固定中や関節自動運動が制限されている状態でも行うことができる利点がある。

実際に行う場合，1回につき6～10秒程度の筋収縮持続時間が必要とされている[128]。ただし，この運動に伴い血圧が上昇することが知られており，運動中に“息こらえ”をしないように指導することが大切である。

2）等張性運動（isotonic exercise）

徒手や器械，重り，ゴムなどによって加えられた抵抗に対して運動を行う方法である。筋力低下のある状態でも，その状態に応じた負荷で訓練することが可能である。

3）等運動性運動（isokinetic exercise）

機器を用いて関節運動速度を一定にして運動を行わせる方法である。全可動域にわたって最大の筋緊張を得ることが可能であるが，運動できる筋肉に制限があり，しかも機器が必要なためベッドサイドで実施することは困難である。

4）電気刺激療法（electrical muscle stimulation）

鎮静下など随意的な筋収縮が困難な状態においても，電気刺激により筋収縮を誘発し筋力維持を図ることが理論上は可能である。鎮痛を目的とした経皮的電気刺激（transcutaneous electrical nerve stimulation；TENS）と，筋力増強や浮腫改善，痙性の抑制，創傷治癒や血流の促進などの治療を目的とした治療的電気刺激（therapeutic electrical stimulation；TES），中枢神経・麻痺筋の制御による機能回復を目的とした機能的電気刺激（functional electrical stimulation；FES）がある。

近年，電気刺激と随意筋収縮の混合運動であるハイブリッドトレーニングシステムの有用性が報告されている[129]。運動における拮抗筋を刺激して得られる筋収縮を運動抵抗とするもので，短時間・短期間で効果を占めることが明らかにされている[130]。装置はコンパクトで，わずかでも随意収縮が可能な患者であればベッド上でも実施可能である。

3. 装具療法

装具の目的には，①失われた機能の代償・補完，②良肢位の維持，③不良肢位の矯正，④骨折治療・骨折部保護，などの役割がある。

1）失われた機能の代償・補完

義肢や靱帯損傷用の装具が代表的なものである。義肢（義足，義手）は重度の四肢外傷により四肢切断に至った場合に処方される。義足には，体重支持，歩行能力維持，身体美容の3つの機能があり，義手には物体の把持，身体美容などの機能がある。

義肢を円滑に作成しリハビリテーションを進めるには，早期からの断端管理と拘縮予防，筋力訓練が重要である。装具の第一段階である仮義足の処方には，1日を通じて断端周径の差がなくなることが必要であるため，切断後早期より積極的に断端の浮腫の軽減に努める必要がある[131]。

また，残存関節の拘縮の存在は義肢装着訓練に大きな支障をきたすため，あわせて拘縮予防に努めることが重要である。

2）良肢位の維持

手関節cock up splint（図4-17）や短下肢装具（図4-18）などが，この目的で使用される。いずれもギプス副子などを使用して代用することができる。

3）不良肢位の矯正

turn buckle付きの装具（図4-19）やknuckle bender（図4-20）などが代表的である。リハビリテーション体制の整った後方病院への転院に時間を要する場合には，積極的に装着して拘縮の改善に努めるべきである。

4）骨折治療・骨折部保護

下腿や踵骨骨折時の免荷歩行装具であるpatella tendon weight bearing（PTB）装具（図4-21）や上腕骨骨折時のfunctional brace（図4-22）がある。functional braceは手術治療が積極的に行われる現在においてもその機序を十分に理解して用いれば，上腕骨骨幹部骨折などの治療において有用な方法である。

4. 疫学的根拠に基づいたリハビリテーション

ガイドラインや疫学的エビデンスに基づいた四肢外傷に対する急性期リハビリテーションの実際について述べる。大腿骨近位部骨折と橈骨遠位端骨折に

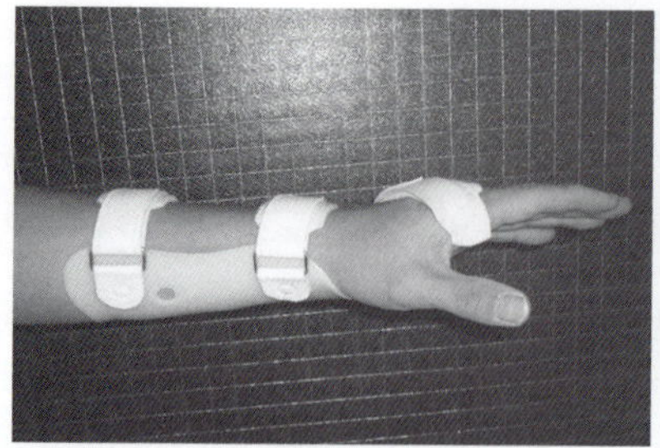

図4-17　cock up splint

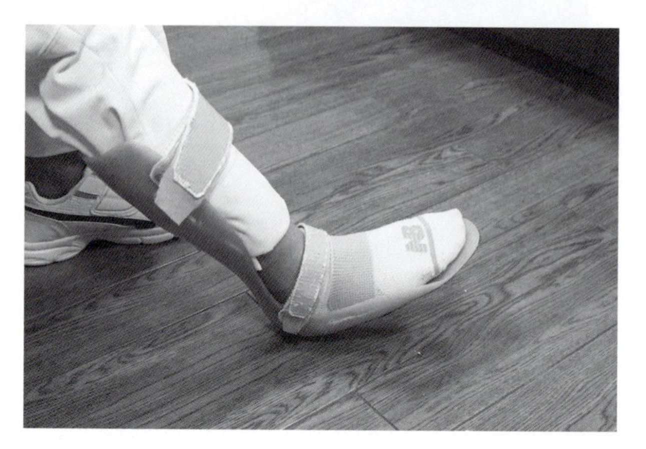

図4-18　短下肢装具

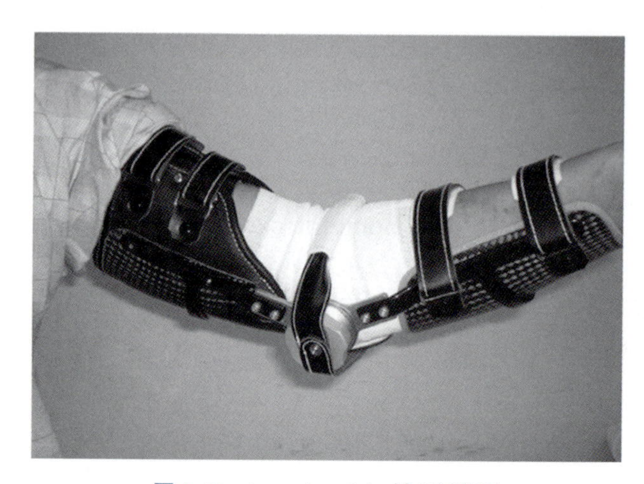

図4-19　turn buckle付き肘装具

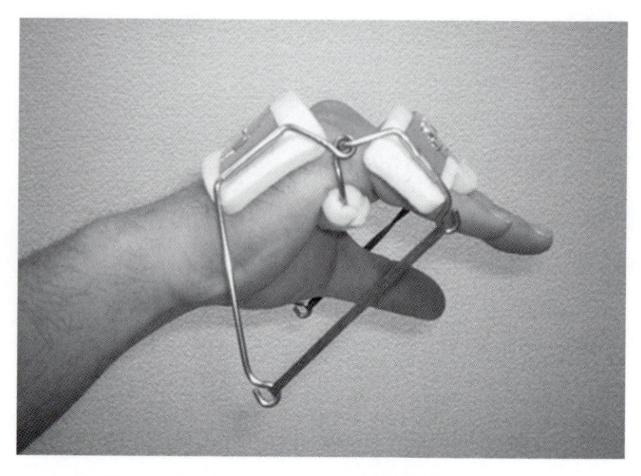

図4-20　knuckle bender

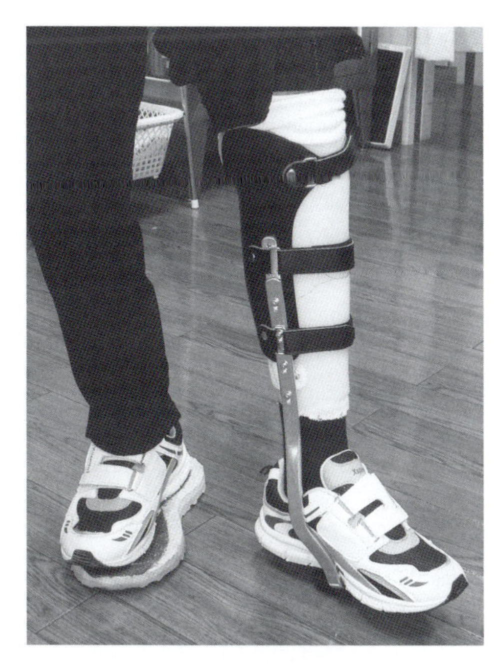

図4-21　PTB装具

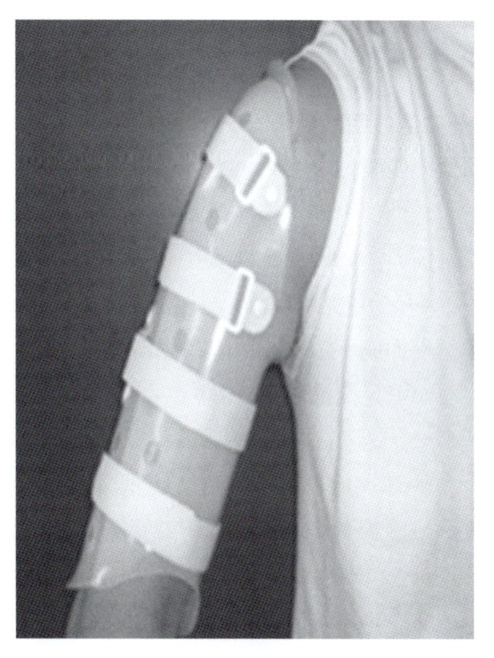

図4-22　functional brace

関するガイドラインは多数存在するが，そのほかの四肢外傷におけるリハビリテーションに関するガイドラインは少ない[132]。本項では大腿骨近位部骨折・橈骨遠位端骨折におけるガイドラインを概説し，そのほかの四肢骨折に関してはRCTやシステマティックレビューなどから比較的エビデンスレベルの高いものを紹介する。

1）大腿骨近位部骨折

大腿骨近位部骨折は多職種（医師，看護師，理学療法／作業療法士，薬剤師，社会福祉士など）連携による骨粗鬆症治療介入やリハビリテーションの革新が著しい分野である。複数のガイドラインで多職種連携の重要性が示されている。

米国整形外科学会（American Academy of Orthopaedic Surgeons；AAOS）ガイドラインでは合併症の減少と予後改善のためにすべての大腿骨近位部骨折患者に多職種によるケアプログラムを行うべきとしている（推奨レベルⅠ）[133]。日本や英国のガイドラインでも，手術翌日から制限のないリハビリテーションと整形外科医の診察が受けられ，早期退院支援と退院先（リハビリテーション病院や介護施設）での継続したリハビリテーションプログラムが受けられるように，多職種連携によるリハビリテーション介入が奨められている[134][135]。

術後荷重については，AAOSガイドラインでは大腿骨近位部骨折術後早期に可及的な全荷重を考慮すべきとしている（推奨レベルⅡ）[133]。また60歳以上の股関節骨折術後に荷重制限が行われていた患者では，荷重制限の行われていなかった患者に対して術後30日以内の合併症発生率や死亡率が高く，早期の荷重許可が望ましいとした[136]。

若年者（18～40歳）の足関節骨折患者18例と75歳以上の高齢者大腿骨近位部骨折患者16例に対して力学センサーを用いて荷重制限指示（20kg未満）が遵守できているか調査したところ，若年者は18例中14例で順守できていたのに対し，高齢者は16例全例が指示以上の荷重をかけていた。また歩行解析でも高齢者のうち16例中1例のみが短時間荷重制限を維持できた[137]。そのため，高齢者は荷重制限指示の遵守は困難であり，部分荷重を要するような術後指示は避けるべきとされた。

2）橈骨遠位端骨折

術前や保存治療における外固定中に，固定部位以外（手指，肘，肩）の関節可動域訓練を行うことが推奨されている（弱い推奨）[138]。

また単純な橈骨遠位端骨折であれば，理学療法士や作業療法士の指導のもと行われるリハビリテーションと，プログラムに基づいた自宅でのセルフリハビリテーションとにおいて，疼痛や機能成績に差は認めず，自宅でのセルフリハビリテーションを推奨してもよいとされている（推奨レベルⅢ）[138)～140)]。

3）その他の四肢外傷

その他の四肢外傷においては骨折部位や骨折型による不安定性，内固定術後の安定性，年齢や認知機能，受傷前の活動度などにより，施行可能なリハビリテーションが異なるため，一概にガイドラインによる推奨を作成することは困難である[141)]。

そのなかで足関節骨折においては比較的高いレベルのエビデンスをもって内固定術後の早期荷重が推奨されている。RCTにおいて，足関節骨折術後の関節可動域訓練および荷重歩行を術後2週に開始した群は術後6週から開始した群に対して，矯正損失や軟部組織合併症などなく，術後6週での関節可動域や機能成績が良好であり，早期の機能回復が行えたとしている（推奨レベルⅠ）[142)]。

また外傷後に限ったわけではないが，四肢切断後のリハビリテーションに関してのガイドラインでは，身体的性別や性自認に配慮した治療計画の作成や，喫煙や既往症，心理社会的機能，疼痛などへの評価や介入に配慮すべきとしている（推奨レベルⅠ）[143)]。

骨盤骨折におけるリハビリテーションプロトコルは，術後15日経過後に早期の可動域訓練を開始し，6～12週の免荷後に1週ごとに25％ずつの負荷を上げていくものもある[144)]。しかし実臨床ではより早期の関節可動域訓練を開始し，より短期間の免荷期間後に荷重を開始していくことも多く，骨折部の安定性によっては早期の可動域訓練や荷重開始も可能と思われる。

まとめ

受傷後または術後早期からのリハビリテーションが重要であることには異論がなく，進行した筋力低下や拘縮に対して加療を行うよりも，その予防に重点を置くことが重要である。このため，外傷治療に携わる全スタッフが急性期でのリハビリテーション治療の重要性について理解する必要がある。今後，外傷急性期への療法士の進出が進むものと思われる[118)]。ただし彼らに一任するだけではなく，チームとして互いに協力し病状に応じたきめ細かいリハビリテーションを行うことが治療成績を大きく左右するものと考える。

文 献

1）London JA, Parry L, Galante J, et al：Safety of early mobilization of patients with blunt solid organ injuries. Arch Surg 2008；143：972-976；discussion 977.

2）Todd SR, McNally MM, Holcomb JB, et al：A multidisciplinary clinical pathway decreases rib fracture-associated infectious morbidity and mortality in high-risk trauma patients. Am J Surg 2006；192：806-811.

3）Simon B, Ebert J, Bokhari F, et al：Management of pulmonary contusion and flail chest：An Eastern Association for the Surgery of Trauma practice management guideline. J Trauma Acute Care Surg 2012；73：S351-361.

4）Engels PT, Beckett AN, Rubenfeld GD, et al：Physical rehabilitation of the critically ill trauma patient in the ICU. Crit Care Med 2013；41：1790-1801.

5）Schaller SJ, Anstey M, Blobner M, et al：Early, goal-directed mobilisation in the surgical intensive care unit：A randomised controlled trial. Lancet 2016；388：1377-1388.

6）Higgins SD , Erdogan M , Coles SJ, et al：Early mobilization of trauma patients admitted to intensive care units：A systematic review and meta-analyses. Injury 2019；50：1809-1815.

7）Coles SJ, Erdogan M, Higgins SD：Impact of an early mobilization protocol on outcomes in trauma patients admitted to the intensive care unit：A retrospective pre-post study. J Trauma Acute Care Surg 2020；88：515-521.

8）日本集中治療医学会早期リハビリテーション検討委員会：集中治療における早期リハビリテーション；根拠に基づくエキスパートコンセンサス．日集中医誌 2017；24：255-303.

9）National Institute for Health and Care Excellence：NICE Guideline：Rehabilitation after traumatic injury. National Institute for Health and Care Excellence, London, 2022.

10）Naess HL, Vikane E, Wehling EI, et al：Effect of early interdisciplinary rehabilitation for trauma patients：A systematic review. Arch Rehabil Res Clin Transl 2020；2：100070.

11）Hanna AR, Amatya B, Lizama LE, et al：Multidisciplinary rehabilitation in persons with multiple trauma：A systematic review. J Rehabil Med 2020；52：jrm00108.

12）Greenleaf JE：Physiological responses to prolonged bed rest and fluid immersion in humans. J Appl Physiol 1984；57：619-633.

13）Saltin B, Blomqvist G, Mitchell JH, et al：Response to exercise after bed rest and after training. Circulation

1968；38（Suppl）：Ⅶ 1-78.

14） McGuire DK, Levine BD, Williamson JW, et al：A 30-year follow-up of the Dallas Bedrest and Training Study：I. Effect of age on the cardiovascular response to exercise. Circulation 2001；104：1350-1357.

15） Kress JP, Pohlman AS, O'Connor MF, et al：Daily interruption of sedative infusions in critically ill patients undergoing mechanical ventilation. N Engl J Med 2000；342：1471-1477.

16） Morris PE, Goad A, Thompson C, et al：Early intensive care unit mobility therapy in the treatment of acute respiratory failure. Crit Care Med 2008；36：2238-2243.

17） Schweickert WD, Pohlman MC, Pohlman AS, et al：Early physical and occupational therapy in mechanically ventilated, critically ill patients：A randomized controlled trial. Lancet 2009；373：1874-1882.

18） Langhorne P, Collier JM, Bate PJ, et al：Very early versus delayed mobilisation after stroke. Cochrane Database Syst Rev 2018；10：CD006187.

19） Rowell LB：Human circulation regulation during physical stress. Oxford University Press, London, 1986.

20） Ogoh S, Washio T, Sasaki H, et al：Coupling between arterial and venous cerebral blood flow during postural change. Am J Physiol Regul Integr Comp Physiol 2016；311：R1255-R1261.

21） 日本集中医療学会J-PADガイドライン作成委員会：日本版・集中治療室における成人重症患者に対する痛み・不穏・せん妄管理のための臨床ガイドライン．日集中医誌 2014：21；539-579.

22） Kress JP, Hall JB：ICU-acquired weakness and recovery from critical illness. N Engl J Med 2014；370：1625-1635.

23） 日本リハビリテーション医学会監，久保俊一総編集：リハビリテーション医学・医療コアテキスト，医学書院，東京，2018，p236.

24） 日本リハビリテーション医学会監，久保俊一総編集：［リハビリテーション医学・医療コアテキスト準拠］リハビリテーション医学・医療Q&A，医学書院，東京，2019，p192.

25） Patel BK, Pohlman AS, Hall JB, et al：Impact of early mobilization on glycemic control and ICU-Acquired Weakness in critically ill patients who are mechanically ventilated. Chest 2014：146；583-589.

26） Parker A, Sricharoenchai T, Needham DM：Early Rehabilitation in the Intensive Care Unit：Preventing Physical and Mental Health Impairments. Curr Phys Med Rehabil Rep 2013：1；307-314.

27） Li Z, Peng X, Zhu B, et al：Active mobilization for mechanically ventilated patients：A systematic review. Arch Phys Med Rehabil 2013；94：551-561.

28） Kayambu G, Boots R, Paratz J：Physical therapy for the critically ill in the ICU：A systematic review and meta-analysis. Crit Care Med 2013；41：1543-1554.

29） Tipping CJ, Harrold M, Holland A, et al：The effects of active mobilisation and rehabilitation in ICU on mortality and function：A systematic review. Intensive Care Med 2017；43：171-183.

30） Schaller SJ, Anstey M, Blobner M, et al：Early, goal-directed mobilisation in the surgical intensive care unit：A randomised controlled trial. Lancet 2016；388：1377-1388.

31） Morris PE, Berry MJ, Files DC, et al：Standardized rehabilitation and hospital length of stay among patients with acute respiratory failure：A randomized clinical trial. JAMA 2016；315：2694-2702.

32） Moss M, Nordon-Craft A, Malone D, et al：A randomized trial of an intensive physical therapy program for patients with acute respiratory failure. Am J Resp Crit Care Med 2016；193：1101-1110.

33） 日本集中治療医学会早期リハビリテーション検討委員会：集中治療における早期リハビリテーション；根拠に基づくエキスパートコンセンサス．日集中医誌 2017；24：255-303.

34） 日本集中治療医学会編：集中治療における早期リハビリテーション；根拠に基づくエキスパートコンセンサス；ダイジェスト版．医歯薬出版，東京，2017，p6.

35） 山田尚基，新見昌央，安保雅博：ICUにおけるリハビリテーション医療に必要なリスク管理．Jpn J Rehabil Med 2019；56：865-869.

36） Burtin C, Clerckx B, Robbeets C, et al：Early exercise in critically ill patients enhances short-term functional recovery. Crit Care Med 2009；37：2499-2505.

37） Bourdin G, Barbier J, Burle JF, et al：The feasibility of early physical activity in intensive care unit patients：A prospective observational one-center study. Respir Care 2010；55：400-407.

38） Mah JW, Staff I, Fichandler D, et al：Resource-efficient mobilization programs in the intensive care unit：Who stands to win? Am J Surg 2013；206：488-493.

39） Winkelman C, Johnson KD, Hejal R, et al：Examining the positive effects of exercise in intubated adults in ICU：A prospective repeated measures clinical study. Intensive Crit Care Nurs 2012；28：307-318.

40） 日本リハビリテーション医学会，リハビリテーション医療における安全管理・推進のためのガイドライン策定委員会編：リハビリテーション医療における安全管理・推進のためのガイドライン，第2版，診断と治療社，東京，2018.

41） Bennett RL, Knowlton GC：Overwork weakness in partially denervated skeletal muscle. Clin Orthop 1958；12：22-29.

42） Lenman JA：A clinical and experimental study of the effects of exercise on motor weakness in neurological disease. J Neurol Neurosurg Psychiatry 1959；22：182-194.
43） Drachman DB, Murphy SR, Nigam MP, et al："Myopathic" changes in chronically denervated muscle. Arch Neurol 1967；16：14-24.
44） Johnson EW, Braddom R：Over-work weakness in facioscapulohuumeral muscular dystrophy. Arch Phys Med Rehabil 1971；52：333-336.
45） Wagner MB, Vignos PJ Jr, Fonow DC：Serial isokinetic evaluations used for a patient with scapuloperoneal muscular dystrophy. A case report. Phys Ther 1986；66：1110-1113.
46） Peach PE：Overwork weakness with evidence of muscle damage in a patient with residual paralysis from polio. Arch Phys Med Rehabil 1990；71：248-250.
47） Aitkens SG, McCrory MA, Kilmer DD, et al：Moderate resistance exercise program：Its effect in slowly progressive neuromuscular disease. Arch Phys Med Rehabil 1993；74：711-715.
48） Herridge MS, Tansey CM, Matté A, et al：Functional disability 5 years after acute respiratory distress syndrome. N Engl J Med 2011；364：1293-1304.
49） Ehlenbach WJ, Hough CL, Crane PK, et al：Association between acute care and critical illness hospitalization and cognitive function in older adults. JAMA 2010；303：763-770.
50） 久保俊一：リハビリテーション医学・医療総論．日本リハビリテーション医学会監，リハビリテーション医学・医療コアテキスト，第2版，医学書院，東京，2022，p4.
51） 久保俊一：リハビリテーション医学・医療総論．日本リハビリテーション医学会監，リハビリテーション医学・医療コアテキスト，第2版，医学書院，東京，2022，p5.
52） 角田亘，久保俊一：リハビリテーション診療の概要．日本リハビリテーション医学会監，リハビリテーション医学・医療コアテキスト，第2版，医学書院，東京，2022，p66.
53） 角田亘，久保俊一：リハビリテーション診療の概要．日本リハビリテーション医学会監，リハビリテーション医学・医療コアテキスト，第2版，医学書院，東京，2022，p67.
54） 篠原幸人，吉本高志，福内靖男，他編：脳卒中治療ガイドライン2004，協和企画，東京，2004.
55） 篠原幸人，小川彰，鈴木則宏，他編：脳卒中治療ガイドライン2009，協和企画，東京，2009.
56） 小川彰，出江紳一，片山泰朗，他編：脳卒中治療ガイドライン2015，協和企画，東京，2015.
57） 日本脳卒中学会脳卒中ガイドライン委員会編：脳卒中治療ガイドライン2021，協和企画，東京，2021.
58） 大川弥生，上田敏：脳卒中片麻痺患者の廃用性筋萎縮に関する研究；「健側」の筋力低下について．リハビリテーション医学 1988；25：143-147.
59） Bernhardt J, Thuy MN, Collier JM, et al：Very early versus delayed mobilisation after stroke. Cochrane Database Syst Rev 2009；21：CD006187.
60） Ding N, Zhang Z, Zhang C, et al：What is the optimum time for initiation of early mobilization in mechanically ventilated patients? A network meta-analysis. PLoS One 2019；14：e0223151.
61） Giacino JT, Whyte J, Bagiella E, et al：Placebo-controlled trial of amantadine for severe traumatic brain injury. N Engl J Med 2012；366：819-826.
62） Carrillo-Mora P, Alcantar-Shramm JM, Almaguer-Benavides KM, et al：Pharmacological stimulation of neuronal plasticity in acquired brain injury. Clin Neuropharmacol 2017；40：131-139.
63） Kotchoubey B, Pavlov YG, Kleber B：Music in research and rehabilitation of disorders of consciousness：Psychological and neurophysiological foundations. Front Psychol 2015；6：1763.
64） Lei J, Wang L, Gao G, et al：Right median nerve electrical stimulation for acute traumatic coma patients. J Neurotrauma 2015；32：1584-1589.
65） Krewer C, Luther M, Koenig E, et al：Tilt table therapies for patients with severe disorders of consciousness：A randomized, controlled trial. PLoS one 2015；10：e0143180.
66） Pape TLB, Rosenow JM, Steiner M, et al：Placebo-controlled trial of familiar auditory sensory training for acute severe traumatic brain injury：A preliminary report. Neurorehabil Neural Repair 2015；29：537-547.
67） Turner-Stokes L, Pick A, Nair A, et al：Multi-disciplinary rehabilitation for acquired brain injury in adults of working age. Cochrane Database Syst Rev 2015；22：CD004170.
68） Andelic N, Bautz-Holter E, Ronning P, et al：Does an early onset and continuous chain of rehabilitation improve the long-term functional outcome of patients with severe traumatic brain injury? J Neurotrauma 2012；29：66-74.
69） Seel RT, Douglas J, Dennison AC, et al：Specialized early treatment for persons with disorders of consciousness：Program components and outcomes. Arch Phys Med Rehabil 2013；94：1908-1923.
70） De Tanti A, Zampolini M, Pregno S：Recommendations for clinical practice and research in severe brain injury in intensive rehabilitation：The Italian Consen-

sus Conference. Eur J Phys Rehabil Med 2015；51：89-103.
71） Cnossen MC, Lingsma H, Tenovuo O, et al：Rehabilitation after traumatic brain injury：A survey in 70 European neurotrauma centres participating in the center-TBI study. J Rehabil Med 2017；49：395-401.
72） Macht M, White SD, Moss M：Swallowing dysfunction after critical illness. Chest 2014；146：1681-1689.
73） Macht M, Wimbish T, Bodine C, et al：ICU-acquired swallowing disorders. Crit Care Med 2013；41：2396-2405.
74） 言語聴覚士協会摂食・嚥下小委員会：経管栄養から経口栄養へ移行する際の基本的手順．言語聴覚士協会，東京，2005.
75） 石田瞭，向井美恵：嚥下障害の診断 Update 新しい検査法Ⅱ；段階的フードテスト．Journal of Clinical Rehabilitation 2002；11：802-824.
76） 戸原玄，才藤栄一，馬場尊，他：Videofluorographyを用いない摂食・嚥下障害評価フローチャート．日摂食嚥下リハ会誌 2002；6：196-206.
77） 米山武義，鴨田博司：口腔ケアと誤嚥性肺炎予防．老年歯医 2001；16：3-13.
78） 坂本春生，唐木田一成，関谷亮，他：肺炎予防と口腔ケア．日内会誌 2014；103：2735-2740.
79） 渡邉修：外傷後のリハビリテーション（身体的および高次脳機能）の発達．日交通科会誌 2015；14：3-8.
80） 厚生労働省社会・援護局保健福祉部，国立障害者リハビリテーションセンター編：高次脳機能障害者支援の手引き，改訂第2版，国立障害者リハビリテーションセンター，埼玉，2008.
81） 日本リハビリテーション医学教育推進機構，日本急性期リハビリテーション医学会，日本リハビリテーション医学会監：急性期のリハビリテーション医学・医療テキスト．金芳堂，京都，2020.
82） 栗原まな，千葉康之，小萩沢利孝，他：小児の脳外傷による高次脳機能障害の特徴；当センターにおける症例の比較検討．リハ医 2006；43：531-536.
83） Walters BC, Hadley MN, Hurlbert RJ, et al：Guidelines for the management of acute cervical spine and spinal cord injuries：2013 update. Neurosurgery 2013；60（Suppl 1）：82-91.
84） 尾川貴洋，西村行秀，田島文博：脊髄損傷患者のリハビリテーション．整形外科 2016；67：899-905.
85） Berney S, Bragge P, Granger C, et al：The acute respiratory management of cervical spinal cord injury in the first 6 weeks after injury：A systematic review. Spinal cord 2011；49：17-29.
86） 日本リハビリテーション医学会監，日本リハビリテーション医学会診療ガイドライン委員会，神経筋疾患・脊髄損傷の呼吸リハビリテーションガイドライン策定委員会編：神経筋疾患・脊髄損傷の呼吸リハビリテーションガイドライン，金原出版，東京，2014.
87） Berlly M, Shem K：Respiratory management during the first five days after spinal cord injury. J Spinal Cord Med 2007；30：309-318.
88） Como JJ, Sutton ER, McCunn M, et al：Characterizing the need for mechanical ventilation following cervical spinal cord injury with neurologic deficit. J Trauma 2005；59：912-916.
89） Bach JR：Noninvasive respiratory management of spinal cord injury. J Spinal Cord Med 2012；35：72-80.
90） Weinberg JA, Farber SH, Kalamchi LD, et al：Mean arterial pressure maintenance following spinal cord injury：Does meeting the target matter? J Trauma Acute Care Surg 2021；90：97-106.
91） 芝啓一郎編：脊椎脊髄損傷アドバンス；総合せき損センターの診断と治療の最前線，南江堂，東京，2006.
92） Macias MY, Maiman DJ：Critical care of acute spinal cord injuries. In：Jallo J, et al eds. Neurotrauma and Critical Care of the Spine. Thieme, New York, 2008, pp171-181.
93） 仙石淳，乃美昌司：脊髄損傷における排尿障害．整形・災害外科 2013；56：35-42.
94） 日本排尿機能学会/日本脊髄障害医学会，脊髄損傷における排尿障害の診療ガイドライン作成委員会編：脊髄損傷における排尿障害の診療ガイドライン，リッチヒルメディカル，東京，2011.
95） 日本排尿機能学会/日本脊髄障害医学会/日本泌尿器科学会 脊髄損傷における下部尿路機能障害の診療ガイドライン作成委員会：脊髄損傷における下部尿路機能障害の診療ガイドライン，2019年版，中外医学社，東京，2019.
96） Levi L, Wolf A, Belzberg H：Hemodynamic parameters in patients with acute cervical cord trauma：Description, intervention, and prediction of outcome. Neurosurgery 1993；33：1007-1016；discussion 1016-1017.
97） 脊椎・脊髄損傷治療・管理のガイドライン作成委員会：脊椎脊髄損傷治療・管理のガイドライン．脊髄外科 2005；19（Suppl 1）：1-41.
98） Albert TJ, Levine MJ, Balderston RA, et al：Gastrointestinal complications in spinal cord injury. Spine 1991；16（10 Suppl）：S522-525.
99） 水間正澄：リハビリテーション治療学．里宇明元編，最新整形外科大系；リハビリテーション，中山書店，東京，2008，pp206-210.
100） 住田幹男，徳弘昭博，真柄彰，他編：脊髄損傷のoutcome；日米のデータベースより，医歯薬出版，東京，2001.
101） Mortenson WB, Miller WC, SCIRE Research Team：A review of scales for assessing the risk of developing

a pressure ulcer in individuals with SCI. Spinal Cord 2008；46：168-175.
102) 日本褥瘡学会学術委員会ガイドライン改訂委員会編：褥瘡予防・管理ガイドライン（第4版）. 褥瘡会誌 2015；17：487-557.
103) Gélis A, Dupeyron A, Legoros P, et al：Pressure ulcer risk factors in persons with spinal cord injury：Part 2：The chronic stage. Spinal Cord 2009；47：651-661.
104) Piran S, Schulman S：Incidence and risk factors for venous thromboembolism in patients with acute spinal cord injury：A retrospective study. Thromb Res 2016；147：97-101.
105) Guidelines for the Management of Acute Cervical Spine and Spinal Cord Injuries. Neurosurgery 2013；72（Suppl 2）：1-259.
106) 日本整形外科学会監，日本整形外科学会診療ガイドライン委員会/日本整形外科学会 症候性静脈血栓塞栓症予防ガイドライン策定委員会編：日本整形外科学会症候性静脈血栓塞栓症予防ガイドライン2017，南江堂，東京，2017.
107) 日本ペインクリニック学会神経障害性疼痛薬物療法ガイドライン作成ワーキンググループ編：神経障害性疼痛薬物療法ガイドライン，改訂第2版，真興交易医書出版部，2016.
108) Siddall PJ, McClelland JM, Rutkowski SB, et al：A longitudinal study of the prevalence and characteristics of pain in the first 5 years following spinal cord injury. Pain 2003；103：249-257.
109) 小柳泉：外傷性頸椎・頸髄損傷；治療方針決定に必要な情報とその提供．脊椎脊髄ジャーナル 2006；19：607-615.
110) 古澤一成：脊髄損傷．総合リハビリテーション 2019；47：563-568.
111) Honmou O, Yamashita T, Morita T, et al：Intravenous infusion of auto serum-expanded autologous mesenchymal stem cells in spinal cord injury patients：13 case series. Clin Neurol Neurosurg 2021；203：106565.
112) 斉藤公男，工藤大輔，千田聡明，他：医理工・産学官連携によるリハビリテーション先端機器開発研究．Jpn J Rehabil Med 2021；58：314-316.
113) Vazquez Mata G, Rivera Fernandez R, Perez Aragon A, et al：Analysis of quality of life in polytraumatized patients two years after discharge from an intensive care unit. J Trauma 1996；41：326-332.
114) Burtin C, Clerckx B, Robbeets C, et al：Early exercise in critically ill patients enhances short-term functional recovery. Crit Care Med 2009；37：2449-2505.
115) 全国回復期リハビリテーション病棟連絡協議会，国立保健医療科学院施設科学部，回復期リハビリテーション病棟協会：回復期リハビリテーション病棟の現状と課題に関する調査報告書，東京，2013.
116) 沼田憲治，金承革，櫻井愛子，他：理学療法士実態調査報告；2005年6月実施．理学療法学 2006；33：338-352.
117) 灰田信英，細正博：拘縮の病理と病態．奈良勲，浜村明徳編，拘縮の予防と治療，医学書院，東京，2003，pp18-36.
118) 梶原敏夫：合併症．千野直一編，現代リハビリテーション医学，改訂第2版，金原出版，東京，2004，pp510-525.
119) 沖田実：関節可動域制限の基礎．沖田実編，関節可動域制限；Limited Range of Joint Motion；病態の理解と治療の考え方，第2版，三輪書店，東京，2013，pp56-59.
120) Trudel G, Uhthoff HK, Brown M：Extent and direction of joint motion limitation after prolonged immobility：An experimental study in the rat. Arch Phys Med Rehabil 1999；80：1542-1547.
121) 灰田信英，細正博：拘縮の病理と病態．奈良勲，浜村明徳編，拘縮の予防と治療，医学書院，東京，2003，pp87-92.
122) 沖田実：関節可動域制限とは．沖田実編，関節可動域制限；Limited Range of Joint Motion；病態の理解と治療の考え方，第2版，三輪書店，東京，2013，pp2-20.
123) 正門由久，千野直一：運動障害．米本恭三監，石神重信，石田暉，眞野行生，他編，最新リハビリテーション医学，医歯薬出版，東京，1999，pp63-74.
124) 飛松好子：急性期における手の管理．二瓶隆一，木村哲彦，牛山武久，他編，頸髄損傷のリハビリテーション，改訂第2版，協同医書出版社，東京，2006，pp69-70.
125) Hills WL, Byrd RJ：Effect of immobilization in the human forearm. Arch Phys Med Rehabil 1973；54：87-90.
126) Vandenborne K, Elliott MA, Walter GA, et al：Longtudinal study of skeletal muscle adaptations during immobililization and rehabilitation. Muscle Nerve 1998；21：1006-1012.
127) Kisner C, Colby LA：Resistance exercise. In：Therapeutic Exercise：Foundations and Techniques. 4th ed, FA Davis, Philadelphia, 2002, pp58-148.
128) Yanagi T, Shiba N, Maeda T, et al：Agonist contractions against electrically stimulated antagonists. Arch Phys Med Rehabil 2003；84：843-848.
129) 栢森良二：リハビリテーション治療学．里宇明元編，最新整形外科学大系；リハビリテーション，中山書店，東京，2008，pp300-307.
130) 松瀬博夫，志波直人，田川善彦：ハイブリッドトレーニングシステム．Journal of Clnical Rehabilitation 2012；21：544-553.

131) 佐々木信幸，安保雅博：当院救命救急センターにおけるリハビリテーション．Journal of Clnical Rehabilitation 2010；19：444-451.
132) Gimigliano F, Liguori S, Moretti A, et al：Systematic review of clinical practice guidelines for adults with fractures：Identification of best evidence for rehabilitation to develop the WHO's Package of Interventions for Rehabilitation. J Orthop Traumatol 2020；21：20.
133) American Academy of Orthopaedic Surgeons Management of Hip Fractures in Older Adults：Evidence-based clinical practice guideline.
https://www.aaos.org/globalassets/quality-and-practice-resources/hip-fractures-in-the-elderly/hipfxcpg.pdf（Accessed 2022-2-27）
134) National Clinical Guideline Centre：The management of hip fracture in adults.
https://www.nice.org.uk/guidance/cg124/evidence/full-guideline-pdf-183081997（Accessed 2022-2-27）
135) 日本整形外科学会/日本骨折治療学会監，日本整形外科学会診療ガイドライン委員会/大腿骨頚部/転子部骨折診療ガイドライン策定委員会編：大腿骨頚部/転子部骨折診療ガイドライン2021，改訂第3版，南江堂，東京，2021.
136) Ottesen TD, McLynn RP, Galivanche AR, et al：Increased complications in geriatric patients with a fracture of the hip whose postoperative weight-bearing is restricted：An analysis of 4918 patients. Bone Joint J 2018；100-B：1377-1384.
137) Kammerlander C, Pfeufer D, Lisitano LA, et al：Inability of older adult patients with hip fracture to maintain postoperative weight-bearing restrictions. J Bone Joint Surg Am 2018；100：936-941.
138) 日本整形外科学会/日本手外科学会監，日本整形外科学会診療ガイドライン委員会/橈骨遠位端骨折診療ガイドライン策定委員会編：橈骨遠位端骨折診療ガイドライン2017，改訂第2版，南江堂，東京，2017.
139) Danish Health Authority：National clinical guideline on the treatment of distal radial fractures. 2016.
https://www.sst.dk/da/udgivelser/2014/~/media/22E568AA633C49A9A0A128D5FDC4D8B7.ashx（Accessed 2022-2-27）
140) American Academy of Orthopaedic Surgeons/American Society for Surgery of the Hand：Management of distal radius fractures evidence-based clinical practice guidelines.
www.aaos.org/drfcpg（Accessed 2022-2-27）
141) Dehghan N, Mitchell SM, Schemitsch EH：Rehabilitation after plate fixation of upper and lower extremity fractures. Injury 2018；49（Suppl 1）：S72-S77.
142) Dehghan N, McKee MD, Jenkinson RJ, et al：Early weightbearing and range of motion versus non-weightbearing and immobilization after open re-duction and internal fixation of unstable ankle fractures：A randomized controlled trial. J Orthop Trauma 2016；30：345-352.
143) Webster JB, Crunkhorn A, Sall J, et al：Clinical practice guidelines for the rehabilitation of lower limb amputation：An update from the department of veterans affairs and department of defense. Am J Phys Med Rehabil 2019；98：820-829.
144) Piccione F, Maccarone MC, Cortese AM, et al：Rehabilitative management of pelvic fractures：A literature-based update. Eur J Transl Myol 2021；31：9933.

5章

off-the-job training (simulation training)

1 国際的コースの紹介

I ATOMコース

1. コース開発の経緯

ATOM（Advanced Trauma Operative Management）は，1998年頃より米国コネチカット州立大学ハートフォード病院のJacobs医師らによって開発された外傷外科手術のsimulation trainingである[1)]。約5年を経て現在行われているATOMコースが完成し，2003年，米国外科学会外傷委員会（ACS-COT）の認定のもと米国内での展開が始まった。2008年に，ATOMコースの管理運営がハートフォード病院からACS-COTに移され，以降，カナダ[2)]，ドバイ，ガーナ[3)]と米国外にも展開された。現在，米国でコースを運営するサイトは30カ所以上となっている。アジア地域では，2008年にわが国が初めて開催した[4)]。

第1回の日本ATOMコースは，2008年12月に自治医科大学先端医療技術開発センターにおいて開催された。同センターが，わが国で最初のATOMコースサイトとなると同時に，自治医科大学外科学講座教授・米国外科学会会員・米国外科専門医であるAlan K Leforが，アジアにおけるPrincipal Investigatorとして認定された。その後，受講生を中心としてインストラクターの育成を行い，現在，大阪公立大学医学部附属病院救命救急センター（2011年），九州大学病院内視鏡外科手術トレーニングセンター（2011年），東北大学病院高度救命救急センター（2012年），帝京大学医学部附属病院救命救急センター（2012年），北海道大学医学研究院消化器外科学教室II（2015年）の各サイトにおいてそれぞれ年1～2回のコースが開催されている。2018年7月には，九州大学コースがジョンソン・エンド・ジョンソン インスティテュート東京で開催された。

2. コースの特徴

ATOMコースは，胸腹部穿通性外傷の手術管理に必要な基本的外科知識と手技を学ぶトレーニングコースである。米国外科学会が公認しているsimulation trainingであり，わが国においても，2016年度より日本外科学会専門医制度において「外傷の修練」（10点）の4点として認められた[5)]。また，ATOMコース受講の申し込みは日本外科学会を通じて行われている。これに加えて，日本救急医学会専門医更新においてもATOMコースの受講およびインストラクター参加が有効なクレジットとなっている。日本Acute Care Surgery学会認定外科医の新規申請においても，ATOMコースで学んだ手術手技を経験した手技として申請できる。

コースの受講対象者は，外傷手術診療にかかわる機会があり，以下の3つの資格要件を満たす外科医である。

(1) 日本外科学会の外科専門医または指導医の資格を有すること，もしくは専門医取得を1〜2年以内に予定していること。
(2) 日本における外傷初期診療の標準化教育コースであるJATECまたはATLS™を受講していること。
(3) 日常診療において救急・外科診療に従事していること。

ATOMコースでは，1人の受講生に対して1人のインストラクターとアニマル・ラボが割り当てられる。胸腹部外傷に必要とされる手技について，受講生はシナリオをもとに，すべて自らが術者となって経験し修得することができる。米国とカナダにおけるアンケートでは，ATOMコースを通じて受講生は外傷外科手術に対する知識と技術を修得することで，外傷診療に対する自信を深めることができたと報告されている[6)7)]。わが国においても同様の報告があり[8)]，アニマル・ラボにおいて術者として意思決定し，術野展開から止血に至る一連の手技を経験することは，他のトレーニング手法では得ることのできない機会であると考えられる。

日本でのATOMコース開催から10年以上が経過し，受講者による重症外傷救命例も蓄積されてきた。ATOMコースを日本で受講した非心臓血管外科医による心損傷の救命例の一部を集積した症例報告が発表された[9)]。

3. コースの概要

コースは，午前中の講義と午後からの実技，ポストテストからなる（表5-1-1）。講義は外傷外科総論，脾・横隔膜損傷，肝損傷，膵十二指腸損傷，泌尿生殖器損傷，心血管損傷の6つの内容に加え，わが国では動物倫理に関する講義が必ず実施されている。

実技では，手術実習用のブタを用いる。インストラクターがシナリオに基づく症例を提示し，受講生が各臓器の損傷を同定し修復を行う（図5-1-1）。対象となる臓器は，膀胱，尿管，十二指腸，腎，胃，横隔膜，膵，脾，肝，心臓，下大静脈である。

受講料は，現在1名当たり28万円である。高額な受講料ではあるが，その支出根拠は，ATOMコースでは受講生1名にブタを1頭ずつ割り当てること，手術用縫合糸，自動吻合器，麻酔薬に加え，麻酔担当医・手術用看護師の人件費も含まれるためである。

表5-1-1 ATOMコースプログラム

開始時間	終了時間	内容
8：00	8：10	はじめに
8：10	8：50	外傷外科総論
8：50	9：20	脾・横隔膜損傷
9：20	9：45	肝損傷
9：45	9：55	休憩
9：55	10：20	膵十二指腸損傷
10：20	10：45	泌尿生殖器損傷
10：45	11：10	心血管損傷
11：10	11：25	実験動物扱いに関する倫理講義
11：25	11：55	昼食・実技説明
11：55	12：10	移動・着替え
12：10	15：10	アニマル・ラボ
15：10	15：40	着替え・移動
15：40	16：10	ポストテスト
16：10	16：30	講評・修了式

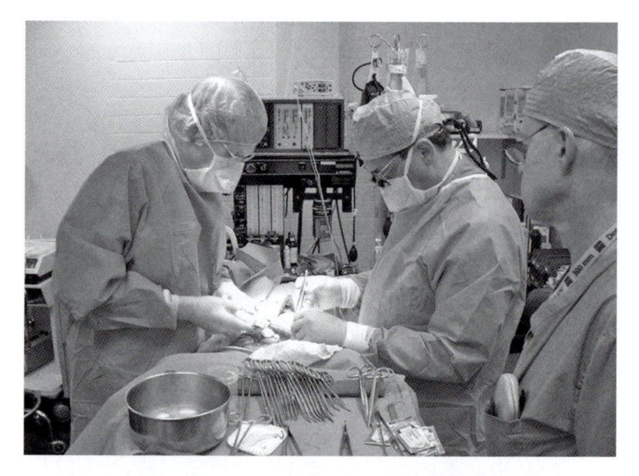

図5-1-1 ATOMコースの受講風景
左手の受講生役は日本ATOMコースの責任者であるLefor医師，そして右手のインストラクターはATOMコースの開発責任者であるハートフォード病院のJacobs医師である

4. ATOMコースの課題

外傷外科手術を学ぶsimulation trainingとして確立されたATOMコースであるが，いくつかの課題が存在する。

第一に，手術実習用ブタの妥当性に関する問題点である。体重30〜50kgの実験ブタに対して開腹術を行うと，一見すればヒトの腹腔内と見間違うほど類似しているが，①肝：分葉が多くとくに左葉が大きい，②脾：大きく薄っぺらで固定がなく創外への脱転が容易，③膵：膵頭部はすでにKocher授動が施行された状態，④小腸：非常に長く腸間膜の脂肪は少なく腸間膜血管が透けてみえる状態，などヒトとの相違点を有する。

第二に，受講料が1名当たり28万円と高額であり，教育普及の支障になると予想される。費用の内訳は実験ブタの購入費（ミニブタであれば1頭約15万円），人件費，資機材費，施設費である。今後教育の質を維持しながら，費用を抑える努力が求められる。なお，トロント大学において，受講生2名に対してインストラクター1名のATOMコースが実施され，その教育効果について検証されている[10]。この割り当てでも，許容できるレベルではあった。ただ，インストラクターの資質や負担を考慮すると，従来どおり，受講生1名に対しインストラクターを1名とするのがよいと報告されている。

第三として，ATOMコースは体幹部臓器の穿通性外傷に対するアプローチを主眼にしており，わが国に多い鈍的外傷に対してどのように適応するか考慮しなければならない。しかし実際のところ，心臓は別として肝，脾，腸管のdamage control surgeryは穿通性，鈍的のいずれも基本手術手技は同じであり，コースのなかには鈍的外傷を前提としたシナリオもあるため，ATOMコースの教育内容はわが国の実情にも合うと期待できる。

第四は，動物倫理の問題である。近年，動物愛護への関心が世界的に高まるなかで，動物を用いた実験や教育訓練は十分な配慮のもとで行われることが求められている。国内の各種ウエットラボは，国が定める基本指針に則って実施される。

米国で実施されるATOMコースでは，講習会のなかで動物倫理に関する講義時間を設けていない。日本では諸事情を考慮して，すべてのサイトにおいて動物倫理に関する教育を実施している。

5. ATOM看護師コース

予定手術とは異なり，外傷に対する緊急手術では，手術を進めながら損傷の評価を行い，患者の生理学的状態を考慮しながら，戦略と戦術を決定することが求められる。術者のリーダーシップのもと手術にかかわる麻酔科医，手術室看護師と良好なコミュニケーションを保ちながら，チームマネジメントが実践されなくてはならない。米国では，オレゴン州ポートランドでATOM scrub courseが開発され，医師向けのATOMコースと並行して実施されている[11]。わが国でも，ATOMコースの内容を変更しない形でのコース追加が可能であるとのACS-COTからの回答を受け，2017年よりATOM看護師コースが始まった（表5-1-2）。

看護師は，総論の講義を医師と共に受講した後，別室において，胸部外傷と腹部外傷に対する手術の実際を学ぶ。スライドに加え，アニマル・ラボでの実際の手術手技ビデオを供覧することで，自身が介助にあたる外傷手術がどのように実施されるのかを学ぶことができる。また，外傷手術に必要な手術器材についてもハンズオンで指導され，自施設での器材準備の参考とすることができる。

その後，医師と看護師が一緒に「チームマネジメント」の講義を受ける。外傷手術におけるチームビルディング，リーダーシップ，コミュニケーションについてスライドとデモンストレーションビデオを用いて実践をイメージしながら確認する。午後のアニマル・ラボでは，ここで学んだチーム医療を実践することとなる。2021年までに大阪公立大学コース，自治医科大学コース，帝京大学コースおよび九州大学コースにおいてATOM看護師コースが開催された。

6. まとめ

ATOMコースは，外傷外科手術のエキスパートを養成するためのコースではない。ATOMコースの目標は胸腹部の穿通性外傷に対する手術管理に必要な基本的外科的知識と手技を学ぶことである。また，看護師コースを併設することで，外傷手術において不可欠なチームアプローチを修得させることを目指している。

II DSTCコース

1. コース開発の経緯

世界80カ国以上で行われているATLS™ [12]や，

表5-1-2 ATOM看護師コースプログラム

<table>
<tr><th>開始</th><th>終了</th><th>内容（外科医）</th><th>開始</th><th>終了</th><th>内容（看護師）</th></tr>
<tr><td>8：00</td><td>8：10</td><td colspan="4">はじめに</td></tr>
<tr><td>8：10</td><td>8：50</td><td colspan="4">外傷外科総論</td></tr>
<tr><td>8：50</td><td>9：20</td><td>脾・横隔膜損傷</td><td>8：50</td><td>9：20</td><td>胸部外傷の手術</td></tr>
<tr><td>9：20</td><td>9：45</td><td>肝損傷</td><td>9：20</td><td>10：05</td><td>腹部外傷の手術 1</td></tr>
<tr><td>9：45</td><td>9：55</td><td>休憩</td><td>10：05</td><td>10：15</td><td>休憩</td></tr>
<tr><td>9：55</td><td>10：20</td><td>膵十二指腸損傷</td><td rowspan="2">10：15</td><td rowspan="2">10：50</td><td rowspan="2">腹部外傷の手術 2</td></tr>
<tr><td>10：20</td><td>10：45</td><td>泌尿生殖器損傷</td></tr>
<tr><td>10：45</td><td>11：10</td><td>心血管損傷</td><td>10：50</td><td>11：10</td><td>手術器材</td></tr>
<tr><td>11：10</td><td>11：40</td><td colspan="4">チームワーク</td></tr>
<tr><td>11：40</td><td>11：55</td><td colspan="4">実験動物扱いに関する倫理</td></tr>
<tr><td>11：55</td><td>12：30</td><td colspan="4">昼食・実技説明</td></tr>
<tr><td>12：30</td><td>12：40</td><td colspan="4">移動・着替え</td></tr>
<tr><td rowspan="2">12：40</td><td rowspan="2">15：40</td><td colspan="4">アニマル・ラボ</td></tr>
<tr><td colspan="4">修了証授与</td></tr>
<tr><td>15：40</td><td>15：50</td><td colspan="4">着替え・移動</td></tr>
<tr><td>15：50</td><td>16：20</td><td>ポストテスト</td><td></td><td></td><td></td></tr>
<tr><td>16：20</td><td>16：30</td><td>講評・修了式</td><td></td><td></td><td></td></tr>
</table>

わが国で行われているJATECは，外傷初期診療の標準化を可能にし，いわゆる「golden hour」の治療成績向上に寄与してきた。一方，「golden hour」の後の外傷治療についての，標準化され系統立った教育は，ますます細分化される一般外科教育のなかで，また手術を必要とするような外傷患者を治療する機会が限られているなかでは，ほぼ不可能になってきている。この現実を憂い，International Association for Trauma Surgery and Intensive Care（IATSIC）の主要メンバー医師が中心となって開発されたのがDefinitive Surgical Trauma Care（DSTC™）コースである[13]。1993年サンフランシスコでの米国外科学会で，IATSICの5名の主要メンバー，Howard Champion（米国），Stephen Deane（オーストラリア），Abe Fingerhut（フランス），David Mulder（カナダ），Donald Trunkey（米国）が世界各国の外傷教育の現状を討論し，ATLS™に続くコースの必要性を確認した。

同年，スウェーデンにおいてSten Lennquist（スウェーデン）が5日間の外傷教育コースを行い，その後プロトタイプのコースがパリ，ワシントン，シドニーで行われた。DSTC™という登録商標下でのコースは1996年にオーストリアのグラーツとオーストラリアのシドニーで始まった。なお，現在IATSICは北米を除いた外傷外科の組織では最大の世界規模の組織で，ISS/SIC（英語名：International Surgical Society/仏語名：Société International de Chirugie/日本語名：万国外科学会）の構成団体である。

2. コースの特徴

DSTC™コースは外傷診療全般に対する教育コースで，通常3日間行われるが，開催国の事情で2日間に短縮したコースも提供されている。コースは，普段外傷患者を頻繁に診ていない外科医に対して，手術や集中治療管理を要する重症外傷患者に必要とされる知識や手術手技を教える内容となっており，日々進歩する外傷診療の知見のアップデートのために定期的に内容が更新されている。

また外傷診療におけるチーム医療の重要性から，麻酔科医，集中治療医（non-surgeon）に対して外傷診療に必要な知識やチーム診療に特化した内容を教えるDefinitive Anesthetic Trauma Care（DATC™）コースが始まり，必ずDSTC™との併催で，各国で開催されている[14]。わが国でも2018年6月よりDATC™が併催され，外科医と麻酔科医，集中治療医がチーム医療を意識する形で，講義や実習にそれぞれの立場で参加している。

DSTC™は登録商標を得ており，「DSTC™」と銘打つコース開催はスイスのISS本部の了承が必要である。通常年間45〜50回のコースが世界各地で開催され，2019年までに32カ国で累計550回以上のコースが開催されている。しかし2020年から始まった新型コロナウイルス感染症の世界的流行により，コース開催が各地で中断され，2020年は7回の開催のみであった。その後少しずつではあるが，各地でコースが再開されている。

わが国では，2013年2月に海外より講師を招聘し，第1回コースを開催した。その後1〜2回/年で英語による国際コースを開催したが，国際コースでは，ケースシナリオにおいて英語が堪能な外国人受講生の意見に押されること，ディスカッションが深まらないこと，受講できる層が英語力によって限定されること，などの問題があった。これは，スペイン語圏，ポルトガル語圏でも共通の問題と認識されており，母国語でのコース開催を前提にDSTC™マニュアルのスペイン語訳，ポルトガル語訳が出版されている。わが国においても2016年に日本語訳の『DSTC外傷外科手術マニュアル』（医学書院）が出版され，2017年3月に日本人講師による日本語を使ってのコースが開催された。以後，年1回の国際コースを含め，3〜4コース/年でコースが開催され，2019年までに16回のコースが開催された。開催地は東京（帝京大学）と神戸（大阪公立大学）の2カ所で，参加者の国籍は日本，韓国，台湾，フィンランドと国際色豊かであるのが特徴である。

3. コースの概要

系統立った外傷総論，臓器別損傷の各論，実際の症例を用いたケースディスカッション，さらに動物を使った外傷モデルでの手技教育が中心となる。とくにケースディスカッションはそれぞれの国や地域のシステムや医療資源を考慮して進められ，受講生が積極的に参加できる内容となっている。第1回のコースカリキュラムを提示する（表5-1-3）。受講要件は外科医であること，ATLS™やJATECなどの初期診療コースを受講済みであることの2つである。受講料は15〜20万円で，これは，DSTC™コースでは受講生4名（最大6名）にウエットラボ（ブタ）を1頭ずつ，2日間割り当てていること，手術用物品（手術用縫合糸，自動吻合器など），麻酔薬，講師・麻酔担当医・手術用看護師の旅費，コース管理ルールで義務づけられたコースディナーが含まれるためである。コース管理ルールには，外国人講師はどんなに高名な外科医であってもエコノミークラスで往復すること，自国での休業補償は求めないこと，実施国での報酬はないこと，が明記されている。第1回のDSTC-Japanコースにも，4名の外国人講師が，ボランティア精神で来日している。

4. 課　題

最大の難点はコース期間が3日間であることである。昨今のわが国の医療従事者の労働環境を考えると，3日間，地方からの参加だと前後の1日を含め4〜5日間，診療現場を空けることは大変難しい。したがって，コース管理ルールでは最初の2回のコースをオリジナルで施行した後は，それぞれの国の事情によって少しカリキュラムを改変してもよいことになっている。オランダなど2日間のコースで実施している国もあり，今後のDSTC-Japanの検討課題でもある。

5. まとめ

JETECではウエットラボの実技コースは企画されなかったため，本コースがJETECを補完するものとして利用されることが望まれる。DSTC™をはじめとした世界標準のトレーニングコースを紹介し，徐々に標準化を図ろうとする動きは，わが国の国民性に合致するであろう。それぞれコースには一長一短があるため，その目的や内容を理解し，個人のニーズに合わせて使い分けることが望ましい。

Ⅲ ASSETコース

1. コース開発の経緯

外傷手術症例の減少に伴い，米国外科学会外傷委員会（ACS-COT）を中心に，外傷外科手術のsimulation trainingプログラムの必要性が2000年以降提唱された。2005年にはACS-COTによって設置されたSurgical Skills Committeeのメンバーが中心

表5-1-3　Definitive Surgical Trauma Care™ Course（DSTC™）
COURSE TIMETABLE

1st day	
Registration	
8：00- 8：10	Registration
8：10- 8：15	Opening remarks
8：15- 8：30	Welcome and introduction
8：30- 9：00	Course overview and surgical decision making
9：00- 9：30	The trauma laparotomy
9：30- 9：45	Discussion
9：45-10：15	Damage control
10：15-10：30	Discussion
10：30-11：00	Case presentation
11：00-11：15	Break
11：15-11：45	Trauma to the neck
11：45-12：00	Discussion
12：00-12：30	Case presentation
12：30-13：15	Lunch
13：15-16：45	Skills laboratory

2nd day	
8：00- 8：30	Thoracic injury
8：30- 8：45	Discussion
8：45- 9：15	Technique：Pericardial window Technique：Cardiac and lung repair
9：15- 9：30	Discussion
9：30-10：00	Case presentation
10：00-10：15	Break
10：15-10：30	Trauma to the liver
10：30-10：45	Discussion
10：45-11：00	Trauma to the spleen
11：00-11：15	Discussion
11：15-11：30	Trauma to the pancreas and duodenum
11：30-11：45	Discussion
11：45-12：00	Urological trauma
12：00-12：15	Discussion
12：15-12：45	Case presentation
12：45-13：30	Lunch
13：30-16：45	Skills laboratory
17：30-	DSTC-Course dinner (at Green's Cafe on Level 6 in Teikyo-University Hospital)

3rd day	
8：00- 8：15	Craniofacial trauma
8：15- 8：30	Discussion
8：30- 9：00	Case presentation
9：00- 9：30	Extremity injury Technique：Fasciotomy
9：30- 9：45	Discussion
9：45-10：05	Break
10：05-10：20	Pelvic trauma
10：20-10：35	Discussion
10：35-11：05	Case presentation
11：05-11：20	Interventional radiology
11：20-11：35	Discussion
11：35-12：05	Case presentation
12：05-12：45	Lunch
12：45-13：15	Burns and escharotomy
13：15-13：30	Discussion
13：30-14：00	Case presentation
14：00-14：15	Endpoints of resuscitation
14：15-14：30	Discussion
14：30-14：45	Massive haemorrhage and coagulopathy
14：45-15：00	Discussion
15：00-15：15	Infection in trauma
15：15-15：30	Discussion
15：30-15：45	Case presentation
15：45-16：15	Closure Discussion and input regarding course Presentation of course certificates

となって遺体を用いたトレーニングコースの開発が進められ，Uniformed Services, University of the Health Sciencesにおいて米国独自の1日の献体コースASSET（Advanced Surgical Skills for Exposure in Trauma）のパイロットコースが開催された[15]。2010年には正式コースが開催され，その後，コースの有用性，実践性が高く評価され，現在では全米各地での開催のほか，カナダやヨーロッパ，アジア各国にも急速に広がっている。

2. コースの概要

ASSETコースは生体とほぼ同じ質感で病原体による感染の危険性を伴わないThiel法もしくは新鮮凍結法で処理された遺体を用いた1日のコースであり，米国での対象者はATLS™を受講したsenior surgical residents，trauma fellow，practicing surgeonsとしている。受講生は，事前に配布されたコースマニュアルと手術手技に関するDVDを用いて手術実技の予習を行うとともに，事前のプレテストにて解剖，手術に関する知識を整理する。

実際のコースは，遺体1体につき1名のインストラクター，4名の受講生で行われる（表5-1-4）。頸部，胸部，腹部，骨盤，四肢（上肢・下肢）の課題ごとに，まずは外傷シナリオをもとにインストラクターと受講生がディスカッションし，続いて対応する手術手技の実技を行う。コースの最後には知識習得を確認する目的でポストテストが行われ，さら

表5-1-4　コーススケジュール

8：30～ 8：50	挨拶・献体に関する事前講義
9：00～ 9：45	実習1：上肢 症例1：腋窩（15分） 症例2：上腕（15分） 症例3：前腕（15分）
9：45～10：45	実習2：下肢 症例4：大腿（10分） 症例5：膝窩(30分)/筋膜切開(20分)
10：45～11：40	実習3：頸部 症例6：鎖骨下－鎖骨上（20分） 症例7：頸動脈・内頸静脈（20分） 気管・食道（15分）
11：40～12：30	昼食休憩
12：45～14：00	実習4：胸部 症例8：胸骨正中切開・上行大動脈（15分） 症例9：左開胸・胸部大動脈（30分） 症例10：clamshell 開胸・tractotomy（20分） 症例11：近位鎖骨下動脈（10分）
14：00～15：50	実習5：腹部 症例12：骨盤パッキング（20分） 症例13：腸骨血管への後腹膜アプローチ（25分） 症例14：Mattox手技（20分） 症例15：Kocher手技・下大静脈（15分） 症例16：Kocher手技・大動脈（15分） 症例17：肝と後腹膜下大静脈（15分）
16：00～16：30	ポストテスト・アンケート・修了証授与

に受講生はコースに対する5段階の評価Likert scale（1：strongly disagree ～ 5：strongly agree）と各手技の自己効力感5段階評価self-efficacy questionnaire（SEQ，1：poor ～5：excellent）を行う。

Bowyerら[16]は，ASSET受講後には，外科専攻医，外科専門医ともに受講前よりすべての手技においてSEQポイントの改善が認められ，なかでも頸部損傷の検索，腹膜前骨盤パッキング，左側腹腔内臓器脱転手技，肝授動手技，腹腔動脈・上腹部大動脈露出，下大静脈露出，腸骨動静脈露出手技などは外科修練医で有意にSEQポイントの上昇を認めたと報告している。Mackenzieら[17]による40名の卒後3～6年目の外科修練医を対象に行った主要四肢血管外傷（腋窩，腕頭，大腿動脈）と下腿筋膜切開術のマネジメントスキルに対する検討では，ASSETコースの受講前後で臨床判断，解剖学的知識，外科技術の有意な向上が認められたと報告している。また，カナダのAliら[18]は，コース受講後に腹部以外の部位（頸部，胸部，骨盤，四肢）のSEQが上昇したと報告している。

わが国では2016年に米国よりコースディレクターおよびコースコーディネーターを招いてASSETコースが初開催され，それ以降，2022年2月現在，16回開催され，124名が受講している。日本開催のASSETコースの参加資格は，「Advanced Trauma Life Support（ATLS™）またはJapan Advanced Trauma Evaluation and Care（JATEC）を受講し，外科専門医取得もしくはそれと同等の外科修練を終えていることが望ましい」と定めている。わが国での受講生による7項目のコース評価は5点満点中平均4.5～4.8点とすべての項目で良好であった。2017年度から日本外科学会外科専門医修練カリキュラムの認定コースとして「外傷の修練」の4点とカウントされるようになり，今後も定期開催が予定されている。

また，2021年にはASSET 2nd editionが作られ[19]，近年，米国では輪状甲状靱帯切開，REBOAの項目が講習内容に追加された。わが国のコースでも今後追加予定となっている。

3. 課　題

わが国では厚生労働科学研究の成果を基盤として，2012年に日本外科学会と日本解剖学会の連名で「臨床医学の教育及び研究における死体解剖のガイドライン」が公開された。現在日本外科学会のCST（cadaver surgical training）推進委員会で承認された研修の一覧が日本外科学会ホームページで公開されており，わが国においても遺体を用いた手術トレーニングの開催期待が高まっている。しかし現状では実施可能な施設が限られており，普及への課題となっている。

4. まとめ

ASSETコースでは，外傷症例における出血をコントロールするための血管への手術アプローチ手技を学ぶことができる。出血性ショックという時間的制約のなか，重症の外傷症例に適切に対処するためのシミュレーショントレーニングとして本コースは有用性が高いと考える。

Ⅳ AOコース

1. AOの歴史と発展

20世紀前半は，骨折に対するよい内固定法がなかったため，長期の外固定により重篤な機能障害を残すことが少なくなかった。この問題を解決するために，1958年スイスで13名の外科医によって創設された骨折治療に関する研究グループが，AO（独語名：Arbeitsgemeinschaft für Osteosynthesefragen）である。

AO法は，①解剖学的整復，②強固な内固定，③血行温存，④早期自動運動を治療原則とすることで治療成績を飛躍的に向上させ，広く世界中で受け入られるようになった。また膨大な数の症例を評価して治療法の改善に反映したことも発展の大きな要因である。1984年には運動器外傷・疾患治療の国際的研究グループとしての非営利団体（AO財団）になり，世界をリードする外傷・運動器疾患の教育・研究組織に発展した。現在では124カ国，25,000名以上の外科医が所属する広域で質の高い医学界ネットワークの1つとなっている。また7,000名以上のメンバーが教育コースの講師として携わっている。さらに2010年には，より高度で専門的な外傷治療を目指す外科医に臨床・教育・交流の場を提供することを主な目的として，AOTrauma（一般外傷），AOSpine（脊椎），AOCMF（顎・顔面），AOVET（獣医）という専門領域別の4部門が設立された。本部はスイスのダボスにある。主な活動は，教育，研究，開発，臨床研究，手術器具・手技などの承認で，とくに教育活動に力を入れている。わが国では1988年にAOTraumaの日本支部が設立され，日本独自の教育，研究・開発，広報活動を行っている。

2. AOの教育活動

AOの創設者らは，治療成績の向上には研究やインプラントの開発のみでなく教育が必要であることを早くから認識し，1960年に第1回目の教育研修コース（AOコース）を開催した。また手術室看護師に対しても，1963年から手術室看護師研修コース（ORP；Operative Room Personnelコース）を行っている。これまでに世界中で多くの医師，手術室看護師が受講しており，現在，年間数百のコースが世界各地で開催されている。

わが国では，1987年に第1回目のAOコースが開催され，2022年末までにAOTraumaで9,076名の医師と，ORPで2,330名の看護師が受講した（図5-1-2）。

3. AOコース

AOコースには，Basic PrinciplesコースとAdvanced Principlesコースがある。ともに日程は3日間である。

1）Basic Principlesコース

Basic Principlesコース（表5-1-5）はすべての基本となるコースで，医師国家試験合格後4年目以降の医師を対象としている。コースは15～20分の講義とグループディスカッションおよび実習から構成されている。ディスカッションでは，AOTrauma Japanの教育委員が吟味したcase libraryの症例を通して骨折治療の基本を学び，実習では2名1組となり，骨モデルを用いて基本的手術手技を学ぶ（図5-1-3）。本コースは，以下の点を習得することを目的としている。

(1) 骨折の安定性の概念，バイオメカニクスと生体反応の骨折治癒への影響を理解し，適切な安定性を得る手技を学ぶ。
(2) 骨折の画像評価，分類，患者評価を行い，治療法の選択と手術計画を立てることができる。
(3) 軟部組織に注意しながら，整復操作ができる。
(4) 骨幹部骨折と単純な関節および関節周囲骨折を治療することができる。
(5) 小児骨折，高齢者骨折，骨盤骨折，術後感染，遷延治癒や偽関節の特有の問題点を評価し認識できる。
(6) 多発外傷の初期治療を計画できる。

Basic Principlesコースの修了は，その後のすべてのコースに参加するために不可欠な条件となっている。

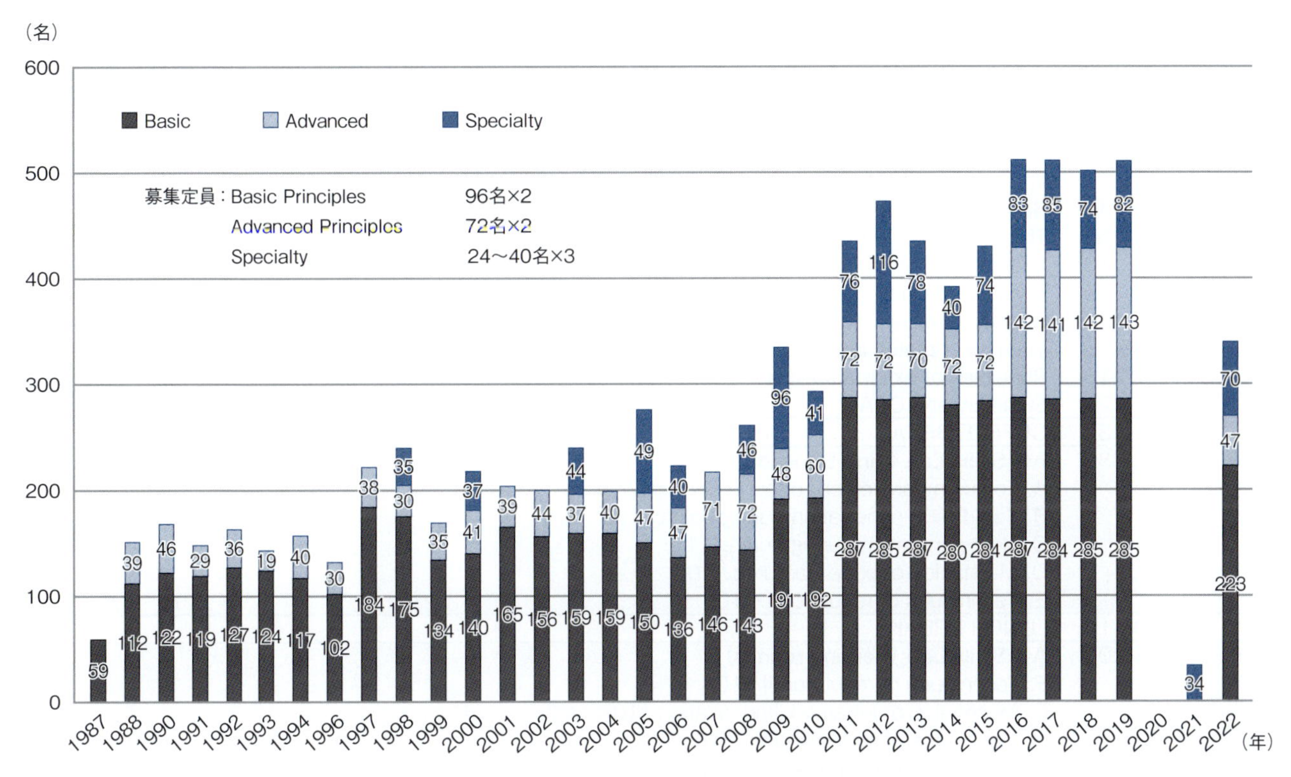

図5-1-2　日本におけるAO外傷コース参加者数と内訳

図5-1-3　モデルを用いた実習

2）Advanced Principles コース

Advanced Principlesコース（表5-1-6）は，Basic Principlesコース修了者が臨床経験を積んで，さらに知識を深め，技術レベルを向上させるためのコースである。そのため，講義時間の割合は少なくなり，割合の増えたグループディスカッションでは，複雑な症例を通じて治療困難な骨折への理解を深める。実習では骨モデルを用いて，関節部粉砕骨折を中心とした整復固定手技を練習する。実習の際には各テーブル10名に臨床経験豊富な指導者が1～2名ついて指導する。本コースは，以下の点を習得することを目的としている。

(1) 軟部組織に注意しながら，整復操作ができる。
(2) 骨幹部や関節部の複雑な骨折に対して，最新の診断技術による評価と治療ができる。
(3) 開放骨折や軟部組織損傷に対する評価と治療戦略を説明することができる。
(4) 骨盤外傷と多発外傷における適切な初期治療を開始することができる。

3）Specialty コース

これら2つのコースのさらなる上級コースとして，より専門的な治療を行うための知識と技術の習得を目的にHand, Pelvic, Pediatric, Foot & Ankle, Geriatric, Upper Extremity, Lower Extremity, MIPO, Master, Knee Osteotomy, Hip Preservationコースなどの Specialty コースがある。日程は3日間である。Specialtyコースの参加にはHandコースを除いてAdvanced Principlesコースを修了していることが必須条件となる。

表5-1-5　Basic Principlesコースプログラム

Day 1 Time		Topic
9：00	9：10	Welcome and introduction
		General principles
9：10	9：20	The AO world – from history to lifelong learning
9：20	9：40	Bone healing and the effect of patient factors and injury mechanism on fracture management
9：40	9：55	The 2018 AO/OTA Fracture and Dislocation Classification Compendium
9：55	10：10	The soft-tissue injury – a high priority consideration
10：10	10：25	Absolute stability：biomechanics, techniques, and fracture healing
10：25	10：40	Relative stability：biomechanics, techniques, and fracture healing
10：40	10：55	The use of plates in fracture fixation
10：55	11：10	Principles of external fixation
11：10	11：20	Summary and Q&A
11：20	11：35	COFFEE BREAK
11：35	12：30	**AO Skills Lab（First 5 rounds）** A. Torque measurement of bone screws（10） B. Soft-tissue penetration during drilling（10） C. Heat generation during drilling（10） D. Mechanics of bone fractures（10） E. Techniques of reduction I（10）
12：30	13：10	LUNCH BREAK
13：10	14：05	**AO Skills Lab（Second rounds）** F. Techniques of reduction II（10） G. Mechanics of intramedullary fixation（10） H. Mechanics of plate fixation（10） J. Fracture healing and plate fixation（10） K. Damaged implant removal（10）
14：05	14：15	Location change to practicals
14：15	14：25	How to use drills and benders – before Practical exercise
14：25	15：25	**Practical exercise 1：** Internal fixation with screws and plates – absolute stability
15：25	16：35	**Practical exercise 2：** Principle of the internal fixator using the locking compression plate（LCP）
16：35	16：50	COFFEE BREAK
		Treatment of diaphyseal fractures
16：50	17：15	Principles of diaphyseal fracture management – what is important in treating these fractures?
17：15	17：20	Location change to small group discussions
17：20	18：30	**Small group discussion 1：** General principles, classification, concepts of stability, their influence on bone healing, and how to apply implants to achieve appropriate stability
18：30		End of day 1
Day 2 Time		**Topic**
8：00	9：00	**Practical exercise 3：** Tibial shaft fractures – intramedullary nailing with the expert tibial nail（ETN）（with reaming）
9：00	9：15	COFFEE BREAK
9：15	10：25	**Small group discussion 2：** Management principles for the treatment of diaphyseal fractures
10：25	10：35	Location change to lecture room
		Principles and management of articular fractures
10：35	10：55	Principles for articular fractures – how do they differ from diaphyseal fractures?
10：55	11：10	Forearm fractures – understanding the principles of diaphyseal and articular fractures
11：10	11：25	Preoperative planning – rationale and how to do it
11：25	11：35	Summary and Q&A
11：35	11：40	Location change to Practicals
11：40	12：20	**Practical exercise 4：** Application of a modular large external fixator（tibia modular external fixator）
12：20	13：20	LUNCH BREAK
13：20	14：20	Preoperative planning – “plan your forearm operation”（Templating exercise）
14：20	14：30	Location change to Practicals
14：30	15：30	**Practical exercise 5：** Operate your plan? Fixation of a 22C1 forearm fracture using the LCP 3.5（8 and 11 holes）
15：30	15：45	COFFEE BREAK
15：45	16：00	Tension band principle and cerclage wiring
16：00	16：15	Ankle fractures – a systematic approach to their fixation
16：15	16：30	Introduction to tibial plateau fractures
16：30	16：45	Femoral neck fractures

16：45	17：00	Trochanteric fractures
17：00	17：15	Distal femoral fractures − management principles
17：15	17：25	Summary and Q&A
17：25	17：30	BREAK
		Emergency management, minimally invasive surgery, and special fractures
17：30	17：40	Radiation in the operating room − appropriate use and hazards
17：40	17：55	Treatment algorithms for the polytrauma patient
17：55	18：10	Emergency management of pelvic fractures − a critical skill can save lives
18：10	18：25	Fixation principles in osteoporotic bone − the geriatric patient
18：25	18：35	Summary and Q&A
18：35		End of day 2
Day 3 Time		Topic
8：00	9：10	**Small group discussion 3：** Management principles for the treatment of articular fractures
9：10	9：15	Location change to lecture room
		Special issues and problems
9：15	9：30	Management of open fractures
9：30	9：45	Perioperative infection − prevention, evaluation and management
9：45	10：00	Delayed healing − causes and treatment principles
10：00	10：10	Summary and Q&A
10：10	10：25	COFFEE BREAK
10：25	11：00	**Practical exercise 6：** Tension band wiring of the olecranon
11：00	12：00	**Practical exercise 7：** Management of a type 44C malleolar fracture
12：00	12：40	LUNCH BREAK
12：40	13：30	**Practical exercise 8：** Management of a trochanteric fracture（TFNA）
13：30	13：35	Location change to lecture room
		Special issues and problems 2
13：35	13：50	Violation of principles
13：50	14：00	Implant removal − Why, when, and how?
14：00	14：15	Minimally invasive osteosynthesis（MIO）− when to use it?
14：15	14：30	Fractures in the growing skeleton − how are they different?
14：30	14：45	The future of fracture treatment
14：45	15：10	Grand final discussion
15：10	15：15	Closing remarks
15：15		End of the course

表5-1-6　Advanced Principlesコースプログラム

Day 1 Time		Topic
		Opening
9：00	9：10	Welcome and introduction
		Review of the principles and new techniques
9：10	9：25	Review of the principles of fracture management
9：25	9：40	Clinical applications for locked plating
9：40	9：55	Tissue vitality and effect of injury
9：55	10：10	The 2018 AO/OTA Fracture and Dislocation Classification update
10：10	10：25	Fracture reduction
10：25	10：40	Minimally invasive osteosynthesis（MIO）− minimizing surgical footprints
10：40	10：50	Summary and Q&A
10：50	11：10	COFFEE BREAK
11：10	12：30	**Small group discussion 1：** Reduction techniques − concepts and application
12：30	13：20	LUNCH BREAK
		Injuries of the upper limb
13：20	13：40	Fractures of the scapula：indication for surgery and methods of fixation
13：40	13：55	Fractures of the clavicle：when and how to operate − indications and methods of fixation
13：55	14：10	Proximal humeral fractures − to fix, replace, or treat nonoperatively?
14：10	14：25	Complex humeral shaft fractures
14：25	14：40	Distal humerus − intraarticular fractures and complications
14：40	14：55	Distal radial fractures
14：55	15：10	Fracture dislocation of the elbow
15：10	15：20	Summary and Q&A
15：20	15：40	COFFEE BREAK

15：40	16：55	**Small group discussion 2：** Upper extremity fractures – decision-making and methods of stabilization
16：55	17：05	Location change to practicals
17：05	18：25	**Practical exercise 1：** Fixation of a four-fragment fracture in the proximal humerus using a proximal humeral interlocking system（PHILOS）plate
18：25		End of day 1
Day 2 **Time**		**Topic**
		Injuries of the lower limb
8：00	8：15	Femoral neck fractures – different patients, different problems
8：15	8：30	Intertrochanteric fractures – treatment options and outcomes
8：30	8：45	Current treatment and options of subtrochanteric fractures
8：45	9：00	Femoral shaft fractures
9：00	9：15	Distal femoral fractures – treatment options and outcomes
9：15	9：25	Summary and Q&A
9：25	9：30	Location change to practicals
9：30	10：50	**Practical exercise 2：** Distal femur：fixation of an intraarticular type 33C2.1 fracture using an LCP distal femoral plate
10：50	11：10	COFFEE BREAK
11：10	12：30	**Small group discussion 3：** Fractures of the femur
12：30	13：20	LUNCH BREAK
		Injuries of the lower limb 2
13：20	13：35	Complex tibial plateau fractures
13：35	13：50	Tibial shaft fractures（proximal, distal, and segmental）
13：50	14：05	Early and definitive treatment of pilon fractures
14：05	14：20	Complex malleolar fractures
14：20	14：35	Calcaneal fractures – predicting and avoiding problems
14：35	14：50	Talar neck fractures and complications
14：50	15：05	Navicular and Lisfranc injuries and complications
15：05	15：15	Summary and Q&A
15：15	15：30	COFFEE BREAK
15：30	16：45	**Small group discussion 4：** Fractures of the tibia, ankle, and foot
16：45	16：55	Location change to practicals
16：55	18：15	**Practical exercise 3：** Management of a type 41C3 bicondylar tibial plateau fracture using an LCP
18：15		End of day 2
Day 3 **Time**		**Topic**
8：00	9：30	**Practical exercise 4：** Management of a type 43C2.3 distal tibial fracture using an LCP distal tibial plate and an LCP one-third tubularplate
9：30	9：50	COFFEE BREAK
		Polytrauma, pelvis, and acetabulum
9：50	10：05	Management of multiple-injured patients（ETC/DCO/EAC）
10：05	10：20	Evaluation and emergency management of pelvic ring injuries
10：20	10：35	Fracture treatment of pelvic ring injuries
10：35	10：55	Principles of acetabular fracture management
10：55	11：05	Summary and Q&A
11：05	11：10	Location change to small group discussions
11：10	12：15	**Small group discussion 5：** Decision-making in difficult fractures and polytrauma patients
12：15	13：00	LUNCH BREAK
		Special situations and problems
13：00	13：15	Principles of orthogeriatric fracture care（osteoporotic fractures）
13：15	13：30	Periprosthetic fractures
13：30	13：45	Deep vein thrombosis（DVT）prophylaxis
13：45	14：00	Bone grafts and bone graft substitutes to promote fracture union – options and outcomes
14：00	14：15	Mangled extremity management
14：15	14：30	Management of malunion
14：30	14：45	Infection after osteosynthesis
14：45	15：00	Treatment of metaphyseal and diaphyseal nonunions
15：00	15：40	Grand final discussion
15：40	15：45	Closing remarks
15：45		End ot the course

4）日本でのコース開催

わが国でのAOTraumaコースは，2022年末までにBasic Principles 70回，Advanced Principles 35回，Hand 7回，Pelvic 7回，Pediatric 5回，Foot & Ankle 2回，Geriatric 4回，Master 2回，Upper Extremity 4回，Lower Extremity 2回，Knee Osteotomy 5回，Hip Preservation 2回，Soft Tissue 1回，ORP 33回を開催している。定員は現在，Basic Principlesコースは96名，Advanced Principlesコースは72名，Specialtyコースは約40名である。開催時期は2月にBasic PrinciplesとAdvanced Principles，8月に2つのBasic PrinciplesとAdvanced Principles，ORPコースを開催している。Specialtyコースの時期は一定しておらず，年に2～3回開催している。2012年からは，HandやPelvicコースではcadaver workshopを含めたコースを開催している。これらすべてのコースでは日本人の講師のみならず，海外から著名な講師陣を招いており，各分野の世界的エキスパートから直接学ぶことができる。

また，わが国独自の初期研修コースとして，卒後1～2年目の研修医や手術室看護師を対象としたAOTrauma Starterセミナーや大学でのAOTraumaセミナーを全国各地で年に5～6回開催している。半日間の日程で，骨折治療の基本的な講義を行っている。

各コースの講師や実習指導者に対しては，参加者による評価が行われ，その結果は本人に通知されて教育内容の向上に役立てられる。またAOTraumaでは，コースの講師を教育する研修会を開催して，指導能力の向上を図っている。

4. AOメンバーシップ

Basic Principlesコース修了者は，年会費（100スイスフラン）を支払うことにより，AOTraumaのメンバーとなることができる。メンバーとしての特典は，ホームページ（https://www.aofoundation.org/trauma）[20]で，「Injury」をはじめとする外傷関係のジャーナルへのフリーアクセス，講演や手術ビデオの閲覧，人体の詳細な3D画像（primal pictures）のダウンロードなどがある。またfellowshipに応募することができ，滞在費支給のもと，6～8週間，欧米の外傷センターで研修することができる。AOTrauma Japanでは，メンバーにSpecialtyコースの優先案内を行っている。また国内AOコースのインストラクターなど教育活動への参加の機会などが与えられる。さらに教育・研究の能力が認められれば，海外のAOコースへの講師としての派遣，AOの研究・開発活動への参加などの可能性が開ける。

AOTraumaのホームページでは，メンバーでなくとも多くの情報を得ることができる。とくにAO Surgery Referenceは，表示された身体の部位をクリックするとその部位の骨折分類が表示され，どれかを選択すると保存療法から手術療法まで治療法の詳細が次々と表示され，忙しい日常診療では非常に有用なページである。

AOTrauma Japanの詳細はホームページ（https://trauma.aojapan.jp/）[21]を参照されたい。

5. まとめ

AOとはスイスに本部のある，運動器外傷・疾患の国際的研究グループである。教育，研究，開発など多くの活動を行っており，とくに教育については医師・看護師にさまざまな機会を提供し，外傷患者の治療成績の向上を目指している。門戸は常に開いており，外傷に興味のある人材の参加が期待される。

文　献

1）Jacobs LM, Burns KJ, Kaban JM, et al：Development and evaluation of the advanced trauma operative management course. J Trauma 2003；55：471-479；discussion 479.
2）Ali J, Ahmed N, Jacobs LM, et al：The Advanced Trauma Operative Management course in a Canadian residency program. Can J Surg 2008；51：185-189.
3）Jacobs LM, Burns KJ, Luk SS, et al：Advanced Trauma Operative Management course introduced to surgeons in West Africa. Bull Am Coll Surg 2005；90：8-14.
4）箕輪良行：ATOMコース開発はわが国の外傷診療に妥当であるか？ 日外会誌 2010；111：25-27.
5）Lefor AK, Mizobata Y：Japan board of surgery now recognizes ATOM as a credential for board certification. Bull Am Coll Surg 2016；101：76-77.
6）Jacobs LM, Burns KJ, Luk SS, et al：Follow-up survey of participants attending the Advanced Trauma Operative Management（ATOM）Course. J Trauma 2005；58：1140-1143.

7) Jacobs LM, Burns KJ, Luk SS, et al：Advanced trauma operative management course：Participant survey. World J Surg 2010；34：164-168.

8) 北川喜巳，箕輪良行，アラン・レフォー：本邦におけるATOMコース普及の妥当性と今後の展望．日救急医会中部誌 2012；8：5-7.

9) Nagata T, Akahoshi T, Sugino M, et al：The importance of simulation education for the management of traumatic cardiac injuries：A case series. Surg Case Rep 2019；5：202.

10) Ali J, Sorvari A, Henry S, et al：The Advanced Trauma Operative Management course：A two student to one faculty model. J Surg Res 2013；184：551-555.

11) Perkins RS, Lehner KA, Armstrong R, et al：Model for team training using the Advanced Trauma Operative Management Course：Pilot study analysis. J Surg Educ 2015；72：1200-1208.

12) American College of Surgeonsホームページ．
https://www.facs.org/quality-programs/trauma/atls/（Accessed 2022-02-28）

13) IATSICホームページ．
https://iatsic.org/DSTC/（Accessed 2022-02-28）

14) Alexandrino H, Baptista S, Vale L, et al：Improving intraoperative communication in trauma：The educational effect of the Joint DSTCTM-DATCTM courses. World J Surg 2020；44：1856-1862.

15) Kuhls DA, Risucci DA, Bowyer MW, et al：Advanced surgical skills for exposure in trauma：A new surgical skills cadaver course for surgery residents and fellows. J Trauma Acute Care Surg 2013；74：664-670.

16) Bowyer MW, Kuhls DA, Haskin D, et al：Advanced Surgical Skills for Exposure in Trauma（ASSET）：The first 25 courses. J Surg Res 2013；183：553-558.

17) Mackenzie CF, Garofalo E, Shackelford S, et al：Using an individual procedure score before and after the Advanced Surgical Skills Exposure for Trauma course training to benchmark a hemorrhage-control performance metric. J Surg Educ 2015；72：1278-1289.

18) Ali J, Sorvari A, Haskin D, et al：Potential role of the Advanced Surgical Skills for Exposure in Trauma（ASSET）course in Canada. J Trauma 2011；71：1491-1493.

19) Advanced Surgical Skills for Exposure in Trauma（ASSET）2nd Edition Manual.
https://web4.facs.org/eBusiness/ProductCatalog/product.aspx?ID=1589（Accessed 2022-02-27）

20) AO Trauma.
https://www.aofoundation.org/trauma（Accessed 2021-12-16）

21) AO Trauma Japan.
https://trauma.aojapan.jp/（Accessed 2021-12-16）

2 国内のコースの紹介

I JETECコース

1. コース開発の経緯

日本外傷学会外傷研修コース開発委員会は，外傷診療の標準化と研修コースの開発について議論を重ねてきた。外傷診療の範囲が広いため，①初期診療と②根本治療を行う専門診療に分けてコース開発を行うこととした。初期診療に焦点を当てた研修コースをJATEC™と称し，その基本となるテキストを『外傷初期診療ガイドラインJATEC』として初版を2002年に上梓し，以降改訂を重ねてきた。同時にスタートさせたJATECコースも確実にその成果を収めてきた。その理念は防ぎ得る外傷死（preventable trauma death）を回避することを目的に生理学的徴候の異常の確認から診療を開始することを推奨し，「1人の医師」で対応する状況を設定している。

一方，根本治療に焦点を当てた専門診療の研修Japan Expert Trauma Evaluation and Care（JETEC™）については，2012年7月より，外傷研修コース開発委員会，日本救急医学会JATECコース企画運営委員会，および外傷専門医認定委員会にて議論を重ね，「JATECで指導する初期診療を引き継ぎ，チームとして質の高い根本治療と患者管理が行える」ことをコースの一般目標とした。2014年7月に日本外傷学会外傷専門診療ガイドライン編集委員会が設置され，「JATECとの整合性」「専門性」「根本治療」「意思決定」「チーム医療」「トータルマネジメント」を主テーマとして，『外傷専門診療ガイドラインJETEC』を上梓した（図5-2-1）。本書の出版を受け，2015年よりJETECコースの開催に向けた検討を重ね，2017年6月第31回日本外傷学会総会・学術集会開催時に合わせて第1回JETECコースが開催された。開催当初は日本外傷学会専門医を対象に限定的に展開し，徐々に対象を拡大して，年2〜3回の開催ながら，2022年度末までに16回開催している。

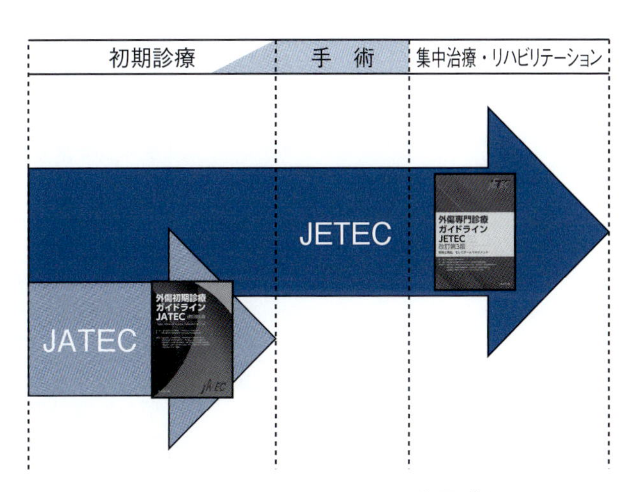

図5-2-1 JETECコースの位置づけ

2. コースの特徴

本コースの特徴は，手術手技に主眼を置くのではなく，座学やグループ討議を中心に，外傷診療におけるチームアプローチやdecision makingを学ぶことに主眼を置いた外傷専門医の資格取得・維持のためのoff-the-job trainingコースである。

JATECコースの守備範囲や状況設定，目標と比較すると，本コースの特徴として，以下の点があげられる。本コースの守備範囲は，JATECコースで教える初期診療と蘇生に引き続き，蘇生や根本治療，集中治療からなる。状況設定としては，外傷診療に相応しい施設・体制におけるチーム医療の展開である。コースの目標としては，質の高い専門診療を行い，primary surveyと蘇生を行ったうえで，高度な蘇生や救命処置が実施できることである。また複数損傷の治療の優先順位を決定し，損傷の根本治療や全身管理の判断が行えることである。受講生には外傷チーム医療のリーダーになれることを求めている。

コースプログラムの構成を表5-2-1に示す。

JETEC総論，チームアプローチ，頭部外傷治療戦略，胸腹部外傷治療戦略，整形外傷治療戦略，REBOAとTrauma IVR，decision making，ハンズオン（ICP測定，創外固定，REBOAなど）の項目

表5-2-1　JETECコースプログラムのテーマと内容

テーマ	内　容
JETEC総論	外傷診療に求められる能力として，戦略決断能力，蘇生に必要な戦術の遂行能力，チームコーディネート能力について教える。また，組織の能力として病院前医療体制の整備や病院内診療体制の構築について座学を中心とした講義を行う
チームマネジメント	外傷診療におけるチームマネジメントを理解し，チームビルディング，コミュニケーション，リーダーシップを実践できることを目標とする。ビデオや座学を行うとともに，チームマネジメントに関するグループディスカッションを行う
頭部外傷治療戦略	JATECのその先を見据えて，頭部外傷の病態生理と治療原則を教える。頭蓋内圧モニタリングの適応や頭蓋内圧亢進に対する治療，減圧開頭術について，症例を提示しながらの講義を行う。またハンズオンでは，実際の頭蓋内圧モニタリングの手法について教える
胸腹部外傷治療戦略	胸腹部外傷におけるprimary surveyの安定化と，蘇生に必要な治療戦略について，症例を提示してグループディスカッションを行う。さらに，蘇生的開胸術の適応やdamage control surgeryの概念，戦術，damage control resuscitationについて解説する
整形外傷治療戦略	主に骨盤外傷に対する止血戦略，四肢外傷・脊椎外傷に対する治療戦略について，グループディスカッションを行う。またハンズオンでは，骨盤骨折に対する創外固定手技を教える
REBOA Trauma IVR	REBOAの留置や管理，Trauma IVRの要点について，他の治療法との併用について，大動脈遮断とREBOAの違いなど，症例を提示しながら教える。またハンズオンでは，REBOAの手技を教える
decision making	多発外傷の治療戦略について，decision makingをグループ内で討議する。decision making 1では，多発外傷患者の各損傷部位の治療優先順位の決定と外傷に起因する合併症対策について議論を行う。decision making 2では，多数傷病者事例の対応について議論を行う

について，座学やハンズオン，グループディスカッションとさまざまな形式で行っていく。

各回の受講生アンケートを元に振り返りを行い，コンテンツや進行について，その都度内容のアップデートを実施しており，繰り返し受講することが推奨されている。

3. コースの概要

コースの概要についてJATECとの比較を表5-2-2に示す。

開催回数：開催は年3回行う。約8時間の1日コースである。

受講者：1回のコースの受講者は24名で，6名1組，4グループ構成で行う。各グループには1名のチューターが参加し，グループ討議などの司会進行やハンズオン時の補助を受けもつ。

受講資格：開催当初は外傷専門医の資格を有する医師のみを対象としていたが，現在は外傷学会会員であることを必須要件として，基本領域の専門医を有する医師や外傷専門医の取得を希望する医師を対象としている。

受講料：3万円

受講のクレジット：2024年度新規申請者より，外傷学会専門医カリキュラムにおいて受講が必須である。

コースプログラム：本コースのプログラムを表5-2-3に示す。

4. 今後の課題

外傷研修コース開発委員会において，コースの意

表5-2-2　JATECコースとJETECコースの比較

	JATECコース	JETECコース
コース開催	2002年開始	2017年開始
年間開催回数	35〜40回	3回
受講資格	医師	外傷学会会員 （基本領域の専門医を有する医師や外傷専門医の取得を希望する医師）
受講者数	18,343名 （2023年3月末）	270名 （2023年1月末）
コース運営	日本外傷学会/日本救急医学会	日本外傷学会
委員会	JATECコース企画運営委員会 （日本救急医学会）	外傷研修コース開発委員会 （日本外傷学会）
受講者/開催	32名（8グループ×4名）	24名（4グループ×6名）
インストラクター	JATECコース受講者	外傷専門医の有資格者

表5-2-3　JETECコースプログラム

時　間	(分)	内　容
9：00〜　9：30	30	受付
9：30〜　9：40	10	イントロダクション
9：40〜　9：50	10	JETEC総論
9：50〜10：40	50	チームアプローチ
10：40〜10：50	10	休憩
10：50〜11：30	40	頭部外傷治療戦略
11：30〜12：10	40	整形外傷治療戦略
12：10〜13：10	60	昼食/企業展示ラウンド*
13：10〜14：10	60	昼食/企業展示ラウンド
14：10〜14：50	40	REBOAとTrauma IVR
14：50〜15：30	40	胸腹部外傷治療戦略
15：30〜15：40	10	休憩
15：40〜16：30	50	decision making 1
16：30〜16：40	10	休憩
16：40〜17：30	50	decision making 2
17：30〜18：00	30	終了会

*12：10〜14：10の2時間で4グループが，昼食（30分），企業展示ラウンドでハンズオン（ICPモニター，創外固定，REBOAなど，各30分）をローテーションする

Aグループ：ICPモニター→創外固定→REBOA→昼食
Bグループ：創外固定→REBOA→昼食→ICPモニター
Cグループ：REBOA→昼食→ICPモニター→創外固定
Dグループ：昼食→ICPモニター→創外固定→REBOA

義，構成，専門医制度との関連，今後の展望などについて現在も議論している。以下に現在も検討中のいくつかの課題をあげる。

1）新専門医制度との関連

本コースは2024年度新規申請者から適応される外傷学会専門医研修新カリキュラムにおいて，受講が必須となっている。一方で，救急科以外の基本領域の専門医取得時のクレジットになるか否かは未定である。すでに整形外科領域や外科領域などでは各専門分野に特化したコースが開催されているが，これらの専門領域講習のみでは得られない各専門領域にまたがる総合的な判断力を養うコースになっている。

2）受講対象者の拡大

日本外傷学会は，現時点では医師のみの団体であるため本コースは医師のみのコースであり，後述するSSTT（Surgical Strategy and Treatment for Trauma）コースで実施される看護師などを含めたチームワーク教育の実習は行っていない。また本コースの受講者は外科専門医，整形外科専門医や脳神経外科専門医，救急科専門医など受講者の幅が広く，すべての受講者に一定の理解水準を求めるのは難しい場面にも遭遇することがある。

3）手術手技の導入について

本コースは座学中心の判断力を養うことを中心としたコースであるため，模型を用いた若干のハンズオンはあるもののATOMやDSTCなどの外傷手術コースのように，動物や遺体を使用したり，あるいは機材を用いた手技の修練には適していない。

4）インストラクター養成

現在のインストラクターは日本外傷学会の外傷研修コース開発委員会のメンバーが中心であり，随時外傷専門医を原則に増員，養成している。

表5-2-4 標準コースと座学コースの概要

		標準コース	座学コース
受講形態		同一施設の4名（医師2名・看護師2名）のチーム単位で受講	個人で受講
受講資格	医師	1．JATECコース受講者 2．日常的に外科医もしくは救急医として業務に従事している 外科医：外科診療に3年以上従事もしくはそれに相当する外科経験を有する 救急医：過去5年間に10例以上体幹部外傷手術の経験を有する	外傷外科手術の考え方についての学習を希望していること（医師看護師共通）
	看護師	1．JNTECコース受講者，もしくはJATECの理念を理解している 2．救急初療室もしくは手術室での勤務歴があり，手術介助経験を有する	
日程		2日間（手術実習あり）	1日間（手術実習なし）
受講料（1名あたり）	医師	180,000円	15,000円（医師看護師共通）
	看護師	40,000円	

5. まとめ

JETECコースは，複数の専門領域にかかわる重症外傷治療の戦略判断能力を養うコースであり，外傷専門医資格と深く結びついている。今まで行ったコースでの受講者のアンケート結果からは，講義内容が高レベルで充実しており，多くの受講者が同僚・後輩への受講を推奨し，8割が本コースの2～4年ごとの再受講を希望している。

Ⅱ SSTTコース

1. コース開発の経緯

重症体幹部損傷に対する非手術療法（NOM）の進歩に伴って手術症例は減少の傾向にあるものの，依然として外科的治療でなければ救命できない症例は存在する。このような症例を確実に救命するためには，手術スキルの修練を行うことが重要である。外傷外科手術のスキルを習得するためには，on-the-job trainingにおいて数多くの症例を経験することが効果的であることはいうまでもないが，昨今の外傷外科手術症例減少の状況下では，残念ながらon-the-job trainingのみでこれを達成するのは困難である。こうした背景から，欧米諸国を中心にoff-the-job trainingコースが開発され[1)2)]，スキル維持を補完することが画策されてきた。

しかしながら，実際の外傷外科手術では，単なる外傷外科手術のスキルにとどまらず，予定手術と異なる外傷外科の特殊性を理解したうえで，戦略決定能力，戦術実施能力，さらにはチームワーク構築能力が要求され（「外傷診療に求められる能力」，p.5参照），外傷外科医だけでなく外傷外科手術チームの養成が必要である。こうした状況を踏まえ，わが国で頻度が高く，蘇生のために外科的介入を必要とすることの多い，鈍的外傷による体幹部外傷を想定した内容で，外傷外科医ならびに外傷外科手術チームを養成することを目的として，2009年Surgical Strategy and Treatment for Trauma（SSTT）コースが開発された[3)4)]。

現在，本コースは，一般社団法人SSTT運営協議会により運営され，その事務的業務は（株）FUDAI（大阪府堺市・大阪公立大学内）に委託されている。

2. コースの特徴

本コースの基本コンセプトは，外傷外科手術のスキルトレーニングに限定せず，治療戦略決定能力，外傷外科看護学の実践能力，チームワークの構築やチームマネジメント能力の習得を目指すことである。SSTTコースは，この基本コンセプトのもと，受講者の目的にあわせて，標準コースと座学コースの2種類から受講するコースを選択することが可能となっている。表5-2-4にその概要を示す。また，近年のコロナ禍の影響で集合型コース開催が困難となってきたことから，2021年より座学コースをwebで受講できる座学webコースが追加されている。

標準コースの目的は，外傷外科医の養成のみならず，外傷診療に関する共通認識をもった外傷外科手術チームを養成することである。コースは動物を用いた手術実習を含む2日間の構成となっており，必ず同一施設の医師2名，看護師2名のチームで参加する。

一方，座学コースの目的は，外傷外科手術には直接的には携わらないが，初期診療や術後の集中治療などで外傷外科手術症例の診療にかかわる医師や看護師が，その考え方を理解することである。コースは講義と討論のみの1日間の構成となっており，個人参加が可能である。また座学webコースはこのコースをweb上で受講できるよう開発されたものである。

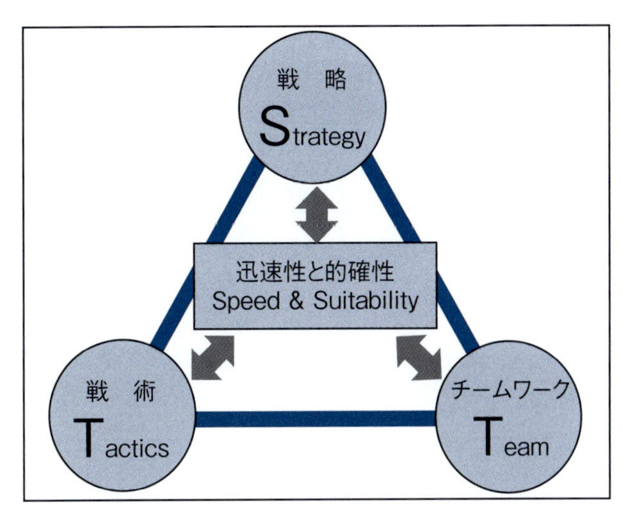

図5-2-2 重症外傷診療に必要なSSTT

3. コースの概要

本コースでは，とくに外傷外科手術を成功裏に完遂させるために欠かすことのできない4つの要素を繰り返し学習する。その4つの要素とは，「迅速性と的確性：speed and suitability」「戦略：strategy」「戦術：tactics」「チームワーク：team」であり（図5-2-2），これらの頭文字をつなげると本コース名である「S・S・T・T」となる。外傷診療における戦略，戦術，チームの重要性は，JETECの内容にも通じるものであり，これらはいずれも迅速かつ的確に実践されなければならない。本コースでは，常に「S・S・T・T」の4つの要素を確立することの重要性を学習する。

表5-2-5に標準コースのプログラムを示した。標準コースは2日間で構成されており，第1日目には座学による外傷外科学および外傷外科看護学の総論と各論を学習し，さらに戦略決定・チームワーク構築についての学習を深めるため，チームシミュレーションである「decision making」のセッションを設けている。また，翌日の手術実習を見据えて，シミュレータを用いたチームワーク・シミュレーションを行う。

第2日目には初日に学習した内容を踏まえ，実際の手術室と同様の環境下で動物を使用した手術実習を行う。この実習も単なるスキルトレーニングだけではなく，実際の手術を想定し戦略決定やチームワーク構築を意識した戦術トレーニングとなっている。治療戦略は病院の設備やシステムに影響を受けることから，参加チームの各病院に応じた「S・S・T・T」の確立を目指して実習を行う。

標準コースは，定点開催地である大阪府泉州救命救急センター/大阪公立大学獣医学部（大阪府泉佐野市）および自治医科大学（栃木県下野市）での開催にとどまらず，出張開催にも対応しており，川崎医科大学，千葉大学，大分大学など定点以外で開催されたコースをあわせると，2022年末までに計55回開催されている。

表5-2-6に座学コースのプログラムを示した。座学コースは1日間で構成されており，外傷外科学および外傷外科看護学の総論と各論の講義に加えて，戦略決定・チームワーク構築について学びを深めるため，標準コースと同様に「decision making」のセッションを設けている。外傷外科手術症例の診療に手術以外の観点で携わる救急医・集中治療医・麻酔科医や，手術室や集中治療室などで勤務する看護師が，外傷外科手術の考え方を学ぶために有用な内容となっている。

座学コースは2012年より全国各地で開催され，2022年末までに22都道府県で計65回開催されている。

4. 今後の課題と展望

標準コースは手術実習を行う必要性から開催できる施設に限りがあるため，多くの需要に応えることができない。今後，全国の動物実習設備を有する施設でのコース展開が進めば，より多くの受講希望者に応えることができると期待される。

表5-2-5(1) 標準コースのプログラム

時間	(分)	内容
1日目		
9：00〜9：10	10	イントロダクション
9：10〜9：30	20	第1章 外傷外科手術における治療戦略の重要性（本コースの目的）
9：30〜9：45	15	第2章 外傷手術に必要な多発外傷患者の特殊性 • 外傷外科の特殊性 • 外傷外科とショック • 外傷死の三徴
9：45〜10：20	35	第3章 ダメージコントロール戦略 • Primary surveyにおけるCのコントロール • 緊急手術の決定 • 止血 • ダメージコントロール • 腹部コンパートメント症候群の予防
10：20〜10：30	10	（休憩）
10：30〜11：10	40	第4章 チームワークの構築 1 • リーダーシップ
11：10〜12：10	60	第4章 チームワークの構築 2 • SBAR • 医療コミュニケーション学
12：10〜12：50	40	（昼食）
12：50〜13：40	50	第5章 外傷外科看護学 〜看護師の役割〜
13：40〜13：50	10	（休憩）
13：50〜14：30	40	decision making 1
14：30〜14：40	10	（休憩）
14：40〜15：20	40	第6章 腹部外傷 1 • crash laparotomy • 肝損傷 • 摘出可能な臓器損傷（腎損傷，膵尾部損傷，脾損傷）
15：20〜15：30	10	（休憩）
15：30〜16：00	30	チームワーク・シミュレーション
16：00〜16：10	10	（休憩）
16：10〜16：40	30	第6章 腹部外傷 2 • 膵頭部周辺損傷 • 腹部大血管損傷 • 消化管損傷 • 一時的閉腹法
16：40〜16：50	10	（休憩）
16：50〜17：30	40	decision making 2
17：30〜17：40	10	（休憩）
17：40〜18：20	40	第7章 胸部外傷 • 左前側方開胸による緊急開胸（RT） • 大動脈遮断 • 肺裂傷 • 心裂傷 • 胸部大血管損傷

また，2020年以降，新型コロナウイルス感染症の蔓延に際し，コースの集合開催が困難な状況となっている。withコロナ時代のコース持続開催に向け，標準コースの1日目をweb開催で対応することとした。また，座学コースについては完全web開催に対応し，2022年末までに13回の開催実績がある。今後はweb座学コースを恒常的な座学コースとしての位置づけに発展させることも視野に入れている。

5. まとめ

SSTTコースは，日本独自の外傷外科手術トレーニングシステムであり，戦術重視型ではなく，同時に治療戦略を習得し，これをチーム医療として実践するためのトレーニングを行うことができるコースである。

Ⅲ DIRECTセミナー

1. コース開発の経緯

外傷診療における画像診断および経カテーテル動脈塞栓術（TAE）を中心とした血管内治療（IVR）やバルーンを用いた大動脈遮断（REBOA）の役割は，機器の発達とともに年々大きくなってきている。わが国では放射線科がIVRを担当することが多いが，

表5-2-5(2)　標準コースのプログラム

2日目		
時間	(分)	内　容
8：30〜9：30	60	decision making　3
9：30〜10：00	30	第8章　実験動物倫理
10：00〜10：30	30	ポストテスト
10：30〜11：20	50	(昼食)
11：20〜13：15	115	手術実習1 • イントロダクション　5分 • 緊急開胸（左前側方開胸）　10分 • crash laparotomy　10分 • 肝損傷　20分 • Mattox手技　20分 • 脾臓損傷　20分 • 腎損傷　20分 • 膵損傷　10分
13：15〜13：25	10	(休憩)
13：25〜14：35	70	手術実習2 • 膵頭部周辺損傷，Cattell-Braasch手技　10分 • 腸管損傷　10分 • 下大静脈損傷　10分 • 大動脈損傷　20分 • vacuum packing closure　20分
14：35〜14：45	10	(休憩)
14：45〜15：45	60	手術実習3 • 下肺靱帯の切離　10分 • 肺裂傷，肺門遮断，肺部分切除とtractotomy　20分 • 心嚢切開　10分 • clamshell開胸と心縫合術　20分
15：45〜16：00	15	片付け（機器の片付け，手術機器カウント，タンパク除去操作など）
16：00〜16：20	20	(休憩)
16：20〜16：40	20	反省会　　グループディスカッション
16：40〜17：00	20	終わりの会，受講証授与

放射線科医のマンパワーにも限りがあるため，外傷の画像診断やIVRに24時間365日は対応していない施設が多い。そのため，初療医は自ら検査方法（適応，検査機種，撮影方法など）を判断し，画像診断を行うことが多い。放射線科による緊急IVRが不可能もしくは開始まで時間を要する施設では，初療医が自らIVRを担当するなどの対応をしていることもある。これらを踏まえ，救急・外傷診療において迅速かつ適切な画像診断・IVRを活用するための知見および技術を共有すべく，2011年7月にDIRECT（Diagnostic and Interventional Radiology in Emergency, Critical care, and Trauma）研究会を設立した。画像診断やIVRチームが迅速に外傷診療に携わり，時間を意識した診療として活用する[5]ことを目的としている。

DIRECT研究会は救急医療に携わるすべての医療従事者を対象とし，会員数は1,700名を超えている（2023年5月現在）。IVRセミナー開発委員会，画像診断セミナー開発委員会，国際委員会，学術委員会，企画委員会から組織され，セミナー開催や国際交流，学術活動を行っている。プログラム詳細や申し込みはホームページ（http://direct.kenkyuukai.jp/）を参照されたい。

新型コロナウイルス感染症の蔓延によりハンズオンコース開催が困難な状況においては，オンラインコースを新たに取り入れた。

2. コースの特徴

1）外傷画像診断コース

Wi-Fiに接続可能なノートパソコンやタブレット端末を用い，クラウド型DICOM viewerを用いて，受

表5-2-6　座学コースのプログラム

時間	(分)	内　容
9：00～9：10	10	イントロダクション
9：10～9：30	20	第1章　外傷外科手術における治療戦略の重要性（本コースの目的）
9：30～9：50	20	第2章　外傷手術に必要な多発外傷患者の特殊性 • 外傷外科の特殊性 • 外傷外科とショック　• 外傷死の三徴
9：50～10：00	10	（休憩）
10：00～10：30	30	第3章　外傷初療と治療戦略の決定 • primary surveyにおけるCのコントロール • 緊急手術の決定　• 止血　• ダメージコントロールの概念 • 腹部コンパートメント症候群の予防
10：30～11：30	60	第4章　チームワークの構築
11：30～11：40	10	（休憩）
11：40～12：30	50	第5章　外傷外科看護学　～看護師の役割～ • 看護師の戦略・戦術・チームワーク
12：30～13：20	50	（昼食）　メーカープレゼン
13：20～14：20	60	第6章-1　decision making 1 • crash laparotomy　• 肝損傷 • 摘出可能な臓器損傷（腎損傷，膵尾部損傷，脾損傷）
14：20～14：30	10	（休憩）
14：30～15：30	60	第6章-2　decision making 2 • 膵頭部周辺損傷　• 腹部大血管損傷 • 消化管損傷　• 一時的閉腹法
15：30～15：40	10	（休憩）
15：40～16：20	40	第7章-1　decision making 3 • 左前側方開胸による緊急開胸（RT） • 大動脈遮断　• 肺裂傷
16：20～16：30	10	（休憩）
16：30～17：00	30	第7章-2　decision making 4 • 左前側方開胸による緊急開胸（RT） • 大動脈遮断　• 心裂傷
17：00～17：20	20	終わりの会，受講証授与

講生が自ら画像をスクロールし，画像の濃淡を変更しながら読影している。読影のコツやピットフォールの学習効果を最大にすべく，少人数制ワークショップを採用している（図5-2-3）。

外傷画像診断コースでは，JATECコースでも取り上げられている3段階読影を主としている。JATECコースのウェブセクションでは時間的制約から読影の第1段階（FACT）しか扱うことができない。しかし本コースでは読影の第2段階や，画像所見から治療方針への考え方などの解説も加えている[6]。内因性疾患コースでは，common diseaseではあるが見逃してはならない重要疾患を題材として，受講前にクラウド上の画像を読影・回答し，コース当日には解説を加えながら，基本的な画像所見から適切に画像情報を得るための工夫を解説している。またコース終了時に再度読影して，読影能力の向上を実感できるようにしている。

画像診断セミナー開発委員会では，日本救急医学会，日本外傷学会，日本腹部救急医学会の総会・学術集会の日程に合わせた症例検討会も開催してきた。画像診断セミナーと同様に参加者各自が十分に画像評価を行い，アナライザーを用いた双方向的な議論を踏まえ，1症例当たり40分以上かけて提示症例を共有・議論している。

2）IVRハンズオンセミナー

IVRハンズオンセミナーには，ドライラボコースとウェットラボコースがあり，いずれも少人数のグループで実際に受講生が手を動かして“ハンズオン”体験しながら技術を習得することを目的としている（図5-2-4）。ドライラボコースでは小グループでのセミナー時間を最大限に確保し，5つのブースを

図5-2-3 外傷画像診断コース

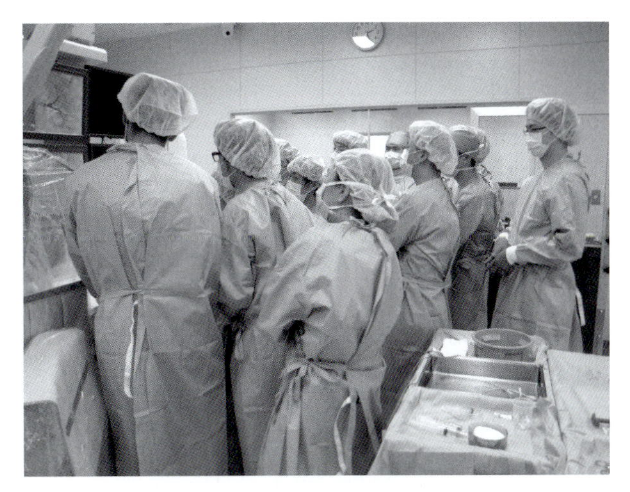
図5-2-4 IVRウェットラボコース

ローテーションして講義や実技を行っている。ウェットラボコースでは，動物モデル（ブタ）を用いて実際の動脈でカテーテル操作や動脈塞栓〔塞栓物質としてはコイル，NBCA，ゼラチンスポンジ製材など〕の実技を行っている。コイルやNBCAといったIVR手技に焦点を当てたコースに加え，開腹下に損傷モデルを作成してシナリオを用いた実践的アプローチを体験するコースも開催している。

ハンズオンコースの受講は救急・外傷IVRに必要な知識や技術を学ぶ場として有用であるものの，術者として行うための手技を十分に体得する機会としては不十分である。本コースの位置づけは，救急・外傷IVR特有の知識の習得および，IVR術者として歩むきっかけとなることである。

3）REBOAコース

REBOAはIVRよりも広く初療担当医が術者として施行することが期待される。2019年12月より，それまでIVRコースの1セクションであったREBOAに関する部分を拡充して独立したコースとした。ハンズオンコースはその内容が適応や手技に偏りがちであるが，留置した後の管理や合併症をより詳細に言及するコースとした。

新型コロナウイルス感染症の蔓延により，ハンズオンコースの開催が困難となったためにいち早くオンラインコースに切り替えた。一方向的なレクチャーのみとせず，知識の共有は十分にできるようディスカッションを重点的に行っている[7]。

米国では献体を用いた外傷手術手技コースであるASSETコース[8]において，REBOAの導入が進められている。わが国ではDIRECT研究会がASSETコースと協働し，REBOAプログラム（シース留置，IABOカテーテル挿入，バルーン留置）を試行した。わが国でもASSETコースや献体を用いた外傷手術手技教育が広がってきている。大腿動脈カットダウンに引き続きシースを留置し，透視装置が使用可能な場合，ガイドワイヤーやバルーンの視認をしながらの挿入手技を経験できる。さらに，バルーン拡張時の大動脈の状態を目視できる教育機会として，今後の展開が期待される。

3. コースの概要

1）外傷画像診断コース（表5-2-7）

「外傷画像診断の考え方」をテーマとした全体講義の後，小グループに分かれて講義と読影実践を行う（ブース F①，F②，T，S）。最後にグループディスカッションを行い，救急医および放射線科医の両者の視点からのファシリテートのもと，受講生の病院環境を想定して画像診断および治療方針についてディスカッションを行っている。

2）IVRウェットラボコース

生体ブタでの血管造影および種々の物質を用いた塞栓術をインストラクターの指導のもと経験する（図5-2-4）。

3）REBOAコース

(1) ハンズオンコース

体外循環シミュレーターにシリコンチューブと蒟

表5-2-7 外傷画像診断コースプログラムの例

時間	プログラム内容
11:30〜	受付開始
12:00〜12:10（10分）	開会の挨拶・ネットワーク設定・接続テスト
12:10〜12:20（10分）	コース前読影（2症例）
12:20〜12:55（35分）	全体講義：外傷画像診断の考え方
12:55〜13:05（10分）	移動・休憩
13:05〜13:45（40分）	ブースF①
13:45〜13:50（5分）	休憩
13:50〜14:10（20分）	ブースF②
14:10〜14:20（10分）	休憩
14:20〜14:45（25分）	ブースT
14:45〜15:10（25分）	協賛企業PR・休憩
15:10〜16:10（60分）	ブースS
16:10〜16:20（10分）	移動・休憩
16:20〜16:55（35分）	グループディスカッション
16:55〜17:10（15分）	アンケート記入
17:10〜17:15（5分）	総括・閉会の挨拶

F①：読影の第1段階であるFACTについての講義
F②：症例画像を繰り返し読影し実践する
T：画像診断医による「trauma imaging」
S：救急医による「読影の第2段階と治療方針決定の考え方」

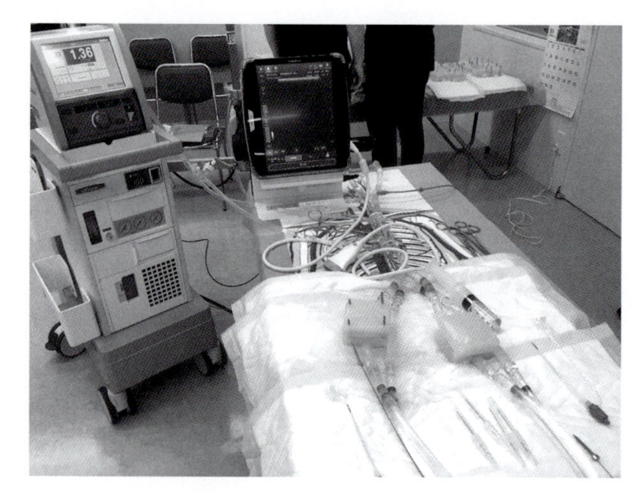

図5-2-5 REBOAコース（ハンズオンコース）

表5-2-8 オンラインコースプログラム

時間	(分)	プログラム内容
12:15〜12:30	15	入室，アイスブレーキング
12:30〜12:35	5	開催の挨拶
12:35〜12:45	10	コース説明，プレテスト
12:45〜13:25	40	Lecture 1：REBOAの基礎知識
13:25〜14:00	35	Lecture 2：非外傷におけるREBOA
14:00〜14:10	10	休憩
14:10〜14:50	40	Lecture 3：動脈アクセス
14:50〜15:30	40	Lecture 4：REBOAの手技
15:30〜15:40	10	休憩
15:40〜16:15	35	Lecture 5：REBOAの合併症
16:15〜16:50	35	Lecture 6：RTとREBOA
16:50〜17:10	20	ポストテスト，全体での質疑応答
17:00〜17:15	15	総括・閉会の挨拶

蒻を組み合わせて，リアルタイムエコーガイド穿刺，シース留置，ガイドワイヤー挿入，カテーテル挿入，バルーン拡張までの一連の手技を全員が繰り返し体験できるようなシミュレーションを開発した（図5-2-5）。

(2) オンラインコース（表5-2-8）

一方向性のレクチャーにとどまらず，少人数のディスカッションにより理解を深めることを特徴としている。

4. 課 題

本研究会運営母体が有志の医師であり，いまだに脆弱であることは否めない。新型コロナウイルス感染症の蔓延によりハンズオンコース開催が難しくなったことも事実である。しかし，web会議の普及により，スタッフ増員やオンラインコース開催が容易になったことで，コース開催が円滑にできるようになった側面もある。集合型研修には一定の制約があるが，教育を止めることなく，今後はオンラインコースと，ハンズオンコースを組み合わせて受講するプログラム考案をしていく。

本セミナーを受講しただけで外傷診療におけるIVRを術者として行うには，知識・経験ともに十分とはいえない。セミナー受講を契機として画像診断やIVRの修練を救急医・外傷専門医が志した先に，習得すべき研修プログラムや受け入れ体制を体系的に整備できることが必要である。

5. まとめ

外傷診療における画像診断とIVRの有用性は論をまたず，救急医・外傷医と放射線科・IVR医とのギャップを埋めることが本研究会の役割である。近年ハイブリッドER導入施設も増え，画像診断・IVR・手術が三位一体となり外傷診療を遂行することはより広く受け入れられている。外傷初療室のすぐ隣にCT装置が配置されていたり，ハイブリッド

ERを有していることでさらに容易にCTを撮影できるようになろうとも，治療に結びつけないかぎり有用性は享受されない。迅速かつ適切な画像診断と，それに引き続くIVRと手術を治療の両輪として達成することが使命となっている。

Ⅳ C-BEST：献体による外傷手術臨床解剖学的研究会

1. コース開発の経緯

1）献体を用いた手術研修とガイドライン

わが国における献体を用いた手術研修は，村上ら[9]によって2003年には始められていたが，死体解剖保存法と献体法に手術研修に関する記載がないことより，同研修の法的疑義が提起されていた。このため，2011（平成23）年に「平成22年度厚生労働科学研究『サージカルトレーニングのあり方に関する研究班』」が法学者・解剖学者を交えた検討を行い，その結果を「『臨床医学の教育研究における死体解剖のガイドライン案』とその解説」として『日本外科学会雑誌』に発表した。現行法の範疇で手術研究を，「社会的にみて正当」な遺体の利用であるから死体損壊罪には該当せず，「医学教育・研究の一環として，医科大学（歯科大学，医学部・歯学部を置く大学）において，死体解剖保存法，献体法の範疇で実施するもの」と，その正当性を解説している[10]。ガイドラインは，2012年4月に正式に発表され，日本外科学会ホームページで閲覧可能である[11]。

2）献体を用いた外傷手術研修のはじまり

東京医科大学において，救急・災害医学分野が人体構造学分野（解剖学教室）と協力し，2007年6月に学内関係者を対象とした第1回「献体による外傷手術臨床解剖学的研究会」を開催した。その後研究会は，学内関係者に対象を限定して，2011年7月までに計8回開催され，参加者は延べ93名に及んだ。研究会後のアンケートでは，参加者の72.5%に実行できる手術手技項目数の増加がみられ，また全員より「外傷手術教育に有用」との回答が得られた[12]。

3）ガイドライン発表後の外傷手術研究会と厚生労働省委託事業

2012年4月に「臨床医学の教育及び研究における死体解剖のガイドライン」が公表されたことを受けて，東京医科大学「献体による外傷手術臨床解剖学的研究会」の対象を学外医師にも拡大する目的を含め，研究会がガイドラインに沿ったものであるか否かの確認作業を行った。

まず，本研究会の目的・必要性は，ガイドラインにある遺体利用のうち，「③確立した手技であるが，難度が高く，高度な技術を要する手術手技：先進的であるためにon-the-job trainingの機会が少ない手術手技や，人体との解剖学的差異から動物を用いたトレーニングが難しい手術手技の習得に必要な解剖の教育や研究を目的とした遺体使用等」に相当することを確認した。次に実施条件の確認を行った。まず本研究会の医学・社会的意義に関しては，東京医科大学献体組織である「東寿会」の理事会・会員総会において説明し，改めて理解を得た。また，献体者の生前同意，および遺族に対しても改めて手術手技研究目的に使用させていただくことの確認を行った。さらに，東京医科大学医学倫理委員会に諮り，承認を得た。

以上の作業によって，本研究会がガイドラインに沿って開催できることを確認し，学外医師に対象を拡大する素地ができた。また，ガイドラインのなかに「広く医療安全を推進する観点から，研修を実施する当該施設以外の医師，歯科医師も研修へ参加可能であることが望ましい」との記載があることも後押しとなった。

ガイドライン公表に合わせ，2012年に厚生労働省は遺体を使用した手術研修の委託事業「平成24年度　実践的な手術手技向上研修事業実施団体」を公募した。東京医科大学は委託事業者の1つに選定され，2012～2019年まで選定となった。これを受け，本研究会は2012年より学外医師も対象とした公募によるオープンコースとなり，2014年からは産業医科大学医学部とも提携して，同内容の研究会を現地で年1回開催している。さらに2017年からは愛媛大学医学部および北海道大学医学部，2019年からは東北大学医学部，2022年からは大分大学医学部，大阪大学医学部でも，現地での同内容の研究会開催が始まっている。

なお，「献体による外傷手術臨床解剖学的研究会」は，2022年より「C-BEST（Cadaver-based educational seminar for trauma surgery）」（商標登録第6502801号）の名称を使用することとなった。

2. コースの概要と特徴

1）基礎コース

(1) 学習資料

事前学習用テキストや動画は用意していないが，2014年より，復習用テキストを参加者に配布している。

(2) 受講対象

医師経験年数3年目以上の救急科医師，または普段は救急医療に従事していないが，必要に応じて従事する外科系医師を主たる対象としている。実際には外科専門医を取得した医師経験年数10年目前後が中心となる。しかし，外科研修を行っていない救急医も対象に入れている。

(3) 開催場所，開催回数

東京医科大学，産業医科大学，愛媛大学，北海道大学，東北大学，大分大学，大阪大学で，年1〜2回開催している。

(4) 受講料

東京医科大学，産業医科大学，愛媛大学，北海道大学，東北大学，大分大学で，年度により変更はあるが，0〜2万円の受講料を徴収している。※受講料は各大学で異なっており，2022年度時点で，北海道大学と大阪大学は無料開催となっている。

(5) 献体固定法

東京医科大学ではホルマリン固定を使用する。なお，産業医科大学，愛媛大学，北海道大学，東北大学，大分大学，大阪大学では，Thiel固定法を使用する。

(6) コース内容

1日間の日程で，基本手技・胸部・血管・腹部骨盤・四肢外傷に関する21手技を履修する（表5-2-9）。受講生は専門医有無・職歴・受講前アンケートから判断した手術習熟度によって，1献体に対して3〜5名を配置したグループ構成で，複数グループに分かれて研修を行っている。

(7) 研修の評価方法

参加者には研究会の受講前・受講直後・受講半年後で，全21手技に対する自己習熟度評価アンケート〔11段階で点数化。0：まったくできない，5：経験者が助手ならできる，10：1人でできる（初期研修医が助手でもできる）〕を行い，習熟度の変化を評価している。これまでの検討で，自己習熟度評価平均点，すなわち手技に対する自信は，受講前と受講直後，受講前と半年後で有意に上昇していた。しかし受講直後と半年後では有意に下降していた。ただし，この結果をサブ解析すると，研修手技を実践し得る職場である救命救急センターに勤務している者では，半年後の評価点は維持されていた。文献的には複数回研修に参加することで，評価点は維持

表5-2-9 「C-BEST（基礎コース）」開催スケジュール

午前 8：00〜　準備 9：00〜 9：20　オリエンテーション，黙祷 9：20〜 9：40 【基本手技】 輪状甲状靱帯切開 胸腔ドレナージ術 9：40〜12：00 【胸部外傷】 心囊開窓術 緊急左開胸術＋大動脈遮断 両側横切開開胸術（clamshell術）※余裕があれば胸骨縦切開も 肺門部遮断術 肺損傷修復術 心房（下大静脈）損傷修復術 心室損傷修復術
午後 13：00〜14：30 【血管外傷】 大腿血管露出 頸部血管露出（外頸動脈結紮） 血管損傷修復（直接縫合，パッチ修復，端々吻合，シャント術） 14：30〜16：00 【腹部・骨盤外傷】 骨盤（後腹膜）ガーゼパッキング 外傷緊急開腹術 肝門部遮断術（Pringle法） 肝損傷ガーゼパッキング 腹部大動脈遮断 左側からの後腹膜アプローチ法（Mattox法）※余裕があれば脾摘出術も 右側からの後腹膜アプローチ法（Cattell-Braasch法） 腎摘出術（＋腎門部コントロール） 開腹術におけるダメージコントロール法 16：00〜16：30 【四肢外傷】 下腿コンパートメント症候群に対する筋膜切開術 16：30〜　黙祷，納棺（納袋），研究会後アンケート記入，後片付け

各セクション前に，実習内容に関する，スライドによるミニ講義を行う

されることも示されている。すなわち，献体研修で実習した手技を実践すること，あるいは献体研修に繰り返し参加することが，研修効果（研修で得た自信）の維持に重要であることがわかった[13)14)]。この繰り返し参加での研修効果維持に関しては，受講後約2年間の経過を追った研究でも確認されている[15)]。さらに，研究会は外科手技研修に乏しい研修医レベルにおいても有用であることも確認されている[16)]。

2）Advancedコース

献体保存法としては，ホルマリン固定法が従来から使われているが，人体・環境毒性の問題や組織が硬くなって手術研修に不向きといった問題がある。国内では，低濃度ホルマリンと食品添加物を使用するThiel固定法が近年使われはじめているが，薬液調整や経済的な問題がある。そこで東京医科大学では，人体構造学分野と共同して，飽和食塩溶液と低濃度ホルマリンによる固定法，飽和食塩溶液固定法による献体の手術研修利用を開発した。この固定法による献体で，「献体による外傷手術臨床解剖学的研究会（基礎コース）」の外傷手術手技を行ったところ，臓器触感もかなり生体に近い状態であり有用であることがわかった[17)]。基礎コース既受講生からの高難度手術研修希望の声を受け，同固定献体を用いて，2015年より全1日間のAdvancedコースを新規開始した。また，Thiel法献体を用いて，2019年には産業医科大学で，2021年には東北大学でAdvancedコースが開催されている。

（1）受講対象

基本的には，基礎コース受講済みの外科医を受講対象としている。

（2）開催場所，開催回数

2022年時点では，東京医科大学，産業医科大学，東北大学のみで年1回開催している。※2020～2021年度は，新型コロナウイルス感染症流行禍の影響で，東京医科大学，産業医科大学ともに開催を見合わせた。

（3）受講料

東京医科大学では2～3万円，東北大学では1.5万円の受講料を徴収している。※2019年度時点で，産業医科大学は無料開催となっている。

（4）献体固定法

東京医科大学では飽和食塩溶液固定法，産業医科大学と東北大学ではTheil固定法を用いている。

表5-2-10 「C-BEST（東京医科大学Advancedコース）」開催スケジュール

午前
9：00～　準備
10：00～10：20（20分） オリエンテーション，黙祷
10：20～11：50（90分） 外傷性肺損傷に対する肺切除術
午後
12：50～14：20（90分） 外傷性肝損傷に対する肝切除術
14：20～15：50（90分） 外傷性腹部大動脈損傷（大動脈瘤）に対する修復術
15：50～17：20（90分） 骨盤骨折に対する，骨盤創外固定＋骨盤（後腹膜）ガーゼパッキング 下腿コンパートメント症候群に対する筋膜切開術
17：20～ 黙祷，納棺（納袋），研究会後アンケート記入，後片付け

各セクション前に，実習内容に関する，スライドによるミニ講義を行う

（5）コース内容・研修の評価方法

東京医科大学でのAdvancedコースの内容を例示するが，1日間の日程で，各臓器に対するエキスパート医師を招聘し，表5-2-10に示す高難度手術を研修する。出血こそ体験できないが，受講生からは肺や肝は実臓器触感に近いとの評価を受けている。本Advancedコースでも11段階の自己習熟度評価スケールを用いているが，自己習熟度評価は研修後に上昇し，自由感想欄からもかなりの満足度がうかがわれる[18)19)]。Advancedコースは，各大学の特色を出したオリジナル内容での開催を推奨しており，東北大学では1）後腹膜腔臓器の解剖および詳細な血管走行の把握・臓器脱転やテーピングの方法・一時的動脈バイパス術・実質臓器の修復や切除，2）高度肝挫滅に対する一時的止血や二期的肝切除のためのGlisson一括処理・外側区域Glisson処理・肝静脈の走行把握と肝切除を行っている（プログラム内容はまだ固定化していない）。産業医科大学では東京医科大学に準じた内容で行われている。

3. 課　題

1）諸経費

研究会開催には，消耗品，人件費，外部講師の交通費などの支出を要する。前述した厚生労働省委託

事業費などの助成を得ている場合は，低額の受講料で済んでいるが，助成を得ていない場合は，前記必要経費を含めた受講料の設定を行っている。ガイドラインでは「営利目的とせず，会計は明瞭性を保つこと」の条件が提示されており，受講料の適正額は検討課題である。

2）評価について

研究会参加者の評価方法に関しては，現在，研究会の受講前・受講直後・受講半年後のアンケートのみに拠っている。他の生体コースではシナリオOSCEによる手技評価や，プレ・ポストテストが行われている。しかし，献体手術研修でOSCEを行うことには，その長所である「時間をかけて丁寧に指導」の根底を崩すこととなり，今後も導入は考えていない。プレ・ポストテストに関しては，検討課題である。

4. まとめ

献体を用いた外傷手術研修では，解剖学的基礎に基づいたアプローチ法と術野の理解を，時間をかけて丁寧に指導することと，手技を反復して行うことが可能である。また，参加者のレベルに応じた教育も可能であり，有効性の高いものと考えられる[18]。

5. その他

「C-BEST：献体による外傷手術臨床解剖学的研究会」を開催する，北海道大学・東北大学・東京医科大学・愛媛大学・産業医科大学・大分大学・大阪大学では，2018年よりコース開催の共有・共通化，さらには新規参入大学への情報・技術提供を目的として，「献体外傷手術研究グループ」を立ち上げている。同グループはホームページ（http://cadaver-basedsurgicaltrainingfortrauma.kenkyuukai.jp/special/?id=30235）も作成し，情報発信している。

V 日本骨折治療学会研修会

1. コース開発の経緯

整形外科医にとって骨折の診断と治療は日常診療で対処しなければならない領域であり，適切な治療法が選択されることが望ましいことはいうまでもない。しかし，2000年以前は系統だった教育を受ける機会が少なく，大学医局に入局後も骨折治療を系統的に学ぶ機会はほとんどなかった。骨折治療のセミナーも開催されていたが，参加者の制限があり，多くは現場での上司の経験に基づく手技であり，よい意味でも悪い意味でも，骨折治療は伝統の継承が行われていた。日本骨折治療学会では，骨折治療の基礎知識とバイオメカニクス，および内固定材の特性を十分理解し，最新の治療技術と内固定材を用いて，骨折外傷に対する標準的で適切な治療法を学会員，非学会員が広く学ぶことを目的として，2006年からベーシックコースを開催した。また経験に基づいた知識も大切であり，2009年から経験豊富な講師による最新のトピックスをテーマにしたアドバンスコースの開催を始めた。

2. コースの特徴

ベーシックコースは主に研修医から専攻医，または骨折治療をもう一度勉強したいという専門医を対象として，骨折治癒の基礎知識からバイオメカニクス，そして日常診療で接することの多い骨折の基本的治療法について総合的に学ぶことを目的にしている。毎回年同じカリキュラムで行われているが，講師は3年ごとに交代し最新の知識を取り入れた整形外科医の標準的治療を指導することを目指している（表5-2-11，表5-2-12）。

アドバンスコースは，ベーシックコースを受講した医師と，整形外科専門医を対象に，難治性骨折や多発外傷，関節内骨折など治療に難渋する外傷についてテーマを絞って深く学ぶことを目的としている。毎年テーマを変え，救急外傷を含め，より難しい外傷の専門的な治療法が学べるコースとしているが，アドバンスコースも数年周期で同じテーマを取り上げつつ，最新の知見を更新している（表5-2-13）。

表5-2-11　ベーシックコースにおける講義項目

	講　義
1	骨折治癒とバイオメカニクス
2	骨折診断のピットフォール
3	骨折保存的治療と外固定法
4	内固定の実際（1）髄内釘
5	内固定の実際（2）プレート
6	創外固定法の実際
7	開放骨折の初期治療
8	骨折治療のリスク・合併症
9	骨折後遺障害と対応
10	多発外傷における骨折治療
11	椎体骨折
12	鎖骨骨折
13	上腕骨骨折
14	小児肘周囲骨折・小児骨折総論
15	橈骨遠位端骨折
16	大腿骨頚部骨折
17	大腿骨転子部骨折
18	膝周囲（膝蓋骨を含む）骨折
19	足関節部（踵骨を含む）骨折
20	病的骨折

表5-2-12　ベーシックコースの開催会場と受講者数

回数	開催年度	開催日	開催地	参加人数
第1回	2006年度	9/17～18	上原記念ホール	274
第2回	2007年度	9/23～24	軽井沢プリンスホテル	193
第3回	2008年度	10/12～13	東京医科大学臨床講堂	319
第4回	2009年度	10/11～12	東京医科大学臨床講堂	248
第5回	2010年度	9/19～20	東京医科大学臨床講堂	236
第6回	2011年度	9/18～19	京王プラザホテル	234
第7回	2012年度	10/20～21	京王プラザホテル	234
第8回	2013年度	9/15～16	京王プラザホテル	279
第9回	2014年度	9/14～5	京王プラザホテル	244
第10回	2015年度	10/11～12	パシフィコ横浜	283
第11回	2016年度	10/9～10	神戸ポートピアホテル	250
第12回	2017年度	9/17～18	神戸ポートピアホテル	251
第13回	2018年度	9/23～24	神戸ポートピアホテル	232
第14回	2019年度	9/22～23	神戸ポートピアホテル	239
中止	2020年度	9/20～21	神戸ポートピアホテル	
第15回（オンデマンド）	2021年度	9/19～20	神戸ポートピアホテル	250
第16回（オンデマンド）	2022年度	9/18～19	神戸ポートピアホテル	177

3. コースの概要

年に1回開催され，会期は2日間で各コース定員は300名である。ベーシックコースは毎年同じ項目で，骨折治療の基礎と骨折部位別に診断から治療まで約20名の講師による座学が行われている。アドバンスコースは毎年1～2題のテーマに対してスペシャリストによる講演と症例検討，ディスカッショ

表5-2-13　アドバンスコースのテーマと受講者数

回数	開催年度	開催日	開催地	参加人数	テーマ1	テーマ2
第1回	2009年度	10/11～12	東京医科大学臨床講堂	98	多発外傷の治療	骨盤・寛骨臼骨折
第2回	2010年度	9/19～20	東京医科大学臨床講堂	111	脆弱性（高齢者）骨折	骨折合併症と対策（偽関節，感染，変形治癒）
第3回	2011年度	9/18～19	京王プラザホテル	215	関節部骨折の基礎，上肢関節部骨折	下肢関節部骨折
第4回	2012年度	10/20～21	京王プラザホテル	227	骨盤・寛骨臼骨折	小児骨折
第5回	2013年度	9/15～16	京王プラザホテル	193	多発外傷	脆弱性骨折
第6回	2014年度	9/14～15	京王プラザホテル	212	下肢関節内骨折	上肢関節内難治性骨折への挑戦
第7回	2015年度	10/11～12	パシフィコ横浜	190	骨折合併症と対策	難治性骨折－治療の難しい骨折の急性期の乗り切り方
第8回	2016年度	10/9～10	神戸ポートピアホテル	210	関節内骨折	
第9回	2017年度	9/17～18	神戸ポートピアホテル	153	緊急対応を要する整形外傷	骨盤輪・寛骨臼骨折
第10回	2018年度	9/23～24	神戸ポートピアホテル	226	脆弱性骨折（非定型骨折を含む	小児の骨折
第11回	2019年度	9/22～23	神戸ポートピアホテル	144	下肢関節内骨折	上肢関節内骨折
中止	2020年度	9/20～21	神戸ポートピアホテル	中止		
中止	2021年度	9/19～20	神戸ポートピアホテル	中止		
第12回	2022年度	9/18～19	神戸ポートピアホテル	69	脱臼（靱帯解剖，脱臼整復不能例を含む）の治療	論じてこられなかった骨折

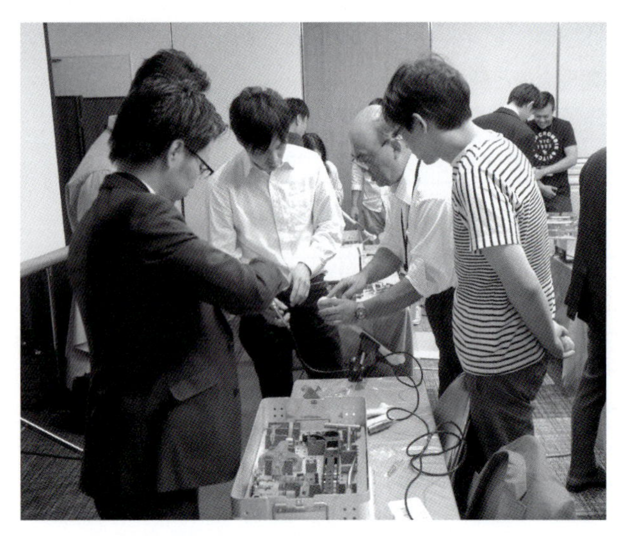

図5-2-6　ハンズオンセミナー

ンを行う。また第1日目終了後は骨模型を用いたハンズオンセミナーが行われる（図5-2-6）。

4. 今後の課題

1）会場・参加者確保

最低300名が参加できる会場が2つ必要で，近年のソーシャルディスタンスを配慮すると使用できる会場が限られる。加えて，最後列でも見える大きなスクリーンまたは補助スクリーンが使えること，経費的にも安い場所を確保する必要がある。研修会は若手の医師を主な参加対象としているため，休みの取りやすい2日間（日曜日，祭日の連休）に行っている。さらに交通の利便性も配慮する必要がある。

2）ランチョンセミナー，ハンズオンセミナー

近年，製薬会社や医療機器メーカーの十分な協賛が得られ難い状況である。また，得られた場合でも限られた分野の会社に偏る傾向があり，講演内容などの制限もある。

3）展　望

日本骨折治療学会としては，ベーシックコース研修会は，整形外科専攻医すべてに参加してもらうことを目指している。今後は，学会ホームページだけでなく，広報できる方法が検討される。

5. まとめ

日本骨折治療学会研修会は，骨折治癒の基礎知識やバイオメカニクス，日常診療で接する機会の多い骨折の基本的治療法と治療に難渋する外傷症例群について系統立てて学べる研修会である。

文献

1) Jacobs LM, Luk SS：Advanced Trauma Operative Management. 2nd ed, Ciné-Med, Woodbury, 2010.
2) Boffard KD：Manual of Definitive Surgical Trauma Care. Hodder Arnold, London, 2003.
3) 渡部広明，井戸口孝二，水島靖明，他：Surgical Strategy and Treatment for Trauma（SSTT）コース；日本独自の外傷外科手術トレーニングコース．Jpn J Acute Care Surg 2012；2：42-48.
4) 外傷外科手術治療戦略（SSTT）コース運営協議会編：外傷外科手術治療戦略（SSTT）コース公式テキストブック，改訂第2版，へるす出版，東京，2018.
5) Matsumoto J, Lohman BD, Morimoto K, et al：Damage control interventional radiology（DCIR）in prompt and rapid endovascular strategies in trauma occasions（PRESTO）：A new paradigm. Diagn Interv Imaging 2015；96：687-691.
6) 一ノ瀬嘉明，松本純一，船曳知弘，他：時間を意識した外傷CT診断；Focused Assessment with CT for Trauma（FACT）からはじめる3段階読影．日外傷会誌 2014；28：21-31.
7) Funakoshi H, Matsumura Y, Maruhashi T, et al：Difference in postcourse knowledge and confidence between Web-based and on-site training courses on resuscitative endovascular balloon occlusion of the aorta. Acute Med Surg 2021；8：e707.
8) Bowyer MW, Kuhls DA, Haskin D, et al：Advanced Surgical Skills for Exposure in Trauma（ASSET）：The first 25 courses. J Surg Res 2013；183：553-558.
9) 村上弦：外科系医師の卒後研修としてのfresh cadaver dissectionと生前同意．日本医事新報 2005；4261：53-58.
10) 七戸俊明，近藤哲，井出千束，他：「臨床医学の教育研究における死体解剖のガイドライン案」とその解説．日外会誌 2011；112：267-272.
11) 日本外科学会：「臨床医学の教育及び研究における死体解剖のガイドライン」について．https://jp.jssoc.or.jp/modules/aboutus/index.php?content_id=27（Accessed 2022-2-15）
12) 本間宙，金子直之，織田順，他：献体による外傷手術臨床解剖学的研究会；日本版DSTSを目指して．Jpn J Acute Care Surg 2012；2：55-61.
13) Homma H, Oda J, Yukioka T, et al：Effectiveness of cadaver-based educational seminar for trauma surgery： Skills retention after half-year follow-up. Acute Med Surg 2017； 4：57-67.
14) 本間宙，織田順，行岡哲男，他：献体による外傷手術臨床解剖学的研究会の受講効果；半年後の手術手技維持に関する研究．日救急医会誌 2017；28：145-155.
15) Homma H, Oda J, Sano H, et al：Repeated participation in the cadaver-based educational seminar for trauma surgery（C-BEST）could maintain training effects: Skill retention at a 2-year follow-up. Signa Vitae 2021；18：88-96.
16) Homma H, Oda J, Sano H, et al：The effectiveness of the cadaver-based educational seminar for trauma surgery（C-BEST）for residents. Signa Vitae 2022；18：115-121.
17) Hayashi S, Homma H, Naito M, et al：Saturated salt solution method：A useful cadaver embalming for surgical skills training. Medicine 2014；93：e196.
18) 本間宙，織田順，佐野秀史，他：献体による外傷手術臨床解剖学的研究会．日外会誌 2017；118：532-538.
19) Homma H, Oda J, Sano H, et al：Advanced cadaver-based educational seminar for trauma surgery using saturated salt solution-embalmed cadavers. Acute Med Surg 2019；6：123-130.

欧文略語一覧

略語	原語
6MWT	6 Minutes Walk Test
AAST	American Association for the Surgery of Trauma
AAOS	American Academy of Orthopaedic Surgeons
ABC	assessment of blood consumption
ABFC	aortography with bilateral femoral compression
ACCP	American College of Chest Physicians
ACOTS	acute coagulopathy of trauma-shock
ACS	abdominal compartment syndrome
ACS-COT	American College of Surgeons Committee on Trauma
AEC	auto exposure control
AECC	The American-European Consensus Conference
aFACT	advanced FACT
AKI	acute kidney injury
ALI	acute lung injury
ANZAST	The Australian and New Zealand Association for the Surgery of Trauma
AO	Arbeitsgemeinschaft für Osteosynthesefragen
AP-1	activator protein-1
APC	anterior posterior compression
APP	abdominal perfusion pressure
APRV	airway pressure release ventilation
APTE	acute pulmonary thromboembolism
APTT	activated partial thromboplastin time
ARDS	acute respiratory distress syndrome
ARR	absolute risk reduction
ASIA	American Spinal Injury Association
ASSET	Advanced Surgical Skills for Exposure in Trauma
ATC	acute traumatic coagulopathy
ATOM	Advanced Trauma Operative Management
BAD	branch atheromatous disease
BCAA	branched-chain amino acid
BCVI	blunt cerebrovascular injury
BD	base deficit
BE	base excess
BEST	Better and Systematic Trauma Care
BPS	behavioral pain scale
BT	bacterial translocation
bTBI	blast-induced traumatic brain injury
BTS	British Trauma Society
CAM-ICU	Confusion Assessment Method for the Intensive Care Unit
CaO_2	arterial oxygen content
CARS	compensatory anti-inflammatory response syndrome
CASI	Cognitive Abilities Screening Instrument
CAT	Combat Application Tourniquet
CBF	cerebral blood flow
CDC	Centers for Disease Control and Prevention

略　語	原　語
CFE	cerebral fat embolism
CM	combined mechanisms
CO	cardiac output
COA	Conductor-Operator-Assistant
COT	coagulopathy of trauma
CP	Comorbidity-Polypharmacy
CPAP	continuous positive airway pressure
CPM	continuous passive motion
CPP	cerebral perfusion pressure
CPTE	chronic pulmonary thromboembolism
CRM	Crew Resource Management
CST	cadaver surgical training
CTEPH	chronic thromboembolic pulmonary hypertension
$C\bar{v}O_2$	mixed venous oxygen content
CVP	central venous pressure
CWIS	Chest Wall Injury Society
DAI	diffuse axonal injury
DAMPs	damage-associated molecular patterns
DCIR	damage control IVR
DCO	damage control orthopaedics
DCR	damage control resuscitation
DCUH	dose controlled unfractionated heparin
DGU	German Trauma Society
DIC	disseminated intravascular coagulation
DIRECT	Diagnostic and Interventional Radiology in Emergency, Critical care, and Trauma
$\dot{D}O_2$	oxygen delivery index
DOAC	direct oral anticoagulant
DPA	diagnostic peritoneal aspiration
DPL	diagnostic peritoneal lavage
DRS	Disability Rating Scale
DSATC	Definitive Surgical Anesthesia Trauma Care
DSM-Ⅳ	diagnostic and statistical manual of mental disorders- Ⅳ
DSTC	Definitive Surgical Trauma Care
DVT	deep vein thrombosis
EAC	early appropriate care
EAF	enteroatmospheric fistula
EAU	European Association of Urology
ECF	enterocutaneous fistula
ECLS	extracorporeal life support
ECMO	extracorporeal membrane oxygenation
EDT	emergency department thoracotomy
EGDT	early goal-directed therapy
ERCP	endoscopic retrograde cholangiopancreatography
EM	early mobilitization
ERT	emergency room thoracotomy
ESTES	European Society for Trauma and Emergency Surgery
ETC	early total care
EVLWI	extra vascular lung water index

略　語	原　語
FACT	focused assessment with CT for trauma
FACTT	Fluid and Catheters Treatment Trial
FDP	fibrin/fibrinogen degradation products
FE	fat embolism
f-ECF	functional extracellular fluid
FES	fat embolism syndrome
FES	functional electrical stimulation
FFP	fresh frozen plasma
FG	filtration gradient
FIM	Functional Independence Measures
GCD	gradient compression stocking
GCS	Glasgow Coma Scale
GDT	goal directed therapy
GOSE	Glasgow Outcome Scale Extended
GVHD	graft versus host disease
HA/CMC	hyaluronic acid and carboxymethyl cellulose
HAMPs	homeostasis-altering molecular processes
HEMS	helicopter emergency medical service
HERS	Hybrid ER System
HFV	high-frequency ventilation
HME	heat and moisture exchanger
HMGB1	high-mobility group box nuclear protein 1
HR	hemostatic resuscitation
IABO	intraaortic balloon occlusion
IAH	intra-abdominal hypertension
IAP	intra-abdominal pressure
IATSIC	International Association for Trauma Surgery and Intensive Care
ICAM-1	intercellular adhesion molecule-1
ICDSC	Intensive Care Delirium Screening Checklist
ICP	intracranial pressure
ICU-AW	ICU-acquired weakness
IDSA	Infectious Disease Society of America
IMD	immune modulating diet
iNOS	inducible NO synthase
IPC	intermittent pneumatic compression
ISNCSCI	International Standards for Neurological Classification of Spinal Cord Injury
ISS	Injury Severity Score
ISTH	International Society on Thrombosis and Haemostasis
IVAC	infection-related ventilator-associated complication
J-SSCG	The Japanese Clinical Practice Guideline for Management of Sepsis and Septic Shock
LC	lateral compression
LCF	Level of Cognitive Function
LDUH	low-dose unfractionated heparin
LIP	lower inflection point
LMWH	low molecular weight heparin
LSI	Limb Salvage Index
LVEDd	left ventricular end-diastolic diameter
LWE	local wound exploration

略　語	原　語
MAI	minimal aortic injury
MAP	mean arterial pressure
MARCH	massive hemorrhage, airway, respiration, circulation, head injury/hypothermia
MESS	Mangled Extremity Severity Score
MIF	macrophage migration inhibitory factor
MIO	minimally invasive osteosynthesis
MISS	minimally invasive spinal surgery
MMSE	Mini-Mental State Examination
MMT	manual muscle testing
MODS	multiple organ dysfunction syndrome
MPR	multiplanar reconstruction
MRCP	magnetic resonance cholangiopancreatography
MTP	massive transfusion protocol
NASA	National Aeronautics and Space Administration
NBCA	n-butyl-2-cyanoacrylate
NCSE	nonconvulsive status epilepticus
NCTH	noncompressible torso hemorrhage
NET	neutrophil extracellular traps
NFκB	nuclear factor κ B
NHDS	National Hospital Discharge Survey
NISSSA	the Nerve Injury, Ischemia, Soft Tissue Injury, Skeletal Injury, Shock, and Age of Patient Score
NNT	number needed to treat
NOAC	novel anticoagulants
NOM	non-operative management
NOTECHS	Non-TECHnical Skills
NOTSS	Non-Technical Skills for Surgeons
NPE	neurogenic pulmonary edema
NPWT	negative pressure wound therapy
NRS	numeric rating scale
NTDB	National Trauma Data Bank
OAM	open abdomen management
ODA	objective data assessment
OPSI	overwhelming postsplenectomy infection
ORP	Operative Room Personnel
OTA	Orthopaedic Trauma Association
OTAS	Observational Teamwork Assessment for Surgery
PAC	pulmonary artery catheter
PACS	Picture Archiving and Communication Systems
PAD	pain-agitation-delirium
PAI-1	plasminogen activator inhibitor-1
PAMPs	pathogen-associated molecular patterns
PAOP	pulmonary artery occlusion pressure
PATI	penetrating abdominal trauma index
PCC	prothrombin complex concentrate
PCD	pneumatic compression device
PC-FC	pulmonary contusion with flail chest
PCT	procalcitonin
PDGF	platelet derived growth factor

略語	原語
PDR	Preventable Trauma Death Rate
PEEP	positive endexpiratory pressure
PHP	perihepatic packing
PICS	persistent inflammation, immunosuppression, and catabolism syndrome
PICS	post-intensive care syndrome
PIPS	performance improvement and patient safety
PMX-DHP	polymyxin B-immobilized direct hemoperfusion
PPP	preperitoneal pelvic packing
PPSV23	23-valent pneumococcal polysaccharide vaccine
PPV	pulse pressure variation
PRBC	packed red blood cell
PRIS	propofol infusion syndrome
PRRs	pattern recognition receptors
PSI	Predictive Salvage Index
PT	prothrombin time
PTA	percutaneous transluminal angioplasty
PTD	preventable trauma death
PTE	pulmonary thromboembolism
PTFE	polytetrafluoroethylene
PTT	partial thromboplastin time
PVI	pleth variability index
PVPI	pulmonary vascular permeability index
RAP	risk assessment profile
RASS	Richmond Agitation-Sedation Scale
REBOA	resuscitative endovascular balloon occlusion of the aorta
rSIG	reverse shock index multiplied by Glasgow Coma Scale score
RT	resuscitative thoracotomy
RTS	Revised Trauma Score
SaO_2	arterial oxygen saturation
SBAR	Situation, Background, Assessment, Recommendation (Request)
SCCM	The Society of Critical Care Medicine
SCD	sequential compression device
SCIWORA	spinal cord injury without radiographic abnormality
SCIWORET	spinal cord injury without radiologic evidence of trauma
SDC	spine damage control
SDS	safe definitive surgery
SF-36	Medical Outcomes Study 36-Item Short-Form Healthy Survey
SGA	subjective global assessment
SIRS	systemic inflammatory response syndrome
SOL	signs of life
SOP	standard operating procedures
SPV	systolic pressure variation
SSCG	Surviving Sepsis Campaign guidelines
SSI	surgical site infection
SSP	simultaneous stapled pneumonectomy
SSRF	surgical stabilization of rib fractures
SSTT	Surgical Strategy and Treatment for Trauma
STARTT	Standardized Trauma and Resuscitation Team Training

略 語	原 語
SVV	stroke volume variation
$S\bar{v}O_2$	mixed venous oxygen saturation
TARN	Trauma Audit and Research Network
TASH	trauma associated severe hemorrhage
TBI	traumatic brain injury
TBSS	trauma bleeding severity score
TCCC	Tactical Combat Casualty Care
TCDB	Traumatic Coma Data Bank
TEG	thromboelastography
TEMS	Tactical Emergency Medical Services
TENS	transcutaneous electrical nerve stimulation
TES	therapeutic electrical stimulation
TF	tissue factor
TFPI	tissue factor pathway inhibitor
TIC	trauma-induced coagulopathy
TIVS	temporary intravascular shunts
TLAOSIS	Thoracolumbar AOSpine injury score
TLR	toll-like receptor
TMD	trauma medical director
t-PA	tissue-type plasminogen activator
TPM	trauma program manager
TTA	trauma team activation
TXA	tranexamic acid
UFH	unfractionated heparin
UG	ureterogram/ureterography
UIP	upper inflection point
$\dot{V}O_2$	oxygen consumption
VAC	ventilator-associated condition
VAE	ventilator-associated event
VAI	vertebral artery injury
VALI	ventilator-associated lung injury
VAP	ventilator-associated pneumonia
VAS	visual analogue scale
VATS	video-assisted thoracic surgery
VCAM-1	vascular cell adhesion molecule-1
VCF	vena cava filter
VE	videoendoscopic examination of swallowing
VF	videofluoroscopic examination of swallowing
VFPP	virtual fluoroscopic pre-procedural planning
VILI	ventilator-induced lung injury
VKA	vitamin K antagonist
VR	volume rendering
VS	vertical shear
VTE	venous thromboembolism
WAIS	Wechsler Adult Intelligence Scale
WMS	Wechsler Memory Scale
WSACS	World Society of the Abdominal Compartment Syndrome
WTA	Western Trauma Association

索　引

＊青数字は当該用語が詳述されているページを示す。

D

E

M

N

O

P

Q

R

S

T

U

V

W

X

Y

Z

あ

い

う

え

お

か

す

せ

そ

た

ち

つ

て

と

な

に

ね

の

は

ひ

ふ

へ

ほ

ま

み

め

も

ゆ

よ

ら

り

る

ろ

わ

改訂第3版
外傷専門診療ガイドライン　JETEC
戦略と戦術，そしてチームマネジメント

定価（本体価格 15,000 円＋税）

2014年7月2日　第1版第1刷発行
2017年4月14日　第1版第3刷発行
2018年6月20日　第2版第1刷発行
2022年3月31日　第2版第2刷発行
2023年6月1日　第3版第1刷発行
2024年5月30日　第3版第2刷発行

監　修　一般社団法人 日本外傷学会
編　集　日本外傷学会外傷専門診療ガイドライン改訂第3版編集委員会
発行者　長谷川　潤
発行所　株式会社　へるす出版
〒164-0001　東京都中野区中野2-2-3
電話　(03)3384-8035(販売)　(03)3384-8155(編集)
振替　00180-7-175971
http://www.herusu-shuppan.co.jp
印刷所　広研印刷株式会社

ISBN 978-4-86719-068-5